钱

7步创造终身收入

MONEY
MASTER THE GAME

[美] 托尼·罗宾斯 著
刘建位 译

中信出版集团 · 北京

图书在版编目（CIP）数据

钱：7步创造终身收入 /（美）托尼·罗宾斯著；
刘建位译. -- 北京：中信出版社，2018.4
书名原文：MONEY Master the Game
ISBN 978-7-5086-7196-3

I. ①钱… II. ①托… ②刘… III. ①私人投资
IV. ① F830.59

中国版本图书馆 CIP 数据核字（2017）第 009148 号

钱：7步创造终身收入

著　　者：[美] 托尼·罗宾斯
译　　者：刘建位
出版发行：中信出版集团股份有限公司
　　　　（北京市朝阳区惠新东街甲 4 号富盛大厦 2 座　邮编　100029）
承 印 者：北京盛通印刷股份有限公司

开　　本：880mm×1230mm　1/32　　印　　张：24　　字　　数：688 千字
版　　次：2018 年 4 月第 1 版　　印　　次：2018 年 4 月第 1 次印刷
京权图字：01-2017-0704　　广告经营许可证：京朝工商广字第 8087 号
书　　号：ISBN 978-7-5086-7196-3
定　　价：88.00 元

献词

未来有很多名字。对于软弱者而言，未来是无法实现的。对于胆小者而言，未来是不可知的。对于勇敢者而言，未来是完美的。

——维克多·雨果

要避免批评，只能什么话也别说，什么事也别做，什么人物也别期望。

——亚里士多德

推荐语

能预测市场并抓住暴富机会的人都有非凡天赋，而依照本书指出的简单 7 步投资法，普通人同样可以得到非凡的成果。

张昕帆

中信建投证券公司董事总经理

托尼·罗宾斯融会贯通 50 位顶级投资大师智慧，化专业为通俗，提炼出简单、实用 7 步通向财务自由之路，中国亿万普通投资者也都能懂能学能用。坚信长期的力量，精通过去长期战胜市场的中国优秀公募基金，进行合理资产配置，普通人可以更快实现财务自由梦想。

雷继明

汇添富基金公司副总经理

君子爱财，取之有道。中国人从古至今便赋予财富传统文化与道德。托尼·罗宾斯的“道”其实恰恰暗合其中：一生二，二生三，三生万物。没钱的时候想挣钱，有钱之后必须理财。推荐此书，因为它会使我们的理财更加简单。

李朝晖

泰康人寿保险有限责任公司副总裁

乍看书名略显直白，细看便发现这本书想要展示给读者的并不是简单的评论，而是关于财富与人性的精妙之言。无论何时何地，“钱生钱”的金融理财都是最能折射人性的游戏。这本书里关于“成为内行”的规则、实现财务自由的“梦想代价”等内容都在向人们展示作者的财富观，而那些法则与投资大师的故事无不暗含着价值投资的朴素理念。当然，无论是否认同作者的观点，我们都深信：只有当财富的灵魂是爱与认同的时候，金钱才会给人带来幸福。即使实现了作者描述的财务自由梦想，我们也要继续下一个旅程——把财富“留”给你爱的人，把事业“传”给值得你爱的人，把爱与认同一代一代地流传下去。

聂俊峰

北京银行私人银行总经理

以“钱”之微，知“投资理财”之著，托尼·罗宾斯提炼出简单7步投资法，深入探讨金钱本质，阔论人生自由、幸福的含义。巨著引路行天下，七旨在心田。

林军

航星基金总经理

理财是继健康、家庭、工作之后，我个人认为的第四件人生大事，学会让钱生钱，能让我们承担更多的责任，拥有更高的成就感，也会让家庭及周围的人有更高的安全感、幸福感！理财是我们人生需要掌握的重要个人技能。

王小刚

上海鼎锋资产合伙人

分别于2012、2016、2017年三次荣获私募基金经理金牛奖

心灵自由、财务自由都值得追求。在这本书里你可以找到追求财务自由的答案。

范为

申万宏源证券首席分析师，清华大学、北京大学研究生导师

MONEY MASTER
THE GAME
7 Simple Steps to Financial
Freedom

目 录

第五部分　只赚不赔：创造一个终身收入计划

第六部分　像万里挑一的大师那样投资：亿万富翁战术手册

第七部分　只管去做，尽情享受，尽情分享

MONEY MASTER
THE GAME
7 Simple Steps to Financial
Freedom

推荐序 1

钱每人每天都在用，人人都离不开，人人都在追求，甚至做梦都想要。但是如何赚钱、如何存钱、如何用钱、如何投资，父母不曾教过我们，学校也没有教过我们。我们在学校里学了那么多知识，语文、数学、英语，甚至是文言文、高数、核物理等高难度的内容，但在开始工作之后，因为在日常生活中基本用不到这些东西，我们会逐渐忘记它们。但是我们天天花钱、天天赚钱、天天想钱，却一点儿知识储备也没有，一点儿实务操作技能也没有。

缺什么就要补什么。要快速补充钱的知识，而且是易学易懂易用的真知，有大师智慧做支撑，有真实案例为证，有具体做法、具体产品可操作，让你读过这本书之后，就成为家里投资理财第一人。

我推荐《钱：7 步创造终身收入》这本书，只有一个理由，这本书是最好的投资理财类实务教科书。最好的，没有之一。

这本书的核心和脉络，就是简单 7 步投资法。这本书分为七大部分，对应的是托尼·罗宾斯总结出来的简单 7 步投资法。这 7 步法是托尼·罗宾斯采访巴菲特等 50 位投资理财大师，把他们的投资理财精髓融会贯通，总结提炼出来的。

好多朋友一看这本书这么厚，就被吓跑了。其实这本书的作者是美国励志演讲第一人。首先，他的客户层次很高，他担任私人顾问，指导培训过很多名人，包括美国前总统克林顿、美国网坛巨星小威廉姆斯、电影巨星莱昂纳多·迪卡普里奥、企业家 Salesforce.com 公司创始人马克·贝尼奥夫等。他还担任著名对冲基金都铎投资公司创始人保罗·都铎·琼斯 21 年的私人顾问。其次，他组织的研讨会也是训练营，规模大，效果让参与者震惊。一场活动有 5 000 人甚至上万人一起交流，即时沟通，可以让与会者周末两天持续集中注意力长达50个小时。奥普拉来之前说她根本不可能听上2个小时，但是12个小时之后，她站在椅子上，对着镜头大喊："这是我一生中最棒的体验！"

读这本书，不像是阅读，更像是在听托尼·罗宾斯演讲，像是听他讲了两天，约50个小时的投资理财课，这和你追韩剧、看美剧差不多。书里讲的很多故事都是发生在我们身边的普通人的平凡事，那些人原来也是不管钱的事，但读了罗宾斯的书之后，他们开始重视钱的事，用心打理钱的事，结果他们逐步实现了财务安全，甚至财务自由。财务自由，就是你再也不用只为了多赚钱而拼命了，你的投资理财会给你带来一生稳定持续的现金收入，相当于自己给自己每月稳定地发工资，不工作照样有一份稳定的收入，你可以工作，但只是为了自己高兴而自愿工作。想想看，为了钱工作和为了爱工作，你的心态会有多么大的不同。为钱工作，你是钱的奴隶，为爱工作，钱是你的奴隶，这就是这本书给我上的第一课。积累了足够多的钱，你就能实现财务自由，钱就是自由。钱是身外之物，但自由不是，你做投资理财，目的不是积累更多的钱，而是自由——为了财务自由，为了心灵自由，为了灵魂自由。为了自由，好好打理你的钱吧。为了财务自由，好好读一读这本书吧。

这本书是美国人写的，也是写给美国人的，我们中国人读了会有用吗？

货币有国别之分，理财的基本手段和原则却没有太大的差别。而且，学习这本书的投资理财之道，并结合中国的国情，你会发现实践操作会更简单，会让你更赚钱。比如，这本书出现最多的是401（k），这是美国工作者普遍会参加的雇员退休养老金投资计划。它其实就是雇员出一部分钱，雇主也出一部分钱来投资基金，国家再让出一部分所得税。中国目前没有这种雇员养老金投资计划，所以你读到这些东西时，可以把它们简化成自己存钱、自己定期投资基金就行了。你只看其投资的基本原则，书里涉及的美国的那些法律规定你可以完全忽略。另外，作者讲了很多美国各州征收的所得税。中国各省市不征收地方税，所以碰到这方面的内容，你快速翻过去，大概了解一下就行了。所以中国人读这本书会更轻松，运用这本书讲的投资理财方法也更容易。下面我结合这本书的核心——简单7步投资法，一步一步地来说。

第一步，多存钱。

这本书第一部分讲第一步，其核心就三个字，多存钱。这一点，中国人比美国人强多了。中国人的储蓄率是世界上最高的。但是遗憾的是，现在的“80后”和“90后”的收入比他们的父母高多了，可花钱也多多了，所以他们存的钱反而较少。优秀的传统要发扬光大。要赚钱，先要有钱；要投资，先要有本钱。很多刚工作的人常常陷入一个误区，我钱少，存不下钱，或者也有一些工作一段时间的人情况相反，我钱多，收入高，不用存钱。

这本书却告诉我们，收入高的人，比如那些体育明星、演艺明星，一年的收入比很多普通人工作一辈子所赚到的钱加到一起还要多，可是这些明星有很多人后来都破产了。相反，有很多低收入的普通人，由于坚持存钱，把收入相当大的一部分存起来做稳健投资，结果他们一辈子生活得很安稳，到了晚年还积累了几千万美元的财富，还大笔捐赠做慈善事业。

可是，把收入拿出来相当大一部分存起来，自然会减少你的消费支出，也会让你减少很多享受，平添不少痛苦。那么，怎么样才能多存钱又少遭受痛苦？这本书会告诉你一个诺贝尔经济学奖获得者想出来的巧妙办法，即承诺明天储蓄更多。

存钱了，有本钱了，怎么投资理财，让财富增值更多？投资理财市场是全球最大的市场，投资理财产品的广告到处都是，我要告诉你的只有两个字：小心。小心，千万要小心。这就是第二步。

第二步，少上当。

很多人意识到了投资理财的重要性，购买了各种投资理财产品，并把钱交给那些专业机构的专家来打理。可是事实上，很多投资理财产品和大多数医药保健品一样，你信的只是广告，不是疗效。你的投资是赚钱了，但是赚的钱大部分都进入银行、证券公司、基金公司的口袋里了。但是如果亏了钱，对不起，风险自担，没有一个机构会帮你分担。我在证券公司工作十年，慢慢地明白了，传说中的“十个人炒股，七赔二平一赚”是真的。其实“二平”的那两个人是赚钱的，但是扣除手续费等各种费用之后，他们能持平就很不错了。我在基金公司工作十多年了，结果发现，基金很赚钱，但基民大多数不赚钱，因为大多数基民都是在牛市高位买入，在熊市低位卖出，在长期赚大钱的基金上波段操作却亏了不少钱。有的是自己操作，也有不少是受了只想推销基金的银行理财经理的忽悠。还有一个买基金的大误区是，追逐上一年的业绩冠军基金，这就和在生活中购物时选择去年销量冠军的商品一样，其结果是你亏大了。但二者也有不同，购买上年的销量冠军商品，一般情况下，第二年即使不是冠军也至少还是前十名，可是上一年的基金业绩冠军，经常在下一年跌成了倒数的业绩冠军。尽管这个风水轮流转的事实圈里人都知道，但是基金公司和银行还是会大做广告，推销那些季度和年度的业绩冠军基金，很多外行一听就上当了。隔行如隔山，要进哪一行，就得懂那一行的规矩，唯其如此，才能少上当。

这本书第二部分告诉你9个最大的投资营销谎言，戳穿这些谎言，可以让你少上当。这就像孩子刚刚参加工作一样，走正道最重要，倘若孩子上当受骗走上了歪门斜道，他这辈子就完了。你要是听信那些投资营销谎言，你这辈子也完了，因为你的钱都进了证券公司、经纪人、银行理财经理的口袋里了，你是用自己的钱给别人攒退休养老金。

在我们看破了那些投资营销谎言后，如何走上投资理财的光明大道？这好似你的孩子大学毕业后，对事业和生活做了合理的配置，在达到一定层次之后，这个配置就需要升级，于是他向大师学习，力争出人头地，而且他到了一定年纪之后就会明白什么是比金钱更加重要的财富。这个财富正是这本书投资理财的第五步。别急，我们一步一步来。

第三步，做规划。

我们出门要看地图，确定出门的大概路线。我们的事业也要先定个规划，确定好目标，选择好路径。做投资理财也一样，首先你要定出你的财务目标，说得直白一点，目标就是你要实现财务自由梦想需要多少钱，以及运用你现在的投资理财手段，积累到实现财务自由梦想的足够数量的金钱，需要多少时间，包括需要存多少年，投资多少年。实现财务自由梦想，和养孩子、种树一样，需要时间。一夜暴富，跟快速养大的小鸡一样不可靠，和速生林木一样不结实。这一章是我特别喜欢的一章。记住，弄清楚就是知道具体数字是多少，弄清楚了才会有力量。举一个生活中的例子，我看见很多年轻人一玩手机就是几个小时，很多老年人一看电视就是几个小时，可是这些人，不管老少，到了十字路口为了赶绿灯都会飞奔，只为了节省那几秒或者几十秒。是这些人非常珍惜时间吗？可是他们平时浪费的时间数百倍于等红灯的时间。唯一的区别是，平时看电视、看电脑、看手机时，没有像红绿信号灯这样清楚、巨大的数字显示器。我们都有自己的梦想，但都只停留在梦想阶段，我们没有仔细计算过，实现这样的梦想需要花多少钱。这本书把财务梦想分成五级：财务安全、财务活力、财务独立、财务自由、绝对财务自由。我们都向往美好的生活，但是很多人只是想生活美好，并没有算过它需要你花多少钱、需要你有多高的收入、需要你的投资理财有多高的年收益率。这本书为你提供了五级财务梦想的计算表格，也提供了具体案例，你可以照着算一算。从此你的梦想就不再只是梦想了，你开始了梦想转化为现实的第一步。作者考虑得非常周到，很多年轻的朋友照着一算发现，要实现自己的梦想，按照自己目前的收入水平、收入储蓄比例、投资理财收益增长率，需要的时间为好几十年，这样的梦想太遥远了，可能让你有些灰心丧气，但别放弃！作者给你支了五招，它们可以大大加快你的财富积累速度，让你提前几年甚至几十年实现你的财务梦想。加速财富积累的这五招是，存钱更多，收入更高，税费更少，赚的更多，一举多得。

第四步，做配置。

资产配置，听起来很专业，其实相当于衣服搭配好会更美，食物搭配好会更有利于健康，不同的基金或者股票债券等按不同的比例搭配在一起，会让你更赚钱，而且风险更低。

我在证券投资行业干了 20 多年，这个行业只关注两件事：一个是选股，一个是选时。不信你听一听那些专业投资者和业余投资者的问题，这些问题只有两类：一类是买什么，一类是何时买。时间长了，我才慢慢地明白，慢慢地接受这个事实，选股很重要，选时很重要，但是选股和选时加起来，也没有资产配置的 1/10 重要。我研究巴菲特有十多年，我现在特别喜欢他的那句名言：未来唯一确定的事是不确定。我们都称巴菲特是股神，巴菲特却从来不这样看自己，巴菲特在他致股东的信中一次又一次地说，我的工作是配置。不同的大师，对投资有完全不同的观点，但是所有的大师都认可一点，那就是资产配置是决定投资长期业绩的最重要因素。如果说专业投资者对选股和选时还有一定能力和经验的话，业余投资者在选股和选时上则完全处于劣势。业余投资者要和专业投资者在同一个市场上竞争，只能靠资产配置，所以业余投资者必须更加重视资产配置。

但是资产配置是投资行业最专业的东西，学校的教授讲起它来都会非常复杂，投资教科书上也都是复杂的模型和公式，专业机构里的专业投资者搞的模型和公式比教科书上的更加复杂，业余投资者要搞懂这些资产配置模型，至少要上金融投资的研究生课程。所以给业余投资者讲资产配置，是投资理财类图书最大的挑战。资产配置非常重要，不能不讲，但它非常复杂，很难讲明白。这本书是我看到的讲资产配置最简单、最明白的一本书。中国有个成语是狡兔三窟，托尼·罗宾斯也讲了三大水桶（中国人将水比作财，所以我特意翻译成水桶）。

第一个水桶是安全／安心水桶。这个水桶求稳，只做固定收益投资，本金安全，收益固定，投资的目的不是进攻，而是防守。

第二个水桶是风险／成长水桶。这个水桶求进，可以做股票投资、房地产投资等，投资的目标是追求更高的收益增长。但是收益高，风险也高，所以托尼·罗宾斯特意把风险放在成长前面，称其为风险／成长水桶。

只求稳，太无聊，而且会让你永远没有机会实现梦想。只求进，太激进，可能会让你赔个精光，连基本的生活也维持不了。所以最关键的是要平衡配置，稳中求进，攻守兼备。具体的配置比例因人而异，而且随着你个人的情况变化而发展，因此你也要与时俱进，及时调整，但是最关键的一点是，你一定要把钱分到两个水桶里，既要安全，又要成长。

与其他投资教科书最大的不同是，托尼·罗宾斯还提出，你要配置一小部分钱到你的梦想水桶，要从现在开始，不要等以后钱多了才去追求梦想，拿出自己能够承担的一小部分钱追逐梦想，而且一旦有笔意外之财，你可以把它放到梦想水桶中。对于那些在大牛市舍不得卖出，结果错过了机会的投资者，这是个好主意。

那么你在做好了资产配置，确定了要买入的投资理财产品，比如股票、基金后，究竟什么时候买入最合适？这是个有巨大争议的话题，因为未来永远是不确定的，所以永远没有确定的答案。

什么样的组合长期来看既很稳定又很赚钱？其实答案就在第五部分前两章。我个人觉得这两章应该归入第四部分，就是瑞·达利欧推荐的稳健投资组合，这是托尼·罗宾斯的这本书的第一大卖点。前面讲的投资理财方法，普通投资者都能用。但普通人不知道，那些有钱人，住的和你不一样，吃的、穿的和你不一样，而且有钱人买的投资理财产品和你也不一样。那些高端投资理财产品，普通投资者从来没有见过，甚至从来没有听说过。达利欧做的是私募基金，投资业绩很显著，投资门槛也很高——只有资产达到 50 亿美元的投资者才能进来，而且一次至少要买 1 亿美元的基金。在托尼·罗宾斯的一再劝说下，达利欧终于答应为普通投资者推出他的资产配置普及版。这就和一个中医大师公布了他一生钻研出来的秘方一样，此举让无数人大受裨益。

你做了良好的资产配置，你的资产增值了很大一笔，这是不是可以说你很有钱了，你完全实现财务梦想了？错。资产不是钱，不信，你看看你账上的股票，你再过几年卖出后，你未必能获得现在的价值。再看看你的房子，按照市场价格计算出的它们的价值没有意义，你只有卖出去了，拿到了钱，你才能花。所以，那些有钱人最明白，资产不是钱，真正每月稳稳赚到手的收入才是钱，才是你真正可以花的钱。如何把你的资产转化成可以花的稳定收入？请看第五步。

第五步，稳收入。

我非常喜欢本书第 28 章所讲的故事，仅攀上山峰不是登山英雄，既上的了山又下的来的，才是登山英雄。你光挣的多还不行，你还要把这些资产转化成未来长期稳定的收入才行。最稳健的投资就是保险。

这本书第 28 章推荐大家购买一款保险产品——年金，你可以每月得到稳定的收入，而且不管你活多久，只要你活着，就保证能够得到一份稳定的收入。

这本书第 29 章推荐你购买现代新型年金，这些年金的收益和股票指数涨幅挂钩，你的本金绝对安全，指数涨了你能分享一部分甚至全部上行收益，指数跌了你一分钱也不会亏，你只有上行收益却没有下行风险。原来这种固定指数年金只有有钱人才能买，现在经过托尼·罗宾斯的努力，普通投资者也能购买。

走到第五步，我们已经存了钱，看破了投资理财营销广告的谎言，自己制订好了投资规划，算出了实现财务梦想需要多少钱，知道了用什么方法存钱和投资，明白了需要多少年才能实现梦想，做了合理的资产配置，并且购买了年金保险产品，把资产转化为未来稳定的收入。有了这样高的退休收入，就足够支撑我们梦想的生活方式，从此我们再也不用为钱工作了，我们财务自由了，我们人生自由了，我们心灵自由了。如果你还不满足，还想在投资理财上更上一层楼，在投资游戏上达到更高的水平，你还需要走第六步。

第六步，学大师。

这本书的作者在第1章中提到，为了写作这本书，他采访了50位顶尖投资理财大师，我起初不相信，他是搞励志演讲培训的，是一个投资圈外人，即使是投资圈里人，要见到这么多大师，可能一辈子都无法实现。我真没有想到，托尼·罗宾斯做到了，而且还和这些大师谈得非常深入。比如他采访的约翰·博格，巴菲特称他为自己的英雄偶像，是为美国投资者贡献最大的人。博格原来以为罗宾斯来采访他，不过是和一个外行随便聊聊，结果他们竟然聊了三四个小时，而且聊得非常投入，这完全出乎他的意料。我看了托尼·罗宾斯书中精选出来的12位投资大师的采访记录，非常震惊，这些人，他能采访到就非常不容易了，能谈到这样深的程度，就更加不容易了。能把大师的知识融会贯通，总结提炼出简单7步投资法，让普通投资者即学即用，这是非常大的功德。只看大师的阵容名单，就会让你震惊：投资大师巴菲特、全球第一大对冲基金掌门人瑞·达利欧、全球最大指数基金公司先锋集团创始人约翰·博格、全球最大袭击并购投资人卡尔·伊坎、美国最大证券经纪公司嘉信理财创始人查尔斯·施瓦布，还有20世纪最伟大的投资人约翰·邓普顿爵士等。大师们的观点并不完全相同，但他们的基本原则是相同的。我们可以先从简单易行的投资方法学起，在有了一定的经验积累和财富积累后，再根据个人的特点，更多地模仿最适合自己的一两位大师。

好了，我们终于来到简单7步投资法的最后一步了，我们马上要揭开财富的最大秘密。

第七步，大财富。

前面六步，其实讲的是小财，不是大财。最后第七步告诉我们真正的大财富在哪里。

对于整个人类来说，最大的财富不在过去而在未来。巴菲特说现在和过去不同了，现在是科技的时代。全球股票市值最高的五大公司全部是科技公司，这五大公司的市值占美国 5 000 家上市公司市值总和的 1/10，而几十年前，市值最高的前五大公司都是银行和制造企业。对于我们每个人来说，最大的财富不是金钱，而是激情，感受到生命的激情，才是最大的财富。你活着不是为了钱，而是要用钱活得更好更幸福。这个主题是托尼 · 罗宾斯的特长，他研究了 30 多年，总结出做好三大决策关系到你人生的最大幸福。第一，关注什么。你关注的是你得到的还是你失去的，你能控制的还是你不能控制的。第二，有什么意义。意义就等于情绪，情绪就等于生命。有意义你才有激情，有激情才是真正的生命。第三，要做什么。关注带来意义，意义带来激情，激情激发状态，状态激发行动——持续的行动，行动最终带来改变，从此改变你的人生。

那么财富最终的秘密是什么？它是给予。我们讲的都是如何得到，但是能给你带来最大幸福的不是得到，不是得到更多，不是得到更好，而是给予。托尼 · 罗宾斯告诉我们，给不认识的陌生人餐食，我们的快乐程度还要再高出 10 倍。给予你不认识的陌生人，给你带来的幸福感最大。这被很多权威的心理学实验证实。托尼 · 罗宾斯说的最多的是他的个人经历。他儿时家徒四壁，一家人饿肚子，感恩节（相当于中国的春节）那一天，他推开门发现一篮子食物，是陌生人送来的，没有留下姓名。托尼 · 罗宾斯深受感动。后来他开始效仿这位好心的陌生人，给不认识的挨饿家庭提供餐食。从一年 2 家，到 4 家，再到 8 家，到现在他成立的基金会每年能够捐助 5 000 万份餐食。我们都想得到最多的钱，最多的财富，可是我们没有想到，最大的财富不是得到而是给予，最大的财富不是过去而是未来，最大的财富不是物质而是激情。

无论是打球、跑步，还是写作、演讲，哪一项能力不是经过长时间练习才能培养出来的？这本书就是一本详细的理财训练手册，厚是必须的，因为行动需要详细具体的指导，需要重复练习来巩固提高。托尼·罗宾斯这个投资圈外人把投资理财讲得非常简单易行，让你愿意听、愿意学、愿意做。我真心推荐给你，我的朋友，这本书给你增加的财富不可估量。

活着只是为了钱，这没有意义，但是用钱来追求你的自由和梦想，这非常有意义。你做投资理财，不是为了钱，而是为了自己、为了家人、为了你要帮助的陌生人，你帮助他们生存、获得温饱、感到幸福、追求自由。

刘建位

2018年1月17日，于上海

推荐序 2

2018 年元旦刚过，中信出版社的编辑希望我给这本书写中文版推荐序的时候，我是硬着头皮开始读这本书的。要知道，开始读一本 700 多页电子版的书稿并不是一件能够给人带来快乐和愉悦的事情。但当我仅读了一小部分内容之后，我就十分肯定这是一本好书，一本蕴含着财富智慧，值得认真品味的好书。当我认认真真地读完全书后，我兴奋地告诉我妻子："感谢缘分，感谢中信出版社，让我在 50 岁时就读到了这本书，而不是更晚。"

事实上，作为一个有 20 多年投资实战经验、十几年投资学和金融学基础理论研究、讲授了十几年《财富管理》和《投资的逻辑》的大学教授，这本书真正打动我的不是知识，而是关于财富的智慧和情怀。对于许多中国投资者而言，投资的失败和事与愿违，给他们带去的更多的是痛苦和迷茫。投资者没有能够像期望的那样满载而归，成功总是与自己失之交臂，而失败却总是如影随形。大多数人的问题在于，他们其实并不清楚投资背后的科学逻辑。这个世界其实是有效率的，所有的结果都是必然的，只有过程是偶然的。成功也罢，财富也罢，是上帝量了我们的脚给我们做的一双鞋，永远不要责怪鞋小，只需要问一问我们的脚够不够大。是时候认真想一想：当你投资成功的时候，你是否清楚成功来自运气还是实力？这个实力究竟是什么？当你投资失败的时候，失败究竟来自概率还是实力不济？投资的逻辑究竟是什么？正如巴菲特所说的："风险来自你不知道自己正在做什么。"

《钱：7 步创造终身收入》是一本写给普通大众的管理财富和人生的书。作者采用循循善诱和深入浅出的方式讲述许多投资大师关于财富管理的智慧。这本书在讲述财富管理的知识和智慧的过程中，并不是采用大多数中国读者习惯的简单、直接的阐述方式，而是剥茧抽丝、娓娓道来地讲述一个又一个故事，让读者在潜移默化中理解其中的逻辑。认真读进去，你会豁然开朗，如润物细无声般地收获知识和智慧。这也正是今天中国市场和投资者最应该学习和参悟的。

必须强调的是，这本书的内容以美国市场为背景，但它可以给中国投资者非常多的启示和智慧。人生仿佛在森林中行走，当你要走进森林的时候，你最应该知道森林中究竟有什么，但显然你不知道。有一天你要离开森林了，你清楚了森林中所有的选择，但你已不再拥有选择的权利，这就是人生。而我们有一种智慧叫作“后发优势”，它告诉我们：通常我们并不是唯一走进森林的人，通常我们也不是第一个走进森林的人，因此我们可以在出发前看看别人走过森林的路线，一探究竟。中国作为一个新兴市场国家，西方国家已经发生和正在发生的也许就是明天我们将要面对的。这本书刚好给了我们一个了解“森林”的机会，因为关于财富的逻辑和智慧始终都是一脉相承、融会贯通的。

托尼·罗宾斯在书中仔细讲解了我们梦想的代价，分析了实现我们的梦想究竟需要10亿美元，还是1 000万美元，这两者之间差了整整100倍，对于我们有限的生命而言，100倍并不是一个小差别。事实上，大多数人高估了自己1年内能做成的事情，但是他们也严重低估了自己在未来10年或者20年内能够做成的事情。对于大多数人而言，实现我们心中的梦想其实只需要1 000万美元，而不是10亿美元，这并不是一个无法企及的目标，只是我们很多时候并不清楚自己的目标价值。或者换个角度讲，我们距离人生的梦想并不遥远，重点是要尽早明白我们的梦想究竟价值几何，以及如何能够准确地寻找到通向梦想的路径。这样的分析会让我们更加轻松地鼓足勇气，尽早开启我们的财富管理之旅。

这本书真的不仅在说钱的事，而且告诉我们如何创造出你想要的人生。显然，我们生命中的一个最重要的命题，是要决定让金钱在你的人生中扮演什么样的角色。托尼·罗宾斯解释了财富与人之间的关系，介绍了全天候投资策略，讲述了风险—收益不对称的“聪明钱”，其中满载着知识、逻辑和智慧。作者关于风险—收益不对称“聪明钱”的介绍给我的印象最为深刻。书中愤怒地驳斥了那种高风险高收益的说法，认为正确的投资方法应该是寻找风险—收益的不对称机会。保罗·都铎·琼斯最伟大的成就之一就是，知道自己可能会失误，也可能会成功，因此他采用风险—收益不对称来指导自己的投资决策。他总是基于 5 ∶ 1 公式进行投资选择，即他所选择的投资机会一定是：你如果承担的风险可能是损失 1 美元，那么你可能的收益机会必须是至少能够赚到 5 美元。

托尼·罗宾斯通过对 50 位当代最伟大投资大师的访谈，讲解了传奇大师们投资方式的 4 个共同点：不要亏钱；冒小风险赚大钱；预测与分散；永不停歇。大师们充满智慧的分享，会使你更加明确管理财富本身其实是一场美妙的人生旅行，而大多数人只不过是在浑浑噩噩中走完了这场每一个人都必须要经历的旅程。托尼·罗宾斯能够抓住大师们思想的精华并进行简化，以便让更多的人一听就懂。因为托尼·罗宾斯的激情不是授人以鱼，而是授人以渔，赋予投资大众真正有效的投资理财能力，因此他才能够把这些跟大师的对话从理论转化成实践，让每个人都能用它们来改善自己的财务状况，实现自己的人生梦想。

能够给一本承载了满满财富智慧的好书写中文版推荐序是我的荣幸，刘建位老师辛苦地将一本真正有价值的好书翻译成中文是中国投资者的幸运，中信出版社愿意将如此好的一本书介绍给中国读者是一种缘分。缘分、幸运与荣幸交织在一起，开启了我们如清风拂过般美妙的财富人生旅程，就让我们从用心阅读一本好书开始吧！

丁志国　博士

吉林大学商学院金融学教授、博士生导师

香柏投资基金管理有限公司董事长

MONEY MASTER
THE GAME
7 Simple Steps to Financial
Freedom

推荐序 3

我以前是一名律师，我的工作是跟华尔街那些证券公司打交道，这项工作做过好多年，可以说，我碰到过不少坏人，有说谎的，有骗钱的，有演技高超搞诈骗的。我工作接触到的法律行业和金融行业里的很多人都是专业玩弄花招、骗人的家伙，证券市场就像个巨大的舞台，我很快就学会区分台上的演员哪些是好人、哪些是坏人。

我在金融行业和法律行业见的骗子太多了，再加上我这个人天生是个怀疑派，所以托尼·罗宾斯找我，要和我创办的高塔财务顾问公司合作的时候，我很好奇，但是也很怀疑。关于个人投资理财，都讲了100多年了，还有什么新东西好讲呢？即使有，托尼·罗宾斯这个外行有什么资格讲呢？

当然，我也知道托尼·罗宾斯名气很大，人称美国排名第一的人生和企业咨询大师。我也听说，很多名人和企业巨头都聘请他做指导和培训，甚至美国总统，身家几十亿、上百亿的投资家和企业家，经过他的指导，个人生活和事业发展都得到了显著发展。

但是直到我们两个人见面，我才知道托尼·罗宾斯是个真正了不起的人。很多名人是盛名之下，其实难副，这个人却是实至名归，托尼非常正直可靠，他的激情很有感染力。不像大多数人那样只是坐在那里大骂金融行业充满罪恶，托尼·罗宾斯搞个人投资理财计划，目标是实现投资理财服务人人平等，把原来只有最有钱的人才能享受到的投资策略和投资产品，让普通人都能享受到。

托尼·罗宾斯和我一拍即合，因为我们有一个共同的使命，就是帮助人们做出更好的、更明智的投资理财决策。这是我们高塔财务顾问公司的业务核心，也是驱动我个人发展的最大动力。2008年的金融危机揭开了金融体系的内幕，金融行业天生存在利益冲突和不平等现象，如果有人能够想出来符合现实又实际可行的解决方案，那它将会切切实实地对个人和家庭产生很大作用。

为什么？因为金融体系存在内在的利益冲突。那些世界上规模最大的金融机构的设立目的是给它们自己赚钱，而不是给客户赚钱。投资者也许天真地认为自己付钱给金融机构，就能购买到高质量的、没有偏见的投资建议。其实，在大多数情况下，客户付钱给金融机构是为了购买一种特权，能够得到一些只提供给一小部分“合格投资者”的服务和产品，而销售这些服务和产品常常与提高金融机构本身的盈利相冲突。

为了解决这些问题，我们创立了高塔财务顾问公司，托尼·罗宾斯为了写这本书来找我，就是因为这个原因。高塔财务顾问公司只提供投资建议，并建立了一个服务平台，整合先进的技术、产品、解决方案，满足投资顾问和投资者的需要。我们不参与那些有害的活动，以免在各大银行之间造成利益冲突。我们把美国国内最好的投资理财顾问聚集到一个平台上。简单而言，我们创造了一个更好的经营模式，为客户提供透明的投资理财建议。

托尼·罗宾斯用激情把最诚实又最实用的财务解决方案，精心组织成简单的操作步骤，传递给投资大众。不要小看这些操作，有些甚至是金融投资行业的“秘密”。托尼·罗宾斯明白，只给个人投资者知识不行，必须还要给他们一个通向财务安全未来的清晰路线图。

这本书里提供的投资理财之道，来头可不小，都来自金融投资界的“最强大脑”。能把这么多最强大脑的思想和策略聚集到一起，绝对前所未有。我不知道世界上除了托尼·罗宾斯外，谁还能够搞出这么一个顶级投资理财大师的盛会。只有托尼·罗宾斯——他有非常广的人脉、感染力超强的热情和坚持不懈的激情——才能够说服金融投资行业里这些牛人中的超级牛人，大腕儿里的超级大腕儿，来分享自己一生中的投资真知和经验。

跟我一样，这些牛人相信托尼·罗宾斯能够抓住他们思想的精华，再进行简化，好让更多的人一听就懂。因为托尼·罗宾斯的激情不是授之以鱼，而是授之以渔，赋予投资大众真正有效的投资理财能力，他才能够把跟大师的这些对话从理论转化成现实，方法是提供给投资大众一些实用的工具，即一些合适的金融产品和服务，让每个人都能用它们来改善自己的财务状况。

托尼·罗宾斯向我发出挑战，问我能不能找到办法，把那些我们原来只是提供给有钱人的解决方案，让投资大众也能够得到，也能够用到。我可以很骄傲地说，我们开发出来的一系列的投资理财服务和产品，将会对千百万人的财务人生产生积极的作用，这让我感到非常激动。

真心听从自己的使命召唤，托尼·罗宾斯写了这本书，让投资大众具有更好的投资理财能力。与此同时，他用这本书来做慈善、公益活动，用这本书的收益和影响力来召唤更多人去帮助那些人生发展出了问题而偏离正轨的人，以及那些被社会远远地抛在后面的人。现在，每三个美国人中就有两个人担心自己可能没有足够的钱来养老，老了还得为了生活开支继续工作，还有 200 万人拿不到政府以前发的食品券，现在这项食品补贴被取消了。这些人里面有很多人根本不知道他们明天的早餐在哪里，明天的晚餐在哪里。

托尼·罗宾斯站出来了，他想要帮助社会解决这个由食物短缺造成的巨大饥饿问题。他毫不隐瞒，公开说出自己小时候的亲身经历，没有房子住，没有饭吃，天天忍饥挨饿。正是因为自己有过这样的亲身经历，托尼·罗宾斯才会投入大量金钱、时间和精力，去改善那些被社会遗忘的人的生活。托尼·罗宾斯个人承诺每年要给 5 000 万人提供餐食，他也在努力工作，争取把这个目标翻番，即给 1 亿人提供餐食，办法是通过第二年及以后的匹配捐赠。也就是说，托尼·罗宾斯捐赠一份，其他人或者公司也匹配捐赠一份。

托尼·罗宾斯和这本书的出版商西蒙－舒斯特公司合作，捐赠了他最畅销的人生指南书《潜能的力量》给那些需要的人，帮助他们走上一条新的赋予自己更强大能力的人生之路。托尼·罗宾斯的目标不只是给人们的身体提供物质食粮，还要给人们的头脑提供精神食粮。

能够和托尼·罗宾斯合作，一起来实践这个伟大的计划，我非常荣幸，非常感激，并殷切期待着。我们能够一起努力实现这种社会转变。各位读者，我为你感到激动。你们很快就会遇到一股“原力”，托尼·罗宾斯带你发现这股“原力”，和你一起开启一段旅程，它真的会改变你的人生！

埃里奥特·魏斯布卢特
高塔财务顾问公司创始人兼首席执行官

MONEY MASTER
THE GAME
7 Simple Steps to Financial
Freedom

推荐序 4

我第一次知道托尼·罗宾斯是 25 年前，通过磁带。有一天半夜，我看了一个专题电视节目之后，一下子就被他打动了，马上买了托尼·罗宾斯的一套《驱动力》课程的磁带。我每天上下班路上都在听他的课程。那个时候我在甲骨文公司工作，从我位于旧金山的居所到红树木海岸边的办公地点，路上要花一个小时，我就利用这一个小时来听他的课。托尼·罗宾斯讲得实在太好了，他深深地打动了我。有一个周末，我专门待在家里，什么事情也没有做，周末两天又重新听了一遍他的这套课程。我很快就明白了，托尼·罗宾斯是个真正了不起的人物，他的这些看法想法做法和我以前的经验完全不同。托尼·罗宾斯完全改变了我。

那时我才 25 岁，是甲骨文这个大型软件公司最年轻的副总裁，我非常成功，至少我自己是这么感觉的。我一年能挣 100 多万美元，开着一辆最新款的法拉利。的确，我觉得成功人士该有的东西我都有了：豪华的房子，高档跑车，五彩缤纷的社交生活。不过，我也知道我很想得到某种东西，但我就是不知道我想得到的东西是什么。听了托尼·罗宾斯的课程，我意识到我现在在哪里，我究竟想要去哪里，我希望我的人生有何种深刻的意义。不久之后，我就去参加了托尼·罗宾斯在周末组织的高强度训练营“释放你内在的力量”。正是在这个训练营里，我重新提炼了我的人生愿景，下定决心开启一个全新层次上的巨大行动。有了这样的愿景和目标，我更深入地阅读和理解托尼·罗宾斯的书籍和课程，以全力开始一段新的人生旅程——创建 Salesforce.com 网络公司，并把这家公司做得更强更大。

我用托尼·罗宾斯的智慧和战略，打造出了一个令人震惊的工具，它叫作“V2MOM 成功五问”。V2MOM 分别代表愿景（vision）、价值（values）、方法

（methods）、障碍（obstacles）、衡量指标（measurement）。我用 V2MOM 成功五问让我的工作，甚至我的人生专注于我真正想要得到的东西。V2MOM 成功五问代表了托尼·罗宾斯提出的五大问题：

第一，我真正想要的是什么呢？这就是愿景（vision）。

第二，这个目标有什么重要意义呢？这就是价值（values）。

第三，我如何实现这个目标呢？这就是方法（methods）。

第四，是什么阻碍我不能实现这个目标呢？这就是障碍（obstacles）。

第五，我怎么知道自己成功实现了目标呢？这就是衡量指标（measurement）。

托尼·罗宾斯对我说，我的问题质量就代表我的人生质量。我很快开始把我的人生、家庭、工作模式化，每一次都要问这五个问题，并把我的回答录下来。后来发生的事让我震惊。

1999 年 3 月 8 日，Salesforce.com 公司成立的第一天，我写下了第一个 V2MOM 成功五问，现在我们有 15 000 名员工，公司要求每个人都要做这件事。人人成功五问，事事成功五问，就创造出目标一致、认识一致、沟通一致，而这个成功五问就基于托尼·罗宾斯过去 20 年教给我的那些东西。托尼·罗宾斯说过，重复是技能之母，重复是精通之父，所以我们不断书写、不断改进我们的成功五问。正是基于这样一个重要原因，我们连续 4 年在《福布斯》“世界最有创新力企业榜”上排名第一，《财富》杂志“世界最受尊敬软件企业榜”上排名第一，2014 年“美国最适合工作企业排行榜”上排名第七。现在我们每年有 50 亿美元的收入，而且还在持续增长。

我可以负责任地说，如果没有托尼·罗宾斯，就没有我们现在的 Salesforce.com 公司。

25 年前，托尼·罗宾斯的音频课程《驱动力》改变了我的人生，促使我创办了 Salesforce.com 公司，并且越做越强大，我们可以想象他的课程力量有多么强大。你面前的这本书，由托尼·罗宾斯精心总结提炼多位投资大师的智慧，并总结为通向财务自由之路的简单 7 步法，也会有相同的潜力，它能够改变你的财务人生，就像当年托尼·罗宾斯的课程改变我的人生一样。你读了这本书，托尼·罗宾斯的智慧（还有金融投资行业 50 位最强大脑的投资智慧）就会注入你的大脑、你的人生，传授给你所需要的思维和工具，让你的人生更加美好。你读了这本书，就会精通投资理财这个金钱游戏。我敢肯定，你会把书里所说的东西结合你的实际运用到你自己的生活里，创造出你自己独有的方法，在投资理财上大获成功，从此获得财务自由。

托尼·罗宾斯告诉我这本书的名字，我一听就说："托尼·罗宾斯，你说的不是钱的事情！你说的是人生的事情！你是在帮助人们创造高品质的美好生活！"

我读了这本书后，很快就发现，这本书真的不仅在说钱的事，而且告诉你如何创造出你想要的人生，而你人生的其中一个部分就是要决定让金钱在你的人生里扮演什么样的角色。钱并非万能的，但没有钱万万不能。我们这辈子谁也不能没有钱，但是你要记住，你要掌控钱，而不是让钱掌控你。然后你就自由了，解脱了，能按照自己想要的方式过自己想过的生活了。

我最亲近的一位导师是科林·鲍威尔将军，他是美国国防部前任部长、美军参谋长联席会议主席。谈到钱时，他这样说："去看看哪些事是你热爱的，哪些事是你擅长的。找到你热爱做又擅长做的那件事，全力以赴，这会给你的人生带来很大满足感。也许是钱，也许不是；也许是名，也许不是。但是不管有没有名和利，这件事肯定能给你带来很大的满足感。"鲍威尔将军和托尼·罗宾斯说的其实是一回事。找到你真正的人生目标，每一天你做的事都要跟你的人生目标保持一致，这就能给你的人生带来真正的快乐。

鲍威尔将军也督促我好好考虑，在我追求创建一个会改变世界的软件公司的过程中，金钱会扮演什么角色。他告诉我，企业的业务不仅是创造利润，还要多做好事。也就是说，业务上把事做好，同时还要多做好事。托尼·罗宾斯专注于奉献社会，甚至是在 25 年前，他还没有什么经济能力时就开始奉献社会了。这给我留下了深刻印象，也影响了我的想法。我创办 Salesforce.com 公司，目标是做好以下三件事：一是为企业创造一个新的计算模式，现在称之为

“云计算”；二是为软件企业创造一个基于订阅的业务模式；三是创造一个新的慈善模式，把一个企业的成功和回馈社会的能力紧密整合到一起。

结果，经过过去15年的努力，Salesforce.com公司现在完全改变了软件行业，我们的市场份额超过350亿美元。不过，我做得最好的决策就是拿出3个“1%”——我们公司股权的1%，我们公司利润的1%，我们员工工作时间的1%，注入我们公司创立的慈善事业，即Salesforce.com慈善基金。过去15年里，Salesforce.com慈善基金累计捐赠6 000万美元给全球多家非营利组织，超过2万个非营利组织免费使用我们公司的软件产品。我们公司的员工在他们所居住的社区里累计投入志愿工作超过50万个小时。所有这些企业业务和慈善事业的成功，都源自托尼·罗宾斯帮助我打造出来的工具，利用这些工具，我能够清楚地知道自己真正想创造什么、给予什么、成就什么。我这一生，做好这三件事所带给我的满足和快乐比其他任何事情都要多。

正是因为这个原因，我加入了托尼·罗宾斯创办的非营利组织“消除计划”，追求实现三大慈善目标：一是每年提供餐食给1亿多人；二是每年提供没有疾病污染的清洁饮用水给300多万个家庭；三是一起努力解救孩子和成人脱离被奴役的境地。

我最亲爱的父母、我最亲密的好友、我们公司最重要的高管，我都派他们参加托尼·罗宾斯的讲座和训练营，让他们学习他的课程。培训完后，他们都一致称赞：“托尼·罗宾斯真是个独一无二的人物，我们这辈子能够遇到他，真是太幸运了。”现在有了《钱》这本书，托尼·罗宾斯会给你打开一扇门，和20年前他给我打开的那扇门一模一样。我可以很自信地说，有了托尼·罗宾斯做你的教练，你也会改变你的人生，找到适合你的人生之路，得到你真正想要得到的每一样东西！

马克·贝尼奥夫

Salesforce.com网络公司创始人兼首席执行官

MONEY

7 Simple Steps to Financial Freedom

MASTER THE GAME

第一部分

欢迎来到丛林：旅程从这一步开始

第1章　自己的钱！自己的生活！自己做主！

钱做仆人很好，钱做主人很糟。

——弗朗西斯·培根爵士

钱。

钱，这个词能激起人们非常强烈的情感，很少有力量如此强大的词语。

我们很多人甚至拒绝谈钱！我们在餐桌上很忌讳谈论宗教、性、政治，我们在餐桌上也很忌讳谈钱，在工作场合也往往被禁止谈钱。我们或许会在体面的场合谈谈“财富”，但是谈钱太直接了。谈钱这个东西，太俗，太招摇。钱涉及太多个人的东西，而且承载了太多的情感。有钱的人因为有钱感到内疚不安；没钱的人因为没钱而感到羞愧。

但钱对于人们而言到底意味着什么呢？

对于一些人来说，钱至关重要，但它并不是最重要且至高无上的。钱只是一个工具，能够产生力量，用来服务他人，创造更加美好的生活。另外一些人则过分痴迷于金钱，结果毁了自己，也毁了周围的人。有些人为了得到钱，甚至愿意放弃价值更高的东西，比如健康、时间、家庭、自我价值，甚至尊严。

从核心本质来看，钱就是力量。

我们都看到过钱拥有巨大的力量，能够创造，也能够毁灭。钱能够成就梦想，也可以挑起战争。你可以把钱当作礼物送人，也可以把钱作为武器伤人。你可以用钱表达你的精神、创意、想法，也可以用它表达你的沮丧、愤怒和仇恨。钱可以用来影响政府，也可以用来影响个人。有些人真的会为了钱而结婚——后来他们才意识到自己付出的代价有多大。

但我们都知道，在某种程度上，钱只是一种幻觉。现在的钱，早就不是黄金了，甚至连纸币也不是。它只是银行电脑里一连串的零和其他数字的组合而已。钱到底是什么？钱就像变形器，就像画布，你赋予钱什么含义和什么情感，钱就代表什么含义和什么情感。

说到底，钱并不是我们真正想要追求的目的……难道不是吗？我们真正想要追求的是感觉，是情感。我们认为钱可以创造出这些感觉和情感：

> 权力感，
> 自由感，
> 安全感，
> 助人感——帮助我们爱的人和需要帮助的人，
> 选择感，
> 存在感。

把梦想变成现实有很多种方法，钱肯定是其中的一种。

但即使钱只是一种感觉——一种非常抽象的概念，但你如果没有足够多的钱，就感受不到这一点！有件事是可以完全肯定的：要么你用钱，要么钱用你。你要么是钱的主人，要么，至少从某种程度上说，你就是钱的奴隶。

你处理钱的方式可以反映出你对待权力的方式。钱对于你来说是苦恼的还是幸福的呢？赚钱是游戏还是负担呢？

我选择用“钱”做本书的书名时，有些人对赚钱也许只是一种游戏的说法会勃然大怒。对赚钱这样一个严肃的话题，怎么能使用“游戏”这种轻浮且没有重要意义的词语呢？但是，朋友，我们还是面对现实吧。接着读下去，你会明白，改变自己生活的最好方式就是找到那些已经成功达到和你拥有相同目标的成功人士，然后你只需要模仿他们的行为就足够了。想要掌控自己的投资理财吗？找一个投资理财方面的专家，模仿他处理金钱事务的行为方式，你就会踏上发掘金钱力量的成功之路。

现在我可以告诉你，在全世界最有钱的富豪中，我采访过很多人。其中大多数人确实认为赚钱就是一种比赛。否则，为什么会有人已经赚了几十亿美元还要每天工作 10 个小时甚至 12 个小时呢？记住，并非所有的游戏都是非常轻浮且没有重要意义的。游戏就是生活的反映。有些人坐在场边当观众；有些人在场上参加游戏比赛，全力争取胜利。你如何参与赚钱这场游戏呢？我想提醒你，赚钱这场游戏，你和你的家人都输不起。

我给你的承诺是：如果你愿意和我一起遵循本书所提出的简单 7 步投资法——这是我提炼世界上最成功的投资理财高手的经验所总结出来的，你和你的家人就会赢得赚钱这场游戏比赛。你能赚得盆满钵满！

但是要赢得比赛，你就必须知道游戏的比赛规则，向那些成绩好、经验多的高手学习最好的成功策略。

好消息是，你可以节省好几年的时间——只需要花上几分钟——简单地了解需要避开的陷阱和走向永久成功的捷径即可。金融行业里的人在工作中频繁使用专业术语，让人听起来感觉投资理财这件事非常复杂难懂。但实际上，只要你过了专业术语这一关，投资理财这件事相当简单。本书将给你一个翻身做主人的良机，从此让你不再是任人摆布的棋子，而成为金钱游戏中当家做主的棋手。我想你会非常惊讶地看到，自己如何从什么也不懂的外行变成很懂门道的内行，以及很容易就完全改变自己的投资理财计划，从此享受自己应得的财务自由。

让我们一起来努力吧！想象一下，你是技巧熟练、经验丰富的投资理财游戏的比赛高手，你的生活会变成什么样子呢？

如果从此以后钱对于你来说不再重要，生活又会怎么样呢？

原来你天天都要操心的事，每天早上一定要准时上班，账单来了得赶紧支付，养老金要交了。有了钱之后，你再也不用为这些事操心发愁了，你会是什么感觉呢？按自己的意愿，过自己的生活，会是什么样子呢？一旦你知道，自己有机会创立自己的企业，自己有能力给父母买套好房子，自己有财力送孩子上好大学，自己拥有财务自由和时间可以环游世界，你内心会是什么样的感觉呢？

每天早上醒来，你知道自己有足够多的钱，不但能够满足生活的基本需要，而且能实现自己的人生目标和梦想，你会如何生活呢？

事实是很多人还会继续工作，因为我们天生注定要工作。但是有了财务自由之后，我们不再为了钱而工作，而是为了人生更加快乐和生命更加充实而工作。我们的工作会继续下去，但是原来那种为了赚到更多钱的残酷竞争会终止。我们工作是因为我们愿意工作，而不是因为我们必须工作。

这就是财务自由。

这是白日梦吗？对于普通人来说，更重要的是对于你自己来说，这个梦想真的能变成现实吗？

不管你是想赚很多钱，过上令人艳羡的富裕生活，还是只想赚的钱够花就行，事实上，你总可以找到办法赚到足以满足你个人需要的钱。我们该怎么做呢？获得足够多财富的秘诀很简单：找到一条路，让自己能为他人做得更多，比其他人做得都多。让自己变得更有价值。做得更多，给予更多，承担更多，服务更多，你总有机会赚得更多，不管你是在得克萨斯州的奥斯汀拥有最好的快餐车，还是成为公司里的顶尖销售人员，甚至是成为像照片分享应用软件 Instagram 公司的创始人一样的人物。

但本书要讲的不仅仅是增加价值，实际上本书要讲的是如何实现个人成长，从你现在的低水平成长到你非常想要达到的高水平，无论是财务安全，财务独立，还是财务自由。本书讲的是如何开发一种基本的生活技能，即投资理财能力，以赚到更多的钱，提高你的生活质量，而绝大多数美国人从来没有培养过自己的投资理财技能。事实上，77% 的美国人，也就是 4 个美国人里就有 3 个人承认自己为钱发愁，但只有 40% 的人揣摩过开支计划或投资计划。美国婴儿潮一代出生的人（1946—1964 年出生），3 个人里就有 1 个人存款不足 1 000 美元。民意调查显示，美国民众信任金融体系的比例低于 25%——理由非常充分！持有股票的人数跌到历史低位，在年轻人当中尤其如此。但是，事实上，并不是收入高、赚的多就能实现财务自由。本书后面会讲到，即便收入高达数百万美元的人，如电影《教父》的导演弗朗西斯·福特·科波拉、拳击明星迈克·泰森、演员金·贝辛格，后来也失去了财务自由，因为他们没有运用本书所讲的投资理财的基本原则。你一定要努力为家人保住你赚到的钱，但是更重要的是，你还要让自己赚到的钱能够生钱——你在睡觉的时候也照样赚钱。你必须转变自己，从经济上的财富消费者变成财富所有者。为此你必须成为投资者。

实际上，我们很多人已经是投资者了。你第一次进入投资理财这场游戏比赛，也许是你奶奶为了庆祝你的出生给你买了一些她最喜欢的股票，也许是你的老板自动把你加入公司的 401（k）养老金计划，进而开始购买股票基金，也许是朋友告诉你要放下电子书阅读器 Kindle 去买其生产商亚马逊（Amazon）的股票，从而使你第一次成为股票投资者。

只是这样做就够了吗？你能读到这里，我猜你肯定知道答案是根本不可能。我不用提醒你，现在完全不是你父母和祖父母的投资世界了。过去的人生投资理财计划非常简单：上大学，找工作，努力工作，再跳到更大的公司得到更好的工作岗位；从此以后，投资理财的关键是找到办法为公司增加更多的价值，让自己的职位不断往上爬，投资购买自己公司的股票，拿到一大笔养老金光荣退休。还记得养老金吗？养老金还能保证给你带来持续的收入，永远不会终止吗？这套人生投资理财模式已经落伍了。

我们都知道，时代变了，世界变了。我们的寿命更长，钱却更少了。各种新技术不断涌现，让金融体系更加完善，但设计这个金融体系的目的好像不是帮助我们让自己手里的钱增值更多，而是让我们手里的钱变得更少，跑到别人腰包里的钱更多。当我写下这些文字的时候，美国的存款利率接近 0%，而美国股市像漂在大海上的软木瓶塞一样大起大落。与此同时，我们面临的金融体系给你的选择多到无限大，复杂到你的大脑简直难以想象。如今，美国股市上公募基金[①]的数量超过10 000种，ETF（交易所交易基金）数量有1 400个，还有其他几百个全球各地的股票交易所可供选择。我们似乎每天都淹没在越来越复杂的投资“工具”中，由首字母缩写而成的简称多得让我们眼花缭乱：CDOs（债务抵押债券），REITs（房地产投资信托基金），MBSs（抵押贷款支持债券）……

我们到底该怎么办呢？

HFT怎么样？这是“高频交易”（high-frequency trading）的简称。在证券市场每天几千万次的交易中，50%~70%是用高速电脑完成的。这对你有什么意义呢？只需半秒钟，大约500毫秒，点击一下鼠标，你就能完成电子交易报单。同样是在短短半秒的时间里，你只买卖一次的股票，使用超级计算机的那些大机构就能买进卖出这只股票好几百次，而且每笔交易都能获得微小的盈利。迈克尔·刘易斯写了一本畅销书《高频交易员》（*Flash Boys: A Wall Street Revolt*），揭露了高频交易的很多内幕。刘易斯在美国电视访谈节目《60分钟》上说：“美国股票市场，这个全球市场经济体系最有代表性的市场，现在却被联手操纵……操纵者是证券交易所、华尔街大型银行和高频交易员……他们可以预先判断出你想买微软公司的股票，然后可以在你之前抢先买入，再转手用更高的价格卖给你！”这些高频交易员的交易速度到底有多快呢？一家高频交易公司花费2.5亿美元改造芝加哥和纽约之间的光缆，让其变得更直、更短，而且重整光缆周围的地形地貌，结果让芝加哥和纽约两地之间的数据传输时间减少了1.4毫秒！但这么快还不够。有些交易完成的时间只需几微秒——1微秒等于1/1 000 000秒。不久，高频交易技术就能把交易完成时间缩短到纳秒，也就是1/1 000 000 000秒。与此同时，他们正在海底铺设电缆，他们甚至要用太阳能无人机作为微波中继站，来连接纽约和伦敦的证券交易所。

---

① 美国人称为“共同基金”，国内称为“公募基金”。——译者注

如果我前面讲的这些投资新时代下的新世界的复杂情况，让你感到头昏脑涨，别担心，我会陪着你。和光速一般高频交易的机器人在证券市场上竞争，你的胜算有多大呢？在证券市场这个选择多得无法计算而且充满高科技、高风险的迷宫里，你如何找到一条成功之路顺利地走出迷宫呢？

专家就是走出家门给人提供建议的普通人。

——奥斯卡·王尔德

问题是一谈到钱（和投资），每个人都有自己的看法，每个人都有自己的贴士，每个人都有自己的答案。但我要给你一个提醒：极少有人能真的帮到你。你注意到了人的金钱观与宗教观、政治观有多么相似吗？谈起钱，就像谈起宗教和政治一样，人会变得言辞激烈，情绪激动。尤其是上网聊天的时候，即便自己没有真才实学，也没有操作经验，你照样会极力宣扬自己的理论，激烈地批评他人的策略。其实，这就像一个心理学家患上抑郁症，自己也治不了自己，只能偷偷吃百忧解，却天天教导别人如何走出抑郁，过上幸福美满的生活。或者说这就像自己是个超级大胖子，却滔滔不绝地讲述如何减肥保持身材。我一般会把专家分为两类，一类专家是光会说不会干型，另一类专家是自己会干也会教你干型。我不知道你喜欢哪一类，但是我很厌恶那些光会说不会干的“伪专家”，滔滔不绝地告诉别人这么干效果会有多么好，但是自己在生活中干得一点儿也不好。

如果你觉得读本书又会让自己听到一个投资大师吹嘘自己，兜售自己，发疯一样地承诺跟着我做肯定大赚，我想你找错地方了。那种事情，还是留给那些金融行业里的表演大师去做吧。这些金融行业里的表演大师会高喊快去买哪个热门股，诱导你攒一笔钱去投资那些神话般的公募基金。你知道的，他们承诺，你投入的钱将会以每年 12% 的复利收益率持续增长。这些所谓的投资理财专家随随便便提出的建议根本不现实，而且他们自己都不投资自己推销的产品。其中有些投资理财专家也许认为自己是在真心实意地帮助别人，但是你知道很多人真心实意地帮忙，反而是真心实意地帮了倒忙。

我想让你知道，我并不是一个“积极思考者”，用错误的世界观来激励你、推动你。我相信的不是激情，而是头脑。你要看到事物的真实面目，但不能过度乐观，同时也不能过度悲观。因为这样的世界观只会让你找到什么也不做的借口。你可能在电视上看到过我，就是“那个微笑着露出大牙的家伙”，但我在这里要告诉你的并不是做一堆自我肯定来提高自信——我一直努力专注做的事情是，帮助你深入认识自我，解决实际问题，提升自己的人生以达到更高的层次。

38年来，我一直痴迷于寻找各种策略和工具来立即改变人的生活品质。我用事实证明，用别人的方法都失败了。但是同样的问题，用我的方法却成功了，效果既看得见，又摸得着，更算得清。我的课程影响力越来越大，到目前为止，100多个国家中的5 000多万人购买了我的书、视频和音频课程，超过400万人参加了我的现场活动。

我从一开始就知道，成功有迹可循。成功达到最高水平的人并不只是因为幸运而已，而是因为他们有些事的做法与众不同。我感兴趣的是这样的成功者：坚持不懈地渴望学习、成长和获得成就。别误会我的意思，我不会轻易地受人哄骗。我很清楚，世界上少有人能永远身体健康。大多数人都无法做到几十年如一日地在亲密关系中持续保持热爱与激情，也无法做到几十年如一日地持续感到感激和快乐。只有极少数人能抓住商业机会并做到极致，更少的人能够白手起家实现财务自由。

但是确实有少数人做到了！这些少数派确实拥有极好的亲密关系、极大的快乐、超级多财富和无尽的感激之情。我研究对比过少数实干者和多数空谈者。如果你要找的是障碍，做错的行为到处都是。但是，反过来也如此，你要找的是捷径，做对的行为也比比皆是。我要找的目标是卓越的成功人士。我要找的是那些打破常规不走寻常路的创新成功者，他们向我们所有人展示出一切皆有可能。我学习了解了少数特别成功的人的与众不同的做事方法，然后全力模仿他们。我从模仿实践中找出哪些方法确实有效，然后明确描述出来，简化概括出来，系统总结出来，然后利用它们去帮助其他人发展、进步、提高。

2008年，在那些黑暗的日子里，全球金融体系几乎完全崩溃。从此以后，我每天都痴迷于找到一种投资理财之道，帮助人们掌控自己的金钱，以反击现在经常受到操纵、巧取豪夺民众财富的美国金融体制。在金融危机之后，修补金融体制的工作已经持续进行了很多年，但所谓的“国会山改革”并没有实现金融体制整体的变革，美国金融体制有些方面反而变得更糟糕了。为了找到正确的投资理财之道，我采访了全球金融界最出色也最有影响力的投资理财高手。本书不会讲空话大话，也不会讲我个人的观点。你能直接听到来自投资理财大师本人的原汁原味的建议。他们是自己打拼出来的亿万富翁、诺贝尔奖得主、金融大亨。后面我们会详细介绍很多投资理财大师的观点，供大家参考学习。先简单列举几位投资理财大师：

- 约翰·博格，现年85岁的“指数基金之父”，64年股市投资经验，世界上资产规模最大的公募基金公司美国先锋公司的创始人。
- 瑞·达利欧，全球规模最大的对冲基金创始人，管理资产规模高达1 600亿美元。
- 戴维·斯文森，有史以来最伟大的机构投资者之一，只用了不到20年，就把耶鲁大学的捐赠基金从10亿美元增长到239亿美元以上。
- 凯尔·巴斯，在次贷危机期间，只用2年时间，就将3 000万美元投资增值到20亿美元。
- 卡尔·伊坎，最近1年、5年、10年的投资业绩跑赢沃伦·巴菲特，跑赢股市，可以说跑赢所有投资人。
- 玛丽·卡拉汉·厄道斯，许多人认为她是金融界最有权势的女人，她担任摩根大通资产管理公司的首席执行官，管理资产规模超过2.5万亿美元。
- 查尔斯·施瓦布，领导发起证券行业革命，让华尔街证券机构向个人投资者开放，嘉信理财公司现在管理资产规模达2.38万亿美元。

现在阅读本书，你就能与50位超级投资明星大师共聚一堂。我要引见给你的还有其他的投资大师，无论市场是涨是跌，经济是繁荣还是衰退，这些投资超级明星都是十年如一日地持续获得良好的投资业绩。我们一起来揭开他们投资成功的核心秘诀，看看如何将这些秘诀运用到我们的、哪怕是规模最小的个人投资上。

其中的关键是，本书的根基是50位世界上最成功的投资理财大师永恒的投资智慧。毕竟，所有阅读本书的投资者，没有一个人能够预测到未来宏观经济的走势。货币会是通货膨胀还是通货紧缩？股市会是牛市还是熊市？你应该知道的是，不管遇到任何市场情况，我们都能生存下来并且发展壮大。这些真正的专家会告诉你如何做到这一点。另外，他们会打开自己的实际投资组合，展示给你他们是如何通过混合搭配不同种类和数量的证券而安然渡过了一次又一次市场风暴的。他们还会回答这个问题：如果你一点金融财富也不能留给孩子，只能留给孩子一套投资法则，那么这套法则会是什么呢？这可能是投资大师最宝贵的遗产。你不用是他们的孩子，也能得到大师的真传。

领先的秘诀就是尽快开始。

——马克·吐温

准备好，因为我们即将一起开始简单7步投资法之旅，走向财务安全、财务独立、财务自由。无论你是千禧一代（1984—2000年出生的人），1946—1964年婴儿潮时代出生的、现在面临退休的老年人，是希望保持领先优势的资深投资者，本书都会为你提供一份实际的蓝图，帮你制定并实现财务目标，帮你摆脱那些自我限制的行为，避开可能阻碍你获得足够财富、实现财务自由的障碍。我们会探索关于财富的心理学，其中有些财富心理学知识，我已经研究并讲授了近40年。我们将纠正人们在处理钱的问题上所犯的错误，像重新校准枪械一样，回归最妥善的计划，稳步前行。为了保证你能得到自己想要的结果，我向世界上最好的行为经济学家取经，寻找真正有效的行为矫正的解决办法——只需要做一些很小而且很简单的调整，就能自动触发你做到别人需要很严格的纪律约束，而且持续坚持才能做到的事情；教你采取一些有效的投资策略，让你赚到的财富足以使你享受舒适的晚年退休生活，而不是亏个精光，无奈破产，在贫困潦倒中死去。

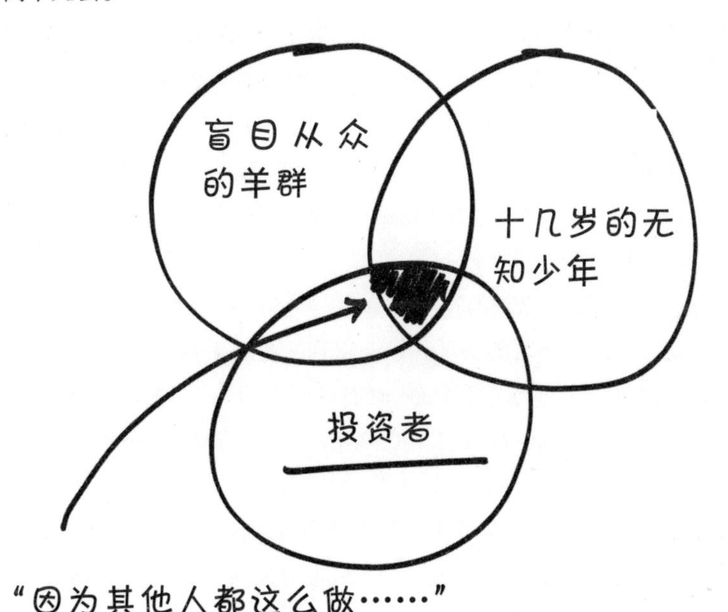

图 1–1

我们要直面现实：很多很聪明、很有成就的人一碰到钱的事情就选择逃避，因为钱的事情看起来太复杂了。我邀请的第一批审阅本书初稿的人中，有位名叫安吉拉的朋友，她在许多方面都很有成就，但在钱的事情上却很失败。安吉拉告诉我，大家都觉得她很了不起，是因为她驾着一只小小的帆船，在世界上最凶险的海域上，独自一人航行了 20 000 英里[①]。但她清楚地知道，自己完全不打理自己的财务，因为投资理财这件事让她

① 1英里 ≈ 1.61千米。——编者注

很头疼。安吉拉坦诚地告诉我：“投资理财看起来很复杂，我感到很困惑，我觉得自己根本没有能力做好投资理财。我曾经在投资理财上犯过错误，很受打击，所以我就放弃了，虽然这非常不符合我的性格。”但她读了本书的初稿之后便发现，只要按照书中简单7步投资法去做，她就能够掌控自己的投资理财事务。这7个步骤很容易做，而且没有任何痛苦！她告诉我：“我的天哪，我竟然也能存些钱，应对未来了。只要放弃购买那些不能给我带来快乐的东西就行了。”一旦开始考虑存钱，她就能开立一个自动投资账户。当读到本书的第13章时，她在投资理财上做出的认识变化，已经改变了她的人生。

几天后，她专门来看我，高兴地说：“我这辈子第一次买了一辆崭新的汽车。”

我问她：“你是怎么做到的呢？”

她回答：“我读了你写的书才开始意识到，我原来开的旧车平时花的修车费和油费太高了，比贷款买辆新车的月供还要高！”她开着一辆白色的吉普牧马人，崭新崭新的，简直光芒四射。你可以想象到她的笑容是何等的光辉灿烂。

所以我想让你知道，本书要讲的不仅是如何拥有舒适的退休生活，而且是如何拥有你想要的，也本应该是今天就拥有的高品质生活。你能过上自己想要的那种生活，同时可以确保未来能继续保持同样高品质的生活！掌控了钱的事，会让你对外充满权力感，向内充满力量感，决策充满确定感。这些美好的掌控感会传递到你生活的其他方面——掌控你的职业，掌控你的健康，掌控你的情绪，掌控你的人际关系。无法掌控自己的钱，对自己的投资理财能力缺乏信心，这会在不知不觉中影响你在其他方面的自信。当可以完全掌控自己的财务状况时，你就会赋予自己力量，激励自己勇于接受其他方面的挑战！

是什么因素阻碍了我们开始走上财务自由之路呢？对于我们很多人来说，比如我的朋友安吉拉，只是心里那种感觉阻碍了我们前行。一直有人灌输给我们这样的想法：“投资理财这事太复杂啦。”“这事我不内行。”坦白来说，那些专业人士故意把金融体制设计得让人觉得复杂难懂，因为这样你就会干脆放弃属于自己的掌控权，把它全部交给“专业人士”。他们却完全把你蒙在鼓里，让你一无所知，这样你就会心甘情愿地付给他们很高的手续费。阅读完后面的几章，你能学会如何防止这样的事情发生在你头上，最重要的是，我会展示给你看，用你自己的方式来掌握投资理财，最终实现财务自由。其实这样的操作一点儿也不难。

人能成功的原因之一是知道别人不知道的知识。你花钱请律师打官司，花钱请医生看病，是因为他们有你所没有的知识和能力。专业人士也有自己的专业术语，这些术语我们这些外行根本听不懂，所以有时我们会感觉隔行如隔山。

例如在医学界，你可能会听到在过去的一年里有225 000人的死亡属于“医源性死亡”。根据《美国医学协会杂志》的报道，这是美国的第三大死因。医源性死亡是什么意思？这个术语听起来很重要，但到底是什么意思呢？这是一种罕见的热带疾病，还是基因突变呢？都不是。医源性死亡实际上指的是，医生、医院不正确或不必要的医疗程序所导致的意外死亡。

他们为什么不用这样的大白话来讲呢？因为用外行都能懂的话来说，不符合医疗机构的利益。金融界也有自己的行话，那些专业术语描述的东西，其实都是额外多收的手续费。有了这样听起来令人费解的语言做伪装，就能故意让那些外行客户听不懂，好让你完全意识不到金融机构收取的手续费，比你能想象到的最高水平还要多得多。

我希望你能让我做你的翻译，同时担任这次通向财务自由之旅的向导。因为正是那些复杂难懂的专业术语，让我们觉得自己是金融界的外行，不找内行的专业人士帮助根本行不通。我带你一起破译这些像密码一样的金融专业术语，让你这个外行也一样能听懂那些金融专业人士的行话。

现在这个时代的信息太多了，即使最有经验的投资者也会感到信息过载，特别是当我们意识到自己接收的信息往往与自己的需求无关时。例如，你胸口有轻度疼痛，于是你用谷歌搜索“心”这个字。你会得到什么样的搜索结果呢？你搜索到的结果，并不是那些你现在想要处理的有关心脏病的信息，而是一个叫作“心”的乐队组合，尽管他们唱了20年也没红过。这种搜索结果对你有什么用呢？

我的计划是为你提供服务，成为你的个人投资理财搜索引擎——智能搜索引擎，帮你过滤掉多余的甚至是有害的金融信息，提供给你简单明确的解决方法。

不知不觉地，你也成了内行。你会明白为什么追逐高业绩明星基金这一招从来不会灵，为什么没有人能长期战胜市场[①]，为什么绝大多数金融专家没有要为客户利益最大化服务的法律责任。这太不可思议了，对吧？你会明白为什么公募基金在广告中说的基金业绩，并不是你买了基金后真正能到手的业绩。我在本书里讲的投资理财之道，可能会让你一生的投资收益增加几百万美元——统计研究表明，仅仅是阅读和运用本书第二部分所说的投资理财的基本原则，就能为你节省15万~45万美元！你能把钱装回到自己的口袋里，而不是装到那些炮制出种种手续费的金融机构的口袋里。你还会学习掌握一条被事实证明了的行之有效的投资理财之路，它让你的钱能够持续增值，而且100%保本，投资收益免税（由美国国税局批准）。这种投资理财工具终于也向你这样的个人投资者开放了。

这正是本书真正与众不同的地方：我并不是仅仅告诉你那些超级富豪用的是哪些投资策略，这些策略你根本负担不起或者根本没有机会使用。我还找到了解决办法，让那些投资策略普通工薪阶层也能负担得起，也有机会享受得到。凭什么只有那些特权阶层的人才能搭上非同寻常的投资机会呢？现在是不是到了我们可以和超级富豪在投资理财的赛场上公平竞争的时候了呢？

记住，这是你的钱，是时候自己掌控自己的钱了。

① 除了少数几个“独角兽”，也就是人数很少而且限制严格、难以加入的“金融奇才”团队，普通大众根本没有机会接触到，但我会在后面几章中为你介绍。

瞬间的领悟有时候值得用一辈子去体验。

——奥利弗·温德尔·霍姆斯

在开始之前，我要告诉你是什么事触动了我写这本书。如果这些年你看过一些关于我工作的报道，或者你读过我以前写的书，你可能会知道由我创造出来的、可以被衡量的巨大变化纪录——帮助肥胖者成功减重 30~300 磅[①]，帮助夫妻彻底扭转即将结束的亲密关系，帮助企业老板一年之内提高 30%~130% 的业绩。我还帮人们战胜了巨大的灾难打击，从失去孩子的夫妇，到阿富汗战场归来患上创伤后应激障碍的士兵，让他们重新面对人生。我充满激情的强烈爱好是，帮助人们实现真正的突破性进展，包括人际关系、情绪、健康、事业、理财五大方面。

近 40 年来，我有幸担任教练帮助各行各业的人提升自我，其中包括这个世界上最有权势的男人和女人。我训练指导过的人，既有美国的总统，也有小企业的总裁。我作为教练，训练和帮助过体育明星提高成绩，从早期合作过的冰球巨星韦恩·葛雷茨基到现在合作的网坛巨星小威廉姆斯。我也有幸与多位荣获大奖的明星演员合作过，他们既有冷酷似冰的莱昂纳多·迪卡普里奥，也有热情似火的休·杰克曼。我的工作能接触到顶尖艺人的生活和演出，从史密斯飞船乐队到绿日乐队，从厄舍到皮普保罗，再到小埃勒·库尔。我也指导过拥有亿万财富的企业领袖，如赌场巨头史蒂夫·韦恩和互联网“鬼才”马克·贝尼奥夫。事实上，正是在 1999 年参加了我的一场名为“释放你的内在力量”的研讨会之后，贝尼奥夫才下决心从甲骨文公司辞职，开始创建 Salesforce.com 公司的。今天，Salesforce.com 公司价值 50 亿美元，连续 4 年获得《福布斯》“全球最佳创新企业”称号。很显然，客户找我不是为了寻求激励，他们已经有足够多的激励了。客户从我这里得到的是策略，以帮助自己提升到更高层次，持续保持顶尖的竞争地位。

---

① 1磅≈0.45千克。——编者注

在金融领域，我很荣幸，从1993年以来，一直在指导保罗·都铎·琼斯，他可以称得上是有史以来十位顶级投资大师之一。保罗成功地预测了1987年10月黑色星期一的美国股市大崩盘——迄今为止，仍然保持美国股市最大单日跌幅的历史纪录（按百分比算）。虽然全球股市暴跌，所有人都亏得连短裤也输掉了，保罗却在1987年赚了整整1倍。2008年，保罗再造神话，整个美国股市暴跌50%，他却赢利近30%。我和保罗合作要做的事情就是，捕捉到那些引导所有投资决定的基本原则，然后把这些基本原则综合成一套体系，让他能够天天使用，最重要的是，在关键的时候他也会运用。我不是一个指导积极思考的人生教练。相反，我是一个训练指导你做好一切准备的人生教练。我和保罗一直保持着联系，并持续追踪他每天的交易情况，一起经历跌宕起伏的各种各样的市场行情。从20世纪90年代后期的科技股泡沫到"9·11"恐怖袭击事件重创股市，我一直和保罗在一起。从房地产大繁荣到次贷危机，再到2008年金融危机，再到后来的欧洲债务危机，再到2013年金价创下30年来最大单日跌幅，我一直都在追踪保罗的交易，我一直和保罗在一起。

尽管经历了以上如此多的巨大困难，在过去连续28个完整年度里，保罗从来没有一年亏损过。这28年里，我和保罗合作了21年。他寻找胜利之路的能力是无与伦比的。无论市场如何波动，保罗总是能持续赚钱，我很荣幸能有机会和他并肩战斗。通过和保罗合作，我更深入地了解到，投资世界的现实情况是什么，在困难时期应该如何制定决策。这比我去读MBA（工商管理硕士）的100门课程所学到的还要多。

同样非常幸运的是，在此期间，保罗不仅在工作上成为我紧密的合作伙伴，而且在生活中保罗也成为我最亲密的朋友之一。我非常热爱保罗，也非常敬重保罗，因为他不仅是全世界业绩最优异的投资人之一，也是全世界贡献最巨大的慈善家之一。多年来，我亲眼见证了保罗领导罗宾汉基金会不断发展壮大。罗宾汉基金会最初只想运用自由市场的力量来减轻纽约市的贫困问题，如今它已经发展为被《财富》杂志盛赞为"最创新又最有影响力的慈善组织"之一。罗宾汉基金会至今累计捐赠了14.5亿美元，改变了几百万人的生活。

一路走来，我也从个人经历中学到了一些教训，有些教训是经历痛苦折磨和错误打击才能学到的——我写本书的意图就是要帮你尽量避免这些错误。我不是空口乱说，我身上还有证券市场给我的重大打击所留下的伤疤。我领导一家股份公司在交易所成功上市，当年我只有 39 岁，年轻有为，亲眼看到公司股价大涨，短短几个星期，我的个人财富就飙升到 4 亿美元以上。后来，2000 年网络股泡沫破裂，我的公司股票暴跌，个人财富也大幅缩水。

但那时的股市回调，与我们最近几年的金融危机相比，根本不算什么。2008—2009 年的金融危机是美国“大萧条”以来最严重的经济危机。你还记得当时整个金融世界好像末日降临一般的感觉吗？道琼斯工业指数暴跌 50%，让你的 401（k）养老金投资账户的资产也缩水一半。房价跌了个底朝天，你自己家住的房子的房价随之下降四成，甚至更多。数百万人一生辛勤工作所赚的钱都亏掉了，还有数百万人连工作也丢掉了。在非常恐怖的那几个月里，我接到了各种各样的人打来的求助电话，比以往任何时候都要多。理发师向我求助，亿万富翁也来向我求助。人们告诉我，他们亏掉了房子，他们亏光了储蓄，他们的孩子都没钱上大学了。听到这些，我非常难受，因为我也有过亲身体验。

我一直努力工作，很幸运财务状况良好，比较富裕，但是我并不是从小就是这样的。我在加利福尼亚州沙尘飞扬的圣盖博山谷长大，有过 4 位不同的父亲。我现在还清清楚楚地记得，那时我还是个小孩子，不用拿起电话，也不用应声开门，我就知道门外的人是谁——讨债的人，但我们根本没钱还债。年少时，我不得不天天穿旧校服上学，那是从旧货店花 0.25 美元买来的，我感到很难为情。你要是穿得不时尚，别的孩子真的会非常“残酷”地对待你。现在，去旧货店买旧货穿却成了时尚的标志——我真想不到！后来，我终于有钱买人生的第一辆汽车了，那是一辆破旧的 1960 年款大众甲壳虫，但是那辆旧车没有倒车挡，所以我只能把车停在一座小山上，而且我从来没有足够的钱去买汽油。感谢上天，我从不认命，从不相信“生活就是这样”的那一套说法。我找到了方法来战胜困境。因为我有亲身体验，所以每当我看到有人经受苦难就会受不了。这简直让我急得发狂。2008 年给美国人带来的本来可以避免的巨大经济磨难，比我至今所见到的还要多得多。

股市大崩盘发生后不久，每个人都一致同意，必须采取一些措施来完善整个金融体系。我一直在等待这些政府承诺的改变真正发生，但过了几年之后，还是一切照旧。我了解金融危机的根源越多，就越生气。后来我的愤怒爆发了，引爆点就是奥斯卡金像奖获奖纪录片《监守自盗》(*Inside Job*)。纪录片主演是马特·达蒙，讲的是那些华尔街大作手用客户的钱进行投机，其风险巨大到几近疯狂，几乎颠覆整个美国经济。这些罪犯受到了什么样的惩罚呢？我们这些纳税人出钱把他们救了出来，而且差不多还是让这一帮人来负责经济复苏。看到影片结尾，我气得咬牙切齿，无比愤怒，但是我“化愤怒为问题”：我能做些什么呢？

答案就是写这本书。

书是最忠诚的朋友。

——欧内斯特·海明威

做这样的决定可不容易。我都快 20 年没有写一本大书了。上一年，我平均每隔四天就要乘飞机出差一次，去过的国家超过 15 个。我管理着十几家公司，还管理着一家非营利组织。我有 4 个孩子，1 个了不起的妻子，还有一个我无比热爱、赖以为生的人生使命。要说我的人生非常充实，一点儿都不为过。我写的《激发心灵潜力》和《唤醒心中的巨人》都是全球畅销书，受到读者热烈的欢迎。但直到现在，我从来没有感受到再次动笔写书的动力。为什么？因为我更爱举办现场活动，我很喜欢那种完全沉浸式的体验，同时与 5 000 人甚至 10 000 人一起交流，即时、灵活地沟通，让他们周末两天持续集中注意力长达 50 个小时。现在这个时代，就算观看斥资 3 亿美元拍摄的电影，大多数人都无法坚持坐上 3 个小时。我清清楚楚地记得，奥普拉告诉我她根本不可能待上 2 个小时，但是 12 个小时之后，她站在椅子上，对着镜头大喊："这是我一生中最棒的体验！"厄舍告诉我，他喜爱我举办的现场活动，但肯定无法坚持听上整整一个周末。就像奥普拉一样，最终，这两天成了他一生中最快乐的体验。50 个小时之后，他对我说："这就像我听了一场人生中最棒的音乐会！我发疯似的记笔记，你让我笑得前仰后合！"

参加我举办的现场讲座活动，会让你的体验充满情感、音乐、激动，以及深刻的洞见，激励你采取重大的行动。参加者不仅思考、感受，而且会改变行为，就像换了个人一样。我的肢体语言，我的声音，是我教学风格的关键。所以，我必须承认，当我坐下来写作的时候，我感觉有块东西堵住了我的嘴不让我说，有人把我的手绑到了后背上不让我写！而且，我发现做一场 TED 演讲（美国一家非营利性会议机构，以技术、娱乐和设计为主旨举办的演讲活动），就可以影响到上千万名观众。所以，我还有什么必要写书呢？

又是什么让我改变了主意呢？

金融危机造成了巨大的痛苦，但它也让我们重新评估什么才是我们生命中最重要的东西——生命中最重要的东西与钱无关。是时候了，我们要回到本源，回到支撑我们度过困难时期的价值观了。我目睹了金融危机的巨大灾难，这让我想起了自己过去的日子，睡在车上无家可归，却在执着地寻找改变人生的方法。那时是什么改变了我的人生呢？书！是书籍帮助我重塑自我。我一直是一个贪婪的阅读者。年轻的时候，我下决心要一天读一本书。我认为领导者就是阅读者。我上了一门速读课。我确实没有做到一天读一本书，但是过了 7 年多，我读的书超过了 700 本。我想从书中找到答案来帮助自己，也帮助他人。我读书的范围很广，心理学、时间管理、历史、哲学、生理学，都有涉猎。我想知道所有可能立刻改变我的人生和别人人生的东西。

但是，小时候我读过的书给我留下的印象最深刻。这些书引领我走出了痛苦的世界——一个没有迷人未来的世界。这些书把我送到了一个拥有无限可能性的新王国。我还记得其中有一本书是拉尔夫·瓦尔多·爱默生写的，里面有一篇论自力更生的文章，其中有几句是这样说的："每个人的自我教育中都会经历这样一个时期，他终于意识到忌妒即无知，模仿乃自杀。每个人都必须接受自我，无论是好还是坏。"另一本书是哲学家詹姆斯·艾伦写的《做你想做的人》，书名与《圣经》中那句箴言遥相呼应："因为他心怎样思量，他为人就是怎样。"我读到这本书的时候，恰好内心充满恐惧，正在激烈斗争。詹姆斯·艾伦教导我，我们人生创造的一切都源于思想。

我如饥似渴地阅读伟人的传记，包括伟大的领导人、伟大的思想家、伟大的实干家，比如亚伯拉罕·林肯、安德鲁·卡内基、约翰·肯尼迪、维克多·弗兰克。我认识到，世界上的伟人经历过的痛苦与折磨程度远远超过我。这些伟人能够成大事，并不仅仅因为幸运或者有福气，更多的是因为他们心中有某种东西——一种无形的力量，让他们不能只满足于现状，而要追求发挥所有潜力，做到极致，成为极致，付出到极致。我认识到人生经历并非命中注定，我的过去并不等于我的未来。

另一本我特别喜欢的书是1937年以来美国最经典的成功学名著，拿破仑·希尔的《思考致富》。20世纪初，希尔花了20年时间，采访了当时世界上500位最有成就的人，包括安德鲁·卡内基、亨利·福特、西奥多·罗斯福、托马斯·爱迪生，想要找出这些人成功的共同秘密。希尔发现，这500个成功人士都有一个共同特点——坚持不懈地长期专注于自己的目标，融汇强烈的愿望、坚定的信仰、持久的耐心于一身，不断地努力去实现目标。希尔告诉我们，普通人也可以克服一切障碍，并取得成功，这给那一代在大萧条时期挣扎的读者带来了希望。这也让《思考致富》成了美国有史以来最畅销的书籍之一。

拿破仑·希尔的《思考致富》一直是我的榜样。仿照他的这本经典名著，本书也系统地总结了世界上50位投资精英中的精英的投资成功之道，从沃伦·巴菲特到理查·布兰森爵士，还包括业内专家称之为"当代爱迪生"的科学家雷·库兹韦尔。他发明了第一个数字音乐合成器，而且发明了第一个将文本转换成语音的软件。雷·库兹韦尔就是苹果公司 iPhone 手机语音助手 Siri 背后的男人。他还发明了一种设备，能够让盲人安全地过马路，读路标指示牌上的文字，顺利地从任何菜单中点菜。如今，雷是谷歌公司的工程研发主管。但是我要写的这本书，超越了心理学和成功学那些浅层心理层面的东西，会为你提供实实在在的计划，实实在在的工具，让你用它来为自己和家人建设一个更加美好的未来。本书会是一本手册、一个蓝图、一份新经济时代的实用指南。

当我开始重新关注书的力量时，我想："我需要把解决这些投资理财问题的答案，用一种人人都可以获得的方式传播出去。"借助当今的科学技术，可以为本书带来两大优势，以更好地推动你前行。第一个优势是，本书有些部分提供了电子版，你可以上网观看我对一些投资大师的采访视频。第二个优势是，我们还专门设计开发了一个手机 App（应用程序），用来激发你走完这 7 个简单的步骤，因此你学习的不只是理念，还可以跟着手机 App 的指导实际操作，让你实现真正与你的潜力相符的财务自由。

顺便说一下，我一开始写这本投资理财书的时候，很多人都说我这是在冒险，肯定是疯了。很多所谓的专家，甚至是朋友警告我，想把非常复杂的金融专业知识传授给普通读者，只有傻瓜才会做出这样的傻事，甚至我的出版商都恳求我还是写些别的东西好了。

但我知道，我能做到。只要我找到最优秀的投资大师来做指导，我就一定能完成。我这里采访到的投资大师，大多数人从来都不接受采访，即使有人接受过采访，也极其少见。尽管这些投资大师也曾在瑞士达沃斯的世界经济论坛上演讲过，或者曾在美国外交关系委员会演讲过，但是把自己的知识讲给普通大众，而且是用普通大众能够听得懂的大白话来讲，这种事他们从来没有做过。用简单易懂的方式，分享投资大师的关键观点，让任何一个人都可以照着去做，成了本书的核心任务。

我很荣幸能和一些世界上最有影响力的人保持良好的关系：地位很高的朋友愿意为了我而打几个电话找人帮忙。很快，我发现大门向我敞开了，我接触到了这些投资理财游戏中的赚钱高手。

欢迎来到丛林……

——枪炮玫瑰乐队《欢迎来到丛林》

那么从哪里开始呢？我决定从一个大多数人从来没有听说过的人开始，尽管他被称为“投资界的史蒂夫·乔布斯”。你问任何一位全球金融界的领袖人物，无论是美国联邦储备系统（美联储）的主席、投资银行的负责人，还是美国总统，他们都知道瑞·达利欧。每个金融界的头面人物都会阅读瑞·达利欧每周所写的投资简报。为什么？因为政府机构要打电话咨询他应该如何投资，政府要把钱交给他来投资，养老基金和保险公司也一样。瑞·达利欧是桥水基金的创始人。桥水基金现在是世界上管理资产规模最大的对冲基金，目前资产管理规模有 1 600 亿美元，而一般的大型对冲基金的资产管理规模平均只有 150 亿美元。想要成为桥水基金的客户，你需要有 50 亿美元的净资产，初始投资额 1 亿美元起。但是你现在不用想了，瑞·达利欧根本不会管理你的钱——谁的钱他都不管。

调查瑞·达利欧的出身背景，你会发现他好像根本不可能成为投资专家。他出生于纽约市皇后区，父亲是个爵士音乐家，母亲是个家庭主妇。瑞·达利欧最开始的工作是做球童，在当地的高尔夫课程上第一次接触到股票。如今，瑞·达利欧的个人财富达到 140 亿美元，在全美富豪排行榜上名列第 31 位。他是如何白手起家，通过投资成为超级富豪的呢？我一定要搞清楚！这家伙的投资业绩真了不起，根据《巴伦周刊》的报道，他管理的纯阿尔法基金，过去 20 年里只有 3 年亏损，2010 年他为核心客户创造了 40% 的投资收益。这只基金存续期间（1991 年发起），他创造出了 21% 的年化收益率（未扣除管理费）。如果我想找人询问“普通投资者在这样一个疯狂、动荡的股票市场中还能赚到钱吗”，那么这个人就是达利欧。因此，当达利欧告诉我“没问题，你还能赚到钱”时，我会马上全神贯注地洗耳恭听。你呢？

要接触到达利欧这个大投资家，可不会那么容易。但结果比我想象的容易，达利欧已经知道我是谁了，他很喜欢我做的事情。一天下午，我来到达利欧家里，让我吃惊的是，这么有钱的投资家，住的房子却很低调——在康涅狄格海岸边一个树木繁茂的岛上，很不起眼儿。我们刚开始聊，达利欧就明白了我的意思，他直截了当地告诉我，像我这样的个人投资者也能赢得投资比赛——但是前提是我不要妄想在专业人士擅长的领域击败他们。

“托尼，个人投资者需要知道的是，自己也可以赢。”达利欧说，“但个人投资者想要通过击败整个市场来赢得投资比赛，那是根本不可能的，你想都不要想。我雇用了 1 500 名员工，有 40 年的投资经验，但要战胜市场对于我来说依然很难。这是你与投资高手之间的较量，也就是说，你和全球最好的扑克牌玩家在玩扑克牌游戏。”

达利欧 65 岁了，说话带着柔软的纽约口音，喜欢一边说话一边打手势，就像个指挥家。他提醒我注意，玩扑克牌游戏，和在股市上玩投资游戏一样，都是零和游戏。有一个人赢，就得有一个人输。但是同时玩股票的对手比同时玩扑克牌的对手多多了。“只要你进入证券市场，你的对手就是全世界成千上万的其他投资者。这可不像玩扑克牌那样，你的对手只是坐在桌子对面的人。证券投资是全球性的游戏，只有很少一部分人能从投资游戏中真正赚到钱。这极少数的赢家能赚到很多钱。这些擅长投资游戏的高手赢的就是那些不擅长投资游戏的人的手里的钱。”达利欧说，“所以我要跟你这样的个人投资者，也就是普通的业余投资者说‘不要进入股市和高手玩游戏了’。”

我问达利欧：“如果你告诉普通投资者，他们在股市这个投资游戏中根本没有能力和高手竞争，普通投资者会不会花钱雇用别的投资高手替他们比赛呢？很多股票经纪人和基金经理都说业余投资者把钱交给他们管理，能得到更好的投资业绩，你觉得这样做可行吗？”

“你以为花钱找专家帮你投资，就像花钱找医生看病一样吗？但是那些投资专家并不是医生。”达利欧告诉我。我们从小到大在生活中受到的训练是，要百分之百地相信医生，想也不用想照着医生说的做，相信医生什么病都能治好。但是瑞·达利欧说，一般的基金经理不会帮你赢得投资游戏，因为他们并没有足够的技能和资源去玩大赚特赚的投资游戏。“如果他们真有这样的本事，你这样的个人投资者也就接触不到他们了。”

“与我们证券市场上的投资竞赛相比，奥运会就显得太容易了。”达利欧继续说道，“证券市场上的竞争要激烈多了。当你想找个股票经纪人做投资顾问时，你会觉得你应该先问，‘这个投资顾问是个聪明的家伙吗？’他可能很聪明，也可能很关心你。但你真正应该问的问题是，‘这家伙拿过几枚金牌？’你找股票投资顾问时，要非常谨慎，因为有很多人想要给你提供投资建议来赚取你的佣金，但你找的股票经纪人，也就是投资顾问，要足够出色，才能够避免把钱输给那些最厉害的投资游戏高手。”

那么你给普通投资人的答案是什么呢？

“不要去和投资高手争斗，你要明白的是，还有一种被动投资的方法可以让你稳稳地赢得投资游戏。这种方法就是分散投资所有股票，正如那句俗语所说的，不要将所有鸡蛋都放在一个篮子里。用这套方法，你可以在所有下跌行情中保护自己，因为最好的投资者都知道，他们也会犯错，不管他们有多聪明。”

等等！瑞·达利欧，你这个过去21年创造出21%年化收益率的投资高手，将来也会犯错吗？

“对，托尼，我也会犯错。”他说，“我们都会犯错，所以我们要建立一套投资操作体系，保护自己免受这些失误的影响。”

说到这里，我们两个人坐在一起已经聊了将近三个小时，是时候问最关键的问题了：“达利欧，这个体系是什么？”达利欧对我说：“托尼，我的基金最后一次接受新的投资人加入，要求客户至少要有50亿美元的净资产，这样的人才有机会分享我的投资管理知识，而且至少要投资1亿美元购买我的基金。我的这套投资体系非常复杂，而且会有很大变化。”

我说：“好了，达利欧，你刚才说，你再也不接受新的投资人加入你的基金了，谁也不行。但我知道你还是非常关心大众投资者的。如果你不能将钱留给自己的孩子，只能留下一系列投资原则，或者一个投资组合——一个投资体系，能让你的孩子像你一样，无论市场行情是好是坏都能赚到钱——请告诉我，对于普通投资者来说，应该采用什么样的投资体系呢？”

我俩来来回回交流了几个回合之后，最终，你猜结果如何？他给我提供了一套理想的投资组合样板，也就是具体明确的各种投资及混合比例。它可以帮助你在任何一个市场上实现投资收益最大化，同时收益下跌的波动性最小化。

投资组合是什么意思？你不熟悉这个词不要紧，其实投资组合这个概念很简单，就是同时做各种不同的投资，把这些投资组合到一起，努力实现投资收益最大化。达利欧展示给我的是一个简单的投资组合，包括投资的内容、百分比、投资金额。回顾历史，我们发现，使用达利欧建议的策略在过去 30 年（1984—2013 年）中，赚钱的时间多达 85%。也就是说，过去 30 年只有 4 年多是亏钱的——亏损最多的年份也只亏了 3.93%（4 年中平均每年亏损 1.9%）。其中有一年亏损只有 0.03%，大多数人会认为这接近于不赚也不亏。2008 年整个美国股市亏损 51%（从最高点到最低点），你只亏损了 3.93%——只要完全按照达利欧说的做就能做到。达利欧在此处分享的投资计划，每年年化投资收益率接近 10%（扣除费用后的净收益率），而且这个投资计划简单易行，你自己就能轻松搞定。这只是本书介绍的投资体系之一，在第 6 章中，你会学到更多的全球最伟大的投资大师所分享的投资策略。

我知道，现在你肯定想直接跳到后面，看看达利欧推荐的这个投资组合的内容究竟是什么。但我要提醒你，你必须按照简单 7 步投资法一步一步地来做，这个投资组合才会行之有效。如果你一问三不知，一不知道该从哪里搞到钱来投资，二不知道自己的投资目标，三不知道投资的游戏规则，那么即使你看到了世界上最好的投资组合，你也不知道该如何利用。所以，请你还是老老实实地跟着我，我们一起一步一步地来。我没有胡说八道，我是有一套方法的。朋友，你得按照套路来。

瑞·达利欧提供的投资建议对你的价值有多大呢？其他人需要有 50 亿美元的财产才能得到，你只需要花费买这本书的钱就可以得到。这样来看，你买本书的投资收益可不算差！

了解达利欧的投资体系，这让我非常激动，但是达利欧最让我感兴趣的地方是他如何看待世界。他把世界看作丛林，把自己的生活看作经常发生的令人兴奋的战斗。

“托尼，我就是这样来看待生活的，我们都有一些自己想要得到的东西。这些东西代表着更高的生活品质。但要得到你想要的东西，你就必须穿越充满挑战的丛林。只要穿过丛林，你就会获得自己期盼的生活。就像是你正在丛林的这一边。”他告诉我，“你如果能穿越丛林到达那一边，就能拥有非常棒的工作，非常舒适的生活。但是丛林中有各种各样危险的事物，这些事物都有可能杀死你。那么，你是选择待在这一边过着安稳的生活，还是选择进入丛林走向另一边呢？你会如何处理这个问题呢？”

达利欧选择的是进入丛林，和自己非常信任又非常聪明的好友们一道前行。达利欧总是不停地问：“哪些是我不知道的呢？”“这是个至关重要的问题。”他说，“我一生中最重要的成功因素是自己很有自知之明，不会狂妄自大。我会坦承自己有很多不足，我对很多事情知道得并不多。学习得越多，我会觉得自己知道得越少。”

这不正是无可争辩的事实吗？我自己就是个活生生的例子。我开始写本书时，自以为自己很清楚在干什么。毕竟，我都有几十年的经验了。但在过去4年寻找全球最出色的投资人的过程中，我一次又一次地为自己的无知而深感羞愧。我发现，那些只会说不会干的伪专家都很自大，自以为无所不知无所不晓，而这些业绩最优秀的投资大师本质上都很谦卑。就像瑞·达利欧，他们会说出自己的想法，然后坦诚地说自己的看法也可能是错的。

财富不是生活的目标，而是生活的手段。

——亨利·沃德·比彻

随着我寻找投资高手的旅程不断行进，我发现我的使命在不断地升级。每采访一位投资大师，我就会发现一些以前我并不知道的投资工具、投资机会和投资产品，只有超级富豪才有机会享用，一般的老百姓听都没有听说过。具有讽刺意味的是，有些最好的投资机会风险极小，或者风险有限，即这些投资大师所说的“风险—收益不对称”。它的意思是，上涨赚钱的潜力大，下跌亏钱的可能性很小，这种“聪明钱”就是投资高手管理的资金最盼望的投资良机。

我非常兴奋，能够找到这样好的风险—收益不对称的投资机会，并利用它们多赚些钱，因为我到人生现在这个阶段，年龄已经足够大，运气还足够好，经济也足够宽裕了，能找到并抓住这样的投资机会了。但我的儿子不能，我的女儿不能，我的好友不能，最重要的是，可能像你这样的读者也不能。（除非你攒了好几千万美元，你读本书只是想看看达利欧把钱投到哪里了，给自己做参考。）

于是，我给自己定位的角色变了，从一个消极被动的投资世界的信息采集者，变成一个积极主动的行动者，为我的朋友们和读者们提供良好的投资机会。我不仅要告诉你那些有钱人会做什么样的投资，我也想把这些投资机会开放给每个普通人。所以我想找到那些专门为超级富豪提供投资理财服务的公司，然后想方设法地说服它们创造出新的投资机会，让各个收入层次和各个年龄层次的投资者都能分享。我尽力高调地宣传这些公司的服务，在某些情况下，我会深度介入，与它们合作研发新的投资产品，让普通大众能够第一次购买这样的投资产品。但令我最骄傲的是，我已经说服了许多公司向一般收入者开放服务——完全免费！在本书接下来的内容里，你将会了解到堡垒财富管理公司和高塔投资顾问公司两家公司革命性的战略合作，它们共同组建了一家投资顾问合伙公司。高塔投资顾问公司是美国第五大投资咨询公司，向超级富豪提供清晰易懂而且没有利益冲突的投资建议。它们将为老百姓提供透明、没有冲突的建议。现在这家合伙公司会给包括每位读者在内的一般收入阶层，提供同样优秀的投资理财规划服务，而且不收取任何费用，不管你投资的金额是大是小都不收取一分钱。你能学会如何访问一个免费的在线平台，它能让你像买车先试驾一样提前考察你的投资经纪人，检验你是不是给你的经纪人付了过高的佣金，但他带给你的回报低于市场水平。我希望这是个人理财世界发生巨变的开始，从此在巨大的投资赛场上，有钱人和普通人能够公平竞争。

高塔投资顾问公司为什么要这样做？第一，这是应该做的正确的事。投资者需要知道他们花的钱值不值。第二，他们知道很多现在很有钱的人并不都是一开始就很有钱的。发家致富的秘诀是什么，你还记得吗？为别人做更多，比其他人做的还要多。高塔投资顾问公司在你人生这个阶段为你义务地做了这件好事，它是在赌，你将来肯定不会忘记高塔投资顾问公司。你会成为高塔投资顾问公司的粉丝和忠诚客户。

今天，你得到了你需要的帮助，而且一分钱不用花，高塔投资顾问公司则得到了未来的客户。这就是金融界的协同作用。这样就有机会创造出难以捉摸的双赢结果，在华尔街都是机构赚钱、客户吃亏，双赢的事非常少见。

言善信，心善渊，与善仁。

——老子

“成为游戏高手”能带给你很多巨大的好处。其中之一是，你不仅能够赢得比赛，而且还有能力对别人产生重大影响。不管我们的处境多么困难，总是有人比我们更苦。如果有人自己创造了巨大的财富，那么他有权力，我相信，也有责任，把一些财富回馈给那些刚刚开始人生旅程的人，或者那些遭遇灾难打击、人生旅途受困的人。稍后我将与你分享我的亲身经历，那时我们家可以说家徒四壁，全家人只能饿肚子，多亏好心人的慈善捐助，我们家才能有饭吃，我们没有被饿死。这件事情彻底改变了我对人的看法和对生活的看法。这段受人恩惠的经历，对塑造今天的我有很大的帮助。

所以几十年来，我一直努力回馈社会，通过我创立的安东尼·罗宾斯基金会，每年为200万人提供食物。最近几年，我们的员工捐了多少钱，我和妻子私人也捐了相应的钱。

今天，我可以自豪地说，当初没有饭吃的那个孩子，如今每年能够直接帮助 400 万人得到照顾和食物。总的来说，过去 38 年，我很荣幸地为 4 200 万人提供了食物。

我想用本书作为工具帮助你发掘出足够多的财富，既有物质财富也有精神财富，让你能够拥有一股向善的力量，也能够捐赠出你的财富，捐赠出你的时间，帮助他人。不过，我要告诉你，如果现在你不能从 1 美元中捐出 1 美分，将来你就不会从 1 000 万美元中捐出 100 万美元。现在是时候给予了。我还一无所有的时候，就已经开始这样做了。好人有好报，当你给予的时候，即使当时你认为自己的财富非常少，你也可以自己教育自己，你拥有的不仅足够多而且绰绰有余。你可以将贫乏的世界抛在身后，向着富有的世界前进。

因此，我很想让你现在就开始奉献之旅。当你阅读本书时，就会知道，你不仅帮助自己在财务上创建一个全新的未来，而且同时在帮助每天面临饥饿的 1 700 万个家庭。

怎么去做呢？我决定在一年之内做更多的事情，比我过去所做的还要多。以我的读者的名义，在本书出版之际，我给全美国无家可归、受苦受难的男人、女人和孩子，捐赠 5 000 万份餐食。倘若知道了这些无家可归者是什么样的人，你一定很震惊。没错，确实其中一部分人是参加过战争并在记忆中留下深刻伤疤的士兵，另一部分人是有精神障碍或者身体残疾的人。但还有好几百万人就像你我一样，本来过着正常的生活，后来突然失去了工作，或者因为出现了健康问题，或者因为家庭发生了变故，将他们推到了入不敷出的破产边缘。大多数美国人只要几个月拿不到工资就会没钱还债，只能破产。让我们一起伸出援助之手去帮助他们吧。

我在写本书的时候，美国国会削减了 87 亿美元的食品优惠券预算。我见证了这个政策巨大的破坏性影响，这相当于掐断了与饥饿问题斗争的志愿者和非营利组织的弹药补给。这正是我要捐赠 5 000 万份餐食的原因。我发挥自己的影响力，获得了来自其他慈善机构与此金额相当的捐赠，这样我们就能提供1亿份餐食给忍饥挨饿的人了。欢迎加入我们，让我们一起帮助饥饿的人，你可能不知道自己已经在出手相助了：因为你买了这本书，不管你买的是纸质书，还是在iPad上买了电子书，你本人就直接为50个人捐赠了一顿饭。我希望，读完这本书，你能在善心的驱使下，自愿做出小额捐赠。我在本书最后一章提供了一些信息，让你了解如何“使用零钱帮助改变世界”。有很多简单而又愉悦的方式能让你轻松给予、帮助弱者、回馈社会，能让你千古流芳，子孙后代都会引以为荣。

这一章的内容太多了！但我希望你读着不会感觉很长！我是不是已经激起了你的兴趣呢？你正在认真地思考自己可能努力成就什么样的人生。你可以想象一下，通过努力，从今天的你变成你真正想成为的你，过上你想要的人生，会是什么感觉呢？金钱带给你的感受不再是压力，而是兴奋与自豪，那时，你的心情会如何？当你征服了人生中的金钱领域后，你会创造出新的动力。它不但会让你在财务方面取得成功，而且在人生其他比金钱更重要的领域，你也会取得成功，这一点我可以向你保证。

最后再说一句，如果你能读到这里，我要好好夸奖你，因为你的阅读量在购买非小说类书籍的读者中已经位居前10%了。没错，统计表明，买书的人能读完第一章的，10个人里不到1个人。这简直太荒唐了吧？这本书我尽量写得很浅显，但会使你了解得很深入——成为金钱游戏高手，掌握关键的投资理财技能，让你从此完全掌控自己的财务世界。本书并不是“投资红宝书”，而是“投资大宝典”。所以，我现在就邀请你，也要挑战你，承诺读完本书，和我一起走完简单7步投资法的投资之旅。我向你保证，你会受益匪浅，将来几十年都享用不尽。

现在，翻到下一页。首先，我要给你快速概述一下获得终身收入的指南——这笔收入会维持你现在的生活（或者带给你想要的生活品质），而且让你再也不用为赚钱工作。实现了这个目标后，你再去工作就不是为了赚钱了，而只是因为你想工作。让我们紧抓这份指引方向的路线图，一道前行，踏上通向财务自由的简单7步投资法之旅。

第 2 章　简单 7 步投资法实现财务自由：创造终身收入

千里之行，始于足下。

——老子

告诉我，你有没有过这种经历，你知道的……和孩子玩视频游戏，你输得很惨、被羞辱的经历。谁总赢呢？当然是孩子啦！但是孩子是怎么做到的呢？是因为孩子头脑更聪明、动作更快、实力更强吗？

我们来分析下事情的经过。你去侄女或者侄子家做客，孩子见了你会说："快来和我一起玩游戏吧，好叔叔！"

你马上反对："不，不，我不会玩这个游戏。你玩你的。"

他们会说："来吧，很容易的！我一教你就会了。"然后他们射死几个屏幕上跳出来的坏蛋。你仍然不愿意玩，于是，他们就开始恳求你了。"玩吧！玩吧！求你了，求你了，求你了！"你很喜欢这个小家伙，所以只好让步了。然后孩子简单的一句话就让你知道你上套了："你先。"

于是你下定决心，一定要赢！你要在孩子面前露两手。结果如何呢？砰！砰！砰！只要三四秒，屏幕上的坏蛋就把你打死了。你头部中枪。弹孔冒着烟。

轮到孩子玩了。孩子拿起枪，突然砰、砰、砰一阵扫射。很多坏蛋从天而降，从各个角落嗖嗖地飞来飞去。孩子预料到坏蛋的一举一动，逐个击落——45 分钟后，终于轮到你玩第二轮了。

现在你发怒了，更加坚定了非赢不可的信念。这一次，你整整坚持了5秒钟才死掉，孩子上来又一口气玩了45分钟。你终于明白这是怎么回事了。你就是被孩子拉过来当炮灰的。

那么，为什么孩子总能赢？他们的脑子反应更快吗？他们的两只手动作更快吗？不是！是因为他们以前玩过这个游戏很多次。

他们已经掌握了人生获得财富和成功的最大秘诀：他们能预测到前方的路。

记住这句话：预测是终极力量！失败者事后才做出反应，领导者事前就能做出预测。接下来，精英中的精英会教你学习预测的技能，瑞·达利欧、保罗·都铎·琼斯，以及其他50位能够预测前路的金融界领袖人物，他们组成的明星军团知道前方的路。他们来指导你在通往财务自由之路上遇到困难和挑战时，让你一路前行免受伤害。正如瑞·达利欧所说的，前方是一片丛林，布满了能在财务自由之路上杀死你的危险的东西，你需要信得过的向导帮你穿越丛林。有了他们的帮助，我们可以为你制订规划，帮你预测前行的困难和挑战，让你避免不必要的压力，最终到达你理想的财务目的地。

我要简要地概述一下我们要去哪里和本书的基本结构，这样你就可以有效地利用本书了。但在此之前，我们先要搞清楚我们真正的目的。本书致力于达成的最重要的结果是：让你掌握自己的财务，能够拥有一份终身投资收益，再也不用为赚钱去工作，实现真正的财务自由！好消息是，每个人都能实现真正的财务自由。即使在起步时你深陷债务泥潭，毫不夸张地说，只要多花一点儿时间，持续保持专注，运用正确的投资策略，你就能在几年之内获得财务上的安全，甚至是财务自由。

在我们开始按照简单7步投资法一步一步地开始投资之旅之前，让我们先探讨一下，为什么在财务上达到安全无忧过去看起来非常简单，现在却相当困难？其中发生了什么改变？我们需要做什么来应对？我们先来上一堂历史课吧。

年轻时没有钱可以，但年老时没有钱绝对不行。

——田纳西·威廉斯

现在，你的财务生活好像比过去困难很多，不是吗？我敢肯定，你一定很困惑，现在想要存点钱养老，然后舒舒服服地享受退休生活，为什么会如此困难。我们已经把退休养老看作社会给予的一项福利：人生神圣不可侵犯的阶段。但是别忘了，退休其实是个相当新的概念，事实上，只有最近一两代人才有退休这个概念——对于我们大多数人来说，只有我们的父母和祖父母两代人，才享受到了退休的福利待遇。在他们之前，人们一般要工作到动不了，不能工作为止。

所有人都是一直工作到死。

还记得历史吗？美国的社会保障制度是什么时候才开始有的呢？那是大萧条期间，时任美国总统富兰克林·德拉诺·罗斯福所创立的，那时并没有照顾老人和病人的社会保障体系。在此之前，"老人"的概念和现在完全不同。那时，美国人的平均预期寿命只有 62 岁。寿命只有这么长！社会保障体系提供的退休福利，政策规定人要活到 65 岁才能开始享受，所以并不是每个人都能享受到退休福利，就是享受到了也享受不了多久。事实上，创立社会保障体系的罗斯福总统本人，寿命也没有长到能够享受自己的退休金（尽管他可能并不需要这笔钱）。他死时才 63 岁。

《美国社会保障法》在大萧条时期减轻了数百万名美国人的痛苦，但是其创立的目的并非取代退休储蓄——只是作为满足最基本生活需求的一个补充而已。而且当时设计的制度也不是为了适应我们今天生活的世界。

世界变化很大，新的现实情况是：已婚夫妇二人其中至少有一位会活到 92 岁的可能性是 50%；其中一位活到 97 岁的可能性是 25%。

天哪！我们的平均寿命正在快速接近 100 岁。

随着寿命延长，我们领取养老金的预期年限会更长——长出很多。50 年前，人们领取养老金的年限平均为 12 年，而如今一个人 65 岁退休后，预期会活到 85 岁甚至更久。这样，领取养老金的年限会长达 20 多年。这还只是平均年限，许多人会活得更长，甚至能领取30年的养老金！

> 用30年工作所交纳的养老金，去负担30年的退休生活，这根本不现实。你不能指望只用前30年每月交纳的10%的工资收入作为养老金，来支撑后30年的退休生活支出。
>
> **——约翰·沙文，斯坦福大学经济学教授**

你预计自己能活到多少岁呢？我们看到，各种各样医疗技术的突破创新都会延长我们的寿命好几年，甚至几十年。从干细胞技术到3D打印器官，再到细胞再生，各种技术爆发性涌现。你会在本书第七部分，了解更多最新科技的进步。寿命延长肯定是好事，但是你做好准备了吗？我们很多人都没有做好。

美国万通金融集团相关人员做了一项调查，他们访问了1946—1964年婴儿潮一代出生的人："你害怕的事情是什么？"

你认为答案会是什么？死亡？恐怖袭击？瘟疫？

错！婴儿潮一代出生的人最害怕的事情是：人活着，钱花没了！

（顺便说一下，死亡，只排在第二位。）

婴儿潮一代出生的人有理由害怕自己的储蓄撑不到去世，千禧一代出生的人也是如此。安永会计师事务所的一项研究表明，75%的美国人愿意在临死之前看到自己的资产完全消失。社会保障安全网络，如果能够存活到下一代的话，本身并不能提供合理的生活水平。目前，美国人每月能够领取的养老金平均是1 294美元。如果你生活在纽约、洛杉矶、芝加哥或迈阿密等大城市，你觉得每个月这点儿钱能撑多久呢？或者如果你住在伦敦、罗马、东京、中国香港、悉尼或新德里等国际大都市，同样是社会保险体系，同样是每月只领取养老金，这又能让你撑上多久呢？无论你生活在哪里，如果没有另一份收入来源，你最终只能老了也得打工，也许做个站在沃尔玛超市门口迎接顾客的最佳着装接待员，一直到你死。

显然，我们需要增加退休后的收入，帮助自己维持更长的退休生活，比以前任何时代都要长——我们现在正处在经济不景气的时期，许多人都在苦苦地挣扎，想要恢复失去的收入水平。

活得更久了，花得更多了，但是经济不景气下收入下降了，我们的经济状况越来越窘迫。我们是如何应对的呢？很多人发现，退休养老这个问题太令人头疼了，简直让人崩溃，于是我们干脆阻止自己去想它，盼望问题会自行消失。根据雇员福利研究所的调查研究，美国在职雇员中，48%的人从来没有计算过自己退休后总共需要花多少钱养老。是的，48%！这是个惊人的数字。接近一半的美国人需要从第一步做起，开始制订自己未来的财务规划——算账的时间到了。

那么，解决办法是什么？从第一步开始：做出你一生最重要的财务决策。到你读完本书的时候，你不仅有一个自动的储蓄和投资计划，而且你也知道了不用依靠工作照样能创造收入的方法。

等等！竟有这样的好事！简直太好了，这不可能是真的！你肯定会这样想。任何事情听起来好得简直不能太好了，往往都不是真的，难道不是吗？

但我相信，凡事都有例外。如果我告诉你，现在确实有些金融工具，能让你在市场上涨时赚到钱，在市场下跌时也不会亏一分钱，你会怎么说呢？ 20 年前，对于普通投资者来说，这样的事情根本无法想象。但投资者在 2008 年市场暴跌一半的行情中，使用这些投资工具，没有亏损一分钱，甚至不会因为担心害怕而失眠。我用这些投资工具让家人获得了财务安全和财务自由。知道自己的收入永远不会被花光，这种感觉简直太棒了。我想确保你和你的家人都有这样的财务安全和财务自由的美好感觉。在本书里，我要展示给你如何创造有保障的终身收入来源。

终身收入，再也不用为了赚钱而被迫工作。

每个月底打开邮箱，原来你看到的只是银行对账单，存款账户里的钱越花越少，你只能幻想存款余额没有减少。相反，创造终身收入之后，月底你的邮箱里出现的不是对账单，而是一张支票，这样的感觉是不是好多了呢？这种好事有办法实现。

在本书第二部分，我会向你展示如何把你的投资打造成赚钱机器，让你稳稳地赚到相当多的养老储备金——我称之为达到“临界数量”。这笔投资让你睡觉的时候也能照样赚钱。用几个简单的策略，你就可以创造出有保障的收入流，让自己能够按照自己的想法来建立、管理、享受自己的私人“养老金”。

也许你很难想象，如今竟然会有这样的投资安排，可以提供给你如下好处：

- 100% 的本金安全保护，这意味着你绝对不会亏掉本金。
- 你投资账户的收益与股票市场涨幅（比如标准普尔 500 指数）直接挂钩。所以，如果股票市场上涨，你就能分享到收益。但是如果市场下跌，你并不会发生亏损。
- 你也可以把投资账户余额转化成有保障的收入，这些收入你一辈子也花不完。

你可以不用想象了，这样的好事就在你眼前。这只是其中的一种，还有许多类似的投资机会，如今像你这样的投资者都可以得到。（你会在第五部分详细地了解到。）

我要明确的是，即使有了终身收入，我也不建议你一到传统的退休年龄就停止工作。当然，可能你也不愿意这样做。研究表明，赚的钱越多，不退休继续工作的可能性就越大。过去，我们的人生目标是发财致富，然后 40 岁就提前退休。但现在，我们的人生目标是发财致富，然后一直工作到 90 岁。美国年收入达到 7.5 万美元（超过 50 万元人民币）或者更高的人，接近一半的人表示他们永远不会退休，即使退休，至少要工作到 70 岁。

滚石乐队的主唱米克·贾格尔 71 岁了，仍然在做世界巡演，像这样工作到老怎么样呢？

或者想想看，企业大亨史蒂夫·韦恩 72 岁了还在工作。

沃伦·巴菲特 84 岁了。

鲁伯特·默多克 83 岁了。

萨默·雷石东 91 岁了。

尽管他们年纪很大了，钱也非常多了，早就可以退休了，这些企业家仍然经营管理着自己的企业，而且做得很棒。（他们可能以后还会继续工作。）也许你也可以这样，虽然年纪很大了，但仍继续热情工作。

但如果我们不能工作了，或者再也不愿意工作了，会出现什么情况呢？单凭养老金是不能完全支撑我们退休的生活开支的。美国婴儿潮一代出生的人，现在每天都有 10 000 人年满 65 岁，老年人与年轻人的比例越来越不平衡，至少在我们知道的期限里，是不可能恢复平衡的。1950 年，平均 16.5 个劳动者向社会保障体系交纳的养老金来支撑 1 个退休者所领取的养老金。2014 年，平均 2.9 个人交纳的养老金来支撑 1 个人所领取的养老金。

你觉得这样的比例能长期维持下去吗？

《纽约时报》专栏作家、畅销书作家托马斯·弗里德曼，写了一篇文章《现在是 401（k）退休计划的世界》。他说："如果你是自我激励、自力更生的人，哇，太好了，现在这个新世界就是为你量体裁衣的。所有边界都消失了。但如果你不是自我激励、自力更生的人，现在这个新世界会对你构成很大的挑战，因为过去保护你的墙壁、天花板和地板通通消失不见了……限制少多了，但保障也少多了。你做出的贡献大小，会在更大程度上决定你得到福利的多少。作秀不行，你得真正有贡献才行。"

你要是想与父母和祖父母一样，指望着退休后靠着领取养老金过上甜蜜幸福的晚年生活，你还是别做梦了，想想铁匠和电话接线员的命运，以后再也不会有这样的好事了。美国私营企业的员工，总体上只有一半人有退休养老保险，而且其中大部分人现在采用的都是个人完全自理、个人承担所有风险的模式。

如果你是一个市、州或联邦政府的雇员，相当于中国的公务员，那么你还能享受到政府财务所支持的养老金，但随着时间一天天过去，越来越多的人，像底特律、圣贝纳迪诺等那些财政破产的城市里的人，政府雇员心里一直在打鼓，熬到自己退休的时候，这些养老金可能早就没有了。

那么，你的退休养老计划是什么？你有养老金吗？是401（k）退休储蓄计划，还是个人退休金账户呢？如今，有6 000万名美国人参加了401（k）退休养老金计划，交纳的养老金规模超过了3.5万亿美元。但如果你加入的是主导市场的高收费投资计划，对于你来说，这样的退休养老金计划的结果会很差劲，甚至亏得很惨。正因如此，如果你参加了401（k）退休养老投资计划，你就必须好好地读第二部分第10章了。你学到的很有用的新东西，让你只要做出简单的改变，就可以完全改变你的人生——带给你平和的心态和你现在需要得到的收益确定性。也就是说：不改变，你老了也不能退休；改变了，你就能提前退休。二者差别很大。

死亡与纳税：唯一始终不变的事

你要小心的敌人是市场波动很快（简直比光速还快）的市场、高得离谱的（和隐性的）费用、陈旧过时的养老保障体系，不要忘记还有我们很好的老朋友——税务员。啊，税务员。你只要赚到钱，税务员就要收走50%（甚至更多）的所得税。谢谢你为国家做出的贡献。如果你认为隐性费用是你积累财富的唯一拖累因素，那么你错了，你遗漏了最大最严重的拖累因素。

我们都知道纳税会拖累你的财富积累，但在相当大的程度上，很少有人意识到税收拿走我们收入的比例有多大，对我们实现财务自由的能力影响有多大。经验丰富的投资老手非常明白这个道理：重要的不是你赚了多少钱，而是你留到口袋里多少钱。

世界上最伟大的投资者都明白税收效率的重要性。那么随着时间的积累，纳税所造成的破坏性究竟有多大呢？

我们来举个简单的例子：你挣了1美元，你有能力使每年收益翻番，一直持续20年。我们都知道一种投资游戏——复利，对吧？

过了 1 年，1 美元变成了 2 美元；

过了 2 年，变成 4 美元；

过了 3 年，变成 8 美元；

过了 4 年，变成 16 美元；

过了 5 年，变成 32 美元。

你不能用计算器，猜猜看，这样过了 20 年，你最初的 1 美元增值到了多少钱呢？

不要作弊。花点时间猜猜看。

通过复利的魔力，20 年后，最初的 1 美元变成了 1 048 576 美元！这就是复利令人难以置信的神奇力量。

作为投资者，我们自然想要充分利用复利如此巨大的力量。不过，投资游戏并不是这么简单。在现实世界里，政府首先要你掏钱纳税。税务员正盯着他想分到手的那一块饼呢。在和上面的例子同样的情形下，如果必须交纳所得税，其影响会有多么大呢？还是不要用计算器，先猜猜看。如果你够幸运，每年支付的所得税税率只有 33%，那么你觉得 20 年之后，你赚到的钱在交完税后，还会剩下多少呢？

不要往后翻，偷看答案，花点时间，认真猜猜看。

好啦！如果税前投资收益是 1 048 576 美元……嗯，交纳 33% 的所得税后，剩下的投资净收益差不多只有 75 万美元吗？或者可能更少，只有 50 万美元吗？再想想。

现在我们接着往下看。在现实世界里，在新的一年开始，复利赚钱机器再次把你的钱翻番之前，我们首先要拿出钱来足额交纳上一年的投资收益所得税，那么税收的吸钱威力，是不是也会像复利的赚钱魔力一样，大到不可思议的程度呢？假设每年投资收益的所得税税率为 33%，同样是经过 20 年之后，最后你实际获得的税后投资收益只有 2.8 万多美元。

没错，只有大约 2.8 万美元！不用每年交纳所得税让你得到的投资收益接近 105 万美元，而每年交纳 33% 的所得税后，你最终拿到手的投资净收益只有 2.8 万多美元。相差 100 多万美元——还没算上州税呢！在某些州，比如加利福尼亚州、纽约州和新泽西州，州里征收的所得税也不少。所以你最后拿到手的税后净收益肯定会更低。

当然，在这个例子中，每年收益翻番只是假设，你在现实世界中永远看不到这么高的投资收益率。但是这个简单的例子说明，如果我们忽视考虑税收对财务规划的巨大影响，其后果可能会很严重。

鉴于事情发生在华盛顿州，你认为未来几年的所得税税率会更高还是更低呢？

（你甚至根本不需要回答上述问题。）

在本书第五部分，我会告诉你"投资门路"，直到现在为止能够得到这些投资门路的人，只有经验丰富、手法老到的投资者，或者"超级富豪"。我会让你看看那些最聪明的投资者做了什么——如何避开所得税，《纽约时报》称之为"专给富人的内线秘密"。它就是得到美国国税局批准的避税方法，让你可以免交所得税，从而大大加快财富积累的速度。你不需要是富人，也不需要是名人，普通人都能使用。这种合理避税的方法，基本上能让你的财务增加速度加快25%~50%，帮助你更快地实现财务独立。不过，具体能快多少取决于你的税级。

没有成为自己的主人，就永远不是自由的人。

——爱比克泰德

但是，不管你有没有制订退休养老规划，未来都在飞速到来。根据美国退休养老研究中心的研究，53%的美国家庭未来"处于危险之中"，因为他们退休后没有足够的收入来继续维持现在的生活水平。一半以上的家庭啊！记住，1/3以上的劳动者所储蓄的养老金还不到1 000美元（不包括社会保险养老金和自有住房价值），60%的劳动者所储蓄的养老金不到25 000美元。

怎么会这么少呢？我们不能把这一切都归咎于经济不景气。储蓄危机早在最近这次经济危机之前就开始了。2005年，美国的个人储蓄率为

1.5%；2013 年，它是 2.2%（在危机最严重的时候超过了 5.5%）。这是怎么回事呢？我们并不是孤立生活的。我们知道需要储蓄更多，以积累资本做投资。我们为什么没有真正这样做呢？是什么阻碍我们不能更多地储蓄呢？

首先，我们必须承认，人类行为并不总是理性的。有些人花钱买彩票，尽管知道赢得强力球头奖的概率是 1/175 000 000，而我们遭到雷劈，即闪电击中的概率都比它大 251 倍。事实上，看看下面的统计数据会让你大吃一惊：美国家庭每年花在彩票购买上的钱平均为 1 000 美元。我第一次听到这个统计数据是我的朋友什洛莫·贝纳茨——加利福尼亚州大学洛杉矶分校的著名行为金融学教授——告诉我的。我的第一反应是："不可能有这么多！"其实，在我最近一次举办的研讨会上，我问现场观众："买过彩票的人请举手。"结果现场 5 000 名观众中，举手的还不到 50 人。如果 5 000 人中只有 50 个人买过彩票，而平均每年购买彩票要支出 1 000 美元，那么这就意味着很多人每年买彩票的实际支出大大高于 1 000 美元。顺便说一下，最高纪录保持者是新加坡，平均每个家庭每年花费 4 000 美元来购买彩票。你能不能大致估计一下，如果把每年买彩票的 1 000 美元、2 000 美元、3 000 美元、4 000 美元拿出来做投资，每年的收益按照复利不断增长，最后价值会增长到多少呢？在下一章中，你会发现只需要很少的本金，通过投资理财使本金不断增值，就能把自己的养老金积累到 50 万 ~100 万美元，甚至更多，而且几乎不需要投入时间管理投资。

现在，我们把讨论的话题转到了行为经济学上，让我们寻找一些小技巧，它们能够造成贫穷与富有的巨大差别。行为经济学家努力想要弄清楚，为什么我们会在财务上犯下错误，如何无意识地轻易改掉这些错误。听起来很酷，对吧？

丹·艾瑞里是杜克大学著名的行为经济学教授。他研究我们的大脑如何经常愚弄我们自己。人类的进化依赖于视觉，人脑的大部分都致力于处理视觉信息。但我们的眼睛经常误导我们。你如果不相信，就看看下面的例子。下图是两张桌子。

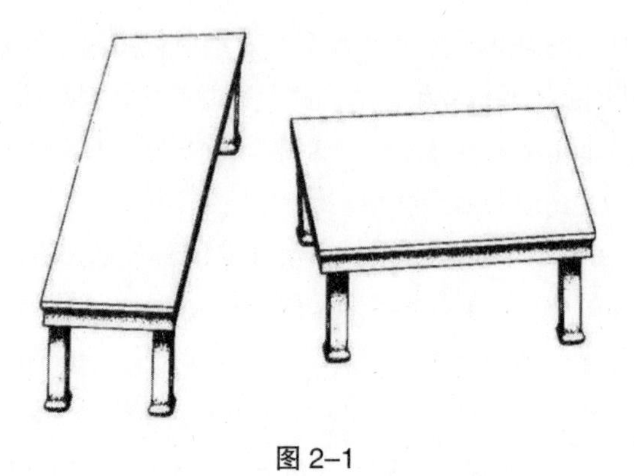

图 2–1

如果我问你，哪张桌子更长，是左边窄的桌子，还是右边宽的桌子呢？大部分人会自然而然地选择左边窄的桌子。如果你也给出了同样的答案，那么你就错了。两张桌子的长度一模一样。（你不相信，自己动手量一量吧。）不服，好，我们再来一次。

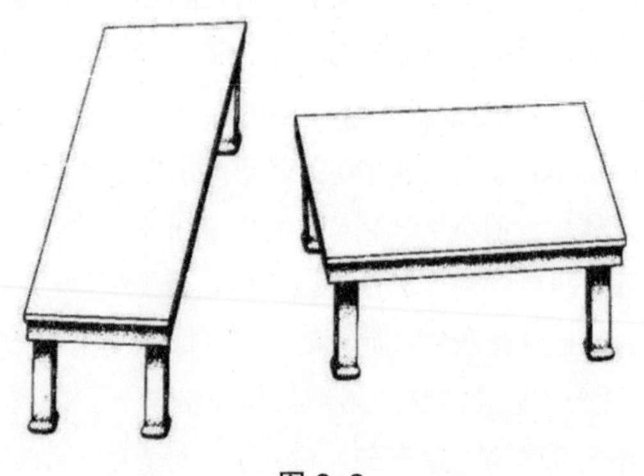

图 2–2

同样一张图，同样的两张桌子，哪张桌子更长呢？你是不是还觉得左边窄的桌子更长呢？你甚至敢赌上一把。你已经知道答案了，但是你的大脑仍在继续欺骗你。你就是觉得左边窄的桌子看起来更长。你的眼睛所看到的跟不上你的大脑所想到的。“我们的直觉一直在愚弄我们，利用不断重复、事前可预测、始终不变的方式。”艾瑞里在那次令人难忘的TED演讲中说，“对此我们束手无策。”

俗话说眼见为实，事实表明并非如此，我们眼睛看到的东西也会出错。要知道，从理论上讲看东西还是我们人类非常擅长的领域，那么换成我们不擅长的领域，我们犯错的概率会有多大呢？比如财务决策。无论我们认为自己做的财务决策是出色的还是糟糕的，我们内心理所当然地认为自己能够掌控自己所做的决策。然而，科学表明事实并非如此，我们无法掌控自己的决策。

就像上述的视觉错觉一样，我们做决策很容易受到错觉影响。艾瑞里在接受采访时告诉我，我们很多决策错误都要归咎于“认知错觉”。举个比较恰当的例子，你明天要去当地的车辆管理局回答一个关键问题：“你愿意捐赠器官吗？”你认为自己会如何回答呢？有些人会马上回答“愿意”，认为自己很无私、很高尚。另外一些人可能会沉默不语，或者犹豫不决，或者可能会回避这个可怕的问题，拒绝回答。也许你可能会推辞说自己需要时间考虑。但无论你的决策是什么，你认为自己的决策都是自主决策，完全基于个人的自由意志，我的事我自己说了算。你是拥有完全行为能力的成年人，完全可以自主决定是否捐赠个人器官去挽救他人。

但实际情况是另外一回事，你的决策在很大程度上取决于你居住的环境。如果你住在德国，你同意捐赠器官的概率是1/8，即约12%的人会同意捐赠器官。而德国的邻国奥地利，有99%的人愿意捐赠自己的器官。瑞典人愿意捐赠器官的比例是8%，丹麦人只有4%。这到底是怎么回事，为什么会有这么大的差异呢？

是宗教因素，还是恐惧因素？是文化差异吗？结果表明这些都不是原因。器官捐赠概率的巨大差异，与你个人或文化因素没有一点儿关系。这完全取决于车辆管理局表格上的话是怎么写的。

在器官捐赠概率最低的国家，如丹麦，表格上有个选择框，上面写的是“如果你愿意参加器官捐赠，在此打钩”。而在器官捐赠概率最高的国家，如瑞典，表格上写的是“如果你不想参与器官捐赠，在此打钩”。

这就是秘密所在。没有人喜欢在确认的选择框里打钩。这不是因为我们不愿意捐赠器官，只是人性懒惰，不想费事而已。就是那么一点点的惰性，造成了世界上的差别。

如果碰上的问题非常严重，那么我们容易被吓呆，一动不动，什么也不做，或者想也不想，只是被动地按照别人说的去做。这不是我们的错，我们天生就是这样处理事情的。人们在器官捐赠的问题上很犹豫，并不是因为不关心，而是因为太关心了。做出决定很困难，也很复杂，很多人根本不知道应该做什么。"因为我们不知道应该做什么，所以我们就去依赖别人，别人怎么定我们就怎么做。"艾瑞里说。

同样的惰性，或者说被动地接受别人给我们所选的路，有助于解释为什么只有 1/3 的美国工人充分利用了现有的退休养老金计划。同样的原因也可以解释为什么只有少数人为自己的未来制订了财务规划。长期的财务规划看起来太复杂了。我们不知道该做什么，所以我们干脆撒手不管，什么都不做。

艾瑞里告诉我，提到有形的物理世界，我们很清楚自身的能力是有限的，于是想办法用设计和建设来克服这些限制。比如，我们建造了台阶、坡道和电梯，让自己走得更远，上得更高。"但出于某种原因，在设计医疗保健体系、退休养老体系和股票市场体系时，我们不知道为什么就忘了我们的能力是有限的。"艾瑞里说，"我认为，如果我们能够认识了解我们大脑认知的局限性，就像我们认识了解自己身体的局限性一样，我们就能把整个世界设计得更美好。"

还记得瑞·达利欧所说的吗？要进入丛林，他会问自己的第一个问题是："我不知道的有哪些？"如果知道自己的局限，你就能适应调整，进而取得成功。如果不知道自己的局限，你就会受到伤害。

我写本书的目的是要唤醒众人，传授给他们知识和工具，让他们马上可以掌控自己的财务生活。我创建的投资理财规划非常简单易行。为什么？因为投资理财规划，如果用起来太复杂、太难、太花时间，人们就会停止使用。正如我们在车辆管理局的表格上看到的那样，复杂是执行的敌人。正是因为这个原因，我将这个投资理财规划分为简单的 7 步，而且开发了一个功能强大的手机 App，它完全免费，用来一步一步地指导你完成这 7 个步骤。你可以一边前行一边检查自己的进度，每完成一步就要庆祝一次。这个手机 App 会支持你，回答你的问题，甚至在需要的时候提醒你一下。因为你会变得兴奋激动，努力追求最美好的目标，可是也会偶尔分心或出现惰性，这会让你偏离目标。设计自动化系统的目的就是要防止你出现这样的情况。猜猜看，你做好之后的结果会如何？你一次做好了，就一劳永逸。你的投资理财规划已经按部就班地执行到位，从此之后，你只要每次花上一小时，一年只需一两次检查一下，确保自己的航向正确就行了。有什么理由不坚定原来的路线继续前行呢？这条路让你能够得到终身的财务安全、财务独立、财务自由，而且它耗时很少，能让你把足够多的时间用在对自己至关重要的事情上。

我希望，读到这里，你的大脑正在激烈地做思想斗争。我知道，到目前为止，你有太多东西需要好好思考，但是我承诺，要给你的财务生活创造出持续性的突破进展，我想让你清楚地了解前面要走的路。所以，让我们一起快速浏览一下通向财务自由的简单 7 步投资法吧。

如果你属于在博客、推特、微博中长大的一代，我猜你会不耐烦地说："就简单的 7 步，这么一点东西，你竟然写了一大本书！你为什么不把这 7 步总结成一句话或者浓缩在一张图表里呢？"我可以做到。但知道信息是一回事，真正理解信息并遵照执行又是另一回事。不能被贯彻执行的信息，一点儿用也没有。记住，我们被淹没在信息的海洋里，但我们真正渴求的是智慧。

所以我先要改变你的思维，然后才能为后面的每一步做好准备。只有通过这种方式，你才能为采取必要的行动做好准备，才能保证自己按照这七步一步一步地前进，最终实现财务自由。

我撰写本书的目的是让你掌握一个主题，而这个主题正折磨着大多数人，因为他们从来没有花时间掌握其中的基本技能来让自己彻底摆脱痛苦。掌握意味着深入理解——谁都能读完后记住内容，这样便觉得自己学会了其中的东西。但真正要掌握它，你需要经过三个层次。

第一个层次是思维认知上的理解，即你理解概念的能力。这个层次我们每个人都能达到。许多人对个人理财和投资都有一些认知理解。但是你的认知理解，再加上3美元，差不多够给你到星巴克买一杯咖啡。我的意思是信息本身并没有价值，所以认知层面上的理解仅仅是第一步。

想要开始得到真正的价值，你必须进展到第二步，即心理情绪上的控制。一遍又一遍地重复，次数多了，你自然就知道了，这些东西激发出你内心很多的情感——欲望、渴望、恐惧和担忧，现在你能意识到这些东西了，也能持续运用你学到的东西了。

但最终的掌握是身体行动上的掌握，也就是说，你不用想自己做什么，你的行动成了你的第二天性。要想达到身体行动上的掌握，唯一的方法就是不断地重复、重复、再重复。我的那位杰出的人生导师吉姆·罗恩告诉我，重复是技能之母。

我讲一个典型的例子，正是我觉得自己能力比较欠缺的领域——跆拳道。我20岁出头的时候，很想拿到跆拳道黑带（最高等级），我有幸认识了李俊九大师，还成了他的好朋友。就是他把跆拳道带到了美国，他训练指导过李小龙和拳王阿里。我跟李大师说，我想用历史上最短的时间获得黑带，为了打破这一纪录，我什么事情都愿意做，刻苦训练，完全投入，严守纪律。李大师同意和我一起旅行，在旅途中指导我完成训练。训练非常残酷！我首先要工作，举办研讨会，培训讲课，之后再去场馆内参加训练，我凌晨1点赶到，然后李俊九大师指导我训练三四个小时。这样下来，我一天最多只能睡上4个小时。

有天晚上，完全相同的一个动作，我练了很长时间，特别长，至少练了300遍。我实在受不了了，转身问大师："大师，我们什么时候可以练下一个动作啊？"他看着我，很严厉，回答道："你这个家伙，跟个蚂蚱一样，一点儿耐心也没有，你现在练的就是下一个动作。其实，你根本分不清你现在练的这个动作和前面练的那个动作间的区别。这就表明你还是个业余爱好者。能不能看出这些细微的差别，就是专业大师与业余爱好者之间的差距所在。要掌握，就需要这种精细的重复。多重复一次，你才能多学一点儿。”

你明白我的意思了吗？我写书时，也有意做了这样的设计安排，让你不能只用一个下午就能轻松地翻完它。

本书完全不同于你以往读的任何一本书，因为它体现了我非常独特的教学风格。我会问你很多问题，有时你看到的一些事实情况和话语，你在前面已经读过了。你还会看到很多感叹号，这可不是编辑错误！我是有意使用这种技巧的，标记出关键思想，把知识牢牢嵌入你的大脑、身体和心理，让你的这种行为变成自动反应。那时，你就会开始看到成果，收获你想要的也是应得的回报。你愿意接受挑战吗？

要记住：这不仅是一本书，它还是一个行动方案。每一章的设计，都是要帮助你从投资理财的角度正确地理解自己的水平，帮助你缩小实际与期望之间的差距。让你来做这些功课，目的是要武装你。这不只是为了你的今天，更是为了未来的人生做好准备。我知道，你会在不同的阶段重新阅读本书，然后把自己再提升到更高的水平。

第一部分　欢迎来到丛林：旅程从这一步开始

就像所有伟大的冒险家一样，我们一开始先要为旅程确定方向。在第一部分第 4 章，你会学习了解到更多关于财富心理学的知识，分析阻碍我们积累财富的心理因素，并学习一些简单的解决之道。你会发现投资真正的目的是什么，从而释放出最佳财务突破策略的巨大力量。然后，在第 5 章，我们就要像火箭发射一样点火升空了，从此开始你的简单 7 步投资法。在这里你会迈出第一步，做出一生中最重要的财务决策。这一章是必读内容。你会学到哪怕只用很少一点的钱作为原始本金，只要学会运用复利的神奇力量，你就绝对可以实现终身财务独立，即使你的收入不高，也没有交上好运。要想激活这套投资理财规划，你首先要把省出的一部分收入作为储蓄以积累本金，来投资赚取复利收益。之后你不再是经济上的消费者，而是一个所有者——一个投资者，为未来押注。你会学会如何打造自己的自动赚钱机器，这个系统将会为你创造终身收入，即使在睡觉，你也照样能赚钱。

第二部分　成为内行：加入之前先了解游戏规则

也许你听说过这句老话："有钱人碰到有经验的人，最后的结局是，原来有经验的人带着钱走了，有钱人只带着经验走了。"既然现在你决定要成为一个投资者，本书第二部分会给你解释一些投资游戏的核心规则，好让你不会轻易地输掉比赛，不会成为那些很有经验的游戏高手的猎物。证券市场就是瑞·达利欧所说的投资丛林，路线图会告诉你穿越投资丛林的行进路线，里面所有危险的区域都标上了大大的红 X。它们都是那些市场营销人士编造的投资神话——有些人称之为投资谎言。那些投资机构设计安排这些投资谎言是有套路的，目的是一步一步地把你跟你的钱分开。你会了解到为什么基金公司广告上吹嘘的投资业绩并不是你实际能够得到的投资业绩。我知道这听起来不可思议，但是，你认为 1% 的管理费就是你所支付的所有成本费用吗？其实，这只是潜在十几项费用中的一种。平均而言，每只公募基金会吃掉你长期潜在投资收益的 60%！记住，只学习第二部分其中的一小部分内容，你就能省下 25 万 ~ 45 万美元。即使你未来一生的投资收益保持不变，这也能让你的口袋里又多出 25 万 ~ 45 万美元！这个数据，我并不是随口乱说的，也不是胡乱推算的，这都是基于白纸黑字的学术研究成果。我们会讨论那些推销到期日基金和免佣金基金的投资广告的宣传骗术，传授你一些投资真知来武装自己，保护自己免受那些投资机构的欺骗。它们经常会定制一些产品，专门设计一些投资策略，但是这样做的目的是使投资机构自己的利益最大化，而不是为了使个人投资者的利益最大化。读完本书的第二部分后，你就可以迈出你简单 7 步投资法的第二步了，即使你只有很少的一点儿本金，你也可以像一个内行一样去做投资了。

第三部分　梦想的代价，让游戏能赢

我们来一起探索你的财务梦想，设立一些切实可行的目标，让你确实有可能赢得投资游戏。很多人根本不了解他们究竟需要多少钱，才能获得财务安全、财务独立、财务自由，或者他们脑子里所想象的目标财富金额非常巨大，以至被吓坏了，无从制订一个以此为目标的投资理财规划。但是在第三部分第 15 章你会弄清楚你真正想要的金钱目标是什么，这个符合实际的目标会让你非常激动，特别是当你意识到你的梦想比你想象的还要近的时候。这不仅是梦想，而且你会把这个梦想变成现实，方法是实践一个投资理财规划，我将在第 16 章中详述。对于不同的人来说，实现人生梦想的投资理财规划并不相同，我们开发了一个软件，用来为你量身打造专属于你的投资理财规划。你可以通过网页或者手机应用程序定制，做好规划后你可以保存下来，以后想怎么修改都行，直到你找到一个真正切实可行的投资理财规划为止。如果你觉得自己实现梦想的速度不够快，我会在第三部分告诉你利用五种方法来加快速度。等你走完了第三步，你不但知道如何积累财富来支撑自己未来幸福自由的退休生活，也会知道如何一边前进一边享受一路的风景。

第四部分　做出你一生最重要的投资决策

现在你已经能像内行一样思考了，你也知道了投资游戏的重要规则，你还学会了如何把这个游戏变成你可以获胜的游戏。现在时间到了，你需要做出一生中最重要的投资决策——该把自己的钱投到哪里呢？每部分投资占所有资金的比例有多大呢？这就是资产配置。每个诺贝尔经济学奖获得者，每个对冲基金经理，每个顶尖的机构投资者，每个专业投资人都告诉我，资产配置是成功投资的关键，但是基本上 99% 的美国人只知道一点儿，甚至根本不懂资产配置。为什么？也许是因为资产配置看起来太复杂了。不过在第四部分第 22 章，我会把资产讲得非常简单易懂，还会向你演示到哪里去找专家在线帮助你做好资产配置。合理的资产配置就好像把你的投资分开放到两大类不同的木桶里。第一类木桶非常安全，能给你带来心灵的平静，而第二类木桶的风险就大得多了，但是可能会有更大的收益增长潜力。这就是终极木桶清单！它是不是非常简单易懂呢？当你完成了第四步后，你不但知道如何从没钱变得很有钱，而且知道如何一直守住财富。

第五部分　只赚不赔：创造一个终身收入计划

如果没有钱花，那么投资对你的生活有什么好处呢？大多数人过去一直专注于把更多的钱投入401（k）养老金投资计划，或者投入个人退休金账户里面。时间一长，这就成了习惯，结果他们忘记了未来，他们需要像花掉工资收入一样花掉投资账户里的钱。由于投资账户的余额会变动（记住并非只会上涨！），我们必须制订一个收入计划并且让这个收入计划保持稳定。还记得2008年股市大崩盘吗？如何在下一次遇到股市大崩盘时，保护自己免受重大伤害呢？如何建立一个良好的投资组合，让你可以避免因急欲补偿损失而低价出售同一种证券，结果导致双重损失的结果呢？你怎么知道你不会最终落到大多数人最恐惧的人生结局——钱花没了，人还活着呢？你很长寿，这是上天赐给你的福气，但如果你老了，钱却花光了，你就不会觉得自己有福气了。在第五部分里，我们会给你深刻的洞察力，帮你解开金融界保守得最严密的秘密，帮助你研究设计出一个靠谱的终身收入计划——一份确定的收入源源不断地流进你的账户。此时你的心里就有底了，能够获得财务心理上真正的平静。我们会探索创造性的投资方法，让你能够完全停止亏损或者把亏损限制在非常小的范围之内，同时增加你的收益——使用的投资工具就是银行、大企业和一些世界上最有钱的人所青睐的投资工具。他们知道，而你不知道的投资秘诀是什么呢？那就是如何让你只有赚钱的可能而没有亏钱的可能，而且确保你的收益不被税收吃掉。

第六部分　像万里挑一的大师那样投资：亿万富翁战术手册

关于全球经济状况，我们很想知道，未来面临哪些有利因素和挑战——我们如何发展到现在的这种状况？未来全球经济又会发展成什么样子？关于这些问题，我将会介绍世界上思考最透彻而且影响力最大的思想家的分析。然后，你会遇到 12 位杰出的投资游戏大师，在金融界他们个性最鲜明、成就最卓越，你可以学习 12 位顶尖投资高手的投资策略，这正是指引你稳稳地取得非凡业绩的投资秘籍。我会问保罗 · 都铎 · 琼斯，1987 年他是如何预测到美国股市"黑色星期一"大崩盘，从而一个月就获得 60% 的收益的；21 年后，在整个股市下跌近 50% 的大熊市里，在整个世界似乎要再次崩溃的经济环境中，他又是如何逆市获得近 30% 的收益的。此外，我们还会分析他是如何避免亏损，如何安然地度过每一种你能够想象得到的市场波动期，一分钱没亏过，连续 28 年获得盈利的。你在这一部分还会遇到更多的投资大师，比如查尔斯 · 施瓦布、卡尔 · 伊坎、托马斯 · 布恩 · 皮肯斯、瑞 · 达利欧、约翰 · 博格，他们并非出生于富贵人家，只能依靠自己的努力奋斗，逐步从贫穷到富有。他们是如何成为投资的顶尖高手，进而积累了巨大财富的呢？我会问这些顶尖的投资高手，金钱对于他们来说意味着什么。我还会揭开他们实际的投资组合中都有哪些股票。等你走完第 6 步，你就知道那些万里挑一的投资高手是如何投资的了。

第七部分　只管去做，尽情享受，尽情分享

在第七部分，我们会制订一个行动计划，帮助你过上更美好、更充实、更富有、更快乐的生活。我们会讨论如何坚定目标，运用突破性的新技术，让你未来的生活比你想象的更加美好，甚至在不久的将来就能实现，我敢保证这会让你大吃一惊。这一点与大多数人的想法完全相反。美国全国广播公司联合《华尔街日报》进行的一项民意调查表明，76% 的美

国人，比例创历史新高，认为孩子未来的生活水平会比自己这一代更差！但你会以内行的眼光来分析我们这个时代最卓越的大脑对未来的分析预测。我们会倾听两位大师的高见，我的朋友雷·库兹韦尔，人称当代爱迪生，还有X奖的创始人彼得·戴曼迪斯，他们会畅谈最新的科技创新：把你的个人电脑变成制造工厂的3D打印机，自动驾驶汽车，帮助截瘫患者重新行走的外骨骼，单细胞长成的假肢，这些科技创新会在很近的将来显著地改变我们的生活。我希望这些能激励你，也让你看到，即使有些地方做得很糟糕，在财务方面的行动没有整合好，你仍然能得到更高的生活品质。对于那些掌握了这些资源，并且能够按照我们制定的投资理财规则采取行动的人而言，你的未来拥有无限的可能、无限的机会、无限的幸福。

我们用一个简单的事实来圆满地结束本章：生活的秘诀就是给予。与他人分享，不仅会大大提高你的生活品质，也会大大提升你的快乐体验。你会学到一些新技术，让你给予的过程既没有痛苦又快乐有趣。当你充实了思想又积累了财富，实现了物质和精神双丰收后，我希望你能做得更好，让自己有充足的能力去帮助他人。别忘了，你现在就是我们的搭档。你在读本书的时候，其实你买书的钱有一部分已经捐出来了，我们一起捐赠餐食给缺少食物的人。

我相信，人们寻找的不是生活的意义，而是活着的体验。

——约瑟夫·坎贝尔

以上就是实现财务自由的简单7步投资法，我尽可能讲得通俗易懂。现在该你采取行动了，按照这7步法，一步一步地前进，每次一步，直到完成任务，达成财务自由的终极目标。

你想如何读完整本书呢？用什么方式阅读最适合你呢？我们现在也一起制订一个简单的阅读计划吧。有些人可能会抽出一个周末，坐下来一口气读完整本书。你要是这样做了，那么你就和我一样疯狂一样痴迷，我们真是志同道合！如果你不能抽出整整一个周末的时间，那就换个轻松的方式，比如一天读一章，或一周读一部分。有空就读上几页，几周后你就能把书读完了。不管采用什么方式，只管去读吧。

这是决定你一生的投资理财之旅，这是值得你努力学习掌握的投资理财之旅！来，我们一起出发吧！

第3章　利用复利魔力：做出一生最重要的财务决策

我的财富来自三种要素的结合：生活在美国、一些幸运的基因、复利。

——沃伦·巴菲特

我们现在开启投资自由之旅吧。利用复利的魔力，创造出真正巨大的财富。这并不是那种快速致富的计划，这也不是大多数人想的那种会让自己实现财务自由或者发财致富的计划。大多数人想的是“挣上一笔大钱”——发上一笔意外之财，然后他们觉得自己就会一直幸福地生活了。

但是我们还是面对现实吧，我们要谈的并不是“挣钱”致富。这是几百万名美国人重大的认识错误。我们误以为，只要自己工作更努力、更聪明、工作时间更长，就能实现自己的财务梦想。但只靠薪水，不管它有多高，都不能让你真正富有，实现财务自由。

我想起了这条真理，是在最近访问著名经济学家伯顿·麦基尔的时候，他写过一本金融行业的经典名著《漫步华尔街》。我专程前往普林斯顿大学拜访麦基尔教授，因为我不仅非常钦佩他的业绩，而且非常钦佩他直截了当的说话方式。不管是写作还是接受采访，他给人的印象都是直来直去的——我去见他那天也不例外。我想听听麦基尔教授的高见：在投资生涯的各个阶段，面临那些投资陷阱，人们应该如何应对呢？我想就我们可能面临的误区，听听他的见解。毕竟，麦基尔帮助投资界创立和发展了指数基金这个投资概念。指数基金能让一般投资者模拟整个市场进行投资；指数基金能让一般投资者，哪怕只有很少的资金，也能拥有整个股市的一部分，从而实现真正彻底的分散投资，而不必因为自己的财力和能力有限，只能购买一两只股票。如今，这类指数投资的资产规模超过 7 万亿美元！在我计划采访的很多投资大师中，麦基尔教授最有资格帮我拨开迷雾，看透证券市场那些投资机构的虚假广告宣传，戳穿那些投资机构故弄玄虚的专业术语，真实评估我们当前的投资环境。

我问麦基尔教授，大多数人刚开始投资会犯下的最大错误是什么。他没有丝毫犹豫，直截了当地告诉我：大多数人开始投资时，没有充分利用复利难以置信的巨大威力——复利能够利滚利，拥有翻倍再翻倍的增长魔力。

复利是力量无比强大的工具，以至爱因斯坦称复利是人类历史上最重要的发明。但是我心里嘀咕，如果复利真的有那么巨大的威力，那么为什么充分利用复利威力的人那么少呢？为了描述复利指数增长的威力，麦基尔教授和我分享了孪生兄弟威廉和詹姆斯的故事。他们两个人的投资策略简直是天壤之别。麦基尔教授在自己的书里讲过这个例子，所以我很熟悉。但听他亲口讲述，感觉非常美妙，有点儿像听 81 岁的布鲁斯·斯普林斯汀在自家客厅里表演有声版的《天生就会跑》一样。这个故事讲的是，孪生兄弟哥哥威廉和弟弟詹姆斯刚刚年满 65 岁，刚好到达男士传统的退休年龄。威廉投资起步比弟弟早，20 岁的时候就开立了退休金账户，接下来 20 年里每年投资 4 000 美元。到 40 岁的时候，他就不再往退休金账户里投钱了，而是把钱放在免税的投资领域，以获得每年 10% 的税后净收益。

弟弟詹姆斯一直到 40 岁才开始储蓄养老金，而他哥哥这时已经停止储蓄了。像他哥哥一样，詹姆斯每年投资 4 000 美元，每年也能获得 10% 的收益，而且免税。但他一直这样投资持续到 65 岁——整整 25 年。

总的来说，哥哥威廉投资起步早，一共投入 8 万美元（4 000 美

元 / 年 ×20 年，每年投资收益率为 10%）。而弟弟詹姆斯投资起步晚，一共投入 10 万美元（4 000 美元 / 年 ×25 年，每年投资收益率为 10%）。

那么到 65 岁退休的时候，兄弟俩谁的账户里的钱更多呢？

我知道麦基尔所讲的这个故事的结局，但他讲故事时充满愉悦和激情，好像第一次给别人讲这个故事一样。答案当然是起步早但投入少的那位哥哥威廉积累的钱更多。他比起步晚且投入更多的弟弟詹姆斯多赚多少钱呢？多了 600%。

现在让我们暂时回到过去，把这些数据放在历史环境中考虑一下。如果你是千禧一代或者是婴儿潮时代出生的人，一定要仔细看看下面这段话。你会知道，这个投资建议对你非常适用，不管你现在处于人生的哪个阶段，它都非常适用。如果你现在已经 35 岁了，突然明白了复利的巨大威力，你会觉得自己要是能早十年，25 岁时就开始不断储蓄和投资利用复利来积累财富，那该有多好啊；如果你现在 45 岁，那你会非常希望自己能在 35 岁时就开始这样做了；如果你现在 60 多岁或者 70 多岁，你会想，如果自己能在十年前 50 多岁或者 60 多岁时就开始这样做，不断储蓄和投资利用复利来积累财富，那么自己可以积累起多么大一笔财富啊。如此类推，越早开始越好。

在麦基尔所举的例子中，两个孪生兄弟威廉和詹姆斯，哥哥威廉开始为养老储蓄投资的时间比较早，尽管在他弟弟开始储蓄投资之前他就停止追加投入了，但还是最终赚到了接近 250 万美元。而他的弟弟詹姆斯尽管一直储蓄且不断投入资金连续 25 年，直到 65 岁退休时总共积累的财富还不到 45 万美元。兄弟二人 65 岁时同时退休，但财富差距超过了 200 万美元！这都是因为威廉开始投资的时间早，充分利用了复利的巨大威力，使财富多增值了 20 年，结果给自己带来了无比巨大的领先优势。这样积累的巨大财富，让威廉的后半生衣食无忧，过上了相当富有的生活。

山顶上的人不是从天上落到山顶上的。

——**文斯·隆巴迪**

你是不是还不太相信，复利，长期而言，是唯一效果确定的方法呢？它能够让你的种子资金通过投资金融证券不断增值，让你最终获得丰厚收入，积累起巨大财富，足以满足你未来的需要。麦基尔分享了另外一个他非常喜欢的故事，从中你可以深刻领会他的观点。这个故事来自美国的历史教科书。当本杰明·富兰克林在 1790 年去世的时候，他分别留给波士顿和费城 1 000 美元。他的馈赠附带了一些条件，具体而言，这些钱必须用来投资，而且未来 100 年都不能动。100 年后，每个城市从账户中取出 50 万美元，用于指定的公共设施建设项目。账户剩余的钱在下个 100 年还是不能动，继续投资。最终，富兰克林去世后的 200 年里，美国股市的平均年复合收益率为 8%，每个城市都得到了其余的捐赠资金——1990 年，接近 650 万美元。想象一下，1 000 美元竟然能够增值到 650 万美元，而且没有追加 1 美元的资金。

怎么会增加这么多钱呢？完全是复利的巨大力量！

是的，200 年的时间确实很长。但 3 000% 的累计收益率，值得如此漫长的耐心等待。

麦基尔举的例子表明，我们内心早就认同了复利的力量：对于大多数人来说，我们现在的财富水平和我们想要的财富水平之间有着巨大的差距，只靠工作赚到的收入是永远无法填补的。因为只靠工作赚到的收入，永远无法比得上复利积累财富的巨大威力。

如果只看经济方面的理由，有钱要比贫穷好。

——**伍迪·艾伦**

你还是认为自己只靠工作赚钱就能实现财务自由吗？我们来快速浏览一些案例，看看那些世界上工作收入最高的人能不能最终实现财务自由。

传奇棒球投手科特·席林的职业生涯神奇得简直不可思议，帮助波士顿红袜队夺得了两个世界大赛总冠军，自己挣到了1亿美元。但是后来，他把自己所有的积蓄都投入了一家网络游戏创业企业，结果企业破产了——席林也破产了。“我从来不相信有人能击败我。”席林接受娱乐体育节目电视网的采访时说，“但我创业确实输了。”

过去赚到1亿美元的席林，现在负债5 000万美元。

金·贝辛格是她那一代最受欢迎的女演员之一，在电影《爱你九周半》《蝙蝠侠》和《洛城机密》等热门影片中所扮演的角色令人难忘，因此获得奥斯卡金像奖最佳女配角奖，成为闪耀大银幕的超级巨星。作为最受欢迎的女演员之一，在事业的巅峰期，贝辛格平均每部电影的片酬高达1 000万美元——她拍两部电影就能赚上2 000万美元，这足够她在佐治亚州买下整整一座小镇了。

贝辛格最终却破产了。

马文·盖伊、威利·纳尔逊、M.C.哈默、密特·劳弗，这些歌星的专辑卖出了几百万张，开个演唱会就能让体育馆挤满歌迷。弗朗西斯·福特·科波拉导演了美国最伟大的电影之一《教父》，他能让影院爆满，至少在一段时间内确实如此，并创下了1.29亿美元的历史最高票房纪录。

但是这些巨星都曾濒临破产——科波拉大导演曾三次濒临破产。

“流行音乐天王”迈克尔·杰克逊，据报道曾签署一份价值近10亿美元的唱片合约，唱片销量超过7.5亿张。尽管如此，迈克尔·杰克逊2007年濒临破产，因为无法偿还梦幻庄园2 500万美元的贷款。杰克逊花钱就像他永远也花不完一样，但是后来他还是花完了。两年后，杰克逊去世。据报道，他负债超过3亿美元。

你觉得，这些巨星会认为有一天自己的钱会停止流入吗？你认为，他们有没有考虑过为这一天做好准备呢？

你有没有注意到，不管你的工作能挣多少钱，你总有办法把它全部花掉？看看上面的例子，你可以清楚地看到，不只普通人，那些巨星也是如此。我们似乎都有方法挣多少就花多少，我想，有些人肯定花的比挣的还要多。我们经常看到，正是因为这个原因，很多超级巨星，尽管赚的特别多，但后来都一落千丈，穷到要破产——就像有些职业拳击手，靠比赛赢的钱比自己做梦梦到的还要多，可是后来花了个精光，还欠了一屁股债，在财务上输得如同在拳击台上被重重击倒。最典型的例子是，前世界重量级冠军迈克·泰森从富到穷再到破产的经历，他打拳赚到的钱超过历史上任何一位拳击手——接近 5 亿美元，后来却破产了。但是得到 5 个级别世界拳王金腰带的弗洛伊德·小梅威瑟，将要打破泰森的拳击收入纪录。跟泰森一样，小梅威瑟也是从一无所有的贫困生活中，一路“打”出来的。2013 年 9 月，小梅威瑟在与卡内洛·阿瓦雷兹的比赛中获胜，稳赚 4 150 万美元。由于电视转播按照收视次数计费，这让他的收入分成增加到 8 000 多万美元，创下了历史纪录。这还只是他一场比赛的收入！在一天获得如此巨额收入之前，他已经进入《体育画报》美国最赚钱的运动员“财富 50 强”的名单。我个人非常喜欢小梅威瑟。他是个非常有天赋的运动员——目前少数非常有职业道德的运动员之一。他对自己的朋友极为慷慨。这个人身上有很多令人欣赏的优点。然而，小梅威瑟经过一路辛苦打拼，终于荣登美国最赚钱的运动员“财富 50 强”的榜首，却因为自己疯狂购物、毫无节制和胡乱投资，结果失去了所有财富。据报道，小梅威瑟花钱非常随意，最典型的例子是，他随身携带一个背包，里面装满了 100 万美元的现金——只是为了让自己随时能到路易·威登专卖店购买最时尚的服饰。

像许多成功人士一样，这些体育冠军也是绝顶聪明的家伙，我希望小梅威瑟现在能够走上投资正路，但根据小梅威瑟以前的商业合作伙伴，而且绝对可以说是赚钱的权威人士“50 美分”（美国说唱歌手、企业家、投资商）所说的，这位拳击冠军除了拳击以外根本没有其他收入。这个说唱巨星用浅显易懂的几句话总结出了拳击选手的投资赚钱之道：“拳击，挣钱，花钱，拳击。拳击，挣钱，花钱，拳击。”

听起来这种理财方式很荒谬，不是吗？不幸的是，我们在某种程度上也与此没有差别。工作，挣钱，花钱，工作——这就是美国人最典型的理财方式！

> 先听再说。写之前，先想。花钱之前，先赚。投资之前，先调查。批评之前，先等等。祈祷之前，先原谅。放弃之前，先试试。退休之前，先储蓄。临死之前，先赠予。
>
> ——威廉·阿瑟·沃德

这是关系4 150万美元的大问题：如果既有才华又有好运的超级巨星，通过工作赚到那么多钱都不能实现财务自由，你又怎么能期望通过工作赚钱来实现财务自由呢？

你肯定不能！

但你能做到的是，简单地改变一下你的投资理财策略，接受一个全新的思维模式。你必须掌控并利用复利让财富指数化增长的神奇力量。复利的力量会完全改变你的人生！你必须从给钱当仆人的层次，提升到让钱给你当仆人的更高层次。

现在是时候了，离开看台，进入赛场，加入比赛吧。因为最终想要实现财务自由，我们都必须成为投资者。

如果你已经是金融交易员了，你可能不会这样想，但如果你是为了生活、为了吃饭而工作，那你就是用时间换钱，甚至可以说是拿命换钱。坦率地说，这其实是你能做的最糟糕的交易。为什么？因为你总是能得到更多的钱，但你怎么也不可能得到更多的时间。

我不想讲得就像那些赚人眼泪的广告一样，但我们都知道生命无价，其实生命就是由很多分分秒秒构成的。你如果拿时间换钱，就会错过生命中的那些时时刻刻，就是拿命换钱。

当然，我们有时不得不错过一场舞蹈排练，或者错过一次晚上的约会，没办法，因为工作是你必须承担的责任，但我们需要经历那些时刻才能得到珍贵的记忆。这样的机会不是随时都有，想要就有的。

错过太多人生重要的时刻，你会开始怀疑，自己这样工作到底为了什么，这样做值得吗？

终极自动取款机

如果你需要钱，你去哪里取呢？你又不是世界冠军拳击手，背包里也没有装着 100 万厚厚的美元大钞，你需要什么样的自动取款机来取钱呢？

现在，我打赌，你生活中最主要的“赚钱机器”就是你自己。你可能也有一些投资，但是我敢说，你心里肯定没有把收入和这些投资联系到一起。你的工作停止了，你的赚钱机器就停止了，你的现金流就停止了，你的收入停止基本上意味着你的整个金融世界的运转就停止了，这是一个零和游戏，你放进去多少钱，意味着你能拿出来多少钱。

这样看来，你现在是另一种形式的自动取款机，只是对你个人而言，这是一笔“用时间换金钱”糟糕的交易，你实际上成了一个出卖时间的机器（更准确的表述是卖命的机器）。也许这听起来像科幻小说，但是对于大多数读者来说，这就是现实。你安排了这样的事情，让自己付出最宝贵的东西（时间），来换取你最需要的东西（金钱）。你如果聪明的话，一听就明白了，在用时间换金钱的这笔交易里，你是吃亏的那一方。

你听明白我说的意思了吧？你如果停止工作，就会停止赚钱，现在让我教你脱离这个财富方程式，然后寻找另一条积累财富的路径。我们来打造一个赚钱机器替代你，而且这样设计这个赚钱机器，让它能在你睡觉的时候照样不停地赚钱。你可以把这个赚钱机器想象成你创立的第二家企业，不用雇用员工，不用发工资，不用设立公司总部。这个企业唯一的库存就是你投入的钱。这家企业唯一的产品就是源源不断的收益，它永远不会干涸——即使你活到 100 岁。这家企业的使命就是给你和你的家庭提供终身的财务自由，或者给你未来的家庭，如果你现在还没有成家的话。

听起来是不是棒极了？你如果能打造出我说的这种神话般的机器，并合理地维护保养，那么它赚起钱来的威力就像 1 000 台发电机同时发电一样巨大。这台赚钱的机器会像钟表一样不停地转动、不停地工作，一年 365 天都不休息；每到闰年它还会多工作一天，即使在国庆节（7 月 4 日）那天也不例外。

看看下面这张图，你就会更加明白这台赚钱机器是怎样工作的。

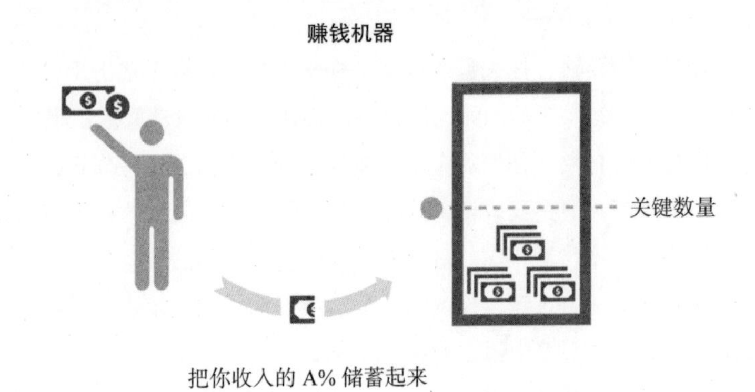

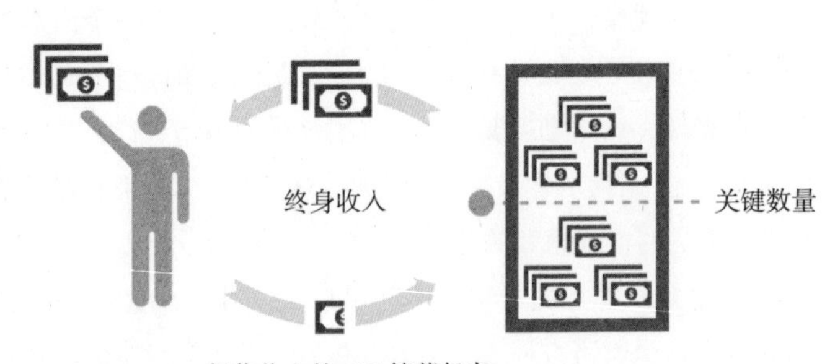

图 3–1

你会看到，这台赚钱机器一直不动，直到你做出一生最重要的财务决策之后，它才会开始工作。什么财务决策如此重要呢？它就是你从工资收入里拿出来多少钱作为储蓄。也就是说，在你拿到工资收入之后，在支付自己的日常生活花费前，你先要决定从总收入中拿出来多大一部分付给自己。你能（更重要的是你愿意）从工资收入里拿出来多少钱储蓄起来，不管你生活是好是坏，这些钱你都不会动。我希望你一定要好好考虑这个用于储蓄的百分比，因为你的余生都取决于这个百分比。这样做的目标是让你能够告别朝九晚五的上班族生活，走上通向财务自由的道路。你开始这条财务自由之路的方法，就是做出一个简单的决策，开始利用复利的无与伦比的巨大力量。这个决策最重要的地方是必须由你本人来做决定。只有你本人来做才行！任何人都不能替代你。

浪费时间去挣钱，这种事我可负担不起。

——让·路易斯·阿加西

让我们花点儿时间来探讨一下这个打造赚钱机器的想法，因为你储蓄起来的钱，将会成为你整个投资理财计划的基石，甚至你根本不要把它看作储蓄！我称之为你追求财务自由的梦想基金，因为你花钱要买的就是自由，不论是现在还是未来。你明白，这些储蓄起来的钱只是代表你赚到的收入的一部分。储蓄这些钱是为了你自己和你的家庭。每隔一段时间就从你领到的工资收入中，按照固定的比例拿出一部分储蓄起来，然后聪明地进行投资。随着时间的推移，你开始过上一种新的生活，它是让你的钱为你工作，而不再是你为钱而工作，你甚至根本不用等待就可以开始利用复利的魔力为自己工作。

你会说："但是，托尼，我有钱才能存钱啊，我怎么样才能有钱可存呢？我挣的钱都花光了。"我们现在给你一个非常简单，但是特别有效的方法让你能够有钱可存，而且毫无痛苦。但与此同时，我要提醒你一下，你还记得我的朋友安吉拉吗？安吉拉读了我的书才想明白，她原来开旧车每个月花费的钱太多了，其实只用原来一半的钱就可以开上一辆新车。每个月省下来的另一半钱，她做什么用了呢？储蓄起来作为自己的财务自由投资基金——为自己的人生做投资。我们刚开始交流的时候，她觉得自己一分钱也存不下来，但是后来她做到了把每月工资收入的 10% 储蓄起来。再后来她甚至打算从购买新车的费用中额外省出 8%，用于短线投资。但是她绝对不碰每个月工资收入的那 10%，她要完全把它们锁起来，为了未来而投资。

最终，你能挣多少钱并不重要。正如我们前面看到的例子那样，如果你不能从自己的工资收入中拿出一部分储蓄起来，你可能就会全部花光。但是，我可不是让你把工资收入拿出一部分放到床垫下面保存起来。你必须把这些用于储蓄的钱放在一个更好的地方，那里不仅非常安全，而且还有机会钱生钱，持续增值。也就是说，你必须把这些钱用作投资。如果你能按照本书讲的去做的话，你会看到你的钱增值、增值、再增值，最后达到一个引爆点，从而产生足够的收入，足以满足你余生的需要。

图 3–2

你也许听一些财务顾问说过，这样储蓄一笔钱，就是储蓄养老金。是的，确实这就是储蓄养老金，但是我把它叫作你的赚钱机器。因为如果你往里面不断存钱，仔细维护管理好这台赚钱机器，它就会给你创造出来一大笔财富——一大笔非常安全、可靠的资产。这些投资的风险受到保障，收益税收得到减免，能够让你赚到足够多的钱，足以满足你的日常开支需要，你遇到危难时的紧急需要，以及你退休之后享受幸福晚年生活的开支需要。

这听起来很复杂吗？实际上操作非常简单。我用一个简单易懂的方式来说明一下：想象一个宝盒，你可以用储蓄来填满这个宝盒。每次领到工资收入你就往里面存钱——按照你设定好的固定比例。不管你设定的百分比是多少，你都必须一直坚持下去。不管日子是好是坏，不管发生什么情况，你都要坚持从工资收入中提取固定比例的钱存进宝盒里。为什么一定要这样坚持下去呢？因为这是复利法则的要求，哪怕你只中断了一次，复利法则都会重重地惩罚你。关于储蓄这件事，你不能这样想，我按照实际开支需要，能剩下来多少钱就存多少钱——千万不能这样随意，用这种方法来储蓄，你肯定会花得多存得少。不要让自己落到中止储蓄（甚至从储蓄里拿出钱来花）的地步，要事前做好准备，以防你连续几个月收入很少，手头钱很紧张。

每个月从工资收入里拿出来储蓄的钱，应该占多大比例对你比较合适呢？10% 还是 15% 呢？没有一个标准的答案，只有一个适合你自己的答案。你的本能，你的直觉会告诉你应该是多少。你的心里觉得应该是多少呢？

那些理财专家会对你说，你应该计划至少拿出工资收入的 10% 用于储蓄。不过，按照现今的经济情况来看，很多人认为拿出来 15% 做储蓄要好得多，特别是你年纪超过 40 岁之后。（你将会在第三部分找到这样做的理由。）

有谁记得那样舒舒服服而且不缺钱的好日子呢？

——拉尔夫·瓦尔多·爱默生

看到这里，你可能会说："你这些养老储蓄的建议，从道理上讲都很对。但是我手头的钱实在太紧了！少花一分钱都不行。"这样想的人并不是只有你一个。很多人都觉得他们根本负担不起一分钱的储蓄。但是坦白来说，我们要是不储蓄，后果会是根本负担不起。相信我，如果现在确实急需用钱，我们每一个人都能挤出来一些钱救急的！但要说为了我们自己的未来而攒钱，问题就来了，因为未来不是现在，它看不见，摸不着，令人感觉不真实。正是这个原因，才导致我们很难为养老定期储蓄，尽管我们知道储蓄与否会使退休生活天差地别：定期储蓄会让我们的家庭过上幸福美满的退休生活；要是不能定期储蓄，退休之后就根本没办法养活自己，只能靠政府那一点点可怜的补贴维持生存。

我们已经了解到，行为金融学家研究发现，我们在金钱方面会使用一些方式来愚弄自己做出错误的事。我会分享一些好的方法，让我们也可以用来哄骗自己去自动做正确的事。但是，这里成功的关键是，你必须让自己能够做到自动储蓄。正如伯顿·麦基尔在采访时告诉我的那样："储蓄的最好方式是你从一开始就根本看不到钱。"这是真的，如果你根本看不到钱进来，你就会吃惊地发现，自己竟然可以找到很多方式来调整自己的开支。俗话说得好，没钱自然就不会花钱。

再过一小会儿，我就会告诉你一些自动储蓄的技巧。它们非常有效，非常容易，让你的钱甚至还没来得及进到钱包或者支票账户里，就已经改变方向直接进入储蓄账户了。首先让我们来看些真实的生活案例。他们都是只能靠工资维持生活，却能设法做到定期储蓄，持续投资，最后积累起相当大一笔财富，成就富有人生的人。

快递小哥也能成为亿万富翁

西奥多·约翰逊的第一份工作是快递员。1924年，他加入了刚成立的UPS（美国联合包裹服务公司），努力工作，不断升职。不过，快递员的收入有限，他的年收入从来没有超过14 000美元，但是他运用了神奇的致富公式：每次领到工资，他都会拿出20%作为储蓄，每次领到年终奖也会拿出20%作为储蓄。他用这些钱购买UPS的股票。他心里始终有个数字，那就是自己需要从工资收入中所拿出来的用于储蓄的固定百分比——他承诺为了家庭一定要拿出来这么多钱。读到了本章的末尾，你也会愿意这样做的。

UPS 股票越拆越多，加上自己继承了上一辈人的良好耐心，这些都让西奥多·约翰逊看到了自己持续不断购买的 UPS 股票的价值越增长越多，当他年满 90 岁的时候，这些股票的市值超过了 7 000 万美元。

简直太不可思议了，你肯定会这样想。最不可思议的地方是，这个人竟然只是一个很平常的快递员，既不是像迈克·泰森那样天赋过人的运动员，也不是像弗朗西斯·福特·科波拉那样才华出众的导演，甚至不是一家公司的高管。但是西奥多·约翰逊很早就开始从工资中拿出固定比例的收入定期储蓄，投资股票，充分利用复利的巨大威力，这样做对自己的一生产生了巨大的影响，而且对无数其他人的一生产生了巨大的影响。西奥多·约翰逊还有一大家子人要养活，每个月水费、电费、煤气费好多账单必须支付，但是对于西奥多·约翰逊来说，这些账单虽然重要，但是他对自己未来的承诺更加重要——决定每月要储蓄 20% 的收入就一定要把它拿出来。他总是第一个付钱来打造自己的财务自由投资基金。

到了晚年，约翰逊积累了几千万美元的巨大财富，有了这些钱，他就能够做一些非常美好和有意义的事情了。他捐赠了超过 3 600 万美元给各种教育事业，其中包括捐赠 360 万美元给两家聋人学校，因为他从 20 世纪 40 年代起就几乎听不见了。他还在 UPS 设立了一项大学奖学金，以资助公司雇员的孩子读大学。

你听说过欧谢拉·麦库迪的故事吗？她住在密西西比州哈蒂斯堡，只有小学六年级的文化水平，是一个工作非常辛苦的洗衣女工，她整整工作了 75 年，天天洗衣服、熨衣服。她的生活非常简朴，花钱总是非常小心，并想方设法地从收入里省出一部分储蓄起来。“我把这些钱储蓄起来。”她这样解释自己的投资理财理念，“我绝对不会拿出来一分钱花。我总是往里面存钱。我的钱就是这样积攒起来的。”

哦，事实确实是这样的。当她 87 岁的时候，麦库迪的一个举动成为轰动整个美国的大新闻——这个洗衣女工捐出 15 万美元给南密西西比大学设立了一项奖学金。这个女人既没有银幕巨星金·贝辛格那样美丽动人的外表，也没有威利·纳尔逊那样独特的音乐天才，但是她一生都非常努力地工作，她知道自己储蓄的钱也在努力地工作。

“我想帮助其他人的孩子上大学。”她这样说。她也完全有能力这样做，当然，基础是她一生都要非常勤劳地工作，同时储蓄一大笔财富。她剩下来的一点儿钱，让自己可以小奢侈一下——给自己的房子买了一台空调。

从个人投资水平的最高层次来看，我们可以看到约翰·邓普顿爵士这个充满激情的案例。约翰爵士是有史以来最伟大的投资者之一，也是我个人的投资偶像。我非常荣幸能结识他，也采访过他几次。我把最后一次采访他的内容，也写进了“亿万富翁战术手册”那部分。下面我先简单介绍一下约翰爵士的背景，他并不是生来就是约翰爵士，他的起点其实非常低，他生在田纳西州一个普通人家里。年轻的时候他不得不从大学退学，因为他负担不起学费。但是尽管那时很年轻，他就认识到要持续不断地储蓄、投资，利用复利的神奇力量来积累财富。他承诺不管挣多少钱都要拿出来一半做储蓄，然后拿这些储蓄去投资，让这些资本用更高效的方式来工作。

约翰研究了历史，发现了一个非常清晰的模式。“托尼，你要找到非常便宜的股票，要在整个市场很悲观的时候。”他告诉我，“什么都不会让一只股票的股价下跌，除非是它卖出的压力变大。”好好想一想这句话吧。当经济形势良好，你想卖房子，会有很多人想买，你会一直等到最高出价才卖。在大牛市里，投资者想要找到价格便宜的股票很难。为什么？当经济增长、股市行情好的时候，人类的天性会让人们觉得情况将会一直持续，直到永远！但是，当突然发生灾难的时候，人们都会赶紧跑到山上避难。房子不要了，股票不要了，企业不要了。只要给钱就卖，反正不卖也不要了。正是靠着敢于在大熊市“买入”这种违反常理的举动，约翰白手起家，最后成为拥有几十亿财富的大富豪。

他是怎么做到的呢？ 1939 年德国入侵波兰，把整个欧洲拖入了第二次世界大战，整个世界充满了恐惧和绝望。就在这个人人恐慌、疯狂抛售的时候，约翰东拼西凑了 10 000 美元投资买入了美国纽约股票交易所里还在交易的股票。当时市场上有 100 只股票的交易价格跌到了 1 美元以下，他用这 10 000 美元分别买了每只股票 100 股，其中有些公司大家都觉得很快就要破产了。但是约翰知道很多人当时忘记了的事情：夜晚不会永久，白天定会来临。金融世界的冬天只是一个季节而已，它肯定会过去，春天还会再来临的。

到了 1945 年，第二次世界大战结束了，美国经济飞速增长，美国股市飞速暴涨，约翰手里的股票也跟着暴涨。就这样，他从 10 000 美元起家，投资股票，变成了身家数十亿美元的超级富翁。我们看到了同样的大牛市，从 2009 年 3 月的最低点大幅反弹，直到 2013 年年底，不到两年股市暴涨了 142%。但是大多数人都错过了这波大牛市。为什么？当经济下滑、股市下跌、情况变坏时，人们觉得情况会一直糟糕下去——悲观主义压倒了一切，我会在第四部分中展示给你一套方法，帮助你保持头脑清楚，继续坚定地持有，继续投资，尽管周围其他人都非常恐惧害怕，纷纷抛售股票。正是在这个非常短暂且波动很大的股市行情中，赚到那些天文数字般收益的机会才有可能出现在你眼前。

我把这些投资见解传递给我的白金合伙人，这些人加入了我创立的一个封闭性的精英小组，来支持我搞的慈善基金会，我把这些近在眼前的潜在投资机会分享给这些合伙人。比如拉斯维加斯的金沙集团，它是纽约股票交易所的上市公司。2009 年 3 月 9 日，金沙集团的股价跌到了每股 2.28 美元。现在涨到了每股 67.41 美元——能够让你赚到 30 倍的巨大收益。

你瞧，这就是学会在别人恐惧时大胆投资的巨大威力。

那么我们能从约翰 · 邓普顿爵士那里学到什么？那就是如果你能够做到不让所有其他人的恐惧把你吓得思维瘫痪的话，那么你的研究、信息、行动会为你创造神奇且巨大的回报。这真是非常值得牢记的一课。我们将会在金融投资上经历更多极其艰难的日子。历史证明，这些“下跌得令人恐惧”的坏日子，就是值得大量投资以赢得投资比赛的伟大机会。

约翰知道，如果他能够每个月从自己微薄的收入中拿出一半来，他就有了投资的筹码，任何投资机会出现，他都能及时出手。但是他还有比投资更加重要的成就，约翰成了世界上贡献最大的慈善家之一。在他成为英国公民之后，英国女王为了表彰他对慈善事业做出的巨大贡献，册封他为爵士。即使在他去世之后，他的遗产也将继续捐赠：每一年，约翰·邓普顿基金会都会捐钱来奖励那些“用突破性发现推动人类进步”的人——每年约有 7 000 万美元，比诺贝尔奖委员会十年发的奖金还要多。

西奥多·约翰逊的故事给你最大的启发是什么？你不需要成为一个投资天才，也能获得财务自由。

听了欧谢拉·麦库迪的人生传奇又给你什么启发呢？即使一个天天凭力气干活的洗衣女工，也可以把小钱积累成很大一笔钱，让自己的人生过得很有意义。

这三个聪明智慧的投资者会给你什么样的启发教育呢？承诺遵守一个非常简单却十分坚定的储蓄原则，每一次拿到工资收入，先从中拿出来一部分储蓄，这就是你首先付给自己追求未来梦想的投资基金，利用复利的巨大力量让你的储蓄投资不断升值，让你的人生达到你梦想都不能企及的高度。

最困难的事是下决心行动，之后的事只要坚持就行了。

——阿梅莉亚·埃尔哈特

那么你打算从工资收入中拿出来储蓄投资的钱应该占多大的百分比呢？西奥多·约翰逊拿出的是 20%，约翰·邓普顿拿出的是 50%。对于欧谢拉·麦库迪来说，很简单却很有智慧，就是有一分钱就存一分钱：把每一分钱都存到一个能够产生利息的储蓄账户，不断存钱，不断利滚利，不断增长。

那么你呢？你脑子里是不是有了从收入里拿出来储蓄的百分比数字了呢？太棒了！现在就做出决定，做出承诺，现在就开始迈出你追求财务自由的简单 7 步投资法的第一步吧！现在就做出你一生最重要的财务决策吧！现在就决定成为一名投资者，而不只是一名消费者吧。要做到这些，你只需要决定从工资收入中拿出一部分钱，坚决不花，用它来做储蓄和投资，这些钱只是为了你和你的家庭创建更加美好的未来，而不为其他任何人。

我再重复一次，一切只是为了你，为了你的家庭，为了你的将来。这些钱坚决不能花，不能用储蓄的钱去 GAP（盖璞）或者 Kate Spade（凯特·丝蓓）专卖店买衣服，也不能用储蓄的钱去那些昂贵的餐馆吃饭，更不能用储蓄的钱去买新车替换掉那辆还能再跑 50 000 英里的旧车。不要只想这些储蓄今天给你带来的损失，而要专注去想这些储蓄明天会给你创造出多么巨大的收益。为了储蓄更多，以后不要再出去跟朋友吃饭，出去吃一顿晚饭，很浪费钱，比如要花 50 美元外出就餐，为什么不订一个两人份的比萨，再来几瓶啤酒，然后和你的朋友们 AA 制分摊餐费呢？这样一个人只需要花 10 美元。和出去大吃一顿花掉 50 美元相比，每顿饭能省下 40 美元，每次都让你在投资理财这个游戏上又领先了一小步。

才省 40 美元，有必要吗？ 40 美元算啥呀？是的，你是对的，一个星期才出去吃一次，只能省 40 美元，是没有多少钱。但是如果每个星期都能省下 40 美元，然后用这些钱去投资，经过很多年后，到你退休时，它就能升值成很大一笔钱。你可以自己算一算：每个星期节省 40 美元，一年 52 个星期，你就能节省出来 2 000 多美元。现在你知道复利的力量了，用这 2 000 多美元去投资，复利的巨大力量就能让你多年之后实现很大一笔收益。收益到底有多大呢？难道会有 50 万美元吗？是的，100 万美元的一半！那如果你有本杰明·富兰克林那样的投资顾问，他们会告诉你把这些钱投到股市里，如果未来 40 年你能每年获得 8% 的复利收益率，那么你每周节省的 40 美元（每年节省的 2 080 美元），最后创造出来的财富会有 581 940 美元！有了这么多钱，你可以订比萨时再多订一块儿——想买什么都能买得起。

你开始明白如何利用复利的巨大力量为你创造财富了吗？只需要几个小小的持续行动就行了。如果你每个星期能省的钱远远超过40美元，那么你赚的钱不就更多了吗？即使每周只能节省100美元，这也意味着未来你在最急需用钱的时候，你的养老金里会有100万美元。这个差别巨大。

记住，你根本不能开始发挥复利的巨大威力，除非你承诺每次拿到收入就留出一部分来储蓄——这是最重要的事。毕竟，你有钱才能做投资人，没有钱永远也成不了投资人！储蓄是投资的前提，是投资的基础：储蓄的资本是创造财富的基础，没有储蓄就不能投资，没有储蓄就说明你只是一个靠工资挣钱的人；定期储蓄、持续投资让你成为一个能靠投资挣钱的投资者。所有财富、所有投资都开始于储蓄，你把自己收入的一部分拿出来自动存起来，去做投资，只用于自己和自己家庭的未来。

从你的工资收入中拿出来储蓄的钱占多大比例合适呢？10%？12%？15%？20%？

找个你自己能够储蓄的最大比例，并圈起来。

用荧光笔涂上。

在上面敲几下。

承诺做到。

实际做到。

自动做到。

如何自动做到拿出工资收入的固定比例进行储蓄呢？你可以从本书的官方网站上下载一个免费的App。这是一个开启你投资理财之旅的极好方法，利用这个程序，你可以设定自动提醒，以确保能够实现你的投资理财新计划。如果你还没有这样做，现在马上去做吧！这个手机应用程序会指导你走好以下几个简单的投资理财步骤：

- 如果你有固定工资，你最有可能制订一个自动储蓄计划。你只需要打个电话给人力资源部，让他们把你工资收入的一个具体比例

（完全由你决定的比例）直接打到你的退休金账户里。

- 如果你已经有了一个自动工资扣款计划，钱直接打到你的 401(k) 退休金账户里，你可以提高扣款比例。（在本书接下来的部分，我将会向你展示，如何确保你的退休养老储蓄计划能够按照合理有效的方式设计，让你确实可以“赢得”这场投资游戏比赛，确定你没有支付隐性费用，能让你的钱自由自在地在复利的环境中增长。理想的情况是能够延迟纳税，甚至完全免税，让你的财富增长最大化。
- 但是如果你是自由职业者，或者你拥有自己的企业，或者是做代理按业绩提成的，你该怎么办呢？没问题。只要设立一个从你的支票账户向退休金账户自动转账的计划就行了。

明白你要做什么了吗？太棒了！

你如果根本没有退休金账户，那又该怎么办呢？那你就没有地方来存放你指定的储蓄资金了。很简单，现在就停下来马上上网，找一家银行或者金融机构，开个储蓄账户或者退休金账户就行了。互联网上有好多选择，能帮你确定哪家金融机构更加适合你。你也可以在我们提供的 App 里面找一个合适的开户银行。如果你不喜欢网络科技，想自己亲自动手，你可以直接走到大街上，到银行开个储蓄账户或者退休金账户。

最好什么时候开始做这件事呢？现在不正是最好的时候吗？

开始，我等着你……

> 你如果不愿意工作，就不得不先去工作挣到足够的钱，好让你再也不会不得不去工作。
>
> ——**奥格登·纳什**

好极了，你回来了。你搞定了储蓄这件事了。祝贺你！你刚刚做出了你人生最重要的财务决策——通向财务自由的简单 7 步投资法的第一步。现在你已经走上正路了，去把你的梦想变成现实吧。

在后面的内容里，我会和你分享一些最安全而且最有确定性的投资策略，让你的钱不断增值，而且是用一种税收优惠的方式！但是现在让我们先来确定你的工资收入用于储蓄的比例吧，因为你只有有能力做到有系统、有计划地持续储蓄，才能在此基础上创造出你未来的财务自由。大多数人可能都知道这一点，起码在某种程度上知道，但是你如果还是什么事也没有做，那么你其实并不知道这一点。传统的说法是知识就是力量，这完全不对，知识不是力量，知识只是潜在的力量。知识并不代表掌握，实干才是掌握。实干总是会压倒知识的。

我痛恨输，甚至胜过我想赢。

——比利·比恩（电影《点球成金》中由布拉德·皮特扮演的棒球俱乐部总经理）

你已经学到所有该学的东西了，可是你还没有迈出第一步，把自己工资收入的一定比例拿出来，储蓄起来赚取复利，以不断增值，那该怎么办呢？有什么事情在阻碍你吗？到底出了什么事情呢？你不能有组织、有计划地定期储蓄，是不是因为你觉得拿出来储蓄的这些钱好像是一种牺牲、一种奉献、一种损失，而不是一个礼物——今天的你送给未来的一个礼物呢？在寻找答案的过程中，我遇见了什洛莫·贝纳茨，他是加利福尼亚州大学洛杉矶分校安德森管理学院的教授。他说："托尼，问题是人们总觉得未来是不真实的，所以为了未来做储蓄很难。"贝纳茨和理查德·塞勒一起合作搞研究，理查德·塞勒获得过诺贝尔经济学奖，是芝加哥大学的教授。他们两人想出来一个超级有效的解决办法，叫作"明天储蓄更多"（SMarT），其前提非常简单，但非常有力：你如果现在觉得储蓄更多钱让你很受伤、很痛苦的话，那就等到下一次涨工资再储蓄更多。

他们俩是怎么想到这个办法的呢？首先，什洛莫告诉我，他们必须应对人类喜欢马上得到满足的挑战，科学家称之为"即时偏见"。他给我举了一个例子：有一次他问一群学生，再过两周他们再见面时，他们想要得到一根香蕉还是几块巧克力当零食吃呢？75%的人都说想要香蕉。但是过了两周之后，当这两种东西摆在他们面前时，80% 的人都拿了巧克力！“自我控制在未来并不是问题。”什洛莫说。储蓄也是同样的道理。他告诉我：“我们知道我们应该储蓄。我们知道我们明年会储蓄。但是现在我们要出去把钱花掉。”

我们人类这个物种，天性如此，不但偏爱今天胜过明天，而且我们非常痛恨我们正在失去某种东西的感觉。为了说明这一点，什洛莫给我讲了一个研究实验，这个实验是用猴子这个我们不太远的“亲戚”来做的。科学家给一群猴子发了一个苹果，与此同时测量猴子的生理反应。这些猴子非常激动！然后，科学家给了另外一群猴子两个苹果。它们的生理反应也是非常激动。再做一个变化：原来给两个苹果的猴子，现在从它们手里拿走一个苹果，它们手里还剩一个苹果。你猜结果发生了什么样的事情呢？你猜对了，它们非常生气，简直气炸了。（科学地说）你想想，要是这种事发生在你身上，你是不是也非常生气呢？事实上这种事情不就经常发生在我们每个人身上吗？我们忘了自己已经拥有的，是不是？请记住这个实验，等到下一章，我给你讲亿万富翁阿道夫·默克尔的故事时，它会让你豁然开朗。

最核心的观点是，如果我们觉得自己正在失去某些东西，我们就会极力避免，因为我们不愿意失去。正是因为这个原因，很多人不储蓄不投资。储蓄听起来好像你放弃了某些东西，你今天失去了某些东西。但是其实你没有，储蓄是今天的你给自己的一份礼物，可以让自己得到大脑的平静，内心的安定，还有未来的一大笔财富。

那么什洛莫和塞勒是怎么来应对这些挑战的呢？他们想出来一套简单的做法，让你感觉储蓄毫无痛苦。这种做法完全符合人的天性。正如什洛莫在 TED 演讲中所说的，“明天储蓄更多的计划鼓励员工下一年储蓄更多的钱，来实现自己未来的梦想——到了未来某个时候，我们可以想象自己正在吃香蕉，正在社区做义工，做更多的体育锻炼，做所有正确的事情。”

明天储蓄更多这个计划是这样做的：你同意自动储蓄接下来你工资收入的一小部分，比如 10% 或者 5%，甚至只有 3%（这个储蓄比例简直太低了，你甚至根本觉察不到有没有这一点钱的差别）。接下来，你承诺未来会储蓄更多，但是只在你工资收入增加时才会提高储蓄比例。每一次你的工资增加的时候，工资收入拿出来用于储蓄的比例会自动增加一点，但是你根本不会感觉到这是一种损失，因为你一开始承诺未来储蓄更多时，还根本看不到未来增加的工资收入。

什洛莫和塞勒两个教授第一次试验这个明天储蓄更多的计划，是在20多年前，在美国中西部的一家公司里，那里的蓝领工人一听说要做这样的实验就说，他们的工资很低，根本不够花，挤不出一分钱去做储蓄。这些研究者费了很大力气才说服他们，让公司可以自动地从他们的工资里扣除3%，储蓄到他们的退休金账户里。以后每一次他们加薪的时候，工资用于储蓄的比例再增加3%。结果如何呢？简直令人震惊！仅仅过了五年，只有三次加薪，这些工人原来以为自己根本拿不出1美元去储蓄，结果他们的储蓄比例高到接近14%！其中65%的工人实际上的平均储蓄比例高达19%。

当储蓄比例达到了19%时，你就接近西奥多·约翰逊的储蓄比例了。要知道，这个UPS的快递员正是坚持每次领到工资就储蓄20%去购买UPS的股票，结果创造出7 000万美元的巨大财富的。明天储蓄更多的计划，一点儿痛苦也没有，而且确实有效。一次又一次的实验证明这个计划非常有效。

我来给你看张图，什洛莫教授用这张图来描述员工一次次提高工资收入的储蓄比例，会对这个员工的生活产生什么样的影响。

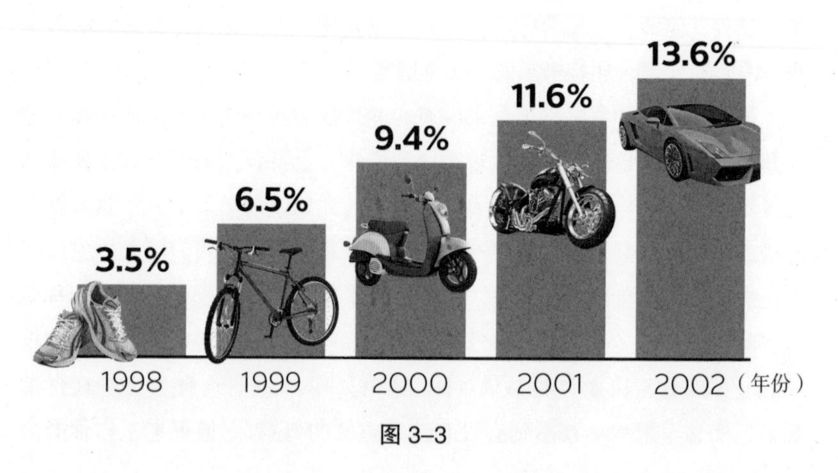

图3–3

当工资收入的储蓄比例是 3% 的时候，图中出现的是一双球鞋的图片——因为你储蓄起来的工资收入的 3.5%，未来增值的空间有限，只够买双球鞋。工资收入的储蓄比例是 6.5% 的时候，你未来赚的钱就够买辆自行车了。工资收入的储蓄比例约 14% 的时候，未来赚的钱就可以买辆豪华小汽车了。很明显，开着豪华小汽车的晚年生活，要比只能穿着球鞋自己走路强多了。3.5% 和 14% 的储蓄比例，会让你的晚年生活像穿球鞋和开豪车一样大。

现在规模比较大的企业有 60% 都提供类似于明天储蓄更多的计划。去了解一下你的公司是否提供这样的计划，如果没有，拿着这本书给公司的人力资源部看一看，问问公司能不能给你设置类似的储蓄计划。

当然，你还需要好好干活，真正“挣到”你的加薪——你的老板不会因为你很有礼貌地请求加薪，就给你加薪的。但是一旦你加薪了，你就完全可以自由决定是拿出所有的加薪或者只是一部分来增加储蓄，这取决于你的个人情况。在某些情形下，如果你的公司能够匹配你的个人能力，老板会帮你做到储蓄加倍——你的财富积累之路就快多了。

如果你的老板并不提供这种计划，你可以自己创立一个。你可以从储蓄 5% 的工资收入开始（不过我鼓励你如果经济条件允许的话，一开始的储蓄比例至少不低于 10%）。一发工资，这 5% 的钱就自动进入你的财务自由投资基金，然后再承诺每一次加薪就把你的储蓄比例提高 3%。上网或者打电话，就可以实际启动你的明天储蓄更多的计划，让计划变成现实。今天你就能做到，锁定你的未来，用最没有痛苦的方式。你根本找不到借口不去这样做。你甚至可以用我们的手机 App，我们给你预先写好了电子邮件，你可以马上发给你的老板或者人力资源部的负责人，这样你就可以立刻启动这套流程了。是不是非常容易呢？马上去做，现在！

但是你如果是自由职业者，该怎么办呢？如果你有自己的企业，你觉得你需要把每一分钱都投入到企业里，该怎么办呢？相信我，你会找到办法的。如果现在有一种新的税收推出来了，你必须给政府多交纳 10% 的税，甚至是多交纳 15% 的税，你会怎么办呢？你肯定恨死它了！你会高声尖叫，这简直是谋杀！但是没办法，你还是会想办法交纳这笔税的。所以你可以这样想，把你从工资收入里拿出来储蓄的这笔钱看作一种税，你“必须要付”的税。这些钱不是交到政府手里的，而是要交给你的家庭和未来的你的！或者想象你自己就是一个卖东西的零售商，你必须第一个付款给这个零售商。如果这是必须做的事情，你就会做到。但是在这种情况下，这笔钱是你和你的家庭的东西，将会永远保存下去，对不对？这就是积累财富的所有秘密：挣钱更多，花钱更少，自动储蓄。

天空中火一般燃烧的文字

年轻的时候，我偶然读到了乔治·萨缪尔·克拉森 1926 年的经典著作《巴比伦最富有的人》。那本书用古老的寓言故事讲了一个像常识一样的投资理财建议。我建议所有人都要好好地读读这本书。多年以来，有段话一直印在我脑海里：“你挣的所有钱里面有一部分必须被保存起来。”早上醒来就对自己说一遍这句话，每天中午对自己说一遍这句话，每天晚上对自己说一遍这句话，每天每过一个小时对自己说一遍这句话。不停地对自己说这句话，直到这句话的文字就像天空中的火焰一样，深深地印在你的脑海里。深刻理解这句话的意思。满脑子都是这个想法。从你的收入中拿出一定的比例，你觉得比例合适就行，不要少于 10%。然后把钱储蓄起来。如果需要的话，仔细安排好你的其他生活开支，好让自己储蓄的钱能达到想要的比例。不管如何花钱，首先把这部分钱拿出来做储蓄，一分钱也不能花。

> 只有乐善好施的意图不行，那样就没有人会记得“好撒马利亚人”。他还得有钱。
>
> **——玛格丽特·撒切尔**

先把那部分钱储蓄起来，我的朋友，记住。然后按照这个原则行动，你储蓄的那部分钱占你收入多大比例并不重要，重要的是开始储蓄。在理想的情况下，你从收入里拿出来储蓄的比例不要低于 10%。但是，随着时间推移，不断提高你的储蓄比例，使其达到相当高的程度。

下一步

现在你已经设定了一个自动投资计划——你的财务自由投资基金，你新的赚钱机器。也许现在会有两个问题出现在你的脑海里：第一，我把这些钱放到哪里呢？第二，我需要积累多少钱才能得到财务安全和财务自由呢？我们下面会清楚地回答这两个问题，让你一听就明白。答案来自全世界投资理财做得最成功的人士。

但是，首先我们需要了解你投资的真正目的是什么。你个人对财务自由的渴望背后的更深层次的愿望是什么呢？财富对于你来说真正的意义是什么呢？你真正追求的是什么呢？我们来快速浏览一下，只有几页纸，看看你如何能够掌控金钱。

第 4 章　掌控金钱：进行突破

感恩是高贵灵魂的标志。

——伊索

钱是一种工具，能让我们把梦想变成现实，没有足够的钱或者说特别缺钱，你的生活会很悲惨。但是当你口袋里有了足够的钱，是不是所有的事情就会自动变好了呢？我想我们都知道答案是什么。

我们是什么人，钱无法改变。钱能做的只是放大我们的本性，如果你本性吝啬又自私，有了钱你会更加吝啬，更加自私。如果你感恩又博爱，有了钱你会更多地感恩他人，更多地给予他人。

我们稍停片刻，回顾一下 2008 年的金融危机。房地产市场和股票市场暴跌，数万亿美元的市值都灰飞烟灭，化为乌有。短短几个月，数百万人失业。你经历了什么呢？你遭受的打击重吗？这对你的家庭影响大吗？你的朋友怎么样了？我们每个人的反应不同，有的人恐惧，有的人愤怒，有的人辞职，有的人决心改变。所有这些反应都与钱无关，而是关于我们自己的。这些反应透露出我们的金钱观——钱对于我们来说到底意味着什么，我们赋予钱什么样的力量。要么我们让钱控制自己，要么我们自己控制钱。

要钱还是要生活

在 2008 年金融危机期间，有很多人、很多事让人震惊，我个人认为影响最大的案例来自一个名叫阿道夫·默克尔的绅士。2007 年，他在全世界富豪排行榜上的排名是第 94 位，也是德国最富有的人，个人拥有财富 120 亿美元。他拥有欧洲最大的制药企业，后来又把自己的商业帝国拓展到制造业和建筑业。他很骄傲自己能拥有这么大的成就。他也是一个相当厉害的投机者。

2008 年，阿道夫·默克尔决定在股票市场上大赌一把。他非常肯定，大众汽车公司的股票一定会下跌，所以他决定做空这只股票。但是半路出了一个意外：保时捷公司收购了大众汽车，大众汽车的股价暴涨，并没有像他预料的那样下跌。几乎一夜之间，默克尔输掉了 7.5 亿美元。

雪上加霜的是，阿道夫·默克尔迫切地需要一些现金来偿付巨额债务，但是 2008 年，银行不会贷款给任何人：不贷给你，不贷给我，也不贷给亿万富翁，甚至也不贷给其他银行。

默克尔是怎么应对的呢？寻找新的融资？减少开支？亏本卖掉一些公司的股票救急？这些事他都没有做。他发现，自己总共亏掉了 30 亿美元，已经不再是德国最富有的人了，他让自己的家人失望了，于是写了一份自杀声明，然后跑向正在疾驰的列车，一头撞了过去。

没错，他自杀了。

具有悲剧性讽刺意味的是，他的家人发现，默克尔自杀后，才过了几天，他申请的贷款就被批下来了，他的企业保住了。

阿道夫·默克尔是因为钱才死的吗？或者说，他选择死亡是因为钱对于他来说意义很大吗？对于阿道夫·默克尔来说，钱就是身份。没有钱，就没有身份，没有地位。失去了德国首富这个地位，他完全无法承受，他觉得自己简直太失败了——尽管亏了 30 亿美元后，他口袋里还有 90 亿美元！

你可能会想："哎，太可惜了。"但是对于我们这些旁观者来说，这样判断阿道夫·默克尔这个人，可能太武断了。但是想想我们自己，我们是不是也经常把自己的身份，自己未来的前途，在某种程度上和钱紧紧联系在一起？我们不愿意承认这一点，但其实是这样的。

想要破产死掉的亿万富翁

另一方面，也有像查克·费尼那样的人，他是一个美籍爱尔兰人，出生在新泽西州的伊丽莎白市，是一个白手起家的亿万富翁。你在全世界任何一个地方，在机场里穿行时，发现自己受到吸引走进一家商店，里面都是装着酒和香水的闪闪发光的瓶子，还有其他的免税奢侈品，你是否有这样的体验呢？免税店。对的。免税店就是查克·费尼的创意。他 1960 年从一无所有开始创业，白手起家，创立了一个免税店销售的企业帝国，身家 75 亿美元。

一度，《福布斯》世界富豪排行榜把他列为世界首富，但是查克·费尼非常低调，你可能从来没有听说过他当上世界首富这个新闻。他一生大部分时间中，个人名下的资产既没有汽车，也没有房子。他坐飞机都是坐经济舱，戴的手表是塑料手表。和阿道夫·默克尔一样，他的银行账户里的钱也缩水了很多——现在他已经 80 多岁了，自己名下的财产只有 100 多万美元。但是他和默克尔有非常大的不同，他没有像默克尔那样想要紧紧地抓住每一分钱，查克·费尼把自己所有的钱都捐了出去。

就是这个家伙，最近 30 年来，把自己的人生使命确定为利用钱这个工具，来改变各地方人的生活。他的慈善活动遍及全世界，在北爱尔兰帮助创造和平，在南非帮助人们与艾滋病斗争，在芝加哥帮助教育儿童。

查克·费尼这个人最让人意想不到的事情是，他做所有这些慈善活动都是匿名的。费尼不想得到任何荣誉。事实上，直到最近才有消息透露出来，他就是所有这些不可思议的计划背后捐款支持的那个人。而且他还在继续这样匿名做着好事。查克·费尼说他的目标是要做慈善活动做到花光最后一分钱为止，做到他签的最后一张支票银行拒绝兑现为止。

很明显，对于阿道夫·默克尔和查克·费尼来说，钱的意义完全不同。那么金钱到底对于你来说的真正意义是什么呢？是你用钱还是钱来用你？就像我一开始所说的那样：如果你不能掌控钱，在某种程度上，钱就会掌控你。

终极目标：回馈社会

对于我本人来说，当我还是小孩子的时候，钱总是看不见摸不着的。一提钱，我们就头痛，因为我们家的钱很少，从来不够花。我记得很清楚，我不得不去敲邻居家的门，借点食物给我的兄弟姐妹和我自己吃。

后来我 11 岁那年，在感恩节那天（类似于中国人的春节），发生了一件事，由此永远改变了我的人生。那一天跟往年的感恩节一样，家里什么吃的都没有，我的父母两人还在打架。突然我听见有人在敲门，我把门打开一条缝，看见一个人站在台阶上，手里提着个篮子，里面装满了食物，足够做上一顿感恩节大餐。我简直不敢相信自己的眼睛。

我的父亲总是说，没有人会白白地送别人东西。但是，突然有个我根本不认识的人，什么回报也不要，过来关心我们，给我们送温暖。这件事让我想到："这是不是我听说过的那种来自陌生人的关怀？"我决定，如果有陌生人能够关心我和我的家庭，给我们送温暖，我将来也会关心那些陌生人。"我将来应该怎么做呢？"那一天我向自己承诺，我要找到一种办法，用某种方式，在某一天，去回馈社会，把爱心传递下去。就这样，等我长到 17 岁的时候，我晚上兼职当看门的保安，攒了些钱，在感恩节那天出去给两个陌生的家庭送温暖，送给他们一大堆食物。这是我一生中最感动的经历。看到那些面孔从绝望变成欢乐，这让我感到自己的精神境界提升了。真的，这件事对于他们来说是一份大礼，对于我来说同样也是一份大礼。我没有告诉任何人我做了这件好事，第二年我给四个家庭送去了食物。再到后来，我给八个家庭送去了食物。我做这些不是为了得到别人的夸奖、赞美，不是像小学生那样为了评上“优秀学生”而做好人好事。但是，我给八个家庭送去了食物之后，我发现做这样的好事，我一个人确实能力有限。我想：“兄弟，我可以找些人来帮我一起做。”于是我召集了一些朋友，他们也加入了我们，逢年过节一起来给困难的家庭送食物、送温暖。我们捐助的人数越来越多。现在我的慈善基金会举办的“国际食物篮”慈善行活动，每年给36个国家200万人送食物、送温暖。要不是我11岁的那个神奇的感恩节有陌生人给我们家送食物，我怎么会知道给予他人会如此快乐？谁知道呢？有些人会说，这就是运气，这就是命运，或者是那个很古老的说法，这就是福气。我看到了上帝之手，我称之为“恩典”。

下面是我领悟到的东西：我懂得了给予的快乐，这和金钱毫无关系，金钱只是一种工具，用来满足我们的需求，而不仅是我们的财务需求。我们的人生之路大部分受到信念的指引，而这些信念是在人生路上随着时间推移而逐步形成的；我们的人生之路大部分也受到故事的指引，这个故事是由我们创造的，人生为了什么，我们本来应该成为什么样的人，我们本来应该做什么，给予什么。最终，是什么让我们感到快乐和满足？每个人都有不同的快乐，有些人觉得快乐就是愉悦他人，有些人觉得得到权力和控制别人才会快乐，有些人把自己的快乐定义为得到亿万财富，有些人觉得找到快乐和有意义的人生道路就是和上帝更加接近，放弃所有的物质东西，还有一些人觉得快乐的最终意义就是自由。

不管你追求的是什么样的情绪，不管你追逐的是什么样的工具（创立一家企业，养一家子人，环游世界），不管你想要的天堂是什么，我发现这些都是你的一种企图，你费尽心机想要满足人类六大需求中的一种或几种。

激发我们行动的就是这六大基本需求。所有的人类行为，其背后都是由这六大需求驱动的，全世界都是这样。无论人们做的是疯狂的坏事，还是伟大的好事，行为背后的推动力都是这六大需求，但是这六大需求在我们心中的价值地位不同，满足需求的顺序也不同，这就决定了我们人生的方向不同。

为什么人类六大基本需求非常重要，我们必须深入理解它们？因为你要创造财富，就必须知道你真正追求的是什么——你积累这些财富到底是为了什么。你积累财富是为了让自己觉得确定而且安全吗？你追求财富是为了让自己觉得很特别、与众不同吗？你追求的是一种奉献的感觉——你想为别人做点事情，用你过去从来不能用的方式吗？还是以上这些动机你都有呢？

如果你把确定性看作你生命中最重要的需求，和你把爱情作为第一大需求相比，确定性会让你的行动方向有很大的不同，在人际关系上、在商业上、在投资理财上也会有很大不同。你如果深入挖掘自己真正追求的东西，就会发现那其实根本不是钱。你真正追求的是你认为钱能够给你带来的东西。那是一系列感觉的组合。在这些感觉背后是你的基本需求。

人类第一大需求：确定性 / 舒适感

人类的第一大需求是确定性。我们需要控制感，知道接下来会发生什么事，这会使我们感觉安全。这是基本舒适性的需求，是避免痛苦和压力的需求，同时也是创造欢乐的需求。这样的需求正常吗？确定性需求是我们的一种生存本能。它会影响我们在生活中愿意冒多大的风险——在我们的工作中，在我们的投资上，在我们的人际关系上。对确定性的需求越强，你实际愿意承受的风险就越小，或者说你的情绪愿意忍受的风险就越小。顺便说一下，这就是你真正的“风险承受力”的来源。

但是你如果任何时候都能完全确定，又会怎么样？你知道什么事情会发生，什么时候会发生，会怎样发生，你在别人开口说话之前就知道他们要说什么，这会让你有什么样的感觉？刚开始你会感觉自己很神奇、很特别，但是最终你会感觉怎么样？你会感觉太没有意思了。

人类第二大基本需求：不确定性 / 变化

上帝啊，您的智慧无限大，才会给我们人类第二大基本需求，它就是不确定性。我们需要变化，我们需要惊奇。

我来问你一个问题：你喜欢惊奇吗？

如果你回答“是”，你就是在戏弄你自己！你想得到的惊奇，你称之为惊喜。你不想得到的惊奇，你称之为问题。但是你还是需要那些让你惊奇的问题来给你的生活增添一些活力。你不能锻炼你的肌肉或是你的性格，除非你有东西在后面压着你的肌肉或性格。没有压迫就没有反抗，也就没有成长。

人类第三大基本需求：重要性

第三大需求是重要性。正是这个基本需求驱动阿道夫·默克尔努力打拼，成为德国首富，也是这个需求驱动他失去首富地位后自杀了。我们都需要感觉自己很重要，很特别，与众不同，别人很需要我们。但是我们如何得到重要性？有很多得到别人尊重的方式，赚到亿万财富能得到别人尊重，获得很高的学位——硕士、博士，能让人觉得你有文化、与众不同。你可以成为一个“大V”（微博上有大群粉丝的用户），有很多粉丝追随，让自己感到很受尊重。你可以参加《单身汉》，或者参加下一季《贵妇的真实生活》，一夜成为大明星。有些人得到别人重视的方式是在身上到处刺文身穿孔，或者在私密的地方刺文身穿孔。你要得到别人的重视还有另一种方式，就是你的问题比别人更多更大：“你是不是觉得我的丈夫就是一袋大垃圾？求求你把我丈夫这袋垃圾拿走一天吧。”当然你得到别人的尊重也可以通过在精神层面上高人一等（假装也行）。不幸的是，要得到别人重视的最快方式，既不需要用钱，也不需要读书、受教育，那就是用暴力。如果有人拿枪指着你的头，那么就在那一刻，他马上变成你生命中最重视的人，对不对？

花很多钱，能让你自己感觉自己很重要，但花很少的钱你也能做到。我们都知道，人们不停地吹嘘他们买的东西多么便宜。有人觉得自己很特别，因为他们用牛粪烧火取暖，或者只借助太阳能来取暖。有些非常富有的人之所以得到别人的重视，是因为他们隐藏自己的巨额财富。山姆·沃顿，沃尔玛超市的创始人，有很长一段时间都是美国首富。他自己开着车在阿肯色州本顿维尔跑来跑去，那辆车还是一辆旧皮卡，这表明他根本不需要一辆宾利豪车，不过他确实有一架私人飞机随时可用。

重要性，也是一个赚钱机器。这正是我的亲密好友史蒂夫·韦恩创造财富的秘密。就是这家伙打造了拉斯维加斯这个赌城。他知道人们愿意买单，只要他们相信这是最好的东西——让他们觉得自己很特别、与众不同、很重要。史蒂夫 · 韦恩在他自己开的赌场和酒店里提供你能想象到的独家、奢侈豪华的体验。他的赌场和酒店雄伟华丽，无与伦比。他搞了一个夜总会叫作“XS”（还有什么型号呢），那里是拉斯维加斯最受欢迎的地方。即使是在平时工作日的晚上，“XS”门口也排着长队。你一进去，就有特权可以购买一瓶普通的香槟，一瓶 700 美元，如果你想显摆一下，显示你是个大玩家，你可以花 10 000 美元买一瓶特制的“小野鸡尾酒”，它用罕见的白兰地和新鲜的橙汁调制而成，杯子上还挂着一条白金项链。嘿，你看，服务员送到你桌子上时，它还喷着焰火，照亮了整个大厅。你就是要让所有人都知道你很重要，很受重视（这只是你自己的想象而已）。

人类第四大基本需求：爱和联系

人类第四大基本需求是爱和联系。爱对于生命来说就像氧气对人体一样重要。爱是我们最想要得到的，也是我们最需要得到的。当我们完全投入去爱的时候，我感觉到自己活着，但是当我们失去爱的时候，痛苦会非常大，很多人只能靠和别人的联系才能活下来，尽管这些联系只是爱的碎屑。你可以得到那种与人联系的感觉，或者爱的感觉，通过亲密关系，通过真诚的友谊，通过祈祷，通过在大自然中行走。如果这些都没有效果，你可以去养一条狗。

前面四种人类基本需求，我称之为人格的需求。我们都可以找到方法来满足这四种需求：工作更加努力，解决大问题，创造出故事来把这些需求合理化。最后两个基本需求是精神需求，它们更加少见——并不是每个人都能得到这些精神需求的满足。一旦满足了这些精神需求，我们会真正地感到满足。

人类第五大基本需求：成长

人类第五大基本需求是成长。你如果现在停止成长，会是什么样子呢？你就死了。停止成长就意味着死亡。如果两个人的关系不再成长，如果一个企业不再成长，如果你这个人不再成长，那么不管你现在在银行里有多少钱，不管你有多少朋友，不管有多少人爱你，你都不会体验到真正的满足。我们成长的理由，我相信，就是我们有一些很有价值的东西可以给予别人。

人类第六大基本需求：奉献

人类第六大基本需求是奉献。尽管它听起来好像是老生常谈，但人生的秘密就在于给予。人生的目的不是为了我，而是为了我们。好好想想，当你得到一个好消息，令人激动的消息，你会做的第一件事是什么？你会打电话给你爱的人，分享这个好消息。分享强化了你能体验到的每一件事。

生命就在于创造意义。生命的意义并不在于你得到了什么，而在于你给予了什么。最终，你得到的东西从来不会给你带来长久的快乐，但是你成为什么样的人，你奉献了什么，会给你带来长久的快乐。

因为本书谈的是钱，请你好好想想，钱能够满足你的六大基本需求吗？钱能满足你的确定性需求吗？你觉得肯定能。钱能满足你的变化性需求吗？检查一下。很明显，钱能让我们感觉自己很重要，很受重视。但是钱能够满足你对人际关系和爱的需求吗？正如甲壳虫乐队那首经典的歌曲所唱的那样，钱不能买来爱，但是钱能买来狗！而且不幸的是，钱能给你一种错误的联系感，因为钱能够吸引很多人和你联系，尽管并不都是那种非常让人满足的人际关系。钱能带来成长吗？钱能推动企业的成长，也能推动学习的进步。你的钱越多，你能在财务上奉献社会的就越多。

但是我真正相信的是，如果你把重要性看得高于其他所有需求，那么你想通过赚很多钱来让大家都重视你，最后会竹篮打水一场空，除非你把自己赚的钱都捐赠给社会，以此来获得重视。如果你想从钱上获得重视，那么你要付出的代价会非常高。你追求的是更大的财富数字，但是你想因此得到更大的满足感，那是根本不可能的。

生命中最终的重要性并非来自某些外在的东西，而是来自某些内在的东西。生命中最终的重要性来自我们自己对自己的尊重，而自尊可不是我们可以从别人那里得到的。别人可以告诉你，你很漂亮，你很聪明，你很明智，你最优秀；他们也可以告诉你，你是地球上最可怕的家伙。但是真正重要的是你觉得自己怎么样。你是不是相信你内心深处、灵魂深处还在继续成长，继续推动你努力前进，去做更多，去给予更多，不满足于你现在的水平，甚至不满足于你认为自己能够达到的最高水平。

没有东西会比成长和给予更加重要。尽管钱是一个特别厉害的工具，可以满足我们的六大基本需求，但是钱只是工具的一种。当你在追求钱的时候，不要忘记你为什么要追求钱。你其实是想满足某些情绪上和心理上的需求。在这些情绪的背后，是那些想让你的人生与众不同而必须满足的基本需求。

宇航员在月球上行走时，想象一下他们走过的人生旅程。他们从还是孩子时就梦想着有一天能够飞到外太空。直到那一天，巴兹·奥尔德林和尼尔·阿姆斯特朗站在月球上，回望我们居住的地球的奇观。我们大家只是在照片上看过地球的全貌，而他们两个人是人类历史上第一批亲眼看到地球全貌的人——这是多么重要的伟大成就啊。

但是后来他们怎么样了？他们参加了空中抛撒彩色纸带的大游行，受到了总统接见。他们成了美国家喻户晓的英雄人物。后来又怎么样了？假使你已经在月球上行走过了，现在只有 39 岁，那么以后你要做些什么？如果你研究过宇航员的历史，读过他们写的传记，你就会知道，很多宇航员都变得特别沮丧。为什么？因为他们能找到的唯一冒险方式就是太空旅行或者飞向月球。他们忘记了如何从日常生活中一个简单的微笑里找到冒险的快乐。

我不想给你更多说教，我只想用这短暂的时间来告诉你，现在是时候去掌控你的钱，而不是等着让钱来掌控你。要找到最快的方式来满足你的六大基本需求，感觉到你和别人的联系，感觉到你的人生多么重要，感觉到确定感和变化，把你自己置于一种给予别人的状态。每天找到一种方式，让自己感激别人更多，期盼自己得到更少，地球上最富有的人就是那个能够感激别人更多的人。

我第一次采访约翰·邓普顿爵士，是在我 33 岁的时候。他是身家几十亿美元的超级富豪，但是他起步时一无所有，他是白手起家的，而他能赚到如此巨大的财富，都是在历史上最糟糕的年代，别人都感到非常恐惧的时候：第二次世界大战后的日本；20 世纪 80 年代末到 90 年代初，南美洲部分国家受到了巨大通货膨胀的冲击。当其他人非常恐惧的时候，邓普顿勇敢地站出来，大量投资买入。我问他："财富的秘密是什么？"他说："托尼，你知道的，你非常清楚地知道，你可以把这个财富的秘密教给每一个人，它就是感激。"你满怀感激的时候，就没有恐惧。你满怀感激的时候，就没有愤怒。在我认识的人里面，约翰·邓普顿爵士是最快乐、最满足的一个人。尽管他在 2008 年去世了，但这些年来他的人生经历继续激励着所有的人。

如果你想非常富有，那么现在开始吧。今天你会对什么充满感激？今天你会对谁充满感激？你会不会对自己一路经历的那些问题和痛苦充满感激？如果你有了新的信念，你相信自己生命中发生的每一件事，都是为了服务你、帮助你，你又会怎么想？如果你从内心深处相信，人生种种经历并非偶然发生在你身上，而是专门为你发生的，你又会怎么想？你人生之路的每一步都是在帮助自己变得更加强大，让自己能做得更好，让自己能享受到更多，让自己能给予更多。如果你从这一点开始，钱就不再是你快乐的来源，也不再是你痛苦的来源。赚钱将只是一个被你逐步熟练掌握的有趣旅程，财富就变成了一个伟大的工具，让你成就那些生命中最重要的事情。

不过，既然钱是我们生命中如此重要的一部分，让我们先回到赚钱的轨道上。尽管我们这一章说的都是发自肺腑的真心话，但是你在投资理财之路上遇到的很多人，并不是从自我成长和奉献他人的角度来做投资交易的！你要进入一个竞争激烈的金融世界，里面的很多人和机构都在找机会欺负你，占你的便宜，因为你是一个缺少经验、不懂投资的菜鸟。所以，我想让你提前做好充分准备。在我们开始讨论把钱投资到哪里和寻找投资机会之前，我要告诉你注意避免哪些投资误区。

有一个原因可以解释为什么大多数投资者长期来看并没有赚到钱。我想给你必要的知识，既能保护你的投资安全，又能让你抓住机会让自己的投资增长最大化，从而能够让你实现真正的财务自由，速度比你想象的还要快。你值得拥有心灵的平静，很快就能真的拥有。翻到下一页……

MONEY

7 Simple Steps to Financial Freedom

MASTER THE GAME

第二部分

成为内行：加入之前先了解游戏规则

第5章　打破误区：粉碎9种投资营销谎言

牢记黄金法则：谁有黄金，谁定法则。

——无名氏

你必须先学习游戏法则，然后你必须比其他人玩得更好。

——阿尔伯特·爱因斯坦

我知道，你想直接跳过去学习投资，弄清楚自己的钱该被投到什么地方，以获得财务自由，我也想演示给你看。当我看到有人真的“懂了”，能够理解和接受投资理财这个游戏而且确实也可以赢，我会喜形于色。但是只是给你省钱，得到很高的回报，减少投资风险，这些并不够。你必须知道，这里有很多人想要拿走你的一部分财富。金融体系到处都是漏洞，我更想称之为地雷，它们会毁掉你的财务未来。所以在这个部分，我们将一起来击破9种投资营销谎言——证券公司、基金公司、银行等金融机构用这些谎话营销了很多年。如果你还没有意识到，或者如果你根本没有意识到它们把你洗脑了，这些投资谎言就会一步一步、有计划地摧毁你的财务未来。

从这部分开始，本书开始给你带来实实在在的好处了！如果你的工资处于美国平均水平，年收入5万美元，现在每年能够储蓄你工资收入的10%，并用这些钱长期投资，那么你的整个投资生涯可以节省25万美元。你只要用到你在这个部分学到的一部分知识就可以做到了。你根本不用工作，就能得到你目前 5 年的收入，足够你按照你现在的生活方式过上 5 年。这一点是被实际统计数据证实的，并非我胡乱编造出来的。如果你的收入低于美国平均水平，每年只能挣到 3 万美元，每年你只能储蓄个人收入的 5%，那么你的整个投资生涯还是可以节省出来 15 万美元的，而你也不用工作就能拿到这么多钱。如果你的年收入高于美国平均水平，超过 10 万美元，那么通过学习这部分的投资理财知识，你的一生就能节省 50 万 ~100 万美元。这听起来像是在吹牛，对不对？在本书后面的内容里，我会让数字来说话。

这一章很短，所以你一定要用心地读，因为你想马上采取行动。彻底粉碎这些投资理财谎言，你会立即“止血”。在原来你从来没有想过需要止血的地方，你可以省掉很多不必要的费用。了解了这 9 种投资营销谎言能保护你少受损失，确保你能够达到财务自由的水平，这正是我承诺要达到的理财目标。现在让我们开始吧。

欢迎来到丛林

不管你是一个经验老到的投资者，还是刚刚开始把自己看作投资者的投资菜鸟，面对的都是同样的金融世界，瑞·达利欧生动地把它描述为金融丛林，对于我们所有人来说，丛林中都布满了同样多的危险。但是这些危险大多数都隐藏在你所不知道的，会伤害你的事实里面。

报价

我希望你能这样想象一下，有人来找你谈生意，他说有下面这样的投资机会，想问问你有没有兴趣投资：他希望你投入 100% 的资金，承担 100% 的风险。如果这笔投资赚钱了，他要分走利润的 60%，甚至更多，作为他个人的管理费。顺便说一下，如果这笔投资亏钱的话，是你亏钱，你还得一样付他的投资管理费。

你干吗？

我敢肯定，这种事想都不用想。你的本能反应是：“我才不会做这种傻事呢！这也太傻了。”唯一的问题是，如果你像90%的美国投资者一样，你投资的是典型的公募基金，不管你信还是不信，你其实已经同意签订上面那种投资合同条款了。

就是按照这样的合同条款，全世界2.65万基金持有人在主动管理型公募基金上，投资了1.3万亿美元。

这个世界是怎么做到让9 200万美国人参与这样不公平的投资管理协议的？他们付出的管理费相当于未来潜在投资收益的60%，甚至更多，而自己能够得到的投资收益却没有任何保证。为了解开这个谜局，我坐下来跟投资大师约翰·博格交流，他是先锋公司的创始人。他85岁了，在华尔街干了64年，非常有资格来破解这个难解的金融现象背后的谜团。他的回答是什么呢？

“营销。”

“托尼，其实很简单，大多数人根本没有算账，而且这些费用好多都是隐性的。我们来算算看：如果你20岁一次性投资1万美元，假如每年的投资收益率是7%，等你到了我这个年龄（80岁），经过60年，你原来投资的1万美元能增值到574 464美元。但是，如果你每年要付2.5%的投资管理费和其他费用，经过同样的60年，你原来投资的1万美元只能增值到140 274美元。”

我们来看一下，这笔买卖值不值呢？是你提供所有的投资资本，是你承担所有的投资风险，但你最后只得到了140 274美元的投资收益，却付给那些主动管理型基金的基金经理投资管理费439 190美元！他们拿走了你潜在收益的77%？他们凭什么？

“确实如此。”

金钱威力法则1：不懂规则，就不加入比赛。那些基金公司、证券公司、银行等金融机构有组织、有套路地向成千上万的投资者进行营销，以影响投资者的投资决策。我总结为9种投资营销谎言。这些“传统智慧”，经常是故意设计好来蒙骗你的，让你两眼一抹黑，看不清真实的现实。这些传统智慧用在你的金钱投资上，就会蒙住你的双眼。那些你没看到就不知道的事情现在就会，将来可能也会损害你的利益。无知不是什么好事，无知会让你痛苦，无知会让你争斗，无知会让你把财富白白地送给别人，而他什么好处也没有给你。

失败的实验

存在问题的并不只是客户投资成本很高的公募基金。上面讲的例子只是冰山一角，整个金融体系都是故意设计好了的，就是要把你和你的钱分开。

无一例外，我采访的每个专家，从顶尖的基金经理到诺贝尔经济学奖获得者都一致同意，游戏已经变了。和我们现在相比，我们的父辈那个时代的投资理财的复杂性要小得多，危险要少得多。为什么？因为他们有保障生活的退休金，这是由政府保障的终身收入。他们有大额定期储蓄，利率水平不高，但相当合理。我们现在存款利率只有 0.22%，根本赶不上通货膨胀率。有些人还懂点投资，能投资买入一些蓝筹股，股利非常稳定。

船开了，世道变了，退休养老金体制也变了。

美国新的退休养老金体系，在 1980 年之后才真正开始改革，标志是实施 401（k）个人养老投资计划。这其实是美国设计的一场巨大的投资实验，实验人群范围是美国历史上人口最多的一代——婴儿潮世代。这个实验效果怎么样？

“这个新退休养老金体系就是让你自己动手做投资，已经失败了。”特蕾莎·吉拉杜奇说。她是全美国公认的退休养老保障研究的专家，是纽约社会研究新学院的教授，大家都知道她对美国退休养老金体系的批评直言不讳。“失败的原因是，这套退休养老金体系是期望业余投资者获得的收益率能像专业投资者和基金经理一样高。这根本不现实。如果让你自己拔牙，你自己在家里接电线，你想会是什么样的结果？”

是什么变了？我们原来有政府保障的退休养老金，现在被换成了一种新体制，它是全球性的，非常复杂，而且经常是极度危险的，充满了隐性费用。所谓的好处就是能给我们“选择的自由”。在某种程度上，你要辛辛苦苦地工作，养家糊口，锻炼身体、保持身材，要和领导、同事、亲戚、朋友、同学搞好关系，而且你还得成为一个投资专家，做好自己退休养老金的投资管理，你能做到吗？那些设计新的退休养老金体系的政府官员认为，你能够轻松畅游投资迷宫，熟悉了解里面各种各样的金融产品和服务，能够让自己辛辛苦苦赚来的钱避免证券市场源源不断地产生的投资风险。这简直是天方夜谭。正因如此，大部分人都把自己的钱交给“专业投资者”管理，通常交给证券经纪人。证券经纪人是为一家证券公司工作的，在法律上未被要求从最有利于客户的角度出发做事的代理人（我们会在第 4 个投资营销谎言中做详细分析）。经纪人要想赚钱，靠的是用你的钱去购买那些让他或者他的证券公司赚钱最多的产品。

这里我要先说清楚：本书并不是一本猛烈抨击华尔街——美国金融机构的书。很多大型金融机构已经开创性地设计了一些特别优秀的产品，我们会在本书中仔细研究分析。绝大多数金融服务行业的从业人员非常关心客户，通常情况下，他们做的也是自己认为最好的事情。不幸的是很多人并不明白，这些证券公司、基金公司等金融机构，不管客户是赚是赔，它们自己都要赚钱。这些证券公司尽自己所能为客户做到最好，充分利用它们的知识（培训）和工具（产品）。但是这个体系的设计安排不能让你的证券公司经纪人有无穷的选择，也没有完全的自主权，能够帮你找到最合适的产品，而且要这样做，事实证明，其代价太高了。

你把自己未来潜在收益的很大一部分都作为基金管理费付给基金公司了，或者作为佣金付给证券公司的经纪人了，这非常不合理。但这只是你必须避免的投资陷阱之一。你如果想赢得这场投资游戏比赛，还有很多陷阱也必须避免。不过这里还是有好消息的：

在投资游戏中，你这个业余投资者还是能赢的。

事实上，你不仅能赢，而且投资游戏也会让你非常兴奋。是的，这里有很多困难和挑战，有很多陷阱，你必须尽量避开，但是想一想我们已经走了很远的路。现在只需要按一下按钮，付一点儿费用，你就可以投资全世界任何地方、任何你想要投资的产品。“现在做得比过去好太多了。”詹姆斯·克卢南最近在《华尔街日报》上撰文写道。克卢南是一家非营利机构美国个人投资者大联盟的创办人。“你只需要决定做正确的事情就行了。”

“仅仅在35年前，你还必须花费好几个小时到公共图书馆查阅，或者写信给一家上市公司，只为了能看到它们的财务报告。证券公司的佣金和公募基金的管理费都高得离谱。税收高得简直像偷盗。”贾森·茨威格在《华尔街日报》的一篇专栏文章中写道：“即使股票市场让你紧张，也要想一想你拥有的恩典。”

从科技中受益的不只是高频交易者，科技让整个投资界的效率高了很多，让我们所有的人受益很多。这一点完美地契合了千禧一代的年轻人——任何东西只要慢一点他们就不能接受。“对于我们来说，一切都要快捷方便！”艾米丽大声喊道。她是我的私人助理，她是千禧一代中的一员，说话直来直去。“我们根本无法容忍缓慢和低效率。我们真的希望每一件事情都能够一键搞定。我们买东西都是从亚马逊网上订购的，我们只需要抬一下手指就买好了。我不用下载，就可以在Netflix（视频网站）上播放电影。我可以在网上订购一辆汽车，可以在网上买股票，可以在网上做我的PPT（微软公司的演示文稿软件）课件。今天早上，我拍了一张我的支票的照片，早上6点前支票上的钱就进到了我的银行账户里，我甚至还没有脱掉睡衣呢。”

赌场略有优势

史蒂夫·韦恩，亿万富翁，赌场大亨，他最大的成就就是把拉斯维加斯转变成世界娱乐之都，他也是我的一个最亲密的朋友。史蒂夫·韦恩建造的赌场，大家认为它可以称得上世界上最雄伟的建筑。尽管如此，他赚到巨大财富的秘诀却是一个简单的真理：赌场略有优势，但是这并不能保证他绝对会赢。在一个特定的夜晚，一个连续获胜的赌徒会从史蒂夫的口袋里赢走上百万美元，而且如果他的赌场不能够完全让这些赌客沉迷其中的话，赌客就会转身离开。另一方面，基本上所有的公募基金公司都有优势。它们是超级赌场，它们迷住了你，你哪里也去不了。不管你是赢是输，这些基金公司就像赌场一样，它们的收入都有保证。

再燃激情

2008 年之后，美国股市暴跌超过 37%，整个金融世界完全改变了，美国人对金融世界的看法也完全改变了。即使是在五年之后，保德信金融集团的一项调查表明，44% 的美国投资者仍然说他们再也不会往股市里投一分钱了。58% 的人说他们已经对股市丧失了信心。但是那些内行还留在游戏里。为什么？因为他们更懂行了。他们更懂玩这个投资游戏的“正确”方法了，他们也知道今天有很多强有力的工具和策略是自己以前从来没有碰到过的。

现在你可以运用一种金融工具，由全球规模最大的银行发行，并支持以公司资产为你提供 100% 的本金保护，而且可以让你分享到市场涨幅的 75%~90% 的收益，比如标准普尔 500 指数。没有上限，这可不是印刷错误，你最高可以分享到市场上涨收益的 90%。但是如果市场下跌了，你还是可以拿回你 100% 的本金。这听起来太好了，简直不像是真的。如果确实有这么好的产品存在的话，你应该早就听说过了，对不对？错。为什么？即使你听说过这种产品，你也必须是 1% 富豪中的前 1%，你才有机会买到这些金融机构不向大众零售的金融产品，它们不会摆在货架上。这些产品是为那些有足够多财富来参与这种投资的富豪量身定制的。

这只是其中的一个例子。等你成了内行，你很快就会知道新的游戏规则如何用最少的风险获得财富，你就可以了解到更多这样的产品。

风险来自你不知道自己正在做什么。

——沃伦·巴菲特

少有人走的路

前面的投资之旅是那种需要你全身心投入来参与的旅程。现在，我们一起去攀登名为财富自由的山峰，这是你个人的珠穆朗玛峰。这条路不会是坦途，需要你提前做准备。你不能一见珠穆朗玛峰就爬，事先不搞清楚前面路上有哪些危险。有些危险是你知道的，有些危险会偷偷接近我们，来个突然袭击，比如一场暴风雪。所以我们开始登山之前，必须充分了解前面路上都有哪些艰难险阻。走错一步，你晚年就要为付下个月的房贷而发愁了；走对了，物质丰富的人生就在前面等着你，让你完全摆脱所有财务压力。我们不能让别人来替我们攀登财务自由的山峰，但是我们也不能一个人做成这件事。我们需要一个向导，他的心里装的永远是我们的最高利益。

顶　峰

成功投资的核心理念非常简单：不断储蓄，直到储蓄的资本数量达到一个关键点，之后你的投资收益就能够产生足够多的收入，让你不用工作也能够保持你现在的生活方式，自由自在地生活。最终，你会达到一个引爆点，到那个时候，你的资产规模就达到了一个临界数量级。拥有这么多财富意味着你再也不用去工作了，除非你选择去工作，因为你的投资账户产生的利息和投资升值会给你带来相当多的收入，足以满足你的生活需要。这种财务自由就是我们要攀登的顶峰。一个非常好的消息是，你不断学习进步成了投资内行之后，会有很多新型、独特的解决方案和投资策略，它们会加速你攀登顶峰的速度，甚至可以保护你，避免你滑落下去。但是在更加深入地探索了解这些解决方案前，我们先要清楚地画出我们未来投资之旅的路线图。

你的投资游戏有两个阶段：第一个阶段是积累财富，你要不断地储蓄金钱，追求财富增长；第二个阶段是消耗财富，你不断地提取收入，不断地花钱。上山的旅程代表的是你的财富积累阶段，目标是到达峰顶，也就是到达我们前面所说的临界数量级。我们要尽可能长时间地停留在峰顶，能停多久就停多久。你可以欣赏四周美丽的风光，呼吸新鲜的自由空气，享受自己的伟大成就。这一路上会有很多困难和障碍，如果你不能保持警觉，甚至还对自己撒谎，它们就会阻碍你到达峰顶。为了保证成功的可能性最大，我们要清除这些困难和障碍，后面我们会详述具体办法。

在到达峰顶之后，我们就进入了人生的第二个阶段——消耗财富阶段。这里我们可以享受自己创造的财富，享受我们通过不断地积累才得到的财务自由，从此不再为了钱而工作。你只有在愿意工作的时候才去工作。在这个阶段，我们从山顶一路滑下，只需自由享受自己的人生。跟我们爱的人在一起度过生命宝贵的时光，创建我们想要留给后人的遗产，做与众不同的事。正是在这个阶段，我们会彻底消除婴儿潮世代的最大恐惧：人活着，钱没了。资产管理行业只专注于如何投资赚钱的问题，却很少讨论这个人生的第二阶段，即如何花钱的问题。

“并不是说你到某年某月某日，当你的账户里攒到了足够的钱，你想怎么花就可以怎么花。”杰弗里·布朗博士说。他是伊利诺伊大学的金融学教授，也是美国财政部和世界银行的顾问。“我想，很多人快到退休年龄的时候，会突然醒悟：‘你知道吗？我本来做的工作挺好的，我攒了这么多钱放在那里，但是我不知道我还能活多久，我不知道我的投资收益率会有多高，我不知道未来通货膨胀率会有多高。万一我还活着，钱却花没了，那就惨了。我该怎么办？’”

最近我读到他在《福布斯》杂志专栏中的一篇文章，我马上打电话给布朗博士，看看他是否愿意抽时间坐下来，给各种类型、不同等级的投资者分享一下退休养老金问题的具体解决办法。（在本书的第五部分里，有我采访布朗博士的内容，他会给大家讲解如何创造终身收入，以及如何让这份收入完全免税。）要勾勒出退休养老金问题的解决之道，没有人比布朗博士做得更好了，因为他既是顶尖的学术专家，又是美国总统为社会保障咨询委员会指定的七位顾问之一。

挣脱锁链

戴维·斯文森是我们这个时代最成功的投资者之一，他的忠告是：要想取得不同于传统的成功，就不能接受传统智慧的误导。让我们来打破误导投资大众的9种投资营销谎言，此外，更重要的是去探索发现新的金钱游戏规则，以及那些会让你获得财务自由的投资真理。

我们先从最大的那个投资营销谎言开始……

按照投资百科网站上所说的："主动管理型的基金经理，依赖于分析、研究、预测，以及他们自己的判断和经验，来做出投资决策——买入、持有、卖出。与之相反的是被动型管理，更通俗的说法是指数投资。

第6章　哄来13万亿美元的营销谎言1："把投资交给我们管理，我们能够战胜市场"

非专业投资者的目标不应该是挑选牛股——不论是他还是他的帮手（投资顾问和基金经理都不能做到），而应该是同时拥有所有代表性企业的股票。总体而言，肯定会表现得很好，一个低成本的指数基金，就可以达到这个目标。

——沃伦·巴菲特（《2013年致股东的信》）

你看一看扣除费用和税收之后的净收益，就会知道在比较长的期限内，你几乎没有可能战胜指数基金。

——戴维·斯文森（耶鲁大学的首席投资官，管理捐赠基金超过239亿美元）

财经娱乐

现在你打开电视上的财经频道，你看到的"新闻"很少，耸人听闻的事件很多。荧幕上都是大大的脑袋特写，他们在激烈地争论。那些推荐股票的主持人和专家，高声尖叫着当天的热门股，他们的声音从我们家客厅的音响里传出来，就像摔碎盘子、碟子一样尖锐混乱。记者就直接站在股票交易所里，进行现场报道。这套宣传体系是由广告商来付费的，目的就是要让你看了这些节目后形成一种感觉，我们就要错过机会了！只要我听了专家的热门股建议，肯定会赚钱。我听了专家的建议购买了这只基金，它肯定会成为下一个五星评级基金。（基金权威评级机构晨星公司对基金进行评级，最低是一星，最高是五星。）

追逐业绩排名是一门大生意。个人理财作家简·布莱恩特·奎因曾经把这种大肆宣传业绩排名的做法称为“金融业色情宣传”。它勾引我们去看那些印得非常精美的广告插页，只不过是把美女照片换成了五星级评级基金，或者换成了暗示你买了基金就能赚大钱、享受美好生活的照片，比如，无忧无虑地在沙滩上漫步，跟我们的孙子孙女一起坐在游艇的甲板上钓鱼。其实这些基金广告宣传的真正意图是，想要拿走我们口袋里的钱。各家基金公司争夺你财产的战争非常猛烈。

那么你把你的钱放到哪里呢？你能够信任谁呢？谁会保护你的资金安全，并为你的投资创造最好的投资收益呢？

这些问题，你马上就要考虑了。因为你现在已经承诺要把自己的收入拿出来一部分储蓄，去做投资了，你承诺自己要成为一个投资者了。那么大多数人把他们储蓄的钱投资到哪里去做长期投资了呢？一般是投到股票市场。

过去100年，股票市场确实是长期投资最好的地方。史蒂夫·福布斯参加了我在爱达荷州太阳谷举办的一场投资理财活动，那是在2014年。他说：“1935年在股票市场投资100万美元，到2014年，100万美元能够增值到24亿美元。你如果能一直持有，就能赚2 400倍。”

但是，你开立了个人退休金账户或者参与了公司的401（k）退休金投资计划后，马上会有一个能说会道的营销员（或者销售流程）打电话给你，建议你把这些钱投资购买基金。表面来看，你买了一只主动管理型基金，实际上你真正购买的是什么？你其实买的是人，是基金经理。你付管理费给基金经理，希望他的选股能力胜过自己。这是一个非常自然的前提假设，因为我们这些业余投资者天天为工作和生活忙得不可开交，我们自己选股的那一套方法很低级，和朝着股票代码一览表乱扔飞镖差不多。

于是，我们把自己的钱委托给那些得到最高五星评级的主动管理型基金经理。顾名思义，主动管理就是主动积极地采取行动，努力追求战胜市场，其方法是让基金经理成为一个比别人更好的选股高手。有时我们称这是一个价值 13 万亿美元的谎言（因为投入主动管理型基金的资金规模高达 13 万亿美元）。你准备好直面这个 13 万亿美元的最大投资营销谎言了吗？

在一段较长的持续时间里，96% 的主动管理型基金未能战胜市场。如此高的失败比例，简直令人难以置信。

说得更清楚一点，我们说的"战胜市场"是总体而言的，我们说的市场一般是用一只股票指数作为代表的。你会问：什么是股票指数？有些人也许知道，但是我担心还有些人并不知道，要是不解释，这些人会听不明白，所以我先来解释一下股票指数。股票指数其实就是从所有上市公司中选择出有代表性的一篮子股票，或者说是一组股票，计算这些样本股的价格平均数。美国最常用也是最有名的股票指数是标准普尔 500 股票指数。其实就是标准普尔公司选择出来的 500 家顶尖上市公司，作为构成指数的成分股。主要的成分股有：苹果、埃克森美孚、亚马逊等。每天标准普尔公司会评估所有 500 只成分股的股价表现，把它们作为一个整体计算其最新价格，这就是我们看到的指数。你晚上听到新闻报道说股市上涨了或者下跌了，说的就是指数上涨了多少点，或者下跌了多少点。

你要追平股市就是要追平指数，那就要分别购买所有 500 只成分股，成分股变了，你还要跟着调整，卖出被剔除的成分股，买入新加入的成分股，这相当麻烦。有了指数基金，一切都非常简单了。你只要购买一只低成本指数基金，因为指数基金就是追踪或者复制指数，你的钱和成千上万的投资者的钱就会聚集到一起，其规模很大，可以用和指数同样的比例同时持有所有 500 只顶级上市公司的股票。只要购买一份指数基金，你就可以拥有整个"美国市场经济"的一小部分。用这种指数投资方式，其实你购买的是整个美国经济体系，你的信心来自 100 年的历史事实：过去 100 年，美国最强大的 500 家上市公司一直显示出了不可思议的活力。即使遇到经济衰退和经济大萧条，甚至是世界大战，它们也一直能够找到办法来增加价值，增长业务，提高收入。如果一家公司表现不好，不能进入前500名，标准普尔公司就会把它剔除出500只成分股的名单，用其他股价表现更好的上市公司代替。

这里我想讲的关键点是投资指数基金，你就不用再付钱给专业投资者帮你选股了。其实你已经选好股票了，因为标准普尔公司选择500只成分股时，就已经选择了表现最好的500家上市公司。顺便说一下，其实还有各种不同的指数。我们很多人都听说过道琼斯指数。我们很快会讨论分析其他指数。

图 6-1

10 000 种选择

目前美国有7 707只各种各样的基金。你知道吗？基金比股票还要多，美国股市只有4 900只股票。所有这些基金都在竞争，抢夺为你管理投资的机会，它们都说自己能够帮你战胜市场。但是统计数据就摆在那里，值得我在这里再重复一下：96%的基金业绩未能追平市场或者战胜市场，在任何一段持续的时间里都是如此。这是不是令人震惊的大新闻？不，对于投资圈里的人来说，这根本不是新闻；对于机构来说，这也根本不是。瑞·达利欧特别强调：“你不要想去战胜市场！没有人能战胜市场！只有极少数人能获得金牌。”他碰巧正好是极少数投资比赛金牌的获得者之一，而且他非常诚实，才会向我们发出这样的严重警告。业余投资者根本别想战胜市场。

甚至是沃伦·巴菲特——尽管他以发现价值被低估的股票的神奇能力而闻名于世——也警告说，普通投资者根本不要想选股或者选股战胜市场。在他著名的《2014 年致股东的信》里，巴菲特解释说，当他去世之后，他的作为信托留给妻子的钱，只能投资于指数基金，这样可以让成本最小化，让潜在的收益最大化。

巴菲特非常确定，即使是专业的选股者，长期来看也不能战胜市场。他的嘴怎么说，他的钱就会照做，他言行一致。2008 年 1 月，巴菲特打了一个百万美元的大赌，对家是纽约的门徒投资合伙公司，最后的赢家可以把自己赢得的这 100 万美元，全部捐赠给自己指定的慈善组织。他们赌的是什么？门徒基金挑选了 5 只顶尖的对冲基金（中国人更多地称之为私募基金），赌它们未来十年的整体业绩能不能跑赢标准普尔 500 指数。目前十年赌局已经过去了 6 年，到 2014 年 1 月，标准普尔 500 指数 6 年上涨了 43.8%，5 只对冲基金 6 年上涨了 12.5%。尽管十年赌局还未到期，但是指数基金领先的优势很大，就好像是世界上跑得最快的人博尔特跟一群小孩赛跑一样。（有些人可能不太了解对冲基金，其实本质上就是私募基金，非公开募集，客户只限于那些高净值人士，即财富非常多的人。对冲基金经理拥有完全的投资操作灵活性，既可以"做多"，市场上涨会赚大钱，也可以"做空"，市场下跌也会赚大钱。）

事实就是事实，无可争辩

金融行业研究专家罗伯特·阿洛特，研究大联盟的创始人，花了 20 年的时间研究业绩排名前 200 且管理资金规模超过 1 亿美元的主动管理型基金。结果令人震惊：1984—1998 年，一共 15 个完整的年度，200 个基金经理中只有 8 个人战胜了标准普尔 500 指数。（先锋 500 指数基金，是由先锋公司创始人约翰·博格创立的，是历史上第一只指数基金，它完全复制标准普尔500指数。）

也就是说，你想从这200只基金里面选出战胜市场的8只基金，概率为4%。你要是玩过“21点”的扑克牌游戏，就知道游戏目标是让你的牌的合计点数尽可能接近21点，但是不能超过它，不然牌就爆了。丹·希思和奇普·希思兄弟两人在《快公司》杂志上发表了一篇文章，题目是《黏住客户：公募基金的谎言》。兄弟俩写道：“打个比方，你玩21点，已经翻开了两张牌，它们都是10，这样你总共是20点，那么你内心有个傻瓜在高喊：‘再要一张，大赢一把！’你有8%左右的机会能赢！”

那么追逐业绩排名把我们伤得有多惨呢？从1993年12月31日到2013年12月31日，20年的期限，标准普尔500指数平均年化收益率是9.28%，但是公募基金投资者的收益率只有2.54%。这是业内领先的研究机构达尔巴的研究结果。天啊！基金投资人比市场平均业绩要低近80%。

在现实生活中，这意味着财务自由跟财务绝境的巨大区别。换种方式，用数字说话，如果你觉得自己就是一个普通人，投资策略很简单，就是持有标准普尔500指数基金，那么你刚开始投资10 000美元，过了20年，投资升值到55 916美元，财富增长了5倍多。如果你因为听信了基金公司的营销广告，买了公募基金，觉得把钱交给基金经理管理可以战胜市场，那么你同样投资10 000美元，20年后，它只能变成16 386美元，财富增长不到2倍。

为什么差别会这么大？

原因是我们总想低买高卖，结果总是高买高卖。我们跟着自己的感觉走，或者跟着自己的情绪走，或者跟着股票经纪人、银行理财经理的建议走，从这只基金跳到另一只基金，跳来跳去。我们总想抓住一只业绩更好一点儿的基金。但是当股市下跌的时候，我们再也忍受不了账面损失所带来的情绪上的巨大痛苦，然后就把基金低价抛售了。但当市场上涨时，我们又会大量高位买入。正像一个著名的基金经理巴顿·毕格斯所说的那样：“牛市就像性爱，快要结束的时候感觉最爽。”

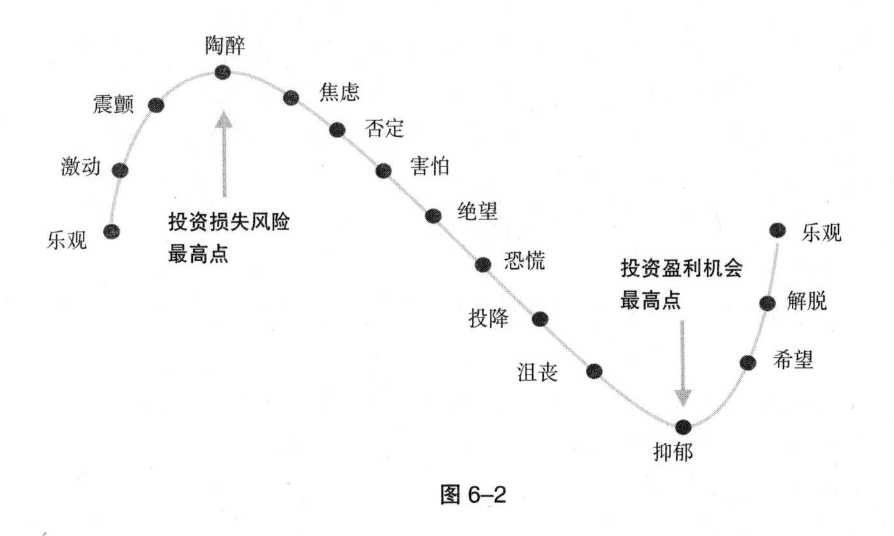

图 6–2

年纪越大，智慧越多

现在已经 82 岁高龄的伯顿·麦基尔，经历过你所知道的每一种市场波动周期和市场风潮。1973 年他在写《漫步华尔街》这本书时，根本没有想到它会成为历史上最经典的投资名著之一。这本书的核心理念是，在股票市场择时是一个输家的游戏。本书第四部分记录了我采访麦基尔的内容，听他分享一生的投资智慧。现在，你需要知道的是，麦基尔是第一个提出指数基金概念的人，即不要试图战胜市场，而要追平市场，或者说简单地"复制"市场。

现在，投资者都知道这种策略叫指数投资，也叫被动投资。这种投资风格与主动投资完全相反。主动投资是你付给一个基金经理管理费，让他主动积极地做出选择，买入某些股票或者卖出某些股票。这个基金经理不停地买进、卖出股票——"主动积极地"工作，希望能够战胜市场。

后来，约翰·博格创立了先锋公司，就把这家公司的未来发展方向押到了这个投资理念上，创造出了全球第一只指数基金。我去采访博格，问他先锋公司为什么会成为全球资产规模最大的指数基金管理人，他的回答铿锵有力："最大化分散限度，最小化成本费用，最大化税收效率，降低换手率，降低换手成本，没有销售佣金。"他说得像"电梯游说"一样简短有力！

捷 径

读到这里，你可能会想，肯定会有一些人能够战胜市场。要不然，怎么会有13万亿美元的资金购买主动管理型基金？基金经理确实会有一段时间顺风顺水，业绩跑赢市场。但是问题是他们不能把这种领先的优势长期保持下去。正如约翰·博格所说的，最后都是"营销"！人的本性就是想要比别人更快、更好、更聪明。所以卖一只热门基金一点儿也不难。业绩好，排名领先，自然有人抢着买。但是当这些热门基金的业绩变得不好，变成冷门基金时，马上就会有别的业绩好、排名高的热门基金出现，于是又出现一波疯狂的抢购。

我们前面说过只有4%的基金经理能够战胜市场。但是，战胜市场的4%的基金经理是完全不同的人。博格给我解释了这一点。他表述的方式非常好玩儿："托尼，如果你能找到1 024只大猩猩，把它们聚集到一家体育馆，教它们抛硬币，会有一只大猩猩连续10次正面朝上，成为冠军。大多数人会说这只大猩猩只不过是运气好而已。但是如果这种事发生在基金行业，我们就会称这家伙是天才。"那么同样还是这只大猩猩，接下来又连续10次抛硬币，其都是正面朝上的概率能有多大呢？

2013年诺贝尔经济学奖获得者尤金·法玛为三维基金顾问公司做了一项研究，其中有句话说得好："现在还有什么人相信市场无效呢？很明显，只有朝鲜人、古巴和主动管理型基金经理。"[①]

那些在金融服务行业工作的人，读到这个部分，要么点头表示赞同，

---

① 主动管理型基金经理依赖于自己的判断和经验来做投资决策，选择哪些股票和债券，买入、持有，还是卖出。他们相信用这种方法有可能战胜市场。

要么想利用这本厚厚的书敲开某公司的门，找份新工作！有些金融从业人员正搜集各种各样的武器进行反击。这毫无疑问是一个非常极端的观点。我们都相信，聘用世界上最聪明、最有天赋和才华的基金经理，能让我们更快地实现财务自由。毕竟，谁不想找条捷径快速登上顶峰呢？下面就是最疯狂的事：

> 每个人都有权发表个人意见，没有人有权否认自己看到的事实。

的确，有些基金经理会说："牛市的时候，我们也许无法跑赢市场。但是，熊市的时候，我们可以主动采取措施来保护你的资产，让你的基金净值比市场跌得要少。"

如果是真的，嗯，这确实会让投资者感觉舒服很多。

投资的目标是在承担既定风险程度的前提下（理想情况是承担的风险水平最低）得到最高的净收益。让我们来看看，在股市下跌的时候基金经理是怎么做的。2008 年金融危机，股市暴跌，先分析这段历史是最合适不过了。

2008—2009 年年初，美国股市一年的跌幅创下了大萧条之后的历史之最（准确地说是从最高点到最低点，下跌了 51%）。对冲基金经理有足够的时间来做出防御行动。当市场下跌 15%，或者 25%，或者 35% 的时候，他们都可以采取适当的措施。再一次，我们让事实说话。

不管基金经理是想击败标准普尔成长股指数（成分股有微软、高通、谷歌等），还是想击败标准普尔小盘股指数［成分股有 Yelp（美国最大点评网站）等］，这些专业选股人再次跑输指数，根据 2012 年的研究报告《标准普尔指数与主动管理型基金业绩对比》，标准普尔 500 成长股指数跑赢了 89.9% 的大盘成长型基金，而标准普尔 500 小盘股 600 成长指数跑赢了 95.5% 的小盘成长型基金。

独角兽

现在我已经清楚地说过，几乎没有任何人可以长期战胜市场。但现在我要举出一个例外。确实有一小撮基金经理做到了似乎根本不可能的事——持续战胜市场，但是他们是独角兽，凤毛麟角，他们是魔术师，市场巫师，就像绿光资本的基金经理戴维·埃因霍恩。1996年，他推出了自己管理的基金，累计赢利2 287%（这不是印刷错误），而且没有一年出现亏损。但是不幸的是，即使你知道有这些超级明星基金经理，对于普通投资者来说也没有什么用，因为这些超级明星基金经理的基金大门已经关掉了，不再向新投资者开放申购。瑞·达利欧的桥水基金已经超过十年不再接受新的投资者加入了，即使原来接受新的投资者加入的时候，它也要求至少投资1亿美元，而且拥有50亿可投资资产。我的天啊，这门槛可真高！

保罗·都铎·琼斯一直保持不亏钱超过28年。最近，他告诉他的投资者，要退回20亿美元给他们。他的目的是缩小基金规模，因为一只对冲基金规模太大，进出市场就变得更加困难——难以快速又轻易地买进卖出。速度变慢意味着投资收益变低。

听到这里，你也许开始想本书是来鼓吹对冲基金闪闪发光的业绩的，所以我有必要做出解释。截至2012年，连续5个年度，大部分对冲基金经理都跑输了标准普尔500指数。根据财经新闻网站Zero Hedge的统计，2012年基金平均业绩为8%，而标准普尔500指数涨幅为16%。2013年对冲基金平均业绩为7.4%，而标准普尔500指数上涨29.6%，创下了1997年以来的最高年度涨幅。我可以肯定，那些富有的客户自己买的对冲基金连大盘也跑不赢，他们肯定不会感到满意。让他们更加心痛的是，这些对冲基金每年还要收取2%的管理费，再加20%的业绩提成，而且真正拿到手的投资收益，你还要按照最高级别的税率交纳所得税。我的心好痛。

全球最大银行的女掌门人

无论是在生活的哪个方面，我总是在寻找规则的例外，这正是创造卓越成就的地方。玛丽·卡拉汉·厄道斯正好符合这个要求。在金融行业这个男人主导的领域，这个女人却爬上了金融世界的金字塔的塔尖。华尔街这个地方，业绩说话的声音远远高过其他任何言辞。厄道斯的业绩高得出奇。她持续取得突破性的业绩，让自己成为 J.P. 摩根资产管理公司的首席执行官，现在她监管的投资组合资产规模超过 2.5 万亿美元。是的，单位不是亿是万亿。

写本书的时候，我采访了厄道斯，我们交流得非常好。她分享了一些非常深邃的智慧，我们会在第六部分一起倾听。但是当我抛出那些学术研究成果，说这些成果都表明没有基金经理能够长期战胜市场时，她马上就提出异议，J.P. 摩根公司的很多基金经理，过去十年，在他们各自不同的资产类型上面，都战胜了市场。为什么？她提供的这些基金案例在市场下跌的时候，亏损幅度都低于市场跌幅。她说，正是这个差异为他们提供了领先市场的优势。厄道斯和很多行业专家一致同意，某些欠发达或者新兴市场为主动型基金经理提供了一些机会去获得"优势"。他们有机会在新兴市场获得很大的优势，例如肯尼亚、越南。在这些新兴市场里，信息并不像美国股市那样透明，信息传播速度也不是那样快。厄道斯说，在这些市场中，像摩根大通这样的公司有巨大的影响力和资源，可以利用公司在当地的关系及时洞察最新的情况，形成价值巨大的看法。

按照约翰 · 博格的说法，没有任何实证研究可以证明，主动管理型基金在所有资产类型里更加有效，包括大盘成长股、价值股、核心股、中盘成长股，等等。但是事实确实表明，在这些新兴市场的确存在投资机会，有时能够让主动管理型基金战胜市场。这些基金未来能够继续战胜市场吗？只有时间能够告诉我们答案。我们确实知道每一个主动型基金管理者，从瑞 · 达利欧到摩根大通，都要努力战胜市场，但在某个时点他们肯定会出现错误。因此发展形成一套投资体系，进行合适的资产配置至关重要。我们会在第四部分讨论这一点。你自己具体选择什么样的投资策略，有待你自己做评估。不要忘了，还要考虑费用和税收（我们会在下一章详细讨论）。

全天候投资策略

你阅读本书的时候可能遇到牛市，可能遇到熊市，也可能遇到横向盘整市。谁知道呢？关键是需要你的投资做好准备，迎接时间的考验，做一个全天候投资组合。我所访谈过的投资大师，在行情好的时候和行情不好的时候都做得很好，未来我们可以肯定的是市场会上涨也会下跌。生活要幸福并不能只是等着风暴过去，还要学会在雨中跳舞。在生活中你要消除害怕遇到风暴的恐惧感，好让自己能够专注于做好最重要的事情。

何时？何地？如何？

那么，全天候投资组合是什么样的？“托尼，我该把钱投到什么地方？”

第一，你没有必要浪费时间自己选择股票或者自己选择业绩最好的基金。购买一只低成本的指数基金，让它占到你所有资产的一定比例，这是最好的投资方式，因为我们不知道未来什么样的股票会表现最好。你想想，这样投资指数基金多酷啊，只要这样被动投资，持有市场上所有股票，你就可以击败96%的人称“投资专家”的公募基金经理和同样多的私募基金经理（对冲基金）。这样做你就可以完全解脱了，再也不用费心费力地选择牛股，也不用选牛基金了。就像约翰·博格告诉我的那样，投资会让你感觉有点违反直觉。长期成功的秘诀就是：“什么也不要做，老老实实地待在那里。”不要去战胜市场，而要成为市场。这样你就会站在胜利者的那一边，跟着市场一起不断前进，不断成长，不断扩张。

到目前为止，我们很多次提到“市场”或者标准普尔500指数。但是请记住，标准普尔500指数只是股票市场众多指数之一，股票市场只是众多金融市场之一。比如，我们很多人都听说过道琼斯工业平均指数。其实除了股票指数之外，还有其他市场指数，例如商品指数、房地产指数、短期债券指数、长期债券指数、黄金指数。每种指数购买的比例，至关重要，我们会在第四部分做深入讨论。那么，你想不想让瑞·达利欧来告诉你什么才是他认为的理想的资产配置？在本书后面他分享了投资策略，1984—2013 年，他每年的投资收益率只是略低于 10%，85% 的时间里他都是赚钱的。事实上，2008 年股市下跌了 37%，他的投资组合模式只下跌了 3.93%。我真希望 2008 年股市暴跌的时候，我已经知道了他推荐的这种投资组合。

你也可以听一听戴维·斯文森是怎么说的。正是这个人管理着耶鲁大学的捐赠基金，从 10 亿美元增长到超过 239 亿美元，平均每年收益率为 14%。在本书后面，他也分享了他认为的理想的投资组合。所有这些大师的非常宝贵的投资建议都会收录在本书第六部分中。

你如果只关注这些专家推荐的投资组合模式，但并不完全了解资产配置，这就像是在不结实的地基上建造房子。如果你还没有深入地了解你的目标，只关注投资组合，那你完全是在浪费时间。也许最重要的是，如果我们不能保护你躲开那些想要把你的财富拿走一大部分的投资营销人员，你就会输个精光。这正是我们要在这里揭开 9 种投资营销谎言的原因。这也是简单 7 步投资法的第二步，让你能成为一个投资“内行”，知道事实真相。你只有知道事实真相，才会真正生活得自由自在。

成为明星基金很值

我们前面把该讲的都讲了，证据表明主动管理型基金几乎不可能战胜市场，但是毫无疑问，有些人还是会说：“托尼，你不用担心，我已经做了很多研究，我只投资五星评级的基金，低于五星评级的基金我一分钱也不投。”噢，真的吗？

根据晨星公司的研究，2000—2009 年年底，投资公募基金的资金约有 2 万亿美元，大概有 72% 的资金都流向四星或者五星评级的基金。有些人可能不太熟悉，晨星公司提供基金评级的全套服务，晨星基金评级最流行最常见，它根据基金过去的业绩表现制定了一套五星评级体系。股票经纪人和银行理财经理指导你哪个会是下一个热门基金，他们眼睛盯着的，嘴里说的都是几星评级。

戴维·斯文森告诉我："晨星基金的星级评级实在太重要了，以至基金评级低于4星了，基金公司很快就会出手消灭掉。"2008—2012年，27%的美国国内股票投资基金和23%的国际股票投资基金都消失不见了，它们要么是合并了，要么是清盘了。这是很常见的做法，消除那些基金糟糕的历史业绩记录，整个基金家族就只剩下历史业绩辉煌的明星基金了。

基金公司的套路是设立多只新基金，看哪一只表现好就重点扶持，大力宣传营销。其他表现不佳的基金全部安乐死。约翰·博格这样解释道："一家基金公司开始时会同时孵化5只小基金。它当然努力想让这5只基金都能胜出。这当然不可能。结果过了几年，其中4只基金都不能战胜市场，只有1只基金确实表现很好。它会抛弃那4只基金，然后开始大力营销那一只做得特别好的基金，其卖点就是非常好的历史业绩。"

想一想，我们在自己的投资生涯里会采取这种做法吗？如果你选了5只股票，有4只下跌，只有1只上涨，难道你会假装自己从来没有选过那4只亏损的股票吗？你还会告诉你的朋友，看你选到了一只多么牛的大牛股，以证明你的选股水平和巴菲特的一样，你是选股高手。这不是打肿脸充胖子吗？

除此之外，这些获得四星评级和五星评级的基金后来都成了死亡之星。《华尔街日报》上有一篇文章对此做了深入研究，标题是"投资者上了基金星级评级的大当"。这份研究报告追溯到1999年，研究了那些购买了五星评级基金的投资者之后十年的业绩表现。研究的发现是什么呢？"在这十年里，初期获得五星评级的基金有248只，但是十年之后还保有五星评级的基金只剩下4只。"

有多少次你选了一颗冉冉升起的新星，却看到它在燃烧后突然坠落、化为灰烬，这些冉冉升起的新星98%都会熄灭，坠入黑暗，只有2%的新星会继续熊熊燃烧，我们都希望找到那个金手指，能够点股成金。但是历史表明那些金手指最后会变成铁手指，最终化为尘土。这正是拉斯维加斯永远会赢的原因。

投资内行都知道，追逐业绩排名很高的基金就像追逐风险一样，最后会落得一场空。但是，人类的本性决定了人们会追逐业绩排名很高的基金，这几乎是无法抵抗的诱惑，但是羊群心理最终导致数百万家庭的财富毁灭。我知道如果你正在读本书，你再也不愿成为这些明星基金的牺牲品，你正在努力成为投资专业人士。还有没有其他投资内行所用的很厉害的投资策略呢？让我们来找找。

盈利有保障

过去的 100 年里有 70% 的时间，市场处于上升状态。但是还有 30% 的时间，股市是下跌的。所以尽管对于你的一部分资金来说，指数投资是一个很好的解决之道，但是对于你的所有资金来说它并非最佳的策略，你不能把所有的资金都投到指数基金上。市场起伏不定，所以当市场再次出现暴跌时，你想保护你的投资组合的一部分绝对安全是很理智、很正常的。哎，从 2000 年到现在，股市已经两次腰斩了。

我们会给你介绍一个令人激动的策略：当股市上涨，指数上涨时，你能赚钱；当股市下跌的时候，它马上可以保证你的本金安全。这代表什么？你不用牺牲所有的投资收益。

大部分人根本不相信有这样的投资工具。为什么你从来没听说过？因为这些投资工具一般都是给那些高净值客户保留的，我会告诉你，告诉普通投资者能够找到这些投资工具的少数地方之一。想象一下你的朋友们疑惑地看着你的感觉，他们搞不明白为什么投资市场上涨时，你会赚钱，投资市场下跌时你也不会亏钱。只用一种投资策略就能完全改变你对投资的看法，这就像在你爬山时有条安全绳，而别人只能历经惊险和刺激，一路攀爬，只能向上天祈祷自己不会出事。想象一下那种确定的感觉，那种内心的宁静吧，因为你知道你没有处在风险之中。这会如何改变你的人生？当你每个月打开你的对账单时，你会有什么样的感觉？你是咬牙切齿，还是感到冷静和镇定？

这只是皮毛而已，后面我们要讲述的投资智慧和工具会让你觉得深不见底。所以你要一直保持热情，但现在我们可以先记住我们前面所讲的东西。

- 到目前为止，股票是做长期投资最好的地方。
- 股票价格波动很大，后面你会学到如何抹平高峰和低谷，稳定地骑在马上。大师们的方法是投资多种不同的指数，让投资分散化、多元化。
- 啊！很少有人会战胜市场。相反，我们要和市场站在一起。你只要做出投资计划，我们会教你一步一步地去做，你就不用再浪费时间去选股了，因为指数已经帮你做好选股了。这会帮你节省大量的时间和精力。
- 开始像一个投资内行一样思考，再也不要容忍自己在投资生涯里出现那种羊群心理了。

关于费用的费用

通过引入指数投资的力量和被动地持有整个市场，你就会战胜第二个投资营销谎言。我问过很多人，几乎没有一个人准确地知道自己付的费用是多少。我承认，我自己也曾经根本不知道自己付的费用是多少。那些金融机构就是专门制造费用的工厂，它们的手法非常高明。它们要么把费用隐藏起来让你根本看不到，要么把费用包装得让你感觉数额很小，完全可以忽略不计。“没有什么大不了的。”这句话说得再确切不过了，一点儿小钱，你感觉无所谓。当你攀登财务自由的山峰时，你需要每一点儿资金，它能够让你多前进一点儿，更接近成功一点儿。要是进两步又退一步，因为那些过多的费用会吸干你一大部分投资收益，这可让你负担不起。真正的问题是，你赚的钱到底是进到了别人的退休金账户，还是进入了自己的退休金账户。翻到下一页，我们一起来找寻答案。

第7章　投资营销谎言2:“我们的收费？你付的只是小钱！”

公募基金行业是全球最大的揩油机构，7万亿美元流进基金经理、经纪人和其他投资内行的手里，这可是美国很多家庭、院校、老人退休储蓄的钱。

——彼得·菲茨杰拉德

［参议员，2004年提出公募基金改革法案（后来让参议院银行委员会毙掉了）］

先伤害，再侮辱

再没有比这样的事更让人生气的了，告诉你的是一个价格，但是后来你发现你支付的是另外一个价格。你要买辆新车，谈好了价格，但是当你回去签合同的时候，就会有几千美元额外的费用神奇地冒出来。你住了一家酒店，退房结账时却发现要额外征收度假费、旅游税、无线上网费、毛巾使用费——你明白了吧。

这真让人沮丧。我们感觉让人骗了，被人暴力威胁，反正结果就是付的钱比我们本来应该付的多。借助使用极小号字体，资产规模高达13万亿美元的公募基金行业，轻松、熟练地隐藏了收费。

《福布斯》杂志刊登了一篇文章《持有公募基金的真正成本》，作者泰·伯尼克一层一层地揭开了各项费用，详细地分析了持有公募基金的真实成本，最后得出的结果简直让你心搏骤停：持有公募基金的平均成本是每年 3.17%！

3.17%，听起来也不是什么大数字，你再回想一下我们前面了解到的东西，如果你持有指数基金，比较下二者的成本，你就明白了。例如，你可以拥有整个市场（比如拥有标准普尔 500 指数所有 500 只成分股），每年投资成本只有 0.14%，用投资界的行话来说就是 14 个基点。你投资 100 美元，只需要付 0.14 美元的费用。（你一学就会，马上就能听懂这个内行才知道的术语：100 个基点就是 1%，50 个基点就是 0.5%，以此类推。）

要拥有整个股市，只需要持有一只低成本指数基金，先锋公司和三维基金顾问公司都提供了这样的指数基金。我们已经知道持有指数基金，就可以拥有整个股市，长期业绩可以打败 96% 的基金经理，尽管他们是专业的选股人。当然，你愿意支付 3% 给非常厉害的对冲基金经理，就像瑞·达利欧，他从创立基金到现在每年的收益率高达 21%（扣费前）。对于大多数公募基金来说，我们支付的费用高了 30 倍，或者说高了 3 000%，可是，我们得到的是什么呢？业绩还赶不上市场平均水平！你能想象吗？你买了一辆新车，和你邻居家的车一模一样，可你的价格却要高 30 倍，而且每小时只能跑 25 英里！

这就是现在投资主动管理型基金的现实情况。情况相同的两家人都把钱投资在股市上，一家每年要付大把的钱，但是另外一家投资 1 美元只需要付出几厘钱。

同样的收益率，不同的结果——无知的代价。

三个从小玩到大的好朋友，杰森、马太和泰勒，现在都 35 岁了，每个人都攒了 10 万美元来做投资，每个人分别选择了不同的基金。非常幸运的是，三个人获得的业绩相同，都是市场平均业绩，每年 7%。这样过了 30 年，他们 65 岁了，又聚到了一起，比比谁的投资账户里赚的钱更多。深入分析之后，他们发现三个人各自支付的费用差别很大。三个人每年支付的费用分别是 1%、2%、3%。

下面我们来算一算费用对他们最终积累财富的巨大影响：

杰森，本金 10 万美元，每年投资收益率 7%（扣掉每年 3% 的费用），收益为 324 340 美元；

马太，本金 10 万美元，每年投资收益率 7%（扣掉每年 2% 的费用），收益为 432 194 美元；

泰勒，本金 10 万美元，每年投资收益率 7%（扣掉每年 1% 的费用），收益为 574 349 美元。

同样的投资本金，同样的年化收益率，泰勒最后投资积累的财富接近他的朋友杰森的 2 倍。你会赌哪匹马赢呢？是那个 100 磅[①] 重的马，还是那个 300 磅重的马？

费用影响很大

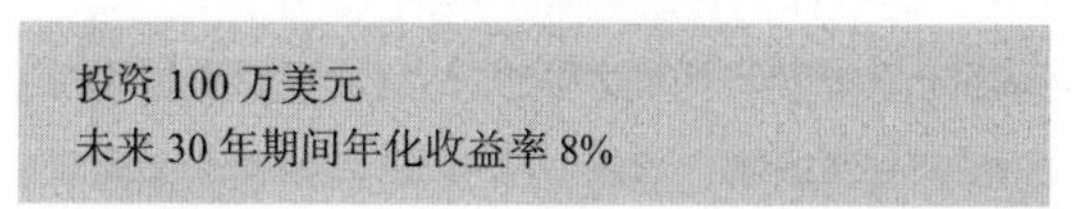

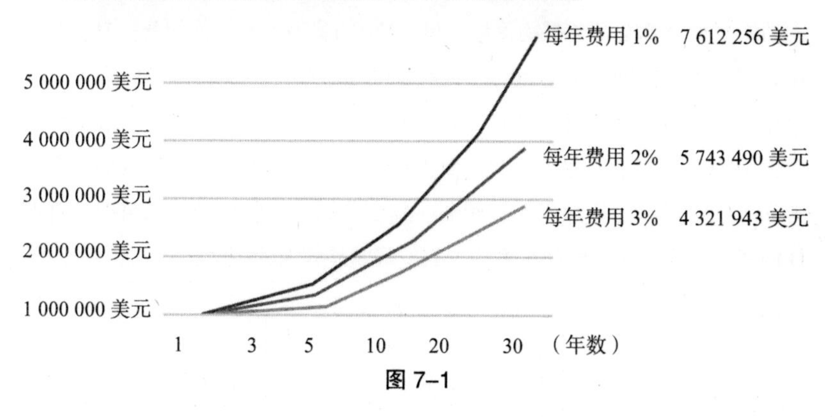

图 7–1

"只不过"这里 1%，那里 1% 而已，听起来好像没什么大不了的，但是在长期复利力量的作用下，这会造成巨大的差异，能决定你的一生能花的费用，政府能供养你多久，家庭给你的援助能持续多久。一种退休生活

① 1磅 = 0.453 6千克。——编者注

是一想到这个月的水、电、煤气账单都没钱付，就咬牙切齿；另一种是心平气和，过着自己想要的退休生活，享受着幸福的晚年。事实上，这也经常意味着退休时间会差别很大，一种是不得不再多工作十年，再赚点钱才够养老，另一种是我愿意就可以提前退休，因为养老金已经足够花了。正如约翰·博格教我们的那样，支付过高的费用相当于把你为未来攒的退休金送给别人 50%~70%。

不过，上面举的例子只是假设，现在我们来看一下真实的情况。2000 年 1 月 1 日—2012 年 12 月 31 日，共有 13 个完整的年度，标准普尔 500 指数是平的，没有上涨，没有收益。这 13 个年度里面包括大家经常说的“失落的十年”，因为大多数人的投资根本没有任何回报，但是人们经受了巨大的振荡，2007 年股市大涨，2008 年却像自由落体一样暴跌，然后从 2009 年开始又出现一波大牛市。假如你把自己一辈子攒的 10 万美元投资到股市中，如果你只是持有整个股市或者说模拟整个市场，经过整整 13 年，你的投资账户是持平的，你的费用非常低，基本可以忽略。但是如果你买的是主动管理型公募基金，平均每年支付 3.1% 的费用，假设你的公募基金经理还表现相当好，能够追平市场，也就是说基本持平、没有亏损，那么这 13 个年度你支付的费用就要超过 3 万美元！因此，你的投资账户上的资产还会少 40%，只剩下 6 万多美元，而市场持平，不涨也不跌。投资的资本金是你出的，风险是你承受的，而那些基金公司，不管出现什么情况，都照样赚钱，因为不管发生什么事情，它们都照样收取管理费。

图 7–2

我比他们聪明多了

你可能一边读一边想："托尼，我比那家伙聪明多了，我看了我买的公募基金的费率，只有 1%。哈哈，我甚至还有'免佣金基金'。"哦，是吗？我在佛罗里达州有块沼泽地想要卖给你！我要非常认真地说，这正是那些基金公司想要让你得出的结论。就像那些手法高超的魔术师一样，基金公司用的是最古老的手法：误导。它们希望我们能够专注地看着错误的目标，而它们却悄悄地拿走了我们的手表。费率其实就像是标签价格，基金公司都会在市场宣传材料上醒目地标识出来。但是标出来的费用并不是全部费用，只是一部分……

就让我来第一个公开承认吧。过去有段时间，我自认为自己在做聪明的投资，我持有的主动管理型基金都有五星评级。我事先做了很多功课。我仔细查看了基金的费率。我咨询了理财经理和证券公司经纪人。但是和你一样，我每天要忙着工作赚钱，照顾老婆孩子。我哪里有时间坐下来仔仔细细地阅读 50 页厚的基金招募说明书呢？里面的费用一览表隐藏在这些用极小字体印刷的招募说明书里。要把它们看明白，你得有经济学博士学位才行。

研究基金费率的博士

就在 2008 年股市大崩盘之后，罗伯特·希尔顿·史密斯博士研究生毕业了，他拿到了经济学博士学位，决定在一家政策智库大魔斯工作。跟大家一样，他在学校里学的东西并不能帮他搞定投资理财，他也不知道如何才能创立一个成功的投资策略。

于是，和我们大多数人一样，罗伯特·希尔顿·史密斯开始每个月尽心尽力地往 401（k）账户里存钱。但是，尽管股市在上涨，他的账户却很少随着股市上涨。他知道肯定是哪里出错了，所以他决定把这件事作为自己的一个工作研究课题，好好研究一下。首先，他开始仔细阅读 50 页厚的基金招募说明书，他投资了20只基金，一份接一份地读那些招募说明书，它们读起来非常枯燥乏味，都是干巴巴的法律术语，用罗伯特·希尔顿·史密斯的话来说是“非常模糊”[①]。说明书里面有些表述像密码一样让他无法破译，有些首字母缩略语他根本猜不出来代表什么意思。更重要的是，说明书里面有收费目录表，列出了基金征收的17种不同的费用。另外还有一些附加成本，尽管不是直接收取费用，但是要转嫁到投资者身上，不用说，当然也要投资者来付钱。

为了更好地掩盖这些费用，华尔街和大多数401（k）计划供应商炮制出了五花八门且令人迷惑的专业术语：资本管理费、12b–1费（市场营销费）、交易成本（经纪人佣金、买卖价差成本、市场冲击成本）、非金钱利益成本、赎回费、开户费、申购费、保存记录费、规划管理费，等等。随便你用什么名字来称呼这些费用，本质上都一样。这些费用花的都是你的钱。你在攀登财务自由的山峰时，这些费用会把你往后拽。

做了一个月扎扎实实的研究，罗伯特·希尔顿·史密斯最后得出结论，他的401（k）账户根本不可能赚大钱，因为有这么多额外的费用和隐藏的费用，它们就好像在他坐的船上凿了一个洞。他后来写了一篇论文《吸干你的退休养老金：401（k）账户的隐藏成本和额外成本》。他计算出来，平均每个工作者一生要损失154 794美元，这些钱都作为401（k）账户的费用让机构收走了（如此推算的依据是，年收入接近3万美元，且每年年收入储蓄率为5%）。收入更高的工作者，每年收入约9万美元，这样最高会损失277 000美元。罗伯特·希尔顿·史密斯和他所服务的智库大摩斯真是为整个社会做了一件大好事。他第一次揭露了这些费用长期按复利积累起来会给投资者造成多么巨大的损失。

---

① 罗伯特·希尔顿·史密斯和他的研究，后来被拍成一部很棒的纪录片《退休金大赌博》，2013年4月23日在美国公共广播公司纪录片频道首播。

千刀万剐

在古代中国，千刀万剐是最残酷的刑罚，因为要经过很长的过程，最后刽子手才会杀死犯人。现在遭受千刀万剐的就是美国投资者，传说中千刀万剐的刀刃就是过度征收的费用，慢慢地、稳稳地、一刀一刀地割掉投资者身上的肉，一滴一滴地放干投资者身上的血。

戴维·斯文森是耶鲁大学捐赠基金的投资主管，他把这只基金从 10 亿美元做到规模超过 239 亿美元，业内公认他就是机构投资界的沃伦·巴菲特，我专门去他在耶鲁大学的办公室拜访了他，跟他一起交流。我既受启发又非常愤怒，因为听到了他告诉我的事实真相，那些金融机构就像"费用工厂"一样制造出很多费用，像千刀万剐一样屠杀美国投资者。戴维·斯文森说："非常普遍，公募基金从投资者那里榨取了巨额的财富。作为交换，它们给投资者提供的服务不仅无益，反而有害，非常有害。"在本书后面，我们会坐下来近距离仔细地倾听戴维·斯文森提出的投资组合建议，但是如果你让过多收取的费用一直在腐蚀你脚下的道路，那么不管你的投资策略多么伟大，它都没有用。

"资产收集"综合体和它们推销的主动管理型基金，在很大程度上，成了一场灾难性的社会实验，20 世纪 80 年代早期引入的 401（k），就开始了这个实验。401（k）本身并不是一个"坏"的概念。对于那些想多存一些钱，让退休养老生活更好一些的人来说，这是一个好主意。但是 401(k) 本来只想成为传统退休养老金计划的一个补充，结果后来却成了主流。现在超过 13 万亿美元被投资到公募基金上，大多数基金都是 401（k）账户和个人退休金账户持有的。投资者购买时以为这些基金能够战胜市场，但是不仅极少有基金能够战胜市场，而且很大一部分收费高得离谱，可业绩非常平庸。这些基金收费累计起来会让亿万投资者大幅降低生活品质。它很可能成为你财务自由的第一大危险和第一大杀手。我这样说，听起来是不是太夸张了？

先锋公司的创始人约翰·博格说："我认为投资基金的成本过高（正在吞食本来已经很低的收益），这对投资者造成的危害程度是很大的。"

真相 / 解决方案

首先，你需要弄清楚你付的费用是多少钱。我推荐你使用网上的投资成本计算器，分析一下你持有的基金，了解你支付的费用比例是多少，以及其他成本。

记住，这些投资成本计算器只估计了费用，但根本不能准确地计算其他成本，比如税收，因为每个人的税率等级可能是不同的。你持有的基金，也许是在你的401（k）账户里持有的，你的基金投资增值根本不用交税，但是你要付一笔"计划管理费"。有些401（k）计划是低成本的，而有些401（k）计划的成本非常高。平均而言，计划管理人每年要收取1.3%~1.5%的管理费（这是中立机构美国政府问责局的研究结论）。也就是说，我们为了参加401（k）计划，每投资10万美元就要拿出来1 300美元左右作为管理费。所以当你把这1.3%的计划管理费加上公募基金的管理费3.17%时，你支付的管理费高达4.47%，结果实际上你用一个免税账户来持有一只基金，比用一个需要交税的投资账户投资一只基金，实际所需要付的费用更高（每年的费用比例高达4.47%~4.67%）。

好好想想：你辛辛苦苦赚钱又想方设法地省钱，才储蓄下来年收入的10%，但是其中一半要付给机构。这也太荒唐了吧？不过，读到这里你会明白，你根本不用让自己掉进这个深坑，让基金坑你。你跟我学习进步，成了投资内行，你就会对基金这些过度收费的行为大声喊停。承受如此高昂的费用，相当于你在攀登珠穆朗玛峰时，穿着人字拖和短裤背心。你还没有开始爬山，就会被冻死。

表 7–1　持有一只基金的真实成本

基金费用合计	
免税账户	纳税账户
费率，0.90%	费率，0.90%
交易成本，1.44%	交易成本，1.44%
现金拖累，0.83%	现金拖累，0.83%
——	税收成本，1.00%
总成本，3.17%	总成本，4.17%

资料来源：《福布斯》杂志，2011 年 4 月 4 日

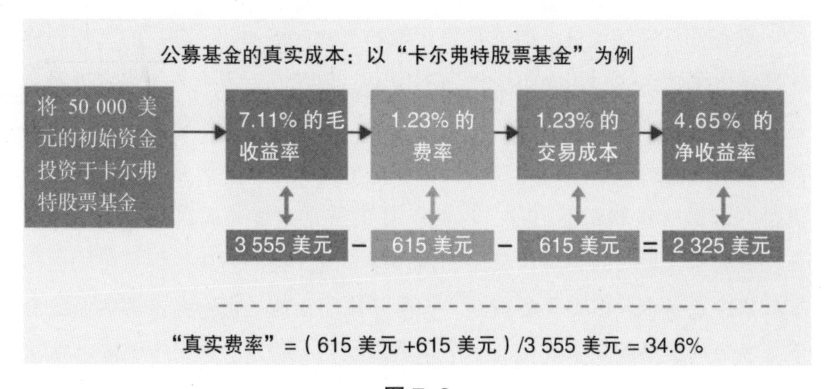

图 7–3

逃　离

要逃离这些专门制造费用的工厂，你必须降低你的整体年度费率和相关的投资成本，降到 1.25%，甚至更低的平均水平。这意味着你获得投资建议的成本（请一个注册投资顾问来帮助你合理配置资产，定期进行再平

衡投资组合，等等)，加上投资的成本，理想情况下应该是 1.25%，或者更低。例如，你需要支付 1% 左右的费用给注册投资顾问，0.2% 的管理费给一只低成本的指数基金，就像先锋公司提供的那些指数基金一样，这样投资费用总计为 1.2%。而且付给注册投资顾问的 1% 的费用是可以抵税的。这意味着从你口袋里拿出来的“净”成本少了接近一半，当然具体能扣多少税，取决于你的个人所得税的税率等级。大多数美国人的基金经纪人，他们的佣金是不能抵税的，公募基金收取的那些昂贵费用也是不能抵税的。(我们后面会讨论经纪人和注册投资顾问的区别。你一定不要错过这个部分。)

在第三部分我会演示给你看，如何一步一步地大幅削减你的费用，合法减少你的税款。你省下来的所有钱，都会加快你实现财务自由的速度。

永远不要重蹈覆辙

现在你已经知道这个游戏是怎么玩的了，你也看到了幕后的真相，你应该做出决定，以后再也不要让人利用了。现在就下定决心，你再也不会是任人宰割的“绵羊投资者”中的一个了。现在你成了投资内行了。你不再是让人玩弄的棋子，而是一个会玩弄棋子的棋手。知识就是力量，但是执行力远远胜过知识的力量。因此，真正重要的是从现在开始你会做什么。是的，我将会向你展示具体如何操作来减少你的费用，但是必须由你本人来决定是否采取必要的行动。你必须声明，你再也不会给那些业绩低于市场平均水平的基金支付高于市场平均水平的费用。如果本书能够每年让你省下来 2%~3% 不必要的费用，那我们就相当于把成千上万的现金，甚至是数百万的现金，重新装回到你的口袋里。换句话说，这些钱会让你更快地实现你的目标，为你节省 5~15 年的财富积累时间，让你可以随自己的意愿决定是否提前退休。

只要简单地抛弃那些收费昂贵的公募基金，替换成低成本的指数基金，你就迈出了一大步，重新拿回来了 70% 的未来投资收益，这让你的养老金大幅增长！这多让人心动啊！这对你和你的家庭的意义会是多么重大啊！先锋公司全套的低成本指数基金（各种各样的资产类型都有），每年所有的成本加在一起也只有 0.05%~0.25%。三维基金顾问公司是另外一个伟大的低成本指数基金提供商。如果你的 401（k）计划基金投资选项不包括这些提供低成本指数基金的基金公司，我们会展示给你如何操作就能买到这两家公司的指数基金。低成本指数基金至关重要，但决定每只指数基金买多少，如何长期管理整个投资组合也非常重要，这三点是投资成功的关键。我们会在后面详细讨论。

现在既然你下定决心要采取行动，那么你去向谁求助呢？谁值得你信任，可以当你的向导呢？回过头去找你的经纪人和理财经理来帮助你节省费用，就像是你去找你的药剂师来帮助你摆脱药物一样，那是根本不可能的。你怎样才能找到没有利益冲突的投资建议？你如何能知道自己得到的投资指导，并不是让桌子那头指导你投资理财的那个人自己的利益最大化？现在翻到下一章，我们来揭开第 3 个投资营销谎言，让我们找到答案来解决这些紧迫的问题……

详解基金成本费用

你如果真的想知道那些隐藏费用把你害得多么惨，拿出点时间仔细看看下面核心费用和成本的详解，看看它们对你的公募基金的投资影响有多大。

1. 费率。这种费用是主要的标签价格——那些基金公司想让我们只把目光聚焦在这些费用上，但是费用肯定不只这些。根据晨星公司的研究，美国股票基金每年平均要拿出资产的 1.31%，付给基金公司作为投资组合的管理费用和运营费用，比如市场营销费（12b–1 费）、市场分销费、行政管理费。很多规模比较大的基金已经意识到，它们收取的费用整体要保持在 1% 左右，好让投资者不会一看就害怕，也让那些银行理财经理和证券经纪人有好的故事可以卖——我的意思是忽悠人。

2. 交易成本。交易成本是个范围很广的普遍费用类型，并可以进一步分解成很多更细的类型，比如，券商佣金、市场冲击成本（基金大规模交易对市场价格形成反向冲击，导致无法按照目标价格交易，从而产生的成本）、买卖价差成本（买入报价和卖出报价之间的价差，或者买入价格和卖出价格之间的价差）。2006 年，由三位商学院教授罗杰·艾德伦、格雷格·卡德莱茨、理查德·埃文斯撰写的研究报告发现，美国股票类公募基金平均每年的交易成本约为 1.44%，这意味着这些交易成本可能是持有一只公募基金最大的成本，但是业内认为交易成本太难被量化，因此公募基金公开披露的文件中并不报告这项费用。

3. 税收成本［401（k）成本］。很多人都很激动，因为用 401（k）账户投资能够得到递延纳税的优惠待遇，但是对于大多数雇员来说，税收成本只不过换成了账户计划管理费。很多人不知道，用 401（k）账户投资基金，你除了要支付管理费等费用外，还要向账户管理人支付一笔计划管理费。根据中立机构政府问责局的研究，401（k）计划管理费平均每年为 1.13%。如果你持有一只公募基金，用的是需要纳税的投资账户，平均税收成本每年在 1.0%~1.2%，这是晨星公司的统计数据。由此可以看出，二者成本基本相当。

4. 非金钱利益成本。非金钱利益交易是一种利益交换，公募基金管理人选择支付过度膨胀的证券交易成本，好让执行这些证券交易的外部证券公司多支付的那些成本返给基金经理，业内俗称返佣。其实这是使用某个券商交易通道的奖励计划。华尔街证券公司模仿航空公司搞的常旅客飞行里程累积计划，允许用这些“积分”来支付某些特定的费用，比如购买研究报告。不然的话，基金公司就得花钱（真金白银）购买。最终的结果都是一样的，都由我们这些基金投资人来买单。这些其实都是基金公司伪装得很好的提高管理费收入的手段，最终增加的是基金公司的利润。这些非金钱利益成本根本不会公开披露，而且几乎不可能量化，所以也根本无法纳入我们计算基金投资成本的公式。但是不要忽略，这些确确实实是成本。

5. 现金拖累。公募基金必须保持一定的现金头寸，以保证日常的流动性，满足任何种类的基金赎回（基民卖出基金）。保留现金意味着不能用这些钱来投资，也就不能产生投资收益。因此，现金会拖累基金业绩表现。有一份研究报告《如何做好主动投资》，它的作者是威廉·奥赖利和迈克·朴尔萨诺，其研究结果表明，大盘股基金的现金拖累造成的平均成本，按照十年期限估算，平均每年为0.83%。这尽管不是一项直接的费用，但是确实是一项投资成本，它又从你本来能够得到的投资业绩中拿走了一部分。

6. 赎回费。如果想卖出你持有的基金，你必须支付一笔赎回费。赎回费直接付给基金公司。美国证券交易监督委员会限定赎回费最高不超过 2%。这就像是世界上最昂贵的自动取款机，你要取回自己的 10 万美元，要付 2 000 美元的取现费。

7. 转换费。如果你从一只基金转换到另外一只基金，尽管两只基金都是同一家基金公司旗下的基金，但是公司还是要收取你一笔转换费。

8. 账户维护费。有些基金要收取你一笔维护费，只是让你能有一个账户。

9. 申购费。不要把申购费跟前端的销售手续费（佣金）混为一谈，这个申购费是你购买基金时直接支付给基金公司的。（中国国内首发基金称之为认购费。）

10. 手续费（佣金）或者递延销售佣金。这项收费是付给经纪人或银行理财经理的，要么在你购买基金时支付，要么在你退出基金，赎回你持有的基金份额时支付。

第8章　投资营销谎言3："我们的收益——你看到的就是你得到的"

太意外了，基金报告的投资收益并不是投资者真正得到的投资收益。

——约翰·博格（先锋公司创始人）

大多数人都很熟悉基金广告里陈词滥调一般的免责声明：历史业绩并不能保证未来业绩。但是极少有人认识到，历史业绩的数据本身会误导投资者。

——《基金公司如何合法操纵数据》(《华尔街日报》2013年3月31日)

给猪涂些口红

2002年，嘉信理财公司投放了一条相当聪明的广告，广告中有个典型的华尔街销售经理，他早上一上班正在他的电话推销办公室里发表演讲，鼓舞士气。"告诉你的客户，这是最火的热门股！热得像烈火！千万别提基本面——很糟糕。"他结束了早上的演讲，挥舞着纽约尼克斯篮球队的场边票，这是奖给那些获胜的销售人员的。他最后大吼一声给大家祝威："我们来给这头猪涂些口红吧。"

只让我看好的那一面

1954 年，达雷尔·哈夫写了本书《统计陷阱》。他指出："无数的统计数据花招是用来愚弄人的，而不是用来告诉人真实数据的。"今天公募基金行业能够运用一种巧妙的方法计算并公告投资收益，其实就像约翰·博格所说的那样，基金公司报告的投资收益，"并不是投资者真正拿到手的投资收益"。后面我们会解释这种高超的玩弄数字游戏的魔法。在此之前，我们先来弄清楚平均收益的误区。

下面的这张图显示了一种假设的市场行情，它上下波动，就像过山车一样。行情先上涨 50%，再下跌 50%，又上涨 50%，然后又下跌 50%，这样上上下下，结果其平均收益率是 0%。你可能跟我一样会觉得，平均收益率是 0% 就意味着我没有亏一分钱。我们都大错特错了！

市场表现

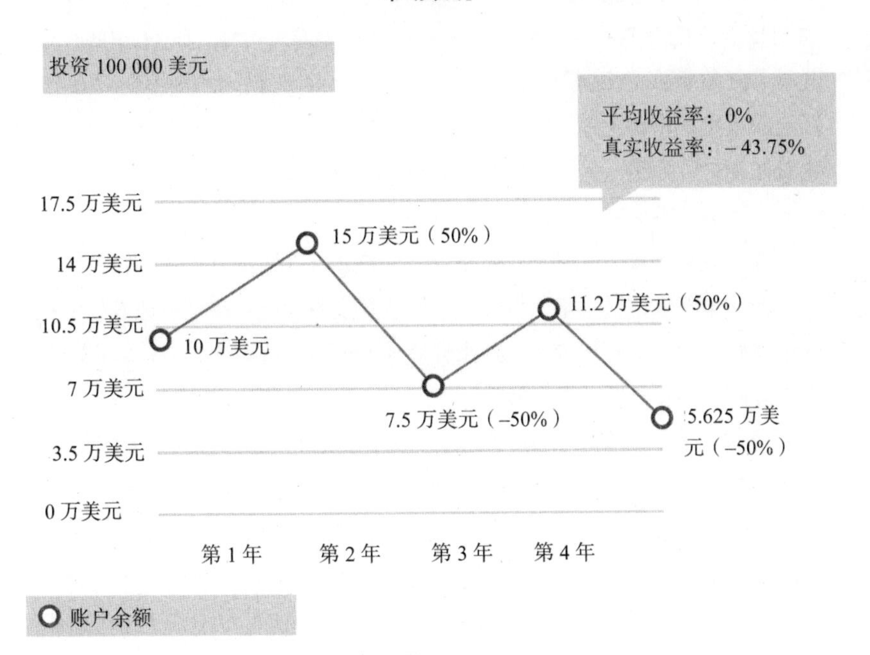

图 8–1

看看这张图，如果你开始用的是真金白银来做投资，比如你开始用了10万美元，那么到了第4年年底，你实际上亏损了43 750美元，亏损比例高达43.75%！你以为你是盈亏平衡，可是事实上你亏了43.75%！你事前猜到会是这种结局吗？现在你也是个投资内行了，一定要注意！平均收益率有个内在误区——过于美化投资业绩，但其实这种业绩并不存在。

《福克斯商业》杂志上有篇文章是《解决收益率的迷思》。文章解释了这种不一致如何被运用到真实的世界："我们可以用另一种方式来看待这种平均收益与实际收益之间的不一致，回顾一下1930年以来的道琼斯指数。我们把过去81年每年的道琼斯指数涨幅加到一起，然后再除以81年，算出来的每年"平均"收益率为6.31%。可是你自己用复利算一算，就会得到"真实的"年化收益率为4.30%。为什么这一点非常重要？你在初期，即1930年投资1 000美元，如果每年的投资收益率是6.31%，那么经过81年到现在，你的投资会增值到14.2万美元。如果投资收益率是4.30%，你的投资只能增值到3万美元。年收益率只相差2.01%，你81年的投资收益却相差了11.2万美元。

收益率要加权计算

现在我们看到了，平均收益率这个业绩指标并不能真正表明我们赚了多少钱。坐下来放松一下，更大的误区我还没有说呢！华尔街证券投资行业里那些数学魔术师想方设法地来计算他们的投资收益率，好让客户看起来更美好一些。他们是怎么做的？

简而言之，公募基金投放广告宣传自己的具体投资收益率是多少，但正如约翰·博格所说的，这并不是"客户真正赚到手的投资收益率"。为什么？你看在基金公司广告宣传的小册子上看到的投资收益率是时间加权收益率。听起来比较复杂，但其实并不复杂。（不过，别紧张，你肯定一学就会，下次你出去跟别人一起吃饭聚会时，你就可以用这个专业术语了，这会显得你很牛，显得你很懂行。）

公募基金的基金经理说，如果你在这个年度一开始就投资 1 美元购买这只基金，一直持有到年底，你的基金净值会是 1.2 美元，你赚了 20%。"发动市场营销部，多搞些整版广告，好好宣传我们这么好的业绩。"但是，事实上投资者很少会在一年刚开始的时候就把所有的钱都投到基金上。投资者一般是一年里陆陆续续地往基金里面投钱——他们一般是每次发工资后就拿出一部分转入 401（k）账户，然后再用这些钱去买基金。如果我们是在基金业绩好的时候买更多的基金，而在基金业绩表现比较差的时候少买基金，那么我们实际上得到的投资收益率就和基金广告上宣传的基金业绩差别很大。所以，如果到了年底我们坐下来，把现实情况考虑进去，我们不断地申购基金往基金里面投钱，也不断赎回基金从里面拿钱，我们就会发现自己真正赚了多少钱或者亏了多少钱。这种现实世界真实业绩的计算方式被称为资金加权收益率。资金加权收益率是我们真正拿到手的业绩，而时间加权收益率是基金经理用来做广告吹嘘的业绩。

约翰·博格一直在持续不断地推动改变这种只公告时间加权收益率的行规。他相信投资者应该看到他们到底真正赚了多少钱（或者亏了多少钱），完全根据他们的个人实际操作情况（把申购和赎回都考虑进来）来计算。这听起来就像普通的常识，本来就应该这么做，是不是？但是不足为奇，基金公司都不愿意公告基金投资人的实际业绩。博格说："我们比较过这两种基金投资业绩，一个是投资者真正赚到手的业绩——资金加权收益率，另一个是基金本身赚到的业绩——时间加权收益率。我们比较之后发现，投资者真正赚到手的业绩要比基金本身的业绩低 3 个百分点。"噢！如果基金广告上说的业绩是 6%，那么基金投资者实际赚到手的业绩只有 3% 左右。

真相和解决方案

平均业绩就像网络约会前你看到对方的资料照片。这些照片都是被美化过的，和他们的真容相比，你会觉得完全是两个人。要想知道开始的时候你的资产净值（基金净值和现金），以及你现在手里的资产净值，那你可以利用网络，输入初期和期末的资产净值，它马上就会算出这段时期你的资金实际取得的收益率到底是多少。

你必须记住，公募基金报告的基金业绩（年化投资收益率）是基于一个理论假设，这个人每年都是在1月1日把所有的钱投进来，并一直持有到当年年底12月31日。这种假设对于大多数人来说是不现实的，所以我们不要误导自己相信基金宣传手册上那些看起来非常亮丽的业绩，就是我们这些基金投资人实际得到的业绩。

前路从此不再迷茫

从来没有人说，爬上一座高山是很容易的。不过如果你有一把大砍刀叫作“真实”，用来砍掉那些谎言，让你前面的道路清晰可见，你的登山之旅就会容易得多。成为一个投资内行，从此以后你就不再是乱飞乱撞的无头苍蝇了。

你现在知道了兜售选股能力公司的基金，在一段持续较长的期限里，并不能战胜市场（特别是你的基金账户在扣除费用和税收之后的净投资收益率会更低）。

你也知道了费用并不是无关紧要的，而是至关重要的。降低你的费用，你就可以拿回你未来潜在投资收益的六成到七成。那么这个令人震惊的真相会对你的未来退休生活产生多么巨大的影响呢？

最后，你还知道了平均收益并没有描绘出真实的收益情况。你实实在在拿到手的收益才是最重要的。现在你有了简单的工具，可以计算出你真正实现的投资收益率。

现在你通向财务自由的旅程远远不只是刚刚起步了。你已经跨出了一大步。你现在所了解到的那些真相，可以让你鹤立鸡群。你再也不是那些盲目投资、任人宰割的羊群中的一只小绵羊了。

单　飞

我教过很多人学习掌握这些工具。这些人因此经常感觉他们再也不能相信任何人了。从某种意义上讲，他们觉得自己被那些券商经纪人和银行理财经理出卖了，他们从此真正觉悟了，开始明白投资游戏的真正规则。他们认为现在必须自己亲自动手处理每一件事情，结果让自己变成了一座孤岛，因为"没有人可以信任"。这并不是完全真实的，还有很多非常棒的金融投资专家，他们正直可靠，完全值得信赖，并全心全意地为客户的未来着想。我就有一个非常了不起的投资顾问，我毫无保留地信任他，他会根据我的最佳利益采取行动，我们一起评估和管理我的个人投资。和你一样，我也忙得不可开交，根本没有时间，或者根本不想花时间去管理我的投资组合。实际上，如果正确操作的话，只需要每个季度或者每半年简单评估一次投资组合就足够了。你需要做的就是回顾一下你的投资目标，并对投资组合进行再平衡。

那么你怎么知道你对面的销售人员是只想从你身上赚到最多佣金，还是一个值得信任的投资顾问，可以完全托付你的未来？你又怎么能知道他到底是一个经纪人，还是一个投资向导？揭开第 4 个投资营销谎言，会帮助你快速确定坐在桌子对面的人是在为你工作，还是在为他发给你的名片上印着的那家公司工作的。正像水门事件里的"告密者"所说的那样：

"跟着钱走。一直跟着钱走。"

第9章　投资营销谎言4:“我是你的经纪人，我是来帮你的”

有的事情，你就是很难让一个人弄明白，因为他赚这份工资靠的就是你不明白这件事情。

——厄普顿·辛克莱

开门见山

现在让我们回顾一下。

那些兜售给我的公募基金，向我收取的费用简直是天价，拿走了我未来养老金潜在投资收益的70%。

在一段持续较长的时间里，96%的主动管理型公募基金的业绩跑输了市场，或者它们的业绩基准。

我买一只指数基金，“成为”市场或者模拟市场，其投资成本很低。购买主动管理型公募基金的成本要比指数基金高上10~30倍。

公募基金在市场营销广告上所宣传的投资业绩往往高于投资者实际上得到的投资业绩，因为它们在广告上说的是时间加权投资收益，不是资金加权投资收益。资金加权投资收益才是我们真正拿到手的投资收益，而时间加权投资收益是基金经理用来做广告的，它看起来很美，实际上得不到。

就像电影的大结局一样，你的理财经理会深情地凝望着你的双眼，告诉你，他会把你的最高利益放在心上。这很有可能是真的，他发自内心地相信，他是在帮你。他根本不明白，或者他从来没有受过这方面的教育。天哪，他给你的是这样的投资建议，他是这么说的，可能他个人的投资理财也是这么做的。

呼哧！呼哧！

绝大多数美国人买了公募基金，相当于受了千刀万剐的死刑，却没有多少人能醒悟过来，奋起反抗。怎么可能有这样的事情呢？答案是他们已经受到蒙蔽好几十年了，都习惯了。我把这些真相讲出来，大多数人听了都非常怀疑金融服务行业从业者的良知，怀疑他们说自己的愿望是"帮助"客户取得投资成功。但是互相矛盾的信息每天如滔滔江水一般涌来，市场营销持续不断地狂轰滥炸，投资者很快就要崩溃了，更不用说提高日常生活水平了。很多人烦透了，干脆把自己的金融事务变成了自动驾驶模式。他们投降了，成为逆来顺受的客户羊群中的一员。"希望"成了他们采取的策略。

你知道自己并不孤独，从社交情感上会让你感觉很舒服。这让我想起我在探索频道看到的一集野生动物节目，那些羚羊小心翼翼地接近鳄鱼密集的水域，只为了喝上几口水，尽管就在几分钟之前，鳄鱼的大嘴刚咬住它的同伴，把它拖下了水！这些动物是不是太愚蠢了？不！这些动物知道，不喝水自己就有可能渴死，因为非洲的太阳太毒了，所以它们在精心算计之后还是选择了冒险。我们很多人之所以买公募基金，也是出于同样的想法。我们知道我们不能坐在河岸边缘，因为通货膨胀会毁掉我们的财富，如果我们只是拿着现金不动，长期来看，货币就会大幅贬值。所以，和邻居们还有同事们一起，我们尽管十分恐惧和害怕，但还是从河岸走到河边，这样做至少还有一点希望：呼哧！呼哧！喝上两口水。

黑色星期一，网络股泡沫，2008年金融危机。

一直以来，我们把自己家庭未来的生活品质完全托付给证券公司和银行，它们却什么风险也不承担，一年接一年地刷新酬金纪录。

2014年年初，我在写本书的时候，美国股市还在继续上涨。2009—2013年年底，美国股市上涨了131%（包括红利再投资）。这是美国历史上第五大牛市。投资者看着自己的投资账户余额不断上涨，再次感觉非常舒服。基金经理们和高管们也在大把大把地捞钱。但是鳄鱼也在大口吃进。

如何保护投资人？

2009年下半年，参议员巴尼·弗兰克和克里斯·多德提出了一份立法建议，它被称为《多德－弗兰克华尔街改革和消费者权益保护法案》。一年之后，在金融服务业人员的密集游说之后，另一个版本的法案通过了，但是其严厉程度比最初的版本低多了。没有人停止问这个非常明显的问题：如何保护投资人？

我们可以信任谁来管理我们的财务未来呢？是那些卖给我们收费昂贵的公募基金的理财经理和股票经纪人吗？是那些基金经理，玩着合法但是见不得人的不正当游戏的家伙吗？是那些高频交易员，抢在客户下单之前提前交易，通过大量快速高频交易赚到百万美元的人吗？就在最近两三年，我们看到了有些流氓交易员给银行造成了几十亿的损失。而且大的证券公司，比如全球曼氏金融挪用客户资金，最终宣告破产；全球最大的对冲基金之一，内部人承认内幕交易；银行的交易员被指控操纵LIBOR（伦敦同业拆借利率）——全球最广泛使用的短期利率基准。

"有我的头脑，加上你的钱，我们什么损失都不会有，除了你的钱以外。"

图 9–1

大厨不吃自己做的饭

那些不断地向我们推销产品，持续对我们施加影响的人，都是些心口不一的家伙。他们说一套，做一套。2009 年，晨星基金公司发布的一份研究报告，如同给人打了一针清醒剂，公司有关人员追踪了 4 300 多只主动管理型公募基金，结果发现，49% 的基金经理没有持有一份自己管理的基金。是的，那些大厨自己做的饭，他们自己并不吃。

其余 51% 的基金经理尽管持有自己管理的基金，但是跟他们自己拿到的薪酬和个人财富相比，这部分基金简直是九牛一毛。要知道，这些人都是靠投资技能拿到了百万年薪的，有的时候甚至是千万年薪。

- 2 126 名基金经理持有自己管理的基金金额为零。
- 159 名基金经理持有自己管理的基金金额为 1~1 万美元。

- 390 名基金经理持有自己管理的基金金额为 1 万 ~5 万美元。
- 285 名基金经理持有自己管理的基金金额为 5 万 ~10 万美元。
- 679 名基金经理持有自己管理的基金金额为 10 万 ~50 万美元。
- 197 名基金经理持有自己管理的基金金额为 50 万 ~100 万美元。
- 413 名基金经理持有自己管理的基金金额为超过 100 万美元。

一个明显的问题是，如果这些管理基金的人都不投资他们自己管理的基金，那么为什么我们要投资？好问题！

大厨不吃自己做的饭菜，是因为里面有些原料很不好，或者他知道厨房到底是什么样子，闻起来是什么味道。这些基金经理一点儿也不傻——他们对幕后的事情门儿清。

客户的游艇在哪里？

小弗莱德·施韦德是一名职业交易员，在 1929 年的股市大崩盘里亏了很多钱，从此退出华尔街。1940 年他写了一本书《客户的游艇在哪里？》，这本书成了一本投资经典名著。这个书名来源于一个笑话，过去讲了很多年，有各种各样的版本，但是按照施韦德本人的版本是这样讲述的：有个成功的华尔街证券经纪人名叫威廉·特拉弗斯，他到罗得岛的新码头度假，看到海边很多漂亮的游艇，大为惊叹。他打听这些游艇的主人，他们有的是股票经纪人，有的是银行家，有的是交易员。

他问道："客户的游艇在哪里？"

这本书出版至今快 80 年了，但是这个故事听起来就好像是昨天刚刚发生的一样。

谁可以信任

我们看到同样的商业广告也有各种各样的版本，但是其实质都一样。

丈夫和妻子看得非常认真，桌子对面坐着他们的投资顾问。他有着像祖父一样的智慧，也有经历过大风大浪的男人的外表。这个受雇拍摄广告的演员向夫妇两人保证，有了他这个投资理财顾问的帮助，他们就可以完全放心了。“不要担心，我会帮你赚回来的。我会让你的孩子顺利地读完大学。我会帮你赚到那艘帆船，我会让你赚到那幢度假别墅。”广告的暗示非常明显，如同在清楚地大声说：“你的目标就是我的目标，我是来帮你的。”但是真正的问题是：

你们双方的利益真的一致吗?

你托付这个人来规划你和你的家庭的未来，但他是不是有完全的动机按照你的最高利益来操作?大多数人会觉得“是的”，但是大多数人都错了。对这个问题的不同回答会对你造成很大影响，决定了你通向财务自由之旅的未来。你在攀登财务自由的山峰中，要是你的向导更关心他自己的死活的话，你会有什么样的感觉?正如戴维·斯文森提醒我的那样：“你的股票经纪人，你的银行理财经理，不是你的朋友。”

合适的标准

真相是这样的：金融服务行业有很多非常关心客户的人，他们非常正直，确实真心实意地想去做最有利于客户的事。不幸的是，很多人做事是在一个封闭的小圈子里的。他们有权处置的工具都是预先设计好的，目的是让证券公司或者银行的利益最大化。整个机制都是设计好来奖励那些销售业绩高的人的，而不是奖励那些提供没有利益冲突的投资建议的人的。他们卖给你的基金不一定是你最好的选择，甚至也不一定是对你最有利的选择。从法律上来讲，他们所要做的就是提供给你“适当的”产品。

那么“适当”的标准是什么?你是不是想找一个适当的伴侣共度一生?“亲爱的，今天晚上你觉得怎么样?”“嗯……和你做爱挺适当的。”你会不会得到提拔，因为你做了适当的工作?你选择一个航空公司，是因为它有适当的安全飞行记录吗?或者更好的比喻是，“让我们在这里吃午餐吧，我听说这里的食物是适当的”。

但是根据注册投资顾问戴维·卡普的研究，适当的标准本质上是说，“至于谁从中获利更多，到底是客户获利更多，还是投资顾问获利更多，这并不重要。只要在把这个产品推给客户的时候，这项投资是适当的（符合你投资目标的大方向就行）。这个投资顾问就可以免除任何法律责任”。

黄金标准

要得到没有利益冲突的建议，我们必须让自己跟受托人利益一致，大家绑到一条船上。受托人是一个法律标准，采用这个标准的投资顾问，相对而言比例很小，但是这个比例正在逐渐扩大，他们放弃了原来工作的大证券公司，放弃了原来的经纪人地位，下定决心成为一个注册投资顾问。这些专业人士得到报酬靠的是提供投资理财建议，并按照法律规定除去任何利益冲突（或者至少提前披露相关利益冲突），把客户的需要置于个人需要之上。

举个例子，如果一个注册投资顾问告诉他的客户去买 IBM（美国国际商用机器公司）的股票。过了几天，他用自己的账户也买了 IBM 的股票，但价格更低，那么他必须把自己用更低价格购买的股票转让给那个客户。

想象一下，你既能得到这样的投资建议，又知道有法律保护你，禁止你的投资顾问引导你做某一项特定的投资，或者去购买某一只特定的基金，好从你身上赚到更多的钱。

还有另外一个巨大的好处是，你付给受托人获得投资理财建议的费用，可以税前抵扣，抵扣多少取决于你个人的税率等级。比如，你付给投资顾问相当于投资资产总额 1% 的费用，算上税前抵扣之后可能只有 0.5%。与此相反，买公募基金你要付给基金公司 2% 甚至更高的费用，这些费用都不能抵扣个人所得税。

找到受托人

今天，你就能够迈出一大步来加固你作为投资内行的地位，那就是找个受托人，和他结盟，保持一致。这个受托人就是独立的注册投资顾问（简称 RIA）。

我问了很多人，他们根本不知道“帮他们管理投资的家伙”，到底是股票经纪人、理财经理，还是一个合法的受托人，但是几乎每个人都认为，帮自己管理投资的那个人应该是把自己的最高利益放在心上的人。但是正像我前面所提到的那样，他们一般是把客户的利益放在心上的，但是他们做业务是在一个体制之内的，而这个体制奖励的是那些更多销售公司产品和服务的人。顺便说一下，你可能从来没有听他们说过自己是“经纪人”。这些人的名片的头衔是注册代表、理财顾问、财富顾问、副总裁等，是那种听起来很高级的称呼。事实上，《华尔街日报》报道，最近发现投资理财顾问多了 200 多个不同的专业头衔，其中超过一半都是被新发明出来的，美国金融业监管局没有记录过。这个机构是监督投资产品如何被推销给投资者的。很多金融服务业的专业证书其实都是用来装点门面的，并不代表诚信义务和受托责任。

不是所有的投资建议都是好建议

你自己和一个受托人结盟，双方利益保持一致，是一个很好的起点，大家都是这么认为的。但这并不一定意味着，你所选择的那个专业人士会提供给你优质的，甚至是价格公平合理的建议。每个行业都是这样的，并不是所有的专业人士都拥有同样的技能和经验。事实上，46% 的理财规划师自己根本没有退休养老金计划！事实的确如此。鞋匠自己的孩子没有鞋子！ 2013 年，美国理财规划协会做了一项研究，超过 2 400 名理财规划师接受了匿名调查访问，接近一半的人没有真正按照自己跟客户说的那一套去操作。我的天哪，我简直不敢相信他们竟然有脸承认这一点！我们生活在一个没有人探索过，也没有地图标示的海域里，有的只是无休无止的复杂性，中央银行像发疯一样地印钞票，甚至有些政府连自己发的国债也会违约。在投资理财规划行业，只有少数精英投资顾问知道如何安全地通过这些危险的未知海域。

屠夫和营养师想法不同

我有一个好朋友，最近发给我一段网络动漫视频《屠夫和营养师的对比》，时长 2 分钟。这段视频既生动又简洁地显示了一个经纪人（理财经理）和一个合法受托人的巨大不同，并说明了一个明显的道理：你走进一家卖肉的店铺，那个屠夫总是想方设法地鼓动你买肉，但如果你问一个营养师，他肯定会建议你吃那些对你健康最有利的东西。证券公司经纪人和银行理财经理就像屠夫。受托人就像营养师，他们不会因为卖给你一个产品或者基金就能拿到提成或佣金。就是这么一个简单的区别，但会给你一个非常有利的地位。投资内行知道屠夫和营养师的区别。

我做了进一步的搜索，拍摄这个视频的人叫艾略特·维斯布朗特。他原来是一个诉讼律师，15 年前，看到投资行业的利益冲突，他感到非常愤怒，于是把自己的人生使命确定为给投资者提供一种替代选择，让他们能够选择到最聪明且最成功的投资顾问和独立的证券公司。换句话说，选择独立并不意味着牺牲高水平，不意味着不能得到最佳的解决方案。他的伟大创意引起了很大反响，他创办的高塔财务顾问公司现在成了规模最大的独立注册投资顾问公司，管理资产超过 300 亿美元，在《公司》杂志最快的成长公司排行榜中排名第 13 位。高塔财务顾问公司业务的爆炸性增长表明，客户想要找到一个营养师，他们受够屠夫天天卖肉的忽悠了。他们意识到，吃肉太多让他们的健康处于危险境地。

为了写本书，我采访了艾略特，我们建立了很好的友谊。我根本不用拽着艾略特的胳膊离开寒冷的芝加哥，他在气候怡人的，我位于帕尔默海滩的家中和我相聚。

一个非常大胆的建议

我们俩坐在我家后院的草坪上，看着蓝蓝的大海，一起长谈那些基金公司和证券公司的投资营销谎言，以及它们对普通投资者的不公平待遇。艾略特有一种独一无二的激情，一颗火热的心，他想要服务投资者，消除金融机构的自私自利和内在的利益冲突，尽管这在大型金融机构里已经成了常态。从第一天开始，他就做出承诺，要实现完全披露、完全透明、完全没有利益冲突的投资建议，而且在业务的每个方面都要做到。他的公司销售产品或者服务，不接受报酬，也不接受回扣，这样公司就能够站在一个真正有力量和真正正直的位置上。很多金融机构争着要和高塔财务顾问公司合作，所有的好处都直接传递给客户。真正给予高塔财务顾问公司强大力量的是艾略特实现业务增长的方式。首先，他打造了一个独一无二的平台，大家都认为这根本不可能做到，他却做成了。其次，他从规模最大的金融机构里那些有资格坐在办公室角落的投资顾问中优中选优，给他们提供了一条登上道德高地的阳光大道，从而使他们有机会不再为证券公司和银行工作，而只是为客户工作。他给这些投资顾问充分的自由，再也不用必须同时服务两个主人了——既要服务雇主又要服务客户。只要符合客户的最高利益，他们什么事情、什么交易都可以做。

现在只剩下最后的难题：设立高塔财务顾问公司的目的只是服务最有钱的美国富豪。

事实上，在这个行业所有最顶尖的投资顾问，都只专注于服务最有钱的客户。这很正常，对不对？你如果管理资金，肯定是想服务少数的、特别有钱的客户。这样做可以让你自己的获利最大化。太多的小账户意味着要花很多的管理费用和成本。这样做业务，肯定不是一种高效的方式。

尽管存在以上所有这些因素，我还是决定给艾略特一个大挑战……

让我们来做开路先锋

“艾略特，我希望你能够想出一个办法，提供同样完全透明的、没有利益冲突的投资建议，提供给所有想得到这种服务的人，而不只是那些很有钱的客户。肯定有办法可以做到的，艾略特。”我向前倾了倾身体，坐到了椅子边上，说道，“你这样狂热地关注公平和公正，你自己的使命召唤你要为每一个人争取公平公正。”艾略特身体向后挪了一下，靠近椅背坐下。他本来想，这不过是个简单的访谈，现在我却让他动用一些非常宝贵的资源。也许更重要的是，我在挑战他，如何能够把一些只对那些超级富豪开放的解决方案，提供给一般的工薪阶层？这确实是一个很大的挑战，这其实是让最好的投资建议加上最好的可行性解决方案，从富豪到大众，使理财变得民主化、平等化。“哦，艾略特，还有一件事，我想你应该提供一个评估服务，完全免费！人们需要知道他们正在受到怎样的待遇！”艾略特深深地吸了几口气。“天哪！托尼，我知道你想的很大。但是要做怎样的准备，才能让每个人都得到这样的服务，而且不收一分钱呢？帮帮忙，这怎么可能？”我只是微微一笑，说道：“不错，很疯狂，确实没有人会做这种事。没有人会向大家展示他们为低水平的业绩支付了高水平的费用。我有个想法是我们可以用高科技来展示给大家看！你有资源，也有意愿能实现这一点，只要你向自己承诺一定要做到，就肯定能做到！”我就这样结束了谈话，最后只是简单地请求他再花些时间好好想想，做到这一点对普通大众的生活意味着什么。一旦他完全想清楚了，请赶紧跟我联系。

这事能做

艾略特回到芝加哥召集了他的团队成员商议。经过相当审慎的考虑，他最终下了很大的决心，一定要找到一个办法，艾略特给我回了电话。他的团队重新评估了一些专利技术，这让他相信，利用这些技术他们可以改变整个行业的游戏规则。但是他也提出了一个要求，他很想找一个特别出色的首席投资官来合作。这个人要有几十年的投资经验，还要有可以与艾略特匹配的价值观。作为这艘大船的船长，不能害怕探索从来没有人探索过的海域。我正好知道有这样一个人……

阿杰伊 · 古普塔是堡垒财富管理公司的创始人，也是首席投资官。这家企业为那些具有超高财富净值的超级富豪，提供既非常周到又质量上乘的超一流服务。他也是我的注册投资顾问，为我们家族管理资金投资超过七年了。他在世界上最大的证券公司工作超过 20 年，他也是从底层起步，逐步奋斗到拥有角落办公室的高管，他也有一段经典传奇的成功故事。阿杰伊走到了人生十字路口，他的选择是什么？要么离开经纪人这个圈子扛起受托人的大旗，要么继续在屠夫的肉铺里工作，走一条努力成为营养师的路线。我问阿杰伊，是什么促使他做出这个重大决定。“就在我内心感到完全挫败的时候，我知道该做出这个重大决定了。”他坦承，“有些投资我知道对于我的客户来说是最好的，但是我工作的这家公司不允许我接触这些投资产品，因为我的客户没有得到批准，我不想引导我的客户去做劣等的投资，好让我自己赚的钱更多。我对待客户，就像对待我的家人一样。我认识到，我再也不能受人控制做这样的选择了，因为公司的体制约束就像有个坐在遥远的象牙塔里的人在给我种种限制。阿杰伊的承诺并不只是口头说说而已。他放弃了 7 位数的奖金毅然离开，创办了自己的公司。不出所料，他的整个团队和客户群都追随他而去。此后连续几年，公司的表现特别优异，服务也特别周到。阿杰伊离开证券经纪行业做独立财务顾问的事，得到了嘉信理财这家大公司的注意，这家公司是独立投资顾问的大型服务提供商。阿杰伊接到了一个非常意外的电话，是嘉信理财公司总部的人打来的，他告诉阿杰伊，查尔斯已经选择他来做形象代言人，作为 10 000 多名独立注册投资顾问的代表，出现在嘉信理财公司全美密集投放的媒体广告上。随后，阿杰伊安排我和查尔斯见面，查尔斯同意成为我采访的 50 位金融大腕儿之一。

后来我把阿杰伊和他的堡垒财富管理公司团队介绍给艾略特，结果双方的价值观几乎完全一致，真是不可思议。更令人震惊的是，双方联合的整体价值远远超过任何一方的单独价值。他们开始亲密合作，共同努力。阿杰伊和艾略特一起工作了将近一年，追求实现一个共同的目标：让世界上最优质的投资建议变得民主平等，让美国普通大众也可以平等地享受到这些建议，以帮助美国人认识到他们的权利，知道那些金融机构销售给他们的产品是什么样的东西，以及有权做出转变去接受透明的投资建议。就这样堡垒投资理财公司成为堡垒财富管理公司新设立的子公司。除了服务那些高净值的客户之外，堡垒投资理财公司现在还服务其他所有投资人，不管其投资的金额是大还是小。

看看引擎盖下——完全免费

我对阿杰伊和艾略特最大的“请求”是，不要只让有钱人能够得到，而要让任何一个人都能够得到顶级的投资建议、最新的研究成果、最好的投资理财规划。不仅如此，我希望他们做的一切都完全免费！

大多数投资理财规划师都要收 1 000 美元甚至更多的费用，才会分析你现在投资的资产，评估你承担了多高的风险，计算你的实际费用比值，然后为你提供一个新的整体资产配置方案。堡垒投资理财公司用拥有专利的系统来完成这些工作，仅仅需要 5 分钟——而且完全免费！这套系统是怎么运作的？我们再详细介绍一下。

你可以访问堡垒投资理财公司的网站，系统会允许你“链接”自己所有的账户［甚至包括你的 401（k）账户和你分散在各家机构所开设的账户］，之后这个系统就会分析你持有的每一个产品、你支付的每一项费用、你承担的每一种风险，然后系统会给你一个综合性的分析报告，提供一个新的资产配置方案。这个系统也会透露给你一些独特的投资策略，我们会在第五部分做评估，你可以把这些策略与你现在的投资方式做对比。你可以采用这些免费赠送的投资理财策略和数据，公司不会收取你一分钱。你如果决定再进一步，只要点击一下按钮，你就可以转移你的投资账户，让堡垒投资理财公司来管理你的财富，你只需达到最低开户的资金规模要求就行。那些成为堡垒投资理财公司的客户，都会有一个投资顾问团队来做全程指导。你可以在投资的过程中随时打电话来咨询，你的任何问题都会得到专业的解答。没有交易佣金，只有一笔投资顾问费，根据你的整个投资组合的市值来收取。所以不管你有 2 500 美元，还是有 2 500 万美元，这都没有关系。原来只为那些高净值客户提供的投资建议，现在你唾手可得，只要手指按一下鼠标或者打个电话就可以得到。如果你更喜欢和当地的某投资顾问一起工作，堡垒投资理财公司拥有一个巨大的独立投资理财顾问网络，它遍布美国 50 个州，他们按照同样的原则提供服务，并形成了一个网络，而且都能提供给你独一无二的解决方案。这些我们会在后面详述。

我感到特别骄傲的是，艾略特、阿杰伊和我三个人共同努力工作，创造出来一个免费赠送的服务，它能够影响所有美国人。而且非常坦诚地说，设立这套免费投资理财服务，只是因为现在的金融体系太伤人了，它不是服务投资者的，而是用欺骗、操纵作为武器来虐待投资者的。现在是时候去更换你的保镖了。尽管我现在并不是堡垒投资理财公司的股东，本书出版时我们也在一直不断地交流我怎样才能成为合伙人，以后更紧密地和这家公司联系在一起，共同实现公司的使命，即为投资者提供更好的服务、超一流的建议和投资解决方案。

找到受托人

我不想让你产生这样的印象，好像堡垒投资理财公司是唯一的受托人。其实，还有成千上万个受托人，而且其中很多都非常优秀，所以我希望给你提供五个关键的选择标准，来帮你找到适合自己的受托人。

第一，确保你的顾问是一个注册投资顾问，或者是一个投资顾问代表。

第二，确保这个投资顾问是按照他为你管理的资产的一定百分比来收费的，而不是从你购买的公募基金来得到佣金或回扣的。确认这笔收费是唯一的收费，而且是完全透明的。一定要确认没有 12b–1 的费用，也没有

“只有出钱才能玩的费用”——向基金公司收费，作为将其基金纳入推荐名单的回报。

第三，确认投资顾问没有从交易股票或者交易债券上得到回报。

第四，确认注册投资顾问和券商没有关联，有时候这是最令人恶心的事情，因为一个受托人一只手向客户销售产品，另一只手却向卖方收取佣金。

第五，和你的投资顾问打交道，你不要想着直接把钱给他们就行了。你要确认你的钱是由很有威望的第三方金融机构作为托管人来保管的，比如富达投资集团、嘉信理财公司、亚美利交易控股公司。它们提供每周7天每天24小时的全天候账户管理服务，而且每月直接把月报寄送给你。

有些投资人有意愿也有时间学习掌握正确的资产配置方法（第四部分会详述）。自主进行投资（不要受托人）也许是一个可行的选择，这样做可能会节省更多的费用。雇用受托人会额外增加一笔成本，要让这笔顾问费花得值，条件是这些投资顾问能够为你增加更多的价值，比如，做好管理来提高税收效率，对退休收入进行合理的规划，提供指数基金之外的更多投资选择，扩大你的投资选择范围。

买入安然公司股票！

一个能力特别强的受托人，在你一生中，会为你提供很多好的服务，不仅是透明的投资建议和投资解决方案，他们应该能够保护你免受那些市场“噪音”的骚扰。因为历史表明，一个有利益冲突的经纪人或者他工作的机构所发出的噪音会特别危险。让我来给大家分享一个历史案例。

还记得安然公司吗？那个曾经的能源巨头年收入超过1 010亿美元（2000年），它做假账，想让财务数据使股东看了更加高兴。最大的券商和持有安然公司大部分股票的基金，都是这家能源巨头的超级粉丝。我的好友，也是生意合伙人基斯·坎宁安是个说话直来直去的炮筒子，说话像典型的得克萨斯州人那样拖着长腔，慢吞吞的。有一次，他参加了我举办的企业大师活动，发表了演讲。他毫不客气，激烈地抨击那些券商经纪人不管他们客户的死活，为了让客户多做交易，自己多拿佣金，即使企业的基本情况已经非常糟糕了，这些券商还会向客户抛出糟糕的投资建议。他分享了一个典型案例，在安然公司就要破产的时候，那些券商还一直大力推荐他们买入安然公司的股票。我听后感到非常震惊！

2001 年 3 月，就在安然公司宣布破产的 9 个月前，安然公司发出信号：公司有麻烦了。"任何一个人只要愿意看一下现金流量表，就可以看出这家公司的现金流就像大出血一样，止都止不住，不管其报告的利润有多么高！"基斯在我举办的这场活动上对上千名观众大声喊道，"但是这并不能阻止华尔街那些券商大力推荐这只股票。"下面有张表格，列出了那些在安然公司宣布破产前 9 个月还大力推荐买入安然股票的大牌证券公司。请注意，这些券商不是推荐买入，就是推荐持有，直到这家公司的股票跌得一文不值的时候，这些券商才停止推荐买入或持有安然公司的股票。

表 9–1　买入安然公司的股票

时间	举措	费用	公司
2001 年 3 月 21 日	近期买入	55.89 美元	美林集团
2001 年 3 月 29 日	推荐名单	55.31 美元	高盛集团
2001 年 6 月 8 日	买入	47.26 美元	摩根大通集团
2001 年 8 月 15 日	强烈买入	40.25 美元	美国银行
2001 年 10 月 4 日	买入	33.10 美元	爱德华兹公司
2001 年 10 月 24 日	强烈买入 = 有吸引力	16.41 美元	雷曼兄弟公司
2001 年 11 月 12 日	持有	9.24 美元	保诚集团
2001 年 11 月 21 日	市场表现	5.01 美元	高盛集团
2001 年 11 月 29 日	持有	0.36 美元	瑞士信贷第一波士顿银行
2001 年 12 月 2 日	公司破产了	0 美元	

不用说，如果你从一家证券公司的经纪人那里得到了投资建议，那么你完全可以预期肯定会有内在的利益冲突，以这样或那样的方式表现出来。

为了利润去游说政府

把客户的利益放在第一位，听起来像是个很简单的概念，但是在华尔街引起了轩然大波。

——《对于券商经纪人来说什么才是第一位的？》

（《华尔街日报》2010年11月5日）

为什么现状没有改变？《多德－弗兰克华尔街改革和消费者权益保护法案》正在要求美国证券交易委员会做一项研究，如何对所有证券公司采取“普遍性的受托人标准”。你没听错。政治家想要进行一项研究来确定，按照客户的最佳利益采取行动是不是一个好主意。这真是在美国国会山上演的一出悲喜剧。有一次我访谈杰弗里·布朗博士，我请教他对受托人标准的意见。没有人比他更适合来回答这个问题了，因为布朗博士不仅向总统行政办公室提供建议，也受到中国邀请为中国社会保障计划提供建议。“我认为，对于任何一个为别人管理资金的人而言，非常重要的是他们拥有法律上和道德上的责任，要做正确的事，要小心地仔细照看好别人的钱。我的意思是，说到底，我们正在谈的这些钱实际上就是很多人的命，对不对？”

行业抵制非常强烈。你可以听到这个行业的游说机器正在全速运转，不断地提醒国会山，别忘了，整个金融行业给你们的竞选大战捐钱是多么慷慨大方的。

真相和解决方案

现在你已经知道了游戏规则。作为一个投资者，你应该做些什么？

前面罗列了五个选择标准，告诉你如何评估一个受托人，以及你如果选择自己寻找的话，如何找到一个受托人。就像我提到过的一样，你也可以访问堡垒投资理财公司的网站，利用它的在线系统，只用 5 分钟，它就可以给你提供以下解决方案：

- 只用几秒钟，这个系统就可以接入并评估你现在持有的产品（包括股票债券和公募基金），范围包括你所有的投资账户。
- 这套系统会显示出你现在实际支付的费用有多高。你如果不把费用降到最低，会让自己到退休时积累的财富减少多少。记住，费用通过复利效应所造成的影响非常大！我们在第二部分第 7 章讲过。
- 这套系统会显示你的风险有多大。换句话说，像 2008 年或者其他大熊市那样，在市场暴跌时，你的投资组合在巨大冲击之下会如何表现？
- 这个系统会提供没有利益冲突的投资建议，介绍给你很多投资组合选择。
- 这个系统会考虑你现在的纳税情况，并推荐给你一个税收效率更高的资产配置。
- 如果你决定更进一步，你可以很快而且自动地把你的账户转到第三方存管机构之一（比如亚美利交易控股公司、富达投资集团、嘉信理财公司）。从此，这家公司的团队会给你提供投资建议，以及持续不断的账户管理和服务。
- 如果你的投资资产规模超过 100 万美元，你就可以成为私人财富管理部门的贵宾客户，它们可以提供给你范围更大的投资选择，这些产品只限于合格投资者。

任何时候，你都可以拿起电话直接跟团队里的一个成员交流，这些人都是受托人注册投资顾问，他们可以回答任何关于你个人情况的问题。你也可以要求联系你的居住地附近的一个本地的投资顾问。

那么计划是什么？

啊，我们走了很长一段路了！我们到现在为止揭露的那些投资营销谎言，大多数投资者还根本一无所知。事实上，很多高净值个人客户对这种内幕信息也并不知情。现在我们已经得到了没有任何阻挡的视野，把所有真相看得一清二楚，我们需要开始了解实际的投资策略。我们先要看这些投资策略是否跟我们的目标一致。让我们先从401（k）计划开始吧。只是一条税收优惠小小的代码，就永远改变了整个金融世界。我们是要好好运用401（k）计划，还是要完全丢掉它呢？让我们来看看吧。

尽管受托人这个话题在一些群体之间有激烈争论，但由美国证券交易委员会委托进行的调查表明，大多数投资者并不明白受托人意味着什么，他们也没有意识到经纪人和投资顾问对客户的关心程度有很大不同。

——《关于经纪人对客户的责任的争论平静下来了》

（《华尔街日报》2012年1月24日）

表9–2

经纪人	独立顾问
销售基金得到佣金	支付固定的服务费用
佣金不能税前抵扣	顾问费（可税前抵扣）
先交钱才能加入（基金公司先交钱，其基金才能加入推荐购买名单）	依法提供建议，揭示各种冲突
适当性标准	受托标准
提供宽广范围的产品和服务，必须得到雇主的许可，包括那些独家产品	能够接触各种产品和服务
受到雇主的限制	独立
像投资托管人一样行动	使用第三方托管

第10章　投资营销谎言5:“退休金有401（k）就行”

401（k）计划是个退休养老金大实验，婴儿潮世代成了最早的一批小白鼠。

——道格·沃伦（《协同效应》作者）

很多想法和发明创造一开始都有良好的意愿。核聚变打开了人类免费使用能源的大门，现在可以为整个城市提供电力。但是如果把核聚变装进一个导弹，导弹就可以把整个城市夷为平地。

经常使用一点人类的贪婪和聪明才智，我们就可以把某些伟大的好事转化成能够带来坏处多于好处的坏事，例如401（k）计划本来只是一条小小的免税代码，代表雇员部分收入可以免税。如果正确运用，它可以加快我们的退休金积累，让我们能够提前几年退休。但是如果像今天大多数的401（k）计划被那样运用的话，它会破坏我们实现财务自由的机会。

因为401（k）账户可能是大多数人拥有的唯一一个退休金账户，所以这章可能是本书最重要的一章。下面我们会展示给大家如何运用401(k)计划，而不是让这个计划来支配你，你会发现如何贯彻实施我们前面所学的大部分东西，好让401（k）计划成为对于你来说非常棒的退休金计划，而不是成为银行理财经理、券商经纪人或者公募基金经理的一个退休金积累计划。但是，首先了解一些背景故事非常重要。

401（k）计划是如何发展成现在这个样子的?

1984年推出的401（k）计划给我们提供了参与股票市场的机会。通过拥有美国市场经济体系的一小部分，企业雇员养老金计划可以节省纳税开支，因为把一部分工资收入储蓄到这个养老金账户，可以在税前扣减应纳税所得额。

但是401（k）计划从来没有打算成为美国人唯一的养老金计划。为此，我请教了约翰·肖文，他是斯坦福大学的经济学教授。我们在电话交流时，他说得非常清楚："托尼，你不可能指望连续30年把储蓄收入的3%储蓄起来，然后就指望着靠这笔钱在退休之后享有和你在工作时完全相同的收入水平，再活上30年。"

我们不要忘了这个社会实验也不过几十年的历史，我们现在才开始看到一代人中的大多数要退休了，他们是唯一使用了401(k）计划的一代人。

我们回顾历史发现，401（k）计划开始时就是钻了一个法律的空子，目的是让那些收入很高的企业高管能够储蓄更多的钱。后来，它成了整个公司的一种福利，公司决定用它来消除传统养老金让公司承担的成本和义务，把所有的风险和费用都转移到雇员个人身上。这并不是说原来的养老金体制本身没有问题，例如，你换了工作，但你交的养老金不能跟着你换到新的公司。

有意思的是，企业雇员并不在意承担这种新的责任，因为那个时候股市正在猛涨，那些非常无聊的有保障的养老金，哪里比得上投资股票让自己更快速地发财致富?

于是资金流进了股市，远远超过了历史水平。所有这些新的资金意味着大量的购买，这正是推动20世纪八九十年代大牛市的燃料。眼前有数万亿美元唾手可得，公募基金公司开始了一场前所未有的战争，抢着要管理你的资金。股票市场不再仅是一个公司发行股票、上市的地方，上市公司可以用股权来交换现金。股市也不再只是一个只有高净值客户和经验老到的机构才会来投资的地方，股市成了每个人储蓄的工具。

欢迎你，船长

401(k) 计划出现的时候代表着自由，而自由往往给我们一种控制的错觉。在股市上涨的时候，我们有时会错误地把运气好误认为自己"投资水平高"。

艾丽西亚·穆勒博士是波士顿学院退休研究中心的主任，是美国顶尖的退休养老问题研究专家。我们交谈了近两个小时，讨论了绝大多数美国人面临的退休养老危机。按照他的观点，我们原来实施的是固定福利养老金体制——每个人都有一份养老金，它是终身收入——现在换成了 401(k) 计划。对于雇主来说，很明显，401（k）计划使其负担轻多了；从表面上看，401（k）计划对个人也有利，因为雇员自己可以更多地控制自己的投资决策。但是即使是身为美国联邦储备局的前雇员和美国总统经济顾问委员会成员的艾丽西亚，在处理自己的养老金问题时，有些关键的步骤也走错了。所以，我现在有一个固定福利计划和终身收入保障是波士顿联邦储备银行作为雇主给我的。当我在财政部工作的时候，我的一位同事说，你早点把那些退休金拿出来吧，你自己用这些钱来做投资，要比联邦储备银行做的投资收益好得多。现在那些钱早就亏得无影无踪了。

自己对自己的投资决策负责，对于大多数人来说，他们一想到它就觉得很害怕。特别是在阅读本书之前，作为你自己的财务大船的船长，你必须在所有可以得到的投资选择中航行，并产生丰厚的收益，这样才足以支撑你的退休生活的开支。你要成为一个坚持利用部分时间投资的投资专家，同时还要做好你的全职工作，或者经营好自己的私人企业，以养家糊口。

特蕾莎·吉拉杜奇在纽约社会研究新学院工作。她在《纽约时报》上发表了一篇非常出色的文章《我们非常荒谬可笑的退休养老途径》。在这篇文章里，她只用一段话就罗列出了我们面对的所有挑战：

> 你还不相信现在的企业养老金计划，由雇员自愿选择，自我指导，商业化运营，其本身是存在缺陷，肯定会失败的吗？你好好想想，要让这套体系对你有效，需要具备哪些条件？第一，想清楚，什么时候你和你的配偶让雇主辞退了，或者生病了不能继续工作呢？第

二，想清楚，什么时候你会死？第三，你要明白，你需要把自己挣的每一分钱都拿出来7%用于储蓄。（要是25岁的时候，你没有开始这样储蓄，现在你55岁了，该怎么办？你现在挣到的每一分钱都要拿出来30%储蓄起来才行。）第四，你的投资每年的收益率至少比通货膨胀率高出3%。（这也容易。只要能找到最好的基金，用最低的价格买入，把这些基金做最优化的配置，你就能够做到。）第五，绝对不要从你的养老金里面提款，即使是丢了工作，健康出了问题，离婚了，买房了，送小孩上大学了，你也一分钱不要提。第六，安排好你的养老金账户提款的时间计划，好让你死的那一天正好花光养老金的最后一分钱。

是的，这套体系是需要时间的，也需要美国国会和华尔街方面取得很大的进展。但是好消息是，对于那些消息灵通、见多识广的人来说，他们能够驾驭好自己的退休养老金计划。你也可以像个内行那样运用好这套体系，让它为你的工作带来好处。

再来一次吗？

那么先让我们来回顾一下，我们现在已经知道了那些想要通过选股战胜市场的主动管理型公募基金并不能战胜市场。大多数401（k）计划购买的公募基金也是如此。我们也知道，这些费用高昂的公募基金收取天价般的费用会吃掉我们投资收益的50%~70%，具体比例取决于你现在的年龄。想一想，就在此时此刻公募基金通过收费拿走了你多少钱？1万美元？2.5万美元？10万美元？算一算吧，你把自己吓坏了吧？

那些收费昂贵的公募基金包含在一个知名的401（k）计划里面，这通常由薪酬外包服务公司或者保险公司向你提供。你一直持有这些公募基金，它们就会向你征收一大堆额外的费用。所有这些成本加在一起就会形成一道让你难以克服的障碍。使用绝大部分机构管理的养老金计划，会让你赢得401（k）计划这一游戏比赛的概率大大减小，甚至为零。

图 10–1

401（k）计划可以得到延迟纳税的优惠，但是大多数人都需要支付 19 种不同的费用，用于投资管理和计划管理。

沟通费用

- 登记
- 持续
- 入会（会议）
- 投资建议

保存记录和行政管理费用

- 基本费用
- 每个参与者收费

- 每个合格雇员收费
- 分销费
- 贷款发放
- 贷款维护
- 半年度审计测试
- 5 500 个文档包
- 其他费用

投资费用

- 基本费用
- 个人（共同）基金费用
- 经理 / 顾问费
- 其他资产费用（收入共享、打包、行政管理，等等）

托管费

- 基本费用
- 按人收费
- 按资产收费

但是现在好了，你选了优质的 401（k）计划，管理人的效率很高，花钱节省，不会拿走你的钱。这样你就可以把逆风变成顺风，利用政府赋予我们的优势，让自己获得更大的前进动力。

美国最好 401（k）? 证明给我看!

我真正明白了约翰·博格所说的成本复利效应的暴政，意识到了过高费用的毁灭性力量。我马上打电话给我公司的人力资源部的负责人，想要看一看我们自己公司的 401（k）计划的具体情况。我想知道，我像关心自己家人一样关心他们是不是也正在被人洗劫一空。可以确定的是，我们使用的也是成本很高的名牌计划，里面都是收费很高的公募基金，还要收取过多的行政管理费用和经纪人费用。那个经纪人（相当于中国的银行理财经理）向我保证这个退休金计划是最顶尖的，收费低，路子正。确实是这样的，这个计划正好使他能赚钱付他新买的宝马车的月供。

我相信肯定会有更好的退休金计划，我和我的团队开始做一些研究工作，我们看了一大堆垃圾一样的退休金计划，这个过程令我们感到十分沮丧。我的一个好朋友提醒我，有一家公司的名字就叫美国最好 401（k）。敢给公司起这样的名字，胆子真大。我打电话给这家公司的老板汤姆·兹甘乐，我说："证明给我看。"

我们俩见面只谈了 5 分钟，我就发现，很明显，这个家伙很有激情，非常想要帮助人们摆脱那些设计非常糟糕、收费又非常多的 401（k）计划。他说，401（k）计划行业是"美国最脏的资金池，因为没有人知道是谁，以及它是如何让人用钱收买了的。"他竟然给自己从事的行业做出如此糟糕的评价！"老兄，你要知道，这个行业才有 30 年的历史。到 2012 年，这个行业才有了法律法规，才要求服务提供商公开披露费用。但是尽管披露了费用，所有雇员中超过一半的人还不知道他们现在付的费用到底有多高。"其实参与 401（k）计划的人里面，有 67% 的人认为根本没有费用。当然，再没有什么其他想法比这更偏离事实真相了。

"汤姆，那么你和你的同行有什么不同？你给自己的公司起名为美国最好 401（k），你凭什么说你的公司是美国最佳呢？"上当受骗过之后，我现在非常小心谨慎，就像小熊爸爸照顾自己的熊孩子一样，因为我知道我的这个决定将会直接影响到我的雇员和他们的孩子。多年来，他们一直在支付过多的费用，我不能允许这种事再次发生。我已经想明白了，作为公司的老板，我既是企业的主人，也是 401（k）计划的赞助人，我的法律义务就是要确保我的雇员没有让别人占便宜。（后面我会详述。）

汤姆解释说："老兄，我们公司的名字就叫美国最好 401（k），我们只允许成本极低的指数基金被纳入计划，比如先锋公司和三维基金公司，而且我们不会因为销售公募基金从基金公司手里拿到一分钱的回扣。" 我刚刚采访了约翰·博格，他确认了先锋公司不参与任何花钱才能玩的游戏，这是公募基金的普遍做法，只有如此，它才能参与 401（k）计划，从中分到一笔收入。顺便说一下，对于你来说，这意味着你在 401（k）计划中的基金选择，并非你能得到的最好的基金选择。那些基金公司都是花了大价钱，才能被列入选择名单的。你猜猜这些基金公司为了进入基金选择名单花了大钱，它们怎么捞回来这些成本？当然是利用高收费了。所以不但你不能得到业绩最好的基金，而且你往往为了业绩更差的基金付出了更高的费用。

"我明白了，汤姆。那么其他计划的费用还有哪些？我想要看看每一笔可能发生的费用。我要完整披露，要完全透明，一笔也不能少！"

汤姆非常骄傲地拿出来一张带有编号的费用一览表，隔着桌子递给了我："所有的成本，包括投资选择、投资管理服务、保存记录费用。所有的成本费用加起来，每年只有 0.75%。"

"就只有这么多吗？没有隐藏费用吗？或者没有不知什么时候会冒出来的其他费用吗？"

我们把全部成本费用从超过 2.5% 减少到只有 0.75%，减少了 70%。你可以回忆一下我们在第 2 章中讲过的复利效应，经过一段时间，在复利的作用下，这些费用会积少成多，达到上万美元甚至上百万美元——现在这么多钱会重新回到我的雇员和他们家人的手中。这让我感觉好极了。下面就是一张简单的对比图，一个是样板 401（k）计划，类似于我们公司过去一直用的那一种，另一个是美国最好 401(k）计划。将二者进行对比，你可以看到，这些节省下来的费用按照复利计算会有多少钱直接返回到我的雇员的养老金账户里。

表 10–1　美国最好 401（k）公司的退休金计划　　单位：美元

时间	我原来的计划（总费用的 2.5%）	美国最好公司的 401（k）退休计划	返回到你和你雇员账户的总存款
1 年后	15 925 465	16 006 101	80 635
7 年后	22 265 866	23 025 978	760 111
20 年后	41 999 917	45 999 618	39 999 701

注：假设一开始账户余额为 100 万美元，每年存入 10 万美元，每年增长率为 5%

表 10–2　美国最好 401（k）公司的退休金计划　　单位：美元

时间	我原来的计划（总费用的 2.5%）	美国最好公司提供的 401（k）退休金计划	返回到你和你雇员账户的总存款
1 年后	14 530 987	14 582 411	51 424
7 年后	25 077 485	25 623 388	546 899
20 年后	58 499 799	61 756 687	3 355 987

让超过 120 万美元重新回到我的家人和雇员手里，我们只做了一个简单的转换就实现了。顺便说一下，这个计算只考虑了费用，没有考虑我们的基金业绩战胜了 96% 的公募基金经理。因为我们使用的是低成本的模仿市场的指数基金。

扩音器

汤姆和他的团队为我们公司提供了新的 401（k）计划，让我和我的雇员印象非常深刻。过了六个月后，我向我所有的朋友都推荐了汤姆和他的公司。我决定和美国最好 401（k）公司合作，帮助它宣传推广。我知道我在本书里一定要讲这个故事，因为这家公司的收费实在太低了，所以它无法承担在超级碗上做广告的巨额费用。汤姆的这种草根做法正在不断地获得支持，我希望能够扩大他公司的知名度和影响力。

现在是时候拉下窗帘了

汤姆和他的团队搞了一个非常强大的在线费用检查器，它可以分析你们公司的雇员养老金计划的数据（从公司的纳税收入报表中）。只用几秒钟，你们公司的养老金计划和别的公司的对比情况，以及你实际上支付的费用，就可以显示出来。就像上面的表格，这个检查器也会显示长时间节省成本对于你来说意味着什么。如果你发现某计划可能给你节省上万美元，这并不是什么稀罕事。

需要额外的激励吗？

只是知道高昂的费用摧毁了你的养老金还不够，企业老板也会非常关心雇员应该“武装到牙齿”。为什么？因为美国劳工部出手了，要保护企业雇员，对抗费用高昂的养老金计划。谁应该负责任？企业老板！对。不是公募基金经理，不是经纪人，不是银行理财经理，也不是糟糕的401（k）计划管理人，而是企业老板会深深地陷入困境。

根据《首席财务官月报》的报道，2013年，美国劳工部审查了企业401（k）计划，75%的企业赞助人因为计划出错而遭到罚款和处罚，或者被强迫做出补偿。这些罚款和处罚的费用可不是小数目。事实上，2013年平均每个计划的罚金是60万美元，比4年前增长了近15万美元。

而且美国劳工部在2014年就新增雇用了1 000名执法人员。所以我们完全可以预期401（k）计划审查范围会进一步扩大，我不知道你怎么看，但是这确实让我十分关注。

感谢那些集体诉讼律师，现在很多公司正在被自己的雇员起诉，包括卡特彼勒公司、通用动力公司、美国银行，甚至是富达投资集团——行业内规模最大的401（k）计划供应商。最近，富达投资集团对两起集体诉讼案达成了和解，支付了1 200万美元，起因是富达投资集团的雇员起诉公司的401（k）计划的费用过高。当然，这些大企业尽管亏了很多钱，但也亏得起。其实真正危险的是那些规模较小的企业老板，因为中小企业的 401（k）计划规模更小（一般计划内的资产少于 1 000 万美元），但费用是最高的。

那么，你作为企业老板应该做些什么？第一，你每年要把你的企业的养老金计划与其他企业的计划进行对比，这可是法律要求。新的法律从 2012 年才开始实施，所以对于你来说这可能还是新闻呢。美国劳工部要求，你要把你们企业的养老金计划与其他企业"有可比性的"计划进行对比，以确认你们企业的养老金计划的收费是合理的。我问过其他企业老板，他们都表示一无所知。我自己原来也是毫不知情。你想，那个把收费昂贵的养老金计划卖给你的家伙，他会打电话告诉你这件事吗？当然不会了。

美国最好 401（k）计划不仅会提供给你完全免费的分析，而且会提

警告：美国劳工部发现 3/4 的企业 401（k）不合规

有个完全无法抗拒的理由，你务必好好查看一下你公司的 401（k）计划：

75% 的企业 401（k）计划，经美国劳工部审查后被判定不合规，受到罚款、惩罚或者被迫为其计划错误进行补偿。这些罚款和惩罚的代价可不小，绝对会让你这个当老板的大出血。

事实上，上年每年不合规的计划平均的罚金为 60 万美元，和 4 年前的 15 万美元的罚金水平相比高了 4 倍。

图 10–2

供给你免费的对比基准。如果美国劳工部的检查人员在星期五的下午走进你的办公室，不要让他毁了你的周末，因为检查人员要检查的东西你没有准备好，你非常害怕地站在那里，像一只在晚上站在车灯前的小鹿一样，内心怦怦乱跳。你肯定希望自己能够自信地信手拿出你的企业养老金计划的对比基准。

谁来悬崖勒马

美国劳工部横冲直撞地进行大规模检查，会严厉地处罚企业老板。我一点儿也不知道，作为企业老板和养老金计划的出资人，我也是401（k）计划的法定受托人。有无数的案例表明，企业老板个人要为自己企业糟糕的401（k）计划负责。如果你用的401（k）计划是像美国最好401（k）这样的公司，那么它会给你“安排”一个专业的受托人，这会大幅度减轻你的法律责任（是的，这种服务也包括在每年0.75%的费用里，不用另外付费），而且它会提供服务，帮你不断地进行对比检查——这是一项免费服务。

你如果是一个雇员，应该做什么呢？首先访问美国最好401（k）公司网站，用上面的费用检查器，检查你的401（k）计划的费用情况，然后把检查报告发送给你的老板（或者你的上级）。事实上，企业里收入最高的人，往往他的401（k）账户余额也是最高的。所以收费越高，这些高管的损失越大。其实你这样教育公司高管做好自己的401（k）计划，是给整个公司做了一件大好事。过高的费用会吸走每一个人辛辛苦苦挣的钱。适当改变一下，会大大增加每个人获得财务自由的机会。记住，我们每个人需要的都是顺风顺水，加速前进，而不是逆风逆水，阻挡我们前行。

你也可以直接走到公司的人力资源部，让他们好好读一下本章内容，并确定他们读懂了。如果费用不是一个激励因素，那么你要提醒他们，他们是你的受托人，你的同事，他们在法律上有义务向你确认他们有一个相当有竞争力的计划，而且要符合你的最大利益。这肯定能够吸引他们的注意力。

如果你的雇主还是没有转换为一个低成本的401（k）计划，而且你的雇主也没有每个月给你相匹配的储蓄金额，也许你最好还是决定退出公司这种费用过高的401（k）计划。

你如果决定退出，但是还想采用公司所提供的401（k）计划，那么一个好的401(k）计划应该允许你进行在职分配，允许你把你现在401(k）账户里的退休金部分转存到个人退休金账户。你只需要到你们公司的人力资源部核查一下就知道了。个人退休金账户只是一个退休金账户，只用你一个人的名字来开的账户，但是你会有更多的自由选择做什么样的投资。在个人退休金账户上，你可以运用我们在第三部分讲解的一些投资解决方案。你的个人受托人也可以评估这个账户，向你解释哪些投资才是最好的选择。

现在我们可以摆脱那些高成本的401（k）计划了。那些计划选择的都是收费相当高，但业绩低于平均水平的公募基金，那么我们如何才能最好地运用一个低成本的401（k）计划和政府给我们的税收优惠？

非传统的智慧

你可能没注意到，美国政府有一个支出问题。就像美国运通白金信用卡公司失控的少年，山姆大叔积累了超过17.3万亿美元的债务和接近100万亿美元的没有资金着落的社会保险基金和医保基金的窟窿。所以，你觉得将来的税收会更高，还是会更低？你知道吗？美国上一次经济大衰退之后，个人所得税税率最高达到90%以上！事实上，你就是对每个富人和公司都100%地征收所得税，政府承诺的这些巨大支出也还是不够花的。

按照传统的逻辑，就像大多数注册会计师所证明的那样，就是把你的401（k）账户或者个人退休金账户缴费最大化，因为你交的每一美元都可以税前扣减，这样节税会最多。这只意味着你现在不用交纳个人所得税，可也只是递延到以后的日子再交。但是这里存在一个问题：没有人知道未来的税率会是多少，因此你并不知道，当你未来真正需要花钱的时候，你在那时交完税之后你口袋里还剩下多少钱可以花。

我最近跟我们公司的一个高管谈了这个问题，我问他你的401（k）账户里有多少钱。他说他的账户里有接近100万美元，他自我感觉很好，因为他觉得如果需要的话，他有这么大一笔钱，足够安享晚年了。我又从另外的角度问了他一个问题：

“你的401（k）账户里的近100万美元，有多少钱是属于你自己的？”

“都是啊，当然都是我的了。”他回答说。

“一半，一半，只有一半！我的兄弟！扣掉美国联邦所得税和州所得税之后，你能花的钱只剩下一半。”

真相浮出水面，他终于看清事实了，他这才明白这近100万美元里有一半并不是他的，而是政府的，他只是用政府的钱和自己的钱一起来做投资而已。

但是我接着问：“如果税率提高到60%，你自己还能剩下多少钱呢？”他算了算，然后回答：“只有40万美元或者40%的账户资金是属于我的。”根本不可能，是不是？你看看税率？你看1990—2010年这20年中，美国最富有人群所承担的税率都接近于最低的税率。1931—1960年这30年里，美国最富有人群的平均个人所得税税率为70%。当比尔·克林顿担任总统时，不仅是那些有钱人，还有一般的工薪阶层都要承担较高的个人所得税税率。由于美国的国债大幅提高，刷新了历史纪录，很多专家都说税率很可能还会提高。简单地说，你的401（k）账户里的钱，最后真正能够落到你的口袋里的到底能占多大比例？这完全不好说。如果税率比现在提得更高，那么这个大饼里你能分到的那块儿就会变小。这是一个螺旋效应，因为你缴费后给自己留下来花的钱越少，那么你需要花钱时，就必须从私人账户里提更多的钱。可是你提款提得越多，你的钱被花光的速度就越快。

参议员威廉·罗斯：最好的避税天堂

罗斯个人退休金账户以及最近新增的罗斯401（k）退休金计划，尽管大家经常忽视它，但这是最好的也是合法的避税天堂之一，它能帮助你应对未来不断上涨的税率。我们应该感谢参议员威廉·罗斯在1997年提出并通过立法设立了这个退休金账户。现在我们来仔细看一下。

如果你是一个农场主，你播好种子之后，你愿意现在按照种子金额来交税，还是未来按照收成来交税呢？大多数人好像都把这个问题回答错了。我们习惯性地不愿意现在交税，而是选择把税收递延到将来再交。很多人会认为，最好是等到未来再按照收成来交税。而将来按照收成交税，一大笔收成就意味着一大笔税！如果我们现在播种后就按照种子的金额来交税，那么不管我们将来收成多少，钱都是我们自己的，都可以自己留下来花。罗斯账户就是这样运作的。我们今天交了个人所得税，税后的收入就全都是自己的了，我们可以把这些收入储蓄起来，以后这些钱就永远不用再交税了！未来的增值不用交税，未来从退休金账户里提款也不需要交税。这种税收规定可以保住属于你自己的那块饼，避免政府因为胃口永远无法满足而在将来征收越来越多的税。更重要的是，让你在安排未来支出时，能够非常清楚地确定，当你需要提款的时候，你账户里有多少钱是你真正能花的。

下面是最令人激动的消息！

让你给401（k）计划的费用符合罗斯个人退休金账户的条件（打钩选择），那么你今天就可以交税，从而让你未来的投资增值和提款再不用交税，永远脱离美国国税局的魔爪。而且你可以大幅提高投资金额，因为罗斯个人退休金账户每年的缴费上限为5 500美元，而罗斯401（k）退休计划每年的最高上限为17 500美元（你可以两个账户同时操作）。[①]

对于高收入者而言，尽管你不能使用罗斯个人退休金账户，但是罗斯401（k）退休金计划没有收入限制，每个人都可以参与其中，这是

---

① 罗斯个人退休金账户和罗斯401（k）退休金计划有不同的规定。美国国税局的规定是：如果你在2014年前年满50周岁或者超过50周岁，那么你的投资只能局限于罗斯个人退休金账户，你的投资在2013年的上限一般是以下二者取其低：6 500美元或者是你当年的应纳税额。

我们的税法最近才做出的改变。它可以给高收入阶层带来相当大的节税福利。

明天储蓄更多

利用好你的401（k）计划的秘诀非常简单：你必须去做。而且你必须用一个节省成本的计划来做，充分利用罗斯401（k）退休金计划来避税，特别是你相信未来的税率肯定会提高。很多人都不愿意承诺今天储蓄更多，但是他们愿意承诺明天储蓄更多，所以从本质上讲，你就是提前同意将来你每年都会提高自己的收入储蓄比例。假如现在你每年的工资收入的储蓄比例是3%，第二年你同意提高1%（相当于工资收入的储蓄比例从上年的3%提高到4%），如此每年都提高1%，让你的收入储蓄比例“自动逐步提高”，直到达到某个上限。美国最好401（k）公司设计的养老储蓄计划里面，就有这种自动逐步提高收入储蓄比例的功能。所以它不但能让你享有最低的费率，而且有机会加快财富积累的速度，更快地达到财务自由，这样，你就能够选择更早退休。

靶　心

现在，我们终于有机会把我们前面学过的所有东西综合在一起了！现在你决定拿出工资收入的一定比例储蓄起来作为退休养老金，最好是放到你的401（k）账户里。你希望能够绝对确定你的401（k）账户的费率水平是最低的，投资的基金是低成本的指数基金。你想弄清楚你们公司401（k）计划的费率究竟是多少吗？只要用一下美国最好401（k）公司网站上的费用检查器就行了。我们要再重复一次，如果你是一个雇员的话，你应该让你们公司的老板（或者管理层）认识到，他们的法律责任是提供最有性价比的401（k）计划，不然他们要承担更大的风险，因为如果401（k）计划的费率过高，公司就会受到美国劳工部的重金罚款。如果你是一个企业老板，法律要求你必须每年把你们公司的 401（k）计划与基准水平进行比较。美国最好 401（k）公司免费提供比较基准，只用 2 分钟填一下在线表格就可以了。这里还有一个大新闻：一般的小型 401（k）计划，每年只在费用上就可以节省 2 万美元。规模更大的 401（k）计划，在整个计划持续期间，可以节省几十万美元，甚至几百万美元，所有这些钱都会直接返回到雇员或者公司老板的个人退休金账户里。

7 个经常被问的问题

请继续跟着我走。我们开始把想法变成行动。这里有 7 个最常见的问题，都与 401（k）计划和个人退休金账户，以及如何最好地利用这些账户有关。让我们开始吧。

1. 我应该参加 401（k）计划吗？

你的雇主会在一定程度上回报你的投入，你当然应该参加，以充分利用你的 401（k）计划的好处，而且实质上是公司来替你交纳个人所得税的。你如果认为将来个人所得税会提高，那么就要检查一下你的账户，让你的 401（k）计划的缴费能够享受罗斯账户的税收待遇。[顺便简单说明一下，你们公司 401（k）计划的费用也许高得离谱，投资选择的基金也很糟糕。那么在这种情况下，你当然不想参加！]

我要说得更清楚一点儿，如果你让你的缴费符合罗斯账户的规定，你未来的投资还是基于同样的投资选择（或者基金一览表），那么唯一不同的是，你今天交了个人所得税，你未来投资增值所形成的养老金从账户中提款时就会完全不用纳税。美国伊利诺伊大学退休研究专家杰弗里·布朗告诉我他个人理财的做法："我会充分利用每一次打钩选择罗斯账户的机会，因为我花了很多时间研究美国长期的财政前景，你知道我是个非常乐观的家伙，基本上是的。但我得告诉你，我真的想象不出来任何一种情景，我们美国财政对税收的需要不会比现在更高。”

更进一步，布朗博士给他年轻的学生们提出了个人理财建议：“绝对要尽可能地把更多的钱投进你的罗斯账户，因为这样做，你将来交的税会很少，或者根本不用交税。总有一天你可以得到最大的收益。”

如果你属于少数几个认为未来税率会更低的人，你可能会大吃一惊。传统智慧认为，我们退休的时候，税率应该会更低，因为我们退休后赚的钱比现在更少。但是现实是我们的房贷还清了（所以我们没有抵押贷款就没有贷款利息来税前扣除），我们的孩子都长大了，独立生活很久了（所以我们没有任何要抚养的孩子）。

最后，你可能是自由职业者，你认为这些谈论 401（k）计划的内容和你无关。不是这样的！你可以开设一个单独的 401（k）账户，这是专门为个体企业老板及其配偶设计的 401（k）账户。

2. 什么是罗斯 401（k）账户？我怎么利用它对自己更加有利？

我前面说过，但这里要重复一下：大多数现在的 401（k）计划允许你只要简单地打钩选择，你每个月的缴费就可以享受罗斯 401(k)账户的税收待遇。这个决定意味着你要现在交税，但是以后你就再也不用交税了。

3. 我要设立一个罗斯个人退休金账户吗？

是的。你可以设立一个罗斯个人退休金账户，每年最高可以投资 5 500 美元。（你如果年满 50 岁或者年龄更大，可以每年最高投资 6 500 美元。）如果你的 401（k）账户缴费已经达到了上限，你也可以设立一个罗斯个人退休金账户，给自己再多一条路。开一个罗斯个人退休金账户非常简单，就像开一个银行账户一样，亚美利交易控股公司、嘉信理财公司和富达投资集团三家证券公司把开户的过程设计得超级简单，不到 10 分钟，你在网上就可以完成开户了。

4. 可是我挣的钱太多了，远远超过罗斯个人退休金账户的缴费上限，我该怎么办？

我非常遗憾，如果你是单身，年收入超过 114 000 美元，或者你结婚了，夫妻两人的年收入超过 191 000 美元（2014 年），那么你就不能再给罗斯个人退休金账户储蓄了。但是不要烦恼，不要着急，不管你的年收入有多高，你都可以参加罗斯 401（k）账户，如果你有了一个个人退休金账户，你可能会考虑把你的个人退休金账户转为罗斯个人退休金账户，但是你首先要明白，这意味着你今天必须为你的所有收益付个人所得税。

5. 我应该把我的个人退休金账户转成罗斯个人退休金账户吗？

你说你现在有一个个人退休金账户，在里面存了 10 000 美元的收入，政府允许你现在交税（因为现在政府需要钱用），以后你就永远不需要再为这笔收入的投资增值额交税了。这个过程被称为罗斯转换。所以，如果你属于 40% 的个人所得税等级，那么你可以今天交 4 000 美元的个人所得税，用你剩下的 6 000 美元继续投资增值，以后挣的钱就再也不用交税了，以后所有的提款也不用交税了。有些人一听今天交税这个想法就有些畏缩害怕，因为他们认为这些钱是“自己的”。不，这些钱是政府的。今天你交税了，你就等于把政府的钱提前还给它了，这样做你就能保护自己，也能保护自己的养老金，可以避免以后税率更高或者交税更多了。你如果不认为将来的税率会更高，就不应该做转换。你需要自己做决定，但是我要告诉你，所有的证据都表明一个铁一般的事实：政府需要更多的税收，而数万亿美元的退休金账户正是它抽取更多税收的最大源泉。

6. 我在过去的雇主那里参加的 401（k）计划怎么处理？

旧的 401（k）计划既可以留在原来的雇主那里，也可以转进一个新的个人退休金账户中。把旧的 401（k）计划留在原来的雇主那里的唯一前提是，这个计划本身是低成本的，而且有很多有利的投资选择。把计划转到一个新的个人退休金账户，上网操作就可以办到，非常便捷，只需要 10 分钟，你就能把原来计划里面的资金转给第三方托管人，比如亚美利交易控股公司、嘉信理财公司和富达投资集团。转到个人退休金账户，你会有更大的投资控制权。你几乎可以投资任何品种，而不再只能在原来计划提供的有限范围内进行选择。有了更大范围的控制权，你就可以雇用一个受托人投资顾问，实施一些令人兴奋的策略和投资解决方案，对此我们会在第三部分详述。雇用一个受托人投资顾问，你不用支付佣金，你只需要支付投资顾问费，一般是你投资的资产总额的 1% 或更少。你也许能够用这些投资顾问费来抵扣个人所得税。

把你旧的 401（k）计划转入一个个人退休金账户，这就让你有了一种选择权，可以从个人退休金账户转换成一个罗斯个人退休金账户。

7. 如果我的退休计划储蓄已经超过上限，我还想有更多的选择来储蓄更多的钱，我又该怎么办?

小企业主赚了很多钱，想现在减少一些税款，如果他们的 401（k）退休金计划超过上限，那么再搞一个现金平衡计划会让他们大大受益。现金平衡计划是增长最快的一种指定受益退休养老金计划，再过几年很有可能会取代 401（k）计划，这是圣人顾问公司的研究结论，这家公司是一家注册投资顾问公司，总部在得克萨斯州的奥斯汀。事实上，《福布斯》杂志评选的美国 100 强企业中，有超过 1/3 的公司采用现金平衡计划。那么，现金平衡计划是怎么一回事？它本质上就是一个养老金计划。换句话说，存储的资金指定要提供给企业所有人作为未来退休收入。那么它最大的吸引力是什么？对于高收入的企业老板来说，它不但可以使 401（k）计划和利润分享计划最大化，而且可以再加上一个现金平衡计划，从而创造出新的空间，容纳非常大的存款，而且完全可以税前抵扣。下表显示了不同年龄可以扣减的金额。

表 10–3　2014 年美国国税局年度退休金账户缴费限额

单位：美元

年龄	401（k）投资与利润分享计划	现金余额计划	总额
65	56 000	237 841	293 841
60	56 000	228 807	284 807
55	56 000	175 068	231 068
50	56 000	133 950	189 950
45	51 000	102 490	153 490
40	51 000	78 419	129 419
35	51 000	60 001	111 001

金钱威力法则 2：最重要的金钱威力法则之一是你能忍受多少，就能得到多少。千万不要容忍把你的钱放在一个糟糕的 401（k）计划里面，其中各种各样基金高昂的费用把你的钱给吸走了，变成了别人口袋里的钱。我们必须记住，401（k）计划有多好取决于里面的投资有多好。请翻到下一页，我们一起揭开下一个投资营销谎言。因为人们往往把 401（k）账户里的钱投资到一个最流行的地方，这就是我们这个时代最容易误解的一个投资品种。

第 11 章　投资营销谎言 6:“目标日期基金”

每过一天，我对目标日期基金就愈加紧张不安。

——约翰·博格

当你查看你的 401（k）计划中的投资选择时，你有没有感到非常奇怪？他们怎么会弄出这样的一个投资选择名单？为什么你的配偶或者最好的朋友在同一个镇上工作，却拥有完全不同的投资选择菜单？

就像那句俗话所说的：永远跟着钱走。

你得花钱才能玩

在公募基金的世界里要分到一笔收入，一个常见的做法是大家都知道的，就是花钱才能参加游戏的费用。根据韬睿惠悦这个全球性的咨询公司的调查，接近 90% 的 401（k）计划都要求基金公司支付花钱才能参加游戏的费用，作为交换，可以把一只基金加入你的 401（k）计划的基金可选菜单中。不花钱，基金就进不了门，因为根本没有机会。花钱才能参加游戏的费用，实质上是保证客户（你和我在内）只能得到有限的选择，最终只能从菜单中选择拥有一只基金，而这只基金对于经销商（即经纪人、证券公司、基金公司）来说肯定是赚钱的。换句话说，你的 401（k）计划里面的投资选择，都是人家精心设计和筛选过的，好让那些销售人员、经纪人、银行理财经理、基金经理的利益最大化。如果必须花钱才能参加游戏，他们肯定会想方设法地让自己的利润最大化，以补偿他们为加入游戏多支出的成本。目标日期基金有时被称为生命周期基金，作为努力进入你个人养老金计划的投资选择的创意，它也许是最昂贵的，也是最广泛的营销。（先锋公司超低成本的目标日期基金属于例外。）

目标日期基金偏离预定目标了吗？

尽管是公募基金行业成长最快的品种，目标日期基金也许完全偏离了原定的目标。

那些营销广告都是这样说的："你只要选择你要退休的年度和日期，我们就会相应配置你的投资组合（比如目标 2035 黄金年度基金）。你离退休的日子越近，投资组合就越保守。"我敢肯定你在自己的 401（k）计划可选基金名单里看到过这样的目标日期基金。统计数据表明，你很可能会投资其中的一只目标日期基金。

这些目标日期基金到底是怎么运作的？我们来进一步做详细了解。

基金经理要决定一个"下滑路径"，这是用一个想象出来的方式来描述他们的股票仓位的调整方式：不断调降股票仓位（风险更大），不断提高债券仓位（传统上被认为风险更小），努力做到离你的退休日期越接近，你的投资组合越保守。不用说，每个基金经理可以选择自己的调降路径，其实并没有一个统一的标准。这个下滑路径让我听起来更像一个灾难性的急剧下滑。我要再说一下，这种调降路径的想法其实建立在两个特别大的前提下：

1. 债券是安全的。
2. 债券的波动方向与股票相反。所以，一旦股票出现下跌，你持有的债券反而会上涨，能够保护你的投资组合整体市值不会减少。

正如沃伦·巴菲特所说的，“债券应该被贴上一个风险警告标签”。因为利率上涨会让债券价格下跌，如果预测或者遇到利率上升，我们会看到债券价格暴跌（债券基金的净值也会跟着暴跌）。另外，很多独立研究表明在经济糟糕的时候，债券跟股票有很强的“相关性”。也就是说，股票和债券并不总是相反方向波动的。只要看一看2008年债券和股票一起暴跌，你就明白了。业内称之为股债双杀。

目标日期基金的市场营销术，非常有诱惑力。选择一个退休日期，你就再也不用管了。“设好，忘掉。”只要相信我们就行了，我们会照顾好你的。但是他们真的能做到吗？

一个巨大的误解

行为研究协会受投资咨询公司安永委托做了一个调查。结果发现，投资目标日期基金的雇员存在一些重大的误解，简直会让人惊讶得下巴都掉了：

- 57%的受访者认为他们的投资在未来十年不会亏钱，但是他们根本没有事实依据来支撑这种观念。
- 30%的受访者认为，目标日期基金会提供有保证的投资收益率。目标日期基金没有给你任何方面的任何保证，更不用说保证投资收益率了。
- 62%的受访者认为，到基金到期的年份或者目标日期，他们就能够顺利退休了。不幸的是，这种错误的感觉是最惨痛的一种错觉。你设定的退休日期，只是你自己设定的退休年份目标而已。目标日期基金并不是那种能够让你达成目标的计划，它只是一种资产配置，让你越接近目标退休日期，整个资产配置组合的风险就越低。

考虑到有数万亿美元被投资在目标日期基金上，将来肯定会有相当大比例的美国投资人感到非常震惊，目标日期到了，但你根本无法实现自己的退休目标。

那么你购买目标日期基金真正买到的是什么？你只不过买了一只基金，来为你操作资产配置而已。就这么简单。你本来要从一组基金中选择资产配置，现在你买了一只基金，只用这一只基金做资产配置，就这样简单！这一只基金“全部帮你搞定”。

抱歉，她不在这里工作了

大学毕业之后，戴维·巴贝尔想到世界银行工作。世界银行毫无疑问是一个很有趣的工作场所，但是对于那些足够幸运、能够在那里工作的人来说，世界银行还有更大的好处，就是不用支付任何税收！真是聪明的家伙。戴维提出申请，但是世界银行的人把他拒绝了，理由是他需要拥有六类专业的研究生学位之一，才能得到这份工作。为了避免再次遭到拒绝，戴维决定得到所有这六种研究生的学位，他拿了一个经济学学士学位，一个国际金融工商管理硕士学位，一个金融哲学博士学位，一个辅修的食品与资源经济学博士学位，一个热带农业博士学位，一个拉丁美洲研究的博士学位。拿了这一堆文凭后，他再次到世界银行申请工作。结果，他们说世界银行不再鼓励雇用美国人，因为最近华盛顿削减了对世界银行的财务支持。这真是给他心头重重一击。正在不知道去向何方时，他看到加利福尼亚大学伯克利分校在报纸上刊登的招聘广告，于是他马上去信应聘。加州大学伯克利分校雇用他做教授，之后，他才发现，学校刊登广告其实只是为了遵守《平权法案》，根本没有打算让合格的候选人前来应聘。

过了几年，他转到沃顿商学院，教授很多与金融相关的课程。但他并不是一个书呆子，他写了一篇论文，探讨如何减少投资组合的风险，因此他受到了高盛公司的注意。于是，他掌管了七年高盛公司的风险管理和保险部门（与此同时，他继续在沃顿商学院担任兼职教授）。后来他终于有机会进入世界银行工作，也同时为美国财政部和联邦储备局提供咨询服务。但是当美国劳工部让他做一个反求研究，以确认目标日期基金是否真的是最佳默认退休养老金的投资选择时，他根本不知道要采取什么样的研究路径。在这个人人皆知的投资通道的另外一边是投资公司研究所（这是公募基金行业游说美国政府和国会的机构），它们“已经支付200万美元来做一项研究，其研究结果正好完全符合它们的想法。这项研究声称目标日期基金是自切片面包发明以来的最好发明”。请记住，切片面包坊出现的时候，目标日期基金仅仅是一个空泛的概念。在整个金融行业看来，它只是一丝微弱的光芒。

戴维·巴贝尔为美国劳工部做的研究，是与其他两个教授共同合作的，其中一位得到过两位诺贝尔经济学奖获得者的培训。戴维·巴贝尔把目标日期基金比作稳定价值基金。稳定价值基金超级保守，不会发生亏损，历史收益水平比货币市场基金高出2~3个百分点。按照戴维·巴贝尔的说法，那项由行业赞助的研究把目标日期基金美化得无比光鲜亮丽，但其实这种基金充满了漏洞。为了让目标日期基金看起来比稳定价值基金更美，他们虚构出来的东西比迪士尼公司的还要多。例如，他们假定股票和债券没有任何联系。大错特错！股票和债券确实在某种程度上会同步行动，在经济困难时期，它们的波动会更加相近。（股票和债券在2008年有80%的相关性。）

戴维·巴贝尔和他的团队评估了那项由行业赞助的研究，把它拆分开来。他们从数学上分解了那项报告中的虚构性发现，准备好揭示其荒谬可笑的假定，这种假定让目标日期基金看起来非常优秀。

演示研究结论的那一天，戴维·巴贝尔准时出现，坐在桌子后面的经济学家是由美国劳工部挑选出来的评估双方研究成果的专家。这位经济学家“认为戴维·巴贝尔有一些很好的观点，需要进一步评估”。但是美国劳工部部长“已经做出了自己的决定，然后第二天就退出会议了。她甚至没有出席和戴维·巴贝尔预先安排好的会议”。巴贝尔博士听说这都是事先安排好的。基金行业已经买通了美国劳工部，得到了它需要的正式许可，给自己开具了“饱和”支票。

目标日期基金开始飞速发展，到2013年年底，41%的401（k）计划参与人都使用了目标日期基金，它的总规模达到了万亿美元的数量级别。基金行业花钱搞的这项研究，尽管戴维·巴贝尔和他的受人尊敬的经济学家同事称其具有严重缺陷，但只花了 200 万美元，就换来了万亿美元的规模，这笔投资收益率还算不错。

一部 2006 年出台的法律为目标日期基金成为退休养老金默认的投资选择铺平了道路。雇主不再为把雇员的资金放到目标日期基金而承担责任。现在所有雇主中有超过一半的人会让雇员"自动登记"加入 401（k）计划。根据富达投资集团的研究，超过 96% 的大型雇主用目标日期基金作为默认的投资选择。

潮水没有退去之前，你不会知道谁在裸泳

想象一下，现在是 2008 年年初，你快要退休了，你已经辛辛苦苦地工作超过 40 年，拼命地赚钱养家糊口，你盼望着退休，好有更多的时间陪陪孙子、孙女们，有更多的时间去旅游，哪怕只有更多的时间休息也好。大家都说你的 401（k）账户余额看起来很健康。你买的"2010 年目标日期基金"业绩表现很好。你相信，由于你只有两年就要退休了，你的基金投资会非常保守。数百万美国人都有这样的感觉，结果 2008 年的金融危机让退休的希望彻底破灭，至少他们期望退休后享受的生活品质是肯定达不到了。图 11–1 列出了按照规模排名前 20 的目标日期基金，以及 2008 年它们让人心痛的糟糕业绩表现。请不要忘记，这些可都是 2010 年目标日期基金，这些基金的投资人只有两年就要退休了。请注意，这些基金选择投资股票的仓位比例是多么高，尽管投资者原本以为这些基金接近"最后阶段"，因此应该是最保守的。公平地讲，即使你就要退休了，你也必须在股票上有一定的仓位，但是与此同时，这种损失可能会彻底毁掉你的退休计划，至少会拖延你的退休计划。

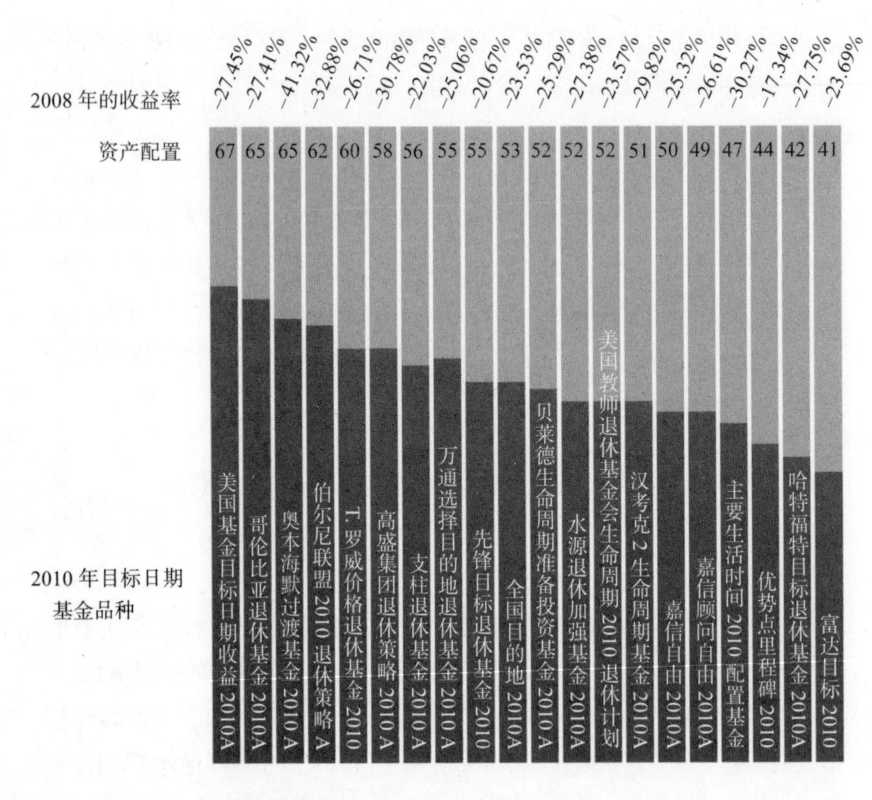

资料来源：晨星评级机构

图 11–1

两害相权取其轻

我采访了很多退休研究领域的顶尖的学术专家，结果令我非常吃惊，他们都十分支持目标日期基金。

稍等一下。怎么会是这样？

我给他们分享了大部分你刚才读过的内容，尽管他们并不同意目标日期基金确实存在上述的那些问题，但是他们同时指出在目标日期基金出现之前，其实人们拥有很多选择，可以完全按照自己的意愿进行资产配置。结果这种安排导致出现更多困惑，坦白地讲，这也导致出现很多非常糟糕的投资决策。统计数据当然完全支持他们的观点。

我就这个问题采访了杰弗里·布朗，他肯定拥有美国最聪明的脑袋。他解释道："如果你回到这些东西（目标日期基金）出现之前，你会看到我们很多人都是投资自己雇主公司的股票。他们的投资过度集中在自己雇主公司的股票上。"他的这些话让我想起了安然公司，很多安然公司的雇员都把自己的养老金百分之百地投资在了安然股票上，可一夜之间这些养老金全都没了。

当人们面对 15 项不同的公募基金进行选择时，他们就会把钱平均分配（15 只基金，每只投资 1/15 的资金），这并不是一个好的投资策略。他们一遇到股市下跌就会紧张害怕（或者股市一跌就会卖出），然后就一直守着现金，好几年不敢投资股票。你用一部分来持有现金，并不是糟糕的资产配置，但是在 401（k）计划里，你要为这个计划本身支付费用，你一直持有现金，就会承担双重损失：一是照样要付计划管理费，二是要承担通货膨胀带来的现金贬值损失。简言之，我可以理解布朗博士的看法。

你觉得目标日期基金的概念有吸引力，但布朗博士推荐低成本指数基金，就像先锋公司提供的指数基金那样。如果有人只有最低投资金额，情况非常简单，花钱找个投资顾问完全是多余的，那么这些人选择目标日期基金可能是个不错的投资途径。但是如果你不想使用目标日期基金，并且有途径能够得到一个低成本指数基金的名单，那么你可以从中选择投资，运用本书后面讲解的资产配置模式。资产配置是指把你的钱放在哪里和如何划分投资比例，这是成为一个成功投资者最重要的技巧。我们后面会跟大师学习，你会发现其实资产配置并不是那么复杂难懂。低成本目标日期基金对于一般投资者来说也许非常不错了，但是你并非一般的投资者，因为你正在读本书。

此外，很多人认为并没有很多替代目标日期基金的选择，但是在第五部分，你会学到一种特别的资产配置方案，由对冲基金大师瑞·达利欧设计。它创造出了非常出色的收益，而且只有极小的下跌风险。一个分析师团队回测了这个投资组合，在过去75年里，最糟糕的亏损只有3.93%。相反，MarketWatch网站（一个财经网站）上报道："最保守的目标日期基金（为产生退休收入而设计）在2008年的平均跌幅为17%，最危险的目标日期基金（为2055年的退休者设计）在2008年的平均跌幅为39.8%，这个数字非常惊人。这是伊博森协会最近一份研究报告的统计数据。"

又干掉了一个谎言

我们又揭露了一个投资营销谎言。我想，到现在为止，你开始明白无知并不是福气，在金融世界里，无知是痛苦，是贫穷。前面几章让你获得的知识会成为你投资需要的动力，让你能够说出来："我再也不要让人占便宜了！"

很快，我们就会开始探索令人激动的投资机会、投资策略、投资工具，帮助你创造财务自由。但是在此之前，我们还有两个投资营销谎言需要识破。

第 12 章　投资营销谎言 7:“我恨年金，你也应该恨”

美联储主席去年最大的资产是两笔年金。

——《美联储主席伯南克的个人理财并不是在装模作样》

（《今日美国》2008 年 7 月 21 日）

爱它还是恨它

我在网上无意间看到一个在线广告：“我恨年金，你也应该恨。”这是典型的互联网钓鱼式标题，其实它植入的是一篇免费报告，讲的是企业年金这种投资如何糟糕，而采用股票和债券组合是一个好得多的投资策略，因为这种组合长期投资会增值更多，也更安全。当然，广告商已经准备好了要兜售基金产品，其实就是销售它的专业选股技能，它当然要收取一笔管理费。广告标题里没有提到的是，那个花钱打广告的商家是做主动投资的选股机构。那些投资大师，沃伦 · 巴菲特、约翰 · 博格、瑞 · 达利欧、戴维 · 斯文森都已经给我们讲过了，那些学术研究成果也告诉我们主动管理型基金并不能持续战胜市场。主动管理型基金的业绩还比不上一个简单的指数基金。指数基金的费用要便宜 500%~3000%，业绩却更好。但这种市场营销策略通常很有效，是不是？把你的主动管理型基金业绩和那些大家都觉得非常糟糕的产品的业绩一比，你马上会觉得自己投资的产品没有那么差了。

但是，并不是每个人都“恨”年金。

从另一个角度讲，我非常吃惊地发现，美国联邦储备系统（美联储）前主席本·伯南克在任期间可以说是金融界最有影响力的人，在个人理财计划方面，他非常重视使用年金。伯南克必须先披露个人投资，才能够担任美联储主席。这些公开披露的信息表明，他持有的股票和债券比例相对较低，而他的年金是最大的两笔重仓投资。我马上产生了这样的想法：“难道他知道我并不知道的东西吗？”

那么，他知道的我不知道的东西是什么？

年金是不是自从切片面包发明以来最好的东西？年金只是一种生意，仅对销售年金的保险公司和经纪人有好处吗？答案其实取决于你拥有的年金类型，以及保险公司向你收取的费用。让我们进一步深入研究。

在写本书的过程中，我一直在寻找世界上最受人尊敬的智慧头脑，以探求最好的路径，让读者能够锁定一个有保证的终身收入现金流，一张够你吃上一辈子的支票，从而再也不用为钱去工作。毕竟，这是我们做投资的最大原因。当我挑选要采访的理财大师时，戴维·巴贝尔这个名字一直“持续上升，接近首选地位”。你还记得我在上一章中讲过的吗？他是拥有多个博士学位的沃顿商学院教授，为美国劳工部提供咨询建议，评估过一份关于目标日期基金的研究。

2003年年初，戴维在一份报告里讲他个人的投资理财故事，他是如何拆穿他那些华尔街同行的建议的，那些人鼓励他自己投资，选择股票和债券，追求更高的增值，以此创造一个终身收入计划。相反，他没有冒一分钱的险去投资股票和债券，而是运用一系列有保证收入的年金。年金的长期业绩令人吃惊，让他得到了一份安全且有保障的退休收入。这是他想得到，也值得得到的一份终身收入计划。他运用的年金还能给他100%的本金安全保证，所以他在2000年和2008年市场暴跌的时候一分钱也没有亏。相反，他现在舒舒服服地享受着退休生活，和老婆、孩子、孙子、孙女开开心心地在一起，内心完全安定平静。因为他知道，这份终身收入计划让他的钱永远也花不完。

我飞到费城，去和巴贝尔博士见面，准备给他做一个小时的访谈，结果访谈变成了四个小时。他的投资策略，我们会在后边重点介绍，它非常强大有力，而且非常简单。这种"内心的宁静"因素确实应该考虑进来，我可以理解。正是他采取的策略能让他享有这种自由。当我结束访谈离开时，我对年金的看法发生了彻底的改变，至少对某些种类的年金的看法是这样的。

他说得非常清楚："并不是所有的年金都是生而平等的。"年金有很多不同的类型，每一种都有自己独特的好处和缺陷，有些年金你确实应该痛恨，但是把所有年金都归为同一类，不假思索地歧视和痛恨是非常错误的，毕竟年金是唯一经受过 2 000 多年长期考验的金融工具。

朱利叶斯·恺撒保险公司

历史上第一份终身收入年金诞生于 2 000 年前的罗马帝国。罗马市民和战士会把钱存进一个资金池，那些活得最久的人得到的收入会逐年增加，那些非常不幸、没能长寿的人也就得不到钱了。当然，政府会从中抽走一小部分，恺撒的必须归还恺撒。

拉丁语里"annua"这个单词是我们现在的英语单词"annual"的来源，因为最早的罗马人是每年领取收入的。当然，这也是年金（annuity）这个单词的来源。讲这种烦琐的小事和投资有什么关系呢？

17 世纪，欧洲政府使用了同样的年金概念（称为联合养老保险），来为战争和公共项目建设筹资。当然，政府要从总金额中抽取一部分费用。在现代世界，这些产品的数学推算和基础仍然完全一样，唯一的改变是信用评级最高的保险公司取代了政府的角色，其中有很多保险公司做年金业务的历史超过了 100 年。这些保险公司经受了历史的长期考验，包括大萧条、经济衰退、世界大战，以及最近的信贷危机。

但是我们必须小心谨慎，不同类型的年金之间有很大差别。2 000 多年过去了，年金差不多还是老样子，只有一种版本——像经典可口可乐一样的金融解决方案。它就是一个简单的合同，是你跟保险公司签订的。你把你的钱给保险公司，它向你保证用你的钱，为你创造一份有保证的收入或者收益。你按照合同交完全部费用之后，要决定什么时候开始领取年金。你等的时间越长，能领到的年金就越多。在你购买年金的那一天，你就有一个计划表，上面有明确给付年金的日期和金额，根本不需要你去猜测。

这是变化，还是一种进步？

最近这50年，年金已经演化出了很多不同的类型，完全不同于恺撒时期年金最原始的样子。有时这种演变是一种好事，但有时它最终成了一种突变。

可以肯定地说，糟糕的产品要比好的产品多得多。正如约翰·博格所说的："从概念上来看，我还是年金的推荐者，但是你最好先仔细地看看所有的细节条款，再决定是否购买。"让我们直接切入主题，你应该避免哪种年金？

变额年金都是很糟糕的年金

2012年，超过1 500亿美元的变额年金被卖了出去。为了正确地看待这个问题，我要告诉你，1 500亿美元只比苹果公司2012年的销售收入低一点儿。变额年金已经演变成很多大型证券公司和银行最喜欢销售的产品，因为变额年金能给它们带来很多佣金。变额年金到底是什么东西？简言之，它就是一个保险合同，你交的所有保费都会被投资到公募基金（也被称为子账户），是的，还是那种业绩低于市场平均水平但是收费高得离谱的公募基金。但是这一次，投资者所购买的这些公募基金是从一个年金"包"里面买的。为什么会有人愿意通过年金来投资公募基金？因为年金产品有特别的税收优惠，用年金里面的钱投资增值可以递延纳税，就像

401（k）账户或者个人退休金账户那样。这种规定特别有吸引力，于是那些推销广告就来了，如果你的 401（k）账户或者个人退休金账户缴费都超过了上限，但你还有多余的资本想要投资，那么你可以选择年金。但是你买了年金，不仅要支付过高的费用给包在里面的业绩低下的公募基金，而且年金本身还要另外收取一定的费用。

费上加费

那么年金还有什么吸引力呢？为什么有些人会买那些“包”在年金里面的公募基金，他们只是为了避税吗？大部分变额年金保证，即使账户投资的基金市值下跌，你的受益人还是会至少得到相当于最初投入本金金额的年金。所以，如果你投入了 10 万美元购买变额年金，但后来年金投资的公募基金的市值跌到了只有 2 万美元，在你去世之后，你的孩子还是能领到 10 万美元的年金。听起来它不像是一笔很糟糕的买卖，但是后来你才意识到，其实你是购买了一种价格最昂贵的人寿保险。

在本书的第二部分第 7 章，我们列了一张基金费用一览表，里面都是你购买一只主动管理型公募基金所需要支付的费用。我们解释过，这些费用会如何大幅地拖累你的投资业绩表现。在这里简单回顾一下，所有这些费用的总额接近于每年 3.1%，这是《福布斯》杂志一篇文章的研究结论。[持有基金用的是可以税收递延的账户，比如 401（k）账户、个人退休金账户和变额年金。]

每投资 10 万美元的基金，每年就要支付 3 100 美元的费用。

但是这还没有完。

如果你买的是变额年金，那么你不但要支付上面所列的基金费用，还要额外支付一些费用给保险公司。首先是“死亡费用”[①]，根据晨星公司的

① “死亡费用”包含在某些年金或者保险产品里面，用来补偿保险公司在年金合同下承担的各种风险。

研究，平均每年为1.35%，再加上年金账户的管理费，每年在0.1%~0.5%。

让我们把所有这些费用加到一起：
基金平均成本：3.1%（依据《福布斯》杂志的文章数据）
死亡费用：1.35%（平均）
管理成本：0.25%（平均）
合计：4.7%

也就是说，有时候你投资10万美元的年金，每年就要支付4 700美元的费用，你先要支付这些费用，剩下的才是你拿到手的净收益。换句话说，如果基金的投资收益率是4.7%，你付完费用后，实际上一分钱也得不到。你还指望所有这些附加费用帮你避掉投资收益所要交的税款吗？见鬼去吧，扣掉所有这些费用之后，你根本剩不下什么收益了，如果还剩一点儿的话，你还要自己掏钱交税。

陷入困境

尽管大多数人买这些变额年金都亏了钱，但他们仍然担心、害怕，不敢把钱从年金里拿出来，因为年金有死亡收益保证（保证他们的继承人能得到和原始存入的本金相同的年金）。保险合约上往往有很严格的解约费用条款，所以你要提前解约，保险公司就会向你收取很高的解约费。

那么这个规定有什么例外吗？只有两种年金例外。专家告诉我，到目前为止，当一个人需要提高税收效率的时候，它值得考虑。先锋公司和美国教师退休基金会都提供了低成本的变额年金，里面有一个低成本指数基金名单可供你从中选择投资。它们不收取佣金，所以也没有解约费。你如果想兑现，就可以拿钱走人。

不是你爷爷买的那种年金

在本书第五部分，我们将会清楚地对比传统的收入年金和较新型的年金（固定指数年金），即提供一些最高的和最吸引人的收入，保证其不低于其他任何金融产品，与此同时提供 100% 的本金安全保护。等你读完了本书，你心里就会很肯定且非常宁静了，因为你知道每个月你打开信箱时，就会收到一张支票（你不用为了得到这张支票而工作）。我们将会加速你通往财务自由的速度，只要我们能够找到方法消除你获得终身收入所需要交纳的税收就行了。你会问自己要怎么做。

办法是拿出来一部分钱，综合运用罗斯个人退休金账户的力量和终身收入年金的力量。这意味着无论政府把所得税提高到什么程度，你都可以非常放心地确定你拿到的钱都是自己能够花的收入。是的，收入都是合法的、安全的、免税的终身收入。它没有波动的部分，也不用担心股市的变动。

这一章的目的不仅要告诉你需要避免的事情，而且要警告你不要陷入那种市场营销谎言的误导，认为所有年金都是坏的。只有唯一的原因让我不愿意再更详细地解释年金的力量，因为你首先需要明白把你的钱放到哪里了——这就是资产配置。只有明白了资产配置，你才会知道什么时候买年金，以及买什么年金对于你来说是合理的。

解决方案

你如果有了一个年金，不管它是什么类型，找个年金专家帮你评估一下，总是有好处的。

- 发现你现有年金的优点和缺点。
- 确定你支付的年金的实际费用是多少。
- 评估你能得到的保证是否是你可以得到的最高水平。

• 决定你继续保留现有的年金，还是跳出来“变更”成另外一种不同类型的年金。

如果你有一份年金，但是你觉得它不是特别好，那么有一个条款叫作“1035 转换”，你只需要做一些简单的文书工作，就可以把现金余额从一家保险公司转到另外一家保险公司，而且不用为此接受税收上的惩罚。但是你必须意识到，你现在的年金可能有“解约费”，如果你没有持有这份年金足够长的时间，就要付解约费。也许，你可以为此推延一下转换，直到解约费变得很低或者根本不再征收。另外，你可能要放弃死亡受益保证金。

继续跟我一起前进，现在只剩下最后也是最终的一个投资营销谎言需要我们去发现了。这个谎言也是投资内行认识得最清楚的：你必须承担非常高的风险，才能获得非常高的收益。

让我们来揭开第 8 个投资营销谎言……

第 13 章　投资营销谎言 8：“高风险才有高收益”

投资操作，就是通过深入、完全的分析，保证本金的安全性和足够高的收益率。不能满足这些要求的操作就是投机。

——本杰明·格雷厄姆（《聪明的投资者》作者）

来拿你的蛋糕，吃掉它

从表面上看，我觉得这就像一个企业家对风险有很高的容忍度。但是我一生中最重要的一句格言就是“下跌有保护”。

——理查德·布兰森（维珍航空的创始人）

我的朋友理查德·布兰森是维珍航空的创始人，也是很多传奇品牌的创始人。1984 年，他决定创立维珍航空公司。他知道这就像“戴维挑战巨人歌利亚”一样，不过这位市场营销大师知道，自己可能会让那些竞争对手干掉，特别是那个规模庞大的竞争对手——英国航空。在局外人看来，这好像是一场巨大的赌博。但是理查德·布兰森，就像很多聪明的投资者那样，更关注的是如何对冲下行风险，而不是打出一个本垒打大赢一把。所以理查德·布兰森采取了一个非常聪明的举动，他第一次购买了 5

架飞机，但是想方设法地协商出一个永久的交易：如果这家公司没能经营好，他可以把买的5架飞机还回去！这是一个能够拿回本钱的保证！他如果失败了，也没有什么损失，但是他如果赢了，就会赢得很大。后面的事情，大家都知道了，他真的赢了，而且赢得很大。

与企业界不一样，投资界会直接告诉你或者非常委婉地告诉你，你如果想大大地赢一把，就必须承担相当高的风险，或者更严肃地说，你如果想获得财务自由，就必须用你的个人自由去冒险。

好像没有什么能更偏离真理了

所有成功的投资内行都有一个共同的特点，他们不会用自己辛辛苦苦攒的钱去做投机，他们会制定策略。请记住沃伦·巴菲特的两条投资法则：第一条，不要亏钱；第二条，记住第一条。不管是世界上顶尖的对冲基金交易人，如瑞·达利欧和保罗·都铎·琼斯，还是像Salesforce.com网络公司的创始人马克·贝尼奥夫，以及维珍航空的创始人理查德·布兰森，无一例外，所有成为亿万富豪的投资内行都在寻找机会，能够让自己得到风险—收益不对称的机会。这是一种书面的说法，它的意思是你得到的收益很高，但你为此承担的风险很低，二者严重不成比例。

风险很小，收益很大

冒的风险很小，赚到的利润很多。最好的例子就是高频交易员，他们用最新的高科技（是的，甚至是飞行机器人和微波塔，传输速度比光速还快），力争节省1/1 000秒。你猜他们的风险—收益比是多少？股票市场70%的交易量都是由他们创造的。我来给你一个线索。威图金融是全世界最大的高频交易公司，它将要公开发行股票上市。按照上市流程规定，它必须披露其业务模式和赢利能力。在过去五年中，它只有一年亏钱了；在过去一年上千个交易日内，只有一个交易日亏钱了！它的风险是什么？我猜想是用更快的电脑做投资。

两个硬币相互摩擦

我的朋友，也是对冲基金的大师凯尔·巴斯在投资界非常有名。他最大的成就是把 3 000 万美元的投资变成了 20 亿美元，而且只用了短短两年。按照传统的智慧，人们会说他一定承担了非常大的风险，才能获得 600 多倍的收益。事实并非如此，凯尔只是做了一个赌博，他赌房地产泡沫将会扩大，就像动画片《欢乐糖果屋》里面的小孩一样，这种泡沫迟早都会爆掉。还记得那些日子吗？那些非常贪婪的、不合格的房地产抵押贷款购房人，受到销售人员的劝诱，什么样的房子都敢买。他们没有足够的现金支付，也没有任何证据证明他们负担得起。银行等贷款人不停地发放抵押贷款，因为他们知道他们可以把这些抵押贷款打包，再卖给那些并不真正了解这些抵押贷款实情的投资人。这个泡沫显而易见，只要你站在外面仔细地观察足够长的时间。但是凯尔的聪明过人之处在于，他只冒了 3 美分的下行风险，就得到了 1 美元（100 美分）的上行收益。冒这么小的风险，就能得到这么高的潜在收益，他是怎么做到的？

最近我和凯尔交流，他详细地分享了另外一个风险—收益严重不对称的投资机会。这个机会的投资条件是什么？他投资本金的 95% 有保证，如果公司公开上市，他就会有无限的上行收益（他预期会得到巨大的回报）。但是如果这家公司股价大跌，甚至公司都跌没了，他的损失最多只有 5%。

凯尔就像所有伟大的投资者一样，承担了很小的风险，却有机会获得很大的回报。用力去击球，想要打出一个本垒打，大赢一把，却没有任何下行风险保护，这是灾难的根源。

"我怎么讲这个观点，读者才能一听就懂？"我问。

"托尼，我来告诉你我是怎样教两个儿子，让他们搞明白的：我们买了 5 美分硬币。"

“你说什么，凯尔？是不是刚才电话出问题了？我敢发誓，你刚才说的是你买了 5 美分硬币。”

“你听得很清楚。有一天，我正站着冲澡，忽然想，我怎样才能得到完全没有风险的回报？”

大部分投资专家做梦也不敢想会有这样的好事。在他们的脑子里，无风险收益是一个自相矛盾的说法。像凯尔这样的投资内行跟大众的想法完全不同。他总是故意违反传统智慧，来寻找风险—收益严重不对称的小规模的投资机会。这位著名的风险投资大师创造了最近 100 年来最高的业绩，却用自己辛辛苦苦挣来的钱去买钱：投资 200 万美元购买 5 美分硬币，这些硬币挤满了一间小屋。这是怎么回事？

5 美分硬币的价值不断波动，就在我跟凯尔进行电话交流的时候，他告诉我：“托尼，美国一个 5 美分硬币要是熔成金属（镍），其价值为 6.8 美分。这意味着 5 美分硬币其实真正的价值是 6.8 美分（增值 36%）。”想一想，多么疯狂，多么不可思议！我们生活在这样一个世界上，政府花了接近 9 美分的总成本（包括原材料和制造成本）来制造一个 5 美分镍币。美国国会有一个人注意到这件事了吗？很明显，这是不可持续的。总有一天，美国国会会醒悟，美国就会改变 5 美分硬币制造的“原料”配方。“也许下一代 5 美分硬币会是由锡或者钢铁做的。政府对 1 美分硬币做过这种完全相同的事情，因为在 20 世纪 80 年代早期铜变得太昂贵了。”1909—1982 年，1 美分硬币是用 95% 的铜做的。现在，1 美分硬币大部分成分都是锌，只有 2.5% 是铜。现在这些老版的 1 美分硬币的价值是 2 美分（不是熔化后的价值，是那些硬币收藏者愿意支付的价格）。和原来的票面价值相比，交易价格涨了 100%。如果那个时候你投资了 1 美分硬币，你的钱就会翻上一番，且没有任何风险，你甚至根本不用熔掉这些 1 美分硬币。

我承认这种做法一开始听起来有些像耍小花招，但是凯尔是非常严肃和认真的。“要是我能把所有的个人财富都换成钱拿出来，我就把它们换成 5 美分硬币，现在我就愿意做这件事。”他解释说，“因为你根本不用担心政府印了多少钱。5 美分硬币总是值一个 5 美分硬币。"他的现金将会升值 36%，就像 1 美分硬币那样，未来也可能升值 100%，因为美国政府最终不可避免地会改变 5 美分硬币的配方，使用更便宜的金属。

凯尔非常热心。"我到哪里能够找到这种既能带来 36% 的收益率又没有任何风险的投资机会？即使我判断错了，我也会开始有多少钱，将来还能有多少钱。"当然，现在把你的 5 美分硬币熔掉是不合法的，但是关键是"我并不需要熔掉，因为只要美国政府改变了制造 5 美分硬币的配方，老版的 5 美分硬币就会变得比以前更有价值，因为它们具有短缺性了。这些 5 美分硬币开始从流通领域里退出了，而且越来越短缺了"。

显然，他的孩子们学到了这一课，而且他们的身体也得到了很好的锻炼，因为他的孩子们要把一箱箱硬币搬到他们家的储藏室里。

现在你也许会想："是的。对于凯尔 · 巴斯来说这样的投资确实很棒，他有百万美元甚至亿万美元的财富可以做大手笔的投资，但是我的钱很少，如何用这种方式投资？"当然，对于普通投资者来说，根本不可能只有上行收益而没有下行风险，即本金可以得到保护，不会遭受损失，而且有很大的上行收益潜力。

你再好好想想。

同样高水平的金融创新推动了高频交易快速发展，从不存在到发展成为股市主导力量，只用了十年，这也触动了金融界的其他领域。2008 年金融危机，股市崩盘之后，很多人并没有意愿投资股票，在全球最大的银行工作的非常有创意的聪明人，想出了一套办法，完成了看似根本不可能的事：允许你和我分享股市上涨的收益，而不用冒任何股市下跌、损失本金的风险。

也许，你会完全否认这种想法："这简直太疯狂了，完全是胡说八道。"但是我个人就拥有这种票据，由全球最大的银行发行并提供担保，它给我 100% 的本金安全保护，如果市场上涨，我还可以分到很大一部分股市上涨的收益（没有分红）。但如果市场崩溃了或者市场暴跌，我照样可以拿回我所有的钱。不知道你会怎么想，反正我非常愿意放弃一定比例的潜在上行收益，来交换对我的本金的安全保护，避免亏掉我投资组合中的很大一部分收益。

但是我正在进步，超越自我。

我们美国人已经进入了一个关键时刻，大部分人都觉得，我们唯一的选择是要让自己的财富增长，所以我们要冒巨大的风险，那么我们唯一可行的选择是在股市的滚滚波涛中前行，承受巨大的惊险和刺激。我们有时会自我安慰，事实上每一个人都在同一条船上。真的吗？这不是真的！并不是所有人都坐在同一条船上。

其他很多船要舒服得多，静静地浮在水面上，船锚固定在一个众所周知的非常安全的港湾里，而其他船正在承受大风大浪的冲击，很快这些船就要沉没了。

谁拥有这些停在港湾里非常安全的船？他们是那些投资内行，那些富豪，那些 1% 的投资精英。他们不愿意用自己辛辛苦苦挣的钱去投机冒险。但是不要搞错了，你并不需要成为 0.001% 中的投资精英，也能采用像 0.001% 的人那样的投资策略。

谁不想两全其美，鱼和熊掌兼得呢？

在投资界，做到两全其美、鱼和熊掌兼得，就是当市场上涨时你能挣到钱，而当市场下跌时你一分钱也不会损失；我们能坐着电梯上去，但是不会下来。这种投资想法好得让人简直不敢相信它是真的，这非常重要，以至我用整整一部分来阐述这个概念：“只涨不跌，创造一个终身收入计划。”但是现在这个简单的开胃菜，是用来让你摆脱过去先入为主的旧观念，相信你和你的钱都必须承受无穷无尽的波动风险的。下面是三个得到验证的投资策略（我会在第五部分深入探讨），它们能够使你获得丰厚收益，同时牢牢地把你的船锚固定在更深更冷的水里。

1. 结构化票据。这可能是今天你能够得到的最令人激动的投资工具之一，但是不幸的是，这些票据很少提供给普通投资大众，因为那些高净值投资者就像中央公园里的鸽子一样把这些产品都吞掉了。幸运的是，合适的受托人能够给个人投资者找到购买的途径，即使没有很大的投资资本规模也行。所以你要仔细看好了。

结构化票据，其实就是你贷款给银行（一般是世界上最大的银行），这家银行会发行给你一张票据，作为你借钱给银行的交换。等贷款时限到了，这家银行保证会付给你更多的钱：百分之百地返还你的本金，可能还会有一定比例的股票上涨收益（不包括股票分红）。

就这样，我能拿回来我所有的本钱，即使股市比我购买这些票据的时候跌得更低，但是如果股市在这期间上涨了，我可以分享一部分上行收益，我称这种票据是"精心设计的安全场所"。你明白了吗？你一般不能得到所有的上行收益。所以你要问问自己，是否愿意放弃一部分的上行收益来获得下行风险保护。很多人都会说"我愿意"。这些解决方案会变得特别有价值，特别是当你处于人生的关键时期——接近退休或者已经退休，你根本负担不起遭受任何巨大损失的时候。再来一次 2008 年金融危机，你根本负担不起损失，甚至因此你就活不下去了。

有些票据会允许你分享更多的上行收益，但前提是你愿意承担更多的下行风险。例如，现在有一种可以购买到的票据，会给你 25% 的下行风险保护"气囊"，那么当市场下跌超过 25% 时，你才会承担亏损。作为交换，他会给你超过 100% 的上行收益。还有种现在能够购买的票据，提供了 140% 的上行收益，代价是你愿意承担超过 25% 的风险部分，所以如果在期限内市场上涨了 10%，你将能够得到 14% 的投资收益。

那么结构化票据的缺点是什么？第一，这种保证有多可靠，只能取决于做出此保证的发行人有多大的实力，所以非常重要的是，要选择最强大或最庞大的银行（即票据发行人），它们要有一个非常强大的资产负债表。（注意，雷曼兄弟本来是一家非常强大的银行，但是后来它突然就不是了！这正是为什么很多专家会选择加拿大银行，因为它容易拥有最强大的财务指标。）

第二个挑战是什么？你选择的时机可能错得离谱。比如，你拥有一个五年期的票据，在前四年市场是上涨的，这个时候你会觉得心里美滋滋的。但是如果市场在第五年暴跌，不仅前四年上涨的收益都打了水漂，而且它还在跌，你还能把你的钱拿回来，但是前四年的上涨收益你一点儿也得不到了。如果你需要在到期之前卖出这个票据，你只能得到一部分票面价值。

非常重要的是，你一定要注意，并不是所有的结构化票据都是生而平等的，就像所有的金融产品一样，有好的也有坏的，很多大型零售金融企业卖给你的票据包含它们自己要赚的相当高的佣金、承销费和分销费，所有这些都要分走一部分你未来的潜在上行收益。购买结构化票据，你需要找一个经验老到的专业受托人（一个注册投资顾问），他一般会帮你摆脱这些费用，因为受托人只收取固定比例的投资顾问费，剥离这些费用之后，你的投资业绩就会上升，受托人也会帮你确定你拥有的票据是税收效率最优的，因为不同品种、不同方式的税收会有差异。

2. 市场联动大额存单。首先，这并不是你爷爷、奶奶买的那种大额存单。现在这个时代的利率非常低，传统的大额存单根本跑不赢通货膨胀，这样它们得到了一个“死单”的绰号，因为通货膨胀慢慢地侵蚀掉了你的购买力。就在我写这一段的时候，普通的一年期大额存单的利率只有 0.23%（或者说 23 个基点），你能想象吗？投资 1 000 美元一年只能赚 2.3 美元。普通的投资者走进一家银行，愿意接受 23 个基点的利率，但是那些富有的投资人，那些投资内行会大笑，然后告诉银行，去见鬼吧！1 000 美元存一年的利息都不够买一杯拿铁咖啡！哦，你还要给那 2.3 美元的利息交税，而且要比普通所得税率高得多（投资税率截然相反），尽管与历史税率相比，现在的税率要低得多。

传统的大额存单对于银行来说有利可图，因为它们可以一转身就把你的钱用 10 倍或者 20 倍的利率贷给别人。这是投资理财内行玩的另一个版本的游戏。

股市联结型大额存单像结构化票据一样，它们包括美国联邦存款保险公司所提供的保险。它们是这样运作的：

市场联动大额存单就像传统的版本一样，只是给你小小的有保障的固定收益（一张息票）。如果市场上涨的话，你能够分享一部分上行收益；如果市场下跌了，你可以拿回你的投资本金，加上你那些小小的固定收益（利息），而且你整个投资期间都有美国联邦存款保险公司的保险。一般来说，你的钱要被锁定 1~2 年（结构性票据可能要被锁定 5~7 年）。举一个现实生活中的例子，现在市面上有一种股市联结型大额存单，它支付的利率和传统型大额存单一模一样，但是允许与你分享最高可达 5% 的市场上涨收益。因此，如果股票市场一共上涨了 8%，你可以分到 5%。在这个例子里，和传统大额存单一样，你同样有美国存款保险公司的保险，但是收益要高出 20 倍。但是我要重复一下，如果市场下跌了，你一分钱也不会损失。记住利率，在这个领域利率经常是变化的，某些时候利率可能要比其他时候更有吸引力。2008 年，当银行正在垂死挣扎，急需资金，到处寻找存款时，它们搞了一个私下交易的票据，条件非常优惠，让我的好友阿杰伊 · 古普塔，也是我的个人注册投资顾问，根本无法拒绝。这个存单有 100% 的本金保障，还有美国联邦存款保险公司的保险。它的价值与一个股票和债券的平衡组合相关联。以上所有条件都谈好了之后，他平均每年得到了 8% 的收益率，而且没有任何风险。

不过我必须再次警告你，你如果直接从银行的渠道来购买这些产品，会有一大堆费用和手续费。相反，你如果通过一个投资理财顾问来购买这些产品，一般会免除那些金融零售企业所收取的所有佣金和费用，这样的投资业绩和地位会更好。

3. 固定指数年金。我首先要说一下，确实有很多非常糟糕的年金产品在市场上出售，但是根据我的研究和对一些美国顶尖专家的访谈，我发现有些类型的年金，那些投资内行也能用来当作一种工具，来创造上行收益而没有下行风险。

固定指数年金就是其中的一种年金。它于 20 世纪 90 年代中期出现，但在近期才呈现出爆发性增长，流行起来。一个结构合理的固定指数年金具有以下特点：

•100%的本金保护，由保险公司担保。正是因为这个原因，我们要选择的保险公司是信用评级高、长期信誉好、说话算数的公司，它们往往有100多年的良好信誉。

•有上行收益，没有下行风险，就像结构化票据和市场联动定期存单一样，这种固定指数年金也一样，如果市场上涨，你可以分享一些收益，如果市场下跌，你不会有任何损失。所有的收益都可以递延纳税，但是如果是在一个罗斯个人退休金账户中使用，你不用为这些收益交税。

•最近，可能最重要的是，有些固定指数年金有能力创造出一种收入现金流，你能活多久，它就能持续多久。你相当于有了一张终身支票！要把这种投资作为你的个人退休金该有多好啊。你存的每一美元，一旦你决定启动或者开始领取你的终身收入现金流，保险公司就保证每月付给你一笔确定的收入。保险公司做这种工作非常成功，已经做了200年了。我将会在第五部分深入地探索这种投资策略。

警告

在我们继续前进之前，让我非常清楚地说明一点：这并不意味着这些产品和策略的所有版本都是非常好的。有些会有很高的手续费，有些会有很高的佣金，有些会有隐藏的收费，等等。我最不愿意看到的事情是，有些销售人员会利用这几页的内容，推销给你一些并不符合你最大利益的产品。我要给你列一个陷阱明细清单，你必须避免这些陷阱，同时我还要列一个事项清单。

容忍造就现状

这一章的关键点是，我开始展示给你可以一举两得的投资方法，让你鱼与熊掌可以兼得。有时当长时间忍受波涛汹涌后，你开始相信根本没有其他选择。这种心态和这种心理倾向被称为"习得性无助"，但是那些投资内行绝对不会这样想，从巴菲特到布兰森，他们都在寻找风险—收益不对称的投资机会。投资内行并不是无助的，你也不是。在生活的每一个领域，你的容忍造就现状。现在是时候提高标准，不再容忍了。

我们已经走了多远？

我们已经取得了一些十分重大的进展。让我们回顾一下，到目前为止我们粉碎的 8 个投资营销谎言和我们已经揭开的真相。

• 我们已经学到了没有人能够战胜市场（除了少数几个独角兽之外）！通过运用低成本来模拟市场的指数基金，我们的业绩可以跑赢 96% 的公募基金和几乎同样多的对冲基金。欢迎来到业绩排名的前列！

• 因为注重选股，主动管理型基金收取了我们超高的费用（平均每年超过 3%），我们选择低成本的指数基金就可以把投资费用减少 80%，甚至 90%。这样，等到你退休时，你的投资账户得到的钱能超过 2 倍，或者能把你得到的财务自由所需要耗费的时间大幅度缩减。好好想想吧！

• 我们已经学到了屠夫和营养学家有很大不同，经纪人和受托人有很大不同，现在我们知道去哪里可以得到完全透明的投资建议了（投资顾问费也许可以税前扣减）。

• 我们学到了如何大幅度降低 401（k）的费用，运用低成本提供商，比如美国最好 401（k）是个好办法。你可以看到你的 401（k）计划的费用累积了多少，只要运用费用检查器，一点就知道了。这些节省下来的成本将会让我们总的账户余额呈现复利增长，把钱放回我们家庭的口袋里。（对于企业老板来说，我们会展示给你如何做到让你们公司的 401（k）计划操作合法合规，从而大幅度降低你的法律风险。否则，你要交很大一笔罚金。）

• 我们详细了解了罗斯401（k）账户，懂得如何运用罗斯401（k）账户来保护自己，避免税收的增长，其方法就是今天交税，这样你以后就再也不用交税了（投资增值和账户取款都不用再交税了）。

• 我们学到了目标日期基金不仅非常昂贵，而且可能会非常激进，或者波动得很厉害，远远超出你的想象。如果你想运用一只目标日期基金，你要限定自己只购买那些低成本的目标日期基金，比如先锋公司发行的目标日期基金。后面，你将会学到如何整合你的资产配置，而不是购买一只目标日期基金去帮你做资产配置。

• 我们也学到了变额年金是一个突变性的进化，让这个有2 000年历史的金融产品焕发新生，但是它不同于传统的（固定）年金，能够提供其他年金产品所不能提供的东西：一份有保障的收入现金流。

• 最后我们学到了既可以发财又不冒任何风险，这是可以做到的。当然做任何事情都有风险，但是某些结构化产品会允许我们鱼与熊掌兼得：要是市场上涨了，我们可以分享到一些收益；要是市场下跌了，我们却不会亏损一分钱。

你的眼睛开始睁开了吗？一直蒙住你的眼罩被拿掉了吗？你的人生现在将会出现多么大的不同，因为你知道了真相？粉碎那些投资营销谎言，为你创造真正的财务自由打好基础。我希望你能够看到、听到、感觉到，而且知道投资游戏是能赢的。如果这些投资营销谎言让你心神不宁，那么这是好事。我第一次发现真相，也是这样的。让这些投资真相驱动你去创造真正的财务自由吧，这是你人生中必须达成的目标，你宣布自己再也不会被人利用了。

我们要再上一个层次，它会蛮有乐趣的。我们会让梦想更多的部分变成现实，办法就是制订一个到位的计划，它既切实可行，又令人兴奋。如果你的梦想变成现实的速度还不够快，我们会展示给你如何加速，让你的梦想更快地实现。

但是，我们必须破解最后一个谎言。这个谎言不是其他人兜售给你的，这是你自己兜售给你自己的。正是这个谎言让你一直没有采取行动。现在你突破自我的时候到了！让我们粉碎你自己给自己的限制，办法是发现我们自己告诉自己的谎言。

这种“股市心电图”能要你的命！

标准普尔 500 股票指数年收益率（1960—2010 年）

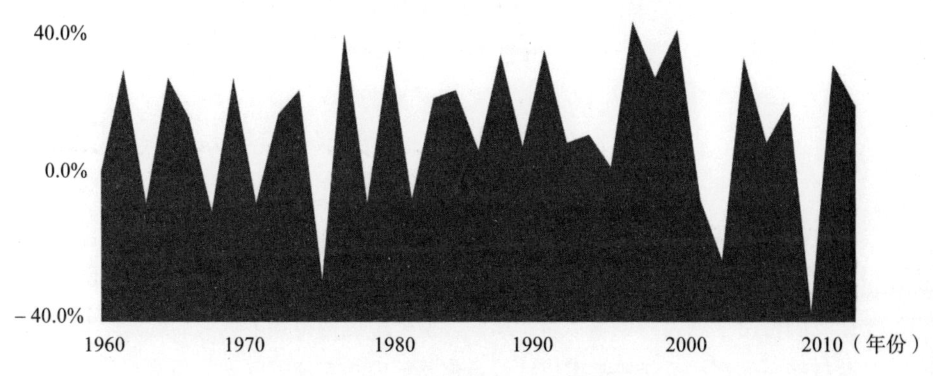

图 13–1

第 14 章　投资营销谎言 9:“我们自欺欺人的谎言”

寻找真相，你才能找到出路。

——弗兰克·斯劳特

好吧，我们实话实说吧。我们前面讲了八大投资营销谎言，多年来，让我们付出了巨大的成本，而让那些大型金融机构得到了巨大的好处。我敢打赌，你现在可能非常震惊，但是你感觉内心充满了巨大的力量。你现在知道应该避开什么、做什么，才能投资成功了。

但是，你还需要粉碎最后一个投资谎言。这个谎言说的是，我们没有成功，我们没有成就，我们没有成长，都是因为别的人或者别的事情超出了我们的控制范围，我们自己没有办法解决。或者我们认为，自己天生不是那块料，根本不能掌控这一领域。但是真相是这样的：我们大多数人的人生无法实现重大进展，阻止我们的终极因素并不是别人的限制，而是我们自己限制自己的感觉或信念。不管我们现在多么成功，不管我们现在的层次有多高，个人、专业、精神、情绪层面达到了多高的层次，总还有更高的层次。我们必须对自己非常诚实，对自己没有意识到的恐惧非常诚实。我说的意思是什么？

每个人都在某种程度上害怕失败，有时我们非常害怕自己美中不足，甚至尽管我们知道该做什么，我们的恐惧害怕还是会阻止我们去执行既定的计划。结果是我们没有直接面对我们自然的恐惧害怕，我们做了什么？

我们开始编故事。故事讲的是，为什么我们还没有足够聪明、足够成功、足够苗条、足够富有、足够爱别人或者让人爱。我们编的故事总是把自己的失败归因于某个超过我们控制范围之外的东西，或者我们天生缺乏某种才华和能力。但是才华和能力这两个成功的关键因素，是每一个真正承诺全身心投入的人都可以得到的。你也可以得到你想要的技能，只要你能超越那些认知上的自我限制——认为自己要掌握这些技能太辛苦、太困难，自己"根本不可能做到"。

你已经做出了一生中最重要的独立的投资理财决策，那就是精确地决定你要储蓄起来的收入的具体比例，以此来打造你的自由基金，好让你能够借助这笔资金来创造一个赚钱机器，让你睡觉也能照样赚钱。我们已经花费相当多的时间看穿那些投资营销谎言，正是由于它们的存在，我们一路走来才会不断地犯错，不断地栽跟头。那么还有什么其他障碍？最后一个阻挡我们前进的障碍是，我们自己的故事，我们自己的限制，我们自己的恐惧。我们最后要面对的那个障碍就是我们自己。正是因为这个原因，过去 38 年来我最有激情去做的事情就是，帮助人们冲破阻碍，帮助他们走向他们想要去的地方，而且速度更快。我的整个人生一直致力于帮助人们创造突破，而且坦白地说，尽管很多人把这一步搞得非常复杂，我却发现其实只有三个关键因素决定了你的人生是成功的还是失败的，决定了你是原地踏步还是大步向前，决定了你是否总是找借口以及是否能够享受你值得拥有的人生。

突　破

什么是突破？突破就是从不可能变成可能的那个时刻——你不再只谈论某件事，而是终于采取大量的行动，做任何需要做的事，让这件事真正发生，这个时候就是突破。你做出一个举动，真正改变和改善你的世界，这就是突破。

经常是挫败、生气、压力引发了突破。我们到达了临界点：在这个临界点，我们会说“再也做不到，再也多不了了”。或者灵感一下子降临了：我们遇见某人激发了我们，让我们看到人生完全可以更加伟大，比我们梦想的都更加伟大。你遇见一个人，他能够充分享受人生，有很棒的人际关系和健美的身材，有真正的财务自由。这让你下定决心：“我要跟他一样聪明能干，我也能过上这样的生活。我要找到一条新的人生之路。”原来你可以接受的，现在却再也不能接受了。你现在再也不会回到从前那个样子了。你下定决心，在沙滩上画下一条线，承诺去追求一个新的目标，设定一个新的标准，从此之后，你能够做到的事会让你自己感到震惊。

大多数人会说：“这花了我十年才做出这个改变。”但是真相是并不需要花上十年，你就可以做出突破。真正的转变就发生在那一刻。也许要花费十年，你才能到达那个关键点，你已经准备好了，你放开了，甚至你被人激怒了。但是我们的人生都曾有过突破，这些突破都发生在那短短的一刻。有件事让我们挣扎了好多年——工作或者事业，体重或者人际关系，我们一直很难受、很痛苦、备受折磨，直到有一天有件事扣动了扳机。突然，“就这样了”。

“我爱你。”

“我退出。”

“我加入。”

“我们开始吧。”

不是一天，也不是一个小时，就在那短短的一刻，你的人生改变了，永远。

你是否经历过一段勉强维持的合作关系，尽管你知道自己并不快乐，你的合作伙伴也不快乐？你到了非处理这段关系不可的地步了，但是你害怕未知，害怕改变，害怕孤单，结果这些害怕阻止了你采取行动，后来你就习惯了，安逸了，再也不想改变了。

不管你让自己挣扎的是什么，我知道有一个地方，你以前有过突破。花上一点儿时间，你肯定能想出来一个地方。有哪个地方曾经一直让你很纠结——每天、每周、每月，甚至好几年，十几年，直到有一天你触碰到了临界点？你突然受到启发，或者再也忍不下去了，终于做出了一个真正的决定，要永远、彻底地改变它！你采取大规模行动，而且是马上行动来做出改变。你成功了。你最终改掉了坏习惯，你再也不抽烟了。或者你离职了，再也不干那些让你一直非常痛苦的工作了，你自己创业了。也许你最终决定开始锻炼，改变自己的体形了，或者让自己跳出那段非常糟糕的人际关系。

我希望你能够拥有那种突破。有一段时间事情看起来根本不可能改变，但是你做到了——是你让本来不可能做成的事情成功了。你绝对有能力改变你人生中的任何事情。不管这件事持续了多久，你在顷刻间决定完全彻底地改掉它，那一刻就是真正下定决心的时刻，那个决定就是你行动的依据。这就是你有过的真正突破。现在就有一个新的突破正在等着你。

三步创造突破

只需三步就可以创造突破：三种力量结合在一起，能够大大地改变你生活的任何一个方面。每种力量都可以单独地起作用。如果能把三种力量结合在一起，你绝对能够改变你选择的那个方面。

美国人面临的三个最大的挑战是什么？哪三个领域被事实一次又一次地证明给美国人的生活带来了痛苦？我们的投资理财，我们的夫妻关系，我们的身体健康。第一个领域是钱。有多少人，你知道，一直在钱的事上挣扎。他们不能储蓄；他们赚的钱太少；他们花的钱太多；他们想不出来为了让自己的职业发展得更好，下一步该去做点什么。第二个领域是怎么处理好自己的夫妻关系。男人和女人天生不同，如果我们不能彼此理解的话，我们就需要做很多工作，才能保持健康的亲密关系，才能理解我们的伴侣真正需要什么，真正想要什么，才能够用爱和支持的方式进行沟通。第三个领域是我们的身体。在我们现在生活的时代，西方世界的大多数人都体重超标。10 个美国人里有 7 个人要么超重（美国疾病预防控制中心的衡量标准是身高体重比为 25.0~29.9），要么肥胖（身高体重比超过 30.0，甚至更高）。让我们挣扎痛苦的是体重和健康，它们已经成为全国性的危机，现在正在扩展到全世界，因为有些发展中国家也吸取了部分美国人的生活方式和饮食结构。

为什么我把那些问题全都摆出来？夫妻关系的挑战、不健康的饮食习惯和你获得财务自由的能力有什么关系？不管你想在哪个领域创造突破，不管是你的身体，你的夫妻关系，还是本书关注的焦点——钱，你都只有三样东西需要关注。你如果想改变你的人生，就必须改变你的策略，改变你的故事，改变你的状态。让我们从策略开始，因为这是大多数人开始的地方。

正确的策略

你一直在读本书，你肯定在寻找答案，寻找策略来掌控你的金钱，确保你未来良好的财务状况。我活着就是要找到策略来改善我们人生的每一个方面。过去我花了38年，一直执着地坚持寻找策略和工具来快速改变人们的生活质量。我做得非常成功，影响了100个国家的5 000多万人。因为我疯狂地找简单的策略来快速引发突破——人生各个重要方面的突破：夫妻关系的突破，投资理财的突破，工作事业的突破，企业增长的突破，身体、心灵、灵魂的突破。

我始终相信，得到一种结果的最好和最快的方法就是找到一个榜样，这个榜样已经做成了，你只要模仿他的行为就行了。你如果知道有个人以前很胖，但是现在身材苗条，十分健康，而且保持了十几年，那么你赶紧模仿这个人的生活模式！你有个朋友，过去夫妻关系非常紧张，现在夫妻二人的感情很好，相亲相爱，而且保持十多年了，赶紧去模仿他！你碰到一些人，开始的时候他一无所有，后来一路打拼，积累了很多财富，而且财富一直很稳定。快去学习这些人的策略，这些人并不只是因为运气好，还因为他们做的事与众不同，所以他们才会在这个方面取得成功。

我全力以赴地寻找那些卓越人士的过人之处。为了找到一种行之有效的策略，你必须去找那些做得最优秀的人，他们的成功久经考验。你如果追随他们的策略，播下了同样的种子，就会收获同样的果实。我经常说“成功有迹可循”，就是这个意思。本书有很多有效的成功策略，都是从最成功的人那里总结出来的。

正确的策略的另一个好处是，可以节省你最宝贵的资源——时间。如果你一开始就有一个久经考验、行之有效的计划，有个正确的策略，那么你可以把别人几十年的挣扎奋斗，变成几天内就能实现的目标。如果你没有正确的策略，那么挫折根本无法避免，因为你第一次学某样东西，只能不断地尝试，不断地失败，不断地摸索。相反，按照正确的策略，你得到想要的结果的时间只需要几天，而不是几年，因为你学习那些已经取得成功的人，你找到了捷径。为什么要重新经历一次挫败？

现在就是关于策略力量的问题了。继续读下去，你就会拥有你在全世界能够找到的最好的投资理财策略。我可以向你保证这些策略并不是我发明出来的，而是有史以来最成功的投资者所采用的策略。但是尽管我对策略非常着迷，我也知道仅是策略本身不足以让你成功。

为什么仅靠策略是不足够的？有一个关键的挑战：人们往往采用错误的策略，不可避免地，最终会以失望而告终。你正在努力减轻体重，你用的办法是每天只吃 500 卡路里的食物——这肯定没办法持续，你会饿死的。或者你非常肯定自己只要买一只热门股就可以发大财了，实际上这样做几乎不可能成功。

大多数人会去找谁学习策略？我们会找谁寻求建议和指导？我们往往从失败的人身上学习！你有多少次是从夫妻关系非常糟糕的人那里寻求搞好夫妻关系的建议的？你有多少次是向一个一直为超重而挣扎的人寻求保持身材的建议的？有多少人接收的信息反而强化了他们永远无法改变自己身材的错误想法？为什么要听这种只有反作用的信息？因为没办法，他们周围都是那些身材不好的朋友或者家人。我们寻求投资理财的建议也是同样的情况。我们向那些并没有真正积累到相当多财富的人求教，因而得到的投资建议不是良药而是毒药，它们只会让自己陷入灾难。这只会加强你原来的信念，用什么办法都没用。其实，根本不是用什么方法都没用，只是因为你学习的是那些不成功的人的不成功的策略，错误的策略，而这些策略是无效的。

不管策略看起来多么美，你还是要不时地看一下结果。

——温斯顿·丘吉尔

故事的力量

回到我们面对的最大挑战：我们的夫妻关系，我们的身体，我们的财务。在每一个领域，我们都被困住了，原因有三个。第一，正如我们前面所说的，我们缺少正确的策略。我们都知道一对夫妇，不是男的不愿意沟通，就是女的不能停止唠叨。夫妻之间不明白对方的需要，更不用说满足对方的需要了。如果有个朋友总是不断地追逐最流行的减肥食谱，你会怎么跟她说？或者有个朋友总是在寻找一个神奇的方法能使自己迅速地成为百万财富，他其实是在告诉自己，若没有这个神奇的方法，他就永远不能实现财务自由。没有正确的策略，你就会失败。当你失败了，你就会编出一个很离谱的故事："我的老婆永远不会满足。""我永远不能减掉体重。""能赚到大钱的人是那些已经很有钱的人。"这些自我选择的故事阻止我们去寻找正确的策略，甚至尽管我们有了正确的策略，它也会阻止我们具体实施。

你是不是也认识这样的朋友？你把答案直接放在他们的眼皮底下，他们还是会说："不行，这根本不会有效，因为……"他们会告诉你 100 万个理由。正确的策略就摆在面前，为什么人们就是不用？为什么他们还是没有实现他们的目标？要保持相亲相爱的夫妻关系怎么就这么难？为什么彻底减掉体重这么困难？为什么 70% 的美国人的体重都超标？是因为变苗条和健康的策略实际上太复杂了吗？是不是那些信息都被隐藏起来了，只有 1% 的人才能找到，或者这些信息收费非常高，只有特别有钱的人才能买到？见鬼去吧，根本不是。你要找的答案随处可见，随时可得，随地可用。你家附近肯定有一个健身房，开车一会儿就到。（上帝禁止我走过去。）全世界到处都有教练，有些能在网上指导你，你不管在哪里都行！网络上到处都有免费的建议，当然，网上还有好多关于健身和减肥的书籍，你用手机或平板电脑可以马上下载。你根本不用费事就能找到你想要的策略，让自己的形体变得更好，体格变得更强壮，身体变得更健康。

那么真正的问题是什么？答案是我们必须把人性考虑进来。我总说，人生成功，八成靠心理，两成靠方法。你怎么解释有些人明明知道自己需要做什么，自己想做什么，而且有正确的策略，他却没有采取行动？要解开这个谜题，我们必须深入地研究个人的心理：价值观、信仰、情绪。这些心理因素在驱动着我们。

正确的策略就放在面前，但是你还没有成功。这是因为你丢失了达成突破的第二把钥匙：故事的力量。如果你没有采取行动，那么答案就放在你眼前，只有一个原因：你创造出了一套信念，已经绑定在一个故事里了——这个故事讲的是为什么这个方法你用不行，别人用就行。这个方法只适用于四种人：有钱的人，有好身材的人，幸运的人，夫妻关系和谐快乐的人。你很容易编出一个自我限制的故事。

既然如此，为什么你还要费事采取行动，实践你"知道"肯定会失败的策略？这个策略不是问题，故事才是问题。那些做事半信半疑的人会说：这可能能行，也可能不行……"当然会不行了！这个信念成了一个自我实现的预言。这种故事就像能够解除力量的魔戒，失败简直板上钉钉。当然，失败的结果只会进一步加强你的那个信念：用什么方法都不行。这样就形成了恶性循环——不相信，失败，更不相信，更失败。

但是那些真正做成事情的人、完成目标的人、转变的人、成长的人、学习进步的人，他们不仅采取了策略，还附加了一个新的故事：一个能够赋予人力量的故事，一个"我能做到而且我愿意去做"的故事来代替"我不能做到，所以我不愿意做"的故事。于是，实现了从一个自我限制的故事转到了一个赋予力量的故事。我不愿意成为大多数不能做到的人中的一员，我要成为少数能够做到的人中的一员。

有段时间，我的体重超标38磅，我给自己编的故事是“我的骨架很大”。确实如此，但我也很胖。故事可能是真的，但如果它们不能帮我们，而且会阻止我们拥有自己想要而且值得拥有的生活，我们就要改变这些故事。我们的人生中也有过很烂的故事。

我不能赚到足够多的钱。

我不能储蓄更多。

我从来不会阅读。我天生有阅读障碍。

我的朋友理查德·布兰森是维珍企业帝国的掌门人，他有阅读障碍，但这一点并没有限制他的人生发展。为什么？因为他对阅读障碍的信念或者故事是积极的，而不是消极的。他的故事不是“我根本不会阅读了”，而是“我有阅读障碍，所以我必须更加刻苦努力地工作，才能做成我想做的每一件事——我会更加刻苦努力”。要么你利用你的故事，要么你的故事利用你。找到你人生出错的地方，和找到你的人生做对的地方一样容易，只要你改变你的故事。你的夫妻关系出了问题，理由是所有的好男人都走光了，他们是同性恋可是你不是，或者你是同性恋可他们不是。总是有个故事好讲，对吧？故事控制着我们的情绪，情绪驱动着我们的行为和行动。

我来问你一个问题：你担心钱的事吗？钱的事会让你半夜睡不着觉，翻来覆去吗？一提钱的事你就非常紧张：下个月工资啥时候发？下个月的车贷怎么还？小孩子上大学的学费啥时候能攒够？我能不能攒到足够多的钱享受退休生活？你的财务压力到底有多大？按照美国注册会计师协会的研究，44%的美国人，也就是接近一半的美国人，在接受调查时说自己的财务压力属于“高水平”。你有没有这样想过，“这么大的压力会压垮我”？

凯利·麦戈尼格尔是斯坦福大学的健康心理学家，他一直警告人们注意压力的危险，已经有整整10年了。后来她才意识到也许是她的建议，而不是压力本身正在把人更快地送进坟墓。“我是在把一种可以强化健康的刺激转化成一个疾病的源泉。"思路的突破加上一些强有力的新研究，麦戈尼格尔的观点完全转变了。

研究结果表明，压力也可以成为我们的朋友。就像你给肌肉压力（举重或跑步）能让肌肉更强壮，情绪压力能让我们的身体和心灵更加强壮。麦戈尼格尔现在重点普及的观点是，新的研究表明，转变你的头脑对压力的看法就能真正改变你身体对压力的生理反应。在一个持续 8 年的研究中，有些成年人体验到了"压力非常大"，内心也相信压力有害健康，他们的死亡风险增加了 43%。（这真让我紧张。）可是另一些成年人也同样体验到"压力非常大"，但是内心不认为压力有害健康，没有把压力看作有害的，结果他们死亡的风险一点儿也没有增加。麦戈尼格尔说，压力的生理信号（心跳加快，呼吸急促，浑身冒汗）未必是焦虑的生理证据，也未必表示我们应对压力做得不太好。相反，我们可以把这些生理反应换一种方式解读：这是我们的身体正在释放活力，让我们准备好迎接下一个挑战。现在的科学证明，关键不是压力，而是你怎么看待压力——你联想到的压力的故事很关键。告诉自己压力有害，可能会让你 50 多岁就得心脏病；告诉自己压力有益，可能会让你健健康康地活到 90 多岁。这仅是一念之差。

成功是我唯一的选择，失败不是。

——**《失去自我》（歌曲）**

那么关于钱，你过去一直给自己讲的故事是什么？是什么阻止你不能实现你的财务梦想？你一直告诉自己现在开始储蓄为时太早，还是说现在开始重建你的投资组合为时已晚呢？你现在赚的钱太少了，根本不够花，哪里还能有钱储蓄？整个社会有人操控，故意和你做对，所以你何必费事瞎折腾？也许你的故事是，"政府让我们承受沉重的债务负担，整个金融体系混作一团"，或者是"我就是对数字不在行"。好消息是，你并不需要对数字在行！你只要有个手机，上面有计算器，就可以在手机上下载一个应用程序，回答几个简单的问题——你现在在哪里，你想去哪里，你愿意做什么，从而得到一个投资理财规划。你会清楚地了解到如何实现财务自由。

也许你的故事是“先要有钱才能赚钱”。我把本书的初稿分享给一些朋友看，第一批读者中的一位，她有个核心信念是：“我永远不会实现财务自由，除非我能有办法赚到很多钱。只有一开始就有很多钱的人，才能赚到更多的钱，但是我没有那么多钱。”后来她读到西奥多·约翰逊的打造你自己的赚钱机器的故事之后——那个送快递的家伙年收入从来没有超过1.4万美元，却利用自己打造的赚钱机器，经过一生的持续努力，把这么少的收入转化成7 000万美元的巨大财富，她马上把自己的故事扔到了窗外。西奥多并不幸运，他能积累如此巨大的财富，用的只是一个简单的系统，和本书后面你要学习的系统一模一样。

她的新故事也可以成为你的新故事：“我只要利用那个简单的复利机制，就能赚到很多钱。我就可以去任何我想去的地方，我就可以过我真正想过的生活，我就可以实现财务自由了。根本没有什么限制，那些限制都是我自己给自己加上去的。

我的重大财务突破之一，就是在我的故事有了重大改变后才出现的。小时候，我家很贫穷，我总是把缺钱和家里每个人的痛苦联系在一起。我很小就发誓，我绝对不会要小孩，除非我真的有钱了。我发誓，我要赚很多钱，让我的家人再也不会为钱发愁。我小的时候，因为没钱付不起账单，吃饭时桌子上什么食物也没有，我当时感到羞愧、挫败和痛苦。

我不断地努力，终于实现了自己的诺言。我18岁的时候，每个月能挣到1万美元，当时来看，这可是一大笔钱，现在也是。我非常激动，我回去找我从小一起玩到大的好朋友，他和我一样从小家里就很穷。我说：“我们一起出去大玩一场。我们飞到埃及，骑骆驼比赛，从这个金字塔骑到那个金字塔！”我还是小孩的时候就一直有这个梦想。现在我可以跟好友一块儿实现这个儿时的梦想了。可是好友的反应完全不是我想的那样，他说：“这事对你很容易，你是有钱人。”我把这家伙当好朋友，才会来找他一起去玩，没想到他竟然会这么鄙视我，我简直气得浑身发抖。我不是来炫耀我有钱的，我只是想和朋友分享我的财富，去共同体验一场真正的冒险。但是我需要重新评估，我创造出了一个新的故事：虽然一个信念说你能做好，但你做得差不多好就行了，不然别的人要说你了。如果你做得太好了，大家就会不喜欢你了。

就这样过了很多年，我的人生和我的事业都发展得挺好，但是我的收入并没有大幅增加，直到后来我最终碰到了一个临界点，到了我人生的一个重要阶段。我开始想："这简直太可笑了。"如果我能拓展我的智力，我应该去做吗？我的答案是："当然了！"如果我可以体验到更多的爱，给予更多的爱，我应该去做吗？当然了！如果我可以拓展我的能力，给予别人更多，我应该去做吗？当然了！如果我可以赚更多钱，增加我的财富，我应该去做吗？第一次，我感到犹豫不决。为什么在我人生的其他领域我拓展自己，让自己得到更多，给予更多，是很自然的事，但是一旦涉及钱的问题，突然之间我的答案就完全不同了？为什么？这太不合理了。

但是后来我知道真相了。我有一个深深的恐惧，自己原来并没有意识到，那就是我害怕别人指责我，于是我在这个领域进一步拓展了自己。我太希望取悦每个人了，我太希望得到别人的爱了，以至于我潜意识里不但以为赚更多钱、发更大的财像是做错事，而且它在潜意识里暗中破坏自己的成功，好让自己别赚太多的钱。像很多人一样，我告诉自己钱不是精神上的，钱和心灵无关。这是不是太疯狂了？任何一个变得真正富有的人都知道一个真相，要变得富有并且保持富有的唯一方法就是，在一个大家真正看重的领域，找到一个方法，为别人做更多，比其他所有人做的都要多。如果你成了别人生命中的"好福气"，你自己也会得到上天赐予的"好福气"。钱，只是这些"好福气"中的一种，但是它确实是一种"好福气"。它只是另一种形式的自由和富足。

钱不是别的东西，钱就是一种反映。它能反映出你的创造力有多大，你的专注能力有多强，你增加价值并且得到回报的能力有多大。你如果能够找到一种方式，创造出更多价值，让很多的人受益，那么你就有机会得到很多的经济回报，让自己的人生变得非常富足。

我到达了那个临界点，那时我开始厌烦用原来的那种方式生活，我看到了只是为了讨好别人是多么的荒谬可笑。如果你赚大钱了，别人就会把你归为“1% 的富豪精英”，这确实不假。我从还是个孩子的时候就觉得，成为那 1% 精英中的一员，太野心勃勃了。我的父母属于那 99% 的平凡人，我原来也属于那 99% 的平凡人，但我就是不甘心这样过一辈子，为了我自己，为了我的家人，我想出人头地。不过，停留在那个层次，只是为了和别人合得来，搞好关系，这也太不合情理了。我过去把自己在财富积累上缺乏进展归咎于要和别人搞好关系，要合群，我已经厌烦透了，我再也不要这样做了。我在赚钱积累财富上限制自己的故事，必须得抛弃了。我爱别人，但是我不能浪费自己的生命来取悦他们，特别是我知道这样取悦他们，我的人生格局就小多了，我只能限制自己。我打心眼儿里不相信造物主创造我们的生命就是为了这个目的。现在是时候了，我应该去找一种方法，赚更多的钱，并用同样的方法，努力给予更多，贡献更多，付出更多的爱，同时拓展我的能力，在智力上、情绪上、精神上都要拓展自己，使自己更加精进。

有了这种信念上的转变，突然之间一切变得一清二楚了。这并不是说我要征服这个领域，比如在处理夫妻关系这个方面，策略可能一直就在那里，但是由于我的思维僵化，所以我一直对它视而不见。一旦你改变了你的故事，你的整个世界都会随之改变。

改变你的故事，就能改变你的人生；脱离那种自我限制的故事，拥抱发现真相的故事，每件事情都会改变。我敢说，当你摆脱了自我限制的故事，采取大胆的行动，你就会发现策略开始起作用了，你能创造的结果简直就像奇迹一般。

我给你最后再举一个例子，我有个好朋友朱莉，她是一个成功的编剧，她的稿酬属于顶级水平，可是她在财务上一直没有太大的进步。等到她和她的丈夫都 50 多岁了，他们才有了一套漂亮的房子，抵押贷款虽不算多，但是他们的个人退休金账户里只有 10 万美元——离他们退休需要攒的退休养老金的目标金额还差得很远。他们的钱都被投资到一个名为"社会责任"的公募基金上了，这个基金收取的费率很高，吃掉了他们的大部分投资收益。

朱莉的丈夫柯林想投资得更加激进一些，但是朱莉甚至根本不愿意和他谈投资理财的事情。朱莉告诉丈夫说他恨华尔街，恨华尔街代表的一切。事实上，一谈钱就会让她很不舒服。对于她来说，钱是罪恶的。

但是后来一个突破发生了，她参加了我举办的研讨会，释放了内在的力量，我们运用策略故事的力量改变了她的心灵状态，告诉她，你在人生的每一个方面都能创造出突破，释放出你的内在潜力。我运用音乐和其他工具来让观众处在巅峰状态，就是这个时候，正是发生突破的时候。

那个周末转变了她的财务人生。她是怎么做到的？她认识到有些事情必须改变，要不然，她和丈夫就要面临非常悲惨的退休生活，最打动她的是，她想明白了自己的负面信念，她对钱的负面看法创造出了持续不断的痛苦，由此影响了她的婚姻，也影响了她的将来。她问自己这个故事是从哪里来的，她剖析自己的内心，然后问自己，这真的是我吗？这就是我非常相信的东西吗？我们并不是生来就相信钱的，很多人认为钱是罪恶的，这个信念是从哪里来的？

朱莉不需要剖析得很深，就能找到答案。朱莉的父母成长在大萧条期间。她的妈妈从来没有得到过上大学的机会，尽管她的学习成绩非常拔尖，但她只能去找一份百货商店店员的工作，一个星期才挣 9 美元，而且根本不敢抱怨工资低，也不敢抱怨站得时间太长，脚疼得要命，因为她的妈妈太怕丢掉这份工作了。朱莉从小到大一直在听妈妈唠叨同样的故事，一遍又一遍——那些富人如何剥削穷人；银行和华尔街的经纪人如何摧毁了美国经济；人们根本不能相信股票市场。听的次数多了，朱莉在脑子里形成了一种联系："如果我成了一个富有的投资者，我就变成了一个坏人，我的妈妈就再也不爱我了。"

朱莉意识到她一直在告诉自己这个讲述财富罪恶的故事，但这并不是她本人的故事，而是她妈妈的故事。"钱是万恶之源"，这是她妈妈像念经一样一天到晚重复唠叨的咒语，但并不是她自己的咒语。自己意识到了这个真相，这让她感到震惊，这个真相让她解脱了，这些话语对她失去了所有的影响力。事实上，她自己做了一番功课，研究了《圣经》上的内容，结果她发现《圣经》并没有说“钱是万恶之源”，而是说“爱钱如命”，爱钱超过爱其他所有的东西——真爱、夫妻关系、奉献，绝对会让你大难临头。

这是个令人震惊的转变。朱莉从她自我限制的故事里面走出来后，很快便坐下来跟她的丈夫第一次谈论起他们的财务问题，她非常激动，夫妻俩可以合作，重新获得财务人生的控制权。想象一下，打造你的财富会是多么艰难，因为你的核心理念是钱是罪恶的东西。他们抛弃了成本很高的公募基金，而把他们的个人退休金账户转换成一个多元化的由先锋公司提供的指数基金组合，然后他们制订了一个合适的长期投资理财规划，就像你在本书后面会读到的那样。这让他们成功地踏上了通向财务自由的阳光大道。

朱莉和柯林转变了他们的故事，结果后来发生了什么？他们学会了如何玩这个投资游戏并且获胜，他们学到了如何创造一份终身收入，他们学到了额外多加 15 万 ~25 万美元到自己的腰包里的方法，它其实很简单，就是从那些收费很高的公募基金里跳出来，转向那些收费很低的指数基金，这样你的投资就能节省出很多费用。有了足够的退休金，你的退休生活会多么的幸福惬意。

记住，秘密很简单：改变你的故事，就能改变你的人生。脱离那些让你自我限制的故事，拥抱真相。你能让任何事都梦想成真。

你的状态很重要

如果你感觉糟透了，你根本不会认为生活很美好。你是否有过这样的经历：对某人感到很生气，然后就突然想起这个人曾经做过的每一件让你讨厌、愤怒的事情？当你进入愤怒的状态时，大脑会支持这种状态，那么让你保持这种状态的那些故事马上就会出现了。

相反，沐浴在爱情里的女孩子看世界会是什么样子？好像一切都透过了玫瑰色的透镜，每件东西看起来都美妙极了，对吗？粗鲁的店员无法惹怒你，哭闹的小孩看起来很可爱。这就是一个积极的状态，它会改变你的外表和你的故事。

你的内心和情绪状态会影响你对生活中每件事的感觉和体验。我和任何人合作，从世界一流的运动员到大权在握的公司高管，我首先要做的事就是改变他的状态。你的好心情如果被开启，你就能做成你想做的事情，但是如果被关掉了，你的整个世界就完了。你知道我说的是什么意思，对吧？你知道，当你状态很好的时候，每一件事情都进行得很完美，你甚至根本不用思考：打网球，你会发球得分；开会，你会说到点子上；谈判，你会得到你想要的结果。我们也都体验过相反的情形：我们连自己家的地址都想不起来；到别人家吃晚饭，可连女主人的名字都想不起来了；连英文单词"the"都能拼错。我称之为愚蠢的状态。但是过了几分钟你就恢复正常了：你想起答案了，因为你现在处于另一个不同的状态。

本书的目的并不是要教你如何改变你的状态。我的书、音频、课程、现场活动，很多讲的都是这个主题。总之，你可以马上彻底地改变你的感觉（而不只是希望你自己能够感觉良好），你只需要明白先改变你的身体，然后就能改变你的头脑。

我可以教给你很多办法，马上改变自己的状态。其中有一个最简单的办法，我称之为改变你的生理机能。你可以改变你思考的方式，方法是改变你的运动和呼吸的方式。情绪是动作创造的。大量的行动可能会治愈你所有的恐惧。好好想想，恐惧是生理性的。你的嘴、你的身体、你的胃都能感觉到恐惧。勇气也是一样的。你可以只用 1/1 000 秒就从一个状态转到另一个状态，只要你能学会彻底地转变你的行动、呼吸、说话方式，以及你使用身体的方式。我运用这些诀窍近 40 年了，并把它们用来转变一些精英者的状态，包括世界上顶尖的运动员、交易员、企业领导人、政治领导人。2013 年，哈佛大学做了一项科学研究，研究证明了这种方法的有效性。

哈佛大学教授、社会生理学家艾米·库迪在2012年发表的TED演讲非常有名，他提出了一个“非科技生活妙招”，他让在场的观众改变姿势，并持续保持2分钟。艾米·库迪的研究表明，你只要采取“有权有势的姿势”（比如电视剧《神奇女侠》中那个女超人双手叉腰，两腿坚定地站在地面上；或者想想你办公室里的那个家伙，向后靠在椅背上，两手交叉放在头后，胳膊肘向外张开——你知道那个家伙是谁），就会让睾酮（显性激素）分泌增加20%。与此同时，皮质醇（最主要的压力荷尔蒙）分泌会减少25%。这种荷尔蒙水平的改变影响很大，会马上改变你直面恐惧、接受风险的意愿，而所有这些变化在你的身体姿势改变2分钟后就会出现。按照艾米·库迪的研究，在摆出有权有势姿势的人中，86%的人反馈更愿意尝试抓住机会，接受挑战。而另一组志愿者要求用更加被动的姿势站着或者坐着2分钟，双腿和双臂紧紧交叉，他们的睾酮分泌水平下降了10%，而压力荷尔蒙水平上升了15%。这一组志愿者的行为举止更加自信的比例要少得多，只有60%。记住，这些不仅是生理上的变化，而且是真正的生物化学上的变化。我传授这些方法已经有38年了，我的学生们都知道我教他们的方法真的很有效，现在也被科学实验证实了。这意味着什么？大体可以说，你激动了。你的步伐迈得更大了，你准备冒险了，你要接受必要的风险来重新打造自己的世界。只需要摆上2分钟的姿势，你就可以导致荷尔蒙分泌的变化。这种变化要么让你的大脑更加肯定、更加积极、更加自信、更加舒服，要么让大脑更加被动、更加顺从。我们的身体能够改变我们的大脑。

我的人生也曾低迷过，有段时间我体重超标，心情沮丧，住在加利福尼亚州威尼斯只有一个房间的小公寓里。我盯着空荡荡的房间，听着尼尔·戴蒙德的唱片。听起来很吓人，是吧？有个朋友，我们好久没见过面了，他顺道来看我。一进房间看到我这个样子，就问：“老兄，你出什么事了？”真是一语惊醒梦中人。当时我就下定决心，我要打破现状。

于是我穿上跑鞋，抓起我的索尼随身听（不错，大叔我年纪够大才会有这个老古董）。那个时候，我沉浸在音乐里：当时，一次只能听一张唱片，不像现在用 iPod（苹果公司音乐播放器），有 10 000 首歌曲供你随意选择。我找到传奇摇滚乐队 Heart（心）的唱片，播放歌曲 *Barracuda*（《梭鱼》），让节奏点燃我的激情。我开始奔跑，我下定决心，要跑得很猛很快，像我过去的人生那样，不跑到吐血决不停步。若要说我下定决心要超越自己的限制，那就显得太低调、太保守了。

我敢肯定，那时我跑步的样子看起来一定非常滑稽，因为我体重超标 38 磅，一跑起来我的啤酒肚就被甩来甩去，活像个猪八戒。后来我累得连口气都喘不上来了，一下子瘫倒在沙滩上，手里抓着一本杂志，那是我随身带来的。就是在那种极端的信念、决心、兴奋、筋疲力尽交织在一起的状态下，我坐下来，写下了每一件我在生活中再也不会忍受下去的事情：我的身体状态，我的懒惰，我肤浅的亲密关系，我糟糕的财务状况。我决心要创造出人生新状态——在那个热烈期望、充满活力的状态，我非常肯定自己能够找到成功实现目标的道路。

有了足够强大的状态，你会发展出一个强大的故事。我的故事是："过去的生活在此时此地结束了，新的人生从此开始了。"我非常认真，我要竭尽全力地去做。我发现，你如果改变了你的状态和你的故事，就能找到或者创造出正确的策略，得到你全心全意想要得到的东西。正是用这种方式，你能创造出一个真正的突破——一个新的状态，一个新的故事，一个得到证实的有效的策略。

过了 30 天，我减掉了 30 磅。过了 6 个多星期，我一共减掉了 38 磅。我非常狂热地努力实现我的承诺。那一天我设立了新的标准，我是什么人，我会容忍什么。从那天到现在，已经过去 30 多年了，这个标准一直没有被降低过（我的体重也从来没有再回到那时的水平）。

我从年收入低于 3.8 万美元到现在年收入超过 100 万美元，只用了一年多的时间。收入水平能提高这么多，我当时做梦也想不到。更重要的是我的情绪和心理状态恢复到了正常的水平——这两种力量能够真正改变某些人的人生轨迹。决心、信念、勇气开始成为指引我奋力向前的动力。

伟大的策略就近在咫尺，但你视而不见，直到你让自己进入一个合适的状态：强大有力、下定决心、自立自强。这个状态将会自动孕育出信念和故事：你能实现愿望，你必须实现愿望，你会实现愿望，而且你会全身心地投入去实现愿望。有了这样的状态和故事，你不仅能够找到有效的策略，还能拥有你值得拥有的回报。你是不是看得非常投入？只要你现在过的生活有任何一个方面远远低于你值得拥有的生活，那么现在是时间去改变这些要素中的一个或者多个了。

记住，我们能得到的东西，就是我们能容忍的东西。所以，再也不要容忍你自己给自己找的那些借口，限制自己的信念，得过且过和恐惧害怕的状态。运用你的身体，以此为工具，让你快速进入一个只有纯粹的意愿、决心和承诺的地方。直面挑战，你内心坚定的核心信念是：问题只是通往梦想道路上的减速带。从那个地方开始，你只要采取大规模的行动，按照一个有效的和经过证实的策略采取行动，就会重新改写你的故事。

现在是时候了，我再也不要成为大多数人中的一员，而要成为极少数人中的一员。成为极少数人中的一员，一步一步地提高，一步一步地进步，拥有属于自己的真正能力，不仅在投资理财上，而且在你人生中的每一个方面。大多数人一开始有很大的抱负，但是后来却勉强地接受远远低于自己真正能力的生活和生活方式。他们让失望摧毁了自己。失望是不可避免的，只要你想努力做一件大事。但是你不能投降，要让你的失望来驱动你寻找新的答案，要用纪律约束你的失望。从每一次失败中学习，按照自己从失败中学习到的经验教训去改善自己的行动。你只要这样持续做下去，成功就会是必然的。

因此，下一次当你又编出一个理由解释为什么你不能做成某件事时，而你心里知道你的精神是没有限制的，你就要直接对自己说这些理由都是胡说八道的。改变你的状态，改变你关注的焦点，重新回到真相，调整你的路子，追逐你真正想要的目标。

好了，深呼吸，或者大叫，起来，运动。把这九大投资营销谎言，这些过去的限制，全部清除。然后，我们就可以迈出下一步，也就是7步通向财务自由之路的第三步。我们要让这个游戏变成我们可以赢的游戏，其办法是想出一些具体的财富数字——这些财富数字反映出你真正想要实现的财务梦想究竟有多大。接下来，我们可以创造出一个投资理财规划，不断地改进和完善这个规划，找到办法加速实施这个投资理财规划，从而让你能够更早地实现你的财富梦想——比你能想象到的还要早。

MONEY

7 Simple Steps to Financial Freedom

MASTER THE GAME

第三部分

梦想的代价，让游戏能赢

第 15 章　梦想的价码是多少？让游戏能赢

人人都有梦想，但人和人的梦想不大一样。

——T. E. 劳伦斯

我举办投资理财研讨会，开场总是用下面这个问题："你梦想的价码是多少？"接着我会邀请参会的人站起来，告诉我，需要多少钱，才能让他们实现财务安全、财务独立、财务自由。大多数人都一头雾水，根本不知道如何回答。有人支支吾吾，有人扭来扭去，之后可能会有几个人举起手来。我主讲过几百次研讨会，有来自各行各业的成千上万的人，我听到过各种各样的财富目标数字。你能想象到的数字，我都听说过。

现在我来问你，你自己想想看，你需要多少钱才可以实现财务安全、财务独立，甚至财务自由？不需要精确的数字，甚至不需要合乎逻辑。100万美元？500万美元？5 000万美元？现在只用1秒钟，只用你的直觉，写下你感觉到的数字，就写在本书的书页边上，写在手机上，或者随便找片纸，只要写下来就行。最重要的是写下来这个动作，写下来就相当于定下来了，你会感觉这个数字特别真实。

你写好了吗？很快你就会明白，为什么写下来这一步是非常重要的第一个行动。

现在，我的经验告诉我，你如果像大多数人一样，你就会感觉自己写的那个数字对于自己来说有点太大了，是不是？好，接着读下去，因为我们将会做一些非常轻松的练习来帮助你征服这个数字。我敢打赌，这会让你发现，你能让这个数字看起来很小，比你想象到的还要小得多。事实上，你将学会不仅只有一个“魔术数字”，因为你会有五个不同水平的财务梦想，让你实现自由。不管你是刚刚开始工作还是准备退休，不管你的财务收支非常稳固还是摇摇欲坠，我敢保证，这五大梦想中至少有两个都在你的能力范围之内，都是你能够实现的。怎么实现？你首先要了解你真正的需要是什么。

最近，我的高端课程上有个年轻人，他坐在房间后面，站了起来，大声说出了他的梦想的价码。他抬头挺胸地高声说道：“10 亿美元。”

人群中响起了一片“噢”“啊”的惊叹声。这个人有 20 多岁，在参加这次会议的人里面，他算是很年轻的，他可能还没有挣到他人生的第一个 100 万美元。于是我就让他考虑下，这个数字的真正意义。

我们在第 4 章中讲过，人们做的每一件事的背后都有一个理由。简单提示一下，人们有六个基本的人类需要：确定性，不确定性 / 变化，重要性，联系 / 爱，成长，奉献。为什么这个年轻人想要得到 10 亿美元？他想要满足的是六大基本需要中的哪一个需要？你可以在生活中得到确定性，需要的钱远远少于 10 亿美元！你可以得到足够的变化性，用 100 万美元就行，甚至再少很多也行，对不对？联系和爱呢？这事很难。就算这个小伙子得到了 10 亿美元，那么肯定会有很多人想要进入他的生活，就像买彩票中了大奖一样，你发现一下子冒出来几十个亲戚和“朋友”，可是自己以前根本不认识他们。有了这么多钱，这个小伙子肯定可以得到联系，但是这并不是他想要的和他需要的。成长和奉献呢？从他的言行举止来看，我觉得他报出了 10 亿美元这个数字的时候，成长和奉献并没有排在他的需要清单的首位。

你个人认为哪一个需要对这个小伙子的驱动力最强？很明显是重要性。正如他所说的，有了 10 亿美元，人们就会非常尊重他。他这个 10 亿富豪对于人们来说很重要，这也许是真的。但问题是他就算有了 10 亿美元，也是不够的，因为你追求的是重要性，你总会把自己和别人比较。人外有人，天外有天，总会有人比你更高、更强、更快、更富、更有趣、更年轻、更帅、更美，总会有人比你的游艇更大、车子更酷、住宅更豪华。所以重要性本身没有错，但如果你把它当作第一大需要，你就很难得到完全的满足。

但是我并没有教育这个小伙子，我决定展示给他看，让他明白要感觉到自己很重要，只用远远少于 10 亿美元的钱就可以做到——大幅降低目标，会让他的日子过得更容易。公开说自己需要 10 亿美元，让他感觉自己在追逐很大的目标。但问题是，把这么巨大的目标装进脑袋，而你的直觉和你的本能并不相信这个目标真能实现，你的大脑就会排斥这个目标。你就会像为了一个谎言而活着。你做过这样的事情吗？编织出一个巨大的目标，脑袋里蹦出一个声音说道："你开什么玩笑！"真相是你永远不能实现你的目标，直到你让这个目标深深地沉入你的潜意识——潜意识是你大脑中最强大的那个部分，是它让你的心脏每天跳动 10 万次，而你根本想都不用想心跳这回事儿。

当开着车的时候，你一下子走神儿了，陷入了某种思绪，突然一下子醒悟过来，才意识到自己走神儿了。你是否有过这样的体验？"我的天哪，前面这 5 分钟是谁在开车啊？！"感谢神力无边的人生保护神——你的大脑潜意识。

要了解这种过程是如何进行的，可以看下面的这张图。想象你的大脑被分成了上半区和下半区，上半区是有意识思考，下半区是无意识思考，即潜意识。

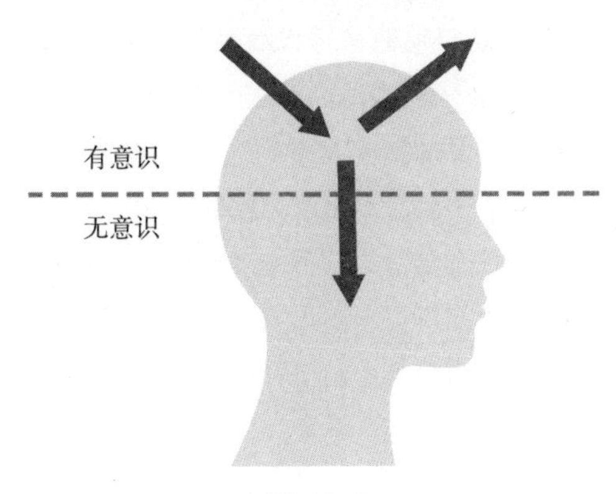

图 15–1

各种各样的想法不停地想要进入你的大脑，比如，“我想赚1 000万美元”“我想40岁实现财务自由”。但是你的大脑上半区，就是有意识的大脑部分会说：“去你的！这种事情根本就不可能发生！”有意识的部分很快拒绝了这样的想法进入意识，把它反弹回去了，就像一个网球一样，从哪里来再回到哪里去。但是如果你下定决心，有着非常确定的感觉“我要做成这件事”，接下来，你就开始构建一个计划，某件神奇的事情就发生了。你开始逐步形成确定性：你真的能够实现这个愿望。有了新找到的自信，你会突然看见，其实有个办法可以做成这件事。你会找到一个榜样，这个人已经实现了你在追逐的目标，你只要跟着他的成功方法一步一步地做就行了。你会开展大量的行动。这个目标深深地沉入你的潜意识中。这样你的潜意识就开始工作了，它让你的梦想变成现实。这个时候就是奇迹发生的时候。

现在我怀疑，你是不是还认为你需要10亿美元来实现你的财务梦想。但是我愿意打个赌，你选择的能让你感到财务安全和财务独立的那个财富数字，肯定会大得吓人。几乎每个人说出的那个财富数字，都远远大于他们实际所需要的财富数字。因为他们并没有花时间计算，用一种和他现在完全不同的生活方式来生活，到底需要花多少钱。也正是因为这个原因，很多人从来没有开始朝这个目标努力行动。他们只是口头上说说而已，大脑想到这么大的财富目标自然会很激动，跟别人一说自己有个这么大的梦想，听起来也很有面子，但他们从来没有开始付诸行动，为实现这个目标努力奋斗。因为从内心来讲，他们根本没有把握自己肯定能够做到这一点。而这种确定性是人类的第一大需要，会影响我们的行为和行动。事实正是如此。如果你没能采取行动来改变你的财务状况，一部分原因是你不能确定什么是对的，什么是错的，不能确定哪条路会成功，哪条路会失败。你感觉整个人完全不知所措，因为整套做法太复杂了，没有人愿意花时间来教你，让你看得清清楚楚。由于存在不确定性，我们一般会干脆什么也不做，或者起码会一拖再拖。本来今天需要做的事，我们会拖到明天再说。

为了帮助我那些未来的亿万富翁朋友，确认他们梦想的真正价码，让他们可以把这个数字固定到他的潜意识里，然后梦想成真，我问了他们一些问题。我很快就会问你同样的问题，来指导你走好你的财富自由之路。

我先问这位年轻的朋友，当有了 10 亿美元的财富后，你的生活会是什么样子的。他想了一会儿才说："我要拥有自己的湾流私人飞机（世界上最快、最豪华的公务飞机）。"

"你自己的私人飞机！"我说，"你要飞到哪里？"

他说："哦，我住在纽约，或许我想飞到巴哈马。我也可能飞到洛杉矶，去参加一些会议。"

我让他写下来他一年大概会飞多少次。他估计一年最多飞 12 次，那么一架私人飞机要花掉他多少钱？我们查了一下，一个飞行距离最长的湾流 G650 机型会花费他 6 500 万美元，要是买一个二手湾流 IV 机型，可以让他节省 1 000 万美元。这些费用并不包括燃油费、维护保养费、机组人员的工资费用。接下来，我们又查了一下，自己不拥有，而是租用一架私人飞机的成本：一个中型的私人飞机，足够满足他自己加上三个家庭成员的飞行需要了，租金大约是每小时 2 500 美元。这个小伙子也许每年要飞行 100 个小时，总共每年的租金支出需要 25 万美元；即使每小时的租金为 5 000 美元，他每年的租金成本合计也只需要 50 万美元——远远低于很多私人飞机的年度保养费用。即使是如此豪华的湾流私人飞机，其每年的租金成本也低于购买成本的 1%。尽管我站在舞台上，和那个小伙子隔得很远，我也能看到他的双眼放光，很明显他的脑子在快速运转。

"你有 10 亿美元，除了私人飞机，你还想买什么？"我问他。

"一座私人小岛。"

这事巧了，正好我也有经验。因为我在斐济这个小国拥有一座人间天堂般的小岛。我在很年轻时，就有一个狂野的梦想，想要找到一个世外桃源，有一天，我带着我的家人和朋友可以到那里生活。我 20 多岁的时候，游遍了全世界的海岛，想要找到我的香格里拉。后来我来到了斐济，我找到了。这个小岛不但有魔幻般的美景，而且有美丽的灵魂，可是那个时候我的钱不够多，不能买下整个小岛，但是我在这个小岛上买了一个小型背包客度假胜地，面积有125英亩[①]。其实我当时没有多少钱，那时这也不是最好的投资。但是那是我“梦想水桶”的一部分，我在后面会给你详细讲述什么是梦想水桶。尽管如此，我还是办成了这件事。我可以骄傲地说，这些年来，我购买了它周围的更多土地，把这个度假胜地转变成一个生态保护区，它有500英亩的陆地，有接近3英里[②]的海岸线。我已经把马雷度假胜地和温泉浴场变成了最近十年斐济排名第一的度假胜地，而且持续位列南太平洋地区的十大度假胜地之一。但是我经常到这个天堂小岛去吗？由于我的日程被安排得繁忙到简直让人疯狂，一年能去那里4~6个星期就不错了，但是我的梦想成真了：每个到那里的朋友都过得非常开心。

我告诉这位年轻的朋友：“如果你想享受你自己的私人小岛，你也许应该进入酒店行业。相信我，你最多只会一年在那里待上几个星期而已。”我们查了一下成本发现，在巴哈马买一座岛屿只需要10万美元左右——之后他需要花费3 000万 ~ 4 000万美元建成一个小型的度假胜地。或者他可以租用我的朋友理查德·布兰森的内克尔岛度假胜地，租一个星期。他就算把所有的朋友和家人都请过来，费用也不会超过35万美元，而且他会有一个50人的团队来照顾你所有的客人。如果这个小伙子每年都来玩一个星期，持续十年，总共也只需要花费350万美元，和自己购买小岛并建成度假胜地所要花费的3 000万 ~4 000万美元的成本相比，它只占1/10，而且他根本不需要考虑维护保养这些设施。

我们分析了一遍他的梦想清单，估算了一下他接下来的人生如果按照这种生活方式度过的话，他实现梦想需要花费多少钱。你猜猜看。不仅是他的基本需要，还有他最狂野的梦想，实现他所有的人生梦想的实际成本不是10亿美元，不是5亿美元，也不是1亿美元，甚至不是5 000万美元，

---

① 1英亩 ≈ 0.004平方千米。——编者注

② 1英里 ≈ 1.61千米。——编者注

而只需要 1 000 万美元。只需要 1 000 万美元，他就可以实现他的所有梦想，并按照他梦想的生活方式生活，而且根本不用去工作赚钱来维持这种生活方式——要知道他的梦想可是大得令人吃惊的。我们算出来的实际梦想总成本是 1 000 万美元，和他想象的 10 亿美元的梦想总成本简直天差地别。这两个数字完全代表两个不同的宇宙。

问题和挑战是当我们碰到了一个真正非常大的数字时，人们的头脑好像无法弄清楚这个数字真正意味着什么。100 万、10 亿、1 万亿，三者之间是千倍的差距，差别非常大。尽管奥巴马总统嘴里说起“百万”和“十亿”两个词所用的语气一样，好像它们有些相关性——其实根本不相关。我来证明给你看。我先来给你做一个小测试。我希望你先想一想，再试猜一下答案。这个练习能帮你正确认识，百万、十亿、万亿三个单位之间的差距究竟有多大。现在，美国政府官员好像一张嘴就是“万亿”，“万亿”成了新的“十亿”，他们现在说“万亿”的次数跟过去说“十亿”的次数一样多。

我的第一个问题是：100 万秒前是多久之前？花一点时间想想看，尽管你可能并不知道答案——现在你猜猜看。

答案是 12 天之前！你的猜测跟答案差多少？不要感觉糟糕，大多数人都猜不对。如果你猜对了，祝贺你。现在我们要提高难度了，因为你现在对“100 万”有点感觉了（100 万秒相当于过了 12 天）。10 亿秒之前相当于多久之前？跟着我，一起来猜。答案是 32 年前。你的猜测接近这个答案吗？对于大多数人来说，他们的猜测都跟答案差得很远。“100 万”跟“10 亿”之间的差别就是这么大：12 天与 32 年。现在你明白了，为什么我说“100 万”和“10 亿”分别属于“不同的宇宙”了吧。你绝对不能用同样的语气说“100 万”和“10 亿”，说得好像它们是同样的数量一样。

接下来继续想一想：你听说美国政府的债务有 17 万亿美元的时候，是什么样的感受？请问 1 万亿是多少？好了，我来提示你一下，10 亿秒相当于 32 年，那么 1 万亿秒相当于多长时间？答案是，近 32 000 年（准确地说是 31 689 年）！我的天哪，那时人类甚至还没有进化成人呢！这个练习的目的是让你意识到，我们的大脑经常弄不清楚大的数字究竟有多大，要是你能认真地看清事实真相，你会发现自己原来以为得到梦想中的非常奢华的生活方式需要很多钱，其实真正需要花的钱比想象的要少得多。

图 15–2

现在回到我们那位未来想成为 10 亿美元富豪的小伙子。不过，请不要误解我的意思，1 000 万美元仍然是一个巨大的数字，但是现在这位年轻的企业家通过未来的努力，还是有可能赚到 1 000 万美元的。谁知道？也许他最终也会赚到 10 亿美元——如果他发明了下一个 Instagram 的话。但是如果他没有赚到 10 亿美元呢？他仍然会过上他想要的豪华奢侈的生活，尽管他只赚到了 1 000 万美元，比他认为自己过这种生活需要的 10 亿美元的财富目标少了 99%。他并不需要成为 10 亿富豪，也能享受到与 10 亿富豪一样奢华的生活品质。

我愿意跟你打赌，一旦你搞清楚了你的梦想的实际价码，那么你会发现，和你想象的实现自己梦想的生活方式所需要的财富水平相比，实际需要花的钱要少得多！你要记住终极真理：生活重要的不是钱，而是心情。真正的目标是拥有你想要的生活方式，而不是你想要的东西。你死了，你的这些东西都要被别人拿走。这些东西不会永远是你的，你生不带来，死不带去。我可不傻。尽管我非常珍爱和享受“我的”那个斐济小岛上的度假胜地，我心里很清楚，我只不过是个看管者而已。将来有一天会有另外一个人拥有这个产业。但是我非常高兴，我把这个地方培育成了一个旅游胜地，全世界的人都来这里游玩，体验到了快乐、浪漫、奇遇。这是我留给后人的一个遗产——拥有这样的成就，才是给予我快乐的原因。占有并不是目的，金钱本身并不是目的。我们个人的价值高低，并不能以银行账户里钱的多少来衡量，而应用我们灵魂的贵贱来衡量。赚钱的过程，钱能带我们去的地方，钱给我们带来的时间、自由、机会，这些才是我们真正应该追求的东西。

你都能得到，只是不能一下子都得到。

——奥普拉·温弗瑞

现在花些时间想想看，你用自己的钱真正想买的东西是什么。并不是每个人都希望自己过的生活像地产大亨特朗普[①]或世界拳王梅威瑟一样！你的梦想是环游世界，探索古城，到坦桑尼亚的塞伦盖蒂大草原上给狮子拍照吗？你的梦想是拥有一套巴哈马的海边度假别墅，还是在纽约拥有一套顶层豪宅？你的梦想是创办自己的企业，编写下一个 Snapchat（“阅后即焚”照片分享应用），还是为人类做出非凡的贡献，成为下一个“上善若水”公益机构？你的梦想是不是很简单，攒的钱能送孩子上大学，还能剩下来足够的钱在郊区买个别墅，有个大花园可以种花、种草、种菜？或者你的梦想只是想得到内心的安宁——你知道你永远摆脱了债务和担忧呢？不管你的梦想是什么，我都会给你指出一条实现梦想的道路。即使你

① 唐纳德·特朗普，2016年当选美国第45任总统。——编者注

可能不能走完全程到达顶峰，你也可以实现那些对你来说最重要的梦想，一路上不断地庆祝自己实现了一个又一个梦想。因为钱是一个情绪的游戏，我们会提出一些数字，让你一看就信心十足。你马上会说："我肯定能行！我敢向自己保证我能做到！"

像所有的旅程一样，开始上路之前，你需要弄清楚自己现在在哪里。我们一起来做几个简单的计算。如果你从来没有花时间想清楚实现自己的财务目标需要多少钱，没关系，你并不孤独。情况常常是，很多赚到百万美元的人还没有制订出一个计划，以保持现在的生活方式，让自己不用为此而靠工作赚钱，至少有一段时间可以不用工作。正如我们前面所说过的，超过一半的美国人从来没有试着算一算，自己需要攒多少钱才能安享退休生活，其中包括美国46%的投资理财规划师！为什么我们会不知道自己的基本财务情况？我听过上百个国家成千上万人的回答，我发现，第一大原因是心里害怕，不敢知道。

这就好像很多人不愿意踏上称重器一样。你知道自己的体重超标，但是你就是不想知道自己有多重。其实这既是一种拒绝承认现实的表现，也是一种拖延着不去改变自己的办法。摔跤选手和职业拳击手每天都会踩上称重器，这样如果体重超标，他们自己会马上知道，以便采取行动及时减重。你不测量体重，就不能管理体重。你不做身体检查，就不能管理身体健康。同样的道理，你不检查你的财务状况，就不能管理你的财务。你只有知道要实现你的财务梦想需要多少钱，才能有机会实现你的财务梦想。我是来帮助你的，让你脱离愚昧。大部分人一谈到自己有多少钱、需要多少钱，就像鸵鸟把头埋进沙子里一样不管不顾。只用1分钟，我们来做一些简单、快速的数字计算，以便弄清楚你现在的财富处于什么水平，以及你需要达到什么样的水平。

不过，我们先来看看这五大财务梦想：财务安全、财务活力、财务独立、财务自由、绝对财务自由。这五大财务梦想，你听起来是不是感觉好像一回事？你大声地说出来，它们是不是分别带给你不同的感觉？试试看。哪个使你感觉更高一级？安全还是活力，活力还是独立，独立还是自由，自由还是绝对自由？这五个财务梦想逐级加大，是不是？实现不同财务梦想的财富数字也会不同。

在这五个梦想里，你也许发现自己只是致力于实现其中一两个梦想。对于有些人来说，财务安全这一个梦想就能改变人生，给他们巨大的自由。因此，设计这个练习的时候，我把这五个梦想分成 5 步，一路走下来，通往绝对财务自由。或者换个比喻，你还记得本书前面提到的那座山吗？你就像登山一样，从山底的大本营一路攀登到顶峰。记住，并不是我们每个人都需要爬完全程到达珠穆朗玛峰峰顶。对于有些人来说，能实现财务活力的梦想就是享大福了，要是能够实现财务独立就像到天堂了！并不是这五个梦想对于每个人来说都是“必须的”。

我请你好好读读这五个梦想，从中选出三个对你最重要的梦想，我称之为“三生万物”。你会拥有三个目标：短期目标、中期目标、长期目标。这样设置目标是因为，我们不能在失败的基础上打造成功，我们只能在成功的基础上不断地打造梦想。你如果只是为了长期的一个大数字而努力，可能会感觉太远，甚至会觉得数字大得让人害怕，结果你可能从来不会真正开启这段旅程。我们需要一个目标，既足够近，让我们觉得肯定能够达到那里，又在相对比较近的未来，这会让你采取行动，把一个短期目标变成现实。记住一路上要不断地宣扬你的胜利。为什么要在你实现财务独立了之后，才去庆祝？为什么不在每个阶段都获胜，然后一个阶段接一个阶段地庆祝？这样做可以持续鼓励你，刺激你，给你前进的动力。

需要多大的能量计划，就需要多大的能量盼望。

——埃莉诺·罗斯福

第一个梦想：财务安全

安全意味着什么？不是我来告诉你，而是要你自己想，所以我们换个方式。我来问你：“如果下面五样东西的开支都付清了，你的余生再不用靠工作而赚钱，你会感觉有多了不起呢？”

1. 你房子的抵押贷款还清了。这辈子你再也不用靠工作来赚钱还房贷了。

2. 你未来的公用事业费全部付清了。你再也不用靠工作赚钱交水费、电费和电话费了。

3. 你家里人未来所需的所有食物的费用全部付清了。

4. 你未来的基本交通费用全部付清了。

5. 你未来的基本保险费全部付清了。

我打赌，你的生活品质将会让你感到非常满意，是不是？你感觉非常安全，因为你知道所有这些东西的费用都有保障了。

现在还有一些好消息：记住你前面写下来的那个数字——你觉得能让自己实现财务安全和财务自由的财富数字。可能你并不像我前面说的那个小伙子那么极端，认为需要赚到10亿美元才够花，这个数字也太大了，但是你想的那个财富数字自己还是感觉相当大的，对不对？没关系，我敢打赌，在你真正搞清楚这个数字后，它会让你非常吃惊，财务安全的梦想可能比你想象的要近得多。如果你是极少数过分低估财务梦想所需要的财富数字的人，你需要做个现实情况核查，让自己知道实现你的财务梦想所需要花的钱的精确数字是多少。

你如果还没有下载我们的免费App，现在赶紧下载，或者用下面的工作表，写下你这五个开支项目每个月花的钱。其实很简单：第一项，你现在的房地产抵押贷款的月供。（你如果现在还很年轻，还没有自己的房子，那就写下来你每个月的房租。你可以估计一下或者到网上查一下，可能不是买一套你理想的房子，而是先买一套实用的房子就行。）你大概每个月要还多少房贷，你如果有过去的历史账单记录，就很容易了，查一下就行。第二项，你每个月的公用事业账单和电话费。第三项，你每个月花在吃饭上的钱。……就这样一项一项地来，你如果手头找不到花销的数据，大概估计一个就行——你随时可以修改，但是你不能失去干这件事的冲劲。我们就是要实实在在地算出来一个合理的数字。查查你的银行账户或者上网查一查，找到需要写下来的这五项开支的数字。保持你现在的这种冲劲，不要让它凉下来。我来给你一个样板。

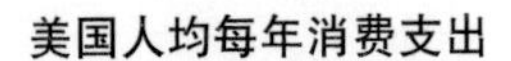

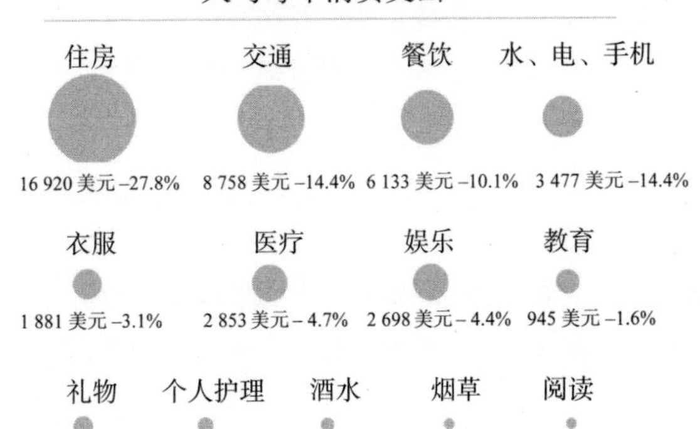

图 15–3

你还记得我的朋友安吉拉吗？我在第一章给你讲过她。她 48 岁，单身。她想弄清楚，她要达到财务安全，究竟需要多少钱。她一开始猜需要 300 万美元。这个数字正确吗？是不是差不多？我让她做了一遍这个练习，写下她每个月的上述五项基本开支。结果表明，她的数字几乎和美国全国平均水平一模一样，你一看下面的列表就能看出来。

1. 房租或者房贷：每月 ____ 美元（安吉拉平均：1 060 美元）

2. 食物，日用品：每月 ____ 美元（安吉拉平均：511 美元）

3. 水费、电费、天然气费、电话费：每月 ____ 美元（安吉拉平均：289 美元）

4. 交通：每月 ____ 美元（安吉拉平均：729 美元）

5. 保险：每月 ____ 美元（安吉拉平均：300 美元）

6. 合计：每月 ____ 美元（安吉拉平均：2 889 美元）

7. 美国人均年度基本开支：每年 ____ 美元（平均为 34 688 美元）

她把表格填完了，我让她把这五项基本开支加到一起，由此得到每月的基本开支，再乘以 12，这就是她覆盖五项基本开支所需要的年收入水平——不用工作就有这么多收入。这就是财务安全，你可以看到她的每年基本开支是 3.4 万美元，和美国平均水平基本相当。

现在，安吉拉怎么做才能每年不用工作就能拿到 3.4 万美元的收入？记住，她要打造一个赚钱机器，她的工资收入有 10% 会自动储蓄起来。她把这些钱转入了罗斯 401（k）账户，这些钱会被投资到收费很低的指数基金上，预期年收益率为 6%。（这是约翰·博格估计的未来 10 年的市场平均收益率，不过最近 20 年美国股市的平均年收益率是 9.2%。）我们用财富计算器来算算她需要积累多少钱，就能实现财务安全。你在下一章也会学习使用这个计算器。结果她发现，她原来以为要有 300 万美元才能实现的财务安全，其实她只需要积累 64 万美元的财富自由基金，按照每年 6% 的股市平均收益率，她的余生每年就可以得到 3.4 万美元的投资收益，足以支付她每年的 5 项基本开支了——她实际需要的资金不到她原来设想的 1/4。

一开始他感到非常震惊，她问我，用难以置信的语气：“只要我攒这么多钱就够了吗？我还得去工作，对不对？”我告诉她，当然她可以去工作，但是她再也不用靠工作来赚钱支付这五项基本开支了！顺便说一下，这五项基本开支，平均而言，占了大多数人总开支的 2/3。安吉拉现在不用工作，就足以支付这五项开支的 2/3。不过，我们大多数人都想做一些有意义的事情。不工作了，我们心里会觉得有些慌乱。但我们都不想被迫工作！安吉拉可以用一部分时间来工作，赚些钱以支付其余 1/3 的开支，或者做个全职工作，多赚些钱，来实现其他的梦想。我问她现在的感觉——从房子到交通，五项基本开支都有着落了，这辈子再也不用拿工作来支付这 5 项基本开支了，一辈子的基本生活无忧了。“太棒了！”她说，“这是一个可以实现的目标，我可以清楚地知道如何能让梦想成真。”我说：“你肯定能！”她的眼睛炯炯有神，我看到她说话很有信心的样子，因为她心里很有把握，她有充分的理由行动起来。

我提醒她：“顺便说一下，这并不是你的最终目标。这也许只是你的短期目标。”对于一些人来说，他们想要得到的就是财务安全，比如有些人在后半生，遭遇了 2008 年金融危机，遭受了重大打击，财富大幅缩水，这时他一心只想得到财务安全。对于那些中年人和青年人来说，你的成就肯定会超越财务安全这样的终身收入目标——只要你知道了你实现财务梦想所需要的目标财富数字，而且你会按照本书所讲的通向财务自由之路的 7 个步骤一步一步地坚定地走下去。

顺便说一下，要是你心里正在嘀咕，自己需要多久才能积累起足够多的实现财务安全的财富，不管你的目标数字是多少，听了安吉拉的故事，你自己再一算，肯定会信心大增。你并不是非得做这种计算，我们会在下一章替你做这个计算。我们会为你创建三个计划：保守计划、稳健计划、激进计划。你要决定，对于你来说，哪个计划最容易实施和完成。

还记得那个野心勃勃地想成为 10 亿富豪的小伙子吧？他获得财务安全需要的年收入只要 79 万美元。这个小伙子周围的人纷纷大叫，只是五项基本开支一年就要花 79 万美元，太奢侈了！你自己实现财务安全的梦想，需要的年收入数字可能更高，也可能更低。现在你需要知道的就是一个数字——你要达到财务安全需要的年收入。如果你还没有算好，用你的手机下载我们的App算一下，或者现在就在书上用下面的表格算一下。

1. 房租或者房贷：每月 _____ 美元

2. 食物和日用品：每月 _____ 美元

3. 水费、电费、天然气费、电话费：每月 _____ 美元

4. 交通：每月 _____ 美元

5. 保险：每月 _____ 美元

6. 每月基本开支合计：每月 _____ 美元

7. 每年基本开支合计：每月基本开支 _____ 美元 × 12 = 每年 __________ 美元

顺便说一下，我们还不能直奔下一个目标，因为有件事还没有讲，这只是一个简单的要求，而不是一个梦想。这件事，几乎每个人都能做到，而且用相当短的时间就能做到，有些人早已经做到了，那就是意外/保护基金。根据普林斯顿大学和芝加哥大学2014年的联合研究，40%的美国人承认自己在急用钱的时候连2 000美元都凑不出来。我的天！这太可怕了！为什么我们需要手上有一笔现金以备急用？如果突发意外事件，你的收入流中断了，这对你的生活会有什么重大影响？几乎每个人在生活中都会遇到这种事。造成你收入突然中断的意外事件，可能是健康问题，可能是你的企业出了问题，也可能是丢了工作。所以，你需要一些钱来支撑自己3~12个月的生活。对于大多数人来说，重新找到工作，3个月的时间太短了，12个月的时间又显得太长了。所以比较好的办法是，一开始先存上一笔钱，够你花上几个月的，然后再逐渐增加，逐步达到这笔应急基金能够使你的生活撑上6~12个月。即使出现意外事件，你没有工资收入了，你存的这笔应急基金完全可以给你一年的休养生息时间。你是不是会感觉好很多？不管出什么事，你的这笔应急基金都能让你有房子住，有饭吃，有钱付水费、电费、天然气费和电话账单。

再说一次，这个目标并非让你得到一份持续一生的年收入。你一旦

攒够了，就可以停止了。这个目标就是攒一笔救急的资金来保护你，直到你积攒出来一笔规模足够大的养老金，足够你余生每年照顾自己生活的开支，再也不用为了生活去工作、去赚钱。不管发生什么事，你都有一份稳定又充足的收入。

那么你需要多少钱才够？答案很简单，你已经知道你每个月的开支是多少了。写下这个数字，记住它。我的朋友安吉拉，拿出每个月工资收入的 10% 储蓄起来，用来打造她的赚钱机器。她开始仔细地查看自己的花钱模式，想改变一下省出更多的钱来做投资。你还记得吧？她认识到，买辆新车要比她开辆旧车还要省钱。她也找到了方法，把自己的收入多存了 8%，来打造一个应急 / 保护基金。安吉拉实现了这个小目标，现在晚上她睡得踏实多了！快快行动起来，因为设立一笔应急基金至关重要。（我可以向你保证，在你读了第 17 章和第 18 章后，你肯定能有更多、更好的主意来做好这件事。）这笔应急基金要么都是现金放在家里，要么放在一个安全的地方，比如存入银行，而且必须是有美国联邦存款保险公司保险的银行账户。

现在让我们迈向第二个层次的梦想。你已经实现财务安全梦想了，让我们来看看财务活力。

第二大梦想：财务活力

我说的活力是什么意思？这个目标好像是一个公路上的里程标志，旨在通向财务独立和财务自由的道路。现在，你还没有走完全程，但是走到这一步，你已经获得财务安全了。你还有些多余的钱，可以花到能让你享受生活的东西上，而不用依靠工作来赚这些钱。

你每个月花在衣服上的钱有多少？100 美元？500 美元？1 000 美元？每个月花在娱乐上的钱有多少（包括有线电视费、电影票钱、音乐会门票钱）？每个月出去吃晚饭花的钱有多少？你在吃饭和娱乐上每个月要花掉你 200 美元还是 2 000 美元？是不是有的时候还会放纵或者奢侈一下，比如买张健身卡，做个按摩、美甲，办张高尔夫会员卡？这样又要每个月花掉你 50 美元、500 美元、1 000 美元。不管你享受的是什么，要是这些费用有一半已经有保证了，而且你根本不用为此去工作赚钱，你会有什么样的感觉？这正是你达到财务活力这个梦想阶段时，会发生的事。听起来是不是值得庆祝一番？

如何计算实现你的财务活力梦想所需要的年收入呢？很简单，请看下表：

1. 你现在每个月服装费的一半：每月 __________ 美元

2. 你现在每个月吃饭和娱乐费用的一半：每月 __________ 美元

3. 你现在每个月放纵一把和奢侈一把的费用的一半：每月 __________ 美元

4. 每个月增加活力需要的额外收入的一半：每月 __________ 美元

5. 你已经知道了每个月要保持财务安全需要的收入，加在一起：每月 __________ 美元

6. 为了保持财务活力所必需的每月收入总额：每月 __________ 美元

7. 乘以 12，就是你要保持财务活力所需要得到的年收入水平：每月 ____ 美元 × 12 = 每年 __________ 美元

另外，你只需要把这些数字输入手机，应用程序就会帮你搞定所有这些计算。

第三个梦想：财务独立

开香槟庆祝吧，因为你已经达到了财务独立，你不必工作也会有收入，而且这些收入足以维持你现在的生活方式！你的储蓄得到的利息和你的投资（就是你追求财务自由的基金）得到的收益，给你提供了一份你需要的收入。即使你在睡觉，这份收入也会源源不断地流进来。现在你真正实现财务独立了。独立的意思是，你在财务上摆脱了对工作赚钱的依赖。

这感觉非常神奇吧？这会给你和你的家人带来内心的安宁和平静。

财务独立意味着现在钱是你的奴隶——你再也不是钱的奴隶了。钱为你工作，你再也不用为钱工作了。你如果不喜欢你的工作，可以告诉老板“我不干了，再见”。你也可以继续工作，脸上洋溢着笑容，心里哼着歌曲。你知道自己之所以工作，是因为你愿意工作，而不是你不得不工作。

现在，让我们来算算你需要多少钱才能保持你现在的生活方式，这个数字可能很容易算出来，因为不幸的是，大多数人花的钱跟他们挣的一样多，或者有时候花的比他们挣的还要多！如果你每年能赚 10 万美元，而且你每年要花 10 万美元（包括纳税），你才能保持你的生活方式，你实现财务独立就需要年收入达到 10 万美元；如果你花的比挣的少，祝贺你！不幸的是，你属于例外，一般人可不是这样的。所以你要维持现在的生活方式，每年只要花 8 万美元，而你每年的收入是 10 万美元，那么 8 万美元就是你要达到财务独立所需要的年收入。

你财务独立所需要的年收入的数字是多少？

打开你的手机 App，或者就在这里写下这个数字：______ 美元。

记住，明确就是力量。你的脑子知道了一个真实可靠的数据，你的意识就会找到一个办法实现这个目标。现在你知道了，你要达到财务安全、财务活力、财务独立所需要的收入数字。要是你的梦想变得更大了，会发生什么？

敢于实现你自己做过的那些梦。

——拉尔夫·瓦尔多·爱默生

我来给你讲讲罗恩和米歇尔的故事。我是在一次研讨会上认识这对夫妻的，我每年都要在我在斐济的那个度假胜地举办研讨会。他们俩都是 30 多岁，生了两个小孩。两个人事业也相当成功，拥有一家小企业，就在科罗拉多。罗恩非常擅长经营企业，但是他们俩都没花多少精力打理他们家庭的财务。（这也是为什么他们会到斐济参加我举办的企业经营大师活动，他们想让自己的企业每年增长30%~130%。）他们的会计师每个月会为他们各制作一份个人财务报告，但是他们从来都不愿意花工夫看上一眼！所以毫不奇怪，他们在展望自己想要的生活时，遇到大麻烦了——原来他们想要的是一个奉献的生活。

我问罗恩，他要在财务上实现他梦想的生活，他需要有多少钱。这就像我问那个想成为10亿富豪的小伙子一样。罗恩给出的数字是2 000万美元。我想证明给他看，即使用比2 000万美元少得多的钱，我照样可以让他和他的家庭拥有非凡的生活品质。所以，我一步一步地引导这对夫妻计算他们每个月实际上所要花的钱（别忘了，记住罗恩和米歇尔两个人是老板，他们的家庭收入要明显高于美国平均水平）。

第一步，我们先从财务安全开始，他告诉我他的五项基本开支的数据如下：

住房抵押贷款：6 000美元/月

水费、电费、天然气费和电话费：1 500美元/月

交通费：1 200美元/月

食物费：2 000美元/月

保险费：750美元/月

合计：11 450 × 12 = 137 400美元/年

这样一算，他们达到财务安全所需要的年收入是137 400美元。这样的收入完全在他们的能力范围之内。顺便说一下，如果罗恩想知道自己需要积累多少退休金或者自由基金，大多数投资理财规划师会告诉他，只要把他的年收入数据乘以10或者15就行了。但是现在，那些既安全又稳健的投资收益率很低，用10~15年的年收入来推算目标养老金，并不符合现实。记住，在你攀登财务自由山峰的路上（积累财富阶段），你需要把你的投资放在激进的组合里，这可能会给你带来每年7%~10%的收益率。但在下山的阶段（处理财富阶段），你会希望你的投资被放在一个安全的且不太波动的组合里，自然而然地，你获得的收益率要低一些。所以用一个更加保守

的收益率假设，比如 5%，是比较明智的。把你的年收入乘以 10，就是假定年收益率是 10%；把你的年收入乘以 20，就是假定年收益率为 20%。

罗恩发现，实现财务安全的梦想完全是在自己能力范围之内的：20 × 137 400 美元 =2 748 000 美元，这个数字不到 300 万美元，远远少于他原来预计的 2 000 万美元。

要实现财务独立，他们算了一下，需要每年收入达到 35 万美元，才能保持他们现有水平的生活，因为他们还有第二套房子，还有好多孩子的玩具。米歇尔很喜欢买路易威登品牌的东西。所以保守估计，他们需要 700 万美元（35 万美元乘以 20）才能达到临界点，其产生的年收入才足以让他们维持那种生活方式，并且不用再靠工作赚钱。罗恩非常吃惊，他发现这个数字几乎比他预计所需要的 2 000 万美元低了 2/3！因此他达到财务独立目标的速度要比他想象的快得多，因为其实只需要 700 万美元，比他原来估计的 2 000 万美元少了 1 300 万美元！

第四大梦想：财务自由

你一旦实现了财务自由，就再也不需要为了钱而去工作了，是不是从此你的生活也自由了，想怎么生活就怎么生活了？财务自由意味着你是独立的，你现在拥有的所有东西能继续拥有，你想要拥有的两三件奢侈品也可以得到，你不需要靠工作赚钱来得到这些东西。要达到财务自由，你需要问问自己：“我需要达到什么样的年收入水平，才能够过上我想要而且我值得拥有的生活方式？”你想要用钱去做什么？自由自在的旅行，换一套更大的房子，再买一套度假别墅吗？也许你一直想要一条船或者一辆豪华汽车？也许你想捐钱给你们的社区或者教堂？

现在让我们再回到罗恩和米歇尔的案例上，他们已经过上了他们想要的生活，每年要花 35 万美元。于是，我问什么东西会让他们觉得自己财务自由了？是更大的房子吗？是在阿斯彭有套公寓吗？是有一条游艇吗？

你猜猜罗恩的回答是什么。他说，要是他能够每年捐赠 10 万美元给他们的教堂，再花点儿钱买一艘小钓鱼船，然后在斯特姆斯普林斯（美国科罗拉多州西北部城镇）为他的家人买一座滑雪度假公寓，他就感觉自己财务自由了。

这个回答真是让我目瞪口呆。我很感动，他的目标是慈善捐赠，我简直等不及要帮他们找到一个方法来让这个梦想成真了。我先指出，罗恩一年收入 50 万美元，而一年只花 35 万美元，他每年能余下 15 万美元，足够从中拿出 10 万美元捐赠给教堂了，当然如果他真正愿意的话。但是如果他和米歇尔能够做出这种捐赠，却根本不用靠工作赚钱做捐赠，那种感觉该有多棒？只用投资收益就足够了。

买船，买滑雪公寓的费用，加上他想捐赠给教堂的钱，所有费用都加到一起，要实现财务自由，他们必须在实现财务独立的收入水平上每年再增加 16.5 万美元的年收入。换句话说，他们需要每年赚 51.5 万美元乘以 20，或者说他们需要把 1 030 万美元放到他们打造的赚钱机器里。但是请记住这个数字代表着比现在过得更好的生活方式！ 1 030 万美元，确实是一大笔钱，但是这和他原来估计的，只是实现财务独立就需要的财富数字相比，也只有一半而已。

罗恩和米歇尔想要的梦想世界离他们如此近，他们却一直不知道。但是你一旦算出了你的梦想价码，就能找到办法，达到梦想目标比你想象的速度更快，比你原来想象的费用更少。

对于你来说，要实现财务自由，需要积累多少财富？

需要在你的总数上加上哪些项目？一辆运动轿车吗？第二套房子吗？一大笔捐赠，就像罗恩和米歇尔那样吗？不管它们是什么，都写下来，然后把所有这些项目的花费加在一起，再加入你实现财务独立所需要的财富。这就是你实现财务自由的价码。这个数字要是看起来太夸张了，没关系，耐心等待。你在接下来的章节里会学到如何征服这个看似高不可攀的数字。

下面是罗恩计算自己的财务自由收入数据的过程：

1. 每个月给教堂的捐赠：8 333 美元 / 月

2. 20 英尺[①]巴斯钓鱼船要花费 5 万美元，按照 5% 的利率融资，每个月需要的费用：530 美元 / 月

3. 家庭滑雪公寓抵押贷款费用：4 880 美元 / 月

4. 实现财务独立所必需的月收入：29 167 美元 / 月

5. 实现财务自由所必需的月收入总额：42 910 美元 / 月

6. 现在把这个数字乘以 12，你就可以算出为了实现财务自由所必需的年收入水平：42 910 美元 / 月 ×12 = 514 920 美元 / 年

你自己的数字是多少？

1. 奢侈品 1：____ 美元 / 月

2. 奢侈品 2：____ 美元 / 月

3. 每月捐赠：____ 美元 / 月

4. 实现财务独立所必需的月收入（不管你算出来的年收入是多少，除以 12 就行）：____ 美元 / 月

5. 实现财务自由所必需的月收入合计：____ 美元 / 月

6. 把上面的月收入乘 12，你就可以算出来你实现财务自由所必需的年收入：____ 美元 / 年

① 1英尺 = 0.304 8米。——编者注

图 15–4

第五大梦想：绝对财务自由

绝对财务自由是什么样的？是不是说你可以想做什么就做什么，什么时候想做就能什么时候做？如果你和你的家庭再也不用特别想得到什么东西了，那会是什么样的感觉？你想得到的都得到了，如果你能够不求回报地给予别人，完全按照自己想要的方式生活，而不是别人想要的方式，而且根本不用你再去靠工作来赚钱维持，你睡觉也照样能赚钱，这些钱就是你的投资收益，它会为你提供没有限制的生活方式。也许，你愿意给你的父母买一套房子，他们梦想有自己的房子好多年了；也许，你想设立一个慈善基金来为那些饥饿的人提供食物，或者帮助清理海洋。大胆设想，你实现绝对财务自由梦想之后能干什么。

我让罗恩和米歇尔告诉我，他俩能够想到的最大的梦想是什么。绝对财务自由对于他们来说是什么样子？米歇尔告诉我，她最大的梦想是买一个农场，把它变成一个教堂的营地。这要花多少钱？罗恩估计，买下农场要花 200 万美元，还要再投入 100 万美元进行维修，我又被他俩深深地打动了。

我可以看到在梳理这些数字的时候，他们发自内心的激动。

如果借钱购买这个牧场，他们每年需要大概 12 万美元还本付息（300 万美元，每年要付 4% 的利息）。这完全在他们的能力范围之内！

他们还有别的梦想吗？罗恩喜欢冒险和旅行，拥有私人飞机是他的终极梦想。于是，我引导他做了一个练习，这个练习我也让那个想成为 10 亿美元富豪的小伙子做过，我让他相信租一架飞机可以给他带来同样的便利和满足，和他自己拥有和保养一架私人飞机的巨额费用相比，租金是相当低的。你明白我的意思了吗？你并不需要拥有私人飞机，也能享受到像自己拥有私人飞机那样的生活方式。你并不是非得买一支球队才能坐在包厢里看球，你并不需要花钱买下整支球队来成为一个球队的所有人——你可以成为股东之一，同样能享受所有的特权。我的朋友魔术师约翰逊就是这么做的，他和收购了洛杉矶道奇队的彼得·古伯，还有其他几个古根海姆棒球管理公司的合伙人参加了一个财团。他们花了 21.5 亿美元得到了球队和球场。我可以向你保证，魔术师约翰逊并没有投入 21.5 亿美元，但是他得到的快乐、骄傲、激动、影响力、乐趣，和他一个人全部拥有所有股权是一样的。

这种想法创造出你想要的生活品质，让你和你所爱的人享受到想要的幸福生活。大多数人只是做梦，而有些人能活出梦想的生活。为什么人和人之间的差别这么大？因为大多数人只是做梦，却从来没有算清楚他们梦想的价码是多少。他们想象出来的数字简直太大了，连自己都不敢相信，难怪他们从未开始走上实现梦想的旅程。没有一个梦想是你不能实现的，只要你全力投入，足够有创意，愿意找出一种方式，给别人的生活增加更多的价值，你就比其他任何人增加的价值都多。

现在，你也能看出来对于大多数人来说，绝对财务自由这个类型的梦想主要是为了乐趣。在我举办的研讨会上，我只给少数人做这个练习，这些人确实有非常大的梦想，而且知道这些梦想的价码。我明白，大多数人从来不会获得绝对的财务自由，去梦想，去释放你的欲望，这能产生力量，有时这种能量非常强大，可能会激发你去实现梦想，让你想去赚更多的钱，帮助你去更快地达到你的目标。但是还有另外一个原因，你也许根本不用工作就能获得财务安全，然后再利用部分时间做一些你喜欢做的事情，你可以实现更高一层的梦想——财务独立。或者你已经获得财务独立了，然后通过投资收益和部分时间工作，用这部分多出来的收入，你可以实现更高一层的梦想，体验到财务自由的奢侈享受。

所以大胆地梦想你实现绝对自由之后想做的事情吧！写下你的终极梦想清单。你永远不会知道，如果你的愿望真的完全被释放了，你能创造出什么。

下面我们来看看罗恩计算出的自己实现绝对财务自由所需要的收入：

1. 买一个牧场作为教堂营地所需要的费用为 300 万美元，贷款利率是 4%：每个月还款 1 万美元

2. 比奇公司的一架私人飞机，购买它需要 30 万美元，贷款利率是 5%：每个月需要支付 3 181 美元

3. 实现财务自由需要的月收入水平是：每月 42 910 美元

4. 实现绝对财务自由的月收入水平是：每月 56 091 美元

5. 现在把上面的月收入乘以 12，你就会得到实现绝对财务自由的年收入水平：每年 673 092 美元

购买一艘 20 英尺长的钓鱼船，每年给教堂捐款 10 万美元，购买一个滑雪度假公寓、一架私人飞机、把农场改造成一个教堂的营地，再加上他们维持现有的生活方式，而且不用去工作，达成以上所有项目，罗恩和米歇尔每年收入需要达到 673 092 美元。把它乘以 20，他们需要达到的财富规模是 1 350 万美元。他们原来设想只是获得财务安全和财务独立就需要 2 000 万美元，与此相比，这个数字要少 1/3。

你的数字是多少呢？

1. 奢侈品 1：____ 美元 / 月

2. 奢侈品 2：____ 美元 / 月

3. 奢侈品 3：____ 美元 / 月

4. 实现财务自由所必需的月收入：____ 美元 / 月

5. 实现绝对财务自由所必需的月收入总额：____ 美元 / 月

6. 把上面的月收入乘 12，你就可以算出来你的绝对财务自由所必需的年收入：____ 美元 / 年

只有一件事能够让梦想不可能实现：害怕失败。

——保罗·科埃略

你写下来的所有这些数字，你自己看起来感觉怎么样呢？我希望你已经看到了你的财务梦想的价码，它比你原来想象的要小很多。你现在已经选出来三个梦想作为目标去努力追求，其中至少包括一个短期目标和一个长期目标。这些梦想中哪一个是你“三生万物”的梦想？对于那些想要达到更高层次梦想的人来说，“三生万物”梦想是财务安全、财务独立、财务自由。你如果还没有做好，选择三个，把它们写下来。

如果你是一个婴儿潮时代出生的人，经历 2008 年的金融危机后，日子过得很艰难，这五个梦想里哪一个对于你来说是绝对必须要实现的？财务安全，是吗？这里有个好消息：你也许并没有用很多时间把你的储蓄和投资积累到一个关键的规模，但是你绝对可以拥有财务安全，我会展示给你看。也许你永远不会达到财务独立，但如果你把财务独立当成“必须的”，你就能达到了。如果你人生刚刚起步，还很年轻，那么你的路还长着呢。你可以实现财务自由，甚至是绝对财务自由，对这么大的梦想心里也没有什么压力。但关键是，要决定什么对于你来说是最重要的，知道你要实现这个财务梦想所需要的收入数字是多少。为什么？因为再过一会儿，我们就要进入本书的下一章，你就能计算出来，你还需要多少年才能

实现这些梦想，年数计算基于一个合理的平均年收益率水平，以及你现在每年能够积累多少钱。然后我们会制订一个规划去达到这个目标。养兵千日，用兵一时。决战的时候到了。我会引导着你一步一步地走下去，每件事都设计好，完全可以自动操作。至关重要的是你要一直保持不断前进。

我希望你能感觉内心充满力量，激动兴奋，因为你正在通向财务自由的大道上。

我希望你知道，你是你的人生的创造者，而不仅是管理者。有时我们忘了，我们过去的人生已经创造出了多少。我不用问你是谁，我就知道你人生现在的样子就是你过去的梦想，或者是过去的目标，甚至可能是过去看起来好像根本不可能达到的状态。它可能是你想要得到的一份工作，或者是你想要得到的一个更高层次的位置，或者是你做梦都想要的一辆车，或者是你非常想去看的一个地方。也许，那个地方后来你不但看了，而且现在还住在了那个梦想的地方。也许某个人，你以前觉得自己绝对高攀不上，连一起出去都不可能，但现在你们结婚了。如果是这样的话，赶紧过去，给他一个吻。别忘了，这种亲密关系过去看起来根本不可能，但你创造出来了，你把梦想变成了现实。

今天，你生活中的什么东西曾经是你过去的梦想？过去你有过什么渴望，当时看起来非常难以实现，甚至觉得根本不可能实现，但是现在成了你生活的一小部分？你如果想记起来，你是你的生活的创造者，而不仅是你现在生活环境的管理者，首先你必须重新联系上你过去有意识地创造出来的那些事情。花些时间，记下来三四件这样的事情。你要注意，你列出来的清单并不需要都是你的伟大成就，有的时候反而是一些小事看起来很难，或者根本不可能实现，但等你做到了，实现了，它们能给我们提供重要的经验教训，指导我们如何实现和完成更大的目标。现在你的生活中也许有时会有某些东西，曾经看起来非常困难或者不可能实现，但现在你都拥有了。不过，现在你对这些东西都司空见惯了，觉得是理所当然、自己应该拥有的。熟悉定律说：如果我们一直待在任何一个东西（或任何一个人）周围，时间一长，我们就会觉得这些东西、这些人是理所当然的。

所以重新唤醒自己，欣赏自己过去把梦想变成现实的成就，一个一个地记下来，它们就是你的历史成就清单。

第二，如果你需要重新评估一下，你采取了哪些步骤，把你的梦想变成了现实。现在就花些时间来做，从你实现的梦想里选出一个。当初，你的第一个行动是什么？把这些行动步骤一一记下来 。

毫不夸张地说，我问过成千上万的人，他们是如何把某些曾经看起来不可能的事变成自己生活里的一部分的？他们是如何从梦想中创造出现实的？这个过程我们都要经历，一般分成三步。

第一步，释放你的饥渴和欲望，唤醒像激光一般的专注力。有些事情发生在你的内在：你受到某种事情的激发，让你如此兴奋激动，以至你的渴望完全被释放出来了——你变得对这件事疯狂地着迷，你专注在你渴望的目标上，像激光一般专注！你的想象力被点燃了。或者你撞到了天花板，达到了临界点，或者触动你内心的某个地方，确认你再也不满足于过着这样的生活了。你做出决定，再也不要回到过去了。你开始极其强烈地专注于追求新生活，或者你渴望得到新东西，这可能是换个工作，离婚了，改变了生活方式。你释放出你对目标的渴望——你的焦点换到哪里，能量就会流到哪里。

你是不是有过这种体验？你买了一套很贵的衣服，突然之间你发现很多人穿这套衣服，或者你买了一辆汽车，突然你看到很多人开这款汽车呢？这种事是怎么发生的？因为你大脑的一部分潜意识，被称为网状激活系统，知道这事现在是重要的了，于是它开始注意到所有和这件事相关的东西。这款车、这款礼服其实一直在你身边，而且经常出现，只是你一直没有注意到，但是你现在开始注意到了，因为你的潜意识让你意识到了这些东西，而你以前只是看，却没有看见。

这也是你读本书时会体验到的，你开始注意到公募基金的收费，开始注意到资产配置这个听起来很专业的词。你开始听到一些你以前从来没有听说过的东西：高频交易、基金定投……它们对于你来说开始活跃起来，到处都是。因为你的大脑现在知道，这些东西是很重要的。重要的东西、受到关注的东西，能量就会流向它们。当你拥有了这种饥渴、渴望、专注后，第二步就开始启动了。

第二步，采取大量的而且有效的行动。如果你的渴望真正被释放出来了，你非常痴迷地专注于你想得到的，你就会受到召唤去做任何需要做的事情，来让你的梦想成真。你拥有的能量和灵活性是没有限制的，你会想尽一切办法追求你想要得到的东西。在你的心中，你知道大量的行动是包治百病的万能灵药。如果愿意付诸行动和努力，你就能够到达目的地。你以前这样做到过，对吧？也许，曾经有一段时间，你必须去看你心爱的女孩，于是你借了辆车，通宵开车，穿越暴风雪，去她读的大学见她。也许你动用了所有的关系，搞得天翻地覆，就是想把你的孩子送进最好的学校，以满足孩子的需要。如果是“必须的”，而不只是“应该的”，你肯定会找到方法做成的。

但是在这里我要给你一个警告，在所有这些努力的背后，你需要做出有效的行动，对不对？你可以付出你所有的努力来为你的未来做储蓄。但是，把你所有的钱投到一个私立的账户里面，那里都是收费很高、业绩糟糕的公募基金，那么你根本不会赚到多少钱，你的退休生活肯定不好。或者你可以用所有的钱投资一家公司，然后眼看股票一天暴跌了40%。所以尽管你愿意做你需要做的任何事，但是你还是必须小心谨慎地执行计划，因为你必须努力、有效地执行，才能够创造出魔法般的神奇效果。本书就是你的地图、你的财务蓝图。通过持续采取大量有效的行动，你可以不断地修正自己的路径，当它不再有效的时候，你采用或尝试一些新的路径，就会不断地前进，接近你的梦想，但是最后一个因素扮演着非常重要的角色，它决定了你的梦想能否成真。

第三步，恩惠！有些人称之为运气、巧合、命运、上帝之手。我称之为恩惠：承认在这个世界上有很多事超出了我们的控制。也许有更高层次的力量，既给了我们独一无二的生命特权，也给了我们洞察和指引的天赋，我们对此敞开心扉，就可以得到它们。当你决定了前两步如何走，上帝或者宇宙或者恩惠，不管你如何称呼，都会介入，支持你做的事情，这是多么令人震惊啊。首先你把你自己该做的那一部分事情做好，剩下所有的好事都会涌向你。我们都有过那种意外交上好运的经历。有些事情发生了，根本没法解释，所以我们称之为巧合。我们错过了一辆火车，结果碰到了一个人，后来我们结婚了。我们替朋友临时上几天班，结果这让我们找到了梦寐以求的工作。我们事先不知道会有这样的好事，也并没有凭本事努力争取——这种好事就自动发生了。对于我来说，这就是恩惠。你知道的越多，越感恩发生在你生命中的恩惠，你体验到的那份恩赐就越多，这些远远不是你自己的力量能够创造出来的。我的生命中已经发生很多次这样的好事了，我知道上天的恩惠是真实存在的。我也知道你内心那份感谢上天让自己能交上好运的心情。感恩的时候，心里就没有愤怒了；感恩的时候，心里就没有恐惧了。

那么，你准备好了吗，成为一个你自己生活的创造者，而不仅是你周围环境的管理者？你知道你做投资的真正目的吗？一份终身的收入！你的梦想成为你这个人的一部分，成了“必须的”，你大脑的潜意识日夜专注，你非把这事完成不可，你有这么疯狂和着迷吗？你是不是愿意做所需要做的事，让梦想成真？那么，翻开下一页，去做很多人没能做成的事。

现在是时候去做一个规划了……

第 16 章 你的计划是什么？

如果你不知道要去哪里，那么你走哪一条路也无法抵达。

——亨利·基辛格

祝贺，你走了很长一段路了！经历了通向财务自由的三大步。你已经做了你一生中最重要的财务决策。你已经成为一个投资者，承诺保持或者不断扩大你的收入自动储蓄比例，把这些钱自动地转到你的自由基金里。你已经开始建造让你自由的赚钱机器。你已经学会了如何保护自己，不受那些最大的投资营销谎言的欺骗，这些谎言早就想把你和你的钱分开了。最后一步是，你已经给你的梦想标出了价码。你知道需要多少年收入才能实现财务自由和财务独立。现在我们将会利用你学到的复利的力量，把这些金钱威力法则付诸实施。我们会一起努力给你和你的家庭创建一个规划，这是绝对可以实现的，而且在你的能力范围之内，不管你们的目标是什么层次的财务梦想——安全、活力、独立，这个计划都适用。

在我们开始之前，还有另外一件事需要做，即使你像大多数人一样痛恨谈论金钱。不过，没关系，没有其他人能看见这些数字，除非你决定给他们看，与他们分享。最重要的是你对自己要诚实。在这里就不要为了面子粉饰数字了，不要歪曲事实了，不要戴着玫瑰色透镜来看你的“数字”了。同样的原因，也不要强迫自己制订非常保守的计划，因为你觉得计划制订得高了，自己不可能实现。自己对自己要实话实说，承诺一定要实实在在地看清现实，自己现在的财务状况究竟是什么样子。只有实事求是，实话实说，才能让这个投资理财规划真正地起作用。

你只能靠自己的双手来奋斗

我有一个好朋友，最近和他从小玩到大的小伙伴相聚，以庆祝他们的50岁生日，聚会地点就在棕榈滩上我们住的房子旁边。他们一起上的幼儿园，住在一条街上，上同一所高中，都住在纽约长岛上的莱维特社区。他们的父亲或是上班族，或是自己开公司的老板，他们的母亲都是家庭主妇，他们的家庭收入都差不多。这些一辈子的好朋友，最打动我的是每个人后来的发展情况。在他们的青少年岁月中，他们彼此的发展是同步的，但是离开家乡上大学之后，这些年轻人开始分别向不同的方向发展，差别很大：

> 一个人去了华尔街发展，在一家大型金融机构工作。
>
> 一个人成了摄影师，在曼哈顿开了一家照相馆。
>
> 一个人在亚特兰大中部地区搞房地产开发。
>
> 一个人开了一家公司，进口高档葡萄酒和精酿啤酒。
>
> 一个人接受培训，成了工程师，在佛罗里达州南部做公务员。

当他们重新聚会的时候，他们互相讨论、交换意见。虽然收入和财富有相当大的差距，但他们都过得很开心——尽管开心的形式不同。他们个人的需要得到了满足。他们的希望和梦想很多也得到了满足。

我让这个朋友读了本书的初稿，他这次聚会时跟他的好哥们儿分享了我在书里讲的一些投资理财观念。那是他们喝了几瓶啤酒之后，谈话的主题就转到了钱上，他们开始问彼此一些问题，这些问题跟你在前一章回答的问题一模一样：你需要积攒多少钱才能达到财务安全？或者需要多少钱才够支撑你的退休生活？那个在华尔街工作的人，觉得至少需要积攒 2 000 万美元，才能保持现在的生活方式，而不用再靠工作赚钱；

那个曼哈顿的摄影师认为，自己需要有 1 000 万美元才够；那个房地产开发商觉得，有 500 万美元就可以搞定了，主要是因为现在他的孩子就要大学毕业了，少了很大一笔学费开支；那个卖葡萄酒的商人再婚了，尽管又要再生一个小孩，但他觉得能够攒到 200 万美元的退休养老金就够用了；那个公务员，一直想方设法地靠着他微薄的工资生活，习惯量入为出，未来就指望着靠那份稳定的养老金来度过余生了，他认为只要他开始领公务员养老金，再加上领取社会保险养老金，他就可以衣食无忧地享受退休生活了。

这些人哪一个更接近于自己的目标？对于需要积攒多少钱才够退休养老，谁估计的数字比较准确？谁有正确的投资理财规划来帮助自己顺利地达到目的？当然，这个问题隐藏着陷阱。因为答案并不是由金钱来决定的。你要赢得“人生的比赛”，并不能只靠积累最多的金钱，或者积累最多的财富。人生的竞赛也不能靠抓住机会快速领先，轻松到达终点来获胜。

那么你怎样才能赢？你要赢，只能按照你自己的想法来生活——做到你能做到的最好的样子，做到你能做到的那么圆满，做到你能做到的那么长久。

你制订一个计划，它符合你的需要，对你有效，你一直坚持执行，这就是成功，简单又朴实。如果你正在和别人攀比，和别人竞争，但你用别人的观点来界定成功，这样做的话，你想要实现的是一个遥不可及的目标，那么你就会落后，就会很受挫。如果你正在追逐的是别人的目标，你就会输。其实，你的邻居和同事有多少钱，开的是什么样的车，如何度假，这些都不重要。这个计划只针对你自己，只有你自己，跟其他所有人都无关。

你停止比赛的那一天，就是你赢得比赛的那一天。

——鲍勃·马利

有时领先优势只是错觉

你看过奥运会上的田径比赛吗？你很容易看到，在赛道上，发令枪打响之前，那些选手在不同的跑道上，起跑位置明显有先有后，外道的选手起跑位置比里道的选手明显靠前，可是结果表明，这并没有给他们带来巨大的优势。事实上，我们用脑子一想就知道，所有的选手跑的距离是相等的，但是我们肉眼看起来好像差别很大，眼睛欺骗了大脑。所谓的起跑位置领先，其实是一种交错安排，因为在椭圆形赛道上，这样交错安排起跑位置，才能使每个选手跑的距离相等。在 400 米比赛中，相邻两个选手的起跑位置要相隔 6 米，才能做到奔跑距离都是相同的 400 米。

当然，每个人都知道，实际上，你不管是在外道的起跑位置，还是在内道的起跑位置，其实你都没有任何优势。你跑的距离都是一样长的。但是表面上的起跑优势可能会给你带来一个很大的心理优势。那个跑在外道的人会觉得自己有领先优势吗？这会不会提高他的自信心，或者带走他一小部分的动力？那个起跑位置“靠后”的人会觉得大家都不看好自己，这会不会反而刺激他跑得更快，以做补偿？

我们回到那 5 位聚会的朋友，从旁观的角度进行分析，你也许会觉得，那个公务员看起来起跑的位置最靠后，那个华尔街的金融企业高管的起跑位置最靠前，他可能会大幅领先，直达终点，但这只是感觉，而不是现实。没有人领先，也没有人落后。

这里没有人排在第一的位置，也没有人排在最后的位置，生活不是一场竞赛，人们经常用钱或者得到的东西多少来衡量他们现在所处的位置：谁有更好的房子，更酷的车；谁在度假胜地汉普顿斯有度假屋。但是真相是，我们并不能预测我们会活多长时间，或者我们年老后的身体健康状况。真相是我们从哪里开始并不重要，重要的是我们如何结束。看起来，好像这 5 个人都在向着正确的方向前进——每个人都是按照自己的想法、自己的时间安排前行，这是他们对自己的生活感到快乐满意的原因之一。用一点纪律，加一点远见，他们现在都在努力赢得比赛，他们开始时是同时起跑的，他们是同时上幼儿园的。

同样的事情也会发生在你身上。不管你站在哪里，和你的朋友、家人、同事、客户相比，起跑位置靠前还是靠后，这都不重要，重要的是你自己的人生旅程怎么走。你忍不住会和别人比，这是人之常情。人生的赛跑是一场马拉松，不是百米短跑。你唯一要做的事就是专注于前面要跑的路，向前看，找到自己的跑步节奏，一直向前跑。制订出一个规划。

你应该努力超越的唯一一个人就是昨天的你。

——无名氏

你的规划

你知道了，你唯一的竞争对手就是你自己，现在是时候做个规划，画出你投资理财的蓝图。好消息是，所有你需要做的事就是打开手机App，回答6个问题。用这个理财计算器，只用几秒钟，你就能制定出自己投资理财规划的1.0版本。

这6个问题包括两个方面：你现在在哪里，你要如何努力前行。你回答这些问题需要的几个数据，看看你平时的账单就能找到，有的一拍脑袋就想起来了。你也许需要做一点点功课，但这些数字大多数都唾手可得——一时找不到也没关系，先大致估计个数字也行，最重要的是让自己先干起来，保持冲劲，不能停。

有了这些数据，这个App就能为你度身打造一个投资理财规划。当然，有些参数必须由你本人来决定，比如，你预期你的收入会增长多少，你决定要储蓄多大比例的收入，你预期自己的投资收益率会有多高。你可以估计得保守，也可以激进——你也可以有些地方做保守估计，有些地方做激进估计，有些地方介于二者之间。用这个App的最大好处是，你只要设定好这些基本变量就行了，余下的大量工作它会自动完成。你制订了一份白纸黑字、实实在在的投资理财规划，这就是你的未来财务发展蓝图，这样，以后你做事心里就有谱了。

选择你自己的冒险之路

你下载的 App 里，有个理财计算器。这个计算器我用了 30 多年了，我在工作室和研讨会上都会用它。这个 App 既简单又灵活，而且帮助几百万人创建了投资理财规划，很实用。这个规划基于一系列谨慎保守的假设，不过你完全可以修改这些假设，你想怎么改就怎么改。你可以设置得更加保守，也可以更加激进，这完全由你来决定。所以你输入数字时不用多想，只要适合你，符合你的生活方式，符合你现在的实际情况，符合你未来的梦想就行。如果 App 做出来的规划你不喜欢，没关系，你可以调整你输入的数字，选择另外一条不同的路径通向财务自由。在后面，我们一起努力，让你学会走出特别的几步，加速你的计划实施，确保你能够成功。你制订出的第一个投资理财规划，就好像是你咬的第一口苹果。接下来，我们开始实施这个规划，并逐步改善，后面我会详细叙述……

在我们开始之前，有几件事你需要牢记在心。

其中较大的影响因素之一是我们的税率，人和人之间会有很大的不同。读本书的人来自全世界，与其把税率这个事情搞得非常复杂，不如搞得特别简单。不管你住在哪里，在后面的内容里，你都会学会如何运用这些工具，在你的国家得到最高的税收效率。不管在哪里，只要有可能，你就要运用有税收优惠的账户来积累你的财富。这样做，你的税后净收益率会更高。

你输入数据后，这个理财计算器会显示给你三种可能的情形，每个计划分别对应着不同的年收益率：4%、5.5%、7%。这三份计划分别是：一份保守的规划，一份适中的规划，一份激进的规划。这些收益率都是税后的净收益率。有些人也许会觉得这些数字太保守或者太激进了，你都可以调整成你喜欢的数字。

我们提出这三个数据有什么依据呢？在高的那一端，根据嘉信理财公司的标准，激进的收益率是 10%。我们的 App 设定的激进的收益率是 7%，为什么会有 3% 的差异？嘉信理财公司的研究表明，在过去 40 年里，即 1972—2012 年，美国股市的平均收益率是 10%，但是我们的 App 计算器假定你要交纳约 30% 的税，那么这会让税后收益率只剩下 7%。美国长期投资的税率只有 20%，不是 30%——所以说我们的 App 在税率设定上比较激进。而且请记住，如果你做投资用的是一个可以税收递延的工具，比如 401（k）账户、个人退休金账户、年金，你可以递延纳税。所以如果你的投资有 10% 的收益率（就像嘉信理财公司所说的那样），你可以继续按照 10% 的收益率进行复利计算——在最终卖出变现之前不用扣税。我们用更低的收益率假设：4%、5.5%、7%，这样可以提供一个安全垫，为你做投资出现错误留出一些余地，或者预防未来收益率没有达到你所期望的那个激进水平。[①]

在低的那一端或者说保守的那一边，你看先锋公司，它用的是税后 4% 的收益率。但是我们的看法有些不同，大多数美国人用钱来做投资的话，都是通过 401（k）账户、个人退休金账户或者罗斯 401（k）账户进行的。哪个是最好的选择？我们推荐你用一个罗斯账户（或者你们国家对应的免税账户），除非你真的可以确定你的税率将来会变得更低（祝你好运）。全世界所有国家的政府，特别是美国政府，总会提前花掉它们手里没有拿到的钱，那它们怎么来还这笔钱？手段就是提高税收。所以尽管没有人可以确定未来的税率是高还是低，我敢打赌未来的税率肯定会提高。使用罗斯账户，你的投资收益就不用纳税，收益 100% 都是你的。比如，如果你得到了 7% 的收益率，你可以把 7% 的收益全部保留下来——你的投资增值不用扣一分钱的税。如果你得到了 10% 的收益率，这 10% 的盈利你可以全部留下。

---

① 我写本书的时候利率已经让政府压低相当长时间了。不过只要利率一上升，这个App就会马上更新利率。你任何时候都可以调整App的投资收益率水平设置，只要你觉得适合你的情况和真实投资目标就行。

正是因为这个原因，我们要用这种方式打造一个投资理财计算器。这样能给我们灵活性，用税后（净）收益率来思考投资收益。你设计的投资理财规划要用你认为的对于你的目标来说最合理的指标。

我们设计这个投资理财计算器的目的是让你快速感觉到，不同的选择会有不同的影响，这导致你实现财务梦想所需要的时间长短不同，不管你的梦想是财务安全，财务活力，还是财务独立。你制订出来一个你喜欢的基本规划之后，还可以进一步完善，输入更加精确的数字。我在前面说过，堡垒投资理财公司有一个技术平台，可以链接你所有的投资账户。这个平台会马上反馈给你这些投资过去的实际收益率是多少（大多数人对此根本一无所知）。它还会显示出，哪些年份业绩表现最好，哪些年份业绩表现最差，哪些年份发生了亏损。这个平台还会显示出你实际支付的费用是多少。这样你会知道，这些费用对你未来积累财富的实际影响有多大。你先在 App 上制订出一个基本的投资理财规划，再登录网站，查找你过去的历史收益率，让你的规划更加精确。

当然，在这个 App 中，你的那些数据和你的规划完全安全，不会丢失，而且不管你人在哪里，用什么设备，都可以随时获取信息。任何时候，你都可以改变你的收益率设置，改变你愿意储蓄的比例，你很快就能看到这样改变设置的影响具体有多大。

想要加快速度，更早地实现你的财务目标，最强有力的方法之一是采用明天储蓄更多计划。这个计划帮助超过 1 000 万名美国人实现了储蓄的快速增长，他们以前觉得这完全不可能做到。你还记得这个计划是如何运作的吗？在后面我们会详细叙述。你承诺，只要将来收入提高了，就会自动提高储蓄比例，进一步增加你的自由基金。

例如，你现在把收入的 10% 储蓄起来作为你的自由基金：你用这些钱做投资，但是你想找到一种方法来加速你计划的实施。承诺参加明天储蓄更多计划，下次你得到 10% 加薪的时候，其中的 3% 会转入你的自由基金，其余的 7% 可以用来改善现在的生活品质。未来 10 年，你这样做了 3 次，你就可以把收入的储蓄比例提高到近 19%，比你现在的储蓄比例提高近1倍，而且这对于你来说没有任何损失，因为这些多储蓄的资金都来自你未来多增加的额外收入。这样做你的储蓄会大幅提高，你实现财务梦想的速度自然也会大幅加快。

想要利用好这个办法，只需要点击一下App上的明天储蓄更多的选项。最后说明一下，我排除了你的住房价值。冷静，不要高声叫喊抗议。是的，我知道，对于大多数人来说，这是你一生最大的一笔投资，如果你想把房子价值加进来，完全可以，但是我之所以把房子排除在外，是想再给你一个保守的安全垫。为什么？因为你总是需要有个房子来住，我可不想让你输入这些数据创建出来的投资理财规划，在很大程度上依赖你房子的价值。10年之后，你也许卖掉了你的房子，得到了很大一笔投资收益，你也许还会待在你这个房子里，度过余生。或者你需要卖掉现在住的大房子，换个面积小的房子，以拿到一些钱来帮助你支付事先没有预料到的巨大开支。不管发生什么事情，你都能设计好你的计划，让你能够支付所有的生活开支，不管你的生活发生什么变化，都能让你有钱来应对。

为什么这套体系里要内置这么多安全垫？因为我希望这些数字对于你来说，都是真实可靠的，并不只是此时此刻真实可靠，而且是一直真实可靠的，不是虚高的数字——一旦真实世界出现意外，你就会让这些虚高的数字大幅回调。我希望，万一你的生活偏离正轨，这个规划能够缓和你受到的打击，但是我也希望你能够超越自己的预期。在大多数情况下，我希望你知道，非常清楚也非常确定，我们一起做的这些预测和计划完全在我们的能力范围之内，它是我们真正能够做到的。

准备好大干一番了吗？现在开始吧！

展望未来，前景光明，灿烂夺目。

——奥普拉·温弗瑞

请击鼓……

我知道你现在就想马上开始去做，点击确定，然后坐下来，等着应用程序告诉你，你的余生将会如何攒钱，如何赚钱。但是这并不是关键所在。下一步的真正价值是，展示给你可以选择什么：什么是真实的，什么是可能的，什么是值得你梦想和努力奋斗实现的。这个应用程序能让你尝试不同的结果，用不同的参数来设置，让你创造出一个不同的前景，或者产生一个不同的结果。近期，这个应用程序会给你一个可以追随的靠谱规划——这就是你未来的财务发展蓝图。

你可以把这个应用程序看作你的个人投资理财培训师。这个应用程序用的是你个人的"真实"数据——你的储蓄和你的收入，然后计算出来，按照一系列预测的情形，未来这些收入、这些储蓄会给你积累出多大一笔财富。现在还不需要考虑十分具体的投资策略，我们会在第四部分详细叙述。重要的是你要有一些概念，一旦这些钱开始为你赚钱了，它们会怎么增值，以及最后能够增值到多少。

记住，你要关注的焦点不是把你的钱投到哪里和如何投资。这个练习给你一个预测的机会——透过水晶球看看未来可能会是什么样子。如果你能实现 6% 的投资收益率，你的未来会是什么样子？如果是 7%，甚至更高呢？再过 10 年，你能够积累到多少钱？再过 20 年呢？如果你能够想方设法找到办法，像中头彩一样交到好运，获得 9%~10% 的收益率，那么又会如何？记住，只使用一种资产配置方案的投资组合，你可以在第五部分学到，过去 33 年产生的年化收益率就可以接近 10%，而且只有 4 年亏损（其中有 1 年的亏损只有 0.03%）！一旦你开始教育自己去了解那些顶级投资者是如何操作的，你就会发现很多提高收益率的机会。

所以你使用这个应用程序制订投资理财规划时，可以不断地调整数字，就像做游戏一样，直到你找到一个财富目标数字，你觉得对你正好合适——你的信心程度正好合适，不够自信就没有勇气去追求梦想，太过自信，眼高手低也实现不了梦想。只用几分钟时间，你就会知道，按照你现在的收入水平和储蓄比例，利用复利的力量，不同的投资收益率会让你的储蓄最终积累的财富差别很大。

万事开头难。

——德芳侯爵夫人

恭喜你，制订出第一个投资理财规划。你对结果感觉怎么样？很激动，很担心，很受挫，还是很受鼓励呢？过去这些年来，我跟无数的人一起合作过，他们来自世界各地。我注意到，按照结果，大致可以把他们分成以下三类：

> 第一类，年轻，负债，正在考虑如何才能实现财务安全。他们发现，自己真的能够实现财务安全，这简直太好了！
>
> 第二类，他们本来以为还要奋斗上好几十年，才能实现财务安全，可是他们非常吃惊，坦白地说是震惊，发现自己距离财务安全只有一步之遥：最多再用五年、七年、十年，就能实现财务安全。事实上，有些人已经有能力实现财务安全了，只是自己根本不知道怎么操作而已。
>
> 第三类，他们理财起步太晚了，担心自己永远没办法弥补失去的时间，这辈子再也无法实现财务安全了。

我来跟你分享一些类似情况的真实案例。我指导过他们投资理财，向你展示过他们的计划是怎么实施完成的——他们怎样实现了财务梦想：财务安全，财务活力，甚至是财务独立，财务自由。

图 16–1

都工作好几年了，还在还上大学时的学生贷款

我讲的第一个案例属于第一类人——他们年轻，欠了一大笔债。马尔科在大学毕业时，欠了一大笔学生贷款，现在他 33 岁了，成了一名工程师，每年能赚 7.5 万美元，已经相当不错了，但是他现在每年还要还 2 万美元的学生贷款。跟很多美国人一样，马尔科觉得他的债务在消耗他的生命——他觉得这笔学生贷款要还上一辈子了（可能真是这样，如果他选择最低还款金额，每次只还一小部分的话）。不过，马尔科预期他的薪水会持续增长，虽然比较慢，但是很稳定，预期每年增长 3%~5%。我跟他一起制订了一个新的投资理财规划，把他收入的 5% 用于偿还他的学生贷款。而且

马尔科承诺以后每次加薪，都从中拿出3%储蓄起来，放入他的自由基金。

这个新的投资理财规划给他带来什么结果呢？ 7年之后，他摆脱了所有债务，这感觉太棒了！除此之外，马尔科能够拿出收入的5%做储蓄了，因为他原来要用这笔钱归还学生贷款。既然贷款还清了，他可以把原来用来还债的钱储蓄起来去投资，按照复利法则让他的自由基金不断增长。按照这个投资理财规划，马尔科再过20年就能实现财务安全了，20年听起来是一段很长的时间，但到那个时候他只有53岁。此后再过7年，也就是马尔科60岁的时候，他就能达到财务独立——比他想象的65岁退休还要早上整整5年，而且每年的退休收入比他梦想的还要多！有了这个投资理财规划后，马尔科从担心永远还不完学生贷款，转变成期待真正实现财务独立的未来幸福生活。更好的事还在后面，此后再过5年，当他65岁的时候，所有的投资增值，再加上开始领取社会保险，马尔科会实实在在地享受到他自己定义的财务自由——在制订新的投资理财规划之前，这样实现财务自由的前景对于他来说简直是想都不敢想的事情。别忘了，他制订出这个投资理财规划开始通向财务自由之旅的时候，他没有任何资产，没有任何积蓄，只有上大学欠下的债务。

这看起来太好了，简直不像真的……但可能是真的

接着我们来看第二类人。看了一眼他们的投资理财规划，他们马上会想，肯定哪个地方出错了。这个理财计算器肯定失灵了，他们看到自己实现财务活力或者财务独立的梦想的时间，觉得那一天来得实在太快了。“根本不可能，我实现这个财务目标简直太快了。”他们想，“我不可能这么快就实现财务独立，只要再过5年、7年、8年。这简直疯了！”在他们的脑子里，他们要实现财务独立，必须先要熬上20~30年，辛辛苦苦地工作，并且节衣缩食地生活。

哪里出现了问题呢？怎么可能这么快呢？

可能是因为他们脑子里实现财务梦想所需要的那个财富数字大得太离

谱了——1 000 万美元，2 000 万美元，3 000 万美元。其实这根本不符合现实，只是他们凭空想出来的，他们以为自己需要很大一笔钱，才能实现财务独立，但实际并不是他们真的需要那么多钱。

凯瑟琳参加了我组织的一场财富大师研讨会，她就是一个很好的例子。凯瑟琳是一个精明能干的企业家，每年需要有 10 万美元的收入，才能实现财务安全——按照很多人的收入水平来看，这个目标数字太大了，但是对于她来说，这并不算大。要获得财务独立，她需要年收入 17.5 万美元，才能保持他现在的生活方式，而不用再去靠工作赚钱。凯瑟琳认为，自己需要超过 20 年的财富积累，才能达到财务独立的目标。

想不想知道，凯瑟琳和我的团队一起计算出的她实现财务梦想实际所需要的财富数字呢？结果发生了什么呢？我们发现的第一件事是，凯瑟琳的企业现在每年税后盈利超过 30 万美元，每年盈利增长率接近 20%。在我的团队帮助下，她又做了一些研究，然后发现她现在可以卖掉企业，价格相当于现在每年盈利的 6 倍，即 180 万美元。对于她来说，这意味着什么呢？

如果凯瑟琳卖掉自己的企业，拿到 180 万美元，然后用这笔钱去做投资，每年实现 5% 的投资收益率，那么她每年的投资收益就有 9 万美元。现在她手上还有一些其他投资，每年能给她带来 1 万美元的投资收益。所有加在一起，凯瑟琳每年能有 10 万美元的投资收益。你猜到了吗？凯瑟琳现在就能实现财务安全！

凯瑟琳一听高兴坏了，但是她也很迷惑。她说：“但是托尼，现在我不想卖掉我的公司啊！”我告诉她，我并不是要鼓励她这样做，她也没有必要非得这样做。但是她完全可以宣布自己胜利了，因为她应该认识到自己现在已经实现财务安全了。为什么这么说呢？因为她现在拥有的资产，可以产生她实现财务独立所需要的收入，足够满足她现在生活的开支需要了。更加令人激动的是，按照她的企业现在每年 20% 的利润增长率计算，再过 3 年半，她的企业价值就能增加 1 倍。即使他的企业盈利增长率降低一半，只有每年 10%，再过 7 年，企业价值也会翻倍，变成 360 万美元。

她如果等到公司价值翻倍的时候再卖掉公司（360 万美元 × 5% = 每年 18 万美元的投资收益，她什么工作都不用做），只需要 3 年半到 7 年，凯瑟琳就可以完全实现财务独立了。根本不是她原来想象的 20 年！而且还是在其他什么投资都不用做的情况下，凯瑟琳就能实现财务独立了！

顺便说一下，我在企业经营大师训练营上，给企业老板展示了很多经营管理上的妙招，其中有一套策略是很少有人知道的，就是让你卖掉自己企业的一部分股权（甚至是相当大的一部分股权），但是你还能继续经营、控制、指导企业，并继续从企业分享中赢利。这样做，能让你得到一大笔现金，确保你现在就能享受财务自由，同时还能继续管理你心爱的企业，让企业继续成长，享受这个过程带给你的快乐和成就感。

你来晚了，也照样能赢

我们再回到我的朋友安吉拉的故事。安吉拉是个普通人，从财务角度来看，她代表着美国人的平均水平。安吉拉都 48 岁了，过去一直过着自由自在的生活，旅行，航海，游遍全世界，她这辈子从来没有储蓄过，也没有投资过。读完本书的第一部分，她现在开始下定决心要从收入里拿出 10% 储蓄起来，但是她要面对一个巨大的困难：在这场投资游戏里，她开始得太晚了。（她自己也说："我都快 50 岁高龄了！"）她能利用复利巨大威力的时间不多了。

安吉拉第一次计算她要实现财务安全需要的年收入，结果算出来的数字是每年 3.4 万美元。要实现财务独立，她需要的年收入是 5 万美元。第一眼看到这个数字，她就非常激动。因为这个数字没有很多零，是她通过努力也有希望赚到的几万美元。不过，一算自己要达到这样的年收入需要多长时间，让她又从梦想回到了现实。她起步太晚了，而且每年储蓄只有收入的 10%，按照这样一个计划，安吉拉需要用上 24 年的时间才能实现财务安全。如果她现在才 41 岁，这会是一个很大的胜利，因为到 65 岁她就能实现财务安全了。但是因为她开始得太晚了，48 岁才开始，再过 24

年，安吉拉就 72 岁高龄了。但是，要是没有这样一个规划，她会觉得自己这辈子根本不可能实现财务安全和财务独立了，有了这样一个可靠的规划，她觉得自己的未来光明多了。她非常高兴地知道，自己确实是有可能实现财务独立的。但是前面这条路非常漫长、缓慢，这确实不能让她开心、激动。

我们如何能够加快财富积累速度来更早地实现那个收入目标呢？安吉拉怎么样才能更快地实现财务安全呢？一种方法是提高收入储蓄比例，加大投资规模。她已经储蓄了收入的 10% 了。考虑到她过去从来没有储蓄过，拿出收入的 10% 储蓄起来，这对于她来说已经是一个很高的比例了。不过参加明天储蓄更多计划，她就能毫无痛苦地储蓄更多，因为她承诺的是以后收入提高就自动储蓄更多，这样能加快她的计划实施。加快财富积累速度的另一种方法是，承担多一点儿的风险，把投资收益率提高到 7%，甚至更多，当然，提高风险可能会带来高收益，同样也有可能带来大幅亏损。但是，结果发现，还有一个简单得多的好办法，只是我们过去一直都忽略它了。

幸运的是，安吉拉的弹药库还有一批弹药。她漏掉了一大部分未来收入，很多人也都忽略了，没有把这部分收入纳入他们的财务规划中，这一部分就是社会保险。

安吉拉已经 48 岁了，再有 14 年就年满 62 岁，就可以领取社会保险基金了，不过只能部分领取。再过 17 年，她就年满 65 岁，就可以全额领取了。等她年满 62 岁，她什么也不用干，就可以每个月领到 1 250 美元，相当于一年 1.5 万美元。原来她要实现财务安全需要达到的 3.4 万平均年收入的目标，有了这笔收入的加入 ，一下子就降到 1.9 万美元。我们用手机 App 来评估这些数据，安吉拉一看，自己原来实现财务安全需要漫长的 24 年，有了社会保险这笔收入，现在一下子缩短了 10 年。也就是说，48 岁的安吉拉原来要到 72 岁才能实现财务安全，现在有了社会保险，62 岁她就能实现财务安全了。这让她激动得浑身颤抖。到那时，她不用工作，就能有足够的收入支付房贷，支付水费、电费、天然气费和电话费，支付交通费，支付基本医疗保险费。对于安吉拉来说，这真是一种自由的感觉。

不可能的事变成了可能。猜一猜，接下来又会发生什么事情？安吉拉认识到财务安全胜利在望，内心的激动和冲动激励着她。她说："嘿，让我们再上个台阶。既然我到 62 岁能实现财务安全，我们来看看如何再进一步，实现财务独立，我想找到一条路，实现财务独立，不是等到我 70 岁甚至 80 岁的时候，而是 60 多岁就能实现财务独立！"她实现财务独立需要多少年收入呢？ 5 万美元？只比实现财务安全需要的 3.4 万美元年收入多 1.6 万美元。

安吉拉又向前迈出了一大步。读完第三部分后，她又找到了另一种方法来加快实施她的规划。安吉拉一直对房地产投资很感兴趣，想投资一些房地产，以产生稳定的收入。她学到了一些简单的方法，投资不需要专人处理的老年人住宅，或者专为没有生活自理能力的老人提供辅助生活服务的养老住宅，通过公募或者私募房地产投资信托基金进行投资（我们会在第四部分介绍）。我们后面会讨论更多细节，但是现在可以简单地说，选择老年人住宅是投资收益性房地产的一个好方向，我称之为"人口结构不可避免的发展趋势"。7 600 万名婴儿潮时代出生的美国人，正在步入老年期，他们必然需要使用这些老年人住宅。每个月投资 438 美元，相当于每年投资 5 265 美元，持续投资 20 年，假定用分配的红利再投资，继续按照复利增长，那么 20 年后她能积累 228 572 美元（这里假定每年投资分红的收益率是 7%，这是现在很多老年人房地产投资信托基金的收益率水平）。

她投资养老房地产 20 年积累的这笔财富，以后每年会产生 1.6 万美元的收入（假定每年投资分红收益率为 7%），她也不用再每月追加投资来增加本金了，除非她自己想！这样的养老房地产投资还有一个巨大的好处，所有分红收入根本不用交所得税，因为资产折旧可以抵税。

马尔科、凯瑟琳、安吉拉，都是和你我一样的真实的人。你的规划就在你的能力范围之内，是你能够做到的，跟他们一样，你可以比你想象的更早地实现梦想。不要把你在应用程序上制定出来的规划 1.0 版本看作最终的规划。要把 1.0 版本看成让梦想成真之旅的起点。后面几章我会展示五种方法，让你加快财务积累的速度，更快地实现梦想。

风筝飞得最高的时候，是凭借逆风，而不是顺风。

——温斯顿·丘吉尔

看到财务规划所必需的目标年收入数字，再算一算达到这个收入水平所需要的持续积累财富的年数，你不管是觉得胜利并不遥远，心里非常激动，还是觉得实现梦想的路还很长，心里十分失望，都一定要振作起来——失望并不总是坏事，失望常常像是在你屁股上猛踹一脚，逼你做出巨大的改变。记住，决定我们命运的不是外部的环境，而是内心的决定。失望要么驱动我们，要么打败我们。我选择让失望驱动自己，希望你也能够采取同样的观点。大多数人做计划，甚至根本没有走到这一步，因为他们害怕发现，算出的自己实现梦想所需要积累的财富目标数字，与自己现有的财富相比差距很大，自己会感觉很失望。与其失望，不如不算，眼不见心不烦。但是你接受了挑战，承诺读完本书，走向财富自由之路。所以，你跟大多数人不一样，你选择了一条少有人走的路，而不是那条很多人走的路。

我还清清楚楚地记得那年美国国庆节的假期旅行，尽管那是 20 多年前的事情了。受我的好友彼得·古伯的邀请，我和一群大型电影公司的高管同行，一起穿越楠塔基特岛和马萨岛上的葡萄园。我们坐在彼得的私人游艇上，几个电影大亨正在炫耀自己的成就，如何只做了一部电影就赚了两三千万美元。我听了非常震惊——光是那个盈利的数字就让我惊呆了。我那时 30 多岁，当时觉得自己已经做得非常好了，绝对处于事业的上升期——我一直自我感觉非常良好，可是这次在游艇上听这群电影大亨一开口就是一年能赚几千万美元，才知道天外有天，人外有人，跟他们一比，自己赚的钱简直不值一提。这些家伙的生活方式简直太疯狂了，没过多久我就受到他们的诱惑，也想学他们那样轻松赚大钱了。

那个国庆假期的旅行经历让我很受打击，但也让我想到了一个不同的问题：我这辈子真正想要创造出什么东西呢？我有可能实现那个目标吗？那个时候我还根本没有看到，我利用自己擅长做培训的核心能力，就可以给其他人增加很大的价值，也能创造出类似水平的财务自由。

当然，拿当年的我和我当时的成就水平，跟那些电影大亨比较，对我也是不公平的。当时我才30多岁，彼得和他那些拍电影的朋友都50多岁了，有的人都快60岁了。彼得正处在事业的巅峰，我的事业才刚刚起步。他得到过5次奥斯卡金像奖提名，很多好莱坞大片上都写着他的名字。当然，那时我也小有名气了，经营着一家企业，做得也很成功——改变了自己的人生。但是我在财务上的成功，和彼得还有他那帮朋友相比，差了十万八千里。而且，我把自己和游艇上的那些家伙相比，这非常不公平，但很多人都这样做过：我痛贬自己，怪自己没能取得和那些大亨同样财富水平的成就。

但那一天，那一刻，给我带来了一个特别大的好处，就是让我置身于一个新的陌生环境里，我内心深处有个东西被改变了：我远远离开了我的舒适区。我觉得自己不属于那帮人——就像我觉得自己不配待在那里一样。你有没有过类似的感觉？这真让人吃惊，要是我们不有意识地引导大脑思考，这些想法会对我们造成多么大的影响呢！

不过，比较也是件好事。你和别人在一起，这些人玩的人生游戏比你玩的层次更高，你可能会非常沮丧，可能会非常恼火，但也可能会因此受到启发，获得灵感。那天我认识到，我并不是想要一艘游艇，但是我受到启发要好好地磨炼自己，提升自己人生游戏的比赛技能。我认识到，我可以做的，我可以给予的，我可以成就的，还有很多。对于我来说，更好的还在后头。我也意识到，在我人生的那个时点我感到非常不舒服，身处一种新的环境中，我再也不能感觉自己出众或者高人一等了，甚至远远不如别人。这样的机会逼迫我反思，对于我来说，这非常宝贵，也非常有意义。

当然，我的好友彼得邀请我到他的游艇上和他的那帮朋友一起旅行，我上面的这些想法，其实他是不知道的。他只是想召集一帮朋友，坐着他的游艇，来个国庆节快乐之旅，作为送给朋友们的一份礼物，表达他对这帮朋友的深厚友情。但是他邀请我和他的其他朋友一起旅行，给我展示了一个拥有无限可能、无限机会的世界。这次旅行的经历对我很有帮助，唤醒了我去直面真相。我很清楚地看到，自己确实有能力创造出任何我能想象得到的东西，也许我并不想拥有和他们一样的“成年人玩具”，但是我绝对可以肯定，我非常想拥有同样类型的选择，来给我的家人创造更好的生活。现在我已经 50 岁出头了，当年那些感觉不可能的想象，现在都变成了生活现实的平常影像。我现在过的日常生活竟然是以前的想象！但是有一点和以前一样，我还是不想要游艇。

我要说清楚，重要的不是钱，重要的是选择，重要的是自由，重要的是能够过上你想要的生活，按照你的意愿生活，而不是按照别人的意愿生活。

不要抱怨。

不要说你不能。

不要编故事骗自己。

相反，现在就做出决定！

找到上天赋予你的天赋，发挥你的天赋，服务和帮助别人，人越多越好。

如果你变得更强壮、更聪明、更有同情心、更加有能力，那么你的目标就是一个值得努力的目标。

我最早的导师之一吉姆·罗恩总是这样教导我：“你得到什么样的东西，都不会让你开心。可是你成为什么样的人，会让你非常开心或者非常伤心。”如果你每一天都能够进步，哪怕只是一点点进步，你都会为自己有所长进而感到快乐。受益于恩师的教导，我开始不断地进步，不断地思考大目标和大成就，逐渐领悟一些最重要的经验教训，其中一个最重要的经验教训是：

> 大多数人高估了自己一年能做成的事情，但是他们也严重低估

了自己10年或者20年能够做成的事情。

事实真相是：你并不是周围环境的管理者，而是你自己生活经验的建筑师。千万不要低估长期坚持不懈地采取正确行动的威力，因为一件事不在最突出的位置，或者一件事不在你的能力范围之内。

利用复利的力量，原来看起来不可能的事情会变得可能。现在不管你是喜爱还是痛恨你的财务规划，不管你看了这个规划设定的目标会感到兴奋激动还是恐惧害怕，让我们一起把你的梦想成真计划变得更强大、更有力吧。我们要加速实现你的目标，你可以利用五大因素，让自己快马加鞭。

第 17 章　加速财富积累第 1 招：储蓄更多，投资更多

好像每件事都在你的掌控之中，那就意味着你跑得不够快。

——马里奥·安德列蒂

祝贺你，你已经朝着财务自由迈出了一大步！大多数人并没有花时间去考虑他们的整体财务状况，创建一个规划；只有少数人这样做了，这非常不容易，这个过程会激起你各种各样的情绪。很强烈，很吓人。我当初也做了财务规划，激起了内心各种各样激烈的情绪，所以我能理解你的感受。但是现在你已经完成你的财务规划了，给自己一点时间好好享受一下你的胜利。问问自己，你看了自己的财务规划的真实感受是什么？你是不是对你和你家庭的未来财务状况感觉挺乐观？你是不是很兴奋，因为你发现你的财务梦想比原来想象的实现时间要近多了？还是你一想到它就很害怕，因为你一看到这个财务规划，就觉得自己可能永远无法实现财务梦想了？你是不是深陷于债务之中，开始怀疑你能不能从这个金钱深坑中挖出一条生路？

不管你现在的财务状况如何，到了什么样的地步，这都没有关系。你已经跨出了好几大步，现在根本不可能掉头回去了。打个比方，现在你已经学会如何走了，那么接下来让我教你如何跑。接下来的几章，要让你好好想想如何让你的财务梦想更快地实现，比你想象到的速度还要快。拥有远大的梦想，并用行动让梦想成真，然后想办法加快梦想成真的速度。你

是不是也曾有过非常忙乱的一天，不停地和时间赛跑，克服重重困难，终于提前完成了任务？你可以提前下班了，相当于又额外争取回来一两个小时的生活时间，这绝对是份礼物——这份奖赏让你觉得整个世界都站在你这边支持你。你可以去健身房跑跑步，或者出去找朋友喝杯酒，或者飞快地跑回家去抱抱亲爱的小宝贝——能哄孩子上床睡觉感觉好幸福。

我经常密集地出差旅行，密集得让我发疯。我在不同的国家，不同的大洲，穿越不同的时区，在全世界到处飞来飞去，就像一个环球旅行观光客一样飞个不停，但我只有旅行，没有观光，忙的都是业务。如果我去某个地方的到达时间提前了，如果我一周能额外空出一些时间，再次集中精神，或者陪陪老婆、孩子，我就会充满能量，兴奋激动。因为我找到了一些多出来的时间。

如果多出来的时间不只是一两个小时，事情又会怎么样？如果你能找到的空闲时间，并不只是多出来的一两个小时，而是从财务上讲，多出来需要积蓄 2 年的财富，或者多出了需要 5 年积蓄的财富呢？甚至多出来需要 10 年积蓄的财富，让你享有充分的自由，不用再去靠工作赚钱养家，以维持你现在的生活方式呢？这正是下面这些内容承诺做到的事情。即使你现在的规划看起来不太可能让你达到你梦想的财富水平，这些内容也可以展示给你如何改变你的规划，为你的生命打开新的机会之门——额外的钱，额外的时间，以及终极的自由。

得到了时间，就得到了一切。

——本杰明·迪斯雷利

如果你正在加速计划实施，那么你有五个核心的策略。你可以只用其中一招或者五招齐用——这完全由你决定。其中任何一招都能显著地加快你的财富积累的速度，让你更快地实现自己的财务梦想：财务安全，财务独立，财务自由。数招并用，没有人能阻挡你飞一般地前进。

你要致富，有两条路可选，一条路是拥有的多而需要的少，另一条路是需要的少而拥有的多。

——吉姆·莫特

储蓄更多，投资更多

你加速自己计划实施的第一个方法是储蓄更多，用这些储蓄来投资，获得复利增长。我知道，这并不是你想看到的。也许你甚至想说："托尼，我的每一分钱都得花掉，我根本不可能储蓄更多，无论在什么情况下都不行。"如果这是真的，在我们开始讨论任何事情之前，你先回想一下，在第 14 章中我们学到的东西：要对付你那套信念体系，最好的办法就是发展形成一个新的信念！你不可能从岩石里挤出水来，但是你可以改变你的信念，重新解读发生在你身上的故事。

尽管你深信自己根本剩不下一分钱做储蓄，获得诺贝尔经济学奖的理查德·塞勒用实例证明，我们都能明天储蓄更多。还记得那些蓝领工人吗？他们说自己绝对存不了钱，但是只用了五年，经过三次加薪之后他们就能储蓄起工资收入的 14%，2/3 的人的储蓄比例甚至达到了工资收入的 19%！你也能做到，你完全可以毫无痛苦地做到，只要用这个策略就行。现在我们再来学习了解一些新鲜的策略。

假设你能省出来一大笔钱，用于实现你的财务自由，而这样做不会花你一分钱，你觉得怎么样？我们来看看你这辈子最大的那笔投资——你的房子。要是你像大多数美国人一样，认为拥有一套房子是件大事，你做梦都想要有套自己的房子，也可能你现在已经有自己的房子了，你感到非常骄傲。不管你是住在缅因州的波特兰市，还是俄勒冈州的波特兰市，住在哪里都差不多，你的房贷往往都是你每个月收入支出的最大一部分。

如果你能从自己的房子上额外节省出 25 万美元、50 万美元，甚至 100 万美元，你觉得怎么样？这听起来根本不可能吗？不，我不是在讨论把你的房地产抵押贷款用以更低利率的借新债还老债的方式再融资，不过这也是一个没有痛苦的方式，能让你每个月节省出来几百美元，甚至几千美元。

银行家的秘密

你并不需要非得等到市场暴跌了，再去借抵押贷款，因为这时利息低，能省不少利息钱。你读到这部分的时候，利率也许正在回升。不过，你还是可以把你每个月的房贷砍掉一半，最快从下个月就能开始。你根本不用去银行办手续，也不用改变你的房贷合同条款。你觉得怎么样？我来问你一个简单的问题。比如，你申请一笔房屋贷款，你愿意选择哪种还款方式呢？

第一个选择：你还的房贷的 80% 用来归还利息；

第二个选择：30 年固定利率，贷款年利率 6%。

好好想一想。你现在会选第一个还是第二个呢？你是不是觉得第二个选择更有吸引力？第一个选择是不是听起来太疯狂了？你借房贷的时候，是不是也跟随大众选择了 30 年固定利率贷款？或者你比大家都聪明得多，选择了第一个，用 80% 的钱去还利息？

答案是无所谓，选择哪个都一样。你在房贷合同上签了名字，抵押贷款 30 年，每年固定利率 6%，那么你每个月的房贷 80% 都是还利息了。你还没有搞明白吗？在你贷款的这 30 年里，你支付的利息加在一起会占到你贷款总额的多大比例呢？ 30%，40%，还是 50% 呢？要是只有这么多，你的日子就好过多了。你想知道银行的秘密吗？你支付的利息加在一起会超过你贷款价值的 100%，甚至还要多。你买了套房子，房价是 50 万美元，那么这套房子最终会花掉你 100 万美元，因为你先借款 50 万美元购房款，后面每年还的利息合计会有 50 万美元。如果你买的房子的房价是 100 万美元呢？那么购房款再加上你还的利息，最终会花掉你 200 万美元！看一看下面这张图，你有看到利息支出对你购房总成本的影响有多大吗？这个例子是买一套价格 100 万美元的房子，但是不管你买的房子的价格是多少，房贷利息在购房总成本中所占的比例是相同的。长期下来，你付的利息会让你的购房成本增加 1 倍，你买房花多少钱，以后还房贷的利息会和买房的钱一样多。

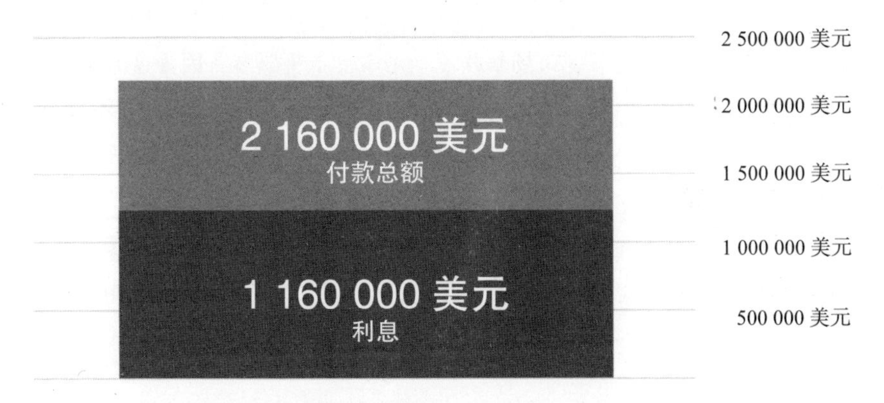

图 17–1

对于大多数人来说，他们的抵押贷款是最大单笔的支出，但你并不知道，你每个月还的房贷，大部分都是还利息了。你要是知道，平均而言，每个美国人房贷加信用卡贷款和汽车贷款，34.5% 的税后工资都得拿去付利息了。我敢打赌，你看后并不会大吃一惊。这只是平均水平，很多人花在利息上的钱大大超过了自己收入的 1/3。

那么你如何能够大幅削减那些巨大的利息支出呢？你如何减少你长期积累的利息支出——把那些钱拿回来，就能增加你争取财务自由的基金呢？答案非常简单，也可能会让你感到吃惊。

要是你借的是传统的固定利率的房贷，你只需要做一件事就行了，就是在贷款期间提前归还本金。这个月提前归还你下个月分摊的贷款本金，你就可以将原来 30 年的房贷在 15 年内还清本息，在大多数情况下这都行得通！这是不是意味着你每个月的月供要翻倍？根本不用！

金钱威力法则 3：把你的房贷还款总额减掉一半！下个月你还了当月的房贷后，再拿出一些钱提前还掉本金——只是下个月房贷里的本金部分，不是全部本金，别害怕。

反正这些钱，都是你下个月肯定要付的钱，为什么不从你的口袋里提前一两个星期拿出来，这样以后你能给自己省下来一大笔钱。整体来看，你早期的房贷还款中有 80%~90%，有些情况下可能会更多，都是去付利息了。平均而言，大多数美国人要么是还不起房贷了，只好断供，房子不要了，要么是过了五六年再融资，借新债还老债（这样又开始了新一轮新房贷还款，绝大部分是还利息的愚蠢做法）。

“太可惜了。”抵押贷款专家马克·爱森逊写了一本书《银行家的秘密》。他接受《纽约时报》采访时说：“有好几百万人，老老实实地每个月还房贷，因为他们不明白提前一个月还掉下个月的本金，只是多花了一点儿小钱，但能给自己带来巨大的好处。”

我们来看一个案例（详见以下表格）。平均每个美国家庭的房子价值 27 万美元，但是这个策略，不管你买房花了 50 万美元还是 200 万美元，都有效。要是你的贷款期限是 30 年，买的房子的价值属于美国平均水平——27 万美元，每年的贷款利率是 6%，这需要你一开始每个月还房贷 1 618 美元。用了这个方法，你要再拿出来 270 美元——这是下个月要还的房贷里的本金部分——其实是很少一笔钱，相当于你每个月房贷的 1/6。你这个月多还的这 270 美元是本金，以后你永远不用为这笔本金付利息了。说得清楚些，你再也不用额外花钱付利息了，你只是在这个月还房贷的时候提前还了下个月的本金而已。

一直坚持用这种提前一个月归还本金的策略，你只用 15 年就能还完一个原来还款期限是 30 年的房贷。为什么不提前一个月还下个月的本金 270 美元？这样你就能把你的房贷还款年数缩短一半呢！如果你购买你的房子花了 100 万美元，那么你就可以省下 50 万美元，让它重新回到你的口袋里！一下子多出来相当于你半套房子的钱，这是不是会大大加快你通向财务自由的旅程？

表 17–1　美国房子的平均价格

单位：美元

月份	付款	本金	利息	余额
1 月	1 618.79	268.79	1 350.00	269 731.21
2 月	1 618.79	270.13	1 348.66	269 461.08
3 月	1 618.79	271.48	1 347.31	269 189.60
4 月	1 618.79	272.84	1 345.95	268 916.76

孩子，你可以开我的车

并不只是房子能让我们省下一大笔钱。我有个儿子，非常喜爱宝马车，就是想要买一辆宝马车。在盼了很多年“终极驾驶神器”后，最终他分期付款买了一辆全新的、豪华配置的宝马车，他想要的功能这辆车全都具备了。买了这辆车后，他兴奋了好久。他爱这辆车开起来的那种感觉；他爱这辆车的马达轰鸣声，像是在对他甜言蜜语；他爱这辆车让他感觉很有面子。开宝马车的人，一看就知道很骄傲，很有抱负；开什么样的车，代表你是什么样的人，人就是车，车就是人——至少他是这样想的。

有好处必然也有坏处。宝马车好，价钱也高，花掉了他一大笔钱！他每个月还车贷的钱，本来可以用来还房贷。再过一两年，这辆车就会变得有些旧了，毫不奇怪，它会失去一些魅力。等到他 30 岁刚刚订婚后，他想去买一套房子给自己和未来的妻子住。结果一算账，他开始后悔了。他那辆宝马 X6（双涡轮增压 V8），每个月 1 200 美元的车贷足够支付一套房子的房贷。

他也认识到了自己不再需要像原来那样开一辆豪车来显摆自己了。车，只不过是个交通工具而已。他明白了自己也可以开一辆大众帕萨特或者迷你库柏，那样也许更好、更新、更省油。

除此之外，原来开宝马车给他带来的快乐大部分都没有了。他在别的地方找到了快乐：买个房子，和他心爱的女人安个家，开始新的生活。不开宝马车，不再是牺牲自己了，相反，它变成了一个深思熟虑后的决定：把钱花在别的地方，开始为自己和家人打造一个财务上很安全的未来。

现在你如果是个汽车发烧友，非常喜欢车（像我一样），那我不是要告诉你去开一辆大众汽车。对于很多人来说，法拉利、保时捷，还有新出来的特斯拉，简直无法让人抗拒。如果你的计划已经完成了，你的财富积累达到了你想要达到的财务目标，不管怎么样，你想开什么车就开什么车吧。但是如果你的财富积累还没有达到你的财务计划目标，或者你现在奔向财务目标的财富积累速度还不够快，那么也许是时候重新思考一下，你现在开这样的豪车值不值，看看你能不能找到省下不少钱的办法，把更多的钱加入你的财务自由基金里。

还记得安吉拉吗？她读了本书的初稿后，就去买了辆新车——这是他人生买的第一辆全新的车子！我们来看看安吉拉买新车时算的账：他可以把旧车卖掉，每个月省下来400美元的修车费，一年就能省下来接近5 000美元，把这些钱储蓄起来做投资，就能开始利用复利增长。

你还能做些什么来省一大笔钱？

并不是只有房子和车子这两个地方，能让我们省出一大笔钱。还有哪些地方的支出已经不能给你带来价值了？我知道，节衣缩食、紧紧巴巴、抠抠搜搜地过日子，对于大多数人来说没有吸引力。我可不想完全按照预算来花钱，我想你也不喜欢。但是我相信，确实需要制订一个花钱的计划。我喜欢计划这个做法，看看怎么花钱能给我带来最大的幸福和快乐，同时也能保证我长期努力之后实现财务自由。

不过，公平地说，你如果也是那种人，会抱怨地说：“去你的吧，我才不会想办法省钱呢，我只想专注于赚钱，赚得更多就行了。”那么你可以直接跳过这一章，直接翻到下一章，看一看怎么赚得更多和增加更多的价值。如果省钱的想法听起来让你筋疲力尽，或者你一听省钱就心烦，这也没关系，你还有其他四个策略能帮助你加快财富积累速度，我不希望你会错过另外加快财富积累的四招，不要只是因为省钱这一招不是你喜欢的，就连其他的四招也不看了。但是你如果确实愿意学些简单有效的省钱妙招，就接着读下去。我敢保证，你只要做几件小事情，长期就会产生重大的影响——让你长期能够积累一笔巨大的财富。

公平地说，亚马逊网上书店和那些实体书店里面有很多书教你如何省下更多的钱。戴夫·拉姆齐是一个非常有心的男人，他写了好几本书教大家如何省钱。苏茜·欧曼女士也写了好几本书教你省钱。这些书都值得一读。但是，我们还是会用几页的简短篇幅，重点介绍几个实用的、简单的省钱策略。

有一件事确定无疑是值得去做的，你可以列一个开支计划来帮助你提前决定怎么花你的钱，把你的钱花到哪里，以给你今天和未来带来最大的回报。

还记得在第 3 章中，我们看到一个省钱的实际生活案例，订购比萨外卖在家里和朋友们聚餐，而不是出去到饭店吃晚饭，这样做每个星期能给你省下 40 美元，一年就能省 2 080 美元。那么按照 8% 的年收益率计算，再过 40 年这笔钱就会变成 50 万美元以上，这可是 100 万美元的一半！它能让你过上幸福的退休生活，远远胜过现在大多数美国人的退休生活，他们的退休金可没有这么多。这种小钱用来投资，或者把它放到我们的退休金账户做投资，竟然会利滚利地增长到 50 万美元，这肯定会让我们重新思考，每天早上花钱喝一大杯咖啡究竟值不值。

财务专家戴维·巴赫是我的好朋友，他自己创业，就是从参加了我的财务研讨会开始的，那是 20 多年前的事了。他决定要追寻他的梦想，帮助人们实现财务独立。过了几年之后，我高薪聘请他第一次发表付费演讲。现在，他用激情和奉献帮助教育美国人学习投资理财知识，他写的畅销书《自动成为百万富翁》卖出了 400 多万册。这本书的核心讲的其实就是一句话：省小钱发大财。他说的小钱，最典型的代表就是很多美国人早上必须喝一杯拿铁咖啡，他在书里称之为“拿铁因子”。其实他说的不仅是拿铁咖啡，也包括所有你不经意间花的小钱。这些小钱加在一起其实会消耗掉我们很大一笔财富，而我们根本没有意识到。但是如果你很爱喝咖啡，那么你知道这个爱好会花掉你多少钱吗？假设你只是轻度上瘾，一天一杯而已，一天一杯也就 4 美元（换成人民币也就 30 元左右），但是日积月累，过上 20 年，按照 6% 的利率计算，你实际上相当于喝掉了 5.65 万美元（相当于人民币 40 万元）。只是每天喝上一杯咖啡，你付出的代价竟然这么大！但是我们还是要面对现实，那些星巴克的忠实粉丝可不是一天只去一次。爱喝咖啡的人一天会去两三次。一天一杯是一天 4 美元，一天两三杯就是一天十几美元，这样 20 年下来，按照 6% 的利率计算，你相当于喝掉了 141 250 美元（相当于 100 万元人民币）。这可够你的孩子在美国念四年大学的学费了！

如果你是个纯粹主义者呢？你才不会狂喝咖啡，摄入那么多咖啡因呢！你的身体是个圣殿，你十分小心地注意保健。但是瓶装水是你钟爱的东西。你也爱喝斐济或者依云矿泉水吗？公平地说，即使你只是到超市买几箱便宜的波兰矿泉水，你知道你每年花在瓶装水上的钱能有多少吗？我的一个年轻的女同事，我很敬重她，她也觉得自己很有社会责任感。她最近快要结婚了，未婚夫一无咖啡瘾，二无酒瘾，但是他喝矿泉水上瘾，会定期买上一箱 12 瓶、每瓶 1.5 升的矿泉水。天天喝那么多矿泉水，他这样做很聪明吗？他一次会买 3 箱，总共 36 瓶，够他喝上两个星期，这样要花掉他 75 美元。一个月去买两次，他在喝水上每个月就要花 150 美元，一年下来接近 1 800 美元——他花这么多钱买的东西，可以打开水龙头随便喝，一分钱也不用花。讲究一些的，可以买个德国产的碧然德净水器，再买几个耐尔水壶，让你一样可以天天喝上非常干净的水，一年只要花 50~60 美元。别忘了，他这样天天喝瓶装矿泉水，既在毁掉我们的地球，又在毁掉自己的钱包。我想，我这个女同事的未婚夫要是每年能把花在喝瓶装水上的 1 800 美元省下来，放到他们的储蓄账户中，利用复利不断增值，他们肯定会开心得多。因为每年 1 800 美元，按照每年 8% 的收益率计，过上 40 年，就会变成 503 605 美元。但这些钱都给他喝水喝掉了！

我并不是说你必须放弃喝瓶装水，或者再也不喝咖啡了，但是和喝水、喝咖啡一样，确实有些小地方能让你省出来不少钱，现在找一找那些能给你省大钱的小地方。

最后一个省钱的地方是购物，特别是一时高兴冲动的购物：你知道的，就在那一刻，你非常喜爱那些名牌奢侈品，像很贵的包包，很漂亮的爱马仕领带，你觉得非买不可。丽莎是个年轻的妈妈，来自那什维尔，非常喜欢那些精美的东西。她一冲动就会买名牌奢侈品，这都快把她丈夫逼疯了。丽莎回到家里，经常不是身上穿着一件新裙子，就是脚上穿着一双非常亮丽的新鞋子，她的丈夫总是一成不变地问："你这些东西是打折买的吗？"或者问："你有没有到网上查查同样的衣服在哪里卖得更便宜呢？"两人吵了几次架，他们最终达成协议，决定实行一个新的计划。要是丽莎发现自己突然心血来潮来到纽约第五大道的萨克斯百货商店，或者进了周仰杰鞋店，又看上了一件衣服或者一双鞋子，非买不可，她要拍下来这个东西的照片，发给她丈夫。丽莎给丈夫两个星期的时间，到网上用更便宜的价格买下来，不然的话，丽莎就会打电话给实体店全价购买。不过丽莎像个小绵羊一样地害羞承认，不管她想要买的是什么，在超过 80% 的情况下，她的丈夫都能在网上找到更便宜的价格——一般都能打八折，有时会低到七折。

你可以学学丽莎和她丈夫到网上查所有的购物返利计划，这能给你省下真金白银。一些网站能帮你从日常花费上返利，帮你攒学费，从网上购买、出去吃饭到外出旅游，都能帮你省钱。你可以把你省下来的这些钱用于还你的学生贷款，存进储蓄账户，或者 529 大学储蓄计划（这是一个能够递延纳税的储蓄计划，由父母设立来为孩子积攒大学学费）。如果孩子大学毕业了或者孩子上大学并不是最优先考虑的事，你也可以存下一笔现金。网上有几百个购物返利网站，都能给你节省 10%~30% 的费用。丽莎和她的丈夫把所有得到的购物返利都打进了他们的教育基金账户，现在每个人都对那双细高跟鞋感觉好多了。

当一天结束的时候，问自己这个问题：我的花费，不管是大还是小，给我带来的兴奋激动还和过去一样吗？这并不是要剥夺你的购物权利，而是要调整你的花钱习惯，花的钱要符合你的核心价值观，只在那些真正对你非常重要的体验上，放纵自己多花一些钱。精心考虑确有必要之后才会花钱来买，这种习惯能让你的钱花得值，能让你的生活品质持续保持下去，持续给你带来幸福和快乐。不管你现在的年纪多大，这辈子还有20年、30年、40年可以投资，不管你现在攒的钱是多是少，不管你每年能省多少钱，也不管你还有多少年继续省钱，你都可以利用复利无与伦比的巨大力量，省得更多，赚得更多。财务安全，财务独立，不管你的财务目标是什么，你实现目标的速度都会大大加快，因为你省下来不必要的花费，把这些钱储蓄起来做投资，用复利让你的财富积累得越来越快。

这里的关键不是生活方式，而是时机选择。为什么今天不做出一些简单的改变，每天省些小钱，日积月累，利用复利增值，使它们变成大钱，确保你有足够的财富，人生之路可以一路顺利地走下去，享受你想要的生活方式，实现你的梦想？你仍然可以享受生活中那些奢侈消费带来的快乐，但这是你主动控制，而不是你受冲动控制。你选择如何分配你的资金，投资到让你的钱花得最值的地方。有很多简单的省钱妙招，你可以从以前按照合同还房贷变成提前归还下个月的本金，也可以把原来开的豪华汽车换成经济实用型的汽车，也可以从实体店购买换成从网上购买。有很多省钱妙招，真的能给你省下真金白银，日积月累，每年省下来的钱的数字相当大，要是你能够找到这些省钱的地方，把省下来的钱做投资，利用复利的力量，几十年下来，你就能积累几万美元、几十万美元，甚至上百万美元的财富。

现在翻到下一章，我要告诉你一个大招，让你的计划实施的速度更快，获得财务独立的速度更快。那就是我所知道的加速财务积累的最快方式：赚得更多。

多多留心，处处能省

这里有个练习，只有6步，很简单，你能很快做完。它能帮助你深入思考省钱这件事——更加积极，更加自觉。

第 1 步：头脑风暴。快速回想所有一再重复发生的费用，你可以取消或者减少，以削减你的费用支出。比如，汽车保险、手机账单、午餐饭钱、电影票。想想有哪些重复性花费，你可以做些改变，多省些钱。

表 17–2　开始投资越早，积累的财富越多

（假设年投资收益率为 10%）

单位：美元

日常投资数	每月投资数	10 年	20 年	30 年	40 年	50 年
5	150	30 727	113 905	339 073	948 612	2 598 659
10	300	61 453	227 811	678 146	1 897 224	5 197 317
15	450	92 180	341 716	1 017 220	2 845 836	7 795 976
20	600	122 907	455 621	1 356 293	3 794 448	10 394 634
30	900	184 360	683 432	2 034 439	5 691 672	15 591 952
40	1 200	245 814	911 243	2 712 586	7 588 895	20 789 269
50	1 500	307 267	1 139 053	3 390 732	9 486 119	25 986 586

第 2 步：这些东西或者活动花掉你多少钱呢？重点标出这些花费中占比最大的那一项，记下来这项最大花费每次会用掉你多少钱。接下来再算一算你每个星期纵容自己做几次这种花费，对自己实话实说，不要只是想当然。

第 3 步：现在，用从 0 到 10 来衡量你的快乐程度（0 代表根本没有快乐，10 代表极端快乐），你从上面每个费用项目上得到的快乐有多少呢？给每个花钱的活动或者东西写上一个代表快乐程度的数字，帮助你把这些费用和你的实际生活联系到一起。

第 4 步：接下来想一想，如果拥有绝对的财务自由，你会有什么样的感觉。第 15 章提出了一个概念：你梦想的价码，即实现你的梦想需要的钱。你还记得你脑子里有什么反应吗？这让你有什么样的感觉？但是你要记住，这只是你体验到的抽象感觉，理论上的感觉。现在呢，你离梦想很近了，足以细细品尝一下。如果你实现了绝对财务自由，你会享受什么，拥有什么，做什么，成为什么样的人，给予什么呢？

第 5 步：决定什么对你更加重要，是你从上面列的费用清单中那些一再重复发生的费用中得到的快乐，还是得到绝对财务自由让你感觉到的快乐呢？记住，生活就是平衡，你不需要放弃你的费用清单上的每一样东西，什么东西也不买，什么钱都不花，去追求那种绝对财务自由的感觉。

第 6 步：至少写下来三项费用，是你下定决心要完全放弃的。计算一下，这会让你下一年省下来多少钱。

表 17–3　控制花钱：快速练习自觉省钱

序号	项目 / 活动	项目 / 活动支出	每周的次数	总开支（项目开支乘以周数）	愉悦度
1					
2					
3					
4					
5					
6					
每周总金额					
每年总金额					

第18章　加速财富积累第2招：赚钱更多，投资更多

不仅要努力成为一个成功的人，而且要努力成为一个有价值的人。

——阿尔伯特·爱因斯坦

好了，现在我们讲第2招。上一章讲的是省钱，还有一种比省钱更快的方式，快得几乎没有上限——只要你能释放出你的创造力和专注力，非常痴迷地找到一种方式，能为别人做得更多，比其他任何人都多，你就能赚得更多，切换到财务自由之路的快车道。

开着卡车奔向财务自由?

在我十几岁的时候，以后要走的路，我妈妈早就帮我想好了。她想让我当个卡车司机。她在电视上看过那些卡车驾驶技术培训学校的广告，一遍又一遍，她看上千遍也不厌倦。妈妈告诉我，只需要接受一些培训，我就能够通过考试，当上卡车司机，一年能赚2.4万美元。我的天哪，2.4万美元！我父亲在洛杉矶市区一家停车场做管理员，一年到头，辛辛苦苦才能赚1.2万美元。我开卡车一年的收入是父亲的2倍。我妈觉得，当上卡车司机，我的人生前途就会一片光明。妈妈一有机会就忽悠我：你想想看，你可以自由自在地开着你的卡车，在公路上狂奔。这确实很吸引我，

至少在某种程度上如此，我想象着自己当上卡车司机，就可以打开车上的音响，一边听着我想听的音乐，一边开着车向前飞奔——对于当时才14岁大、从来没有开过车的少年来说，这真是好酷啊。当上卡车司机，我就会有机会出去闯荡，而不是像我父亲那样一辈子待在那个地下车库里，30多年，也没熬出头。

但是，后来我经历过很多悲惨的事件，我先后有过四个不同的父亲，这让我感到别人都看不起我；我从来没有足够的钱吃饱穿暖。经历的苦难多了，这也让我早熟，我意识到，我就是当上了卡车司机，开车时间再久，跑得再远，也无法逃离那种处境给我带来的痛苦。在我的头脑里，我下定决心自己以后绝对不会让我的家庭受苦受罪。除此之外，我想用我的头脑和我的心灵来赚钱，而不是当个司机靠卖力气吃饭。人生如戏，但不同的人在人生舞台上有不同的层次，我希望能够进入和父母完全不同的层次。

我看着身边其他同学和其他人的父母，心里想：别人是人，我也是人，为什么我和他们过的日子差别这么大？为什么我们家一直不断地挣扎，才能勉强吃饱肚子，才能有钱交给收账的人付清水费、电费？我们家平时吃饭只有两个选择，不是罐头装的青豆就是茄汁意大利面，为什么我们买不起番茄酱？可是就在同一个城市，住得离我们家不远，和我一起上高中的孩子，假期去的地方都是名胜古迹，上的大学的校园看起来美得如诗如画，他们过的生活明显和我过的生活不同。难道是因为他们知道我不知道的东西吗？他们做的事和我父母做的事有什么不同吗？

我开始沉溺其中。有人挣的钱是我们的2倍，但我们的工作时间是一样的，这怎么可能？有的甚至是3倍，10倍？这简直太不可思议了。从我当时的理解水平出发，这个谜题根本没法得到解答。

投资你自己

我的工作是个看门的保安，工资很低，因此我需要找其他活干，额外挣些钱才够吃饭。我的父母认识一个人，我父亲过去叫他“失败者”，现在这个人变得很成功，他只用了很短的时间就发达了，至少从钱上来看他是发财了。他当时正在南加利福尼亚州做房地产生意，买房，修整，装修，再转手把它高价卖出去。他需要找个男孩在周末帮他搬家具。机会来了，这个周末的短工让我乐坏了，这可能为我的人生打开一扇窗，彻底改变我的命运，我一定要好好表现，坚决不能错过。这个人的名字叫吉姆·汉纳，他肯定注意到我急匆匆地跑来跑去，非常卖力地干活。中间休息的时候，我问吉姆先生：“我想请问您，您的人生怎么会实现这么大的转变呢？您是怎么做的，才会变得这么成功呢？”

他说：“改变我人生的就是去参加了一个培训讲座，做培训讲座的人叫吉姆·罗恩。”我听不懂，问道：“什么是讲座啊？”他说：“就是找个地方，有个人来讲课，不是讲空虚无用的大道理，而是讲他过去一二十年的人生经验，他所得到的所有教训。他把所有这些经验教训的精华，浓缩成几天的课程，让你能够用几天就吸收他几十年的经验教训。”哇，这听起来简直太棒了！我也想去听。“您说的这个培训讲座，得花多少钱啊？”汉纳说：“35美元。”什么？！我干一个星期才能挣到40美元，白天读高中课程，晚上看门当保安，这40美元挣得多不容易啊。“你能带我进去听听吗？”我问他。“当然可以！”他说，“但是我不想那样做。因为你自己不花钱去听，就不会珍惜它。”我一听，愣了，站在那里，心里很难过，我怎么舍得花35美元——相当于我一个星期的工资——只是为了听这个专家讲上3个小时呢？“哦，没关系，如果你觉得花这么多钱来提升自己这项投资不值，就不要勉强去了。”他最后耸耸肩膀说道。我经过反复思想斗争，最终还是决定自己花钱去听这个培训讲座。结果这成了我一生最重要的一项投资，我花了一个星期的工资参加了这个培训讲座，遇到了讲课的老师吉姆·罗恩——这个人成了我人生的第一位导师。

我坐在加利福尼亚州欧文市一家饭店的宴会厅里，听吉姆·罗恩讲课，我完全被他迷住了。这个一头银发的男人回答的每个问题，都一直在我的大脑中盘旋。吉姆·罗恩，也和我一样，出身贫穷，曾经困惑不解，尽管他的父亲是个好人，拼命地工作，还是只能受苦受罪，而他周围的人却很成功，生活很幸福。后来，突然之间，他回答了那个问题，那个我已经问了自己好多年的问题，那个我一直找不到答案的问题。

“在经济上取得成功的秘诀是什么呢？关键是，明白自己如何在市场上变得更有价值。”

“要拥有更多，你就必须成就更多。”

“不要期望事情很容易，要期望你自己变得更好。”

“要改变事物，你要先改变自己。”

“要把事情做得更好，你要先把自己变得更好。”

我们得到报酬是因为给市场带来了价值。这需要时间……但是我们不是靠时间得到报酬的，我们得到报酬靠的是价值。美国人是独一无二的。工作报酬水平呈阶梯形，你得一步步攀登，从低工资到高工资。起点是什么样的呢？约每小时2.3美元。那么去年最高的工资收入是多少呢？那个管理迪士尼的总经理一年能挣5 200万美元！这个公司怎么会付给一个人一年5 200万美元呢？它傻吗？答案是这个工资收入非常合理。要是你能够帮一家公司一年赚到几十亿美元，它会付给你5 200万美元吗？当然会了！这是小意思。和你创造的巨大价值相比，你拿到的这笔钱一点儿也不算多。

“你真的有可能变得那么有价值吗？答案是当然能。”接着吉姆·罗恩告诉我发财致富的终极秘密，“你如何能够真正变得更有价值，学会更加努力地提高自己的价值，比你干工作还要努力呢？”

“那么你个人能不能变得比以前的价值高2倍，用同样的时间赚的钱也能高2倍？有没有可能你个人的价值比以前高10倍，用同样的时间赚的钱也比以前高10倍？这可能吗？当然啦！”然后他停顿了一下，直视着我的眼睛，说道，“你要在同样多的时间里赚到更多的钱，你需要做的只有一件事，就是变得更有价值。”

就是这个道理！这就是我要找的答案。我知道了这个道理，它彻底改变了我的人生。就这么明白，这么简单，这句话把道理讲到我心眼儿里了——我感觉这像是当头棒喝，我突然开悟了。这句话我听吉姆·罗恩说过 100 多遍，一个字都没有变过。从我第一次听到之后，每一天我都把导师吉姆·罗恩的这句话牢牢记在心里，包括 2009 年我在他的葬礼上致辞的那一天。

就是这个人，就是这场讲座，就在这一天，吉姆·罗恩的一番话，让我重新拿回自己未来的控制权。是他让我停止专注于那些超出我控制范围的事情——我的过去，我的贫穷，其他人的预期，经济情况——是他教我专注于我能控制的东西。我可以提升自己；我可以找到办法服务别人，做得更多，变得更好，给市场增加更多的价值。我变得痴迷于一件事，找到办法为别人做得更多，比其他人做的都要多，而且用的时间更少！这是一个持续改进、持续提升的过程，永远没有终止！从本质上讲，这成了我持续进步的途径，在我做的每一个决策上，我采取的每一个行动上，它都持续不断地驱动我、引导我。

在《圣经》里，有一条简单的原则：想成为了不起的人无可厚非。如果你想成为了不起的人，你得学会成为大家的仆人，要想领导人民，你得先为人民服务。如果能找到办法，能服务很多人，你就能够赚到更多的钱。你能找到方法服务几百万人，你就能赚到几百万美元。这就是增加价值的定律：要给自己增加价值，先给别人增加价值。

可能你会觉得，巴菲特讲的比《圣经》上讲的更加容易，更通俗易懂，这个来自美国奥马哈的投资圣人有句话很有名，他说他一生做得最好的投资，也是每个人都可以做的投资，就是投资自己。巴菲特说过，他通过读提升自己能力的书来教育自己，学习戴尔·卡内基的课程完全改变了他的人生。巴菲特曾经给我讲过这个故事，那是我们俩一起在《今日秀》做节目的时候。我听了哈哈大笑，我请求他要一直不断地给大家讲这个故事。我笑着说："讲这个对做生意很有好处。"

我把吉姆·罗恩传授给我的这个发财致富的原则牢记在心，而且一门心思地付诸行动——我从来没有停止成长，从来没有停止给予，从来没有停止努力扩大我的影响力，扩大我的能力，以便给予更多，做更多的好事。结果过了很多年之后，我在市场上变得更有价值。在这一点上，我特别幸运，现在财富再也不是我生活中的难题了。并不是我这个人独一无二，只有我才能做到，每个人都能够做到同样的事——只要你抛弃你解读自己过去经历所编的故事，突破你解读现状所编的故事，突破这些故事对你的限制。问题到处都有，办法也到处都有，只要你用心去找。

那么美国人现在的收入阶梯是什么样的呢？我敢打赌，吉姆·罗恩可能做梦也没有想到，2013 年，美国收入阶梯最底层的工资收入水平是每小时 7.25 美元（年收入 15 080 美元），美国当年的最高收入者是阿帕卢萨投资管理公司的创始人和对冲基金领导人戴维·泰珀，2013 年个人收入达到 35 亿美元。有几个人能够一年赚到 10 亿美元呢，更别说 35 亿美元了！为什么有些人的收入很低，而有些人的收入高得不可思议？答案是，市场给一个麦当劳的收银员定的价值很低（每小时只有 7.77 美元），因为这种工作要求的技能很简单，一个人只要学几个小时就能学会。但是明显地提高大家的投资收益，这套本事就非常罕见了，当然价值也要高多了。大多数美国人都把钱存入银行，收益只有 33 个基点，可是戴维·泰珀能让他的投资人在同样的时间里赚到 42% 的投资收益率！他对这些客户的经济贡献有多大呢？一个人能够给客户创造 1% 的收益率，那他就比只会存款的普通人的价值高 3 倍多。戴维·泰珀能创造 42% 的投资收益率，他给客户增加的经济价值就比普通人高出 12 627%。

那么你要做些什么来给市场增加更多的价值呢？你怎么来保证自己能够非常富足，而不是苦苦挣扎地求生存呢？如果我们想做一个非常彻底的转变，把自己从现在所在的收入层次提高到你想要达到的更高的收入层次，实现财务自由，那么这个转变就是我所知道的能够带你到达理想之地的最有效的一条路。

可能你一听就要高喊“我反对”。别急，先听我说完。我知道，现在情况有很大不同。我知道，现在美国经济正处于困难时期。我知道，2008 年以来美国损失了 200 多万个工作岗位，而且那些新增的工作岗位大多数都是服务业的低薪工作或者其他行业中的低薪工作。是的，我也知道从1990 年到现在，美国人的平均年收入水平一直停滞不前。

你猜猜 1978 年，我刚开始工作时的利率水平和失业率是什么样的？在两年之内，利率飙升！我的第一笔投资是一栋四层小房子，位置在加利福尼亚州的长滩，抵押贷款利率是 18%。你能想象现在用 18% 的利率来贷款买房吗？我们肯定要到美国白宫总统办公楼前抗议了。但是历史就是这样循环发展的——过去会这样，将来还会这样。但是如果你不能找到一种方法，能够有力地增加更多的价值，你的收入肯定会停滞不前。但如果你找到办法增加价值，那么你的收入变动方向只有一个，就是不断地上升，再上升。

在美国大萧条时期，5 年有 880 万人失业。2008 年金融危机，只一年就有 230 万人失业！那一年的失业率最高达到 10%。但是，请记住，10% 的失业率是个平均数，并不代表每个地方、每个行业都这样。部分人口的失业率超过 25%，但是对于那些年收入达到 10 万美元甚至更高的人来说，你猜他们的失业率是多少？答案是不到 1%。你能从中总结出什么经验教训？如果你真能训练发展自己，有一套本事是现在的市场所迫切需要的，而且你还能持续进步，变得更有价值，就会有人雇用你，或者你可以自己创业，不管经济情况怎么样，你都有工作。如果是你自己雇用自己，你越有价值，你的收入也就越高，因为你赚的钱都是你自己的。

即使今天，硅谷的就业情况也和美国其他地方的情况不同，硅谷的工作岗位比人多。那里的高科技企业发展很快，工作岗位需求大，总是招不到足够的人，因为能胜任工作的合格人才相对较少。工作岗位就摆在那里，但是你需要学习，重组自己的技能包，才能具备这些工作所需要的那些技能，才能让我们在新的市场上变得更有价值。我可以向你保证，那些“老工作”大多数一去不复返了。

我们来回顾下历史。19 世纪 60 年代，80% 的美国人都是农民。而现在美国人里只有 2% 的人在做农业工作，我们生产的粮食可以养活全世界。新的科技摧毁了一切——突然之间，一个农场工人可以干原来 500 个人的活儿了。很多人得很努力才能保住工作，很多人失去了原来的工作。对于那些不能适应的人来说，工业革命就是一个非常痛苦的时代。但是新科技带来了蒸汽机和其他新工具，短短的时间内就让很多人下岗了，但是它让每一个人的生活品质迅速提高，而且提供了更多收入更高的工作。

现在，新科技发展又引起了巨大的破坏，引发了大量的失业，这和上一次工业革命类似。牛津大学的研究者称，未来20年内，几乎一半的美国职业都有被自动化取代的风险（意思是机器人替代人）。我们都要重组自己的技能包，尽管每个人的重组程度会不同。我向你保证，150年前，没有一个人想过将来有一天会有这样的工作岗位：社交媒体营销人员、干细胞科学家、机器人工程师。没有一个人能想象到一个电工、一个水管工，一年能挣到15万美元；没有一个人能想象到工厂的工人能学会用电脑来实现机器自动化操作，他们一年能挣到10万美元。但是人们想象不到并不意味着这种事情不会发生。

我每天都会遇到一些人，他们告诉我就业市场比冰还要冷，公司把他们解雇了，他们担心再也找不到工作了。但是我要在这里告诉你，关键不是市场，而是你自己。你可以提高你的收入潜力，每个人都可以。你可以给市场增加价值，可以学会新的技能，可以改变你自己的思维方式。你可以成长、改变、发展，可以找到工作，获得你需要而且值得拥有的赚钱机会。

但是如果你的工作再过5~10年就变得过时了，现在你就该考虑转型，尝试一些新的东西。转型是硅谷的说法，你从一个企业换到另外一个企业，往往是在经历了一场大的惨败之后，你只能反思自己，改变自己。

你正在读本书，说明你是一个想要转变的人，正在寻找答案，寻找解决方案，寻找更好的办法。有几百种方法，你可以用来重组自己的技能包。你要做到这一点，可以去接受大学教育、商业教育、自我教育，你可以一年挣到10万美元到几百万美元，却不用辞掉工作，或者不用花一大笔钱和4年的时间只为拿个大学本科文凭（这会让你背负10万美元甚至更多的债务）。数以百万计的工作在美国各地等着人来做，但是这些工作不是随便什么人都能干的，一般人的能力都不符合工作岗位的要求。根据麦克·罗（探索频道《干尽苦差事》节目的主持人）的说法，现在美国有 350 万个工作岗位可供选择，其中只有 10% 的岗位要求应聘者具有大学本科文凭。这意味着其他 90% 的工作岗位的条件和大学文凭无关。它们更看重应聘者的培训、技能，愿意干脏活、累活，最主要的是愿意去学新的和有用的技能。正如麦克·罗所说的："总是有工作在招人去做，但是这些工作不是我们美国传统意义上的那些工作了。"

重组自己的技能包，学习新的技能，让人既非常兴奋又非常害怕。兴奋是因为有机会去学习，去成长，去创造，去改变。兴奋的时候，你意识到："我是有价值的，我做出了贡献，我拥有更高的身价。"你之所以害怕，是因为你会想："我怎么能做好这个工作？"记住吉姆·罗恩的话："对那些需要改变的事情，你必须去改变。对那些需要变得更好的事情，你必须使它们变得更好。"你要么重组自己的技能包，要么当个傻瓜让人笑话。摆脱你为解读现状所编的故事，别让这些自己编的故事限制自己，换个思路，更快地提升自己。

人们经常对我说："托尼，要是有自己的企业，或者在一个持续成长的公司里有份工作，那当然很棒了。但是如果你做的是一份很传统的工作，工资很低，但是你又很热爱你做的这份工作，该怎么办？"我们要走出自我限制的思考方式，我来给你举一个典型的案例。那是一个老师，一度也是苦苦挣扎，他工资很低，日子过得很艰难。但是因为他对教学的热爱和他想帮助更多学生的渴望，他找到了一个方法，让他既能够为学生增加更多的价值，又能够赚到更多的钱，比大多数老师梦想的还要多。真正限制我们收入水平的，从来不是我们的工作，而是我们的创意，我们的专注，我们的贡献。

创意、贡献和比摇滚明星还红的韩国中学老师

你有没有遇到过一个教三年级学生的老师，他启发你尝试一些新的东

西，或者遇到过一个教八年级学生的老师，他相信你的前途不可限量？你知道一个行为榜样对一个孩子一生的影响有多大吗？我们的老师就是我们最大的财富，但是老师这个职业很容易被低估，老师的薪酬也是很少的。那么，如果你是一位老师或者有份类似老师这样的低薪酬工作，上升空间有限，你能怎么办？作为一个老师，你如何给教室里30多个学生增加更多的价值？有没有一种方式，你能够给成千上万甚至上百万名学生增加更多的价值？

有很多学校的老师都会这样想："我做我热爱的教师工作，就绝对不会赚到足够多的钱，以实现财务自由。"大家普遍认同我们这个社会赋予老师的价值低于老师按照贡献应该从社会得到的价值。但是我们现在知道，这种自我限制的想法也压抑了大多数的老师。金基勋是韩国的一位中学老师，他拒绝接受这种社会普遍认为的当老师肯定赚不了大钱的说法。

和大多数老师不同，金基勋在韩国非常有名，他就像一个摇滚明星。他是韩国最成功的老师之一。他怎么会变得如此成功？他加倍努力地提升自己，提高自己的教学能力。

60多年前，《华尔街日报》报道，韩国人大多数都是文盲。韩国政府认识到需要采取大刀阔斧的大规模行动，提高国民文化教育水平。现在，老师受到政府鼓励，他们持续不断地研究、创新。他们在教授同一个班级时，每天都会运用不同的教学方法。教育部门指导学校的老师要互相学习、互相指导——寻找最好的教学方法，来给学生增加更多的价值。结果是什么？现在韩国15岁的青少年阅读水平全球排名第二，毕业率高达93%，而美国只有77%。

金基勋也以优秀的老师为榜样，让自己的教学水平突飞猛进。他花了非常多的时间，分析了不同课程中最好的老师，研究了他们的教学模式，学习如何教学生能让学生的成绩实现突破。他发现了一种方法能帮助他的学生学得更快，更好，变得更聪明——他不仅教在教室里听他讲课的学生，还教整个国家的学生。他想：为什么我只专注于教教室里的30多个学生？为什么不尽我所能地帮助尽可能多的学生？利用网络科技，他意识到，他可以把自己讲的课程放到网上，让每个人都能看到他讲课的视频，让每个人都能体验到他对教学和学习的激情。

现在金基勋一周要工作 60 多个小时，但是其中只有 3 个小时花在讲课上。其余 57 个小时，他都用来研究、创新、开发课程，并回复学生们的提问，对他们进行辅导。“我工作越努力，我做出来的东西就越多。”他说。金基勋极其努力地工作，让自己变得更好，能为听他讲课的学生服务得更好。金基勋录下来他的讲课过程，并把它做成视频，放到网上传播，学生们可以在线听课，一小时只用花 4 美元。他怎么知道这样做行得通？他怎么知道自己能给学生增加比其他任何老师都更多的价值？市场总会告诉你，你的真正价值是多少，金钱不会说谎。猜一猜，有多少人买了他的课程？ 2013 年金基勋的年收入超过 400 万美元，金基勋通过网络课程和网络辅导提供的价值越多，登录网站观看课程的学生人数就越多。上网听课的学生越多，就意味着金基勋赚的钱越多——不是很多，而是越来越多。

一个老师，一年能挣 400 万美元。和你知道的最好的老师相比，金基勋的收入要高多少呢？金基勋老师的故事突破了传统的观念：我们的职业限制了我们的收入。金基勋在韩国无疑属于金字塔顶端的那 1% 的高收入人群，这并不是因为他很幸运，也不是因为他正好在合适的时间出现在了合适的地点，更不是因为他选择的职业的薪酬非常优厚。金基勋当老师能成为超级富豪，跻身韩国财富金字塔顶端 1% 的人群，是因为他从来没有停止学习，从来没有停止成长，从来没有停止在自己身上投资，他不断地让自己变得更好。

终极多任务工作者

但是，你如果不是企业家，该怎么办？如果你根本没有兴趣干一番事业呢？如果你是在一家美国的企业工作，甚至是在一家很小的企业工作，你是不是还能找出一条路，来给别人增加更多的价值，提高你的收入潜力？我再来给你讲一个真实的故事。那是一个年轻的普通女子，名叫丹妮拉，她在一家公司的市场营销部门工作，工作岗位是艺术设计，她根本看不到一条清晰的上升通道。但是她很有才华，而且更重要的是，她渴望成长。丹妮拉总是想方设法地做更多的事情，并给予更多，这是她的天性。所以她经常主动帮助同事做一些视觉艺术设计。后来，她希望能够学到更多的市场营销知识，所以她开始研究市场营销，并主动地为同事提供帮助。后来，她发现自己对社交媒体一无所知，但是社交媒体蕴藏的市场机会潜力巨大，于是她决定研究社交媒体。她还是用同样的办法，全靠自己学，自己摸索。

几年过去了，丹妮拉一个人身兼数职，做了很多其他同事分内的工作。时间长了，这些同事忘记了丹妮拉是在帮他们干活，她是出于好心，像是送给那些同事的一份礼物。可是那些同事开始把这当作理所当然的事情，好像这活儿就应该让丹妮拉干一样。这样就形成了一个新现象，一到下午5点钟，尽管有些工作已经到了最后期限，却仍没有干完，只有丹妮拉一个人在加班，因为她的同事都从门口悄悄地溜走了。她也不想在办公室加班到很晚，但是她这个人心软，不愿意让公司和客户失望。很明显，她的那些同事其实是在占丹妮拉的便宜——丹妮拉有动力、有志向、有抱负，愿意多帮忙、多干活儿。但是丹妮拉毕竟没有三头六臂，她已经达到了极限。“我除了干好自己的活儿，还要再干三个人的活儿。”但是，她并没有抱怨，而是拿定主意，“这是个机会，我可以好好利用。”

丹妮拉怎么做的？她去找公司的首席执行官，实话实说：“现在我一个人干着四个人的活儿。我在大学里进修过很多艺术课程，在咱们公司工作这四年里，我又一边工作一边自学了视觉艺术、市场营销、社交媒体。我来找你不是要落井下石，但是我现在能给你节省一半的市场营销成本，减少三个人的工作岗位，他们三个人的活儿我一个人就能干，而且我会干得更好。光说没有用，你不需要马上信我说的话，我来证明给你看。让那三个人继续干原来的本职工作，再干六个月，我做好自己的本职工作，同时也干她们三个人的本职工作，这样你有两份成果，可以做比较，进行选择。你自己来判断是我一个干得好，还是他们三个人干得好。”

丹妮拉的要求是，6 个月后，如果她一个人干的活儿比三个人加在一起干的活还要好，她的老板可以给她付双倍的工资。后来的结果是什么？丹妮拉成功了。她用工作成果证明，自己一人身兼四职完全可以胜任——视觉艺术设计出色，市场营销工作一流，文案写得很棒，社交媒体活动搞得很好。她一个人给公司增加的价值相当于 4 个人。公司认识到，即使给她一个人付双倍工资，公司也能够节省一半的成本。最终市场证明了一切。

能够让你感到幸福的不仅是占有金钱，让你感到幸福的还有获得成就的快乐，以及创造性工作带来的兴奋。

——富兰克林·罗斯福

机会，到处都有

你如何给这个世界增加更多的价值？你如何贡献得更多，赚得更多，影响力更大？有好几百个故事，甚至好几千个故事，讲的都是一个原来很普通的人在看到一个问题时只和其他人有些许不同，并找到了一个办法，然后采取行动，最后改变了整个行业或者创造出全新的市场。这些人并不是天生就是企业家，他们只是像你我这样的普通人，但是他们不愿意将就，不安于现状。在我们生存的这个世界中，所有的事物都是互相影响的，互联网、社交媒体、高科技，地球上的每一个人和每一件事都是互相联系的。这意味着即使是最大的、最成熟或者最稳定的企业，也会突然破产。

请在互联网搜索引擎里输入尼克·伍德曼。

乘风破浪

谁能预料到，20 世纪主导整个摄影世界的巨无霸企业柯达公司，会在数字成像技术出现以后，走向衰败？要知道是柯达发明了数字成像技术。但是拥有 124 年经营历史的柯达公司在 2012 年宣布破产了——这个举动引发了灾难般的涟漪效应，严重影响了纽约州罗切斯特市及其周边的经济发展，超过 5 万人因此失业。

但是，数字成像技术这个巨大的科技和文化变革，却给一个加利福尼亚州的冲浪高手提供了巨大的机会。这个家伙叫尼克·伍德曼，狂热的冲浪爱好者。他对这项运动的纯粹热爱和投入，加上他强烈的欲望和渴求，让他能够找到一个方法来增加自我价值。

很可能你从来没有听说过伍德曼，但是他有一个非常棒的主意，他把一个防水的照相机绑在自己的腰上，这样他在冲浪的时候，能够给自己拍照。伍德曼一心想做到的就是找到一种方式，能及时地拍下他的冲浪动作。数码摄像出现之后，他又开始研究摄像机，想看看能不能把它变得更加防水，以拍摄更高质量的视频。利用新技术，他继续改进，最终他发明了极限运动的数字摄像机（GoPro），它体积很小，摄像质量却很高，可以和电视节目媲美，而且只用夹子一夹，就可以把它随身携带到任何地方。

这个很酷的小玩意，现在全世界极限运动的爱好者几乎人手一个。不管你玩的是自行车、漂流、滑板滑雪，还是冲浪，GoPro 都让你能够抓住血脉偾张的神奇时刻，并分享给你所爱的每一个人。伍德曼推出 GoPro 运动摄像机的时机简直棒极了。他开始推销 GoPro 的时候，正赶上人们蜂拥地将自己的视频传到视频网站 YouTube 或者脸书网的时尚风潮。他创造了一个自己都很想用的产品，他觉得自己肯定不是唯一一个需要用这个东西的人。伍德曼弄清楚了如何给数百万名运动爱好者增加价值的方法，那就是让高科技更加方便、更加有趣、更加便宜。最终，伍德曼站到了时代发展潮流的前沿。这种潮流就是不管何时何地何事，人们都能积极主动地进行数字化分享。如果你真的想变得非常富有，一个核心秘密是，要站在时代发展潮流的前沿。现在这个来自加利福尼亚州圣迭戈的冲浪高手，身家超过了 10 亿美元。

一个新的“类型”诞生了

2010 年，马特·劳尔邀请我参加了一场特别的圆桌会议，讨论美国经济的发展趋势。会上，我遇到了沃伦·巴菲特和全世界白手起家的最年轻的女性亿万富豪——萨拉·布雷克里。能有机会与沃伦·巴菲特一起讨论经济，已经是非常难得的了，我更没有想到的是，萨拉的故事完全让我折服了。

萨拉没有摧毁一个行业，而是创造出了一个全新的行业。她原来在迪士尼乐园工作。有一天，她准备参加派对，在换衣服时发现，自己找不到合适的内裤来搭配她那条紧身的白色裤子。她不愿意选择什么内衣也不穿，于是决定自己动手来解决问题。她手头没有缝纫工具，只有一把剪刀。于是她把连裤袜的包腿部分剪掉，瞧，一个新行业就这样诞生了。

当然，这不是一夜之间发生的事情，也不是很容易就能发生的。萨拉和我分享了一个她最重要的成功秘密：从很小的时候，她的父亲就积极地鼓励她“失败”，但是父亲定义的失败不是没能取得一个成果，而是不敢去尝试。吃晚饭的时候，父亲会问她：“今天失败过吗？”如果她今天真的失败了，也就是勇敢尝试过，父亲会相当地兴奋和激动，因为他知道这意味着孩子正在通向成功的道路上——失败是成功之母。“托尼，这治好了我害怕失败不敢尝试的毛病。”萨拉这样告诉我。

萨拉原来做过一份根本没有前途的办公用品销售工作，因此也没有很多积蓄。这一次，她拿出了自己的所有积蓄，一共 5 000 美元，想要发明一种内衣。“我至少听到过 1 000 次‘不行’。”她说。但她并没有听从别人的劝告。除了她投入的 5 000 美元以外，她还省下来 3 000 美元的律师费（其实她根本没有这么多钱）——她自己从教科书上抄了一份专利申请。

最终，她创建的公司 Spanx（美国知名内衣品牌）创造了一个全新类型的产品，它被称为“塑身内衣”，引发了全世界女性的狂热追捧。按照我妻子的说法，穿上 Spanx 塑身内衣能把你的每一小块赘肉都装进去，你的腰围马上会小 3 英寸[①]。

著名主持人奥普拉·温弗瑞穿了这个品牌的内衣之后，在节目上说 Spanx 是她最爱的内衣企业。Spanx 内衣马上销量大增，公司从一家小企业变成了一个轰动全球的品牌企业。现在 Spanx 公司的价值超过 10 亿美元，这个品牌旗下的产品超过 200 种。除了帮助女士看起来更美外，它也让她们感觉更美。萨拉天生是个乐观派，并且想把她的品牌魔力施加到我的身上：她想让我穿上一套她新推出的 Spanx 男士塑身内衣，当时我们俩正在《今日秀》上做节目。我向萨拉表示感谢，委婉地说，她非常了解女性内衣市场，但她可能对男性内衣市场的了解相对少一些。但萨拉勇敢创业的经历还是让我很受启发。最终 Spanx 男士内衣也大获成功——多亏她没有听从我的建议。现在萨拉·布雷克里百分之百地拥有 Spanx 公司，而且公司负债为零，从未接受过外部投资。2012 年，美国《时代》杂志评选萨拉为“全世界 100 个最具影响力的人物”之一。

萨拉像尼克·伍德曼一样，在看到一种需求后，就采取行动满足这种需求。她拒绝接受自己过去的故事的限制，不断寻找办法来增加自我价值。

你也可以做到！你并不需要创办一家价值超过 10 亿美元的大公司，影响整个行业，你也不需要当个老师在网上播放讲课视频，每年赚上 400 万美元，你甚至不用一个人身兼数职。但是如果这些人能够想到办法赚得更多，那么你也能找到办法，每个月额外赚上 500 美元或者 1 000 美元。也许，你可以一年多赚 20 000 美元、50 000 美元，甚至 100 000 美元。你能弄清楚如何释放自己内在的创造力，专注于为市场增加更多的价值，然后把你多赚的钱转入你的财务自由基金。你能做到。现在就是开始去干的时候了……

找到一种方法，多赚 500 美元或者多省出 500 美元，你一年就多 6 000 美元。如果每年可以得到 8% 的投资收益率，这样持续长期投

① 1英寸=2.54厘米。——编者注

资 40 年，你最后就会得到 150 万美元——还记得我们前面讲的不外出吃饭，订比萨外卖省钱的案例吗？如果你找到一个办法，每个月存上 1 000 美元，相当于一年存 1.2 万美元，每年投资收益率为 8%，这样持续坚持 40 年，你最后就能积累 300 万美元。如果你找到一个办法，每个月存 3 000 美元，一年就能存 3.6 万美元，每年投资收益率为 8%，这样持续 40 年，你最后就能积累 900 万美元的养老金。你看明白了吗？去增加价值，去赚得更多，把你赚来的钱做投资，你就可以创造出你真正渴望的那种层次的财务自由。

第19章　加速财富积累第3招：减少费用，减少纳税

把你口袋里的钱拿走，我们有的是办法。

——建议美国国税局挂在墙上的格言

你必须纳税，但是没有法律让你多付小费。

——摩根士丹利公司的广告

现在你唱着摇滚——你正在奔向财务自由的大道上加速前进，因为你现在存的钱更多，赚的钱也更多了！还要做别的事吗？这些还不够吗？事实上，不够。你现在是内行了。你知道，最重要的不是你赚了多少钱，最重要的是你能留下来多少钱，装进你口袋里的才是你的钱。加速财富积累的第3招是，从你的投资中得到更多钱，办法是减少你的费用和税收，然后再把省下的这些费用和税款拿去做投资，这样你的投资更多，赚的钱自然也会更多。

还记得我们在第7章中提到的案例吗？3个从小玩到大的小伙伴，在35岁的时候，他们都投资了10万美元，投资收益率都是每年7%，但是每个人承担的费用不同，分别是1%、2%、3%。日积月累，复利效应造成了他们最终积累的财富相差几十万美元。泰勒付的费率只有1%，杰森付的费率是3%，但两个人积累的财富相差1倍。杰森的投资增值到574 349美元，但是扣除费用之后真正拿到手的钱只有324 340美元。

记住，公募基金这些隐藏的费率平均达到了3.17%，简直高得离谱。

那么持有一只高成本、高费率的公募基金，与持有一只低成本的指数基金相比，你多付的费用相当于你工作十年所积累的财富。这明显会拖累你奔向财务自由的前进速度。学术研究表明，那些收取很高费用的公募基金，其业绩几乎很少能跑赢市场平均水平。你付了很高的费用，已经受到了伤害，却连市场平均业绩水平也达不到，你又受到了侮辱。你可真惨。

这些费用是用来解释为什么要收取你那些费用的

图 19–1

所以，要远离那些过度征收的费用，兄弟姐妹们，快逃吧。找到低成本的指数基金来投资，一定要记住约翰·博格的警告，他向我们证明了支付过高的费用，会吃掉你未来投资收益的 50%~70%。投资秘诀很简单：节省你的费用，用这些省下来的钱做投资，享受复利增长。节省费用这个策略是另一条通向财务自由的快车道。

和基金的费用相比，吞噬你储蓄更多的是什么？相关调查表明是税费。

在我们的生命历程里，平均而言，每个美国人要把自己收入的一半，甚至更多，拿来支付各种各样的税，比如所得税、财产税、销售税、加油税，等等。（按照很多专家的估计，现在美国人平均每一美元的收入，就要拿出 54.25 美分交税。）山姆大叔（美国政府），你好狠。别急，我还没有说完，让你花钱的还有费用。

税务局从你的收入中拿走 54.25% 之后，你挣的每一美元还要再拿出来 17.25% 来付贷款利息和基金费用。买车用车贷，买房用房贷，购物刷信用卡，上学用学生贷款，你花钱很方便，但你到处欠债。2014 年美国平均每个家庭的信用卡债务超过 1.5 万美元，学生贷款超过 3.3 万美元，房产抵押贷款超过 15 万美元。从美国国家层面来看，美国人已经完全淹没在债务里了。

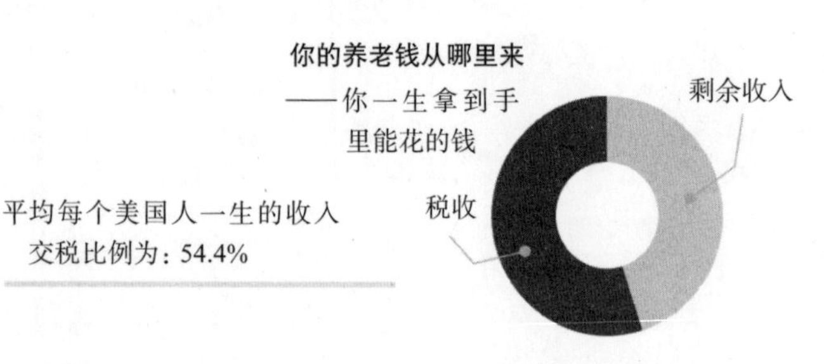

收入交税后剩余 45.6%，其用于支付各种借款利息比例为：34.5%。

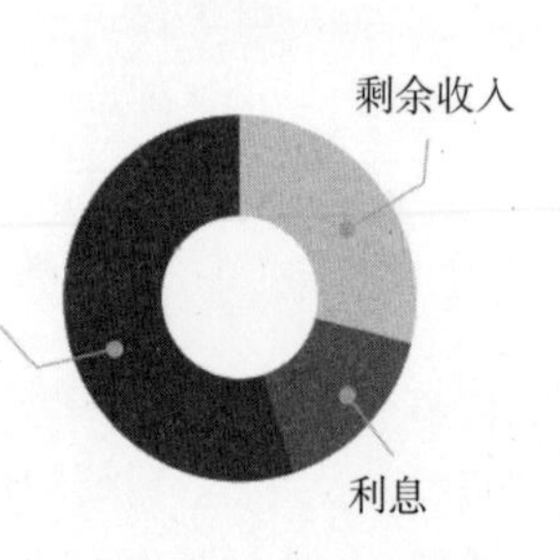

支付利息在你一生收入中的比例为：17.25%。

投资之前或者支付日常开销来维持你的生活开支之前，税收和利息已经吃掉你一生收入的比例为：72.5%

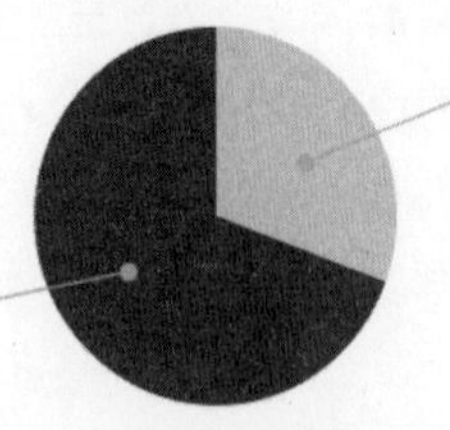

交税和支付利息之后，你能用于支付日常生活开支和积累财富达到关键数量规模以获得财务自由的收入比例为：28.5%

图 19–2

事实上，平均而言，你的税后收入约有 1/3 会花在支付利息上。

这样纳税又支付利息之后，你辛辛苦苦挣的钱只剩下原来的 28.5%。你要用这笔钱支付生活中的其他各项开支：食物、衣服、教育、住房、健康医疗、旅行、娱乐，还有那些你在商场里或者亚马逊上看到的、一时冲动想要购买的各种东西！你还要找到办法，拿出来一些钱储蓄起来做投资，以积累财富，获得财务自由，或者至少是能让你退休后获得某种形式的稳定收入。

要把你的税收变得更加高效，你就要找到一种方法把你交出去的税（占你年收入的 54%）拿回来一些，让你辛辛苦苦赚的钱，能留在自己口袋里的更多一些。这些钱你可以拿去投资，实现复利增长，以更快地获得自己想要的财务自由。

事实上，如果你的年收入很高，而且住在一个所得税很高的地区，像加利福尼亚州（我过去就一直住在那里），那么你要交的所有税费（包括利息收入税、投资收益税、工资收入税等），加到一起会高达 62%。这意味着除非你有一个高效的节税策略，否则每挣到 1 美元，你只能留给自己 0.38 美元。

你有义务交纳你应该交的税，但你根本不必要多交一分钱的税。事实上，这是你作为一个公民的权利，只交该交的税款，此外不多交一分钱的税款。不要支付超过你需要支付的税款，正如比林斯 · 勒恩德 · 汉德——美国有史以来影响力很大的法官之一——所说的那样：

> 任何人都可以安排好自己的事务，好让自己交的税尽可能低。任何人没有义务非要选择那种给美国财政部交税最多的方式，甚至也根本不存在一种爱国的责任来增加人们的税款。美国最高法院一次又一次地说过，安排好自己的事务，让自己交纳尽可能低的税，这不邪恶。每个人都可以这样做，不管是富人还是穷人，所有人这样做都是对的，因为没有人有任何公共责任要多纳税——比法律规定的税还要多。

我觉得汉德大法官说的都是至理名言，照他说的做肯定没错。我认为，按照法律规定，我当然应该一分不少地足额纳税，但除此之外，我根本不应该再多交一分钱的税款，我觉得你也不应该多交一分钱的税款。我持续寻找合乎法律也合乎道德的方法来降低自己所交的税款，尽我最大的努力，充分利用政府的税收优惠政策，让我能在一个免税的环境下积累财富。我从很多投资大师那里学到的是，提高税收效率的意思是，交的税更少是一个最直接有效的办法，它可以缩短我们的致富路程，让我们从现在的财富水平更快地到达我们想要达到的财富水平。

我很骄傲，我在美国向美国政府纳税。我同样骄傲的是，只交一半的税。

——阿瑟·戈弗雷

我要先说清楚我是一个爱国者。我爱美国。我是“美国梦”的几百万个好榜样之一，而且我很高兴（也许应该说不是很高兴，而是很骄傲）交了我该交的税。我每年都要交好几百万美元的税款，我交的税款甚至比我以前梦到的钱还要多。但是我从戴维·斯文森那里知道，只有三种力量能够帮助你取得最高的投资回报：

1. 资产配置
2. 分散投资
3. 税收效率

当然，戴维管理经营的是一个非营利组织，能够享受很多免税的优惠政策，这对他减少纳税很有帮助。但是对于我们大多数人来说，即使按照现在的税法，你也有办法让自己的投资收益最大化，让自己的纳税最小化。

金钱威力法则 4：税收效率是最简单的方法之一，能够持续提高你的投资组合的真正收益率，即税后净收益率。税收效率越高，税后净收入越多，实现财务自由的速度越快。

（敬告读者：如果你一听我谈到纳税，你的脑子就犯糊涂，我很理解！请你马上停止阅读这一章，赶紧跳到下一章，好让你不会失去那股冲劲。但是，一定要安排一段时间，坐下来跟你的受托人投资顾问谈一谈，或者找个税收问题专家，学习了解如何让你的投资达到最高的税收效率。你如果愿意做这件事，接下来几页的内容提供了一些简单的减税、免税的好办法。如果能理解，你就能够留住自己大部分的投资收益，更快地实现你的财务梦想。）

挑选你的税种

如果你意识到，只要掌握一小部分纳税的知识，就能让你少交很多税，让你再也不是一个“税盲”——节省 30% 的所得税，你会怎么办？少交这么多税，能让你实现财务目标的时间提前多少年？

作为投资者，你必须密切关注以下三类税收：

1. 普通的收入所得税

如上所述，如果你属于高收入者，那么你的美国联邦所得税和州所得税加在一起要接近或超过 50%。

2. 长期资本利得税

这个税适用于你持有时间超过一年之后才卖出的投资，按照投资收益来征税，税率只有 20%。

3. 短期资本利得税

这个税适用于投资持有时间没有达到持有的最低年限——一年，按照投资收益来征收，现在这个税率和普通的收入所得税一样高，接近或超过 50%。我的天哪！

既然你已经知道了复利的力量，我敢肯定你也意识到了你的税率是 50%，和税率 20% 相比，长期按复利积累下来，50% 的税率从你的投资收益中拿走的钱会更多，这导致你达到自己的财务目标的时间差别会很大。低税率可能让你提前十年达到你的财务目标，高税率可能让你永远无法达到你的财务目标。

想要了解不同税率的实际影响有多大吗？

• 如果你持有的公募基金总体投资收益率为 8%，你付的费率平均为 3%——让我们假设是 2%，保守一点儿估计。

• 那么现在你 8% 的收益减去 2% 的费用之后，你的收益率是 6%。不过，别着急，还要扣税呢。

• 如果你属于高收入者，住在加利福尼亚州或纽约州这样所得税相当高的地方，那么你要交的联邦所得税和州所得税加在一起要 50%。你扣费后 6% 的投资收益，还要交 50% 的所得税，这样再扣税后的投资净收益率只有近 3%。

记住，你能花的钱只能是你留到自己口袋里的钱。如果你的投资只能获得 3% 的净收益率，那么你要花 24 年才能让你的投资翻倍。

如果你投资相同的金额，但是投资的基金不是主动管理型公募基金，而是被动管理型指数基金，你得到的也是 8% 的投资收益率。但你交给基金公司的费率范围是 10~50 个基点，即 0.1% ~ 0.5%，我们用那个大一点的数字 0.5% 来计算，只是为了保守一些。这意味着你的投资收益率 8% 扣除费用之后，你还能得到每年 7.5% 的扣费后的收益率。但是因为指数基金本身不经常买进、卖出股票，你可以递延交纳所有资本利得税，所以你扣税后的净收益率也是 7.5%。这意味着你可以把这些收益再投资，继续利用复利那不可思议的力量。

如果你小心谨慎地管理好你的投资，提高税收效率，并能够长期保持扣税后 7.5% 的年化收益率，这样就能让你投资翻倍的时间只用 9.6 年，而不是 24 年。现在你看明白税收效率和费用效率的重要性有多大了吧？

如何降低你要交的税款，保留更大比例的投资收益，让你的投资能够更快地利用复利增长，从而更快地实现你的财务自由梦想？

• 你要确认不管在哪里，你投资用的方式能让你递延纳税［401（k）账户、个人退休金账户、年金、确定领取型计划］，好让你的投资利用复利增长得到的投资收益不用纳税，只有在你卖出投资的时候才要交税。或者创造一个未来免税的环境，办法是用罗斯账户来投资，这样以后所有的投资收益都能免于交税。

• 如果你的投资不是在可以税收递延的账户里，也就是说不能享受递延纳税的优惠，那么在你卖出任何一笔投资之前，一定要确认这笔投资至少持有了一年零一天，以确保其符合更低长期资本利得税税率的要求（再说一下，当我写本书的时候，长期资本利得税税率是 20%）。

还有一件事：小心公募基金

对于大多数人来说，卖房这种事往往十年才发生一两次，你的会计师或者税收专家很容易向你解释明白如何做能够纳税最少。但是让我们来看一看公募基金，它有很大不同。你知道这些公募基金的基金经理每天都在做些什么？他们每天都在交易。他们买卖股票和债券，每天，每个月，每个季度，他们先买进，再卖出。证券行业称之为“周转”。买进卖出次数越多，投资组合周转率越高。

哥伦比亚广播公司（CBS）旗下市场观察网的查理 · 法雷尔的说法是：“尽管基金公司的市场营销材料都鼓励投资者要买入并长期持有。但是基金经理说的是一套，做的是另一套。他们真正的意思是，你要买入他们的基金并长期持有，而他们拿了你的钱之后，买了又卖，卖了又买，把你的退休金天天倒腾来倒腾去，像个疯子一样。”

专家说，大部分公募基金被买入后的持有时间都不满一整年。为什么你要买这种公募基金？难道你指望经理们这样的短线交易能够创造出更好的业绩吗？你知道这意味着什么？除非你持有这些基金是用你的 401（k）账户，不然的话，基金经理的任何投资利得，一般都要让你来支付他们的收入所得税。[①]

简而言之，很大的可能是，你正在被征收35%、45%、50%，甚至更高的个人收入所得税，这取决于你住在哪个州和你的收入水平。所有这些税都要由你来交，尽管你根本没有卖掉你的公募基金，没有实现投资收益。真冤！所以，你购买并持有公募基金，并不能保证你所有的资本利得，让它们继续按照复利增值，把所有税收递延到最后卖出基金的时候再交，你买这样频繁交易的股票基金，其实是你要为这些短期的资本利得交很高的所得税，给你的投资复利增值能力造成毁灭性的打击。如果你明白税收效率的话，这本来是可以避免的。

甚至如果你的401（k）和个人退休金账户缴费已经达到规模上限了，你还可以用另外一种方式来投资，而且能递延纳税。指数基金并不经常交易个股，它们一般会按照一个固定的股票篮子（即指数成分股）来长期持有这些公司的股票，唯一的变化就是这个指数基金追踪的指数调整了成分股——这种事情非常少见，一年一般一两次，而且一般只调整几只股票。

结果，如果你投资一只指数基金很长时间，那么你每年就不会被税收吞掉一大部分投资收益。相反，你能把税收递延到最后卖出的时候才交，因为你什么东西都没有卖出，没有实现任何投资收益，所以你不用交资本利得税了。这些投资收益能够一直留在基金里，持续按照复利增值，创造财富给基金的持有人——就是你！

你的受托人投资顾问或者一个税收专家，能够帮助你明白所有这些降低纳税的方法，让你的财务自由基金投资可以创造出更高的税后净收益，让你的复利增值过程的时间长度最大化。要知道，这能够节省你好多年甚至十多年的财富积累时间，让你更早地获得财务自由。

最后，再教你一个节税策略，你会在后面的内容中学到：这是经美国税务局批准的一种方法，可以让你大幅降低纳税额，因为这能让你的投资

① 不过，在某种情况下，投资收益可能是长期的，因为基金已经拥有这些头寸一段时间了。

按复利增长，帮助你保留所有的投资收益，而且完全免税。这样做能让你更早地达到你的财务目标，比你原来预想要花费的时间提早 1/4~1/2 的时间，而且你根本不用为此多承担任何投资风险！

你是不是对我说的很有兴趣？我希望是。因为这是你的钱，这些钱决定着你的人生！不要让任何人拿走你的钱或者浪费你的钱！那么现在已经有了进入快车道的三条投资策略，它们能够加速你的财富积累速度，让你更快地赢得金钱游戏：

1. 省的钱更多，把多省出来的这些钱做投资，这样你的投资本金更多。

2. 赚的钱更多（为别人增加更多价值），把多赚的钱拿去投资，让你的投资本金更多。

3. 减少费用和税收，把省下来的钱做投资，让你的投资本金更多。

现在你可以再加把油，快来看看，有一些方法可以进一步提高你的投资收益……

第20章　加速财富积累第4招：获得更高收益率，加速冲向胜利

如果准备好了，你知道这件事需要你付出什么，那么这就不是冒险行为，你只需要弄清楚如何到达那里。总会有一条路能够到达那里的。

——马克·库班

你如何能得到更高的投资收益率，同时还能降低风险？大多数人认为，要想得到高收益，就必须承担高风险。但是那些最伟大的投资者都知道，事情根本不是这样的。还记得吗？我们前面提过凯尔·巴斯愤怒地驳斥了那种高风险高收益的说法，正确的投资方法应该叫作风险—收益不对称。

风险—收益不对称，这个专业术语听起来很玄乎，其实概念很简单。怎么解释？凯尔·巴斯把3 000万美元变成了20亿美元，靠的就是找到了风险—收益不对称的投资机会，他只冒了3美分的风险，就有机会赚到1美元的收益。按照他的投资规模，更准确地说是，他承受亏损300万美元的下行风险，就有机会获得1亿美元的上行收益——后来他的投资规模更大了，承受3 000万美元的下行风险，就有机会获得10亿美元的上行收益。还记得凯尔·巴斯怎么教儿子买美国5美分硬币做无风险投资吗？这笔交易，上行的空间（收益）明显大于下行空间（风险），风险—收益是不对称的。

保罗 · 都铎 · 琼斯的伟大成就之一是，他知道自己可能会出错，也可能成功，因为他用风险—收益不对称来指导自己的投资决策，他总是寻找他所谓的 5 : 1 公式——他冒的风险是损失 1 美元，他相信自己能赚到 5 美元。

保罗愿意冒损失 100 万美元的风险，只要他的研究表明自己有可能赚到 500 万美元。当然他可能是错的。但是如果他运用同样的 5 : 1 公式去做第二笔投资，而且他成功了，他就会赚到 500 万美元，减去他第一笔投资亏损的 100 万美元，两笔投资合在一起给他带来的净收益是 400 万美元。

应用这个公式持续不断地投资，就是利用风险—收益不对称的机会。即使保罗在 5 笔投资中有 4 笔投资都出错了，但是总体来讲，他还是能够盈亏平衡的。历史上最伟大的投资者都知道如何让投资收益最大化——他们知道如何来设置这个游戏让自己能赢。

第六部分有我和保罗的交流内容，能让你进一步学习了解保罗的投资之道。他会分享他的“价值 10 万美元的工商管理硕士课程”，还会分享他学会的关于投资最重要的经验，其中之一就是，如何让你错了还照样能赢！

所以，获得更高投资收益有很多条道路，风险—收益不对称是第一条路。第二条路是资产配置。后面，你会学到更多关于资产配置的知识，但是现在你只要知道资产配置的秘诀就行了。做房地产的人一定要知道：地段，地段，还是地段。同样，做投资，要获得更高的投资收益率，同时又要降低风险，有一句神奇的魔咒是：分散，分散，还是分散。有效的分散投资，不但能够降低你的风险，而且能提供机会把收益最大化。

每一个投资专业人士都认同，资产配置是决定最终投资收益的关键因素，我交流过的全世界最优秀的投资专业人士都这样认为。资产配置是最重要的投资技能，但大多数投资者对资产配置几乎一无所知。所以在第 22 章中，你会了解到资产配置的巨大威力，学习如何具体地进行资产配置，从中得到巨大的好处，既降低风险又提高收益，来让你和你的家庭终身受益。除此之外，你还会看到世界上最成功的投资大师的独特的资产配置方案明细，这可是他们持续创造最高投资业绩的秘方。

是的，你确实知道了自己能够像样地模仿世界上最成功投资大师的具体投资策略，你能看到瑞·达利欧的资产配置清单明细！显然，过去的业绩并不能保证未来的业绩，但是你要模仿的这位大师是有史以来最伟大的投资大师，他一直专注于给你创造最高的投资业绩，而你只需要承担最小的投资风险。瑞·达利欧一直在评估各种类型的股市行情，他找到了过去20年里的最佳资产配置比例。瑞·达利欧管理的资产规模超过1 600亿美元，最近22年只有3年发生亏损，其余19年全部赢利。读了本书之后，你就会学到一种策略——建立在瑞·达利欧开创性的投资策略之上，那是他专门为世界上最有钱的个人、机构、政府所设计的。

你能够跑多快?

有一点特别明显，我们都喜欢更好的投资回报。但是不太明显的是，按照你的投资期限来看，由更好的投资业绩累计形成的影响力。有个“72法则”可以帮助你来做估算，就是说，72除以你的投资收益率就是你的投资翻倍所需要的年数。比如你的投资收益率是1%，72除以1等于72，你需要72年才能让你的投资本金翻倍。所以如果你用10 000美元投资，利用复利的收益率是1%，那么你可能活不到你的资金翻倍的那一天。你要把这个投资翻倍期限缩小一半，办法是让你的收益率提高1倍，达到2%。你要再把投资翻倍时间减少一半，就是要把你的投资收益率再提高1倍，达到4%。那么10%的投资收益率和4%的投资收益率，投资翻倍的时间差别有多么大？ 10%的投资收益率经过7.2年就能投资翻倍，而4%的投资收益率要经过18年才能让投资翻倍。如果你想大幅改变你的计划，快速实现财务自由，只用7年多而不是用18年，只要把投资收益率从4%提高到10%，你就能做到！同样的道理，你可以只用14年而不是用36年来实现财务自由。这都是有可能达到的，你只要学会如何创造更好的收益率就行了。最重要的事情是，获得更好的投资收益，而不用冒更大的风险。你要尽可能地寻找这样的风险—收益不对称的投资机会，所有伟大的投资者都和你一样在寻找这样的机会。这种投资机会捉摸不定，难以找到，但是它确实存在。正是这种方式，能够加速你实现财务梦想的步伐。（查看以下表格，看一看你的投资翻倍时间有多快或者有多慢。）

你的下一个问题可能是：我到哪里寻找自己的风险—收益不对称的投资机会？有时它们会突然出现在最不可能出现的地方。对于我来说，也许是因为我是在南加利福尼亚州长大的，我总相信，一定要把房地产包括在内，房地产是我的投资组合中一个核心的组成部分。如果你打开新闻频道，你很难不注意到，一场人口结构的转变正在美国这个国家发生，每天有 10 000 个人年满 65 周岁，也就是说，每天都会增加 10 000 名退休老人。婴儿潮世代正在相继退休（本书写作时间是 2014 年）。我内心深处一直有个想法：找到一个办法，把我的一些资金用于建造更大的适合老年人使用的住宅，提供给步入退休生活的人使用。与此同时，这也能给我提供一笔不错的投资回报。但是，我一直没有付诸行动，直到有一天我去看望了我妻子的祖母，她住在加拿大温哥华。这让我把过去零散的想法联系起来了，有了未来投资退休养老社区的实际操作思路。

表 20–1　按照不同收益率实现投资价值翻倍所需要的年数

投资收益率	投资翻倍所需要年数
25%	2.88
20%	3.60
19%	3.80
18%	4.00
17%	4.20
16%	4.50
15%	4.80
14%	5.10

（续表）

投资收益率	投资翻倍所需要年数
13%	5.50
12%	6.00
11%	6.50
10%	7.20
9%	8.00
8%	9.00
7%	10.20
6%	12.00
5%	14.40
4%	18.00
3%	24.00
2%	36.00
1%	72.00

我的妻子邦妮·珀尔是我的贤内助，她是我一生的挚爱。她的家人就是我的家人，她的祖母希尔达，我非常爱她。希尔达奶奶在结婚58年之后，她的丈夫去世了，我们都看到她很痛苦。此后十年里，希尔达奶奶每天晚上都一直哭到半夜。她一个人过日子，很骄傲，很独立，但是她内心也很痛苦，很孤独，一直想念她的人生伴侣。我们不忍心把希尔达奶奶一个人丢在家里，但是她的阿尔茨海默病越来越严重了，我的岳母莎伦决定给她找一个新家住，这样她能得到最好的护理。

我们听说，有些退休养老社区非常棒，几个星期之后，我岳母莎伦终于找到了一个理想的社区，那里简直可以和著名的五星级连锁酒店四季酒店媲美。我一直说，我都想待在那里。我可是很挑剔的，很少夸赞一个地方。

希尔达奶奶搬到她的新家之后，你猜猜发生了什么？她搬进了一个漂亮的新公寓，那里配有现代化的康乐设施和 24 小时的看护。这都不用你说，大家都知道。但这只是冰山一角。更令人震惊的是，她开始了人生第二春！ 88 岁的希尔达老奶奶变成了一个全新的女人，她又开始恋爱了。一个 92 岁的意大利老帅哥赢得了她的芳心。（“我不让他把手伸到我的衬衫里，但那个家伙总是想要这样做。”她一边说，一边做个鬼脸。）他们一起度过了 4 年的美好时光，最后这个老帅哥上了天堂。我可不是开玩笑，就在这位意大利帅哥的葬礼上，希尔达奶奶碰到了下一个情郎。希尔达奶奶在这个新家度过了人生的最后十年，她充满了快乐，生活质量很高。她做梦也想不到自己又一次找到了幸福、快乐、爱情、友谊。她根本没有想到自己人生的最后一程会如此精彩。这也提醒我们，爱是最终极的财富。爱情的出现总是出人意料，任何时间，任何地点，它都有可能发生，而且爱情什么时候来都不晚。

希尔达奶奶的故事让我一下子打开了思路，我真正地认识到，退休养老社区能够做到服务人员工作高效，而且环境优美，就像希尔达奶奶住的那样。它肯定会有实实在在的需求。我怎么能找到这样的投资机会？很明显，随意走进一户人家，问他们是否接受和养老住宅相关的投资，这不是最有效的策略。于是我去找我的私人投资理财顾问——堡垒投资理财公司的阿杰伊 · 古普塔。我告诉他，我相信养老住宅的需求很大，我想要寻找这样的机会。结果，他帮我找到了。这个投资机会既能够让我得到很好的投资回报，符合我的价值观和信念，又是市场上一个越来越明显的发展趋势。很多专家把这个类型的投资机会称为“人口结构不可避免的发展趋势”，因为 75 岁以上的老年人口数量从 2010 年到 2030 年将会增长 84%，养老住宅的需求将会远远大于供给。

我的私人投资顾问阿杰伊 · 古普塔发现了一家投资公司，它由一个杰出的企业家来经营管理，专门建造、投资、管理高端养老住宅。他白手起家，把这家企业打造成了价值 30 亿美元的大型企业。他寻找合适的地理位置，自己投入一半的资金，其余所需资金向其他投资者募集。我跟着他做投资，作为交换，我能够得到以下好处：我能够优先分配利润（每个月支付给我红利），投资收益率按照养老住宅的盈利情况变化。每年发放红利的投资收益率范围为6%~8%，而且因为这是房地产投资，所以我可以得到折旧扣税的优惠，这意味着在整个投资分红期间，我都不用为此支付所得税。除此之外，我还拥有这个房地产的一小部分产权，长期而言，我相信，它肯定会增值。这个投资团体会制定一个投资退出策略，当最终卖掉这个养老住宅的时候，我也可以参加利润分成。我要说清楚，这是一种特殊的投资，只限于合规投资者，而且要符合特定的财富收入标准。但是不要为此过于焦虑。对于那些不属于合规投资者的个人投资者来说，他们可以购买在市场上公开交易的房地产投资信托基金，它类似于封闭式证券投资基金。房地产投资信托基金只专注于在美国持有一篮子的房地产项目，主要靠收取租金。这类房地产投资信托基金可以在市场上随意购买，就在我写本书的时候（2014年），最低的基金价格只要每份25美元，而且每个季度都会分红。做好你的功课，找一个受托人投资顾问，帮你找到最好的投资选择。

如果养老住宅投资超出了你的能力范围，那么另一个房地产投资策略就是把你的钱借出去，像买债券一样，有第一顺位抵押担保。在资产配置那一章我会详细介绍一个案例，告诉你那些需要钱的投资者，如何用高利率把你的钱用作短期贷款贷出去。比如，一年期贷款，利率为8%~10%，你得到第一顺位抵押作为担保。如果操作得当，你可以贷款给一套价值比贷款金额高出1倍的房子，比如，贷出去5万美元，抵押物是一套价值10万美元的房子，或者贷出去50万美元，抵押物是一套价值100万美元的房子。即使这套抵押的房产跌价50%，你还能照样收回本金。其他人贷款给别人只能得到3%~4%的投资收益率，你这样操作就能够得到8%~10%的投资收益率。

一旦你开始充满激情，专注于存的更多，赚的更多，减少费用和纳税，找到机会获得更高的投资收益率并承受更低的风险，你就会震惊地发现，自己竟然能够找到那么多新的投资机会。再说一次，一个优秀的受托人投资顾问不仅会指导你，而且会帮助你找到理想的投资机会——神奇的风险—收益不对称的机会，这是所有成功的投资者都在寻找的投资良机。

好了，我们将要进入这部分的最后冲刺阶段了。这最后一步会大幅提高你的前进速度，让你能更快地实现你最重要的财务目标。此外，这最后一步让你去梦想，去探索，而且充满乐趣。你会爱上下面我所讲的内容的。让我们一起去发现……

第21章　加速财富积累第5招：改变人生，先改变生活方式，活得更好

> 我人生中最喜欢的东西，一分钱也不用花。很明显，人生最宝贵的资源，我们每个人都有，那就是时间。
>
> ——史蒂夫·乔布斯

如果只用一点儿时间，考虑做出改变，你会做什么？一个很大的改变，比如收拾东西搬家到另外一个城市，搬到科罗拉多州博尔德市，用你现在在纽约或者旧金山支付的租金，你就能够买个很大的房子住。住房，吃饭，纳税，这些生活成本的高低，在很大程度上取决于你住在哪里。美国这个国家，有着无穷无尽的机会，等待着你去探索。为什么不摘掉你的眼罩，哪怕只是一小会儿，考虑一下，如果你住在一个新的城市或者城镇中，生活会是什么样子？

你或者住在美国中西部，在寒冷的冬天里，屁股都要冻僵了，或者住在亚特兰大，夏天酷热难耐，你一年又一年地琢磨着，为什么不搬到另外一个气候宜人的地方住。我从小生长在加利福尼亚州南部，总是感到震惊，竟然有人住在明尼阿波利斯的极地苔原上，或者住在芝加哥极其寒冷的地方。你即使并不关心天气，也会关注自己的生活成本。在美国华盛顿特区买一套房子要上百万美元，而在北卡罗来纳州的首府罗利市，买同档次的房子只需要一小部分钱就够了——在《福布斯》杂志“商业和事业发

展最佳城市”排行榜中，这个城市排名第三，更不用提那里的高科技和教育中心了（同时还有非常棒的天气）。或者考虑搬到更近一些的地方。从旧金山搬到圣迭戈，你可以继续待在伟大的加利福尼亚州，这样能把你的住房成本削减 32%。

你在投资上更有税收效率是一回事，在生活上更有税收效率是另外一回事。平时你努力想在这里省下来 5%，在那里省下来 10%。那么如果能够一下子在所有的事情上都省下 10%~15%，那该有多好啊！你只要搬到一个生活成本不是那么高的城市或者税率更低的州就行了！考虑一下，这样一搬家，房子租金便宜了，吃饭便宜了，开车加油这些交通费也便宜了，一下子省下来好多钱，让你多出一笔钱去投资，去分享，去捐赠，好好考虑一下吧。只需要一个举动，你就能让自己的年收入一下子增长 10%~30%。如果你现在能够储蓄你收入的 10%，只需要这样一个举动，你就能储蓄你收入的 20%~40%，而且根本不用为此多花一分钱。你的收入储蓄比例一下子提高这么多，会为你的赚钱机器增添好多“火箭燃料”，这将会大大加快你的财富积累速度，让你更快地获得财务自由。

我知道你会说：“搬到一个新的城市？你肯定疯了，托尼。我不可能收拾东西，一走了之。我在这个城市有工作，有家庭，有朋友，我已经在达拉斯生活一辈子了。”（或者是西雅图，或者是迈阿密，或者是丹佛。）但是如果你看到，你可以省下来十年的投资生涯，提前十年实现你的财务自由，甚至提前更多年，那么这样做值不值？

一代又一代的美国人都盼望着退休，然后收拾东西，搬到另外一个城市生活，那里气候更温暖，物价更便宜，风景更优美，生活更平静，就像爱达荷州博伊西市，或者南卡罗来纳州西北部的格林维尔，你能呼吸干净的空气，欣赏室外美丽的风景。但是为什么非要等到退休之后再搬过去？为什么不现在就搬到你梦想的地方去居住？为什么不找一个地方来养活你的家庭，那个地方既能降低生活成本，又能提高生活质量？而且这个时候你还很年轻，用省下来的钱做投资，足以为你和你的孩子获得更多的回报。

如果你还是一直摇着头说不行，我也很理解。在这一点上，其实我一直和你有一样的想法，直到最近我才完全改变了这个想法。我在美国加利福尼亚州长大，从来没有想过要搬到别的地方生活。尽管我后来开始到处密集旅行，买了房子，买了度假用地等，它们遍布全世界，但加利福尼亚州一直是我的大本营。

2012 年，加利福尼亚州把高收入阶层的个人收入所得税率提高了 30%，达到了 13.3%。我在加利福尼亚州交纳的个人收入所得税真的花了我很多钱（从历史上来看，加利福尼亚州属于美国个人收入所得税收得最高的州），但现在纳税环境变得更加糟糕了。我的实际税率，扣除美国联邦所得税和州所得税、社会保障、投资税、工资税、奥巴马医保税之后，竟然高达 62%。也就是说，我每挣 1 美元，最后落到自己口袋里的只有 0.38 美元。只有 0.38 美元！政府拿走了接近 2/3！除此之外，新的州所得税是有追溯效力的，这意味着我已经赚到口袋里的钱，那一年还要按照提高的税率补交所得税。这是在游戏结果出来既成事实后，游戏又改变了游戏规则！这已经达到了我能容忍的极限——这样做简直太离谱了！因为我到处旅游，再加上我有时会住在我在其他地方买的房子里，每年我在加利福尼亚州家里的时间只有 90 天！只住 90 天，我就要为此交纳几百万美元的州所得税？加利福尼亚州这个地方我再也待不下去了——我已经受够了。

我一直老老实实地按照规则来比赛，结果这个规则反过来咬了我一口。但是我并没有为自己感到遗憾，而是用我的良心来投票，或者说用我的脚来投票，我应该这样说才对。和其他很多人一样，我和我妻子认识到，加利福尼亚州不再欢迎我们这些高收入者了。于是我们心一横，决定采取行动，找个新的地方居住。（事实上，最近 20 年，加利福尼亚州流失 300 多亿美元的个人收入所得税，这些钱都跑到内华达州、亚利桑那州、得克萨斯州、威斯康星州了，这几个州的个人所得税税率低多了。如果你想了解一下这个转变趋势有多么巨大，有多少人从高税收的州搬到低税收的州，你可以上网查一查。）

我们把这次乔迁之旅变成了一次寻宝之旅，我们看了很多地方，比如，太浩湖另一边的内华达州，我们确实喜欢那里的山脉，四季更替，还有小镇的氛围。我们也去了得克萨斯州的奥斯汀，音乐、能源、高科技混合在一起，让这个社区既充满创新又相互联系，让科技与人文有机地融合在一起。

我们也去看了佛罗里达州，其实有点儿不太情愿，我对佛罗里达州以前根本不了解，只知道那里有鳄鱼和老人，但是这些看法早已经过时了，真实的情况完全不是这样。我们到了佛罗里达州才发现，棕榈滩简直像个天堂。我们用了 3 个星期到 3 个州看了 88 套房子（我告诉你，我是个要么不干要么就大干的家伙），我们在棕榈滩上找到了唯一一栋全新的房子。它占地面积有 800 平方米，一面是近 200 英尺的海岸线，另外一面是大西洋沿岸的航道，还有一个 50 英尺长的游船码头。我感觉又回到了我在斐济的那个居所——简直太棒了。我妻子想要的每一样东西都在附近：世界级的餐馆和购物中心，我们很容易到达东海岸，享受住在一个岛上私密和宁静的环境，而且你就在美国本土。

当然，这个房子很好，价格也很高，比我预算的安家费要高多了。但是有失必有得，佛罗里达州没有州收入所得税，我们原来住的加利福尼亚州收入所得税为 13.3%，搬到这里后，州收入所得税为 0%。这里还有一个出乎我们意料的优势：我们只靠每年省下来的州所得税，只用 6 年就可以付清买下这套全新房子的所有花费。你明白了吗？我们付钱购买整套新房用的是我们省下来的税钱，我们是从号称“黄金州”的加利福尼亚州搬到了佛罗里达州，成为这个“阳光州”的居民的。也许你会说我早就应该这么做了，是不是？是的，但是迟做总比不做好。

如果这还不够的话（其实已经足够了），我们大幅提升了生活质量，为此付出的代价却小得多。每天早晨醒来，我都掐一下自己，简直不敢相信，自己能享受如此美妙的气候：气温 25 摄氏度左右，凉凉的微风从海上吹来，海水简直能把你融化，如此温暖。事实上，我和我妻子简直像福音传教士一般，到处宣扬我们棕榈滩的新家有多么好。我们告诉亲戚和朋友，劝他们也和我们一样搬到棕榈滩。我最小的儿子已经搬过来了。我在这个世界上最好的两位朋友，正在从康涅狄格州和纽约州赶过来的路上，他们来这里住上一段时间，实地体验一下。当然，即使他们决定不搬过来住，我们也会非常高兴地拿出一小部分我们搬到这里居住所节省的税钱，替他们买机票飞到这里，与我们共同享受这里的天堂美景。

所以，不管你是否决定和我们一样搬到佛罗里达州的棕榈滩居住，总会有一个新的地方能完全满足你的愿望，成为你最理想的居住之地。你并不用非得等到退休再搬到那里居住。从田纳西州的那什维尔到俄勒冈州的波特兰，从缅因州的奥古斯塔到密歇根州的安阿伯，有几百个非常适合生活居住的好地方，而且生活成本很低，年轻人和老人都会喜欢：退休的老人用同样多的退休金可以支撑晚年生活的更多时光，继续享受富足又有益的生活方式；年轻的专业人士在这里可以寻找开创一番事业的良机，或者重新规划未来的事业发展。你也可以认真考虑一下根本不收地方所得税的七个州：阿拉斯加、佛罗里达、内华达、南达科他、得克萨斯、华盛顿、怀俄明，或者试试搬到田纳西州和新罕布什尔州，那两个州只对投资分红和利息收入征税。搬到田纳西州的孟菲斯和那什维尔，你既能欣赏著名的音乐会，又能给你口袋里省下来好多税款。这个主意听起来不错吧？

放眼全世界

既然我们开始考虑搬到美国其他的城市生活和工作，为什么不完全跳出条条框框，放开胆子去想象？忘了那种只让你的消费力一下子增长10%~20% 的想法吧，再大胆想象一下，如何能够一下子把你的生活成本削减 1/3~1/2 ？不要只是局限于美国，跳出你的思维惯性，想象你飞到半空中，把整个地球转动了一下，看看地球上有哪些非常美丽（生活成本又非常便宜）的地方，你可以搬过去住。只要你能拓展自己的眼界，你就能找到它。

全世界有很多巨大的机会可以改善你的生活方式，同时降低你的生活成本，这些地方物美价廉，风景优美，房价便宜，比如巴厘岛、斐济、乌拉圭、哥斯达黎加。只要你有勇气和自由，勇敢尝试就行！你可以租一个非常棒的公寓，就在阿根廷首都布宜诺斯艾利斯周围的山野里居住，租金只相当于租位于美国的大城市中一个没有电梯的公寓租金的一小部分。你也可以搬到捷克共和国，租一个房间，就在温塞斯拉斯广场附近，在布拉格新城，那里是这个城市的文化中心。

还记得我那个狂爱宝马车的儿子吗？他放弃了那辆很酷的车子，为追求更好的生活方式，他决定想得更大胆一些，梦想有多大，舞台就有多大。他去了哥斯达黎加，待了几天，就完全被那里的奇特文化迷住了。他没想到哥斯达黎加有个讲英语的巨大社区——很多人都是移居过去的，他们发现，住在那里自己的钱能花更长时间，日子过得更富有了，夜生活更加丰富了。哥斯达黎加不仅是一个解压放松的地方，有些大公司还在那里建立了很重要的运营基地——宝洁、亨氏、微软、英特尔，公司名单可以列得很长，这意味着在那里能找到无数的事业发展机会。

生活会是一段奇遇。搞一次旅行，探索一个海外的城市，用一种要移居到那里的眼光来好好看看这座城市。把你的下一个假期变成一次移居之前进行实地调查的探索之旅，那么最后的终点将是一个新的起点。尝试开始一种全新的生活方式吧。你不需要生活在一个困境之中，天天都做相同的事情。你不需要担心如何赚到房租，如何赚到这个月的生活费，只要你能敞开心胸，愿意做出巨大的改变，脱离你的舒适区，花的钱比过去少60%、70%，甚至80%，你就能更快地实现你的财务自由目标。有了足够的财富，你可以进一步大幅提高你的生活质量。

即使从现在来看，一下子搬家到国外，也有些太激进了。你也可以想一想，这种选择长期来看会怎么样。比如搞个五年规划或者十年规划，甚至是一个几十年后的退休规划。为什么不对这种想法持开放的态度？有一个风景很美丽、生活很舒服、花费很少的地方，等着你去寻找、去发现。这个世界是动态的，不停地变化。你会说，搬家会给孩子造成很坏的影响，这种想法早就过时了。我们现在生活在一个全球化的经济体之中，给孩子一个机会看看外面的世界，学习新的语言，适应新的文化，对于孩子来说会是一个多么令人兴奋的人生体验！你可以和家人一起商量，做出一个共同的决定，给每个人创造更高的生活质量。

> 生活就像骑自行车。你要保持平衡，就必须一直不停地前进。
>
> **——阿尔伯特·爱因斯坦**

最终，最重要的是如何更加有效、更加高效地运用你的收入和你的储蓄，加快你通向财务自由的步伐。你可以找到办法来提升你的生活质量，同时减少你的生活成本。这是一种最理想的双赢。总而言之，你能做的最好的投资就是改变你自己和改善你的生活方式。

现在你已经朝着财务自由的目标迈出了三大步。

第一步：你做出了一生最重要的财务决策。

你决定了要成为一个投资者，而不只是一个消费者。你承诺把你的收入拿出一定的比例储蓄起来，投资到你的自由基金里面，你已经把这种储蓄设置成了全自动化模式。

第二步：你已经成了投资内行，清楚地了解了游戏规则。

你粉碎了九大投资迷思，你再也不会被人利用，让人家白白占便宜了。

第三步：你心里有谱了，这个投资游戏你能赢。

- 你确确实实地知道，究竟要攒多少钱才能实现你想要的财务安全、财务独立、财务自由。你知道要想成功，必须树立三大目标：短期目标、中期目标、长期目标。
- 你已经制定了投资理财规划 1.0 版和完成这个规划的时间表。你用手机上的应用程序计算出来大概需要多长时间，就可以实现自己全力以赴追求的财务目标。
- 你已经掌握了能够加速财富积累的 5 招。在思想上，你已经开始做头脑风暴，想要找出一些方法，应用这些投资高招，存更多的钱或者赚更多的钱，让你的财务自由基金更快增长。这可以帮你更快地达成你最重视的财务目标。

第三步完成了，那么下一步是什么？第四步将会回答那个很直接的问题，可能这个问题在你的心里纠结很久了："我应该把钱投到哪里？具体做什么投资，能够让上行获利空间最大化，同时使我避免下行风险？"现在是时候做出你一生最重要的投资决策了，现在是时候了解资产配置的巨大威力了……

MONEY

7 Simple Steps to Financial Freedom

MASTER THE GAME

第四部分

做出你一生最重要的投资决策

第22章　终极目标清单：资产配置

试探河水有多深，千万不要两只脚都伸进去。

——**沃伦·巴菲特**

假使你的赚钱机器就要启动了，可万万没想到你的老板突然给你发了1万美元的奖金，或者你突然得到了一笔10万美元的遗产。拿到了钱，你当然非常开心，可是，你用这样一大笔钱干什么？把钱放进你的银行储蓄账户，或者你的个人退休金账户吗？投资几个虚拟的比特币吗？在亿贝上投标一箱精制葡萄酒吗？买上100股苹果公司的股票吗？你把所有的钱都投资到一个地方，还是分散投资呢？

你怎么回答最后这个问题，是决定你财务未来的关键。

资产配置是你一生最重要的投资决策，比你做的任何一项投资决策都重要得多，不管你投资股票、债券、房地产或者其他东西。它的影响有多大？你已经做出了财务决策——自动地从你的收入中拿出一定比例用于投资来获得复利收益，这让你进入投资游戏。但是，一旦你决定进入这个投资游戏，你就会待在这个游戏里很长时间！如果你不小心谨慎地、仔细地选择你的投资方向，你就会把这些钱都输掉。任何人都能变得富有，资产配置决定你能保持富有。

但是你不要只相信我说的话。我们来听机构投资界的明星戴维·斯文森讲一讲如何做好资产配置。你要知道，他把耶鲁大学的捐赠基金投资组合从1亿美元做到了超过239亿美元，过去30年，即使经历了牛市和熊市，他也获得了13.9%的年化收益率。业绩做到如此优异，真是无人能比。我和戴维·斯文森在他位于康涅狄格州纽黑文市的办公室里，面对面地交谈。我问他："投资者要获得财务自由，必须拥有的投资工具是什么？"他告诉我，只有三种工具能够降低你的风险，增加你获得财务成功的潜力。

1. 证券选择——挑选股票。
2. 市场择时——短线选时，就是赌市场短线是涨还是跌。
3. 资产配置——分散投资的长期策略。

在我还没有问前面两个工具前，他就讲："在这三个工具中，最重要的是资产配置，它具有压倒性优势。在投资界，资产配置事实上的投资收益超过100%。"等一下，怎么可能会超过100%？因为交易会发生费用、税收、亏损，你做选股或者择时都会增加费用和税收。选择失误就会亏损，减少你的盈利。

资产配置不仅是分散投资，而且要把你的钱分开，分别投入不同种类的资产或者不同类型的资产（比如股票、债券、大宗商品、房地产）中，你要提前决定具体的投资比例。这取决于你的目标、需要、风险承受力、人生阶段。

这话是不是说得太大了？

在金融市场这个巨大的赛场上，对于世界上最优秀的选手来说，包括我在本书中采访过的每一位投资者和交易者，成功和失败的关键在于资产配置。保罗·都铎·琼斯就极其依赖资产配置。玛丽·卡拉汉·厄道斯可以称得上证券投资界最有权势的女人，领导着22 000名金融专业人士，这些人赚钱养家全靠资产配置。瑞·达利欧创建了全球最大的对冲基金，现在他的个人财富高达140亿美元，他也全靠资产配置。

这一章讲的是一个复杂的主题，我要讲得非常简单，简单到足以让你能够照着去做，以期对你余生的投资收益产生积极的影响。所以你要对资产配置全身心投入，用全部精力来关注！不管你是打算积攒 1 000 美元做投资，还是打算积攒 100 万美元做投资，资产配置都同等重要。你学到的这些原则至关重要，你要马上开始运用。如果你觉得自己已经知道这些原则了，那么你要进一步深入地理解并实践应用，把它提升到更高的层次。

我们来谈一谈，为什么资产配置对你的投资计划如此重要，以及你如何今天就开始让资产配置为你工作。

> 谁要是觉得数据安全，那他肯定没有看过报纸上的股票市场行情版。
>
> ——**艾琳·彼得**

你到超市购物，排队付款，有多少次你选了看起来最快的队伍，结果反而成了最慢的那一队？或者你开车遇到堵车，你换到那条看起来更快的车道，结果却看到原来那条拥堵的车道上，车辆从你身边飞过呢？你觉得变道能更快些，结果你完全错了。夫妻关系不也是这样吗？不管你对自己多么了解，不管你多么相信对方，看重对方，你还是选择了"错误的"人生伴侣？我们都知道，这个选择特别重要，会对你一生的生活质量产生巨大影响！

同样的事情也会发生在你的投资上。一般的投资也就算了，你要是在养老金投资上出现错误，而且是一个大错误，那一切都完了。这意味着你连住的房子都保不住了。你可能都 70 岁了，还要去找工作，不干活就没饭吃。也可能你没钱给孩子交学费了，孩子的前途就这样完了。正是因为这个原因，这一章特别重要。

资产配置是一项关键的投资技能，有了这一技能，你就能超越其他 99% 的投资者，从此鹤立鸡群。你肯定想不到，做资产配置有这么大的好处，却不会花费你一分钱。戴维·斯文森喜欢引用哈里·马科维茨的话。马科维茨曾获得诺贝尔经济学奖，也是现代投资组合理论之父，我也采访过他。马科维茨说过一句话非常有名："分散投资是唯一免费的午餐。"为什么？因为把你的钱分散到不同投资上，长期而言，能减少你的投资风险，同时提高你的潜在收益，而这样做不会花费你一分钱的成本。

我们都曾经听过那句古老的谚语："不要把所有的鸡蛋放在同一个篮子里。"是的，资产配置可以保护你避免犯下那种投资理财的错误，这听起来像是一个基本原则，但是你知道有多少人违反了这个投资的基本原则吗？

我有一个朋友，非常看好苹果公司，一提到苹果公司就非常兴奋、激动，他把他所有的钱都投到苹果公司这一只股票上。曾经有一段时间，苹果公司的股票成了世界上最牛的股票，但是几个星期后它就暴跌了40%。我还有另外一位朋友，30多岁了，原来在一家电视台做高管，她辞职了，卖掉了洛杉矶的房子，正好是在房地产市场大牛市的最高点，她赚了很多钱，并用这笔钱在怀俄明州开了一家小餐馆。她把剩下的钱投在高风险股票和垃圾债券上，她认为只是这些债券的利息就足够支撑她的日常花销了。有几年确实如此，但是2008年爆发金融危机，股票暴跌，债券也暴跌，她一下子亏光了所有的积蓄，她不得不关掉小餐馆，重新回去工作。她成为一个自由职业者，很辛苦，但收入只有原来的一小部分。

一定要分散

我们都听说过经济危机期间发生的那些非常恐怖的事情。也许你知道婴儿潮世代中的有些人把所有的钱都投到了房地产上，结果正好赶上房地产大崩盘。有对夫妻就要退休了，他们的401（k）账户里已经存满了钱，他们的目标日期基金马上就要到期了。他们选好了一辆房车，旅行路线也规划好了，把中途去看望孙子的时间地点都标好了，但是后来金融世界崩溃了，他们的投资净值一下子减掉了将近一半，享受退休生活的美梦变成了还要再工作20多年。

图 22–1

这些故事令人心碎，我想确保这种事不会发生在你身上。好消息是，这种事并非必然是如此结局。这正是我要写本章的原因：你不但能够保住自己用来养老的财富，还能让你的这些养老金投资升值得更快。

这里简单又关键的投资教训是什么？那些现在涨的投资，将来肯定会跌。瑞·达利欧直截了当地告诉我："几乎可以确定的是，不管你把你的钱投到什么上面，将来都会遇上大跌的日子，让你亏损 50%~75%。"这意味着你选择的任何投资都有可能亏掉 1/2~2/3，为什么大多数人会偏爱一种类型的投资？因为他们觉得自己对这方面更"了解"，或者因为现在这类投资有热门的回报，有些人倾向于把他们所有的钱都投到房地产上，有些人倾向于全部投到股票或者大宗商品上。如果没有足够分散，你就可能亏掉内裤！你听清楚我说的了吗？不管你计划得多么好，任何一种类型的资产，将来都可能和你算总账。所以，你只有两条路可以选择，要么分散，要么亏损。但是，如果分散投资做得好，你就会赢。

到现在为止，我可以肯定，你非常清楚不做分散投资，后果会非常严重！现在你愿意听我讲把分散投资做好了，效果会好到不可思议吗？这就像是拿到了许可，你能随便印钱一样。我知道，这么说有些夸张，但是想象一下，即使你在睡觉，你也照样能够赚钱。做好了分散投资，你的内心会非常平静，无论经济形势怎么变化，你都不用担心。

这里有个真实的案例。在2008年金融危机的经济形势下，股市跌了接近2万亿美元，债券市场也跌得很惨，房地产价格都跌到了谷底，你持有一个分散的资产组合，最多也只亏损3.93%，你会感觉怎么样？这个案例并不是幻想出来的，而是真实的。这就是资产配置的威力，我在本书里已经提过好几次，我将很快证明给你看。1984—2013年，你的资产配置如此强大，以至你只有4年亏损，平均亏损比例为1.9%，亏损最多的年份也没有超过3.93%。记住在这些年里，其他人的财富都随着通货膨胀和通货紧缩的狂潮起伏不定。在最近十年中，我们就遇到过两次股市暴跌，接近腰斩，但是你会继续安全航行，穿越这些风暴，不需要考验你的胆量，你仍然能够平均获得接近10%的年化收益率。我描述给你的是一个真正的投资组合，一个明确的资产配置，它由瑞·达利欧设计，我很快就会向你展示这个具体的资产配置公式。正是这个公式创造出令人非常兴奋的投资业绩。但是在实际运用它之前，你必须明白资产配置的核心原则，这就是我们这一章要展开论述的内容。

第一条，不要亏本。
第二条，记住第一条。
——沃伦·巴菲特的投资法则

再强调也不过分：好人经常失败，因为尽管他们做的事是正确的，但他们做事的时间是错误的。买套房子，是不是正确的事情？大多数专家会说“是的”，但是在2006年买房是一个错误的时机！所以问题是，如果我们无法避免犯错，那么我们应该把钱投到什么地方。这就要发挥资产配置的作用了。

还有另外一种思考方式：如果你正在努力打造一支球队，想让它获得胜利，你必须知道球队中每个队员的能力，以及每个队员的强项和弱项。你必须决定，在不同的情况下，你可以依靠谁。现在打个比方，你的投资组合就是一支球队，你的投资选择就是队员，资产配置帮你选择由谁先发，它在什么位置。最终，在正确的时候，用不同的球员做正确的组合，这才能给你带来胜利。

资产配置给你提供了一套指导原则，这种投资哲学帮助你决定你的自由基金或者养老金投到了什么地方，它们各占多大比例。

你可以想象，把你的钱分别放进两个不同的投资水桶里，每个水桶的风险水平和收益水平不同。第一个水桶是给你的钱打造一个安全的环境，但是钱在这个水桶里增值得非常慢。你也许会觉得财富增长这么慢，一点儿意思也没有，但是你的钱很安全，当你需要钱的时候，钱肯定在那里，一分也不会少。第二个水桶的吸引力要大多了，因为它能给你机会获得更快的财富增长，但是高收益背后是高风险。事实上，你必须做好准备，把钱投到这里有可能亏得精光。

每个水桶该放多少钱？这取决于你有多少时间来让你的投资增长，以及你愿意承受多大的风险。你需要问自己："在我生命的这个阶段，我能承担多大的风险？"请记住，你做分散投资，并不只是为了保护自己。你希望能够强化自己的业绩，找到各种投资的理想组合，这能够让你茁壮成长，而不仅是维持生存。

但是如果我们愿意承认的话，很多人的生活压力其实已经非常大了，根本承受不了因为投资而再增加的一大堆忧虑。财务安全甚至财务自由很大程度上意味着一份内心的平静，让你觉得自己不用再为钱担心了。第一个水桶给你带来人生的确定性，毕竟确定性是人类的第一大基本需要。我称之为安全 / 安心水桶，有了确定性，你就安全了，也能安心了。这个水桶用来放未来养老的钱，你亏不起，甚至一想到这些钱要亏掉，就会惊出一身冷汗，半夜都会惊醒。这是个避难所，只做安全的投资，你要紧紧锁定，确保安全，甚至连钥匙都要藏起来。

我不赌博，因为赌赢 100 美元并不能给我带来很大的快乐，但是要输掉 100 美元，会把我气疯。

——**艾利克斯·特里贝克（《危险边缘！》节目主持人）**

财务损失不只会让我们的钱包缩水，还会偷走我们生活的快乐。你还记得那个关于猴子和苹果的行为经济学研究吗？给猴子一个苹果，他很快乐，但是如果你给猴子两个苹果再拿走一个，那它就发火了——尽管最终结果是一样的，它手里还会有一个苹果。人其实也一样。关于人类情绪的研究表明，世界上大多数人都低估了他们遭受损失时的糟糕感觉。胜利给我们带来的快乐，远远比不上失败或者损失给我们带来的痛苦。所以我们必须设立一个安全/安心水桶，来保护我们自己，避免自己承受这种打击。这样的打击不只让我们的财富缩水，而且让我们感觉非常痛苦。

为了让你对这类投资更加熟悉，我们先来看一下8种基本类型的资产（投资选择或者投资资源），它们应该属于这种安全/安心水桶。这里只是举例说明，并不意味着每种投资都适合这个水桶。但是，你在阅读的时候，会注意到一种模式：这些类型的投资一般都没有强烈的波动性。这意味着这些投资的价值不会有什么大的波动，特别是和你在风险/成长水桶里看到的那些投资相比。（不过，在历史上一些短暂的时期，几乎所有投资的波动性都会提高，后面瑞·达利欧会给我们展示如何做好准备，防范这种极端情况。）这里有一个供你快速浏览的清单，目的是让你思考你的投资未来。问问你自己："在我投资之前，这个投资会让我处于风险之中吗？这个投资放在我的风险/成长水桶里还是放在安全/安心水桶里，哪个对我更好？"

为了更好地回答这个问题，我们来看一看这两个水桶。我们先从第一个水桶开始，这也许是最重要的存放你的一部分钱的地方，这就是安全/安心水桶。你想把哪些资产放到这个水桶里？记住，安全/安心水桶里的投资增长很慢，但是很稳定，就像争取财务自由赛跑中的乌龟一样，而乌龟经常最终获胜。你需要把安全/安心水桶看作你的储蓄和投资圣殿，因为只要钱被放进去，它就不会再跑掉。

在你继续读下去之前，请牢记，这一章开始的一些基础知识：资产配置的基本操作。如果你是一个资深投资者，你只要浏览一下这些投资选项的清单就行了，因为你可能已经知道这些投资是什么了，你可以给自己节省一些时间。但是，我并不想抛下任何一个人，因为肯定有人对此一无所知。除此之外，你也许会发现，有一两项投资的特点是你以前不太了解的，它对你很有价值。

让我们开始吧。

1. 现金和现金等价物。在我们人生的某个时候，每个人都需要现金来救急，或者突然有急事急需用钱，或者收入突然大幅减少不够花了。不管你的收入水平是高还是低，你都需要一些流动性，或者有办法马上拿到现金。你是否有这样的感觉，尽管在财产上很富有，但是你感觉很贫穷，因为你手上没有钱或者周转不过来？很多人在 2008 年都感觉手头很紧，因为银行的资金冻结了，停止了对外贷款，甚至银行之间也停止了相互贷款，房产好像根本卖不出去。事实上，根据 2011 年的研究，所有美国人里有接近一半的人很难一下子凑齐 2 000 美元来应对危机，比如意料之外的医疗账单，打官司的钱，修理房子或修车的钱。所以，你需要一些现金，以保证这种既尴尬又难堪的事情不会发生在你头上。想一想，这并不需要你太多的注意力或者太多的储蓄，就可以让你比另一半美国人的日子过得更好。

但是，一旦你决定手头要留下部分现金，你会把这些现金放在哪里？我们大多数人会选择开设一个银行账户——由美国联邦存款保险公司做保险，提供的本金保障上限是 25 万美元的银行账户。不幸的是，那些实体银行近些年来基本不付利息。最近我查了一下，有些实体银行的存款利率低到只有 0.01%。虽然那些网上银行给的利率略高一点，但也只是高那么一点。也许利率不是那么理想，但至少我们知道钱是安全的，想拿就可以拿到。你也许想把这些救急用的钱拿出来一部分放到一个安全的地方，或者为了安全起见，就放在你的家里，比如“放到床垫下”，总之是一个安全的、隐蔽的地方，以防突然出现地震、飓风或者其他紧急情况，比如银行的取款机停止工作了，你账户上的钱取不出来。

其他可以作为现金等价物的投资工具包括货币市场基金，它有三种类型。如果你想了解更多，可以看一看下面的内容。

如果需要保证安全和流动性的资金数量比较大，你可以购买一些短期的投资产品，这叫现金等价物。其中最有名的就是历史悠久的货币市场基金。你现在可能已经拥有其中的一只了。货币市场基金其实就是公募基金，只不过持有的都是风险很低、期限极短的债券和其他种类的债券而已（过一会儿我们会给你介绍更多的相关内容）。这些货币市场基金非常好，因为你得到的收益率要比令人厌烦的传统银行利息高出许多。你还可以享受每天24小时随时取现的便利，还有一些货币市场基金甚至可以让你开支票，和银行账户一样。

顺便说一下，大多数银行提供货币市场存款账户，这和货币市场基金不是一模一样的。它有点儿像存款账户，不过银行得到允许可以把你账户里的钱投到短期债务上，为此它们付给你稍微高一点的利息作为回报。这样的货币市场存款账户，通常有一个最低存款金额的要求或者其他限制，如果你的存款余额低于限额的话，银行会降低你的利率，还有一些惩罚措施。但是美国这种账户也由美国联邦存款保险公司提供保险，这是一件好事。这也是它们的特色，货币市场基金是没有保险的，你的投资价值可能会下跌，让你亏本。

如果你想“一举三得”，既安全又有流动性，还能够赚到利息，有一个选择是购买美国财政部货币市场基金，它有开支票的特权。美国联邦存款保险公司不为这种货币市场基金提供保险，但是因为它们只投资美国政府发行的国债，而不投资任何公司债或者银行债——这些企业发行的债券都可能违约，你亏钱的唯一可能性是美国政府违约，不能按期偿还短期债务。如果这种事情发生了，美国政府就垮台了，你所有的赌注也就赔光了！

2. 债券。我们都知道债券是什么东西，对不对？我卖给你我发行的债券，就相当于我给了你一个承诺，我要说话算数。我买了你发行的债券，就是你给了我一个承诺，经过一定的时间之后（到期日），把本金还给我，再加上一定的利息。正是出于这个原因，债券也被称为“固定收益投资”。

你能从这些债券得到的收益或者收入是固定的——你在买入的时候就知道得一清二楚，具体的收益率高低取决于你同意持有这些债券的时间长短。当债券到期时，你将获得一笔定期利息收益。所以债券就像一个简单的借条，钱不能白借，是有利益的，是不是？但是全球有数千万亿美元的债券和债券基金，虽然不是所有，但是大部分的债券都有评级，由不同的评级机构按照这些债券的风险水平给予信用评级。在本章的末尾，你会看到一个债券概述，你可以了解什么时候投资债券会严重危及你的财务健康，什么时候投资债券对你有利，甚至非常有用。

债券这种投资也会令人迷惑不解。就像跷跷板一样，利率下降时，债券的价值增加，利率上升时，债券的价值反而会降低。

债券跷跷板

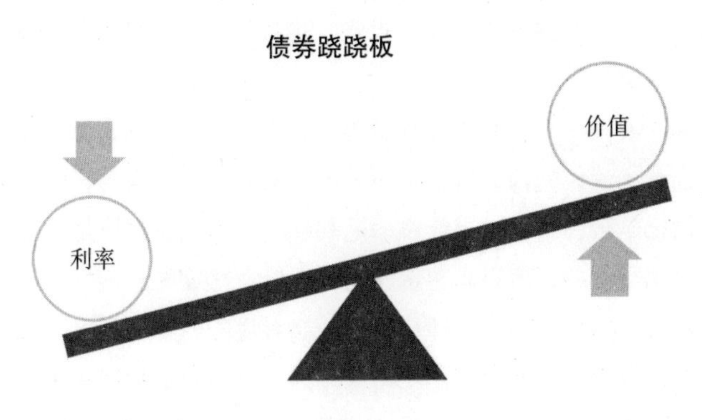

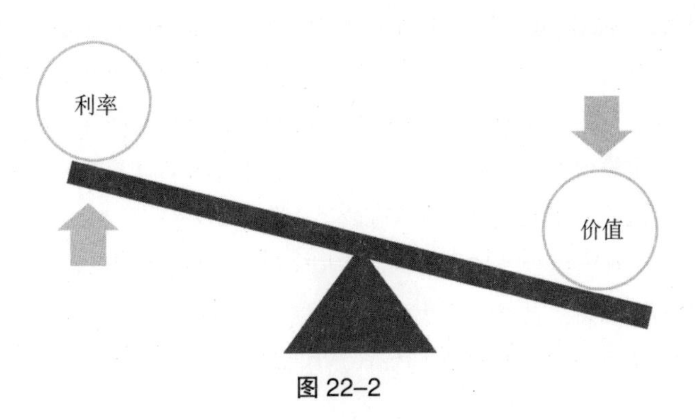

图 22-2

毕竟，后面新出来的债券更有吸引力，利率更高，谁还会去买那些旧的、低利率的债券？但是有一个办法可以避免你担心的债券价格波动，那就是分散投资，购买低成本的债券指数基金。

只要记住，并不是所有的债券生来就是一样的。希腊的债券不像德国的债券那样强劲，底特律的市政债券不像美国联邦政府的债券那样稳健。事实上，有些投资顾问说，美国唯一安全的债券是由美国联邦政府完全以信用担保的债券。如果你真的能买到这样的美国债券，名称是美国财政部通货膨胀保值国债（简称 TIPS），其价值与代表通货膨胀水平的消费价格指数保持同步。我们会在债券概述里面讨论这些内容。我会向你展示一个令人震惊的投资组合，并教你用非常独特的方式来运用债券基金。但是现在我们看一下其他的固定收益投资，也许它们可以列入你的安全 / 安心水桶。

3. 大额存单。还记得大额存单吗？买大额存单，其实就是你借钱给银行。它们拿走了你的钱，付给你一个固定的利率。过完约定的一段时间之后，它们把本金还给你，再给你一笔利息。因为大额存单是由美国联邦存款保险公司承保的，所以它非常安全，和储蓄存款账户一样，就在我写本书的时候，它的收益率也一样让人提不起兴趣。但是我写本书是要帮你应对不同的投资季节，而季节是不断变化的。我不知道你现在所处的投资季节，但是我可以告诉你我的一个真实故事。1981 年，那时我 21 岁，到银行就可以买一张 6 个月的大额存单，等到期的时候，我能拿到 17% 的利息！ 17%，太不可思议了！但是你不需要想太多就能明白，有些类型的大额存单在合适的环境下，能带给你高收益率。还记得我前面讲过的那个故事吗？我在堡垒投资理财公司的财务顾问在 2009 年给我提供了一个大额存单，固定收益率相当低，但这是一个市场联结型的大额存单，和股市涨幅挂钩，因此它给我们创造了 8% 的平均收益率！这是一笔非同寻常的好买卖，但是还有其他一些方法可以被用来投资这些市场联结型的存单，它能为你创造更高的收益（却并不用让你的本金承担风险）。

我们上述这些不同类型的资产所组成的团队到现在为止表现得怎么

样？大额存单、现金、货币市场基金、债券，这些资产选手明显适合进入你的安全 / 安心水桶。但是什么时候你派它们上场比赛？有些选手在某些情况下表现得很好，但在另外一些情况下就表现得很糟糕。现金的优势是什么？现金可以随时随地进入比赛。它可以保证你的资金安全，并且当合适的投资机会来临的时候，它让你马上有钱可用，火力全开。但是另一方面，如果你把太多的钱用现金方式持有，那么你的购买力就不会增长。事实上，每年都发生通货膨胀，你手上的现金的购买力只会缩水。但是在通货紧缩时期，比如 2008 年，你的现金就能买到更多的东西。如果你在 2008 年手上有现金，而且既有胆量又有勇气，你会买一套房子，尽管房子还是原来的房子，但是价格低了 40%。（顺便说一下，很多对冲基金就是这么干的。它们买了成千上万套的房子，是在房价大跌的时候趁机以低价买入的，然后修缮一下，租出去，等到 2011—2014 年房价上涨的时候再卖出去，大赚一把。）很多股票在 2008 年也和房子一样大跌，你可以用同样低 40% 的价格，甚至更低的价格买入。

债券的优势是什么？这取决于债券的类型，你得到了一个有保障的固定收益率，它给你带来了安全，在其他资产价格可能下跌的时候，你却能稳赚不赔，这种感觉好极了。通常情况下，大额存单，你根本不感兴趣，我对它也没有一点儿兴趣，但是大额存单在高利率的环境下也会提供高收益。市场联结型大额存单的收益率在股市很火、股票指数大涨的时候，会远远超过市场利率水平，而且在各种市场环境下，它都会像岩石一样安稳，因为你肯定不会损失一分钱的本金。持有债券不利的地方是，如果你一直持有债券，到了到期日那一天，你可以收回所有的投资本金，再加上约定好的利息。但如果你想在到期日之前卖掉债券，而此时利率正好大幅上调，新的债券提供的收益率更高，那么你只能折价卖掉手上的债券。

如果这些东西你觉得太复杂了，这里有一个好消息，瑞·达利欧创造了一种策略，我称之为全天候投资策略。我会展示给你，如何正确地混合债券、股票、商品期货、黄金，使你的投资在各种经济形式下，都能取得成功。稍后我会进一步地解释。

首先，你要了解，因为安全的债券提供了有保证的收益率或者确定的票面利率，而且归还本金，和那些既不能保证收益率又不能保证归还本金的投资相比，这种投资肯定更加安全。但是，这个还本付息保证的质量只能取决于债券发行人的质量。这里的关键是你需要合适的选手，在合适的气候下，选择合适的时机，让选手上场比赛。

现在我们要看其他几种可以加入你的安全/安心水桶团队的资产类型，你可能从来没有想到水桶里会有这些类型的资产。

4. 你的房子。房子也可以进入安全/安心水桶。为什么？因为这是一个神圣的避难所，我们不应该“拿房子当钱花”！我们已经学到了一个非常严重的教训，最近这些年房地产市场拿房子当取款机一样地花钱是多么危险。一套房子，如果是你的主要居所，不应该被看作可利用杠杆的投资，也不应该指望房子产生巨大的投资收益，但是，等一等，一直有很多人告诉我们，你的房子就是你最好的投资，因为房子的价值会一直涨。

在寻找答案的过程中，我请教了很多高人，其中一个是获得诺贝尔经济学奖的经济学家罗伯特·席勒。他是研究房地产市场的数一数二的专家，他也是凯斯－席勒房地产价格指数的创始人，他用突破性的洞察力绘制出了下面的图表。席勒发现，过去100年来美国的住房价格基本没有变化。席勒粉碎了我们这个时代最大的迷思：房地产价格会一直涨。我们都知道，正是这个迷思最终导致房地产市场泡沫。

另一方面，拥有一套带固定利率抵押贷款的房子，的确是对通货膨胀的对冲，而且这样做对你减少纳税会有好处。如果你完全拥有一套房子，你把这套房子全部出租或者部分出租，这还是一种能让你赚到一笔稳定收入的安全方式。同时，你很快会学到另外一些投资房地产的非常棒的方式，比如第一信托契约、房地产投资信托基金、养老住宅、能产生收入的不动产等。所以没有人建议你放弃房地产投资，如果这正好是你喜欢做的，那就再好不过了！但是这可能是一个很好的经验法则：把房地产放在第二个水桶——风险/成长水桶。我们后面很快会讲原因。

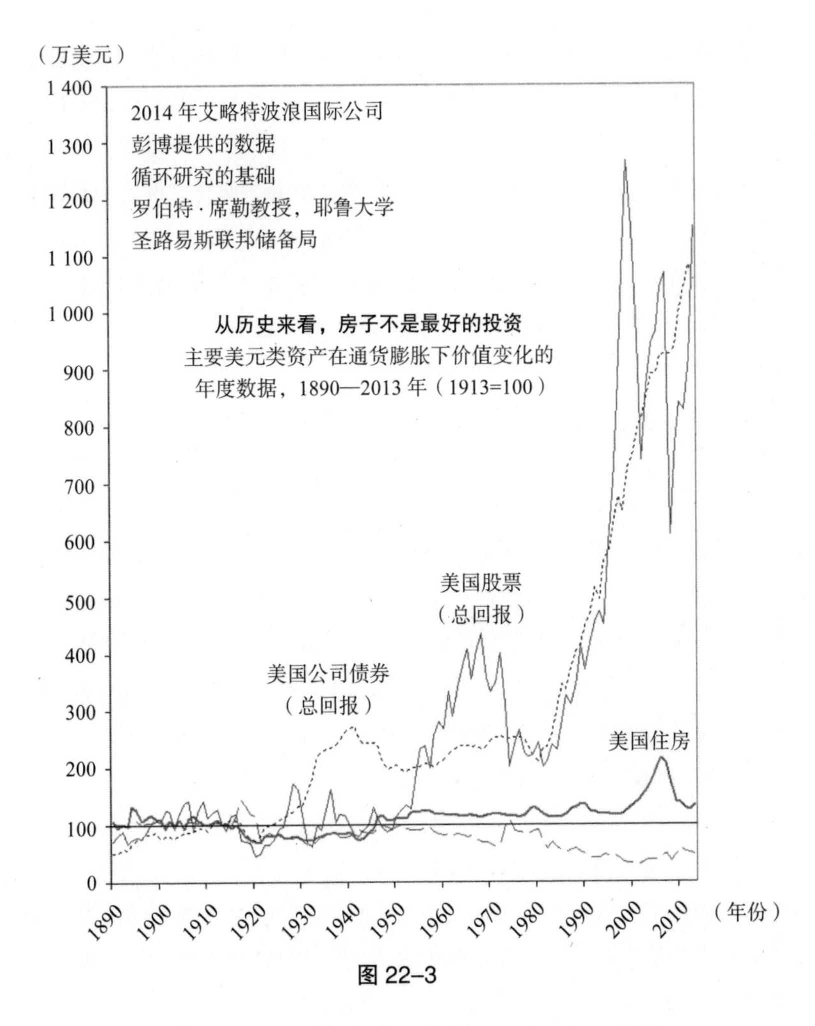

图 22–3

那么，与此同时，还有哪些资产应该属于安全 / 安心水桶？

5. 你的养老金。你有养老金吗？这个水桶就是放置养老金的好地方，美国人只有少数人有养老金，如果你是少数幸运者中的一员的话，那简直太好了 。还记得波士顿大学退休研究中心主任艾丽西亚 · 穆勒的故事吗？她把自己的养老金变现，提前拿到了一笔钱，她觉得自己用这些钱做投资，肯定比她的前任雇主赚的投资回报率更高，而她的前任雇主就是美国联邦储备局。结果她亏得很惨，并学到了一个深刻的教训：你不要拿你一生的收入计划去冒险。现在她鼓起勇气讲出自己犯错的故事，以警告其他人。

6. 年金。要是你还年轻，听说过年金这个词，你会觉得这东西对于你来说没有一点儿用。过去，买年金需要先交一大笔钱，而且你必须到一定年纪，才有资格运用年金这种投资工具。但是你会在第 28 章中学到，现在有些新型的年金，你也可以用来武装自己。记住，你投资的是保险产品，它能给你一份有保障的终身收入。这些年金如果收费合理、投资得当的话，类似于个人养老金，就可以作为社会养老金和企业养老金的补充。但是正如我们讨论过的那样，大多数年金的投资做得很糟糕，收取的费用又很高，还有荒谬的惩罚条款。大多数可变年金都应该加上更多的警告，要比伟哥广告上的警告更多！但是你会发现，你可以精选出来少数年金（你会在第五部分详细了解），它们非常安全，价钱也不贵，一般人都能买得起，很多专家称之为“退休收入解决方案的圣杯”。这是怎么回事？因为这种年金能让你一举两得，让你既可以享受风险 / 成长水桶的那种高收益，又能享有安全 / 安心水桶的那种高安全性。这种年金能够给你一份有保障的终身收入，而且你的投资价值从来不会下跌。

7. 至少有一种人寿保险属于你的安全 / 安心水桶，你不要乱动它。为什么？你成家了吗？拥有它，如果你死了，你的家庭会得到照顾。拥有定期人寿保险对于大多数人来说足够了。不过，还有其他类型的人寿保险可以给你带来终身收入，而且完全免税，只要你还活着你就能领取收入！如果结构安排得当的话，这种年金还可以提供巨大的税收效率。全世界最大的公司和超级富豪一直运用这种年金投资来规避税收，这是美国税务局批准的避税方式，他们这样做了好几十年了。你一定要仔细阅读第 29 章，详细了解如何运用这种工具，它可能会把你实现财务目标的时间缩短 1/4~1/2，具体比例取决于你的税率等级。

8. 结构化票据。这种产品对于投资者来说就像工程设计一样安全。结构化票据就像是市场联结型大额存单，但是它不在美国联邦存款保险公司的承保范围之内。它是如何运作的？你借钱给一家银行（往往是全世界最大的银行），这家银行保证会把钱还给你，至到期日那一天，它还让你分享你在此期间约定的某个指数累计涨幅的一定比例［比如标准普尔 500 指数（减去红利），也可以是大宗商品、黄金、房地产信托基金，或者这些产品的组合］。在我写本书的时候，摩根大通公司有一个 7 年期的结构化票据，它有 100% 的下行保护，这意味着你绝对不会损失你的原始投资本金，而且它让你分享 90% 的标准普尔指数的上行收益。不要怀疑，正如你在第 13 章中所学到的，那些超级富豪经常用这种工具来进行投资。类型合适的结构化票据是一个非常棒的投资方式，能让你一举两得，既能分享股市上涨的收益，又不用担心承受股市下行的风险，特别是在人生的某个阶段，在你根本承担不起那些波动性风险的时候，这种结构化票据会特别适合你。

关于结构化票据，我请教了玛丽·卡拉汉·厄道斯，她是摩根大通资产管理公司的首席执行官，管理资产规模 2.5 万亿美元。我们俩坐下来交流时，她告诉我，结构化票据可以成为很好的投资选择，特别是对于那些经历了 2008 年金融危机的人来说，它最合适了。这不是什么把戏，也没有猫腻。“很多时候，人们一看结构化票据就会说‘这简直太好了，不可能是真的’。”她告诉我，“但是你需要搞明白这个产品，从头到尾地仔细了解它。你会发现，它根本没有玩什么花招，也没有玩什么小把戏，这只是市场上的一个简单的算术题……你不需要流动性的时间越久，你的钱放在市场上投资的时间就越长，自然市场付给你的钱就会更多。如果你愿意把你的钱拿出来 7 年不用，经过这么长的时间，你应该能够得到市场上涨的收益。”

那么结构化票据应该被归入你的安全 / 安心水桶吗？结构化票据的安全性取决于发行这个票据的银行。厄道斯说得非常清楚，摩根大通是世界上最大的银行，有些受托人可能会推荐加拿大皇家银行或者其他加拿大银行，因为它们得到的评级是世界最高的，是最安全的。（美国在大萧条期间倒闭的银行超过 9 400 家，而在最近这场金融危机期间倒闭的银行接近 50 家，但是在加拿大没有一家银行倒闭！）所以，一如既往地，你要权衡收益和风险后，再做出投资决策。你还要留心费用和复杂的合同。我们在

第 13 章中讲过，结构化票据可能会成为非常糟糕的产品，就像公募基金一样，如果有太多的费用附加在上面，它就会变得很糟糕。如果结构化票据的发行人的财务状况非常强健，你就不会亏掉你的本金，但是如果时机不对的话，你可能投资了相当长的时间也赚不到一分钱。所以，结构化票据更大程度上属于一种追求安全保障的投资选择。你最好先跟你的受托投资顾问好好聊一聊这种投资，看准了再下手去买，这样更加妥当。

时间站在你这边

上面这些内容太多了。你感觉你的脑袋快要被塞爆了，因为投资选择太多，其实不只你会这样，好多人都会。你可以轻松地搞定资产配置（并且评估你的整个投资组合），只要登录堡垒理财网就行了，或者你找自己的受托人投资顾问来帮你进行资产配置。

但是重要的是，要理解资产配置的概念，确定什么样的投资适合放到安全 / 安心水桶，什么样的投资适合放到风险 / 成长水桶，好让你的整个投资组合（就是你的这些投资选手组成的团队）可以符合你的投资收益率目标和你的风险承受能力。用这种方式，你可以继续主持大局！在每一个决策点上，你都应该想一想："我冒的风险有多大，我保有资产的安全程度有多大？"正是这一点决定着你玩这个投资游戏会赢还是会输。

正如你看到的那样，安全 / 安心水桶现在面临的最大挑战是：什么才是真正安全可靠的投资？我们知道世界已经变了，即使是更加保守的储蓄者，也被迫进入愈加高风险的投资领域，这都是被低到疯狂的利率所逼的。努力追求更高的收益率很有诱惑力，特别是当股票市场快速上涨的时候。你开始想："我可能永远也到不了我想要达到的目标了。"但是如果你愿意玩长期的投资游戏的话，你是可以做到的。（特别是如果你能找到一些投资，既能够保证收益，又不用承受损失本金的风险——你很快就会学到。）

正如滚石乐队唱的那首老歌的歌词："时间站在你这边，财富要增长，时间来帮忙。"对于安全 / 安心水桶来说，时间肯定是最伟大、最宝贵的资产——即使你是在人生比较晚的阶段才开始积累财富的。毕竟，有越来越多的人能活到 80 多岁或者 90 多岁，寿命变长了，投资的时间也变长了，所以我们的投资能和我们一起慢慢变老，投资期限到了，正好也到我们晚年要花钱的时候了。如果你是“80 后”“90 后”“00 后”，你投资游戏的时间还很长！你可以从很少的资金开始起步，让复利的力量带你到你想去的地方，复利一发挥作用，一切就容易多了。

放到安全 / 安心水桶里的钱，收益率比较低，但是其长期投资的结果会如何？这让我想起了一个故事。那是一个老赌徒在高尔夫球场上玩的把戏。这个赌徒报出了他的杆数：“你玩高尔夫？我刚开始打，我打得不好。你愿意玩点儿钱吗？一个洞只赌 10 美分？”那个对手马上同意了，说：“好，没问题！”在走向第一洞的路上，这个赌徒说：“你知道的，10 美分赌得太小了，没什么意思。为了更有意思，我们把每个洞的赌金翻 1 倍，怎么样？”第一洞是 10 美分，第二洞是 20 美分，第三洞是 40 美分。到了第五洞，赌注就是 1.6 美元，第六洞是 3.2 美元。一共要打 18 洞，打完前 6 洞的机会是 1/3。等他们打到第 18 洞的时候，你猜赌注会是多少？ 13 107 美元！一个洞赌这么大，简直是天价。这个例子说明了一旦复利发挥作用，其威力会有多么巨大。

当你用你的安全 / 安心水桶做投资的时候，经过较长的时间，你的投资也会发生这样的事情。你用你得到的利息再投资，经过很长一段时间之后，看起来好像没有进展，但是等你到了第 13 洞、第 14 洞、第 15 洞时，它就会突然爆发式增长。你看一看下面的图，这是一个指数增长的过程，会对你的财富增长发挥巨大作用。

当然，老老实实地坐在那里一动不动，对于现代人来说是一个巨大的挑战。从整个社会来看，我们都非常迷恋于马上得到回报，等着我们安全 / 安心水桶里的资产增值，一开始，我们的感觉好像是看着青草生长一样缓慢。正是因为这个原因，我们经常受不了诱惑，会把钱都投到第二个水桶——风险 / 成长水桶。但是，并不是安全 / 安心水桶里的每一项资产都收益率很低，像洗碗机一样无趣。如果你找到了一个很有才华又人脉很广的受托人投资顾问，他会展示给你如何从这些无聊的证券工具中选出一些好的投资工具，让你获得一个更加合理的收益率，甚至是相当不错的收益率，只要你找到合适的机会就行。

高尔夫球比赛

球洞	赌金（美元）
第 1 个	0.10
第 2 个	0.20
第 3 个	0.40
第 4 个	0.80
第 5 个	1.60
第 6 个	3.20
第 7 个	6.40
第 8 个	12.80
第 9 个	25.60
第 10 个	51.20
第 11 个	102.40
第 12 个	204.80
第 13 个	409.60
第 14 个	819.20
第 15 个	1 638.40
第 16 个	3 276.80
第 17 个	6 553.60

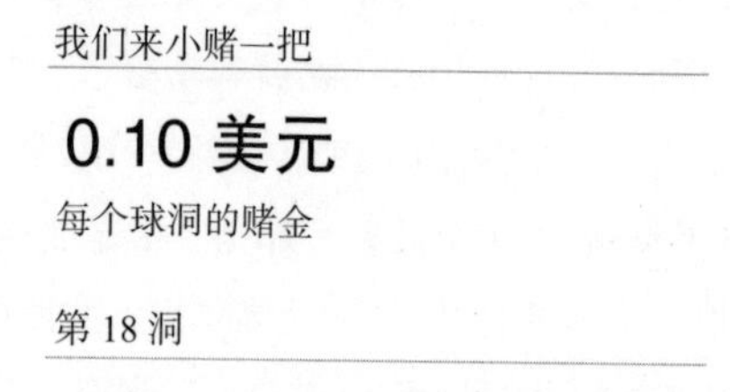

13 107.20 美元

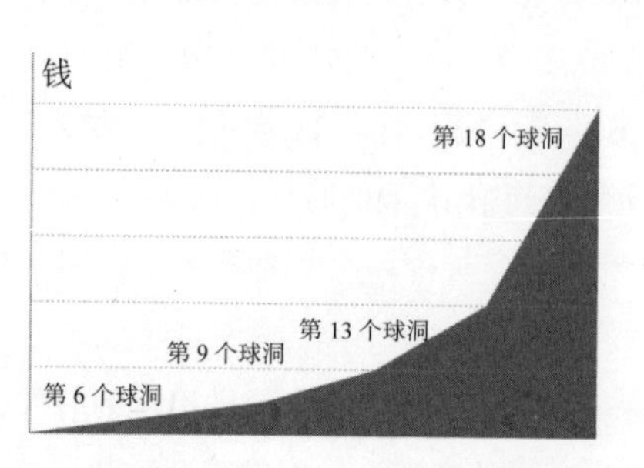

图 22–4

这里只是简单举个例子，它是我的投资顾问给我找到的一个投资机会——大多数人一般不会把这种资产放到他们的安全 / 安心水桶里——住宅房地产贷款！

这个项目源于一个故事，一个人在加利福尼亚州的印第安维尔斯建造房子，他在财务上碰到麻烦了，不得不把这幢住宅卖给其他投资人。你听说过印第安维尔斯吗？那个地方就像比弗利山庄，是美国人均收入最高的地方之一。城市很美，气候宜人，城市周围都是高尔夫球场和风景区——在这个地方买套房子或者投资度假屋，那简直太棒了。一个投资公司买了这个人的房子，还买了几十套类似的房产，所以它需要很多现金，但是这家公司不需要持有这些资产很长时间，因为它会修缮一下这些房子，再重新把房子快速卖掉，好让资金保持良好的周转，这家投资公司需要投资者提供一些短期贷款，作为交换，它可以把公司持有的这些房产的第一信托契约转让给投资者。

你听说过第一信托契约吗？如果你拥有一套房子，借了一笔抵押贷款，金融机构贷款给你买这套房子，然后你给它打了一张借条，正式的说法是签订贷款合同，并承诺到期归还本金，按照一定的收益率支付利息。可是，如果你不能遵守承诺，没能按期还款，那么拥有这个抵押权或者信托契约的机构就有权强迫你卖掉房子，然后继续收取利息，直到一个新的持有人接手。作为一个投资者，我寻找途径在安全的环境下获得最大化的回报——第一信托契约的结构安排合理，能够完美地实现我的这个目标。

我和我的投资顾问发现，那家房地产投资公司把提供第一信托契约的那套印第安维尔斯的房子作为抵押，想得到 100 万美元、一年支付 10% 利息的贷款。这家公司既愿意一个投资者投资 100 万美元，也能接受最多 25 个人平均每个人贷款 4 万美元。最终，我决定一个人投资 100 万美元。你也许会说："这笔交易真是非常棒！你那 100 万美元资金只需要锁定一年就能赚到 10 万美元。但是，托尼，你知道你的风险是什么吗？"这正是我要做很多研究的原因。这套房子，有两家有资质的机构做过价值评估，我知道，按照现在的情况，这套房子价值 200 万美元。如果我贷款给那家公司 100 万美元，这笔贷款和房屋价值之比就是 1∶2，对不对？即使公司违约了，我那 100 万美元也是安全的，因为这套房产本身就值 200 万美元。

这是一个非常棒的交易，但是我也买了一些面积更小的房子的信托契约。比如，我发现，在美国中西部有一套供初次购房者购买的房子，价值 8 万美元。如果我能够用 4 万美元得到抵押权，相当于抵押贷款和房屋价值之比为 1∶2，我就可以做这笔投资了。其实这和印第安维尔斯那套房子的交易一模一样，只不过后者规模更大一些。于是，我决定做这笔投资，我把这笔投资放进了我的安全 / 安心水桶。

好了，我觉得你肯定会说："等等，托尼！如果房地产市场下跌了，怎么办？这种投资难道不应该归于风险 / 成长水桶吗？"

这个问题问得很好，因为我们刚刚经历了一场有史以来最糟糕的房地产大崩盘。从表面来看，似乎你应该把这笔房地产投资放在风险 / 成长水桶里。但是这也正是我觉得这笔房地产投资很安全的原因。2008 年房地产市场跌到了谷底，整个世界都崩溃了，房地产的价格在美国大部分地区下跌了 30%~40%，但也有更严重的地方，比如拉斯维加斯、凤凰城、迈阿密的部分区域，房价跌幅超过了 50%，但是所有这些地方的房价在泡沫破裂之前，都有过巨大的涨幅。印第安维尔斯并没有经历这么大的泡沫——2008—2010 年房价下跌了 31%（远远低于 50%），单个年度房价的最大跌幅只有 13.6%（这发生在 2008—2009 年）。我们的钱拿出去贷给别人，只有一年时间。所以，既然印第安维尔斯的房地产市场在 2008 年那样的环境下都没有暴跌 50%，那么今年它也不可能出现这样的情况。

这也正是为什么我要把这笔投资归到安全 / 安心水桶里。在房地产这个领域做投资，你务必小心谨慎。但是房地产投资并不一定收益率低得让人根本提不起兴趣（有时房地产收益率会相当不错，能达到 8%~10%，而大多数人在安全 / 安心水桶里的投资能有 1%~4% 的收益率，就令人相当满意了），但前提是你要做好功课。

我的看法和大家不同，伊索写的龟兔赛跑的那个寓言，是卖给乌龟读者群的。兔子根本没有空儿读这种东西。

——安妮塔·布鲁克

无聊来自无聊的头脑。

——《内心的挣扎》（金属乐队）

现在，如果同一家公司给我提供 12% 的收益率，让我投资那套价值 200 万美元的房产，因为我得到的收益率更高，所以这家公司希望我能贷款给它的资金更多，不是 100 万美元，而是 150 万美元。我投资还是不投资呢？在这种情况下贷款金额与房屋价值的比例提高到 75%——很明显，我得到了更高的收益，代价是承担更高的风险。这意味着，如果市场下跌 25% 甚至更多，我可能会亏一些钱。不是万一，而是可能。所以，如果我愿意承担更大的风险来追求更高的收益，这件事就值得我考虑一下。但是我不会把这种投资放进我的安全 / 安心水桶里，这属于另一个水桶，你很快会在下一章了解到。这个水桶应该贴上一个黄色警告的标签，你摆弄这个水桶的时候必须戴上隔热手套，因为如果你的处理方式不正确，我敢保证它会把你的手烧焦。但是如果你对这个水桶处理的方式有效而且得当，它可以大大加速你通向财务自由的旅程。

现在，你能明白为什么资产配置是一种艺术，而不是一种科学了。安全的概念完全是主观的，有些人觉得无论什么事情都不安全，有些人能够容忍冒那么一点风险。所以，你需要根据个人的基本情况，具体看待每一笔投资的风险。

资产配置真正的好处在于，你估算出合适的资产配置比例：你的钱有多大比例用来保证安全，多大比例你愿意拿去冒险追求更高的收益，好让你的财富增长得更快。在投资上，资产配置决定你成功还是失败，所以你认为自己应该把多大比例的资产放进你的安全 / 安心水桶——只做安全的投资？ 1/3 ？ 1/2 ？ 2/3 ？如果你不能确保把相当大一部分你辛辛苦苦赚来的钱放在安全的投资上，你可能将来在财务上会大难临头。反过来，要是你把太多的钱放在这个安全 / 安心水桶里，就会显著地拖累你的财富增长。我们如何找到适当的平衡点？这正是我们努力的目标。既然我们已经锁定了安全的基础，现在是时候真正进入比赛了。

下面是一篇对债券的概述，它就像快速记录的简短笔记。我们来简要介绍一下债券的主要类型，因为债券对于你的安全 / 安心水桶来说可能是个非常重要的投资，所以这份债券概述很值得你仔细读一下。如果现在读你觉得不太合适，没关系，你只要记住这里有一份简单介绍债券主要类型的参考资料就行了，你可以跳过去直奔下一章。保持那股冲劲。我们正在奔向更大的风险，可能也会有更大的收益。

债券简介

绅士们喜欢债券。

——安德鲁·梅隆（纽约梅隆银行创始人）

不久之前，大家都认为债券是最安全、最可靠的投资形式。在超级富豪的投资组合里，债券是大炮，对于普通投资者来说，债券是你安全 / 安心水桶的奠基石。但是债券最近几年名声很差，这也很自然。美国政府把利率压得非常低，低得离谱。有些发行债券的公司、城市，甚至国家摇摇欲坠——几乎要破产了，购买这些债券对于所有人来说不再是好买卖了。

但是大多数专家仍然认为，在投资组合中，债券还是非常重要的组成部分。（事实上，债券是投资组合的基础，有了债券，你才能组建一个令人震惊的投资组合，让你在所有的经济气候中都能获得良好的收益，你会在第 26 章中进一步了解。）所以，让我们了解一下债券有哪些基本类型，看一看它们都有哪些优点可以被利用，也看一看它们有哪些缺点需要我们注意。

美国国债。很多投资专家，包括耶鲁大学的资产配置奇才戴维·斯文森，都认为，世界上最安全的债券就是历史悠久的美国国债，因为它们有美国政府提供的完全信用担保。戴维告诉我："有了美国国债，就像给投资组合装了铁锚。"但是因为这些债券非常安全，不可能违约，所以美国国债的收益率就低很多。和其他那些不太安全的债券一样，国债也会受到外部事件的冲击，发生价格波动。所以突然之间，你原来觉得债券是一个防弹型投资，但它就在你面前变成炸弹爆炸了。

美国国债有 4 种不同的类型（它们有不同的名字，按照它们距离到期日时间的长短来命名）。

1. 短期国债：这些国债是美国政府借的债，期限不超过 12 个月。短期国债是短期债券指数基金和货币市场基金投资组合的根基所在。

2. 中期国债：期限为 1~10 年，提供固定利率（称为息票）。你可以每隔 6 个月收到一次利息收益。

3. 长期国债：和中期国债一样，但期限长得多，10~30 年。

4. 美国通货膨胀保值国债：首创于 1997 年，这些美国政府通货膨胀保值国债可以保护你避免受到通货膨胀猛增的打击。当你买了通货膨胀保值国债之后，你的本金（就是票面价值）会随着消费价格指数的变化而上下波动，消费价格指数就是反映通货膨胀变化的统计指标——你一年两次收到的利息也会随之变化。所以如果你买了 10 000 美元的通货膨胀保值国债，年利率 1.5%，如果消费价格指数在 6 个月里没有变化，那么你的债券“票面价值”就会保持不变，你还会得到 150 美元的利息，但是，如果生活成本，也就是消费价格指数上升了 2%，你的债券也会随之升值 2%，现在的价值是 10 200 美元，那么你一年两次收到的利息也随之升值 2%，利息变为 153 美元。所以，如果你持有很多通货膨胀保值国债，恰巧又发生了很多次通货膨胀，那么你赚的钱会大大增加！下表展示了通货膨胀保值国债是如何运作的。

表 22–1　雷蒙德·詹姆斯通货膨胀保值国债

年数	优惠（%）	票面价值（美元）	通货膨胀情况	消费物价指数变化情况	调整后的资本价值（美元）	利息（美元）
1	1.5	1 000	通货膨胀	+2	1 020	15.30
2	1.5	1 020	通货紧缩	–1	1 010	15.15
3	1.5	1 010	通货膨胀	+3	1 040	15.60
4	1.5	1 040	通货膨胀	+2	1 060	15.90
5	1.5	1 060	通货膨胀	+1	1 070	16.05

请注意，这种债券的价值也会向下调整。所以，我们如果进入另外一场经济衰退或者经济萧条，就可能损失一部分本金。你如果当时需要提前清算你的债券，按照当时的市值拿钱走人，就只能接受折价贴现。

基本上，如果你买的是通货膨胀保值国债，你就是在赌我们会进入一个通货膨胀的时期。这看起来可能吗？如果你不太确定（其实没有人能够百分之百地确定），你也许可以参照戴维·斯文森推荐的理想投资组合：因为利率上升的时候（通常发生在通货膨胀时期），通货膨胀保值国债会随之上涨。你可以买入同样数量的传统国债，因为传统国债正好与通货膨胀保值国债相反，在利率上涨的时候它的价格会下跌。这样双面下注的话，不管发生什么情况，你的投资价值都能得到保护。

当然，美国并不是唯一发行国债的国家，很多国家也要通过发行债券来筹集资金，维持政府部门的运作。在过去美好的日子里，其实就在几年前，有主权国家完全信用担保的债券，市场普遍认为它们是相当安全的投资选择。但是现在我们看到希腊、西班牙和其他国家都濒临违约，或者像阿根廷一样正在快速坠落，外国政府发行的国债已经成了相当危险的买卖。外国国债在通货膨胀风险面前更加脆弱。如果你买了一个外国债券，其发行货币是不太稳定的外国货币，你要把它们换成美元可能会遇到很大的麻烦。大多数投资顾问都说，还是把这些外国债券的投资留给那些专业的交易员和对冲经理好了，你最好碰都别碰。

但是有没有其他债券能够带来更好的收益率，胜过那些普通的传统国债？下面列出的一些国债类型比其他债券相对更加安全。你要了解其他人对这些类型投资前景的看法，只要看一看这些债券的信用评级就行了。这些评级是根据债券对投资者的风险水平测评进行分类的。

有几个是国际上公认的债券评级机构，比如穆迪、惠誉评级、标准普尔，它们应用特别的公式来对不同发行人进行信用评级，这有点儿像你申请汽车贷款或者万士达信用卡时对你的信用进行评级。标准普尔的债券评级，最高是 AAA（代表最高水平的信心，相信这个公司或者国家不会让它发行的债券违约），接下来是 BBB（属于“投资级”债券），然后是 CCC，最低是 D（意味着债券发行人已经违约了）。债券评级越低，发行人就需要付给债券持有人更高的利息，以补偿他们承担的更高风险。以前大家都把评级低于 BBB 的债券称为垃圾债券，因为这些是“低于投资级”的债券。这些债券被专业人士重新命名，避开了评级，他们只谈其收益，业内称之为“高收益债券”。

公司债券。公司债券是公司发行的债券，公司想要筹集资金来扩张业务、收购兼并、支付股息、弥补亏损，各种各样的原因都有。那么你应该买公司债吗？这取决于风险大小。如果你选择了错误的债券，你可能会亏掉大部分钱，甚至是全部的钱。尽管有些行业内的老牌公司，比如环球航空公司和柯达公司也都破产了。就在宣布破产一年之前，柯达公司的无担保债券，1 美元的面值在市场上只能卖到 14 美分。但是大多数美国巨无霸公司发行的债券，市场仍然认为它们是相当安全的投资。苹果公司（信用评级 AA+）一直在发行高信用评级的债券，把它们卖给饥渴的投资者，但是这些债券的利率只比美国国债高1%左右！有些投资者，就像戴维·斯文森会说："为什么要费事去买公司债券？你看好这些公司，就直接去买这些公司的股票好了，你可以获得比债券高得多的收益率。"

但是，如果你想在债券上寻找更高的收益率，你有很多选择。只是这些投资应该进入你的风险/成长水桶，而不是你的安全/安心水桶！比如，大多数人都想回避的所谓的垃圾债券，你必须一个一个地仔细研究，决定这些债券值不值得你冒这么大的风险买入。2014年5月，澳大利亚最大的航空公司澳洲航空公司发行了低于投资级评级的垃圾债券，8年期，发行货币是澳元，年利率7.75%。澳洲航空公司的信用评级降低了，因为最近它出现了亏损和债务问题，但是你会因此就不考虑投资这只债券吗？或者在一个更加极端的层次上，2013年1月，就在一片极端混乱之中，有些人正在购买一年期的埃及短期国债，有担保（你可以想象一下，不稳定的政府做出的担保能有多可靠呢），年收益率14.4%。买这样债券的家伙是在赌，美国政府和沙特阿拉伯政府肯定会出手相助，让埃及保持稳定，埃及能够按时偿付债务，不然它会破坏整个中东地区的稳定。

你追求的债券承诺的收益是不是值得你去冒债券违约的风险？在购买之前，你必须深思熟虑后，再做出这种决策。

当然，我们中很多人既没经验又没时间去做这种高水平的专业研究。一个有才华的受托人投资顾问，也是这个领域的专家，正好可以大显身手。但是也有一些美国国内和国际高收益债券指数基金，可以给你创造良好的收益，同时把风险分散到很多债券上。

市政债券。什么是市政债券？一个州（相当于中国的省）、市、县需要筹集资金来建设大型市政工程（排水系统、医院、公共交通），当地通过发行债券来借钱搞建设。过去，每个人都认为这些市政债券是双赢的买卖，因为市政债券支付的利息通常免缴美国联邦所得税，可能也会免缴州所得税。但是美国这些市和县发生了什么情况？加利福尼亚州的圣贝纳迪诺和斯托克顿，亚拉巴马州的杰斐逊县，底特律、芝加哥，这些地方政府要么破产了，要么是在破产的边缘，这些地方政府发行的市政债券的持有人倒霉了，将来他们可能会两手空空。他们心里肯定非常生气，当时购买债券的时候，这些市政债券看起来是绝对稳赚的买卖。他们以后再也不会这么天真了。而且，当市场利率水平下跌时，有的时候，这些债券的发行人会提前"赎回"，在债权到期日之前强行归还你的本金。你本来指望能够获得有保障的高收益率，结果一下子就没了。但是你如果认识到了这些风险，也可能找到一些非常好的投资机会，前提是你要有眼光，知道到哪里去寻找，而且市政债券的税收优势确实非常大。

这里有个案例也许对你有参考价值。我有个朋友最近买了纽约市发行的市政债券，他能够得到 4% 的免税收益率。对于那些需要交纳高税收的人来说，这相当于一个 7% 左右的应纳税债券［7%×（1–40%）= 4.2%］！为什么他不担心风险？这些债券是用纽约市政府未来的税收收入作为担保的。而如果将来纽约市政府遇到麻烦了，它有能力来提高税收，确保这只债券按期还本付息！他觉得这只债券非常好，他甚至愿意把它归入自己的安全 / 安心水桶！

关键是，可能会有很多的市政债券对于你来说很有投资价值，但是你需要学习很多相关的知识，多多请教注册投资顾问，或者请教其他见多识广的投资专家。这些人对某些市政债券非常内行。

要给你的投资组合选择适当的债券，以及配置适当的比例，进行适当的组合，这很不容易，你需要做很多预测的工作。你如果不想进行这么麻烦的预测工作，先锋公司创始人约翰·博格的建议是，购买一只低成本又低费用的债券指数基金，你就能够充分分散投资风险，因为这样你就会拥有债券市场的每一个组成部分。在第六部分中，你会看到博格如何把他的这个理念转化为行动，来构建他自己的投资组合。

现在我们继续前进到第二个水桶：风险更高，潜在收益率也更高。

第23章　比赛就是为了赢：风险/成长水桶

赢家并不是那个开着最快赛车的人。赢家是那个拒绝输掉比赛的人。

——老戴尔·伊恩哈德

风险/成长水桶是每个人都要去的地方。为什么？因为它很吸引人，它让人很兴奋，很激动！这又是为什么？原因非常简单，一个字“钱”！你能在这里得到高得多的收益率，但是其中的关键字是“能”。能赚钱也能亏钱。你也能输掉你储蓄和投资的所有财富。所以不管你放进你的风险/成长水桶的是什么样的投资，你必须做好心理准备，你可能会亏掉一部分本金，甚至亏得精光，因为你的安全保障措施事先没有做到位。我们怎么知道这一点？因为生命中的任何一件事情，包括市场在内，都像海浪一样，一波接着一波，一个循环接着一个循环，既有上涨的时候，也有下跌的时候。一个人投资某一类资产，碰巧它涨得非常好——不管是房地产、股票、债券、商品或者其他资产——要是他觉得这种涨势将会永远继续下去，他觉得“这次跟以前不一样”，那你就等着看吧，市场早晚会给他当头一棒，让他幡然悔悟，这次仍然和以前一样，有涨必有跌。我为了写本书，采访了约翰·博格，他一再重复那句魔咒：“市场总会回归到平均水平。”（他的意思是，有涨必有跌，有跌必有涨。）瑞·达利欧的一句话一定吸引了你的注意，他说：“不管你最喜欢的投资是什么，你等着看好了，你这辈子肯定会遇到这类资产下跌 50%~70% 的情况。”尽管风险 / 成长水桶的上涨潜力没有上限，但是你绝对不要忘了，你也有可能全部亏光（或者至少会亏掉相当大的一部分）。这正是为什么我称之为风险 / 成长水桶，而不是成长 / 风险水桶。成长不能保证，但是风险肯定会有。

那么你应该把哪些投资放在风险 / 成长水桶里？

下面我列出了 7 类投资，可以供你参考。

1. 股权

股权其实就是股票的另外一种叫法，相当于学名，它可以是你持有私人企业的一部分所有权，也可以是你用金融投资工具同时持有很多企业的所有权，比如你买了公募基金、指数基金或者 ETF（交易所交易基金）。这等于你同时持有几百只股票，同时身为这几家上市公司的股东。

ETF 可以说是股票市场最具人气的明星，它增长迅速，2011—2014 年，ETF 规模增长了 20 倍，持股市值超过 2 万亿美元。但是 ETF 究竟是什么？其实 ETF 和公募基金或指数基金本质上是一样的，分散投资很多股票或其他种类资产，由此形成一个资产包，但是它和开放式基金或指数基金不同的是，你可以在股市上买卖 ETF，就像买卖个股一样。而大多数 ETF 都是追踪一个主题（小盘股、股票、市政债券、黄金，或者追踪一个指数）的，但是你要是投资一个指数基金或者开放式基金，必须等到交易日结束后你才能买入或者卖出，而 ETF 在一整天的交易时间内可以像股票一样随时交易。专家说，如果你喜欢指数基金这种投资思路，但是你又想择时交易，在交易时段内看到价格低了，就低位买入，看到价格高了，就趁机高位卖出，那么 ETF 会很适合你。但是这是交易，而不是投资。你试图选择市场时机，频繁交易，这样做会给你自己带来非常高的风险。

还有另外一个不同：你买了一份 ETF，其实你买的不是真正的股票、债券、商品，或者其他包括在这个基金里的东西，你其实买入了一份投资基金，由这只基金来持有这些资产。发行 ETF 的基金公司承诺，你买 ETF 的投资收益和你自己直接持有这些资产是一样的。这听起来很复杂，其实没什么难的。

很多人喜欢 ETF，是因为 ETF 能给你带来范围非常宽广的分散投资，和你自己操作这样的分散投资相比，成本低得多。事实上，很多 ETF 的费用要比传统指数基金更低，有时所需的最小投资金额也更低。而且因为 ETF 追踪的是指数，建仓之后，持股稳定不变，只有指数调整少量成分股时，才会引起 ETF 跟着调整持仓，所以一年下来，很少交易，自然不会有很多产生资本利得的收益，因此 ETF 有很高的税收效率。（不过，也有一种更加趋向于主动管理型的 ETF 在市场上出现，这降低了它的税收效率。）

你应该投资 ETF 吗？约翰·博格——先锋公司的创始人（先锋公司同样也提供很多种类的 ETF）——告诉我，他觉得持有投资范围很广、分散的指数型 ETF，当然一点儿错没有。但是他警告，有些种类的 ETF 对于个人投资者来说太专业了，最好别碰。“你用 ETF，不但能赌市场，还可以赌国家，赌行业板块，你可能是对的，也可能是错的。”

2. 高收益债

你也许知道，高收益债其实就是垃圾债券，称它们为垃圾是有理由的。这些债券只有最低的安全评级，你可以得到高收益率的息票（高于更加安全的债券的收益率），但是这只是因为你冒了大风险。对于一个新手来说，你最好别碰它们，回过头去读一读前面的债券概述，就在上一章的末尾。

3. 房地产

我们都知道，房地产能产生巨大的收益，你可能对房地产这个种类已经知道得很多了。但是你可能不知道，除了买房卖房这个传统方式之外，还有很多方式可以投资不动产。你可以投资一套住宅，把它租出去，得到租金收入。你可以买不动产，重新装修，然后短期内转手卖出。你可以投资第一信托契约。你可以买商铺（商业不动产）或者一套公寓。我前面讲过，我最喜欢的房地产投资种类之一，就是投资养老住宅，你既可以得到稳定的租金收入或分红收入，又可以得到未来资产升值的收益。你可以买房地产投资信托基金。这种基金持有大量的商业不动产（或者抵押贷款），然后再向小投资者出售基金份额，就像开放式基金一样。房地产投资信托基金可以像股票一样交易，你可以买入一只房地产投资信托基金指数基金，这可以让你分散投资到很多不同的房地产投资信托基金上。

为了投资增值，诺贝尔经济学奖获得者罗伯特·席勒告诉我，你最好投资房地产投资信托基金，而不是投资自住型的房产（它属于安全 / 安心水桶）。购买商业地产或者公寓，对于我来说是一个更好的投资，它胜过自己买套房子，因为前者要租出去更加容易。当然这可能是会变的。和任何一项投资一样，你必须停下来，好好想想自己赌的是什么。你赌的是房地产的价格会随着时间的推移而上涨，但是这没有保障，所以要放在风险 / 成长水桶里。如果房地产价格确实上涨了，你就会有很好的收益率，如果它没有上涨，你什么也得不到，甚至会输得精光。当你自己买房子的时候，你赌的是你的房子价格会上涨。当你购买与之关联的房地产类产品（出租单位、公寓楼、商业地产、房地产投资信托基金或持有相关指数基金）时，席勒指出，你有两种赢的方式：一方面你可以持续获得收入，另一方面如果这些房地产升值，你就有机会赚钱了，你可以在升值之后把它们高价卖出。

4. 商品期货

这个种类的资产包括：黄金、白银、原油、咖啡。很多年来，大多数人认为黄金是最安全的投资天堂，它在他们的安全 / 安心水桶里占了一大部分。传统的智慧认为，乱世藏黄金，在不确定的动荡年代，黄金的价值只会涨。结果，黄金的价格在 2013 年跌幅超过 25%！人们这才明白，黄金也会暴跌。为什么你要投资黄金？你可以持有一小部分黄金，你可以这样说：“这是为了避免纸币消失，这能给我带来一份小小的安全感。”你知道，如果整个世界都崩溃了，政府也崩溃了，僵尸入侵，统治整个世界，至少你还有点儿黄金或者白银让你能买上一条小船，航行在大海上。（忽然一想，僵尸也会游泳啊！）另外，黄金也可能属于你的风险/成长水桶。你投资黄金是为了保护自己，对抗通货膨胀，或者作为平衡投资组合的一个组成部分，我们后面会学到如何在投资组合中配置一部分黄金。但是你必须接受风险。不要愚弄自己，你买黄金，其实你是在赌金价会上涨。和其他很多投资不同，黄金这种投资是绝对不会产生收入的，而你投资股票会有分红收入，投资房地产会有租金收入，投资债券会有利息收入，而投资黄金什么收入也没有。所以不管投资黄金值不值得，风险是肯定存在的，所以黄金肯定应该属于风险/成长水桶。这并不是指责、攻击黄金，事实上在合适的经济情况下，黄金可能成为超级投资明星。正是因为这个原因，你将会看到，在你的投资组合中持有一小部分黄金，会非常有用。

5. 外汇

想炒日元吗？其实所有的外汇，就是外国的纸币，也只是一张纸而已。外汇投资，其实纯粹是投机。有人炒外汇发了大财，但更多的人亏了大钱。那些内心不够强大的人不适合炒外汇。

6. 收藏

艺术品、葡萄酒、钱币、汽车、古董，还有很多其他东西，都可以收藏。同样，了解值得收藏的资产，你要有非常专业的知识，还要有很多时间。

7. 结构化票据

前面我们说过了，结构化票据属于安全/安心水桶。同一个东西怎么能够同时属于两个水桶？因为市场上有各种类型的结构化票据，有些百分之百保本，可以进入你的安全/安心水桶——发行票据的银行只要在财务上非常稳健，就肯定能够保本。另外，还有其他种类的票据，可以给你带来更高的潜在收益，但是如果票据挂钩的指数下跌，你的本金只能部分保本。比如你买了一个票据，有25%保本，这意味着只要股市下跌幅度最高不超过 25%，你就一分钱也不会损失。如果股市继续下跌，跌了 35%，超过 25% 的保本范围，你就得不到保护了，就要亏本 10%。但是因为你承担的风险更大，你得到的上行收益相应也更多——有时会高达挂钩指数上行收益的 150%。比如，如果股市上涨了 10%，你就可以得到 15% 的收益。所以，你将来得到更大的收益是可能的，但是你承担了更大的风险，这是一定的。再一次提醒你，结构化票据应该用你的个人退休金账户购买，它能让你脱离所有过度征收的费用，然后给你带来更高的税后收益。

安全并不是意外发生的。

——佛罗里达州高速公路上的标语

到现在为止，我们已经讲了一些投资工具 / 资产，它们可以纳入你的风险 / 成长水桶，让这个水桶里的投资更加分散。你可能疑惑不解，为什么我没有把一些风险更大的投资工具包括在内？这些投资工具现在还蛮流行的：看涨和看跌期权、信用违约债券，还有一大堆稀奇古怪、深奥难懂的金融工具，现在交易者在市场上都能买到。你如果是富豪，也许会聘请专业受托人投资顾问，帮你仔细看一看如何使用这些投资工具。但是你务必清醒地认识到：只要一玩这种游戏，你就再也不是一个纯粹的投资者了，你变成了一个投机者。这就是所谓的动量交易。你必须认识到，如果你玩这种游戏出错了，你会把本金亏得精光。这还不止，你还要欠上一屁股债，从此天天被人追债。因为本书讲的通向财务自由之路的途径是多存钱，多投资，用复利实现增长，所以在此讨论这类动量交易的资产并不合适。

现在进入游戏的时候到了

好了，现在你了解哪些资产选手属于你的资产配置水桶团队了，现在你也知道打造一个赢家团队的关键所在：分散，分散，还是分散！但是还有其他东西，你也要知道！你并不只是要把大类资产配置分散到安全/安心水桶和风险/成长水桶，在这两个水桶内部你还要进一步进行分散投资，也就是说中类资产配置也要分散。正如伯顿·麦基尔与我分享的那样，你应该“分散到不同的证券，分散到不同的资产类型，分散到不同的市场，分散到不同的时间”。这样你才能构建出一个投资组合，它能够应对所有的投资气候，成为一个全天候投资组合！例如，他说，你希望投资的不仅是股票和债券，还要投资不同类型的股票和债券，这些股票和债券来自不同的市场，分别属于世界不同的国家和地区。

大多数专家都认同，终极的分散投资工具，对于个人投资者而言，就是费用低的指数基金。这可以让你用最低的成本分散到数量最多、范围最广的证券上。“分散投资的最好办法就是持有指数基金，因为这样做就不需要支付所有费用了。”戴维·斯文森告诉我，“你能得到税收效率，得到同样的税后收入，你支付的税却更少。”这意味着，如果你在个人退休金账户或者 401（k）这类有税收优惠的账户之外的其他账户进行投资，要是你买的是公募基金——它们大多数都会被不断地买进卖出——你就要交纳很多的资本利得税，而如果你投资的是指数基金，你就很少进行股票交易，也就交很少的税，你的税收效率就高多了。

拿点儿小钱，找点儿乐子

当然，如果你已经让你的赚钱机器马力全开，你有欲望从风险/成长水桶里拿出来一小部分资金，做些日间交易，当天买，当天卖，这也没有什么错。“把你最重要的钱都买成指数基金，长期持有，然后拿点儿小钱，找点儿乐子。”伯顿·麦基尔告诉我，“拿点儿小钱炒炒股票，总比你去赌马买彩票好。”但是他说，你要节制，短线炒股的资金规模最高不超过总资产或者投资组合净值总额的 5%。

上面讲的所有这些内容，是不是基本上讲清楚了什么样的投资组合比例，对于你来说是最好的？在你决定之前，务必牢记一点，我们都有一种倾向，会把很多钱投在我们最看好的资产上，因为我们认为投资这种资产能带来最大的收益。每个人都能获得胜利。你知道为什么吗？不同的环境，不同的形势，让不同的投资大涨。所以，比如现在房地产很火，你已经投资了房子，现在大赚了，你真是个幸运儿。要是股票市场很火，如果你手上有股票，你简直是个天才。债券表现很好，如果你手上有债券，那么你就是一个投资大师。也许真实的情况只不过是你在正确的时间出现在了正确的地方。所以你最好不要过度自信。这正是资产配置如此重要的原因。世界上所有聪明的人都会怎么说？“我会出错的。”所以他们精心设计理想的资产配置，让自己长期能够赚到钱，即使他们短期出了错也没有关系。

我们来检测下你的知识

接下来，我会给你看一看投资组合（资产配置），它们是由一些有史以来最伟大的投资者设计的。一开始，我们先来看一看投资大师戴维·斯文森——耶鲁大学首席投资官，管理资产规模 239 亿美元。他绝对是一个资产配置大师。我来到耶鲁大学，到戴维·斯文森的办公室向他当面请教，我问他一个关键的问题：“如果你不能把一分钱留给你的孩子，只能留给他一套投资法则，教他构建一个投资组合，这会是什么？”

戴维·斯文森展示给我他推荐给个人投资者的资产配置——他认为这个配置可以经受住时间的长期考验。他也向所有机构推荐这个投资组合，但是不包括耶鲁大学、斯坦福大学、哈佛大学、普林斯顿大学。为什么？因为这 4 所大学雇用了一个全职的由顶尖分析师组成的投资管理团队。

一看到他列的投资组合清单，我就震惊了：怎么会如此精致，又如此简单呢！我前面给你讲了 15 类资产，你可以从中挑选，分别配置到两大水桶里。戴维·斯文森只使用了 6 类资产，都是指数基金。我也很吃惊，他给其中一个水桶配置的资产比例特别高。你可以猜出来是哪个水桶吗？

到现在为止，我们已经学到了安全 / 安心水桶和风险 / 成长水桶，那么让我们运用过去学到的知识，更深入地了解该如何分别配置这两个水桶的资产。

看看下面的图，记住每种资产类型属于哪个水桶。核查一下，你觉得哪个属于安全 / 安心水桶，哪个属于风险 / 成长水桶。

戴维 · 斯文森投资组合		哪个水桶?	
资产类型（指数基金）	比重	风险 / 成长	安全 / 安心
美国国内股票	20%	❑	❑
国际股票	20%	❑	❑
新兴市场	10%	❑	❑
房地产投资信托基金	20%	❑	❑
美国长期国债	15%	❑	❑
通货膨胀保值国债	15%	❑	❑

图 23–1

我们先从前 4 项资产开始。

第一项资产是广泛的美国国内股票指数基金，有些像先锋 500 指数基金或者威尔逊 5 000 全球市场指数基金。你会把它放在什么水桶里？这类投资有风险吗？当然了，绝对有风险。能得到有保证的投资收益率吗？绝对没有保证。可能会让你亏得精光吗？不可能，但是可能会大幅下跌，而且时不时地会下跌。长期来看，美国股票的历史业绩纪录非常出色。还记得，美国股市的业绩和你自己持有的房地产相比是什么情况吗？过去，股票投资长期业绩表现良好，但是短期而言，它们是波动性最大的资产之一。在过去 87 年（1926—2013 年）里，标准普尔指数有 24 年是亏损的。所以，股票指数基金应该属于哪个水桶？对，就是风险 / 成长水桶。

第二项资产是国际股票。戴维 · 斯文森把很大的比重配置在美国国外的股票上，因为这能给投资组合带来更大的分散度。如果美国经济衰落，欧洲或者亚洲的企业可能会繁荣。但是并不是每个人都会认同戴维·斯文森的这个看法。可能外国的货币并不像美元那样稳定，所以这里存在“外汇风险”。约翰·博格有 64 年的成功投资经验，他说，持有美国公司的股票，其实就是全球化投资。“托尼，真相是，美国的大公司没有一个是只做国内业务的。”他告诉我，“美国大公司的业务其实遍布全球，比如麦当劳、IBM、微软、通用汽车。所以你买了美国大公司的股票，其实它们就是一个国际性的投资组合。”那么外国股票属于什么水桶？我想大家都会认同，它应该被放到风险 / 成长水桶里。

第三项资产是新兴市场。戴维·斯文森喜欢把一些资产配置到新兴市场的股票上，也就是发展中国家的股票上，比如巴西、越南、南非、印度尼西亚，它们的波动性相当大，你可能会得到非常辉煌的业绩，但是你也可能亏得精光。所以这些新兴市场的股票投资应该被放到风险 / 成长水桶中。

第四项资产是房地产投资信托基金。戴维·斯文森告诉我，他喜欢的房地产投资信托基金的特点是，“拥有大型 CBD（中央商务区）的办公楼和大型的区域性购物中心，以及工业建筑，这些资产一般能贡献相当高的租金收入”。所以，这些房地产投资信托指数基金能产生很高的收益率，但是波动性也相当大，它们会随着美国商业不动产市场行情的起伏而波动。那么这些房地产投资信托指数基金应该被放到哪个水桶？你知道的，风险 / 成长水桶。

我们再来看看戴维·斯文森投资组合资产清单上的最后两项资产：长期美国国债、通货膨胀保值国债。它们是不是以提供更低的回报，换来更高的安全性？它们应该分别属于哪个水桶？你知道的，是安全 / 安心水桶。

祝贺你，你已经把 6 个主要类型的资产安排到合适的资产配置水桶里了。这代表你已经超越了证券市场上 99.9% 的人，他们都做不到这一点。你能做成这件大事，很酷，是吧？现在让我们钻研得更深一些，好深入理解为什么戴维·斯文森要选择这些资产来进行资产配置。为什么这样的资产配置可能适合或者可能不适合你？

首先，我们来看看安全/安心水桶。戴维·斯文森说他只选择美国国债，“因为这些债券很纯粹，有美国政府提供完全信用担保”。但是为什么他要这样选择？一半是传统的美国长期国债，另一半是通货膨胀保值国债。

我对戴维·斯文森说：“你这样对半配置的意思大致是，如果我想得到绝对的安全保障，我就要保护自己，既要预防通货膨胀，又要预防通货紧缩。”

“你说的对极了。”他说，“我不敢相信你能看出来这一点！很多投资债券指数基金的人，都把这两类国债搞混了。美国长期国债是用来防止通货紧缩的，就像2008年我们所经历的通货紧缩那样。但是如果你买了传统的国债，后来发生通货膨胀，你的投资组合就会发生亏损。如果你买了通货膨胀保值国债，后来发生通货膨胀了，你就能够得到保护。”

请你一定要注意，戴维·斯文森就像所有最优秀的投资大师一样，不知道未来会发生什么，所以他做了两手准备。你看到他这样的对半配置，你可能会说：“50%的可能性发生通货膨胀，50%的可能性发生通货紧缩。是不是他觉得两种可能性相同，所以要对半配置？”并不是那么简单，但是你这种想法也很有道理。戴维·斯文森是在用安全/安心水桶的投资作为一种保护，如果他的股票投资或者不动产投资下跌了，他就减小了下行风险，因为他持有一些东西可以对冲这些投资风险。所以，他可以确定他的安全/安心水桶里的投资肯定是能赚到一些钱的。他不会损失他的本金，所以他的安全/安心水桶的资产配置操作做得很巧妙。首先他不会亏钱，而且他可能会额外多赚到一些钱，不管未来发生通货膨胀或者通货紧缩，他都会有钱赚。这真是一个非常聪明的做法。

但是我有些吃惊的是，按照戴维·斯文森的资产配置，安全/安心水桶只占30%，70%的资产都被配置到风险/成长水桶中了。我觉得，这样的资产配置对于有些投资者来说太激进了，所以我问戴维·斯文森：“这样的资产配置对于普通投资者来说合适吗？”

“这个问题问得非常好，托尼。”他说，“股票是资产配置的核心，特别是从长期而言。我的意思是，如果你看一看最近的长期业绩表现，10 年、20 年、50 年、100 年，你会看到股票投资收益率远远高于固定投资收益率。”

历史数据可以完全支持他的看法。看看下面这幅图，它追踪的是过去 100~200 年的股票和债券收益率。这幅图表明，从历史上看，美国的股票复利年化收益率完胜债券。事实上，1802 年投资 1 美元的股票，按照 8.3% 的年化收益率计算，到 2000 年能增值到 880 万美元，上涨了 880 万倍。

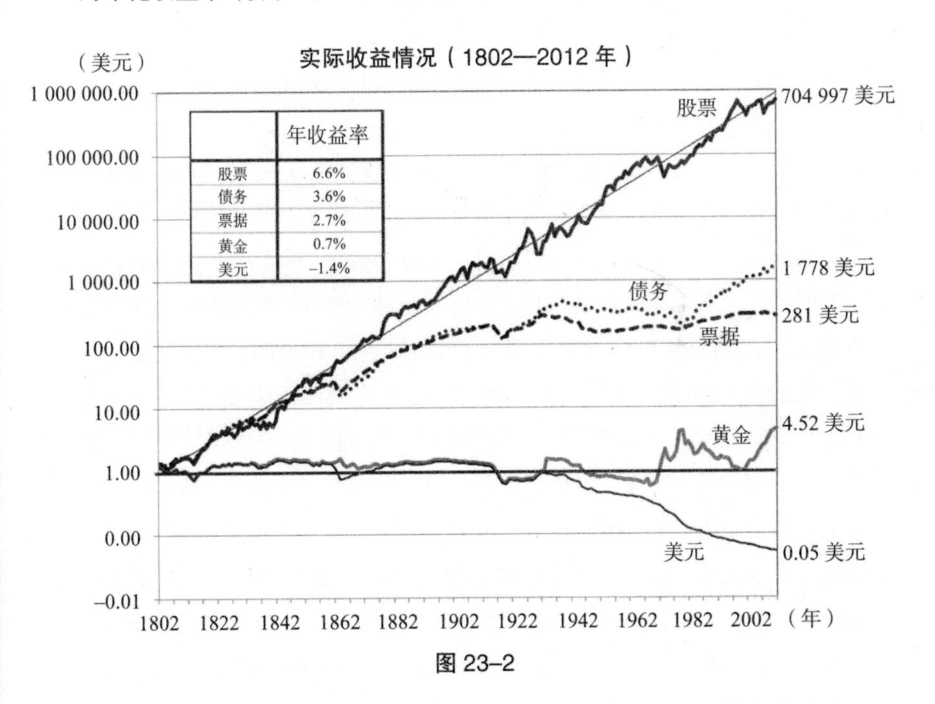

图 23–2

所以戴维·斯文森把他理想的投资组合设计成了一个赚钱机器，通过极其分散的投资，提供相当稳定的收益，而且因为他进行了长期投资，所以这个投资组合能有充分的时间安然地度过股市的周期性下跌。

我很好奇，想看看这样的资产组合过去的表现怎么样。过去 17 年中，股票市场波动很大，从 1997 年 4 月 1 日开始，通货膨胀保值国债问世，到2014年3月31日结束。其间，标准普尔500指数的表现就像斗牛表演中一头疯狂的公牛，但是也有下跌的年份，把下跌的年份加在一起计算，市场累计跌幅达到51%。于是，我组建了一个金融专家团队，测试这个组合的业绩表现，并和同期的指数表现进行对比。你猜猜看，结果怎么样？戴维·斯文森推荐的投资组合完胜股票市场，年化收益率达到7.86%！在2000—2002年大熊市里，标准普尔500指数下跌接近50%，斯文森的投资组合相对表现得要稳健多了，在这可怕的几年里，累计亏损只有4.572%！像其他重仓股票的投资组合一样，斯文森的投资组合在2008年股市大崩盘里也遭受了打击，但是它的表现仍超越标准普尔500指数（下跌31%，而不是下跌37%），之后就快速反弹了。①

所以，女士们，先生们，能够真正长期持续战胜市场的投资人，100万人里也难找出1个人，绝对是凤毛麟角，戴维·斯文森就是这样一个极其罕见的绝世高手——用这个投资组合，他持续战胜了市场，一不选股，二不选时，完全只靠资产配置的威力！你可以得到戴维·斯文森的最好的投资建议，就在此地，就在此时。哪怕你读完本章，唯一收获的东西就是戴维·斯文森建议的这个投资组合，我想你也肯定会说：这时间花得值。不过，你要明白的最重要的事情是：即使这个组合业绩比整个股市更好，更稳定，这仍然是一个相当激进的投资组合，它需要你具有强大的心理承受能力，因为拿着自己辛辛苦苦攒的血汗钱做投资，看到账面亏损1/3，很少有人能承受得了，大部分人都被吓得两腿发软，内心崩溃，想赶紧把股票卖掉。那么这个投资组合适合你吗？如果你很年轻，也许会有兴趣做这样重仓股票的资产配置，因为你有足够的时间从任何损失中恢复元气。要是你正准备退休，这个组合也许太危险了。

不过，不要担心。我在后面的内容里会介绍给你几个其他投资大师推荐的投资组合模板，包括瑞·达利欧告诉我的一个很详细的资产配置方案，它好到让我吃惊得要从椅子上摔下来！这个投资组合简直太棒了，所

① 请参考本章末尾各个资产类型的具体指数。过去的业绩并不能保证未来的业绩。

以我要用整整一章来讲。这里先做个提示：瑞·达利欧建议的这个投资组合，其激进程度大大弱于斯文森的投资组合，用同样的时间框架来对它进行回测，瑞·达利欧的投资组合年化收益率更高，而且波动性明显更小——业绩表现要平稳多了，它会给你带来相当高的成长性，而且风险性是最低的，至少在我见过的组合中确实如此。

> 在任何一个做出决定的时刻，你能做的最好的事情就是做正确的事情，第二好的事情是做错误的事情，而你能做得最糟糕的事情，就是什么事情也不做。
>
> ——**西奥多·罗斯福**

但是，我们暂时还要回过头来看一看大局，你如何决定自己的大类资产配置比例：你把自己资产的多大比例用来承受风险、追求成长，你又把多大比例的资产用来获取低收益、追求安全？在你做出选择之前，你必须考虑以下三个因素：

- 你的生命阶段
- 你的风险承受能力
- 你能得到的流动性

第一，你的人生还有多少时间让你创造财富，允许你在投资的道路上犯下投资错误，等你年纪大了，生活的主要目的不是赚钱而是花钱了，时间不再允许你犯下投资大错，因为你输不起了。如果你很年轻，当然可以更加激进，因为你有更长的时间来赚钱弥补你的损失。（不过可没有人愿意养成亏损的习惯。）

你的资产配置比例还取决于你的收入水平。如果你能赚很多钱，你就能承担得起犯更多错误的损失，而且还能够有本钱继续投资来弥补这些错误，对不对？

真人秀游戏：你愿意冒多大风险？

谈到风险，什么样的风险是你可以承受的？每个人的看法有很大的不同。我们有些人极度渴望安全。还记得我们前面讲的那六大人类基本需要吗？确定性是排名第一的人类基本需要。但是也有些人渴望不确定性和变化，爱过那种惊险刺激的生活。你必须知道你的个性，然后才能开始动手大干一场。所以，让我们假设你现在正在参加一场真人秀游戏，下面哪些东西是你想要得到的？

- 1 000 美元的现金
- 有 50% 的可能赢得 5 000 美元
- 有 25% 的可能赢得 10 000 美元
- 有 5% 的可能赢得 100 000 美元

这里还有另外一个游戏：你刚刚攒够了钱，要来一次度假。在你计划休假的 3 个星期之前，你丢了工作。你会：

- 取消度假
- 换个价钱便宜得多的度假计划
- 继续按计划度假，因为你需要时间做好准备
- 延长你的假期，因为这也许是你最后一次坐头等舱的机会了

罗格斯大学开发了一套在线测试，共 20 道题，只需要你花 5 分钟，就能帮助你确定自己属于什么样的风险承受级别。但是真正的答案是什么，你自己心里最清楚。

过去 30 年，我一直在举办财富大师训练营，参加者来自全球 100 多个国家，各种各样的人都有，他们通过参加这个完全浸入式的为期 4 天的财富大师训练课程，改变了他们的财务人生。在这个训练营上，我喜欢跟他们玩一个小游戏，叫作“金钱传递”。我在讲台上告诉听众和其他人

“交换金钱”。我说的就是这 4 个字。通常大家听我这么一说，就会有几分钟的沉默，然后他们充满困惑地开始交换金钱。有些人拿出 1 美元，有些人拿出 20 美元，有些人拿出 100 美元。你可以想象会发生什么情况。人们四处走动，他们互相观察，他们决定如何交换。有些人在协商；有些人把他们的钱全都拿出来了；有些人拿了别人 100 美元，却只给对方 1 美元，你可以想象那个人脸上的表情是多么震惊。这种交易持续进行三四分钟之后，我会说：“好了，请坐。”然后我转到下一个话题接着讲。

每次都一样，肯定会有人大叫：“嘿，我想拿回我那 100 美元！”

我会说：“谁说那是你的 100 美元？”他说：“拜托，我们只是在玩游戏。”我说：“是的，你怎么知道这个游戏结束了？”通常这个人听到后会满脸困惑，只好坐下来，心里还是非常气愤，毕竟自己失去了 100 美元。最终他们都从这个游戏中得到了启发：对自己的风险承受力，他们感觉到的和现实完全是两回事。那个家伙觉得自己有很高的风险承受力，但是他才失去了 100 美元，就让自己愤怒得受不了了。看到这种事，往往让我很震惊。想象一下，要是你亏损了 1 万美元、10 万美元，甚至 50 万美元，你会有什么样的反应？激进的投资者在相对较短的时期内可能会亏掉这么多钱。人们并不知道他们真正的风险承受力是多大，直到他们发生了相当大的亏损，真实体验到巨大的亏损，他们才会知道自己的实际风险承受能力是多大。

我承受过上帝也会震惊的亏损——在我人生的某阶段我亏掉了几百万美元，可我其实没有那么多钱，结果是我亏的钱比我所拥有的全部资产还要多，这些考验你勇气的事情会惊醒你！但是亏损的数字是大还是小并不重要，亏损 100 美元或者 1 000 美元就可能让你痛苦得受不了了。输的痛苦远远超过赢的快乐，这正是为什么你的投资弹药库里，一定要有一些像全天候投资组合这样的武器装备，因为只是依靠资产配置，你就可能明显地减少承受重大亏损的风险。

科学研究表明，我们天生痛恨亏损。科学研究还表明，人类并不擅长评估自己获胜的潜在可能性。有时你做了几笔成功的投资，你就开始想：

"看来我很擅长做投资。我这个人做什么都行！"因为人类的天性，你才会觉得你能战胜系统。这正是心理学家所说的激励误区，我们大多数人会觉得自己在预测模式上表现得很好，自己会很幸运地中大奖，但其实我们并没有那么好，也没有那么幸运。但当我们有机会中头奖时，我们就会这样想。除此之外，还有什么原因能够解释这么多人热衷于买彩票？斯德哥尔摩大学1981年做的一项研究非常有名。该研究发现，93%的美国汽车司机觉得他们的开车技术高于平均水平。这种现象甚至还有个专门的名称，叫作乌比冈湖效应。这个名词来源于加里森·基勒书中描写的那个神秘小镇，那里"所有的孩子都高于平均水平"。哎，谁不是觉得自己高于平均水平？但是，在钱的事上，要是你有这样的心理误区，觉得自己比其他所有人都要好，那会让你付出惨重的代价。

要是你是个男人，你会觉得很内疚，自己竟然有这种生物化学上的偏见。男性睾酮会让人过度自信。一个又一个研究表明，女人往往能成为更好的投资者，因为她们并不会高估自己准确预测未来的能力。有的时候，自信是好事，但也有很多时候，自信是坏事，会起反作用。你只要看一看小孩子就明白了。"我是超人！我要飞喽！你看我敢跳下屋顶！"我完全可以说，如果你是位女性读者，你做投资天生就比男性有优势。

当市场上涨再上涨的时候，投资者就会陶醉在盈利之中，我赚钱了，我又赚钱了。每个人内心都会受到诱惑。正是这种心理让投资者出了大问题。这样过度自信的结果是，他们把自己大部分的钱，甚至所有的钱，都投到股票等热门投资上，而这些投资应该属于风险/成长水桶中的资产——不只是70%，有时是80%、90%，甚至是100%。股市和楼市很火的时候，有些人甚至借钱来投资股票和房子，因为他们相信这些股票永远会上涨，直到亲眼看到股市不再上涨，下跌了，又下跌了，他们才不相信股市会永远上涨。因为他们的资产配置做得很糟糕，把大部分钱都投在股票或房产这样的野马身上，后来他们把钱全部亏光了，有的人甚至还欠了一屁股债。这些人失败的原因是，等到他们听说股票市场（或者是黄金，或者是房地产，或者是商品期货，或者是其他资产）是个赚钱的好地方时，这个市场的泡沫通常就快要破掉了。你需要事先妥善地安排和设置好一个系统，以确保你不会受到引诱，不会把太多的钱投在任何单一的市场上或者单一的资产类型上，不会把太多的钱放到你的风险 / 成长水桶里。

所有这些东西听起来非常简单，像是常识，特别是那些资深投资者会觉得自己什么都知道，什么都明白。但是有时候越是水平高的投资者，因为他们太想追求成功了，结果越容易偏离轨道掉到山沟里。他们忘记了那些投资常识。

当然，总有些投资者根本不听这些道理，他们做投资一点儿不讲道理，不讲理性，“非理性繁荣”就是这些人给煽起来的。他们相信了那个最大的投资谎言：“这次肯定不一样。”我知道有好几十件这样的真人真事，故事的结局都很悲惨。就拿乔纳森来说吧（为了保护他的隐私，我就不讲他的真名了），我这个朋友做生意发了笔财，后来他把所有东西都卖掉，拿到一笔钱，去投资当时很火的拉斯维加斯房地产市场。一开始他赚了些钱，于是他加倍投资，疯狂地借钱来持续开发房地产项目。每一次，乔纳森来参加我办的投资理财大师训练营，他都会听到我一再重复讲资产配置非常重要，要学会“落袋为安”，把你的一些盈利放进你的安全 / 安心水桶里，不要把你所有的鸡蛋放在同一个篮子里，不管现在这个篮子看起来多么诱人。乔纳森很信任我这个人，也很信任我的投资理财大师训练营，正是参加这个训练营，他才让企业盈利超过 10 倍的，不然他哪里有钱来做房地产投资？他卖掉了自己的公司，拿到了 1.5 亿美元。我给他的建议是，现在是时候把赢的钱拿出来放进安全 / 安心水桶里了，但是他没有听我的。现在他才知道自己太自以为是了，把我的话都当成了耳旁风。他想成为亿万富翁，他觉得自己做得很对，正在大步奔向目标。但是后来你也知道，拉斯维加斯发生了房地产大崩盘。你猜猜房价暴跌了多少？2007—2012 年暴跌了 61%。乔纳森所有的财产都亏光了，这还不止，两手空空的他还有 5 亿美元的债务要还。

图 23–3

我真诚地希望，所有这样的投资蠢事从此再也不会发生。如果说这一章你有什么东西应该牢记在心的，那就是把你所有的钱都放在风险 / 成长水桶里，你就是自找死路。这正是为什么很多专家估计，从任何一个 10 年来看，几乎 95% 的投资者都是亏钱的。一般来说，他们总是在市场大涨浪潮涌起之后追涨买入（包括房地产、股票、黄金），而在市场下跌的时候，他们就像岩石一样坠落。暴涨之后必有暴跌，他们必定会受到巨大财务损失的打击。

我们的投资建议再好，有些人就是不听。他们必须用最痛苦的方式来学习，吃尽苦头，才能吸取经验教训。但是为了避免这类痛苦的教训，帮助你决定什么样的选择对你才是正确的，我需要提醒你，找一个没有利益冲突的、独立的受托人投资顾问，这才是一个正确的选择。请注意那些职业运动员，那些在他们从事的体育项目上成绩属于顶尖水平的男运动员或者女运动员，他们总会找个教练，帮助他们保持顶尖的成绩。为什么他们要这样做？因为教练会注意到，什么时候他们在比赛时偏离正轨了，然后帮助他们做些小的调整，结果会产生巨大的效果。同样的事情也适用于你的投资理财。一个非常棒的受托人财务顾问就像一个好教练，他会帮助你保持一直在正道上前进。当你开始像个青少年一样冲动，追逐业绩，在市场上涨中过于陶醉，迷失自我时，或者在市场下跌中过于恐惧，想要逃离时，他们会及时相劝，他们可以说服你离开悬崖，避免你做出一个致命的错误投资决策。

选个数字，随便一个数字

现在是时候估算一下你的两个水桶的资产配置比例了！比如，你现在拿到手 10 000 美元的奖金（或者你已经积累了 10 万美元、20 万美元、50 万美元、100 万美元，甚至更多的钱），你决定把这些钱都拿去投资。到现在为止，你读了这么多，学了这么多，知道了这么多，这些钱你该如何把它们分散进行投资？你的新投资哲学是什么？你的钱有多大比例会被放在安全 / 安心水桶里，在安全的环境下保持稳定增长？还有多大比例的钱你愿意放到风险 / 成长水桶里，去冒险追求更高的潜在增长？

你可能听说过那个古老的经验法则（约翰·博格称之为粗略估计方法）：你的年龄有多大，投资债券的比例就有多大。换句话说，用 100 减去你的年龄，就是你可以投资到股票上的资产比例。如果你现在 40 岁了，那么你应该把 60%（100% − 40%）的资金投资在股票上，这属于你的风险 / 成长水桶，40% 的资金投资在债券上，这属于你的安全 / 安心水桶。等你到了 60 岁，你投资股票的比例应该是 40%（100% − 60%），而投资债券的比例应该是 60%。但是，这样的资产配置比例已经远远不符合当代的现实情况了。股票和债券二者的波动性都大大增加了，而且现在的人活得比过去长多了。

那么什么样的资产配置比例才适合你？你希望更加激进，冒更多的风险，就像戴维·斯文森建议的重仓股票的投资组合一样，30% 的资金投资债券，追求安全，而 70% 的资金投资股票，承受风险吗？这意味着你那 10 000 美元的资金，要拿出 30%，也就是 3 000 美元，放进安全 / 安心水桶中，而70%的资金，也就是7 000美元，放进你的风险/成长水桶里。(如果你有100万美元，这个资产配置比例不变，你就要把30万美元放进安全/安心水桶里，70万美元放进风险/成长水桶里。)你真的承受得起这样三七分的资产配置吗？你是不是有足够的现金？你是不是有足够的时间？你是不是足够年轻？你是不是需要更加保守一点，像很多养老金机构那样，来个六四分或者五五分？还是你年纪大了，接近退休了，那么你希望是二八分？重要的不是大多数人是怎么做的，重要的是你自己会怎么做。这样做既符合你的财务需要，又符合你的感情需要。

我知道，这是一个相当个人化的选择，即使是最聪明的投资理财明星，有的时候也得想很长时间，而且要花很多工夫思考，到底什么样的资产配置比例更适合自己和自己的家庭。我和摩根大通资产管理公司的玛丽·卡拉汉·厄道斯交谈的时候，我问她："构建资产组合的时候，你用的是什么标准？如果你必须给你的孩子构建一个资产配置，那么这个配置会是什么样的？"

"我有三个女儿。"她告诉我，"当然，她们三个年纪不一样大。她们三个人的能力也各有不同，以后随着时间推移，她们的能力也会变化，我不知道她们长大之后会变成什么样子。一个可能花钱比其他人更多一些；一个也许希望找个好的工作环境，能挣更多的钱；一个也许会更加喜欢做慈善。三个人都有可能遇上什么事情，比如健康出了问题。一个会结婚，一个也许不会结婚；一个会要小孩，一个可能不要孩子。不同的偏好，不同的事，不同的时间，在每个人身上会有不同的排列组合，还会随着时间发生变化。因此，尽管从出生第一天起，我就给她们设计了一个资产配置，但是这个资产配置还必须随着时间的变化而变化。"

"资产配置比例的变化要基于人们的风险偏好的变化而变化，因为随着时间推移，你不可能一直让这个人保持一个完美的资产配置，只有适合他的资产配置对于他来说才是完美的。如果处于人生的最后阶段，有个人可能过来和我说：'我只想要国债，让我能够晚上安安心心地睡觉，一点儿也不用担心。'对于他来说，这也许是最好的办法。"

我和她说："因为这符合他的情感需要，对不对？最终，生活不仅是钱的事情。"

"太对了，托尼。"她说，"如果我把投资组合的一半资金拿出来放到股市上，可能会多赚些钱，但是股市经常大涨大跌，会让人们承受很大的心理压力，破坏人们生活中的幸福感。我何必要这样做？"

"投资的目的是什么？"我问，"难道不是为了确定我们为自己也为家人创造了经济上的自由吗？"

"你说的对，投资其实就是为了能获得经济自由，能做你想做的事。"她说，"但是你不值得为此付出高昂的代价，压力，紧张，不舒服，特别是在股市表现非常糟糕的时候，你的情绪也会非常糟糕。"

玛丽·卡拉汉·厄道斯绝对是世界上极优秀的投资理财专家之一，从她给三个女儿做资产配置的经验中，你能学到的经验是什么？积累你的财富更加重要的是，做投资理财这件事，要用一种适合自己的方式，必须能给自己带来心灵的平静。赚钱了，心却乱了，生活也乱了，那就不值了。

那么你的安全 / 安心水桶和风险 / 成长水桶间的大类资产配置比例应该是多少？写下来你理想的资产配置比例，让这些数字从脑子里的想象，变成真实的白纸黑字！这些配置比例数字让你感觉舒服吗？绕着这些数字走两圈。想象你按照这些数字比例做了资产配置，这个数字成了你生活的一部分。持有按照这个数字比例做的资产配置！因为按照这个数字比例所做的资产配置比例，是让你得到心灵平静的关键所在，也是决定你财务未来的关键所在。

写好了吗？

好了。你刚刚做出了人生最重要的投资决策。一旦你知道你的资产配置比例是什么，你就不要再改变了，除非你进入了人生新的阶段，或者你的个人情况出现了巨大变化。一般情况下，你要一直坚持这样的资产配置比例，让投资组合保持平衡。我会展示给你如何做到再平衡，就在这部分后面的内容里。

你是不是还很在意如何做出正确的选择？只要记住一点，你找个受托人投资顾问来帮助你，这就够了。你并不需要有很多财富，才能请得起投资顾问——你一分钱没有也没有关系，你可以利用互联网上的相关服务。

顺便说一下，我还没有给你讲完呢！在这两个水桶之内进行资产配置，还有一些方法可以增加你的投资收益，我们很快就会讲这些方法。

现在你已经明白了这些原则，而且已经做出了决定，多大比例的钱放进风险 / 成长水桶，多大比例的钱放进安全 / 安心水桶。让我告诉你最好的消息：我访问了 50 位世界上最成功的投资大师，最聪明的理财大师，我从他们那里找到了一些方法，让你可以鱼与熊掌兼得，既能得到风险 / 成长水桶那样的高收益，又能得到安全 / 安心水桶那样的低风险。这个最重要的投资理财建议就是："千万不要亏本！"每个投资者都非常赞同。但是对于很多投资者来说，这意味着你要满足于只在安全 / 安心水桶里得到的平庸收益率。后面几章，我会和你分享一个好的投资方法：如何既能拥有上行的潜在收益，又没有下行的风险；如何能够得到相当大的增长，同时又没有相当大的风险。我知道这听起来很荒唐很离谱，但是这是真实的，会让人非常兴奋。

你能学完这一章不容易，你一定下了很大功夫，付出了很多努力。我非常高兴地告诉你，下一章就容易多了，而且纯粹都是讲开心快乐的事情。现在我将要打开第三个水桶，到现在我们还没有谈论，但是你肯定会非常喜欢第三个水桶的，因为这个水桶里充满了乐趣，充满了灵感和启发，可以给你带来更高品质的生活，而不是让你再过几十年才能享受得到。现在，让我们去发现哪些资产可以进入你的梦想水桶吧。

各个资产类型的具体指数

戴维 · 斯文森提供了每个资产类型的具体配置比例，但是他并没有提供代表各个资产类型的具体指数。独立的分析师会运用下面的指数代表每个资产类型，并假设是这个投资组合让每个季度进行再平衡的。请注意，过去的业绩并不能保证未来的业绩。相反，我提供给你的历史业绩数据，在这里是为了讨论和描述基本的原则的。

20% 威尔逊 5 000 全球整体市场指数

20% 英国富时房地产投资信托指数

20% MSCI 国家指数

15% 巴克莱长期信用指数

15% 巴克莱国库债券指数

10% MSCI 新兴市场国家指数

第24章 梦想水桶

停止了梦想，就停止了生命。

——马尔科姆·福布斯

什么是梦想水桶？这是一个特别的地方，你特意把有些东西放在这里，只是为了你自己还有那些你非常热爱的人可以享受人生，让你一边创造财富一边享受财富创造的梦想生活。这些东西是为了现在，而不是为了明天！你的梦想水桶意味着要让你兴奋，给你的生活注入甜蜜，让你愿意赚得更多，奉献得更多。想象一下，哪些东西你愿意攒钱去买，哪些东西你愿意攒钱去做，这些东西就可以放进你的梦想水桶作为一种战略性挥霍物资，其实就是有计划、有目的的败家。

现在让你的船开起来吧。也许，你会给自己买双马诺洛·布拉尼克高跟鞋——你想了好久了，或者买一个迈阿密热火队的场边座位，或者带着孩子到迪士尼享受一次贵宾之旅，或者你开始往梦想水桶装更多的钱，追求更大的梦想：赛季套票。你也许夏天会进行一次登山之旅，冬天去滑冰或者单板滑雪，好好度个假。你也许会买辆新车，不是实用型，而是像迷你库柏那种时髦型的或者野马汽车那种彪悍型的。你也许会买座度假公寓或者度假别墅。

我认识一个百万富翁，坐飞机总是坐经济舱，因为他总想多省些钱，但是他的妻子经常抱怨：“我们有足够的钱，为什么不能享受一下？”这经常会成为他们夫妻之间冲突的导火索，因为他们为了生意上的事经常要坐飞机出差。参加了我的投资理财大师训练营之后，他决定用他梦想水桶里的钱来享受一下生活，他和他的家人外出旅行的时候会升级到公务舱。结果他发现，只是多花一些钱，升级一下舱位，不但让他自己的旅行变得更加舒服了，而且让他的家庭生活更加和谐了（这事其实更重要）。也许有一天，他会考虑包架私人飞机，民航飞机也不坐了——坐私人飞机也许并没有他想象的那么贵。

很多人有了很多钱后，他们的生活方式还跟以前一样，没有品质可言。他们一天天看着银行账户上的财富数字积累得越来越大，却错过了生活的快乐和幸福。本来在创造财富的同时，他们也可以自己创造快乐和幸福，并分享快乐和幸福。

我第一次想到梦想水桶这个主意，是在我的事业发展初期。那个时候我能想到的头奖是能买上两套新的西装，因为品牌男装连锁商店正在打折，或者到夏威夷度个假。当时对于我来说，这可是要花一大笔钱的。

我在斐济的那个度假村，是一个更大的梦想，后来梦想成真了。正如我跟你分享过的那样，那是在我 24 岁的时候，我爱上了南太平洋岛上那绿松石般的海水。我的心就像一下子找到了家。我一直想给自己、我的朋友、我的家人找到一个世外桃源。现在，经过了这么多年的努力之后，马雷度假村和水疗中心变成了规模相当大的资产，因为我不断地打造它，把它变成了南太平洋上的顶级旅游度假胜地。但是这只是一个“红包”，事实上，马雷度假村十多年来一直是斐济排名第一的度假胜地。2013 年，奥普拉选择这里作为她最喜欢度假的地方。这本来只是我梦想做的事情，结果梦想成真，我创造出来这样一个美好的度假村。

你的梦想不是用来给你赚钱发财的，而是用来给你带来更好生活品质的。这不正是你首先要填满前面两个水桶的原因吗？你必须先练习自我约束，你在向梦想水桶里放钱的时候，也必须约束自我，和前面两个水桶一样。如果你把所有的钱都放到梦想水桶里，你可能最终会破产，就像摇滚巨星威利·尼尔森一样，所以关键在于平衡。你梦想水桶中的奖金，不一定只是为了你自己。最好的是那些你给予他人的东西。

梦想是你性格的试金石。

——亨利·戴维·梭罗

也许你跟我一样，就是喜欢给别人送礼物。最好的礼物就是那些对方意想不到的礼物。

我妈妈在年轻的时候没有钱，我们一家人总是挣扎着过日子，住在洛杉矶东部一个很便宜的破房子里，那里几乎天天都会播放雾霾警报，告诉我们在户外行走，呼吸空气不安全。

所以，后来在我生意开始好起来之后不久，一天，我让我妈妈陪我去看一套公寓，我想把它买下来，就在亨廷顿海滩的附近。我带她里里外外地看了一遍那套公寓，让她看看美妙的海景。然后我们从房子里走出来，来到了海滩上，呼吸着略带咸味的空气。

我说："妈妈，我真的很喜欢这个地方。但是我希望你帮我做决定。一句话，你觉得这套房子怎么样？"

"你是开玩笑吧？"我妈妈说，"这根本不可能！你想一想我们是从什么地方出来的，现在你竟然想住在这里？"

"那么你觉得这个地方好吗，妈妈？"我问道。

"嗯，这个地方太好了，好得简直让人难以相信！"妈妈回答。

于是，我递给妈妈一串钥匙。

"这是什么？"妈妈问我。

"这套房子就是你的了。"我说。

我永远不会忘记妈妈脸上那震惊的表情以及快乐的泪水。我妈妈现在已经过世了。但是我还记得那个时刻，每个细节我都记得清清楚楚，那是我一生最喜欢回味的时刻。

你并不需要等待，你可以这样做。你可以实现你的梦想。如果你非常想要实现梦想，你肯定能找到办法。

我给我母亲买了那套公寓后不久，我接待了一个小学生团队，有 100 多个人，他们都是五年级的学生，来自邻近的贫困地区，得克萨斯州休斯敦市下面的一个小学。他们大多数人从小就形成了思维定式，认为自己绝对上不了大学，他们的生活习惯和学习习惯也不好，当然这样下去他们也绝对上不了大学。于是我当场决定，跟他们签订一份合同。我会给他们支付 4 年的大学学费，只要他们能够保持平均成绩至少达到 B 而且不惹麻烦就行。我说得很清楚，只要能够专注，任何一个人都能超过平均水平，我会提供指导来帮助他们。我和他们约法三章：第一，他们必须约束自己，别惹麻烦，不能进监狱。第二，在高中毕业之前，女生不能怀孕。第三，最重要的是，他们每年需要奉献出 20 个小时服务自己所在的社区，到一些慈善机构做义工。为什么我要加上第三条？上大学当然非常好，但是对于我来说，更加重要的是要教育他们认识到，自己可以给予别人一些东西，他们的人生并不是要从别人那里得到某些东西。我当时签订这个助学合同的时候，根本不知道长期而言我要帮多少人支付学费，但是我会百分之百地遵守承诺，而且我签订的是一个有法律约束力的合同，它要求我必须遵守合同提供这些助学金。这很有意思，你看，我别无选择，只能前进。我总是说，如果你想占领这个岛屿的话，你必须先烧掉你的船，像中国人说的那样，破釜沉舟！于是我和这 100 多个五年级的小学生签订了这样的合同。后来这些孩子中有 23 个和我一起合作，一起努力，从五年级开始一直到他们上了大学。后来还有几个孩子读了研究生，其中还有法学院的研究生。我称他们为“我的冠军”。现在这 23 个上了大学的孩子，有的成为社会工作者，有的创办企业当了老板，有的为人父母。就在几年前，我们重新聚到了一起。我听他们讲述自己那些神奇的故事，小时候，他们每年都做过 20 个小时的义工，这种能够给予别人的事情，给他们幼小的心灵留下了深刻的印象，后来这成了他们持续一生的固定模式。做义工义务奉献，让他们相信自己的人生是有价值、有意义的。他们现在把这一点教给他们自己的孩子。

我现在告诉你这个故事，是因为你不需要等到你完全准备好了才去实现你的梦想。你只要马上去做，就能找到路径，而且恩泽会来找你。你承诺去做一些事，更多的是去服务别人，而不仅是服务你自己——有些人称之为运气，有些人称之为巧合。至于你相信什么，还是由你自己来决定。你只要知道，当你给出了你的所有，奉献出了你的所有，福报会是无限的。我真的相信，动机非常重要，但是这并不意味着这样为别人做好事，不会给你本人带来好处，对不对？

像中大奖一样去实现自己的梦想，能帮助你创造更多的财富，因为创造财富的关键是释放你的创造力，找到一种方法能为别人做更多的事情。如果你找到一种方法能够为别人增加更多的价值，比现在其他人带来的增值都要多，那么你肯定也能找到办法，让自己的日子过得更好，让你自己个人的财富价值也积累得更多。这适用于你自己的生活，也适用于别人的生活。记住，我们在谈论如何加速你实现财务自由目标计划实施的时候，你如果想成为伟大的人，就要学会成为很多人的仆人。我们已经知道，生活偏爱那些帮助他人的人。通过帮助别人，你提升了自己，你对很多人慷慨，上天就会对你更慷慨，好运会主动来找你。

给你自己内心的宁静。你值得快乐。你值得高兴。

——汉娜·阿伦特

那么，你如何将钱放进你的梦想水桶？我给你讲三种方法。

第一种，当你一下子得到一大笔钱的时候，比如，一下子得到10 000美元奖金，就像我们在上一章讲过的那个案例一样。

第二种，你的风险 / 成长水桶突然碰到利好消息，你的投资大涨，让你大赚。就像在拉斯维加斯赌城里赌博一样，现在也许是时候从桌子上拿走一些赢到手的钱，落袋为安了，这样你的风险就减小了。有个办法，我的很多学生都用过，就是把赚的钱拿走，分成几份，重新按照原来确定的资产配置来投资。比如，将1/3放进安全 / 安心水桶，1/3放进风险 / 成长水桶，1/3放进梦想水桶。比如，我前面说的那个获得10 000美元奖金的案例，就是把 3 000 美元拿出来放到你的梦想水桶里。

这样把属于你的风险 / 成长水桶里的钱拿出来 1/3 放进安全 / 安心水桶，就像从赌桌上把赢到手的钱拿出来一些来加快扩大你最安全的投资一样，安全 / 安心水桶里的钱越多，你的内心就会越安宁。继续留下 1/3 的钱放在风险 / 成长水桶里承担风险，去追求更大的潜在上行收益，但是你这样做用的是你赢的钱，你再亏也亏不了原来投资的本金。最后 1/3 的钱放到你的梦想水桶里，相当于你自己让自己中了一个大奖，你今天可以好好享受一下了。因为实现一些梦想会刺激你，激励你继续前进，继续用前面成功的方法行动，因为这让你想要赚更多的钱，存更多的钱，投资更加高效，因为你今天就享受到了回报，而不是等到将来的某天。

给你的梦想水桶注入更多钱的第三个方法是，从你的收入里拿出来固定比例的一小部分，找个地方攒起来。这样你越攒越多，慢慢地，这笔钱就够你去购买你梦想得到的东西了——它可能是你的第一套房子、一辆汽车、一次度假，也可能是那些很有趣的小玩意儿，让你今天内心感到快乐，外在变得美丽。但是，你一定要记住，这些钱都是你额外省出来的，你已经省出来的作为财务自由基金的钱，一分钱也不能动，财务自由是第一位的，先要自由，后要梦想！财务自由基金神圣不可侵犯。你总会找到方法，找到更多的钱，把更多的钱放进你的财务自由基金中，也把更多的钱放到你的梦想水桶里。这里我们快速回顾一下有关章节的内容：

- 存的更多。用多存的钱去投资更多
- 赚的更多，用多赚的钱去投资更多
- 减少费用和税收，用多省下来的钱去投资更多
- 获得更高的投资收益率
- 改变你的生活方式

这样做，你积蓄的钱就更多了，你就可以把这些储蓄拿出一部分投资，也拿出一部分让你的梦想成真——今天就实现梦想或者在不久后变为现实。

你用什么策略来装满这个梦想水桶？你会等着发奖金，或者股票大涨，或者你像我的朋友安吉拉那样从收入里拿出来一部分钱攒起来吗？一开始安吉拉觉得自己没有办法省钱，甚至为了达到财务自由也不行。

但是等到她看完本书，学会了7步简单投资法后，她发现，搬到佛罗里达州居住——因为那个州不征收个人收入所得税，这样她就能存起来个人收入的10%作为她的财务自由基金，另外还能额外留出来8%装进她的梦想水桶。原来要交的税，她现在不用交了，相当于税务局的人在帮她把钱装进梦想水桶里。这是不是很厉害？而且她还享受到了更好的天气！她仔细检查了自己的账户，找到了一个办法，使自己的钱变得更有税收效率，这样她又能从收入里拿出来2%放进她的财务自由基金里。她总共能从收入里拿出来12%存到她的财务自由基金里，除此之外，她还从收入里拿出8%放进了梦想水桶。

要是你一开始告诉安吉拉她能够找到办法，把个人收入的20%积攒起来，她肯定会说，你这家伙绝对是疯了。但是现在她不但能从个人收入里拿出12%积攒起来，让自己未来的财务更加安全、更有保障，而且又额外从收入里拿出来8%积攒起来，努力在短期内就实现自己的一些重要梦想，这些梦想让她非常兴奋——登喜马拉雅山，划着赛艇横渡大洋。安吉拉的大学专业是人类学，她一直梦想着能够追随著名的古生物学家路易斯·利基，到他在肯尼亚的研究所待上一段时间。她甚至已经拿到了邀请函，只不过她现在没有钱。但是只要她一直坚持按照她那个十分稳健的投资理财计划去做，持续不断地存钱，持续不断地投资，她不久就会有钱了。她既能够实现财产安全和财务独立，又能过上那种充满探索和冒险的生活，这多酷啊！还记得那个明天储蓄更多的策略吗？你可以决定，下一次你涨工资，也许可以拿出来3%放到你的财务自由基金中，再拿出来1.5%或者2%放到你的梦想基金中——特别是如果有些梦想现在对于你来说非常重要的话，就像你需要储蓄一笔钱买第一套房子付首付一样，或者用于一个短期度假一样。竟然有这么多方式能够多存一些钱来实现你的梦想！

但是，我要告诉你一个秘密：最重要的事情是列出一个你的梦想清单。根据重要性、规模大小、时间长短，把你的梦想按照顺序排列起来。写下你必须要实现这些梦想的理由或者体验这些梦想的理由。我发现，如果你想找出来一个合适的收入储蓄百分比，却不知道你存这些钱的原因，那么你是存不下钱的。实现梦想的秘密在于，知道你真正想要的是什么，为什么你想要为这个梦想燃烧激情。突然间，你的创意就会释放出来，你会发现，一些新的办法让自己赚的更多，存的更多，给别人增加的价值更多，或者让税收效率变得更高，你成了更好的投资者，或者改变了你的生活方式——既改善了你的生活品质，又让你现在的一些梦想即刻实现，而不是等到未来。列出梦想清单，是实现所有这一切的关键所在。

但是，你今天就要做出决定！现在就花点儿时间，列出你的梦想清单吧。把你的梦想写下来，变成白纸黑字，好让这些梦想变得真实可见。你愿意为实现这些梦想储蓄多少钱？兴奋起来！行动起来！

每一个伟大的梦想都开始于一个梦想者。

——哈丽特·塔布曼

最终，你认为自己的总资产应该拿出来多大比例放到你的梦想水桶中？并不需要很多——也许是 5% 或者 10%。但是请不要忘了好好犒劳一下自己。尽管努力让你的钱既安全又成长非常重要，但是绝对不要忘记寻找乐趣，去给予，活出完全的自我，就这样一边积累财富，一边享受生活，一路走向财务自由。因此，你既要有安全 / 安心水桶和风险 / 成长水桶，还要有梦想水桶。不要留着你的梦想水桶里的钱不花，直到将来为了应急才用。为什么不现在跑出去享受灿烂的阳光？享受生活，就在现在。

如果你做不到现在就享受生活，你可能最终会像那对夫妻一样可怜。这是一个朋友讲给我听的故事。这对老夫妻过日子精打细算，非常节省，一辈子都在省钱。后来，终于有一天，他们觉得钱攒得够多了，该存的钱都存够了，还有不少节余，足够他们进行一次加勒比海游轮之旅了。活了一辈子，怎么也得奢侈一把。他们的这次旅行，长达一周，他们坐在巨大的游轮上，绕着海岛旅行。你可以想象那个巨大游轮的样子：船上有游泳池，有攀岩设施，有几十个餐馆和几十个舞厅。这对夫妻玩得非常高兴，但是他们还是想省着点儿花，毕竟他们这钱攒得很不容易，辛辛苦苦地赚钱，精打细算地花钱，一分一厘地省钱，好不容易才攒够了退休养老的钱。他们可不想再额外花钱去吃大餐了。这趟旅行本身对于他们来说就已经够奢侈了。为了省钱。他们带了一个大箱子，里面装满了一盒又一盒的奶酪和饼干，用来在旅途上当饭吃，他们发誓坚决不吃那些价格昂贵的午餐和晚餐。

天气很好，这对夫妻在船上玩得也非常开心。但是每天一到午餐和晚餐时间，两人就不开心了。因为别的人都去吃自助餐了，巨大的餐桌，摆满了各种各样的食物，非常丰盛，龙虾、螃蟹、上等肋排、堆成小山的甜品，以及来自世界各地的上好葡萄酒。而他们俩只能回到房间里吃自己带的奶酪和饼干。他们不觉得难堪，也不觉得难过。他们很享受这趟一生也许只有一次的豪华旅行，他们很自豪自己过得很节俭，吃得很节省。但是，到了最后一天，他们实在受不了天天吃奶酪和饼干了，所以决定奢侈一把，到楼上吃一次丰盛的晚餐！他俩坐到其中一个巨大的自助餐桌旁边，大吃大喝，把他们的盘子装得满满的，里面都是他们这辈子吃过的最好的东西。

在吃了好多份甜点又喝了好多杯上等的葡萄酒后，他们实在吃不动了，于是叫来服务员买单。那个服务员一听“买单”很吃惊：“付什么钱？”这对夫妇说：“我们吃的这顿大餐啊。这些葡萄酒、甜点，我们吃的所有这些东西。”

服务员惊呆了，转过身来对这对夫妻说：“你不知道这趟旅程赠送一日三餐吗？”

旅程赠送一日三餐。你觉得这个比喻怎么样？所以，在你的这趟人生旅程里，不要只满足于奶酪和饼干。享受生命旅程一路赠送的所有东西吧。

另外再提醒一下：很多能让我们富有的东西都是免费的。还记得约翰·邓普顿爵士告诉过我们的吗？财富的秘密就是感恩。人生不只是我们取得的东西或者我们成就的东西，还有我们欣赏的东西。人生并不仅是一趟冒险之旅，人生也是我们应该花时间去享受的幸福之旅。你可以同时找到探险和快乐，在那些你爱的人身上，在你孩子那跳动的眼神里，在那些你爱的人快乐的脸上。你到处都可以中大奖，只要你能够醒悟，感受到你生活中的美好就在当下。所以不要发誓等到将来某天赚够了钱，现在就开始超越短缺。意识到你多么幸运，你拥有的财富竟然这么多：爱、欢乐、机会、健康、朋友、家人。不要只追求财富，现在就开始享受财富吧。

现在，我们已经学到了如何配置我们的投资，分散投资到不同类型、不同种类的资产上，把大类的资产分别装到两个不同的水桶——安全 / 安心水桶和风险 / 成长水桶。我们已经学到了，再拿出来另外一部分钱放进梦想水桶，让我们的人生过得更加有滋有味，也让我们更有动力为自己和别人做得更好。第四部分还有最后一章，我将教你三招，让你每年的投资收益率增加 1%~2%，更重要的是确保你避免选时的错误。太多人都想预测市场行情的走势，以选择买卖时机，结果犯了大错。现在让我们从认知的力量中学习……

第25章 选时重于一切

我们遇见敌人了，敌人就是我们自己。

——**波戈**

对于投资者和单人脱口秀演员来说，共同的成功秘诀是什么？

选时。选时决定一切。

最好的喜剧演员知道什么时候抖包袱才恰到好处。最聪明的投资者知道，什么时候进入市场才恰到好处，但他们不知道是否应该进入市场。即使投资大师也不可能每一次都正好踩到点上。对于一个喜剧演员来说，时机没把握好，整个剧场的气氛会十分尴尬，死一般的沉默——也许还有观众大骂着往台上扔东西。如果你是个投资者，选择时机出现错误可能会毁掉你一辈子积攒的养老金。所以，我们需要找到一个解决方法，它并不需要我们成为一个通灵大师，上知天意，下知地意，上知500年，下知500年。

我们已经知道，如何把自己的投资组合分散到不同资产类型的市场，以在波动无常的经济中保护自己的资产价值稳定增长。但是，我们所有人都有过这样的经历，既出现在了正确的地方，又做出了完全正确的事，可是我们把时机选错了。所以现在你可能会想："好了，托尼，现在我知道如何分散我的投资了，但是如果我的时机选择错误了呢？"

我也问过自己同样的问题：万一我把钱投入股市正好是在最高点，买入之后股市就开始下跌，我怎么办？或者我买了一只债券基金，然后利率开始大幅提高，结果我的债券基金开始暴跌，我又该怎么办？市场总会波动，我们已经知道了，没有一个人，我的意思是说绝对没有一个人，能够持续地成功预测未来。

所以我们如何保护自己，避免受到这些市场起伏、涨跌的冲击，真正取得成功？

大多数投资者都陷入了一种盲从的心态，他们追逐赢家，远离输家，在股市上追涨杀跌。公募基金经理也会做同样的事。这是人类的天性，想要追随大众，不愿意错过任何好事。“情绪控制着我们人类，我们投资者也是人，容易做出非常愚蠢的事。”普林斯顿大学经济学家伯顿·麦基尔告诉我，“我们想要选择正确的时机，低买高卖，低位进入市场，高位卖出，但实际上我们往往选择了错误的时机，高买低卖，该买的时候卖了，该卖的时候买了。”

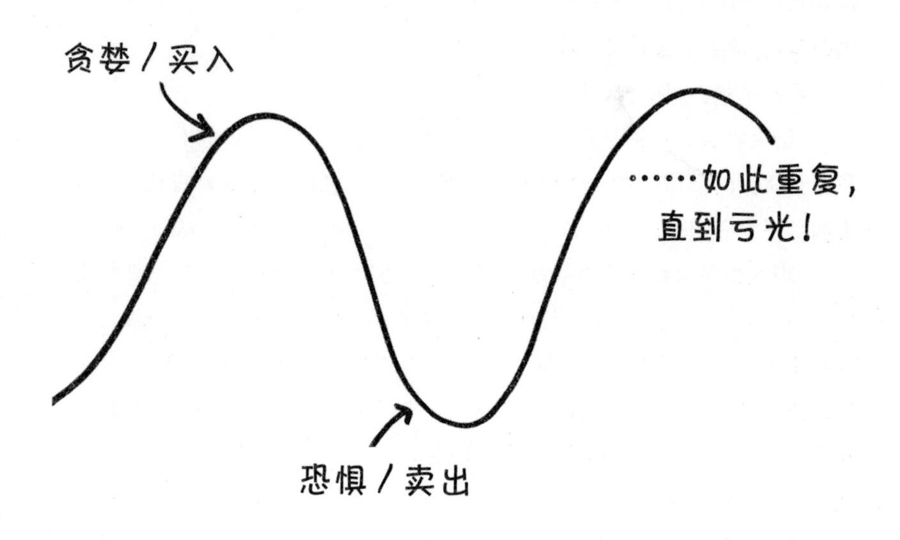

图 25–1

他提醒我关注一下21世纪初科技泡沫期间发生的事情："2000年第一季度，更多的资金进入股市，这个时候正好是股市网络股泡沫的顶点，股市从来没有涨到过这么高。"他说，"后来到了2002年第三季度，市场一路下跌，资金大量出逃。"那些经受不住大跌考验而迅速逃跑的投资者，结果错过了十年来最大一波反弹。"然后到2008年第三季度，正好金融危机也同时达到了顶点。"麦基尔说，"更多的资金退出股市，资金规模比以前任何时期都大。结果后来又出现了一波更大的反弹。所以，我们的情绪掌控了我们。我们被吓坏了。"

股市出现前所未见的暴跌，我们被吓坏了，赶紧卖出逃跑，这很正常。谁又能责怪谁呢？2009年10月，美国股市市值蒸发了2万亿美元，每个月都有几十万名美国人失业，这时美国全国广播公司的《今日秀》节目主持人马特·劳尔打电话到我的办公室。他让我第二天早晨参加他的节目，谈谈美国人应该如何应对这场危机。我认识马特好多年了，我也参加过好几次他的节目，所以我马上就同意了。我一到演播室，节目制片人就告诉我："你来了就好了，你有4分钟的时间给整个美国打打气。"

我心里想："你开玩笑吧？"

"给大家打气并不是我要做的。"我说，"我要告诉他们真相。"这正是我那天所做的事情。在《今日秀》节目两个不同的时段，我警告观众，股市崩盘还没有结束，最坏的情况可能正在逼近。我怎么能给观众打气呢？

"现在很多股票的价格暴跌，不久之前还卖50美元的股票，现在只卖10美元，甚至只有5美元。这里我要告诉你的真相是：有些股票可能还会跌到1美元。"我这样一说，新闻主持人马特·劳尔的眼睛瞪得越来越大。但是我也告诉观众，与其让暴跌吓呆了，完全崩溃，不如跟自己的恐惧做斗争，好好教育自己，多学学那些在股市崩溃时期做得很好的投资大师。就像约翰·邓普顿爵士，他在20世纪30年代美国经济大萧条时期，在股市暴跌的时候却赚够了钱。我说，如果你研究历史，就会知道股市暴跌之后会有一次大反弹，这是让你赚大钱的机会，根据20世纪70年代，甚至是30年代发生的事情，在短期之内那些从50美元暴跌到1美元的股票会再次反弹，它们也许再也不会反弹到 50 美元，但是很多股票会在几个月之内反弹到 5 美元，这意味着 400% 的收益率，而且是发生在 6 个月之内！“所以如果你保持内心强大，头脑聪明，随着股市持续反弹，你可能会赚到 10 倍甚至更高的收益！这可能是你有生以来最伟大的投资机会！”我说。

这并不完全是《今日秀》节目希望我能让观众们知道的东西，但是结果证明我说的完全正确。我怎么知道市场还会继续下跌？是不是因为我太聪明了？根本不是。真相是，我的朋友保罗·都铎·琼斯一直在警告我市场会发生什么情况，他早在这场危机发生一年之前就警告过我了。能够持续预测市场走势的人凤毛麟角，而他绝对是其中之一。其中一部分原因让他不仅成为有史以来最成功的投资者，而且是一个传奇性人物。他预测出 1987 年美国股市黑色星期一的大崩盘，在其他所有人都吓得四散而逃的时候，他却帮助他的客户一个月赚了 60%，一年赚了 200%。

所以，我非常感激保罗能够洞察股市先机。2008 年年初，他告诉我，股市和楼市双双大崩盘就要来了，而且很快就要来了。我一听非常重视，马上去找我的白金合伙人。白金合伙人是由我的一些高端客户组成的封闭性小群体，我一年和他们有三四次聚会，小规模密集地沟通和指导他们，以增进他们的夫妻关系，以及改善企业经营和投资理财。我召集了一个紧急会议，让他们都飞过来和我见面，地点在迪拜，时间是在 2008 年 4 月。在会上，我警告他们即将到来一场危机，以帮助他们做好准备。记住，预测就是力量。由于提前 3~6 个月跳出了股市和楼市，我的很多客户实实在在地赚到了钱，因为后来发生了有史以来最大的经济危机。

是的，完全可以确定的是，股票价格在 2008 年第四季度一直暴跌。到了 2009 年 3 月，股市行情简直太糟糕了，花旗银行的股价从最高峰的每股 57 美元跌到，你能猜到吗，正如我警告过的那样，真的跌破了 1 美元，跌到了 0.97 美元。你买这只股票所花的钱，比你从这家银行自动取款机里取一次钱要交的手续费还要少。

那么在这种极端情形下，投资者应该怎么办？如果你相信约翰·邓普顿爵士的名言“好的机会来自悲观情绪最严重的时候”，或者巴菲特的投资魔咒“在别人都贪婪的时候恐惧，在别人都恐惧的时候贪婪”，那么现在正是一个大量抢购便宜货的绝佳时机。为什么？因为聪明的长期投资者都知道，季节总是在变的。他们会告诉你，冬天才是买入的好时机——2009年年初的几个月，绝对可以说是投资的冬天！这是赚大钱发大财的时候，因为尽管需要等上一段时间，但是春天总是会来的。

但是如果你被吓坏了，或者觉得必须卖出股票，因为整个股市都崩溃了，那么结果会怎么样？你也许会说：“托尼，如果我2008年丢了工作，而且没有其他收入来源，我该怎么办？或者我的孩子要交学费了，银行一分钱也不肯贷给我，除了卖股票，我还能怎么办？”如果你在2008年暴跌之中卖掉了股票，我只能说我能感受到你的痛苦，但我希望你能够找到别的办法弄到钱，以满足这些家庭生活的基本开支。个人投资者在市场暴跌之后清仓，卖出了手上的基金或股票，他们都从中学到了痛苦的教训。他们并没有趁着股市大反弹而重新杀回来。他们亏怕了，再也不敢进股市了，就这样他们锁定了自己的损失——永远。如果他们再重新回到股市，那时候他们必定要支付高得多的价格，因为你知道那时肯定是股市大幅快速上涨，恢复生机的时候。

看到这么多人在这么短的时间亏掉了这么多钱，并由此引发巨大的痛苦，这让我非常痛苦。于是，我开始执着地想做一件事：把最重要的投资智慧带给众多普通投资者。正是这一点促成了本书的诞生。

这让我想弄明白同样的金融科技工具能创造出高频交易（高频交易者真的只有上行收益而没有下行风险），是不是可以用某种方式利用这种高科技，让一般投资者也能从中得到好处？记住，高频交易投资者总能赚钱，他们几乎从来不亏钱。

那么好消息是什么？接下来你会学到一个办法，可以让你从来不会离开市场，也不会承受一点儿损失。为什么？因为有金融工具，具体来说是保险产品，你根本不用担心如何选择进出市场的时机。市场上涨，你就会跟着赚钱，市场下跌10%、20%、30%，甚至50%的时候，你也一分钱不会亏（按照保险公司的保证条款）。这听起来简直太好了，好像不可能是真的，但是这确实是真实的。这种终极金融工具能给你创造一种赚钱的投资组合，让你感到内心的真正安宁。现在让我们来看看这种工具，它能够帮助你限制大多数的投资风险，同时使投资收益率增加到最高的水平，而它借助的却是一种很传统的投资模式。

未来不会和过去一样。

——约吉·贝拉

预测是非常困难的，特别是预测未来。

——尼尔斯·波尔

2009年3月2日，保罗·都铎·琼斯告诉我，市场就要跌到绝对底线了。股价反弹，股市又开始上涨了。股市的春天要来了，于是我发了几条推特：

> 市场从来不会有错。舆论才会经常出错。声名狼藉的交易员杰西·利弗莫尔说："我并不是一个选时的人。祝你好运。托尼。"
>
> 教育你自己，做出你自己的独立决策。只做你能承担得起损失的交易……我并不是要教育人，只是赞成一定要小心谨慎。
>
> 我给世界顶级的交易员做人生教练（到现在有17年了）。我不是给他们关于交易的建议，而是常常提醒他们要关注可能的底部正在来临。

顺便说一下，这是我第一次发推特谈论关于股票市场的未来走势！结果是只过了7天，美国股票交易所指数的走势完全和我预测的一模一样：3月9日触底反弹。股价开始是缓慢上涨，后来是快速上涨。可以肯定的是，花旗银行的股票，2009年3月9日的收盘价为1.05美元，2009年8

月27日的收盘价为5美元——不到5个月上涨了400%！[①]不到半年能够赚到这么高的收益率简直令人不可思议，前提是你能够管住自己内心的恐惧，在别人都在卖出的时候大胆买入，你才能赚到钱！

现在我真希望，过去市场行情可以预测未来的市场走势。保罗·都铎·琼斯或者其他我知道的人，能够持续成功地预测这些市场的大起大落。但是这是不可能的。基于那些“股市消息灵通人士”的分析，我在电视上又一次提前发出警告，2010年股市可能再次出现一波大跌，当时股市似乎涨得过头了，面临一波大跌来修正，我希望人们清醒地做出决策，保护自己，避免遭受可能出现的另一次重大打击。但是这次我错了。没有人预测到美国政府出手救市的手段这么狠，人类历史上从来没有一个国家的政府敢这么干——美国政府决定推动市场上涨，手段是“印”4万亿美元的钞票，同时告诉全世界，美国政府会持续这么做下去，无限地持续做下去，直到经济复苏为止。

就这样，政府资产负债表上的资产增加了好多个零，美联储能够把现金注入经济体系，办法是从大型银行手里回购债券（包括住房抵押债券和国债），银行把债券给美联储，美联储把自己印的钞票给银行，银行再把这些钞票贷出去，就这样，政府把货币注入了经济体系。发行的货币太多了，利率就降到了非常低的水平，美联储由此就能持续保持利率在极低的水平，低到接近于零。那些原来存款的人和原来买债券的人拿到手的固定

① 看看今天大多数财经网站或者软件提供的股票行情走势图，你会看到花旗银行的股票行情的历史价格：2009年3月9日收盘价为10.50美元，2009年8月27日收盘价为50.50美元。但这些价格并不准确。这些图表没有进行复权处理，来反映2011年5月6日花旗银行做的反向股票分割（10股合并成1股）。5月5日股价还是每股4.48美元的股票，第二天5月6日每10股合并成1股，就成了每股44.80美元，当日收盘价是每股45.20美元，小幅上涨0.4美元，接近1%。原来花旗银行的股票总共有290亿股，10股合并成1股之后，股票总数只有29亿股，它的目的只有一个，就是抬高每股股价。正如《华尔街日报》在2011年5月10日所说的那样：“从2007年以来花旗银行首次成为一只股价达到40美元的股票，按照星期五的收盘价，股价看起来涨幅超过850%。警告，投资者一分钱也没挣到。”

收益率简直太低了，这相当于逼着他们进入股市去寻找还过得去的较高收益率。美联储年复一年地持续这样操作。所以一点儿也不奇怪，在这样巨大的资金推动下，美国股票从来没有下跌过。

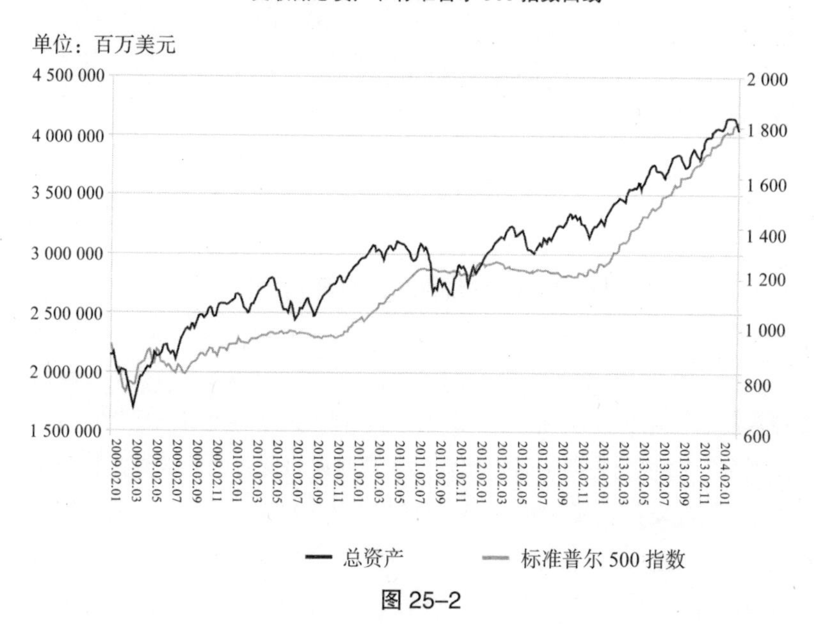

图 25–2

所以，如果你觉得自己能够预测市场走势，你就错了。即使是全世界最优秀的人，也不可能每次都预测准确，因为总会有一些他们根本预测不到的因素出现。就像把选股留给专家去做一样，最好把预测市场走势这种非常困难的事留给那些大师级人物吧。他们雇用了专业的分析师团队，比如保罗·都铎·琼斯，他就算预测错了，也承受得起。这是因为他们做了很多不同的赌注，分别押注于市场不同的走势，也就是说，无论市场将来出现什么样的走势，他们的有些赌注是赚钱的，和那些押注其他走势的赌注的亏损对冲之后，他们整体还是赚的或者仅有小幅亏损而已。但是这并不意味着你不能利用市场择时——市场上涨和下跌的机会，你只运用两个很简单但是很强大的基本原则就行了，你很快就会学到。这需要你同时做到两点：一要让自己置身事外，二要投资全部自动操作。“你不能控制市场，但是你可以控制你的开支。”伯顿·麦基尔告诉我，“你必须努力让自己放手，完全自动驾驶，不然的话，你的情绪会害死你。”

> 投资者准备迎接市场回调，或者试图预测市场回调，这让他们亏了很多钱，远远高于市场回调本身让他们亏的钱。
>
> ——**彼得·林奇**

如何解决市场择时的两难困境？

在这些技巧中，有一个很古老的办法，它有100多年的历史了，跟巴菲特最初的导师本杰明·格雷厄姆的年纪一样大。格雷厄姆是现代投资学界的教父，20世纪中期在哥伦比亚大学商学院讲课，他非常赞赏和支持一种勇敢且坚定的投资技术，不过这种技术的名称非常无聊——定期定额投资，我们简称它为基金定投。（事实上，巴菲特说格雷厄姆是第一个提出著名的投资法则的人：第一条，不要亏本；第二条，永远不要忘记第一条。）基金定投类似于银行的零存整取，每个月定期买入固定金额的基金，长期持续下去，最后一次性卖出基金兑现。因为每次买入的时间相同，每次买入的金额相同，所以叫作定期定额投资，简称定投。设计这样一套操作体系，目的是减小你一次性大量买入或卖出犯下巨大投资错误的可能性，我们都非常害怕出现这样的择时大错：在最高点买入，或者在最低点卖出。

我们已经学过了资产配置的前两个关键因素：分散投资到不同的资产种类，分散投资到不同的市场。但是你要记住还有第三个关键因素：分散到不同的时间。这正是基金定投能够为你做到的事情。你可以把基金定投作为一种方式，以具体实施你的资产配置计划。资产配置是理论，基金定投就是你如何实践这个理论。因为基金定投是定期定额投资，每次买入的时间相同，每次买入的金额相同。它确实做到了资产配置要求的时间分散，也完全可以避免你因情绪冲动，一次性在最高点买入，结果搞砸你辛辛苦苦才制订出来的理想资产配置计划。情绪冲动破坏资产配置计划执行有两种情况：一种是太在意市场而延误时机，该投的时候不投，因为你觉得现在的市场涨得太高了，你想等市场跌得低一些再入市；另一种是太不在意市场，不看时机，你要么是完全不管市场高低一次性全部买入，要么是在跌得熬不住了，还没有赚到很高的收益率时，就全部卖出了，而这个时候本来是最不该卖出的时候。

基金定投有很多支持者，其中包括一些明星人物，比如约翰·博格、伯顿·麦基尔，因为基金定投最关键的一点是能让你晚上睡得很安稳，因为你知道就算市场短期出现波动也没关系，你的投资是分批买入的，以后还会继续分批买入，市场涨了，你前面用低价格买的就赚了，市场跌了，你后面继续定投的买入价格就更低了，不管市场是涨是跌你都有好处，而且你所有的投资长期来看肯定会持续增长，不管未来经济情况怎么样。这听起来是不是棒极了？基金定投操作非常简单，你需要做的就是，设定一个长期的时间表，按照固定的时间间隔，一个月一次或者一个季度一次，再把你的投资总额划分成每次投资相等的金额，让银行到时候自动扣款，帮你自动买入基金。

基金定投很容易，是不是？

但是基金定投你会面临两个挑战，我必须要事先警告你。第一，基金定投看起来是违反直觉的，你会觉得用这个方式赚的钱更少了。但是，过一会儿我会展示给你看，正是这种违反直觉的方式，其实恰好是基金定投的优势所在。记住，你的目标是把感情抽离投资，因为感情往往是摧毁成功投资的原因所在。不是恐惧的情感，就是贪婪的情感，让你本来能够投资很成功，结果却失败了。第二，最近有一些争论，质疑基金定投的长期效果。我会展示争论双方的说法。但我们先来谈谈投资者运用基金定投的最普遍的方式及其潜在效果。

当你按照设定的固定日程，每月或每周投资相同的金额，具体投资的资产完全依照你的资产配置计划，那么股票市场的波动反而会增加你的收益，而不是减少你的收益。比如，你每月投资 1 000 美元，60% 投资到风险 / 成长水桶，40% 投资到安全 / 安心水桶，风险与安全两大类资产配置的比例是 6 ： 4，即把 600 美元放进风险 / 成长水桶，把 400 美元放进安全 / 安心水桶，不管股价是涨是跌，你都会这样做。时间长了，市场波动会成为你的朋友。这一点听起来可能是违反直觉的，但是伯顿 · 麦基尔给我举了一个非常好的例子，它能让你明白这是怎么一回事：

这是一个很好玩的测验。花点儿时间，好好想想，给我一个你觉得最好的答案。假设你每年投资 1 000 美元购买一只指数基金，持续投资 5 年，那么下面的两个指数，你认为哪个指数对应的指数基金会让你赚的更多？

第 1 个指数：

第 1 年，维持在每份 100 美元；
第 2 年，跌到 60 美元；
第 3 年，维持在 60 美元；
第 4 年，猛涨到 140 美元；
第 5 年，最终又跌回到 100 美元。

第 2 个指数：

第 1 年，维持在每份 100 美元；
第 2 年，涨到 110 美元；
第 3 年，涨到 120 美元；
第 4 年，涨到 130 美元；
第 5 年，涨到 140 美元。

你认为，哪一只指数基金经过这 5 年会让你最终赚的钱最多？你的直觉告诉你，肯定是第 2 个指数会让你赚的更多，因为这个指数持续稳定地上涨。但是你错了。在一个波动的市场里，定期定额投资实际上能让你赚到更高的投资收益。

好好想一下：第 1 个指数，你每次投资买入的资金是同样多的，都是 1 000 美元，当指数基金下跌到每股只有 60 美元时，它明显更便宜了，这时你同样投资 1 000 美元买到的指数基金份数更多，所以当市场涨回来时，指数基金回到刚开始的价格每份 100 美元时，你持有的基金份数更多！

下面是伯顿·麦基尔绘制的一张图表，它描述了整个投资过程。

互相有利

范围很宽的分散投资的公募基金组合（每年再平衡，只包括美国股票）

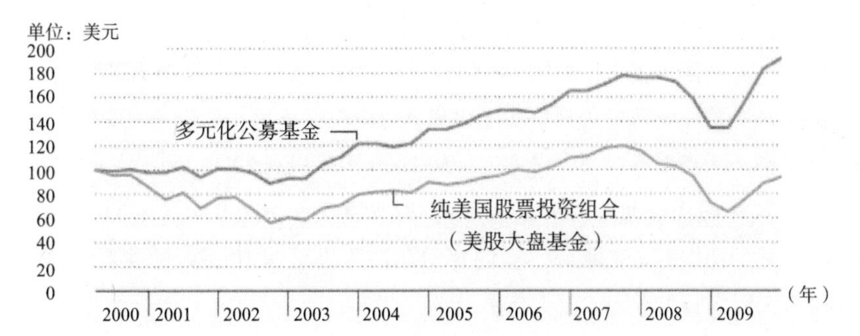

33% 固定收益投资（VBMFX），27% 美国股票（VTSMX），14% 美国以外新兴市场股票（VDMIX），12% 房地产投资信托基金（VGSIX）

图 25–3

数据来源：先锋公司和晨星公司

第 2 个指数，它持续稳定上涨 5 年，你 5 年累计投入 5 000 美元本金，变成 5 915 美元，收益率为 18.3%，这也不错。

但是在一个波动的市场，你的本金还是 5 年累计投入 5 000 美元，最终增值到 6 048 美元，收益率是 20.96%。二者相比，波动性强的市场比稳定增长的市场给你带来的利润率相对要高出 2.66%！伯顿·麦基尔告诉我，问题是大多数人不愿意利用波动性强的市场走势来让自己多赚钱。市场一下跌，他们就受不了了，马上大叫：‘我的天哪！跌了这么多，我得赶紧卖掉！’所以你必须保持头脑清醒，继续按照计划稳定地定期买入，这样才能赚到更多的钱。

2000—2009年，投资者学到了痛苦的教训，我们知道，从股市周期来看，这是失落的10年。如果你把钱放到美国股市上，从2000年年初开始到2009年年底结束，你就会很惨。投资标准普尔500指数，1999年12月31日投资1美元，到了2009年年底只有0.9美元，投资10年，你还亏了10%，真是失落的10年。根据伯顿·麦基尔的计算，同样是这失落的10年，如果你用基金定投定期定额分散时间投入，你不但不会亏，而且能赚到不少钱。

伯顿·麦基尔给《华尔街日报》写了篇文章，标题是《“买入并一直持有”才是赢家》。在文中他解释道，自己支持买入并长期持有的事实依据是，如果你分散投资到一些指数基金组成的篮子里，包括美国股票、外国股票、新兴市场股票、房地产，从2000年年初到2009年年底，初始投入资本为10万美元，10年后增长到191 859美元，这10年累计收益率为91.9%，年化收益率是6.7%。同样是在这个失落的10年，标准普尔500指数不但没有上涨，而且下跌了10%。

“基金定投能让市场波动为你所用，替你赚更多的钱。”伯顿·麦基尔告诉我。

从巴菲特的导师本杰明·格雷厄姆到伯顿·麦基尔，再到很多受尊敬的学术专家，每个人都有一个理由支持你运用基金定投，从你持续稳定的收入中，定期拿出来一个固定的百分比定额买入，做到在时间上分散投资。但是如果你有很大一笔资金要做投资，那么基金定投不是最好的办法。如果你现在属于这种情况，那么看一下下面的内容。

基金定投即定期定额投资，意思是有系统地、按部就班地每次投入同样数量的资金。但这是从整个投资组合来说的，而不只是股票那一部分。

记住，要让波动市场成为你的朋友，你要使用基金定投，同时还要考虑使用另外一种投资技巧，让自己一直保持在正常的轨道上，这就是“再平衡”。

那么，让基金定投为你有效地工作的最好的办法是什么？幸运的是，大多数人都有 401（k）账户或者 403（b）账户[①]，可以按照一个固定的时间表，每次自动地投资相同的金额，这其实就是基金定投，让你享受到基金定投带来的好处。但是如果你没有这样一个自动化操作的基金定投系统，也没关系，你很容易就能设置一个。我有一个搞个体经营的朋友，她在先锋公司设置了一个退休投资账户，并享有税收优惠。她授权先锋公司每个月从她的银行账户自动扣款 1 000 美元，投资她指定的多家指数基金，它们类型不同，而且相当分散。她知道自己并不能约束自己按照计划买入，特别是她感觉市场涨得太高时自己可能嫌贵不愿意买入，或者她感觉市场跌得太低时自己又可能因为恐惧而不敢买入，所以她干脆让自己置身事外。她是一个长期投资者，做了基金定投之后，就再也不用担心择时的问题了，因为她的操作体系已经自动化了，买入决策权根本不在她的手中。

有种方法能让你做基金定投更加容易，就是你到堡垒投资理财顾问公司开个投资账户，这家公司会帮你自动做基金定投。

你还要记住，在下面，我会向你展示一个非凡的投资工具，它能保护你在市场波动的时候避免损失。用了这个工具，即使你的市场择时完全错得离谱，你在股市上也不会损失一分钱。但是如果你的市场择时做对了，你会赢更多。但是在此之前，我们来看看第二个久经考验的投资模式，它能够保护你的积蓄，帮助你的财务自由基金增值最大化，为你增加更多的财富。

避免的模式：要做再平衡

戴维·斯文森和伯顿·麦基尔有时会采取不同的投资理财方法。但是有一点他们俩都跟我说过，所有我采访过的其他专家也都一致赞同这一

---

① 403（b），美国教育机构或者非营利组织雇员的退休金计划。——编者注

点：要成为一个成功的投资者，你必须把投资组合定期再平衡。

你需要看看你的两个水桶，确认你的资产配置仍然是合适的比例。隔一段时间，你的水桶里的某一部分投资也许会大幅增长，与你投资组合里的其他部分一比，资产配置比例明显不合适，这让你的资产配置失去了平衡。

比如，你一开始的大类资产配置比例是 6 ∶ 4，60% 的钱放在风险 / 成长水桶，40% 的钱放在安全 / 安心水桶。过了 6 个月，你检查你的投资账户发现，现在你的风险 / 成长水桶里面的投资大涨了，结果导致风险 / 成长水桶里面的资产占整个组合总资产的比例不是 60%，而是 75% 了，那你现在的安全 / 安心水桶占总资产的比例只有 25%，而不是原来的 40%。原来两大水桶的大类资产配置比例是 6 ∶ 4，现在成 75 ∶ 25，明显偏离你设定的目标资产配置比例，所以现在你需要再平衡！

就像定期定额投资一样，再平衡也是一项技术。它乍一看很简单，但是真的要做到需要很多的规则，除非你牢牢记住再平衡非常重要，能让你的利润最大化，保护你免受亏损，而且它非常有效。否则，你会发现追涨杀跌的动量交易会迷住你，让你觉得现在自己短线投资的成功将会永远持续下去，或者现在的市场（股票市场、房地产市场、债券市场、商品期货市场）只会沿着一个方向继续前进：上涨，上涨，再上涨。

这种情绪和心理模式导致了人们持有一种投资时间过长，结果他们把原来引以为傲的巨大收益又还给了市场，这就像坐了一次过山车。遵守规则，你才会在某项投资还在继续上涨的时候，敢于逆市卖出，也让你能够在某项投资正在下跌时，或者在横盘上涨非常缓慢的时候，勇于逆势买入。

实践这个逆向投资的原则有一个非常有说服力的案例，那是一个真实的案例——投资界的偶像人物卡尔·伊坎在网飞公司（Netflix）股票上的投资操作。有一天，我去拜访他，正好刚有新闻报道说他投资 Netflix 股票赚了接近 8 亿美元。这部分股票都是他在一年之前，在每股 58 美元的时候买入的，现在的市场行情价格是每股 341 美元。他的儿子布雷特和他一起工作。最初这只股票的投资机会是他儿子给他的，他儿子不同意卖出这只股票，因为他觉得这只股票将来还有很大的增长空间。卡尔·伊坎说，他同意这个看法，但是他们的投资组合需要再平衡。如果他们不做再平衡的话，他们会发现自己可能会损失一些已经到手的巨大收益。卡尔在 Netflix 股票上一年赚了 487%，带着这笔巨大的盈利，他投资了组合里的其他资产，同时他手上还保留了 2% 的 Netflix 股票，继续享受这只股票的未来增长。他用其中一部分资金购买了一家小公司的股票，公司名字是“苹果”(当时来看)。他认为当时这只股票被过于低估了。他高位卖出，低位买入，这就是投资的最高境界。再平衡是这个过程的核心。

如果亿万富翁这么做，也许你也应该这么做

你如果发现投资组合失去平衡了，应该怎么做？你原来的大类资产配置比例是 6 ∶ 4，60% 的资产配置在风险 / 成长水桶，40% 的资产配置在安全 / 安心水桶。但是就我前面所描述的那样，你的股票猛涨，结果变成了 75 ∶ 25，在这种情况下，你的再平衡行动计划要求你进行再平衡，把一些原来按照计划准备增加到风险 / 成长水桶的资金，转移到这个安全 / 安心水桶中，加快安全 / 安心水桶的资产增加速度，直到其在总资产中所占的比例重新回升到 40%。另一种做法是，你可以把一部分风险 / 成长水桶里涨了很多的投资，趁着行情很火，高位卖出，然后把拿回来的资金用来增加安全 / 安心水桶里面的投资，比如投资债券或者第一信托契约或者其他的资产。但是这样再平衡的过程可能会很痛苦，特别是，房地产投资信托基金正在猛涨，或者国际股票突然一下子上升，放着嘴里的肥肉不吃，转身离去，真的很痛苦。当乘坐一枚火箭飞速上升时，谁愿意跳下来？你只想要股票涨得更高！但是就像在赌场赌钱一样，手风大顺，赢了很多钱，现在是时候把桌子上赢的钱拿走一部分，以减少你的风险暴露程度了。同样的道理，你必须把你一部分涨得很猛的资产减持一些，以确定你在账面上赚的钱真正地赚到了手里，赚到手里的钱才是真正的钱。

就像定期定额投资一样，你必须抽离情绪，置身事外。投资组合再平

衡，让你做的事和你想做的事正好相反，在投资中，这往往才是你应该去做的正确的事。

我们来看一个真实的案例：2013年夏，标准普尔500指数正在持续上涨，创出了历史新高，而这时的债券市场低迷，只能勉强产生少得可怜的收益率，你会卖出股票，买入债券吗？不可能！但是再平衡的法则就是这么说的，这正是你需要做的，卖出一部分大涨的股票，买入一部分低迷的债券，以保持你原始的资产配置比例——即使你内心有个声音在狂喊："嘿，蠢货，为什么你要卖出股票拿钱去买那些债券？"

再平衡法则并不能保证你每次都能赢，但是再平衡意味着你赢的次数更多一些。再平衡增加了你获得成功的机会。经年累月，机会才是决定你的长期投资生涯成功还是失败的关键因素。

资深投资者总是会在不同的市场之间、不同的资产类型之间进行再平衡，当然这样做可能会使人感到更加痛苦。

比如，你有很多苹果公司的股票，正是在2012年7月，当时你要是卖出这些股票看起来简直就是脑子不正常，因为它们一直在猛涨——只前两个季度就涨了44%，现在股价超过每股614美元。但是如果苹果公司的股票在你的投资组合里占了很大的资产比例（记住，苹果公司股票刚刚上涨了44%，让你的投资组合失去了平衡，失衡程度应该相当大），再平衡法则告诉你必须卖掉一些苹果公司的股票，让你的资产配置比例重新回归合理的配置水平。卖掉正在上涨的大牛股，简直是要了你的命！但是再过一年后，同样是7月这个时间，你会不会感谢自己？为什么？苹果公司的股票行情走势像过山车一样，从2012年9月最高的705美元，跌到2013年年初最低的385美元，到2013年7月其收盘价为414美元——做了再平衡，让你避免了41%的损失。

那么应该多久进行一次再平衡？大多数投资者可以每年一次或者每年两次进行再平衡。玛丽·卡拉汉·厄道斯告诉我，她非常相信再平衡是强大的工具，所以她"经常"进行再平衡。"经常"意味着多久？"对比你原来合理设置好的各部分资产类型的资产配置比例，经常检查你的投资组合，只要发现明显偏离了目标配置比例，你就要进行再平衡。多少次出现明显不一致，你就要相应地进行多少次再平衡，调整你的资产配置比例，改变你的投资计划，以适应世界上发生的新情况。你应该经常重新评估，但是不要过分密集地重新评估。”

另一方面，伯顿·麦基尔喜欢充分利用牛市上涨的势头。他建议资产平衡只要一年做一次就够了。我不想当个好战派，只是因为一个投资上涨了就要卖掉，理由是马上再平衡。”他说，“我希望给我市场表现好的资产类型至少一年的时间，让子弹再飞一会儿。”

不管你多久做一次再平衡，记住，它不但可以保护你避免承担过多的风险，而且可以大幅增加你的投资收益，就像定期定额投资一样。正是规则再次让你投资市场表现差的资产，这个时候的买入价格更低，所以你用同样的投资额可以购买更多的资产，所以等到价格上涨的时候，你手上持有的这种资产类型的数量就更多，赚的自然也更多。在这个过程中，你的利润是你的团队里面其他选手传给你的，就像洛杉矶湖人队进攻时球在不停地转移，或者就像接力赛跑的选手一样，一棒接一棒地不断交接，最终你会胜利到达终点。

你做再平衡的次数确实对你的税收有影响。如果你的投资不是在一个可以递延纳税的环境下，再平衡一项持有不到一年的资产，卖出一部分或者全部，一般要交税率更高的个人收入所得税，而不是税率更低的长期投资税。

再平衡，听起来或许让你有点儿害怕，好消息是这个工作也可以自动化，堡垒投资理财公司或者你选择的其他受托人投资顾问都可以帮你做到。投资顾问会指导你既提高你的税收效率，又继续发挥再平衡的力量。

现在你已经学到了两个久经考验的投资应用，以减少你的风险，增加你的收益。你不需要做别的，只要做资产配置就行了。但是还有最后一个技巧可以让你去掉两个“肉中刺”——亏损和税收。

收获的时候到了

组合再平衡的时间到了，你必须卖出一部分股票，这些股票不属于你的 401（k）账户或者其他有税收优惠的账户，那么这会发生什么情况？美国政府会伸出税收之手，只要是你赚的钱，它都要抽走一部分作为税收。是不是资本利得税会让你痛苦得发疯？听着，这里有一个完全合法的办法让你可以降低税款，同时让你的投资组合继续保持平衡，这就是税收损失收割法。税收损失收割法的好处是减少你的税收，增加你的净收益。从本质上讲，你用自己一些不可避免的亏损来最大化你的税后净收益。

伯顿·麦基尔认为，税收损失收割法可以增加你的年收益率，每年增加的比例高达 1%，所以这值得你好好研究一番。

亿万富豪和大型机构都用这种方法来增加他们的投资收益率，但是普通投资者很少会利用这个强大、有效的技术，很少有人知道，即使那些知道的人也会觉得，这个再平衡和税收损失收割法听起来太复杂了，不愿意自己亲身尝试一下。不要担心，你可以询问受托人投资顾问或者用软件来做，就像在网上订购一份比萨一样，或者至少可以说，难度就像更新你的推特的安全设置一样，没你想象的那么复杂。

现在，请牢记在心，我的目标是让投资变得更简单，每个人都能做到，这个部分是本书技术含量最高的，最能考验你的大脑！首先祝贺你一直紧紧地跟着我学习完成最难的一部分。这部分的内容会让你感觉很有技术含量，大多数人会像躲避瘟疫一样远远地躲开。资产配置，基金定投，再平衡，税收损失收割法，这些术语一听就让你头疼，我希望你能知道，所有这些东西都可以设置成自动化操作，不用你自己动手操作。但是，清楚理解这些策略的意义，以及这些策略有效的主要原因，对你还是很有帮助的。

在本书第四部分，你只需要牢记 4 件事就够了。

第一，配置决定一切！所以你要进行大类资产配置，把它们分散投资到两大水桶中：安全 / 安心水桶和风险 / 成长水桶。做到分散投资到不同的资产类型、不同的市场、不同的时间。

第二，你不用犹豫不决，因为你想找到完美的入市时机。相反，你要利用定期定额投资，你知道波动会成为你的朋友，市场下跌会提供给你便宜买入的机会。当市场重新反弹回来的时候，这项投资技术会增加你投资组合的整体价值。

第三，要有一个梦想水桶，给你提供情绪上的快乐和兴奋。所以你可以体验到你的勇敢投资在短期和中期所带来的好处，而不是要等到遥远的未来才能享受到。

第四，用税收损失收割法把你的收益最大化，把你的损失最小化。

我第一次提出，我要在本书里讲资产配置以及基金定投等这些相关的精妙策略时，我的金融圈里的很多朋友都说："你疯啦？这些东西太复杂了，一般人根本搞不懂，很少有人愿意花时间读这些复杂难懂的东西。"我的回答很简单："我在这里写书，是要写给那些少数行动派而不是多数空谈派的。"你需要饥饿感才能推动自己去掌握一些新东西，但是在掌握投资基本原则这件事上，你下的功夫绝对会有超值回报的。即使你必须来来回回地读上两三遍才能弄明白其中的道理，但你弄懂了之后的回报会非常大、非常多、非常久——这意味着会节省你好多年辛辛苦苦工作的时间。更重要的是，掌握了这些会给你一种感觉：上天赋予我更多的权力，我的内心更加安宁。

掌握资产配置这一部分很像第一次学习开一辆手动挡的汽车。开这样的车，我要一边使用加速器、刹车、离合器、变速杆、后视镜、方向盘，一边还要看着路面。你开玩笑吗？但是过段时间你就能开着车飞奔了，想都不用想这些问题了。

好了，我们现在一起走了很长一段路，在 7 步通向财务自由之路上走完了前四步。让我们回头看一下我们走过的路。

第一步，你做了一生最重要的投资理财决策，决定从你的收入中拿出一定的比例储蓄起来，作为财务自由基金，自动进行投资获取复利。你是不是已经做好这一步了？只要开个银行自动扣款的账户就行了。如果没有，今天就去做！

第二步，你学到了投资的门道，也知道了如何避免证券市场9个最大的投资误区，其实就是投资营销谎言。你成了下棋的棋手，而不是被棋手摆弄的棋子。

第三步，你已经走过了7步通向财务自由之路的第三步，让投资游戏能赢。这一步分为三个阶段：第一阶段，你计算出来你的三个地位最重要的财务目标，对于很多人来说它们是财务安全、财务活力、财务独立。第二阶段，你有了一个投资理财计划，计划的目标数字不是拍脑袋随便想出来的，而是根据实际情况推算出来的实实在在的数据。第三阶段，你寻找并实施一些方法来加快你的计划进展速度，这样你可以更早地享受你的投资回报。

第四步，你做出了一生最重要的投资决策，就是把你的资产配置到一个投资组合。每个水桶都有一个具体明确的资产配置比例（安全/安心水桶、风险/成长水桶、梦想水桶）。你已经做了充分的分散投资，并有了一个计划，它能加速实现你的财务梦想。

现在你在投资理财上已经甩开了99%的美国人，甚至是全世界其余99%的投资人，你对投资的理解深度，对投资管理实务的理解深度，都明显像个内行了。有些人对我很好，花了很多时间读了本书的初稿，他们有一个相同之处，那就是在学到这些东西之后，他们心里非常激动。如果你和他们一样，你就会跳上跳下，抓住你的朋友的肩膀，想展示给他们你刚刚学到的一些投资理财方法，因为这样做能给他们增加几十万美元，甚至是几百万美元的投资收益。但是你也许会吃惊地发现，自己让朋友泼了一头冷水：你一分钱还没有见着呢！我向你保证，最好的东西还在后面。从现在开始，后面的内容会比这个部分容易得多。

现在，既然你所想所做的都像一个投资内行一样，我会展示给你看，如何真正像内行一样去投资。让我们来看一看，你如何能在任何金融环境下都取得成功，你如何能够获得市场上行的潜在收益而不用承担市场下行的风险，创造出一个终身收入流。

定期定额投资与一次性大额投资比较

如果你有大笔钱要去投资，定期定额投资对于你来说是最好的方法吗？

如果你突然发了大财，比如得到10 000美元奖金，就像我们在这个部分前面所说的那样，或者你得到了5万美元的保险赔付金，那么你是用基金定投，按照固定的时间表，分成几个月甚至几年，分期分批每次买入固定的金额，还是干脆一次性做大笔投资呢？

这里就有矛盾和争议了。有些投资顾问反对基金定投，反对的理由也很客观，就连伯顿·麦基尔也承认要投资股市，如果股市一直上涨的话，基金定投并不是最高效的策略，就像美国经济大萧条之后的几年，美国股市就一直在上涨。

要是在牛市的一开始，你就把所有资金一次性全部投入，肯定比把它分成60小份，用5年时间每个月做基金定投赚的钱更多。这很明显，对不对？最近有些研究表明，其中包括先锋公司在2012年做的研究，按照10年为一期滚动计算，在过去80年里，在美国、英国、澳大利亚三个股票市场里，一次性大额投资在超过2/3的时间里，都胜过基金定投。

为什么会是这样？因为一次性大额投资，你投进去的钱更多，资金开始替你赚钱的时间更早，而且从长期来看，交易次数少，可以把交易费用控制得更低。一次性大额投资，在牛市里，肯定能给你带来获得更大潜在收益的机会，但是如果市场下跌，它也会给你带来更大的整体亏损。研究表明，长期而言，一次性大额投资，如果在分散投资上做得好的话，你会赚更多的钱。你能多赚多少钱？最终，平均而言你最多能够增加2.3%的收益率。还记得伯顿·麦基尔计算出来的基金定投效果的实际数据吗？在2000—2010年失落的10年期间，如果你投资1美元到标准普尔500指数，从1999

年 12 月 31 日起 10 年之后，你只剩下 0.90 美元，投资 10 年亏损了 10%。但是如果你用的是基金定投，同样是这 10 年，你不但没有损失，而且会赚钱。在这些研究中，有些研究说一次性大额投资好，有些研究说基金定投好，那么你到底该怎么做？你得到 10 000 美元奖金，会马上全部投入股市，还是会先把这 10 000 美元放在一个更加安全的地方，然后做基金定投，用 10 个月时间，你每个月投资 1 000 美元呢？如果是前面说的一次性拿到了 5 万美元保险赔付金，用 2 年的时间来做基金定投，如果市场持续上涨，你这样分期分批投入，要少赚不少钱。但是行为经济学告诉我们，你并不会为此感到后悔，相比之下，如果你一次性全部投入，结果 2 天之后股市崩盘了，你才会非常后悔！

所以这完全取决于你自己。我要再说一次，我到这里来不是来给你投资建议的，只是要分享给你全世界最优秀的投资理财专家的最高明的投资见解。对于大多数人来说，一次性大额投资并不是一个问题，因为他们手上根本没有这样一大笔钱！如果你正好没有这样一大笔钱，只能每个月靠工资攒点儿小钱，你仍然可以做基金定投，投资一个合理分散的投资组合，让自己的收益最大化，最终你也能赚到一笔大钱。

MONEY

7 Simple Steps to Financial Freedom

MASTER THE GAME

第五部分

只赚不赔：创造一个终身收入计划

第26章　打不垮，沉不了，压不住：全天候投资策略

不可胜者，守也。

——《孙子兵法》

我们人生中有些事件，永远地塑造了我们的世界观。这就像我们旅途中公路上的公里标志，不管我们是否能看懂它的意思，它都给了我们一个视角来看现在的世界。我们选择的那些事件对于我们而言具有什么样的意义，将会像涟漪一样影响到我们的行为和决定，这种影响会持续我们一生。

如果你是在咆哮的20世纪20年代长大的，这十年里巨大的繁荣和伟大的事件会塑造你的人生。那是伟大的“盖茨比”的年代。但是如果你是在接下来大萧条的20世纪30年代长大的，那么那个时代充斥的挣扎和焦虑会把你的人生塑造成另外一个样子。成长在一个严酷的经济寒冬，逼迫你变成一个求生者。

现在这个时代的人对整个世界有着完全不同的体验。他们成长在不可思议的繁荣之中，即使他们的收入并不属于前1/100的富豪，他们也活得非常幸福。我们生活在一个需求方说了算的世界，作为消费者能够享受到巨大的便利。我们可以让日用杂货商品直接快递到我们家门口，舒舒服服地穿着睡衣就能将收到的支票存到自己的银行账户，看的电视有上千个频道，什么时间、什么地方的节目你都能看，只要你想看。我的孙女到现在

还没有学会系鞋带，但是她刚4岁的时候就能把iPad（苹果平板电脑）玩得跟我这个爷爷一样好，她已经知道，谷歌只用一小会儿就能够回答任何问题。这是一个无限可能的时代，一个创业企业，例如网络信使只有50多名员工，但它可以颠覆一个行业，因此这个企业的收购价格高达190亿美元。

毫无疑问，我们生活的时代的发展情况和重大事件塑造了我们的人生，但是更重要的是，我们赋予这些事件的意义将会决定我们最终的发展轨迹。

20世纪70年代

瑞·达利欧1949年出生，2014年时已经65岁。他在20世纪70年代开始做投资。20世纪70年代经济发展形势出现巨大变化，可以说是20世纪30年代大萧条以来最糟糕的经济环境。高失业率伴随着巨大的通货膨胀，导致利率水平像火箭一样飙升，竟然高达百分之十几。你还记得，我在高通货膨胀的20世纪70年代买了房，借的抵押贷款的利率是18%，高得吓人！1973年美国又迎来一场石油危机，美国根本没有料到，阿拉伯国家会对美国实行石油禁运，导致油价从每桶2.1美元飙升到10.4美元。没有一个人预料到会发生这样的事情。美国政府强制进行汽油单双号配给制，迫使人们不仅排队加油要等上好几个小时，而且只能在单号或者双号的日子去加油！这是一个政治上激烈斗争的时期，经历了越南战争和水门事件之后，美国人民对政府的信任大幅度降低。1974年尼克松总统被迫辞职，后来他的继任者，也就是前任副总统杰拉德·福特特赦了他。

1971年，瑞·达利欧刚从大学毕业，第一份工作是进入纽约证券交易所当一名小职员。身在市场中，他亲眼看到牛市和熊市在短时间内爆发，创造出巨大的市场波动性，让各种不同的资产类型都大幅波动。潮水突如其来，又匆匆而去，人们根本无法预测。达利欧看到了巨大的收益机会，但是他也看到了同样巨大甚至更加巨大的风险，巨大的风险与机会并存在这片巨大的海域里。结果，他变得极其痴迷于想要弄明白，所有这些场景和波动是如何交织在一起的。在理解更大的经济机器是如何运转的过程中，他最终弄明白了如何避免那些像遭到大洪水一样的巨大损失，这让很多投资者注定失败。

所有这些事件塑造了年轻的瑞·达利欧，让他最终成为世界上规模最大的对冲基金经理。但是，有个对塑造达利欧的投资哲学影响最大的顿悟时刻，它出现在 1971 年 8 月一个酷热的晚上，尼克松总统突然发表演讲，从而改变了我们习以为常的金融世界。

尼克松之夜

美国三大广播电视网，突然中断正在播出的所有节目，美国总统尼克松突然出现在所有美国家庭客厅的电视机屏幕上和收音机里。很明显，他处于一种严肃又焦虑的状态，他宣布："我命令国务卿约翰·康纳利暂时停止美元兑换黄金。"只有简短的一句话，20 多个字，美国总统尼克松向全世界宣布，我们熟悉的美元再也不会是以前的样子了，美元的价值再也不和黄金直接挂钩了。还记得诺克斯堡吗？这个城堡的作用就是，对于政府印发的每一张美元纸钞，美国政府都会持有相同价值的实物黄金，这些黄金就保存在这个城堡内，它被严密保护。但是当尼克松这样宣布美元和黄金脱钩时，美元从那时开始就只是一张纸了。想象一下，本来你有个藏宝箱，里面装满了黄金，结果有一天你打开一看，发现一张一张黄色的便利贴，上面只写着两个字：欠条。

尼克松说，现在决定美元价值的是我们，即市场。市场认为美元价值多少，美元就值多少。这个新闻也震惊了其他国家的政府，它们持有大量美元，一直相信可以随时选择把美元兑换成黄金。一夜之间，尼克松公开地把这种选择权拿掉了，这倒是非常符合他的外号"狡猾的迪克"。他还宣布对所有进口的商品额外征收 10% 的关税，以保证美国国内产品的市场竞争力。就像 10 月末的一场暴风雪，尼克松的演讲标志着气候的巨大变化。

瑞·达利欧正在家里看电视，看到美国总统的演讲，他简直不敢相信他的耳朵所听到的。尼克松决定让美国脱离金本位，这会产生什么影响？这对市场意味着什么？对美元和美元在全世界的地位意味着什么？

有一点，瑞·达利欧敢肯定："这意味着钱的定义不同了，我想也许会有一场危机！"他内心想，第二天早上他一走进交易所，肯定会看到，整个市场暴跌。

他错了。

让他震惊的是，道琼斯指数第二天涨了接近4%，股票指数涨幅创下了有史以来最大单日涨幅，黄金价格也像火箭一样飙升！这完全是违背直觉的，大多数专家的预测都错了。毕竟我们刚刚毁掉的是我们对全世界的神圣承诺，这些上面印有已故美国总统头像的纸片，实际上是有实际价值的。当然，这种变化不会激发人们对美国经济和美国政府的信心。这是一件让人头疼的事情，这次市场繁荣最终名扬天下，被称为"尼克松大反弹"。

但这带来的并不都是好消息。"我们认为美元价值是多少，它就价值多少。"这导致一场通货膨胀风暴正在酝酿，不久就会到来。达利欧详细地描述道："但是当时是在1973年，第一次石油禁运危机就种下了严重通货膨胀的祸根。我们以前从来没有担心过石油危机。我们以前从来没有担心过通货膨胀。所有这些事情，在感觉上都成了意外。我发展形成了一套预测意外的方法。"另外，这是指那种我们承受不了的意外，或者说我们没有能力化解的意外。就像下一个2008年金融危机。这种意外就是下一个冲击波，它肯定会让我们整个市场大动荡。

尼克松反弹成了瑞·达利欧的人生催化剂：他从此开始执着于对任何事情做好准备，包括全世界任何一个角落，随处都可能会发生的你根本不知道的事情。他的使命是，研究任何一种可以想象得到的市场环境，这对某些投资来说意味着什么。这是他的核心操作原则，他靠这个原则来管理世界上最大的对冲基金。不是依靠他已经知道的东西，而是正好相反。他总是不满足地、充满饥渴地持续寻找他所不知道的东西。因为明显的东西往往是明显错误的。普遍流行的思想常常是错误的思想。因为世界是持续改变和进化的，瑞·达利欧探索未知的旅程是一条永远没有终点的探索之路。

终极投资极乐世界

你接下来要读到的内容，很可能会是整本书中最重要的一章。是的，我知道，我以前也这样说过好多次了。我每次说都是真的。如果你不知道游戏的规则，你就会让对手击倒，把你撕得粉碎。如果你不是像一个内行一样思考，传统的智慧会引导你接受类似大众的命运。如果你没有决定把一部分收入的一定比例拿出来，让你的储蓄自动化，你的火箭就永远飞不起来，其中的原因很简单——燃料不够。但是我发自内心地完全相信本书里讲的内容，没有什么能够比得上瑞·达利欧设计的这个投资策略，让你可能获得的收益最大化，却同时让你承受的风险最小化。这正是瑞·达利欧的特别之处。这也正是达利欧名扬世界的秘密所在。

你在下面学到的投资组合，能给你提供以下三大好处：

第一，非凡的高收益性——最近40年（1974—2013年）里年化收益率接近10%，（精确地说是扣费后9.88%）。

第二，非凡的高安全性——最近40年85%的时间里，你的资金都是安全的，只有6个年度出现了亏损，平均亏损幅度只有1.47%。6次亏损中有两个年度，其实是盈亏平衡，因为有一年亏了0.03%，还有一年亏得更少，无论怎么看，它都属于盈亏平衡。所以从实践操作的角度来看，这40年你其实只有4年是亏钱的。

第三，非凡的低波动性——最近40年你能体验的最糟糕的亏损，也只有3.93%。

还记得沃伦·巴菲特的投资终极法则吗？第一条，不要亏钱；第二条，牢记第一条。实际运用巴菲特这个投资法则的，正是瑞·达利欧的天赋所在，这正是为什么他能成为投资界的达·芬奇。

任何人都能向你展示一个投资组合，（事后来看）你要承担巨大的风险，才能得到高收益，如果组合下跌50%~60%的时候，你的勇气没有像个纸袋一样瘪下去，而是一直坚定地持有，你最终肯定会有很大的投资收益。这个建议，基金和券商在做市场营销时说起来非常好听，但是对于大多数人来说很难做到，一点儿也不现实。

我简直不能想象，竟然有这样一种方法，适合你我这样的个人投资者，让我们能够获得像股票市场整体水平一样的收益率。与此同时，还有一种策略能够最大限度地限制损失的发生频率和规模，几乎能让你安然度过每一种可以想象到的经济环境。你能想象到，竟然有一种投资组合模式，在2008年只亏损了3.93%吗？要知道2008年当时整个世界都崩溃了，股票市场从顶点暴跌50%。有一个投资组合，你这样投资之后，会感到非常安全和安稳，即使再发生下一个2008年金融危机这个让人吓得魂飞魄散的大崩盘，席卷走美国人退休金账户上数万亿股票市值，你也能安然无忧。这就是我要送给你的礼物，它就在后面的内容里。（过去的业绩并不能保证未来的业绩，相反，我提供给你的是历史数据，用来讨论和描述投资的基本原则。）

我们很快就会揭开这个神奇的投资组合，让你欣赏到瑞·达利欧投资之道的美妙和力量，在此之前，让我们先了解一下瑞·达利欧这个人的故事，他可是我们所在的地球上神奇得简直不可思议的投资和资产配置的绝顶高手。全世界各国政府和世界上最大的公司，电话快速拨号键上都存着瑞·达利欧的电话，以便它们能够及时咨询如何把它们的收益最大化，同时使它们的损失最小化。

我就爱麦乐鸡

1973年，对于小鸡来说，真是个倒霉的年头。正是在那一年，麦当劳决定推出麦乐鸡，结果产品卖疯了。这让麦当劳花了好几年才能解决供应链的问题，没办法，因为公司无法获得那么多鸡肉。但如果不是瑞·达利欧给出天才般的解决方案，麦乐鸡根本无法继续卖。

光鲜亮丽的投资界怎么会跟快餐业掺和在一起？这是因为麦当劳要推出麦乐鸡这款新品，管理层非常焦虑，害怕以后鸡肉的成本上升，这样就会提高鸡肉的价格。但是那些经常光顾麦当劳的顾客，花钱都是很节省的，麦当劳想让套餐提价，这些顾客可不干，马上就会离开。但是鸡肉供应商不愿意接受固定价格，因为他们知道，不是鸡的价格高了，关键是喂养小鸡用的那些玉米和大豆的饲料成本的价格提高了。如果饲料成本上涨，卖给麦当劳的鸡肉价格固定不变，供应商就必须自己消化这些损失。

麦当劳的人给瑞·达利欧打电话求助，因为他们知道达利欧是世界上最有才的家伙，他最大的天才就是让你的上行潜在收益最大化，与此同时，消除风险或者把风险最小化。瑞·达利欧在电话里给出了一个解决办法。他设计出一份私人定制的期货交易合约（简单说就是一个保证，避免未来玉米和大豆价格上涨），这样就能让鸡肉供应商得到固定价格的玉米和大豆供应，于是那些供应商就乐于和麦当劳签订合同，按照固定价格供应鸡肉。大家共同获利。祝你好胃口！

瑞·达利欧专业能力的影响范围远远超出麦当劳这样的大公司。你想知道他的智慧在全世界的影响有多么深远吗？1997 年，美国财政部决定发行能够抵抗通货膨胀的债券（现在它们一般被称为 TIPS）。美国财政部官员专门来到瑞·达利欧的公司——桥水基金公司，向他咨询如何来设计这些债券产品。瑞·达利欧的建议构成了现在通用的保值债券基本条款的结构。

瑞·达利欧不只是一个基金管理人，他在市场研究和风险管理上也是大师，他知道如何选择不同的交易价格，以便获胜的概率极其有利于自己和客户。

达利欧是怎么做到的？他的秘密是什么？让我们坐下来，靠近这位投资大师，让他带我们踏上这趟投资智慧之旅吧。

智慧海豹突击队

还记得吗，我在开篇讲过，瑞·达利欧给了我们一个丛林的比喻？就像达利欧看到的那样，如果我们想要到达我们真正想去的地方，我们必须穿越丛林。丛林是危险的，因为里面有很多东西我们都一无所知，有些挑战就隐藏在下个转弯的地方，它们会伤害到你。但是为了到达你真正想要去的地方，你必须在你周围聚集一些你很尊敬的、世界顶级聪明的头脑。瑞·达利欧创办的桥水基金公司，就是他个人组建的“丛林高手”团队。他的桥水基金公司员工超过1 500名，个个都和达利欧一样，非常痴迷于如何找到办法，既让收益最大化，又把风险最小化。

前面我说过，桥水基金公司是世界上规模最大的对冲基金公司，管理规模超过1 600亿美元。这个规模在业内是极大的了，现在管理规模能超过150亿美元都算得上大型对冲基金了，桥水基金公司一家的规模就超过10家大型对冲基金公司。尽管一般投资者根本没有听说过瑞·达利欧，但是他的名字在顶级财富圈里十分响亮。瑞·达利欧写的投资评论、简报，就是金融圈最有权势的大人物也会阅读，其中包括各国中央银行的行长，也包括各国政府的高官，甚至是美国总统。

因此，全世界最大规模的机构，包括规模最大的养老基金、外国主权财富基金，都把很多资金交给达利欧来管理和投资。大家都想了解达利欧的投资高见。为什么？关键是瑞·达利欧想的、说的、做的，并不是传统智慧的所思所想。他能跳出既有观念来思考，甚至会粉碎那些条条框框。他总是非常饥渴地持续学习和挑战传统的东西，发现“真理”是推动达利欧持续快速增长的动力，让他从最早的只拥有公寓兼办公室，一路成长到拥有康乃狄格一片蜿蜒的巨大校区。他在桥水基金公司组建的丛林团队被称为智慧海豹突击队。在桥水工作，你要和瑞·达利欧一起穿越丛林，并肩战斗。桥水基金公司的文化要求你要有创造性、洞察力和勇气——总是能够捍卫你的投资立场和投资观点。但是达利欧也要求你，必须主动质疑，甚至攻击任何你觉得错误的事情。你的使命就是找出什么是真相，然后找出最好的办法来处理和应对真相。这种工作方式要求“彻底开放，彻底真实，彻底透明”。整个公司的生存和成功都得益于此。

阿尔法狗

瑞·达利欧之所以名扬天下，靠的是他的纯阿尔法策略对冲基金取得的非凡成功。1991 年他推出这个对冲基金，现在管理规模达到 800 亿美元，年化收益率 21%（扣费前），高得令人难以置信，风险却相对较低。基金的投资者包括世界上最富有的个人、政府、养老基金。这些投资人的资产规模可以说是 1% 中的 1% 的 1%。这个“小圈子”已经停止接收新投资人很多年了。纯阿尔法策略对冲基金是主动管理型的，这意味着达利欧和他的团队在持续不断地寻找投资机会，他们想在正确的时间进入，在正确的时间退出。桥水基金并不只是跟随市场，有一点可以作为例证，那就是 2008 年他们获得了 17% 的收益率（扣费前），而很多对冲基金管理公司都关门了，或者乞求投资者不要赎回，不然公司就会破产。纯阿尔法策略基金的投资者，希望得到更大的收益，也愿意为这些投资承担风险——尽管他们还是尽自己最大努力地在最大限度地控制他们承担的风险。

孩子和慈善

瑞·达利欧管理纯阿尔法策略对冲基金，取得了不可思议的成功，帮客户赚了很多钱，这也让他赚了很多钱，积累了巨大的个人财富。1995 年前后，他开始考虑自己可以给后代留下什么遗产，留下什么样的基金，但是他心里疑惑的是：“如果我人不在了，不能坐在这里主动管理这些资金，那么我该运用什么类型的投资组合？”什么样的投资组合，可以比他自己做投资决策能活得更久，而且继续创造良好的收益，以继续支撑他的孩子成长，以及慈善事业所需要的花费？

达利欧知道，传统智慧和传统的投资组合管理，会把他的方法构建成一个投资模型，而历史数据持续表明，碰到市场变得异常糟糕的时候，这个投资模型就不适用了。所以他开始探索是否可以创建一个组合（就是一种资产配置）在将来的任何经济情况下都能做得很好，不管是像2008年那样严酷的经济寒冬还是经济衰退，甚至是经济萧条。没有人知道再过5年会发生什么，更不用说再过20年、30年了。

结果是什么?

换一种全新的方式来看资产配置，设计出一套全新的规则。达利欧先是用长期历史市场行情来测试这个策略，一直回测到1925年，结果令他很满意。然后达利欧再将这个策略用在个人管理的家庭信托投资上，结果产生了辉煌的业绩，经受了多种经济情况的考验。经过双重考验之后，他才用这个策略推出了一只对冲基金，只限于少数经过选择的投资人。其中的条件之一是这些人每人至少要投资1亿美元。这个新的策略，名为全天候投资策略,1996年才第一次公开亮相，仅仅过了4年，网络股泡沫破裂，股市三年暴跌一半，这个新的策略面临严峻考验。结果全天候投资策略顺利地通过考验，业绩表现非常出色。

问题就是答案

我们都听过那句格言：“问，你就会得到答案。”但是如果你问的是更好的问题，你得到的答案也会更好，这是所有取得重大成功人士的共同特点。比尔·盖茨问的问题不是“怎么样才能打造世界上最棒的软件”，他问的是“我怎么样才能创造出一套操作系统控制所有的计算机”。这两个问题的区别就决定了微软不但成为最成功的软件公司，还成了主导计算机世界的力量——目前仍然控制着全球90%的个人计算机市场！不过比尔·盖茨没有掌握网络，因为他把专注点放在了计算机上面。但是创办谷歌搜索的两个男孩拉里·佩奇和索杰·布林问的是：“我们如何组织安排全世界的信息，让信息随手可得、随时可用？”结果他们专注于一个更加强大的力量，这个力量深度影响了科技、生活、商业。你问的问题层次越高，更高层次的回报才会随之而来。要得到结果，你不能只问一次，你必须变得非常执迷于给这个问题寻找伟大的答案（很多个答案）。

一般人问的问题都是这样的："这件事我怎样才能应付过去？""为什么这件事情会发生在我身上？"有些人甚至问的问题是负能量的，他们的头脑关注和发现的是障碍，而不是寻找解决方案。这种负能量的问题是："我怎么从来都减不掉体重？""为什么我从来都管不住自己花钱？"这样只能让他们在自我限制的路上走得更远。

我一直非常执着于这个问题：我如何能把事情做得更好？我如何帮助人们现在就能明显地改善他们的生活品质？这个关注点驱动我过去 38 年来寻找和创建策略和工具，不是以后见效，而是马上见效。你呢？哪个（哪些）问题你问的比别的问题加在一起还要多？你最关注的是什么？你人生中最痴迷的是什么，寻找真爱，与众不同，学习，赚钱，让每个人都高兴，避免痛苦，改变世界？你意识到你最关注的问题是什么了？你认识到你一生最重要的问题是什么了吗？不管你一生最关注的是什么，都会塑造、框定、指导你的人生。本书回答的问题是："那些最高效的投资人做了什么能让他们持续获得成功？"这些人原来也一无所有，但是想方设法地创造出巨大的财富和财务自由，让他们的家人能够分享，那么他们在这个过程中做出的决策和采取的行动是什么？

在金融世界里，瑞·达利欧变得非常痴迷于一系列更高质量的问题。这些问题导致他最终创造出了全天候投资组合。这正是你很快就会在本书中学到的投资方法，这个投资方法法力无边，有能力从此改变你的财务人生，从此你的财务人生会变得更好。

"设计一个什么样的投资组合，让人可以绝对地确定，不管经济状况是好还是坏，都能表现良好——穿越所有的经济环境？"

这也许听起来是个显而易见的问题，事实上很多所谓的"专家"和财务顾问都会说，他们正在使用分散的资产配置，设计的目的就是要做到这一点。但是，正是用传统的答案来回答这个问题，导致很多专业投资机构会在 2008 年亏损 30%~50%，我们看到很多目标日期基金遭到大屠杀，而按照设计，它们本来应该是，持有人越接近设定的退休年纪，其持有的基金投资组合应该越保守，结果是应该保守却远远不够保守。我们也看到，雷曼兄弟，这个有158年历史的基石型金融机构，几天就垮掉了。在那个时候，大多数投资理财顾问躲到桌子底下，不敢接听客户打来的电话。我的一个朋友开了个苦涩的玩笑："我的401（k）退休金账户现在跌成了一个201（k）。"金融行业使用的所有梦幻般的软件——用蒙特卡洛模拟计算所有类型的潜在未来情景，那些巨大的危机既没有被预测到，也没有被防卫，结果让投资者亏惨了，例如1987年股市黑色星期一大崩盘，2000年网络股泡沫大崩盘，2008年金融危机毁灭性大崩盘，名单还很长。

你要是重新回忆一下2008年那些日子，你听到的标准回答都是这样的："这种事以前从来没有发生过。""我们现在是在从来没有人探索过的海域。""这次和以前完全不一样。"瑞·达利欧根本不理睬这些回答（这也正是为什么他预测到了2008年全球性金融危机，还在2008年赚到了大钱）。

不要误解瑞·达利欧所说的"意外"——这一次总是看起来跟上一次不一样。1973年石油禁运危机，20世纪70年代后期快速通货膨胀，1976年英镑危机，1987年黑色星期一，2000年网络股泡沫，2008年房地产崩盘，所有这些意外，都让大多数专业人士猝不及防。下一次意外还会来临，还会让他们摔个大跟头。这一点我们完全可以肯定。

但是2009年当烟雾散去后，市场开始反弹，很少有资金管理人停止追问，他们原来使用的传统资产配置方式和风险管理是不是从一开始就是错的。有很多人拍拍身上的灰尘，重新骑上销售的马鞍，口里又开始念念有词，一切将回到"常态"。但是请记住瑞·达利欧的投资魔咒"预料意外"，还有他的核心操作问题"什么是我不知道的"。问题不是将来会不会再有一次大崩盘，问题是大崩盘什么时候会来。

马科维茨：收益最大化的秘密

哈里·马科维茨，人称现代投资组合理论之父，这套理论让他获得诺贝尔经济学奖。他这样解释现代投资组合理论背后的基本概念。简单来说，你要是看你投资组合里的投资，不能只是单个来看，而应该从整体来看。这里面有一个风险和收益之间的权衡，所以就像听交响乐一样不能只听一种乐器的声音，你要听整个乐团合在一起演奏出的声音。你的那些投资个体的不同表现，加上投资分散的情况，二者最终决定你的组合的总体收益情况。这个建议现在听起来也许太简单了，但是在 1952 年这种想法简直是“新大陆”。在某种程度上，这个道理影响了从纽约到香港全世界每一个投资组合的经理人。

和所有伟大的投资人一样，瑞·达利欧站在了马科维茨的肩膀上，用他的核心智慧作为基础，来考虑任何投资组合或者资产配置的设计。但是他还想把它再提升到更高的水平上。他可以肯定，他肯定能够增加一两个关键的特质——拉动两个关键的杠杆，创造出属于他自己的突破性发现。他用自己 40 年的投资经验，召集桥水基金公司的丛林战队，把他们的脑力投注在这个开发计划上。达利欧可以说是花了很多年来不断地精进他的研究，直到最终找到了一种全新的方式来看待资产配置。这就是终极资产配置，完美的资产配置，既收益最大化又风险最小化。瑞·达利欧的发现，给他自己创造出一种全新水平的竞争优势——你很快也会拥有这种竞争优势。

瑞·达利欧这种改变人生也改变游戏的投资方法，一直秘不外传，只有他的客户才能享受到这种独门绝招带来的好处。政府、养老金管理机构、亿万富豪，作为达利欧的客户，都从这个策略中享受到了非凡的投资收益，全靠这一招。不用再羡慕，你很快也能学到瑞·达利欧的全天候投资策略。就像我前面所说过的，这就是瑞·达利欧在金钱游戏中用的神奇盔甲。达利欧把他的家庭和慈善基金的所有资金，都投进这种投资组合，再加上世界上最保守、最资深的金融机构委托他管理的安全 / 安心水桶里面的资金，就像瑞·达利欧那样，我现在也把我家庭的一部分资金用这种方式进行投资，包括我的基金会的资金，原因很简单，它非常赚钱。你会开始看到，在近 85 年的各种经济环境下，这个策略都产生了良好的业绩。从经济萧条到经济衰退，再到通货膨胀和通货紧缩，无论经济形势的好坏，这个策略都能找到一种方法，找到投资机会把投资收益最大化。从历史数据来看，这是最好的投资方式之一，它可能会实现我的愿望，即使是在我离世很久之后它也能正常运作。

游戏日

瑞·达利欧可以称得上我们这个时代伟大的投资传奇人物之一，能有机会当面向他请教，确实是一份难得的馈赠，我可得好好利用。我花了将近15个小时做研究，充分准备我跟瑞·达利欧的见面，梳理我手上能够找到的各种资料（这事很不好办，因为他一直回避媒体，不愿公开露面）。我挖掘出来一些瑞·达利欧少有的几次演讲：一次是在达沃斯论坛上对世界各国领导人发表的演讲，一次是对美国国会对外关系委员会发表的演讲。我也看了查理·罗斯在《60分钟》节目中对他的访谈，这是他仅有的几次媒体亮相之一。我也看了他指导的动画视频《经济机器是如何运作的：30分钟全掌握》。这是一段很棒的视频节目，我强烈建议你看一看，有助于你真正理解整个世界经济是怎么运作的。我能找到他写的每一篇白皮书和文章，我全看了，还仔细梳理了一篇。他写过一本小书，其实是一篇长文，书名是《原则》，内容包括他的人生和投资管理指导原则，我仔细阅读，差不多每一页都在上面做了标记，画了重点。这是一生只有一次的机会，我不能让自己未完全做好准备，就去见这位最伟大的投资大师。

原来说好是一个小时的采访，很快变成接近三个小时。我一点儿也没想到，达利欧竟然还是我的粉丝，喜欢我写的书，一直在听我的音频教程，听了近20年了。我简直太荣幸了！我们越谈越深。你来我往，你说我答，我们谈的内容也越来越广，从投资扩大到世界经济这台大机器实际上是如何运行的。我一开始问了一个简单的问题："对于个人投资者来说，这个游戏还能赢吗？"

"能！"瑞·达利欧说，加重语气，肯定地说。但是你肯定不能听你认识的那个经纪人小帅哥给你的建议，照着他说的做，那你肯定赢不了投资游戏。你若想靠预测市场涨跌来选择进入市场的时机，这样你肯定也赢不了这个投资游戏。你若想预测市场，基本上就是跟全世界最优秀的选手来玩扑克牌，他们拥有几乎无穷无尽的资源，可以跟你玩上几天几夜，无论是能力、经验、资源、时间，你都差远了，想赢是不可能的。在牌桌上就只有这么多玩扑克牌的筹码，“这是一个零和游戏”。有人赢多少，肯定就有人输多少。所以，你想要从像达利欧这样的投资高手的手里赢走一些筹码，那简直是痴心妄想，你只是一厢情愿而已。“这是一个全世界的人都在参与的大赛，但只有极少数人能够实实在在地赚到钱，他们赚了很多钱，不过都是从那些没有他们优秀的选手手里赚走的。”正如人们常说的，如果你在一张牌桌上玩了一会儿，还没有看出来谁是傻瓜，那么你就是那个傻瓜。

很多人想要努力战胜市场，想要预测市场，瑞·达利欧给这些人一个终极警告：“你根本不应该参加那种游戏。”

“好了，达利欧，我们知道了我们这些业余投资者不应该妄想战胜世界上最好的投资职业高手，那么我要问你一个问题，我为写本书访谈过的专业人士，我都问过这个问题，如果你不能留给你的孩子任何钱，而只能给他们一个投资组合清单，一个具体的资产配置清单，加上一个投资原则清单来指导他们投资，你给他们的清单会是什么？

达利欧往后坐了坐，我可以看出他迟疑了一会儿，并不是他不想分享，而是因为我们生活在一个无比复杂的世界中，这里充满机会，也充满风险。“托尼，只是这事太复杂了。事情在不断变化，在这样的情况下，只用很短的时间把这个问题给普通的投资人讲明白，对于我来说非常难。”

“是的，达利欧，我理解你的难处。但是你也刚刚告诉过我，个人投资者要是买基金，找一个传统的基金经理是不可能取得成功的。所以请你讲讲，帮我们弄明白，我们能做些什么才能取得成功。我们都知道资产配置是我们投资成功的最重要因素，那么你用的是哪些基本原则让你创造的收益最大化，同时又让风险最小化呢？”

正是在这个时候，瑞·达利欧开始敞开心扉，分享一些惊人的投资秘密和投资高见。他的第一步是粉碎我的传统智慧，向我证明了传统智慧认为的平衡投资组合，其实并不平衡。

所有胜利的秘密都隐藏在隐秘之中。

——马可·奥勒留

不平衡

大多数投资顾问（还有广告）会鼓励你去拥有一个“平衡的”投资组合。平衡，听起来像是一件好事，对吧？平衡告诉我们，我们不会承受太多的风险。那我们较大风险的投资，会让我们较保守的投资把风险对冲掉。但是问题来了：市场暴跌的时候，为什么最传统的平衡投资组合竟然会下跌25%~40%，并没有平衡巨大的下跌风险？

传统的平衡投资组合，一般是这样配置的：50%的股票和50%的债券（如果以更加激进一些的话可以是60 ：40；或者如果你更加激进的话，可以是70 ：30）。让我们就一直用50 ：50为例，这样举例更好理解。这意味着如果有个人手上有1万美元，她会把5 000美元投在股票上，5 000美元投在债券上。同样，如果他有10万美元的话，那就是5万美元投到债券上，5万美元投到股票上。你应该明白了，反正就是一半股票对一半债券。

用这种典型的平衡方式，我们希望做到以下三点：

第一，我们希望股票表现良好。

第二，我们希望债券表现良好。

第三，我们希望下一波市场崩溃来临时，不要股票债券两个同时下跌——股债双杀。

你很容易注意到，希望是这种传统投资之道的基础，但是投资内行，像瑞·达利欧，并不依赖于希望。希望不是策略，不能靠希望来为你的家庭赚取投资收益。

买股票投资企业有风险

把你的资金分配成 50% 的股票对 50% 的债券（或者其他的总体配置比例），很多人认为他们已经分散投资了，分散开了他们的风险。但是事实的真相是，你真的承受了太多的风险，比你想的多得多。为什么？因为就像瑞·达利欧在我们谈话中多次强调指出的那样，股票风险要比债券风险高 3 倍（这里说的风险就是波动性）。

“托尼，持有一半股票一半债券的组合，你其实是让这一半股票承担整个组合 95% 的风险！”下面是两个饼图，代表的 50：50 的投资组合的资金配置和风险配置。左边这个饼图显示的是资金分别配置到股票和债券上的百分比，右边这张图显示的是同一投资组合股票和债券分别承担的风险比例。

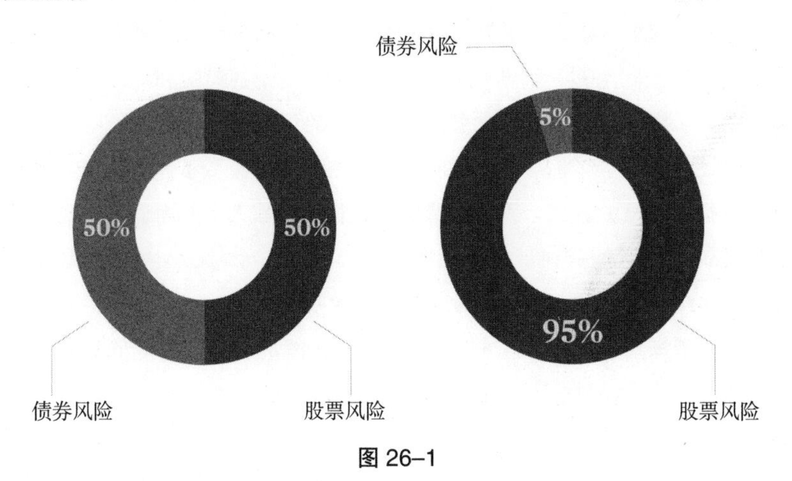

图 26–1

所以，你把自己资产的 50% 配置在股票上，另外 50% 配置在债券上，第一眼看好像已经相对平衡了。但是正如右边风险配置那张图显示的那样，你其实承担了接近 95% 甚至更大的风险，因为你持有的股票规模和波动性都很大。这样配置，如果股市下跌的话，整个投资组合也会下跌。这其实只是看起来平衡了风险，其实风险还很大。

这个概念怎么体现在现实生活中？

1973—2013 年，共有 40 个年度，其中标准普尔 500 指数有 9 个年度都是下跌的，累计跌幅达 134%！同期债券（用伯克利债券指数来代表）只有三年是下跌的，累计亏损只有 6%，所以如果你持有一个 50% 股票对 50% 债券的投资组合，那么从整体亏损来看，代表股票的标准普尔 500 指数给你带来的亏损要占到 95%。

“托尼，”瑞·达利欧说，“你自己看看大多数投资组合，它们都有一个非常强烈的偏斜趋势，在股市场行情好的时候组合表现得很好，在股市行情糟糕的时候组合表现得非常糟糕。”所以你的实际策略就是希望股市能上涨。用这种传统的投资方式来做分散投资，其实并没有做到真正分散风险。

我从来没有听过有人能把这种平衡和风险的概念解释得这么简单明了。我坐在那里开始思考我自己的投资：我做了哪些错误的假设？

那么我想问问你，听瑞·达利欧这样解释真正的风险和平衡，你肯定能听明白。那么你觉得自己原来认为“平衡的”投资组合还平衡吗？

这是不是改变了你对平衡的看法？这也意味着改变了你对如何才能真正分散投资风险的看法。我真的希望如此！大多数人会努力保护自己，做法是把资金分散投资到某些不同类型的资产上，分别投入相同数量的资金。有人可能会说：“我的钱 50% 放在有风险的股票上（如果经济发展良好的话，股票可能会有更大的上行潜力），50% 的钱放在安全的债券上来保护我。”瑞·达利欧证明给我们看，你的钱分成相同的两部分，但是你的投资风险并没有因此就分成了相同的两半，所以并没有实现平衡！你还是把你大部分的钱置于风险之中，你分配资金的时候必须要根据其风险收益比的高低，而不仅是每个资产类型，投资相同的金额。

你现在知道了一些 99% 的投资人甚至是大多数专业投资人都不知道，

更没有这样做的内容。但是你不必感觉糟糕。瑞·达利欧说，大多数机构，尽管管理规模高达千亿美元，现在也犯着和你相同的错误！

跳舞求雨的原始人

瑞·达利欧现在进入了状态，越讲越放得开。他开始系统地剖析很多传统的投资误区，这些年来别人一直在向我教授或者说兜售这些东西！

“托尼，平衡投资组合‘理论’还有一个大问题。这套理论的基础建立在一个巨大的、不幸的、错误的假设上。这就是相关性和因果性之间的差别。”

相关性是一个很“高大上”的投资词语，用来描述几种东西一起移动。在原始文化中，原始人会跳舞向老天爷求雨。有的时候它真的显灵了！我们一跳舞，老天爷马上就下雨！或者他们心里是这样想的。其实他们混淆了因果性和相关性。换句话说，他们觉得是他们跳舞这个原因导致老天下雨这个结果，但是其实这只是时间上的巧合而已。如果这种事情一次又一次地发生，次数多了，他们就会形成一些错误的信念，觉得自己有能力预测他们跳舞和下雨之间的相关性。

投资专家也经常陷入同样的迷信误区。他们说有些投资要么是相关的，要么就是不相关的。相关的就会有关联地一起变动，不相关的就是没有可以预测的关联性。是的，有的时候他们也许是相关的，但是就像跳舞求雨的原始人一样，这经常只是巧合而已。

达利欧和他的团队已经证明，历史数据指出的事实是很多投资完全是随机相关的。原来投资界普遍有个假设，股票和债券是负相关的，经常会向反方向发展。2008 年的金融危机一下子摧毁了这种非常明显的假设，那一年几乎所有资产类型都完全一致地向下暴跌。真相是有的时候不同类型的资产，比如股票和债券会反向移动，有的时候它们不是这样的，会向同一方向移动。所以当投资专家试图创造平衡，比如他们希望股票走势与债券走势正好完全相反，并且一定会这样，这完全靠运气。但是这种有错误的逻辑推论，却成了大多数金融投资专家投资操作的基本原则。

瑞·达利欧清楚地揭示出，传统的资产配置模型存在一些明显的漏洞。如果他是一个常春藤商学院的教授，把这些东西写成书出版，他可能因此会获得诺贝尔经济学奖提名！但是战士要在战壕里——要待在丛林里——瑞·达利欧更愿意待在这样的地方。

投资四季

我和戴维·斯文森这位耶鲁大学的首席投资官交流的时候，他告诉我："非传统智慧是唯一一条能让你成功的路。"追随大众，你就根本没有机会成功。人们经常听到同样的建议，想了一遍又一遍，次数多了，就错把这些东西当成了真相，但是正是非传统智慧经常引领我们找到真相，经常引领我们获得一种竞争优势。

这个时候，瑞·达利欧讲出了他的第二个非传统投资智慧："你回头看看历史，有件事我们绝对可以肯定：每一只投资股都会遇到一种理想的环境。遇到这种环境，这种投资就爆发了。换句话说，每样东西都有自己的好季节。"

比如房地产。21 世纪刚开始那几年，美国人简直是见到什么房子就会买什么房子（哪怕是那些根本没有钱的人也会见了房子就买）。他们买房子并不仅是因为利率很低，2009 年利率更低，却没有人买房子，他们手上的房子怎么卖也卖不掉。人们在经济繁荣的时候狂买房子是因为房价在快速上涨。房价每个月都在上涨，他们不想错过这样的发大财的机会。百亿富豪、投资大腕儿乔治·索罗斯指出："美国人 2001—2007 年这 6 年里增加的房地产抵押贷款债务总额，比抵押贷款市场创立以来历史累积形成的债务总额还要多。"这是真的，这 6 年所发放的买房贷款，比此前买房贷款问世以来 100 多年里发放的所有房贷加在一起还要多。

在迈阿密还有南佛罗里达州的很多地区，你只要付一笔买房的定金，后来因为房价暴涨，还没等到房子建造好，你就可以把没有建好的房子卖掉，获得相当大的利润。人们原来抵押贷款买的房子的市场价格涨了，贷款越还越少，房子的市场价值扣掉贷款价值形成的房产净值越来越大，人们会拿这种房产净值怎么办？他们会二次抵押，贷款去消费、买车、给孩子交学费，其实就把房子当作自动取款机，不断从中变现，然后把钱花掉。由此出现一波巨大的消费增长，由此刺激提升公司的盈利能力，从而进一步推动整个美国经济的增长。索罗斯引用了一些令人吃惊的数字："美国国会经济顾问委员会的前任主席马丁·菲尔德斯坦估计，1997—2006 年消费者把自己的房子做二次抵押贷款，从他们的房屋净值里面变现资金总额超过 9 万亿美元。"为了让你看明白这一点，我们来用数字说话：只用了 6 年时间（2001—2007 年）美国人房屋抵押贷款增加约 5.5 万亿美元，超过此前抵押贷款市场 100 多年整个历史上发生的抵押贷款总额，简单来说，美国房产抵押贷款实现了飞跃，6 年超过此前的 100 年。当然，这种全国性的举动并不是可持续的发展方式。后来房价像块石头一样坠落，消费和经济也随之快速坠落。

总之，哪个季节或者哪种环境会强有力地推动房屋价格上涨？答案是通货膨胀。但是在 2009 年我们遇到了通货紧缩，结果房价大跌。很多人不再还抵押贷款，把房子扔给银行，因为房价落到水面以下了——现在房子的价格还不够还他们欠银行的贷款。正是通货紧缩让这类房产投资的价格大跌。

股票怎么样？股票在通货膨胀期间也表现良好。通货膨胀来了就会推动物价上涨，更高的物价意味着生产商品和服务的上市公司有机会赚到更多的利润。而公司更高的利润意味着股价上涨。长期以来，事实都证明确实是这样一环套一环的，通货膨胀推动股市一波接一波地上涨。

债券则完全不同，它更喜欢通货紧缩，例如美国国债。如果我们碰到通货紧缩的季节，经常伴随利率下降，债券价格就会上涨。

达利欧揭示了所有这些资产类型最简单也是最重要的区别。只有四种情况能够推动资产的价格变化。

1. 通货膨胀
2. 通货紧缩

3. 提高经济增长率

4. 降低经济增长率

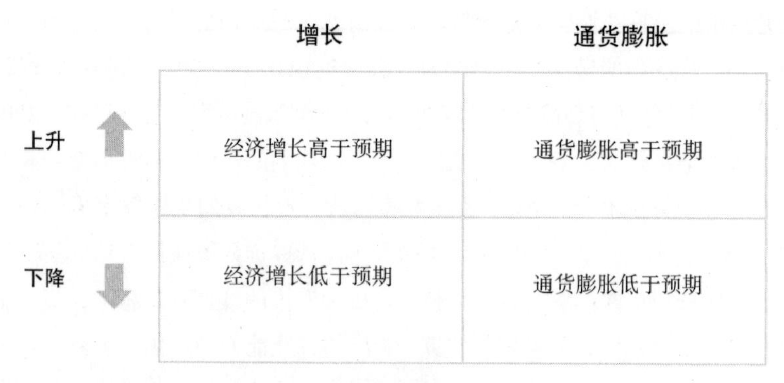

图 26–2

瑞·达利欧的观点归结为 4 种经济季节，代表可能出现的 4 种不同的经济环境，它们最终会影响投资（资产价格）上涨或者下跌。“不过有一点不像大自然的四季，这里并没有一个预先设定好的顺序，让你一看就知道接下来哪个季节会到来。”

1. 通货膨胀高于预期（价格上涨）

2. 通货膨胀（或者通货紧缩）低于预期

3. 经济增长率高于预期

4. 经济增长率低于预期

你看一看股票或者债券的价格，现在的价格已经包含我们（即市场）对未来的“预期”。达利欧对我说：“托尼，这里有一个关于未来的大致看法，你可以从现在的价格中看到。”换句话说，今天，苹果公司股票的价格已经包含了投资者的预期，他们相信公司会继续按照某个速度增长，因此，你会看到，如果一家公司未来（盈利）增长低于公司原来的预期，就会导致股价大跌，跌幅会大大超过公司预期盈利的跌幅。

"'意外'最终决定了哪个资产类型会表现良好。如果我们有一个相当好的高增长，这种意外对于股票来说就是惊喜。这对于股票来说简直太好了，但是这对债券就不是那么好了。对于债券来说，如果我们有一个通货膨胀率下降的意外，那就是好事，就是惊喜。"

达利欧说，如果只有这样 4 种潜在的经济季节或者说是 4 种经济环境，那么你应该把你的风险分成 4 个等份，分别配置到 4 个季节各自最有利的不同类型的资产上。他解释道："我知道，对于所有资产类型来说，有利的经济环境，也有不利的经济环境，有好的季节，也有坏的季节。我知道，在一个人的一生里，会出现一种破坏性的经济环境，也就是非常糟糕的季节，对这些资产类型的其中一类会非常不利。历史确实如此。"

这也正是为什么他要称这种策略为全天候投资策略，因为金融世界里和自然界一样，也有 4 个季节，但没有人确实知道接下来会是什么季节。运用这种投资方法，每一个季节你的资产都能得到保护，所以你是全天候受到保护的。瑞·达利欧详细地解释道："我想出来 4 种投资组合，每一个都有相同数量的风险。这意味着，我并不会在任何一种经济环境下有过高的风险暴露。"这听起来是不是很酷？我们并没有试图预测未来，因为没有人知道未来会是什么样子。我们确实只能知道一点，我们未来可能要面对的只有 4 种季节。使用这种全天候投资策略，我们能够知道我们遇到每个季节都会受到保护——不仅仅是希望——我们的投资的确受到保护，不管遇到的是什么季节，都会表现得很好。

桥水基金公司的联合首席投资官鲍勃·普林斯这样描述全天候投资策略的独一无二之处："现在我们能构建一个投资组合，再过十年，在 2022 年，它也会表现良好，尽管我们根本不可能知道 2022 年这个世界会是什么样子。"

老实说，我坐在那里，一听这话，吃惊得嘴巴都张大了，都合不拢了，因为从来没有人给我描述过如此简单又如此优雅的解决方案。这听起来非常正确，把你的投资按照风险均分成 4 块儿，这样能在所有四种投资季节里都表现得很好，但是你如何实施这个计划，真正做到这一点，这才是关键。

“现在我们知道只可能有4种季节，但是在每一种不同的经济季节即经济环境之下，哪种投资会表现良好？”瑞·达利欧回答这个问题的方式是，把相应表现的资产类型分别归类到每一个季节。看看下面这张图，你很容易把这4个季节及其对应的资产类型区别开来。

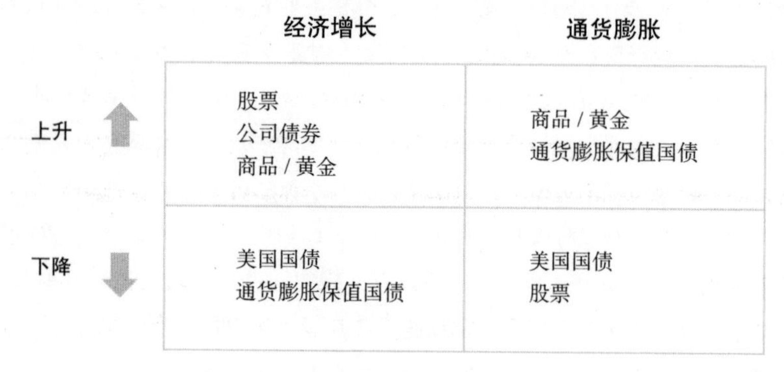

图 26–3

两个跌，一个涨

从表面来看，资产配置有时让你感觉很复杂，即使是你明白瑞·达利欧列出来的基本原则。但是有一点我确定无疑：复杂是执行的敌人。如果我确实想要你和我一起走过这个投资之旅，最终得到回报，我就必须找到一个办法，把瑞·达利欧这个投资建议变得更加简单易行。

于是我跟瑞·达利欧说：“你刚才跟我们分享的这些投资建议，都非常宝贵，让我们对资产配置有了完全不同的认识。现在我们都知道了，对于所有成功的投资来说，资产配置是最重要的单一决定因素。但是普通投资者，甚至是有经验的资深投资者，面临的最大困难是，如何从理论到实践，如何把您说的这些变成一个实实在在的投资组合，每个资产类型都有具体明确的配置比例，这样配置是最有效的。对于我们99%的人来说，要想出这样完美的组合，实在是太复杂了，根本做不到。所以如果你能够告诉我们大家，每个类型的资产应该配置的比例具体应该是多大，就能够让他们的风险在 4 种季节之间平均分配，你这样就等于给了我们一个具体明确的资产配置方案，就等于送给我们大家一个天大的礼物。"

瑞·达利欧两眼看着我，我能看到他的眼珠转来转去。很明显，我说的这件事让他相当为难。"托尼，这事并不是你想的那么简单。"瑞·达利欧解释说，他管理的全天候投资策略对冲基金，用的是需要高超技巧才能掌握的复杂投资工具，他们还经常运用杠杆借钱融资来让收益最大化。

我知道瑞·达利欧是个什么样的人，他跟我一样也是从底层奋斗上来的，于是我请他设计一个更加简单的版本："你能不能给我设计一个简化版，每个资产类型有具体明确的资产配置比例，这样每个普通人都能照着去配置，不用融资，不用任何杠杆，以最低的风险得到最高的回报？我知道，这并不是你那种绝对完美的资产配置方案，因为我把你逼到这个份上，让你就在这里，现在马上给我们大家构建一个资产配置。但是，达利欧即使你大致估计一下，肯定也比大多数人精心计划的要好得多。你能给我们一个简化版的全天候投资策略，让读者一看就懂，自己就能动手操作，或者只要找一个受托人财务顾问帮助一下就行，怎么样？"

最近十年，瑞·达利欧极少接受新的投资者加入他的对冲基金，而且上次他这样做的时候，要求客户必须是机构客户，持有 50 亿美元的可用资金，初始投资额至少要有 1 亿美元，这样才有机会得到瑞·达利欧的建议。知道这些情况，你才会明白，我这个问题问得有多大。但是我知道他多么在乎一般的小投资人。他肯定没有忘记他也是出身卑微，从纽约皇后区一路自我奋斗，才打拼出来的。

"达利欧，我知道，你有很大的善心，想要帮助力量微薄的小投资人，所以请你告诉我们大家一个具体的资产配置方案，这就是我们将来投资成功的秘诀。我知道你一分钱也不会收，尽管你这个投资建议现在价值 50 亿美元。没有 50 亿美元，就做不成你的基金投资人，就得不到你的投资建议。我们两个人都是穷人出身，就当帮助一下你的兄弟姐妹吧，帮助他们从投资失败中解脱出来。”我说了一通好话，还给他一个大大的微笑。

接下来，奇迹般的事情发生了。

我看着瑞·达利欧的双眼，一个微笑出现在他的脸上。“好吧，托尼。这样，我来给你一个投资组合样板，尽管不是那么精妙，也不那么完美，但是一般人都能照着去做。”然后瑞·达利欧开始慢慢地揭开这个资产配置方案的神秘面纱。他的经验表明，这个资产配置方案会给你和我带来更大的机会，只要我们活着，在任何市场环境下，都能获得最高水平的收益率，而且只冒最低水平的风险。

请大家鼓掌欢迎

你即将看到一套具体明确的资产配置方案，而设计这个资产配置方案的人，很多人称他是地球上最优秀的资产配置大师。这个男人，出身卑微，一无所有，全靠自己努力奋斗，现在个人财富超过140亿美元，每年管理的资产规模超过1 600亿美元，给投资人创造的年化收益率超过21%（扣费前）。他在这里要告诉我们大家的，不仅是要投资什么类型的资产，而且还有每个资产类型具体配置的比例，好让你赢得这场投资长跑竞赛。事实上，如果你在网上查一下，很多人都想根据瑞·达利欧以前的访谈，设计出这样一个复制版本。事实上，有一个全新类型的投资产品，现在被称为“风险等分”，就是根据达利欧的创意设计出来的。很多基金经理和策略分析师说他们受到了瑞·达利欧投资策略的启发，但是从来没有人收到过瑞·达利欧本人如此详细的资产配置方案，而瑞·达利欧在这里免费提供给你。很多号称复制达利欧投资策略的基金，在2008年最高也下跌了30%，它们也许不应该叫全天候投资策略，而应该叫“有些天候投资策略”，如果你问我的看法，我是这样想的：一个仿造的劳力士绝对比不上一个真劳力士。（简单说明一下：下面所说的策略和瑞·达利欧管理的全天候投资策略对冲基金，在策略上并不完全一模一样。正如他所说的，他管理的对冲基金用的是更加复杂的投资工具，还用杠杆来融资扩大投资规模以扩大投资收益，但是核心原则是完全一样的，具体资产配置比例完全由达利欧本人设计，绝对不是其他人，所以让我们称这个投资组合为全季节投资组合。）

快告诉我资产配置比例的数字

“太好了，达利欧，请告诉我，你会把总资产的多大比例配置在股票上，多大比例配置在债券上？还有黄金的资产配置比例是多大？”瑞·达利欧大大方方地给出了下面的资产配置方案：

第一，我们需要把 30% 的资产配置在股票上。（在这个篮子里，要进一步分散投资，你可以买股票指数基金，比如标准普尔 500 指数基金，或者其他指数基金。）一开始听到这样的股票配置比例，我觉得太低了。但是请你记住，股票的风险（即波动性）程度要比债券高 3 倍。

第二，你需要配置一些长期国债。15% 配置到中期国债（期限是 7~10 年），40% 配置到长期国债（期限是 20~25 年）。

“为什么要在国债上配置这么大的比例？”我问他。

“这是用更多的债券才能抵消股票的波动性。”我很快想起来，瑞·达利欧讲过，要配置平衡的风险（即波动性），而不是平衡投资金额。在债券里，长期、中期、短期三种国债，配置更多的是长期国债（用专业术语说就是久期更长），这样的资产配置就有潜力获得更高的收益率。

第三，最后再配置 7.5% 的黄金和 7.5% 的大宗商品，这样瑞·达利欧就完成了整个投资组合的配置。“你必须在这个组合里配置一块资产，能在加速通货膨胀的时候表现得很好，所以你要配置一部分资产到黄金和大宗商品上。黄金和大宗商品的价格波动性很大。因为会出现这样的经济情况，快速通货膨胀形成股债双杀，股票和债券同时受到严重打击。”

最后，组合必须再平衡。意思是说，当某一块资产表现很好时，你必须卖掉一些，把它占总资产的比例调回到最初的配置比例。再平衡，至少要每年做一次。如果正确操作的话，实际上可以提高税收效率，因为你卖掉一些必定会亏损的股票，可以用这部分亏损来抵税。正是部分出于这个原因，我推荐你去聘请一位受托人投资理财顾问，来帮你操作和打理再平衡这个至关重要的投资环节，而且这还是一个每年都至少要做上一次的持续过程。

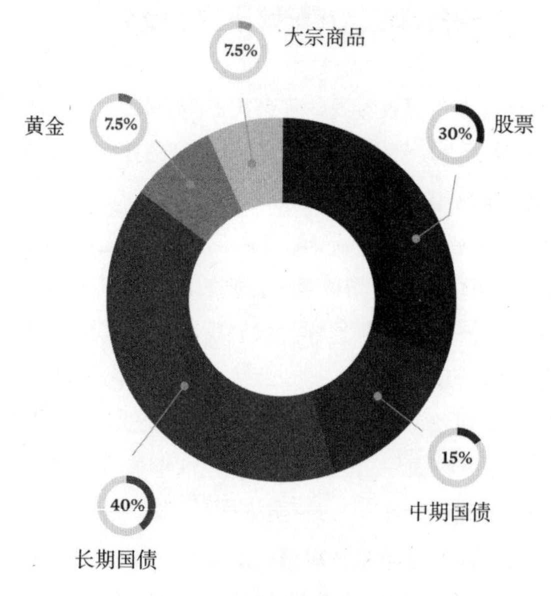

图 26–4

非常感谢

多少人梦寐以求瑞·达利欧的全天候投资策略对应的明细资产配置方案，现在可是白纸黑字，写得清清楚楚，第一次公开，而且是免费送给各位。瑞·达利欧的投资能力绝对是大师中的大师，而他对待资金少、能力少、经验也少的小投资者却是大度、更大度的，他如此慷慨地提供了一个资产配置方案明细，相当于公布了一个投资秘方，这会改变整个投资界的游戏规则，必将造福数以百万计的中小投资人的人生。你意识到了吧，在那个奇妙的日子里，这个男人提供给我们这样一个资产配置方案，这个行为是多么的慷慨！发自内心地给予，正是瑞·达利欧的价值核心所在。正是出于这个原因，后来我知道瑞·达利欧和他的太太芭芭拉签署了给予誓言，就是比尔·盖茨和巴菲特发起的捐赠承诺——全世界最富有的个人承诺，向慈善事业捐出大部分的个人财富。

请注意

我自己的投资团队对这个全天候投资组合做了历史回测，就是用过去多年的历史数据，相当于重新回到过去，用这个全季节投资组合来做投资，测试其历史业绩表现。我的投资团队把测试结果的数据发给我，我非常震惊。我永远不会忘记那一天。当时我和我太太正在外面共进晚餐，突然收到了我的个人投资理财顾问阿杰伊·古普塔发来的短信："你能看看邮箱吗？瑞·达利欧分享给你的投资组合，我们做了历史回测，业绩表现数据就在这个邮件里。难以置信！"阿杰伊·古普塔是我多年的投资顾问，办事非常老到，通常晚上不会给我发短信，所以我知道，这肯定不是一般的事情，他才会迫不及待地想马上让我知道。晚餐一结束，我马上抓起我的手机，打开了那封最新邮件……

第 27 章　发大财的时候到了：抗台风的收益和无可匹敌的业绩

如果你什么错误也没犯，却还是输了……你应该要换一种比赛。

——尤达大师，《星球大战》

吃了才知道

我可以很有把握地说，在过去 80 多年里，我们经历了每种可能的经济季节，还有一些意外，从经济大萧条到大衰退，还有二者之间的那些经济不景气。如果当初就有全天候投资策略，那么在 80 多年里它表现得如何？我前面说过，我把瑞·达利欧本人亲自给出的全天候投资组合，交给了一个分析师团队，对其进行了广泛的测试，一直回测到 1925 年！结果震惊了每个人。

我在前面的章节里讲过，过去 40 多年里全天候投资策略的业绩表现是多么出色。不过，现在我们进一步深入挖掘，我们来看看，在我称之为“现代时期”，即 1984—2013 年，全天候投资组合的表现如何。结果表明，它跟岩石一样稳健：[①]

---

① 这里假定组合每年再平衡。过去的业绩并不能保证未来的业绩。相反，正如我前面说过的，我提供给你的是历史数据，目的是用来讨论和描述基本的投资原则。

• 平均年化收益率只是略低于 10%，精确的说是 9.72%（扣费后）。（有一点很重要，这是实际年化业绩，并不是夸大的平均业绩。）

• 让你这 30 年里赚钱的年份超过 86%，只有 4 年是下跌即亏钱的，而且平均亏损只有 1.9%，其中有一年损失只有 0.03%（实质上应该说是盈亏平衡），所以实际上，这 30 年你只有三年是亏钱的。

• 你表现最差的那一年是 2008 年，下跌 3.93%（那一年的标准普尔 500 指数下跌了 37%）。

• 书呆子投资者，请注意！标准差只有 7.63%。（这意味着低风险和低波动性。）

为什么我们选择从 1984 年开始的 30 年？这个时间段标志着 401（k）计划的开始，从此每个美国人都成了投资者，股票市场不再只是那些有经验的股市老鸟。年轻人你知道吗，30 年前还没有互联网呢！第一部“便携式的”手持电话，即第一部手机，也出现在 1984 年，摩托罗拉的大哥大手机像块砖头一样大，不仅重，而且贵，接近 4 000 美元。你跟电话公司签约每个月就要交付 50 美元，打 1 分钟要花 0.5 美元。但是你最多只能通话 30 分钟，因为电池要耗尽了。我这么说就暴露了我这个大叔的年纪了，但我还是非常骄傲，我可是美国第一批用上大哥大的人。

我们不要只说好的方面。我们来看看这个组合的抗压性如何，一定要选在最糟糕的时候——经济冬天。现在金融行业称这种分析为压力测试。

1939—2013 年，我称之为历史时期，你看看这些统计数据，会感到太震惊了。（请注意，为了能回测的时间更久，我们会用不同的指数来代表资产配置，我们也不想更换指数，但没办法，因为有些指数在 1983 年之前并不存在。请看本章末尾所附的测试方法的完整解释。）

表 27–1 标准普尔指数对比全天候投资组合（1939—2013 年）

标准普尔指数	全天候投资组合
75 年里标准普尔指数亏损年度 18 个[①]	同期全天候投资组合亏损年度 10 个[②]（平均略多于 10 年一次）
最大年度亏损 43.3%	最大年度亏损 3.93%
平均年度亏损 11.40%	平均年度亏损 1.63%

注：① 包括红利再投资

② 这 10 个亏损年度中有两年亏损的概率仅为 0.03%（基本上是收支平衡年，因此从实际操作的角度来看，75 年里实际上只有 8 年是亏损的）

我们干脆回顾得更久远一些，一直回顾到 1927 年，这样可以把美国经济历史上发生最大经济萧条的那最糟糕的十年也包括进来。

表 27–2 标准普尔指数对比全天候投资组合（1928—2013 年）

标准普尔指数	全天候投资组合
87 年里标准普尔指数亏损年度 24 个（占比约 27%）[①]	同期全天候投资组合亏损年度只有 14 个（这意味着其余 73 年都是赚钱的）
20 世纪 30 年代“大萧条”最严重的时候，1929—1932 年标准普尔指数连续 4 年下跌，累计跌幅 64.4%	同期全天候投资组合累计亏损 20.55%（优于标准普尔指数 59%）
平均年度亏损 13.66%	平均年度亏损 3.65%

注：① 包括红利再投资

如果大家说一幢房子是能够抗台风的，要确认这一点的唯一方式就是要经受时间的考验和最强烈台风的考验。下面这张表显示了从 1935 年以来美国股市的 7 次暴跌。

表 27–3　自 1935 年以来最严重的 7 次暴跌

年份	标注普尔指数[1]（%）	全天候投资组合（%）
1937	–35.03	–9.00
1941	–11.59	–1.69
1973	–14.69	3.67
1974	–26.47	–1.16
2001	–11.89	–1.91
2002	–22.10	7.87
2008	–37	–3.93

资料来源：基金投资组合管理工具 Jemstep

注：① 包括红利再投资

你一看就会发现，全天候投资策略在这 7 个冬天里，有两个冬天是上涨的，而且全天候投资策略在另外 5 个冬天里尽管下跌，但下跌幅度相对要小于美国股市的整体跌幅。我得谈谈这个组合如何对抗股市大势。冬天里，在每个人都冻得发抖、损失严重、内心非常痛苦的时候，这个全天候投资组合让你的损失相对小多了，让你冬天能去滑雪或者玩滑雪板，玩累了还可以享受一杯热巧克力！

再看看最近几年全天候投资组合和市场的业绩表现对比，你会发现领先优势更大了。从 2000 年 1 月 1 日到 2014 年 3 月 31 日，全天候投资组合的涨幅完全超越市场（标准普尔 500 指数）。在这个时间段里，我们经受了各种各样的瑞·达利欧所说的“重大意外事件”：科技股大崩盘、信贷危机、欧洲债务危机、过去十年多来黄金最大年度跌幅（2013 年暴跌 28%）。这个时间段，包括专家所说的股市“失落的十年”，即 2000—2009 年这十年，标准普尔 500 指数是平的。你好好看看下面这张图，瑞·达利欧设计的全天候投资组合业绩领先市场的优势有多么巨大：

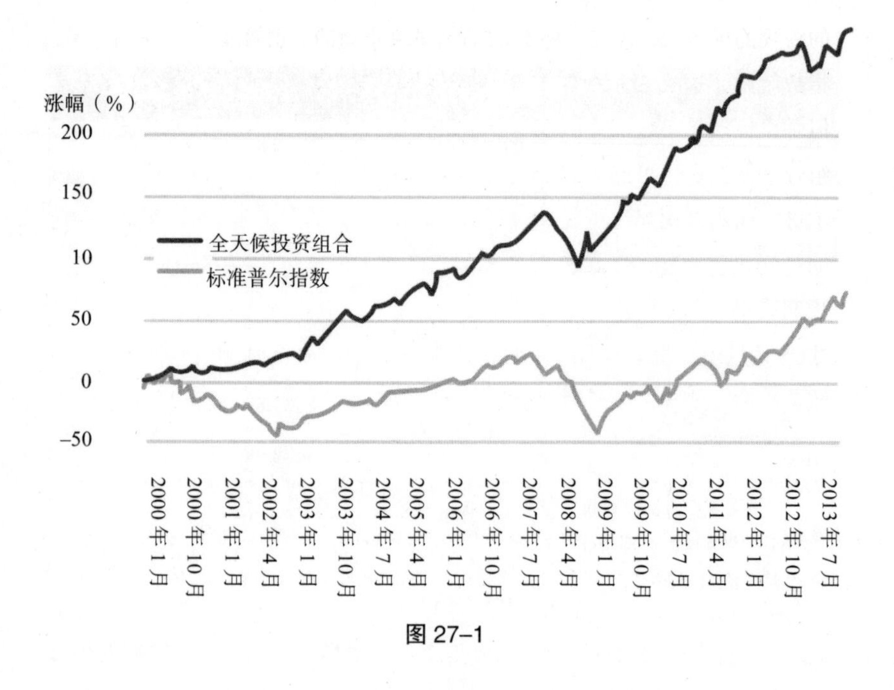

图 27–1

烧个精光

我们生活在这样一个时代，那些媒体流着口水想要爆料，最想做的轰动新闻就是“让英雄变成狗熊”，把大家都认为是某个阶层里最优秀的代表人物丑化。这既让人看了觉得非常过瘾，又让人心里感到非常悲伤。这些文化人啊，当初就是他们把这些英雄人物捧到高高的完美的偶像塔顶上，可抬得更高只是为了后来摔得更狠。不管是运动员、公司高管，还是基金经理，只要他们盔甲上有一个小小的裂缝，媒体就会大做文章。古罗马人是把有罪的人拉到广场上，朝他们身上掷石头，只不过现在广场换成了媒体和网络，围观的人纷纷吐口水、扔砖头。

我发现一件事让我很吃惊：尽管30年的长期业绩很辉煌，达利欧的全天候投资策略却受到了密集的批评，只是因为2013下跌4%左右。4%

的跌幅的确很大，但是并不像 37% 那么大，就在几年之前，标准普尔 500 指数就跌了这么多。别忘了，根据历史数据，全天候投资策略也会下跌，但是目标是最小化那些巨幅下跌。我们实话实说，你按照这种全天候投资组合来做投资，可能第一年就会亏损。全天候投资组合的根本目的是稳中求进，而不是用来追求星光璀璨的超高业绩。这是个长期投资策略，追求的是好几十年都尽可能平平稳稳地前进。只看一年的业绩表现来评价这个长期策略，那就大错特错了，你要用好多年的长期业绩整体表现来评价它才公平合理。我写本书的时候是 2014 年中期，媒体又开始吹捧瑞·达利欧了，因为他全天候投资策略对冲基金在 2014 年到 6 月就上涨了 11%。

想想，这些媒体把所有的注意力都只放在一年 4% 的亏损上，却提也不提最近 5 年的业绩表现，2009—2013 年全天候投资策略平均每年收益率超过 11%，甚至包括唯一下跌的这个年度，5 年业绩还是这么好！但是只是股市上涨的时候，瑞·达利欧的基金反而小幅下跌，结果让他受到了媒体很大的关注，这表明他过去的业绩表现总是高得不可思议、出人意料，现在却跑输市场，这变成了预料之外的事。对于财经媒体来说，评价投资策略只看最近的业绩表现，这就像是评价一个棒球球员有多好，只看他最近一次上场击球表现得有多好。这简直太可笑了。他们竟然根本不顾明摆在那里的事实，瑞·达利欧的对冲基金客户享受到了不可思议的高回报率，一年又一年，一个十年又一个十年，正如《纽约客》杂志 2011 年一篇报道桥水基金的文章《掌握赚钱机器》所说的那样：

> 2007 年，瑞·达利欧预测到了房地产市场和借贷市场的大繁荣会结束，结局很惨。2007 年后期，他警告布什政府，全世界最大的银行很多都处在破产的边沿。2008 年，对于很多桥水基金的竞争对手来说，是大灾之年，桥水基金公司的旗舰纯阿尔法基金净值上涨 9.5%，而且是扣费后的业绩。2010 年，纯阿尔法基金上涨 45%，创下了大型对冲基金的最高业绩。

关键是有一大堆所谓的专家权威，天天坐在那里，什么也不干，只会说不会做，不管你用什么策略，他们都会把你批评得一无是处。对于这种人，我最喜欢用戴维·巴贝尔博士说的那句话："让他们批评去吧，我们去睡觉。"

好问题

谈到全天候投资策略，博客上提得次数最多的问题是：利率上升会发生什么样的情况？政府债券会不会下跌，导致整个组合发生亏损。因为这个组合配置在债券上的资产比例很大呢？

这个问题提得很好，值得讨论，但是也不过是一个人坐在场外指手画脚罢了。第一，你要记住，把一部分资产配置在债券上，并不是只赌债券。这个投资组合把你的风险分散在四种可能遇到的不同经济季节上。

瑞·达利欧向我们展示了，关键不是做好计划应对某一个具体的季节，或者假装知道下一个到来的会是什么季节。记住，意外肯定会发生，会让大多数人猝不及防。

事实上，很多人一直努力地在劝诱大家信奉他，预测下一个季节会是什么，他们呼吁利率要快速上涨。毕竟金融危机之后，我们现在的利率水平是有史以来最低的，但是麦克·欧希金斯在她的著作《战胜道琼斯指数》里写道，人们也许要等待相当长的时间，才能盼到利率大幅上涨，因为美联储历史上曾经就这么做过，长期压制利率在很低的水平，以保持借贷成本处于低位："对于绝大多数投资者来说，他们相信，接下来的一年（2014），利率不可避免地会走高，记住，美联储曾经长期把利率水平压制在 3% 以下，连续 22 年，从 1934 年一直压制到 1956 年。"

2008 年以来，美联储一直保持低利率，所以谁也不知道低利率还会保持多久。没有人能告诉你一个确定的答案。2014 年早期，每个人都预期利率会上升，结果利率再次下降，引发美国债券价格大涨。（记住，利率下降，债券价格会上升。）

全天候投资策略在利率上升的市场会表现如何呢？

有一个回顾性的练习：回看历史，在一个利率像热气球一样快速上升的经济季节里，全天候投资组合会发生什么样的情况？上一次利率下跌好几十年之后，1970—1979 年出现了快速通货膨胀。尽管利率像火箭一样飙升，全天候投资组合在 1970—1979 这十年间只有 1 年是亏损的，这十年取得的年化收益率是 9.68%。其中包括 1973 年和 1974 年两个年度背靠背下跌，标准普尔指数先是下跌 14.31%，然后又下跌 25.90%，累计下跌 40.21%。

所以就让电视上看起来脑袋很大好像智慧也很大的那些专家权威去高谈阔论吧。他们想说服我们相信他们知道下一个到来的会是什么季节。但是我们一定要扎实地准备好应对所有四种季节，还有前面肯定会碰到的各种各样的重大意外事件。

让我们面对现实吧

全天候投资组合最后一个也是至关重要的优势是，它有很多人性化的成分。很多批评家会指出，如果你有勇气承担更多的风险，你就能够战胜这种全天候投资策略。他们说的也许是对的，但是全天候投资组合的关键是减少波动性，即风险性，同时继续把收益最大化。

如果你还年轻，投资期限还很长，或者尽管你年纪不小了，但是你愿意承担更多的风险，在这两种情况下，你当然可以充分利用全天候投资策略的整体资产配置方案，但是你可以做一个小小的调整，股票增加一些，债券减少一些，以产生更高的收益率。但是，牢记在心，这样改变配置会增加风险，即波动性，其实你这样做是更多地下注在一种季节上（在这个季节里你希望股票会上涨）。过去，你要是这样多配股票、少配债券，效果会非常好。你访问一下堡垒投资理财公司的网站，就会看到，长期来看，配置更多的股票，会让投资组合产生的收益率更高，但是同时在某些年份也发生更大的下跌。但是，正是这个地方很有意思，简直不可思议。和标准的 60 ：40 平衡投资组合（60% 的资产购买标准普尔 500 指数和 40% 的资产购买伯克利债券指数）相比，全天候投资策略提高股票配置比例之后，仍能轻松跑赢。你使用传统的 60：40 投资组合，就不得不接受高出 80% 的风险（标准差），不过业绩仍然稍逊于提高股票资产配置比例之后的全天候投资组合。

但是我们对自己一定要诚实，我们的承受力要比我们装给别人看的要弱得多。研究机构刀疤（Dalbar）揭示出我们对风险的真实消化能力究竟有多大。从 1993 年 12 月 21 日到 2013 年 12 月 31 日这 20 年，标准普尔 500 指数年化收益率为 9.2%，但是公募基金投资者的平均年化收益率只是 2.5% 多一点儿而已，勉强能战胜通货膨胀。[①] 要是事先知道是这样，你还不如去投资 3 个月期限的美国短期国债，接近于现金等价物，收益率反而更高，还能避免股市下跌让你晚上翻来覆去地睡不着觉。

为什么普通投资者真正赚到手的钱这么少？

Dalbar 总裁路易斯·哈维说："投资者把他们的钱在市场上进进出出，时机却不对。他们要么过度兴奋，要么过度害怕，他们是自己害了自己。"

还有一个更令人感到震惊的案例，那是全球最大公募基金公司之一富达基金做的一项研究。富达投资集团研究了自己的旗舰产品麦哲伦基金的业绩表现。起初管理麦哲伦基金的基金经理是彼得·林奇[②]，他可是投资界的传奇巨星，1977—1990 年的年化收益率为 29%，高得太惊人了。但是富达基金公司发现，那些买过麦哲伦基金的投资人，平均而言，实际上都是亏钱的！这怎么可能呢？富达投资集团的研究表明，当基金净值下跌的时候，投资者就会赎回基金兑现走人，因为他们害怕继续下跌会亏得更

---

① 数据来源：Richard Bernstein Advisors LLC, Bloomberg, MSCI, Standard & Poor's, Russell, HFRI, BofA Merrill Lynch, Dalbar, FHFA, FRB, FTSE. 所有收益均以美元计算。

② 我很荣幸访问过彼得·林奇，请他讲述他的核心投资原则，正好是在他创造最伟大的投资连续战胜股市13年的投资奇迹期间，他在我的财富大师训练营上发表过演讲，那是在1990年早期。

多。当基金净值上涨的时候，他们就会纷纷跑回来了，高位买入，而且越涨越买，像个非常大方的投资者。

事实真相是这样的：很多投资者根本承受不了再来一个 2008 年那样的股市暴跌，没有人做到不卖出手上的股票或基金。这就是人性。所以，当人们谈论更好的业绩时，对于大多数人来说，他们谈的是一个虚构的投资者——这个人有钢铁般的神经，还有一大抽屉抗胃酸药。有个很合适的例子，我最近在市场观察网站上浏览时偶然看到一篇赫伯特写的文章。马克追踪了投资者订阅那些时事通讯的业绩表现，这些通讯告诉投资者精确的买入和卖出的时间点，以精准把握市场时机。表现最好的时事通讯，过去 20 年的年化收益率高达 16.3%。这是相当杰出的业绩表现，至少可以这么说。但是有业绩表现特别好的年份，也就有业绩表现特别差的年份。正如马克 · 赫伯特所解释的那样："那种很高的业绩表现会让你反胃，2000—2003 年这三个市场循环里，它的业绩表现属于同类表现中最差的。例如，2007—2009 年这波大熊市里，它提供的模板投资组合下跌接近 2/3。" 2/3 ？那就是 66% ！你能想象吗，你投资 10 万美元，现在只剩下 3.3 万美元？要是你投资了 100 万美元，现在就只剩下 33 万美元，你心里能够承受得住这么大的亏损，继续坚定持有下去吗？

马克 · 赫伯特问这份时事通讯的出版人，投资者是不是真的会继续坚定地持有你推荐的投资组合，即使是在这样业绩过山车般大起大落的时候，他只是轻描淡写地在邮件里回答说，第一次从广泛分散投资组合中跳出来的投资，并不适合用他的这种投资策略，如果用他的这种策略，会有一些担心。"

我会觉得 66% 的下跌可不只是让人有"一些担心"而已，他的说法听起来好像是，我们这些肉身凡人容易过度反应，就好像我一看到汽车仪表盘上检查引擎的警示灯亮起，就会从一辆正在奔驰的汽车上跳出来一样。记住，66% 的亏损之后，要求你必须再获得接近 200% 的收益率，才能赎回你的本金，实现盈亏平衡——只是为了弥补你亏掉的那些养老金，可能就需要花费你一辈子攒的钱！

表 27–4　如果亏损，你以后回本需要赚的钱

如果你亏损	回本需要赚的钱
5%	5%
10%	11%
15%	18%
20%	25%
25%	33%
30%	43%
35%	54%
40%	67%
45%	82%
50%	100%
75%	300%
90%	900%

无一例外，我为写作本书采访的理财大师都执迷于不要亏本。他们明白，只要亏本了，以后你必定要赚得更多才能回本——重新回到盈亏平衡，折腾来折腾去，一分钱也没有赚到。

真相是，如果我们对自己诚实的话，我们都会对自己的投资做出情绪化的决策。我们都是有情绪的动物，没有情绪那就不是人类了，甚至是这个世界上最优秀的交易者也在跟内心的恐惧做斗争。这种全天候投资组合能够保护你避免任何潜在经济环境的伤害，也会避免给自己造成伤害！全天候投资组合提供了“情绪上的支架”，让你避免做出糟糕的决策。如果在过去 75 年里，即使在股市跌得最糟糕的年份里，你也只不过是亏了 3.93%，你怎么会吓得人都崩溃了，一下子全部抛出呢？ 2008 年，整个世界就像发生了火灾，一切都烧了个精光，但是你的全天候投资组合只下跌了 3.93%，而其他人的投资组合很多跌了一半，甚至更多，人好像要崩溃了。相比之下，你会觉得你的内心是多么的平和宁静啊。

你已经有这样让你安度惊涛骇浪却如履平地的投资组合了！全天候投资组合，带有详细配料的比例，它来自投资界的大神级“大厨”瑞·达利欧。要做他的基金客户，得到他的投资建议，你至少要有 50 亿美元资产。现在你不用等到自己有 50 亿美元的财富，就可以得到他的投资组合建议，你付出的代价只是购买本书的钱。他自己管理对冲基金，实际使用的就是全天候投资组合，为了便于个人投资者使用，他做了一些简化，去掉了融资杠杆，也采取了更加被动的投资方式，即利用指数基金去做投资。（被动投资就是努力跟随市场，而不是努力战胜市场，成为最好的选股者或者最好的预测者，努力准确地预测接下来会是什么样的投资季节。）你完全可以自己动手，按照瑞·达利欧推荐的这个全天候投资组合去做配置，但是如果你想这样做的话，我要提醒你注意以下几点：

- 你选择的低成本指数基金，或者交易所交易基金会改变业绩。至关重要的是，要给每个资产类型，找到最有效和成本效率最高的代表性指数基金产品，来配置每个百分比的资产。
- 组合需要持续监控，每年进行再平衡。
- 组合有时税收率不高，就是说同样的收益，交的税太多。重要的是运用你的退休金账户或者其他有税收效率的投资结构，来适当地最大化税收效率。你可以用低成本可变年金，就像美国教师退休基金会或者先锋公司提供的可变年金产品。（不管怎么样，只有这两个产品似乎是让那些投资专家一致赞同物有所值的产品。）

全天候 + 终身收入

堡垒理财网的团队，最近将全天候投资组合作为他们众多客户的投资选择之一。有些读者想自己动手实施这个投资组合，而另外一些投资者可能更愿意找专业人士帮忙，找个受托人投资顾问，就像堡垒理财网。选择哪种方式都行，只要对你最有利。关键是抓紧采取行动。

采取大行动

该你做出行动了。如果你有更好的策略，事实证明有效，可以让下行风险损失最小化而让上行收益最大化，也许你应该出来创办自己管理的对冲基金。现在，该有的信息都有了，相当于全副武装，你完全可以自己动手，像瑞·达利欧建议的那样搞一个全天候投资组合了，或者如果你愿意的话，也可以找一个受托人，帮助你构建和监控一个全天候投资组合，作为一个综合性投资理财计划的其中一部分。

如果你想创建自己的个人计划，最多只用5分钟，请登录堡垒网看看你现在的投资组合策略的业绩表现，能不能比得上其他渠道提供的一系列投资策略，包括我们这里讲的全天候投资策略。

让你的经理人试驾

堡垒理财网赠送的分析能让你“看到引擎盖下”，看到你在别的地方根本看不到的真相：你真正支付的费用是多少，你现在的投资真正的业绩表现怎么样。堡垒理财网的分析还会特别强调指出，你现在承受的风险有多大，过去15年你真正的业绩是多少。在这15年里我们经历了两次接近腰斩的暴跌（2000年2月和2008年9月）。

如果你选择采取行动，你可以把你的账户在线转到堡垒理财网，然后今天就开始这一套分析。如果你不愿意转移账户，也没关系，你依然可以免费获得你需要的全部信息。

我的401（k）账户怎么办？

全天候投资策略也可以被运用到你现有的401（k）计划之中，只要你的计划里有合适的基金可供选择，能代表瑞·达利欧推荐投资的资产类型就行。你可以自己操作，也可以请投资顾问来帮助你操作。如果你使用堡垒理财网，它会自动把你的 401（k）账户连接到你的整体计划，确保 401（k）账户的投资组合设置正确。另外，还有美国最好 401（k)，也可以提供给你全天候投资策略。

收入就是结果

前面两章我们已经覆盖了很大的金融投资领域。但是到现在，我想你能够看明白其中的原因了。现在掌握在你手里的是一个投资计划，它有傲人的历史业绩记录，无与伦比！你可以自己动手交易，构建出这样一个投资组合，只用几分钟就行，从此你再也不用生活在忧虑之中，天天担心市场的涨跌。没有人知道未来会怎么样，但是历史会告诉你，你这样做，无论以后是什么样的经济季节，什么样的经济情况，你都做好了充分的准备，都能得到保护。

那么现在让我们回到我们原来说过的投资比喻：个人的珠穆朗玛峰。使用全天候投资策略，你就能有最好的概率步伐平稳，持续稳定地前进，顺利地攀爬到顶峰。是的，路上会出现意外，但是这个投资组合会更加健康、更加强大，经过长期的时间，你就会取得成功。现在，请你记住，只要你已经持续不断地提升你的投资价值，达到关键规模，你就会有足够的财富实现财务自由，你需要最终把你的养老金（就是这些投资）转换成有保障的收入流——你自己的终身收入计划。有了它，再也不用非得靠工作来赚钱维持生活了。这正是最终能够给我们带来财务自由的源泉。让我们翻开下一页，学习为什么“全天候投资组合 + 终身收入 = 真正的财务自由”。让我们来学习如何创造一份终身收入。

瑞 · 达利欧如此非凡的投资业绩是怎样做到的？

瑞 · 达利欧是如何做到持续产生如此非凡的投资收益的呢？他已经搞懂，这个巨大的经济体是一个巨大的机器，所有事物都通过某种方式连接在一起。有时连接很明显，但很多时候连接并不明显。瑞·达利欧可以看透整个经济机器，知道部分可预测的模式，他能够从中获利。他对经济体系的研究成果被浓缩成了一段30分钟的视频，非常精彩，按照我个人的观点，每一个投资人都应该看一看！瑞·达利欧，决定制作这个视频，不单是为了影响社会，而且是为了帮助大家进行经济学扫盲，让你从此不再觉得经济学高深莫测，让我们了解这个世界运转的经济真相。花上30分钟，好好看看瑞·达利欧制作的这段视频经济课，你会一辈子都庆幸自己做了这件事。

我们是如何计算投资业绩的？

我们在这里讲了很多次全天候投资组合的历史模拟投资业绩，为了保证这些业绩数据的准确性和可信度，我们组建了一个分析师团队测试这个投资组合，使用的都是低成本且广泛分散的指数基金。为什么这对你来说很重要呢？运用真实的指数基金业绩数据，而不是从理论上构造出一个指数数据，这样的数据只是由理论推导出来的，并不是真实指数基金的真实业绩。本章列出的所有业绩，都完全包括基金每年的费用和基金追踪指数的误差。这样做对你有好处，可以展示给你看全天候投资组合的真实历史业绩（而不只是在纸面上用来回测的理论业绩）。这样做可以保证回测这个全天候投资组合使用的基金和数据，一般人现在都能够得到，而不只是那些有好几十亿资产管理规模的华尔街金融机构才能得到。不过，有时候，我们回测时还是不能运用真实的指数基金数据，因为那个时候，指数基金根本不存在，我们分析师团队对每个资产类型都用分散范围很大的指数涨跌幅数据，然后再按照基金费用调整为扣费后的业绩，来模拟指数基金业绩。注意，他们在计算时运用了每年一次的再平衡，假设所有这些投资都是持有在一个免税账户里的，没有交易成本。最后，我要感谢克里夫·斯科曼、西蒙·罗伊，还有整个 Jemstep 团队做出的深入分析，还有堡垒财富管理公司的阿杰伊·古普塔在这个项目中的合作。（过去的业绩并不能保证未来的业绩。）

第28章 自由：创造终身收入计划

终身收入流，对退休生活的幸福很关键。

——《时代周刊》，2012年7月30日

我有足够的钱，可以舒舒服服地退休，享受余生。问题是，我的余生不多了，下个星期我就要死了。

——匿名

1952年，埃德蒙·希拉里带领探险队，第一次成功地登上珠穆朗玛峰。大家以前一直认为这是不可能完成的任务。英格兰女王马上封他为爵士，以表彰他的惊人成就，从此他变成了埃德蒙·希拉里爵士。

尽管他取得这么大的成就，很多人还是认为，埃德蒙·希拉里爵士也许并不是第一个到达珠穆朗玛峰顶峰的人。事实上，大家普遍认为，乔治·马洛里也许是第一个登顶珠穆朗玛峰的人，比希拉里要早上30年。

那么，如果乔治·马洛里1924年就到达珠穆朗玛的顶峰，为什么是30年之后才登顶的埃德蒙·希拉里得到了所有的荣誉——包括被女王册封为爵士？

因为埃德蒙·希拉里不仅到达了顶峰，他还成功地从顶峰下来了。乔治·马洛里就没有那么幸运了。就像绝大多数死在珠穆朗玛峰上的人一样，结果证明下山才是致命危险的。俗话说得好：上山容易下山难。

你投资为了什么？

我经常问别人："你投资为了什么？"

答案各种各样，什么样子的都有：

"收益。"

"增长。"

"资产。"

"自由。"

"乐趣。"

我很少听到那个最重要的答案：收入！

我们都需要有一份收入来维持生活。有一个持续不断的现金流，每个月都出现在我们的账户上，像时钟转动一样可靠。你能想象你再也不用担心怎么支付每个月的水费、电费、天然气费、手机费的情景吗？你能想象你再也不用担心你的钱会花光了吗？你自由自在、快快乐乐地到处旅行，根本不用担心钱的事。每个月打开股票账户对账单的时候，你不用再祈祷市场挺住，内心非常安宁平静，慷慨大方地承诺捐钱给你的教堂或者你最喜欢的慈善团体，心里不用担心以后每年捐的钱从哪里来。我们凭直觉都知道：收入就是自由。

就像电影《勇敢的心》中的一幕，梅尔·吉布森在山顶上大喊："收入就是自由。"

缺少收入，你心里就有压力。缺少收入，你的日子就很难过。缺少收入，对于你和你的家庭来说，是不可能接受的结果。

杰弗里·布朗博士，在最近一期《福布斯》杂志的文章中，对这一点说得很明白："收入就是结果，没有足够的收入，你的退休生活就不安全。"

富人都知道，他们那些资产（股票、债券、黄金等）的市场价值总是在上下波动。但是你不能拿那些资产"当钱花"，你能消费的只有现金。2008 年就出现了这样的事情，很多人拥有的资产（特别是房地产）市场价格大跌，他们很想卖出，却怎么也卖不掉。他们在资产上很“富有”，在现金上却很“贫穷”。因为资产不能变现，到期的债务还不了，只能破产。你始终要牢牢记住：收入就是结果。

在这一部分的末尾，你会有具体的工具来锁定你期望得到的具体收入水平。我称之为“收入保险”。这是一种有保障的方式，非常确定地知道，你会有一张终身支票，将来再也不用为钱而工作——你绝对可以确定你永远花不完你的钱。猜猜你需要做什么？你只需要决定你想让你的终身收入支票什么时候开始兑现。

要得到这样的收入保险，有很多办法。我们来看几个对于你来说比较合适的办法，它们让你获得收入保险。

有一个锁定收入的结构还有很多其他的好处。这是地球上唯一能给你带来以下好处的金融工具：

- 你的本金百分之百地保证安全。①（你不可能亏钱，你可以完全控制你交的钱。）
- 只有上行收益，没有下行风险：你的账户价值增长会和市场涨幅相关联。如果股市上涨了，你可以参与分享一些收益。但即使市场下跌了，你也不会损失一分钱。
- 你的投资增值可以递延纳税。（还记得那个价值翻倍的案例吗？税收效率决定你最终是拥有28 466美元，还是拥有超过100万美元。）
- 一份有保障的终身收入流：你有控制权，可以决定什么时候开始领取这份收入。
- 记住这一点：付给你的收入，如果结构安排合理的话，是可以

① 保险保障协会提供保护给保单持有人和保单受益人，以避免签发保单的保险公司破产而无法兑现自己的保险合同责任，美国各州、哥伦比亚特区和波多黎各，都有保险保障协会。保险公司按照法律要求，在其得到执照允许发展业务的州，必须成为所在州保险保障协会的成员。每个州都有自己规定的最高保护金额限制，大多数州最高保护金为30万~50万美元。

免税的。

- 没有年度管理费。

你能得到所有这些好处，只要运用一个有 2 000 年历史的金融工具的现代版就行了！这怎么可能？我可以肯定，这听起来简直太好了，不可能是真的，但是相信我，这确实是真的！我就在用这种投资方式，使用它之后让我非常激动，我很高兴能给你详细地讲述如何操作。

本书一直在强调，你盼望达到的财务未来非常像是你在攀登珠穆朗玛峰。你要工作几十年，不断地积累财富，直到达到一个关键的规模（爬到顶峰），但是这只是故事的前一半。如果财富积累到关键规模，却没有一个计划和策略，如何把这些资产转化为收入，在你的余生一直持续不断地维持你正常的生活？在这样的情况下，如果收入断了，你就会像乔治·马洛里一样死在下山路上。

新时代

毫无疑问，我们现在处在一个完全没有人探索过的海域里，这个时代的情况绝对可以说前所未有。在过去 30 年里，退休这个概念发生了彻底的改变。直到 20 世纪 80 年代末，在美国，62% 以上的工作者都有退休金计划。你还记得吗？你上班的最后一天得到一块金表，还有一份有保障的终身收入支票，你一退休就能领到第一张。现在，除非你是给政府工作，退休金已经很少有了，它成为历史遗迹，像个金融界的恐龙。现在不管是好是坏，你都是你自己的船的船长。你的钱能不能持续维持生活，最终是由你自己负责的。这是你自己要承担的一个重大责任，也是一个重大负担。自己管理自己的养老金投资，意味着你下海了，下到了股海之中，股市的波动很多时候比海浪还要大，加上基金过高的收费，通货膨胀，身体出现“意外”花去大笔医疗费用，你很快开始明白，为什么会有这么多人面临巨大的退休危机。很多人，包括你的邻居和同事，都要面对很可能出现的问题：人还活着，钱已经没了。特别是现在，人的平均寿命比以前要长得多。

现在的80岁相当于过去的50岁

时间长又丰富多彩的退休生活，这个概念只是最近几代人才有的。我们前面讨论过退休制度方面的内容，1935年富兰克林·罗斯福总统创立了社会保险制度，那时候人的平均寿命预期只有62岁。但是年满65周岁才能领到社会保险，所以在社会保险制度刚开始实施那些年，其实只有少数活得比一般人更加长的人，才能真正享受到社会保险的福利。

那个时候的社会保障体系在财务上很稳定，因为平均40个交纳社会保险的工作者来养活一个领社会保险的退休者。这就像是有40个人拉车，只有一个人坐车。到2010年，这个比例下降为每1个坐车的人，只有2.29个人拉车。什么时候开始这件事难住了美国政府？

现在美国男性的平均寿命预期为79岁，女性为81岁，一对已婚夫妇，其中至少有一个人有25%的机会能活到97岁。

但是等等，以后的人还会活得更久！

你可能会活得比平均寿命预期还要久。想一想最近30年来我们的科技发展进步有多么大。从软盘到纳米科技。现在的科学家正在用3D打印制造新器官，就像魔术师变戏法一样。研究者能用人的细胞轻轻地在你的皮肤上刮一下，就可以用这些细胞作为基础“打印”出一个新耳朵、新膀胱、新气管！[①] 原来科幻小说里面幻想的东西，现在都成真了。后面我们会直接聆听我的朋友雷·库兹韦尔所言，他是我们这个时代的爱迪生，最近他担任了谷歌工程部门的负责人。我问他：“生命科技的进步会如何影

① 安东尼–阿塔拉，威克弗里斯特再生医学研究所的主任，过去十几年来，一直在创造和植入这种器官。

响人类寿命预期？”他说：

> 21 世纪 20 年代，人类会找到方法改变人类的基因。不仅“人工设计婴儿”会成为现实，而且会出现人工设计婴儿潮，因为所有人的人体组织和器官都可以再生，可以把一个人的皮肤细胞转化成每一种其他类型细胞的年轻版。人们可以“重新编程”自己的生物化学机制，远离疾病和衰老，大幅度地延长寿命预期。

对于美国婴儿潮世代来说，这些话听起来太让人激动了！皱纹走开吧！我们马上都可以喝到青春不老泉了。

但是，对于我们的退休生活来说，钱的问题很明显就大多了。我们原来以为只能活到 80 岁，也是按照这个计划攒的退休养老金。现在科技进步让我们的寿命变长，相比之下退休要花的钱也多得多了，原来攒的钱需要维持的退休生活年数也更长。你想象一下，如果雷·库兹韦尔说的是对的，美国婴儿潮一代出生的人，现在 60~70 岁，将来会活到 110 岁，甚至 120 岁，那么他们还有 40~60 年的退休生活呢！再想象一下，这样的生命科技进步会改变 21 世纪初出生的那一代人的寿命预期。如果你将来还要活 110~115 年，你需要攒多少钱才够养老呢？没有什么比一份有保障的终身收入更重要了。只要你活着，就有一份终身收入，绝对不会人活着钱却没了，这对于你来说，会是最好的资产。

> 年轻的时候，我认为钱是人生最重要的东西。现在，我老了，我承认事实就是这样的。
>
> ——**奥斯卡·王尔德**

4% 法则完了

20 世纪 90 年代初期，美国加利福尼亚州有个投资理财规划师，提出了“4% 法则”。这个 4% 法则的要点是，如果你想让你的钱能够持续一生花不完，你可以每年取出来4%，前提是你要建立一个“平衡投资组合”，60%投资股票，40%投资债券。你可以每年增加取现的比例，以抵消通货膨胀。

“确实，在过去相当长的时间内,4%法则表现很好。”2003年《华尔街日报》上有一篇文章回顾道，文章标题是《跟4%法则说再见》。为什么4%法则会突然被抛弃？因为4%法则是在1990年左右被提出来的，当时美国国债支付的年利率超过4%，股市正好是一个大牛市！如果你是在2000年1月退休的，按照传统的4%法则来操作，那么到2010年你的资金就会亏损33%，100万美元只剩下67万美元，按照美国十大基金公司之一普信集团的研究，你的钱按照4%法则操作，只有29%的概率能够支撑你余下的寿命。我换个更加直截了当的说法是，你有71%的概率是人活着而钱没了。我们大多数人最不愿意同时体验的两件事是：人老了，钱没了。

现在，我们生活在一个全球各国都在压低利率的世界中，事实上这就是一场针对储蓄者的战争，可以肯定的是，这就是一场针对老年人的战争。利率接近于零，谁还能安全地过退休生活呢？退休的老年人必须冒险进入不安全的投资领域，给自己多年攒的钱找到适当的回报，就像那些渴得要死的羚羊，必须冒险去鳄鱼密集的水域喝水，没办法，不喝水它们肯定只能渴死。股市危机四伏，但是那些老年人也没办法，他们需要有正向回报来维持生活，每个月的水费、电费账单必须要付，但投资股市会让他们更容易受到伤害。

群聚效应被摧毁

无论什么人告诉你或者兜售给你投资方法，没有任何一个基金经理、经纪人或投资理财顾问能够控制我们的钱足够维持一生。这就是金融世界肮脏的小秘密，只有少数专业人士知道其中的决定因素。而在少数知道这个秘诀的人里，只有极少数人愿意公开地说出来。我说话一向直率，那天我与投资界传奇人物约翰·博格坐到一起交谈，我直接把这个问题抛了出来。

还记得约翰·博格吗？他是世界上最大的指数基金公司先锋公司的创始人，他说话很直接。那天我跑到宾夕法尼亚州，在他办公室里谈了 4 个小时，我抛出来那个肮脏的小秘密，他也毫不掩饰他的观点和想法。“有些东西，我不愿意说，但是所有这些东西有时候就像赌博一样，完全靠运气：你什么时候出生，你什么时候退休，你的孩子什么时候上大学，你根本没办法控制。

他说的赌博是怎么一回事？

其实就是说有很大的运气成分在里面：关键要看你退休的时候，市场表现怎么样。如果你在 1995 年前后退休，你就是一个快乐幸福的度假“露营者”。如果你在 2005 年左右退休，你就是一个无家可归的“露营者”。博格自己亲口说过，那是在 2013 年年初的一次电视节目上接受采访，下个 10 年我们要做好准备，股市可能会有两次大跌，最大跌幅会有 50%。我的天哪！但是对他这样的预测，我们当时也许不应该感到吃惊。2000—2009 年，美国股市经历过两次下跌接近 50%。不要忘记，如果你亏了 50%，那么你需要再赚 100% 才能赚回你原来的本金。

这个肮脏的小秘密就是，我们都面临的风险是收益连续性的毁灭性概念。听上去很复杂，但其实很容易懂。从本质上讲，你退休后最开始几年的投资业绩的好坏将会决定你后面好几十年投资业绩的好坏。简单地说，退休前面几年决定后面的几十年。如果你退休之后前几年遭受了投资亏损，这完全是运气不好，但是你以后把钱赚回来弥补亏损，并且赚到钱让你退休生活衣食无忧，这样的概率低到像跌落悬崖一样，可以说永远不可能发生。

你可以做到把每一件事都做对：找到一个受托人投资理财顾问，减少你的费用，投资很有税收效率，建立一个财务自由基金。

但是当你爬到顶峰，实现财务自由之后，你要下山就是从赚钱变成花钱，要从你的投资组合中获得收入以维持生活了。你如果在退休后前几年里碰到一年的投资业绩非常糟糕，就会很容易打乱你的整个计划，使生活变得一团糟。若是更加不幸，碰上几年投资业绩都比较糟糕，你可能会发现，自己都退休好几年了，又不得不回去重新工作，卖掉你买好的度假屋。这听起来是不是变化太大了？让我们看一个假设的案例，看一看收益先后顺序所带来的风险，长期而言对我们的影响有多大。

约翰咬了狗

约翰咬了狗，狗咬了约翰，都是同样5个字，但是，先后顺序安排不同，就有了完全不同的意思，特别是约翰这两个字，放置的顺序不一样，其意思差别会很大。

约翰现在65岁，攒了50万美元的养老金（远远超过美国人的平均水平），他准备要退休了。跟大多数即将退休的美国人一样，约翰也正在持有一个“平衡的”投资组合（60%股票加上40%债券）。我们前面从瑞·达利欧那里知道了，这样的风险配置其实并不平衡，因为利率都这么低了，接近于零，4%法则根本不适用。约翰决定，他每年从50万美元的养老金里取出来5%，就是2.5万美元，来满足日常生活的基本需要，再加上他能够领到社会保险，这些钱他应该够花了，可以生活得不错。他还必须每年提高取现比例（每年提高3%），才能赶得上通货膨胀，因为物价一上涨，每一年同样数量的钱能买到的东西就减少了。

约翰的运气不好，退休前几年遇到几次股市下跌，股票投资亏了不少。事实上，他称自己退休之后的生活为黄金年代，结果前三年股市就连续大跌三年。这可不是什么美好生活该有的开始。

退休之后才过了短短5年，约翰原来攒的50万美元的退休金就亏掉了一半。股市下跌时，他还要取现，只能亏本卖出股票换取现金。没办法，每个月好多账单要付，这真是雪上加霜。由于你的投资金额减少了，如果股市反弹，你赚的钱也就减少了，回本就更难了。但没办法，生活还得继续，账单必须现在就付。

表 28–1　约翰的投资

年龄	假设股市盈利或亏损（%）	每年年初取现（美元）	每年年初养老金（美元）	年龄	假设股市盈利或亏损（%）	每年年初取现（美元）	每年年初养老金（美元）
64			500 000	77	34.11	35 644	131 429
65	–10.14	25 000	500 000	78	20.26	36 713	128 458
66	–13.04	25 750	426 839	79	31.01	37 815	110 335
67	–23.37	26 523	348 766	80	26.67	38 949	95 008
68	14.62	27 318	246 956	81	19.53	40 118	71 009
69	2.03	28 318	251 750	82	26.38	36 923	36 923
70	12.40	28 982	228 146	83	–38.49	0	0
71	27.25	29 851	223 862	84	3.00		
72	–6.56	30 747	246 879	85	13.62		
73	26.31	31 669	201 956	86	3.53		
74	4.46	32 619	215 084	87	26.38		
75	7.06	33 598	190 084	88	23.45		
76	–1.54	34 606	168 090	89	12.78		
平均收益 8.03%							总取款额 580 963 美元

从 70 岁开始，约翰在股市上享受稳定的上涨年份，但是损害已经造成。要弥补亏损的道路实在太崎岖了。你知道的，亏损一半之后，要再赚到翻倍的收益才能回本。等到他 76 岁左右，他已经看得很明白了，他的钱再过几年就要花完了。等到他 83 岁时，不幸又碰到一次股市大跌，他的股票账户卖光了。最终，总的来看，他原来攒了 50 万美元的退休金账户，退休生活 18 年只从中累计取现 580 930 美元。换句话说，退休后他又继续投资了 18 年，可是总共只赚了 8 万美元。

但是其中最疯狂的事情是：在约翰跌跌撞撞一路下山（退休生活）的时候，股票市场平均每年上涨超过 8%。这是相当好的业绩，不管是用谁的标准来看都相当好。

问题就在这里，市场并不是每年都能给你相同的平均收益率，他有的年份收益率比平均水平高，有的年份收益率比平均水平低，只是长期下来这些年份整体来看是这样的平均收益率而已。（记住我们在前面讨论过真实收益和平均收益之间的差别，就在第二部分第 4 章，“希望”在有些年份里你不会遭受损失，因为你承受不起，这并不是一个有效的策略，无法确保你的财务未来安全无忧。）

先后顺序调过来

苏珊女士和约翰的情况几乎完全相同，她也是 65 岁，攒了 50 万美元。她和约翰一样，每年要提现 5%，就是 2.5 万美元作为她每年的收入来维持退休之后的生活，她需要每年略微增加一点投资变现的比例，这样调整是为了应对通货膨胀带来的物价上涨。为了真切地描述这个概念，我们会对两个人用相同的投资收益率，我们只是把这些收益率的顺序颠倒一下，把第一年和最后一年颠倒顺序，第二年跟倒数第二年颠倒顺序，以此类推。

只是颠倒收益的顺序，就会让苏珊的退休生活体验完全不同于约翰。

表 28–2　苏珊的投资

年龄	假设股市盈利或亏损（%）	每年年初取现（美元）	每年年初养老金（美元）	年龄	假设股市盈利或亏损（%）	每年年初取现（美元）	每年年初养老金（美元）
64			500 000	77	34.11	35 644	1 151 375
65	12.78	25 000	500 000	78	–1.54	36 713	1 496 314
66	23.45	25 750	535 716	79	7.06	37 815	1 437 133
67	26.38	26 523	629 575	80	4.46	38 949	1 498 042
68	3.53	27 318	762 140	81	26.31	40 118	1 524 231
69	13.62	28 318	760 755	82	–6.56	41 321	1 874 535
70	3.00	28 982	832 396	83	27.25	42 561	1 712 970
71	–38.49	29 851	827 524	84	12.40	48 383	2 125 604
72	26.38	30 747	490 684	85	2.03	45 153	2 339 923
73	19.53	31 669	581 270	86	14.62	46 507	2 341 297
74	26.67	32 619	656 916	87	–23.37	47 903	2 630 297
75	31.01	33 598	790 788	88	–13.04	49 340	1 978 993
76	20.26	34 606	991 981	89	–10.14	50 820	1 677 975
平均收益 8.03%							总取款额 911 482 美元

事实上，等到89岁的时候，苏珊累计投资变现超过90万美元，这些都是每年变化的收益作为当年收入用来消费的，但是花了这么多钱，她的投资账户上还剩下1 677 975美元！苏珊在这个世界上生活的时候，从来没有担忧过钱的事。

两个人退休之时攒了同样多的退休金，同样的投资取现策略，退休生活过得差别却很大，简直是天壤之别：一个人老了变成了穷人，另外一个人则实现了绝对财务自由。

更让人感到迷惑不解的是：这25年间两个人的平均投资业绩也相同，都是每年8.03%。

这怎么可能？因为平均业绩就是总的收益除以年数。

没有人能够预测，下一个拐角会发生什么。没有人知道市场什么时候会上涨，什么时候会下跌。

现在，想象一下，要是约翰和苏珊都有收入保险。约翰会避免得胃溃疡，因为他知道，随着他的账户缩水，他有一个有保障的收入支票就在彩虹那头等着他。苏珊会有更多的钱可以花，她想怎么花就怎么花。也许可以再多买一个度假屋，给她的孙子孙女更多钱花，捐赠更多钱给她最喜欢的慈善事业。收入保险的价值无论怎样都不会被高估。搭配全天候投资组合，你就有了最强有力的双保险。

一个人拿了6个学位

你也许还记得，在本书的开头，我跟你提过一个沃顿商学院的教授戴维·巴贝尔博士，我认识的成千上万个人里面，他不仅是受教育水平最高的人，也是一个灵魂上温柔体贴但信念上坚如钢铁的人。戴维·巴贝尔喜欢别人称呼他时在名字前加上博士或教授。

我们来快速回顾一下戴维·巴贝尔的成就。他有6个学位：经济学学士、国际金融专业工商管理硕士、金融博士、辅修食品和资源经济学博士、热带农业博士、拉丁美洲研究博士。戴维·巴贝尔在加州大学伯克利分校和沃顿商学院教授投资课程超过 30 年。他是高盛集团养老金和保险研究分部主任。他曾经为世界银行工作，提供咨询的客户包括美国财政部、美联储、美国劳工部。戴维·巴贝尔对养老金问题的研究，可以说跟篮球之神乔丹对篮球的了解一样。

戴维·巴贝尔写过一篇研究报告，得到的评价褒贬不一，两极分化。在这篇报告里，他分析的是自己的个人退休养老金计划。戴维·巴贝尔即将退休，他希望能够找到一种策略，给他带来内心的宁静，也带来一份有保障的终身收入。他始终牢记，收入就是结果。他还明智地考虑了其他因素，例如不愿意自己年纪很大了还要做出复杂的投资决策，他考虑了自己能找到的所有选择，也调用他对风险和市场的巨大知识库，他甚至咨询了他的朋友和以前他在华尔街工作时的同事，对各种策略进行比较分析。最终戴维·巴贝尔决定，他辛辛苦苦赚来的退休养老金，最好的投资去处就是年金。

啊！等等。

戴维·巴贝尔的华尔街朋友称年金为“年杀”，他这个资深投资专家怎么能把自己的养老金托付给年金呢？“年杀”这个词是由那些证券公司的经纪人炮制出来的，用来形容他们的有些客户把钱抽离股市，找个年头非常长的保险公司，购买年金以保证得到一份稳定的终身收入。证券公司经纪人觉得，这是一个不可逆转的决策，因为你把股票账户上的钱取走买保险公司的年金，这些钱就永远不会回到股票账户上了，他们就再也不能从你的股票投资上赚到佣金收入了。其实死掉的是证券公司的盈利。

好好想一想，最近一次经纪人跟你讲如何创造一份终身收入是在什么时候？很可能从来没有过。证券公司一般没有兴趣推广把钱从股市拿出来的相关概念，对于证券公司来说，一听说你要退出市场，它们就着急了。令人感到嘲讽的是，只要你不销户离开股市，你对于证券公司来说就代表着一份终身收入。

美国人至少应该把他们一半的退休储蓄转成年金。

——**美国财政部**

杰弗瑞·布朗博士对创造终身收入计划，肯定认识得更深刻。他是美国财政部和世界银行的顾问，中国政府邀请来评估未来社会保障战略的专家之一。他还是时任美国总统指定的美国社会保障顾问委员会7位成员之一。

杰弗瑞·布朗博士职业生涯的大部分时间，都花在了研究如何给人们提供一份终身收入上。那么他是怎么解决这个问题的？那就是利用年金这个我们所拥有的最重要的投资工具之一。

我和杰弗瑞·布朗交流了三个小时，我们谈得非常愉快，我们谈的主题就是收入计划，让他困惑不解的是，大多数投资理财规划师在和客户交谈时经常会省略收入。这怎么可能？收入保险只在大多数投资理财规划师的办公室里，在同事之间才会讨论，却没有投资理财规划师和客户讨论，也没有包含在401（k）计划的投资选项中，而401（k）计划是美国人最主要的退休金投资工具。

我问杰弗瑞·布朗："普通人应该如何保护自己，让自己真的拥有一份终身收入，即使自己活的比以前的人长得多，也不用担心人还在，而钱没了。美国现在都是年满65岁退休，按照寿命预期，退休后还要活上二三十年，自然需要二三十年的收入来支撑退休后的生活，但是他们的投资理财规划却没有持续那么长。寿命有那么长，钱却不够花那么长。你有什么解决方法吗？"

"托尼，好消息是我们确实知道如何来解决这个问题。"他说，"我们只需要让大家改变为退休养老攒钱的思考方式就行了。在'经济学家的土地'上，有一种产品就放在那里，我们称之为年金。基本你都可以到保险公司那里去说，'你知道吗？我要把我的钱带过来，放在你那里，由你来管理，让这些钱不断升值，作为回报，你要每个月付给我一份收入，只要我还活着就有收入'。有个很容易的方法让你一下子就能理解年金这个产品，其实年金做的事和社会保险一模一样。大家都知道，上班工作时，每个月你都要交社会保险，之后等到你退休了，你就能每个月从社会保险那里领到一份收入，只要你活着就能一直领下去。但是光靠社会保险那些收入并不足以维持你想要的退休生活。买了年金，相当于你给自己多存了几份社会保险，靠自己来扩大终身收入。”

杰弗瑞·布朗和他的团队做了一项研究，比较用不同的方式来描述或者“框定”年金，塑造年金的形象，是如何完全改变人们对年金的需要或者渴望的。

第一，他们像证券公司的股票经纪人那样描述年金：年金作为一个“储蓄”账户，或者只有相对于股市而言收益率较低的投资。一点儿也不奇怪，只有 20% 的人觉得年金有吸引力。这听起来是不是很熟悉？你总能听到证券公司的经纪人说“年金是个糟糕的投资”。

但是，后来他们只改了几个词描述年金能够实际带来的真正好处，年金给人的形象马上就改变了。他们这样描述：年金作为一种工具能给你带来有保障的收入，而且一直持续，你的寿命有多久，这份收入就有多久，结果超过 70% 的人听到之后都觉得年金很有吸引力。谁不想有一份收入保险呢？万一你花光了积蓄，不要慌，你可以马上开始领取收入，这可是救命的钱。也许你的生活开支会比你预想的大；也许你发生意外要做紧急手术，要花一大笔钱；也许股市的走势和你预期的不一样，跟你的支出需求不合拍——你要花钱的时候，股市反而在下跌。这个时候，如果你知道自己有一份终身收入支票，只要打个电话就能开始每个月领取收入了，那么它会是一份多么及时的大礼啊。

现在的金融行业有很多革命性的创新，已经创造出一套全新的年金投资机会。其中很多投资可以支付给你一定比例同期股市的上行收益率，却不用承担任何股市的下行损失。现在的年金再也不是原来你爷爷买的那种老式年金了。翻到下页，我来给你展示 5 种类型的年金，它们可能会改变你的人生。

第29章　赢的时候到了：收入就是结果

问题不是我多少岁退休，问题是我有多少收入才可以退休。

——乔治·福尔曼

在金融行业，年金一直受到大量的批评指责。我第一次听到年金这个概念是在几年前，我听到的是对年金的一通嘲笑。听到这类批评指责太多了，以至我习惯性地相信年金都是不好的。但是当别人质问我为什么觉得年金不好时，我想了半天，甚至找不到一条充分的理由。我只是像其他暴徒一样举起火把和干草叉，却不知道为什么要这么做。

不过，现在金融行业对年金的看法已经改变了。你可以想象，我有多么吃惊，我拿到了2011年的一本《巴伦周刊》，封面上写着：

> 最好的年金——专题报道——让你退休能够领取稳定的收入，年金突然火了。

《巴伦周刊》可是华尔街享有盛誉的投资杂志，它竟然用年金做封面故事！是不是天塌下来了？我打开杂志，里面白纸黑字写着：

> 现在美国的婴儿潮世代要接近退休了，他们的脑袋里还真切地保留着2008年金融危机股市大亏的记忆，很多聪明的投资理财顾问都向他们推荐年金作为其收入计划的重要组成部分。

最近媒体在大力宣传推广年金。原来你爷爷买的年金已经塞到抽屉里了，上面落了厚厚一层灰，现在却成为聪明的投资顾问在推荐的热门产品。你猜到这是为什么了吗？年金现在不仅是为退休人士设计的产品。更多的时候，中年人甚至青年人也开始使用年金，特别是有些年金的增值跟股市指数（例如标准普尔 500 指数）绑在一起，成了属于“安全性投资”的一个选择。

我要说清楚，这些跟股票指数涨幅挂钩的年金，不属于投资股市的一种方式，也不是追求战胜市场的办法。我们已经说得非常清楚了，长期来看没有人能够战胜市场，对此约翰·博格和很多投资大师都赞同，使用低成本指数基金是投资股市的最佳方法。但是某些年金特别是那些与市场收益联结的年金能够替代某些安全资金投资，比如定期存款、公司债券、国债等，而且还能提供高得多的收益率。

但是，我有点儿兴奋过头，讲得太快了。现在我们花点儿时间来快速、简要地讲一下，现在有哪些年金可供选择，还有哪些年金即将到来。

首先，我们要明白，实际上只有两大类年金，即期年金和延期年金。

即期年金

即期年金就是你先一次性付给保险公司一大笔钱，马上就可以按月定期领取收入。即期年金最适合那些到了退休年龄或者超过退休年龄的人来使用，退休了需要收入，有了即期年金，你马上可以定期领取收入。如果你还没到退休年龄，你可以跳过这个部分直奔延期年金，也可以继续读下去，因为你不需要，但是你在意的人可能需要，比如你的父母或祖父母。

简单地说，即期年金能够战胜所有其他备选金融工具，为你提供一份有保障的终身收入，它只靠一点就能完胜——这个概念被称为“死亡率加成”（mortality credits）。我知道，这听起来有些可怕，但其实它并不可怕。你还记得 2000 年前的恺撒时代年金是怎么问世的吗？过了好几百年，保险公司已经成功地为几百万人提供了有保障的终身收入，因为有很多人购买了即期年金，其中一些人死得早，而有些人会活很长时间。通过把所有人的风险合并到一个大池子里，那些购买了年金且活得时间更长的人就得到了更多好处，因为那些死得早的人有些钱没有来得及领取，按照保险合同，就留给那些活得长的人了。但是在我们讨论如何躲过过早死去而留下一些钱没领的可能之前，我们先来看看合理使用年金会有多大的威力。

即期年金让你每月收入高出 27.5 倍

我的儿子乔希，长大后一直在金融服务行业工作。乔希给我讲了一个客户的故事：这个客户来找他，想为退休做好准备。他刚刚满 65 周岁，一辈子想方设法地攒到了 50 万美元。他需要一个安全的收入流，觉得把钱放在股市里承受风险不是一个好选择。悲惨的是，他原来的股票经纪人给他配置了一个非常激进的投资组合，结果 2008 年股市大崩盘的时候他亏了接近 50%，他辛辛苦苦工作整整十年才能攒这么多钱。和很多其他人一样，他根本没有胆量回到股市去翻本，而且他比以前更害怕把钱花光了。

他希望马上能开始定期领取稳定的收入，于是乔希带他梳理了一遍他有哪些选择，看来他的选择范围有限。

他可以把钱存到银行，购买大额存单，每年利率是 0.23%，就是 23 个基点。这种安排能让他每个月得到 95.8 美元的收入，每年合计 1 149 美元，这还是税前收入，必须交税。一年只能挣这么点儿利息，你可不要把钱全放在这里。

购买债券，每年可以得到接近 3% 的收益率，相当于一年 15 000 美元的税前收入。但是这样选择会引发的风险是，如果利率上涨，债券价格就会下跌，他的投资本金就会缩水。

乔希给他展示了如何把 50 万美元的存款变成能够获得终身收入的即期年金，从今天开始就可以每个月领取 2 725 美元，每年能领取 32 700 美元。只要活着，他就一直能领取。[①] 这要比大额存单的月收入高出 27.5 倍，比债券高出 1.18 倍，却没有大额存单和债券所需要承担的风险。

按照现在美国男人 79 岁的平均寿命预期，这个客户刚满 65 周岁，至少还要活 14 年。如果雷·库兹韦尔的预测是对的，那么此人的寿命远远不止 14 年，可能是 40 年！他买了即期年金，有了这样一份有保障的收入，再加上他能领到的社会保险也是一份有保障的收入，这样他的收入足以维持他的基本生活，而且绰绰有余，他可以把时间用来关注对于他来说最重要的事情——孙子孙女，还有钓鱼。

你在这个案例中看到年金的巨大威力了吧？相比之下，使用其他种类“确定无疑”的投资，他的钱肯定会花光的。但是使用即期年金，其实是一种收入保险，使他一生的收入都有保障了。

批评家会说：“但是如果你死得早了，钱还没领完人就没了，那么没领的钱就便宜别人了。”我问了戴维·巴贝尔，有这种担心该怎么办。他的反应很快，而且直截了当：“人都死了还管那么多干什么！人世间，最痛苦的是你的寿命很长，人还在却没有收入，那就只剩下痛苦了。”如果你真的担心会早死，你可以选择让保险公司来把钱返还给你的继承人，相当于你存进来多少钱，就返回多少。（不过这种安排会减少保险公司支付给你的月收入，所以有利必有弊，你需要权衡一下。）或者像戴维推荐的那样，你选择一个价格不贵的定期人寿保险保单。如果你的寿命很长，你就赚了，因为你有收入保险。如果你不幸早逝，寿命低于平均寿命，那么有人寿保单的死亡赔付，你的继承人也能拿到一大笔钱。

控制只是幻想

我们都喜欢控制，但是控制经常只是幻想。我们觉得能够控制自己的

① 即期年金收入的有效税率，取决于美国税务局所定的豁免比例，你的收入给付的一部分，属于你的本金产生的收益，因此这部分可以豁免纳税。

健康、自己的财务、自己的孩子，甚至别人的孩子。但是我们都知道，瞬间事情就全变了。一场暴风雨，就能让你的房子泡在水里。我在佛罗里达州买了一套新建好的房子，结果一场暴雨之后它就被淹了，我和妻子不得不在凌晨3点蹚着30厘米深的水走路。或者你只是做了一个常规检查，医生却打来电话说你得了癌症。控制经常只是幻觉，是不真实的。

股票经纪人会对你说，把你的钱交给保险公司来换取一份终身收入，你就对你的本金失去了控制。让我们对这一点进行更深入的思考。例如，你现在60岁了，攒了100万美元来养老，你的股票经纪人建议采用传统的投资模式进行配置，于是你可以运用4%法则，即每年卖出部分投资变现4%作为当年的收入用于水费支出。现实情况是，这4万美元的日常生活开支，一分钱也不能少，全部都要用来支付水费、电费等基本生活开支。你知道你的钱需要用于投资，但是你根本承受不了本金发生亏损。如果股市下跌了怎么办？你当然不愿意在谷底亏本割肉卖出，但是与此同时你又觉得，人生到了这个阶段，你根本承受不起更多的损失，万一继续下跌就更承受不了了。就这样你陷在两难之中，卖出也不是，不卖也不是。这种所谓的控制只是一种幻觉。市场波动起伏，你的情绪也随之起伏不安，你满心希望市场会转到对你有利的方向，但这样往往会酿成大祸。

记住我们关注的焦点并不只是资产增值。我们的主题是有保障的终身收入。

有份永久收入，胜过非常迷人的昙花一现。

——奥斯卡·王尔德

延期年金

我们说过了，只有两大类年金，你现在已经知道了什么是即期年金：你把你的一大笔钱交给一家保险公司，它马上就会给你定期提供一份终身收入。

另外还有一类年金，叫作延期年金。它意味着你把钱交给保险公司，可以是一次全部交完，也可以用几年分期分批交完，但是你不是马上定期领取收入而是延期再领，这样可以用你的本金产生的收益进行再投资，而且是在一个税收递延的环境下。如果你退休了或者需要收入了，你可以根据自己的意愿开始得到你想要的收入流，你余生都会一直持续不断地获得。你会有一个收入规划，上面会列得清清楚楚，从不同的年龄开始领取，你能得到的月收入分别是多少。40 岁、50 岁、60 岁，你想哪年开始领取就从哪年开始。

有很多不同版本的即期年金，各有不同的条款和回报，随着推出这些年金的保险公司的不同而不同。同样，也有一系列不同类型的延期年金。不过，好消息是大致上只有三种主要类型的延期年金。一旦你知道了这三种不同类型，加上对即期年金的了解，你基本上就会明白如何选择，你就能够发挥这种属于“安全资金”的投资工具的巨大威力。

所以，我们讲得简单一点，只讲三种主要类型的延期年金。

1. 固定年金。你会得到固定的有保障的年收益率，无论股票市场是涨是跌。它非常像是你买了一张大额存单或者债券，得到的收益率都是固定不变的，但是收益率高低是不同的。

2. 指数年金。你的年金收益率与股票市场指数的表现绑定，你可以得到股市上行收益的一部分，不过不是全部，但是你没有任何下行风险，绝对不会亏损。

3. 杂交“指数”年金。你能得到指数年金的好处，又附加一份终身收入条款。这份终身收入条款让你有能力得到终身收入。（注意，从技术上讲，并没有一个产品可以被称作杂交，只不过它已经成了专业人士之间常用的名称，用来描述这种类型的年金，因为它包含了一个终身收入附加条款。）

年金有多安全？收入保险的力量

年金的收入保障质量高低，取决于发行年金的保险公司的质量高低，所以关键是保险公司要有较高的信用评级。很多顶尖保险公司有 100 多年的经营历史，经历了经济萧条、经济衰退、世界大战，它们仍然一直在持续经营，并取得了很大成功。但是尽管美国保险公司众多，超过 1 000 家，但能够获得顶级信用评级的只有少数几家。我问杰弗瑞·布朗博士，年金的安全程度有多大，人们担心保险公司可能会破产。

“是的，这种担心很多人都有。”他承认，“我从一开始做的就是消除人们的忧虑。你知道我已经研究年金超过 15 年了，我从来没有听说过一个人在年金产品上真的亏过钱，原因有很多。这取决于你在美国哪个州，这个州政府的保险部门管理着州里的保险保障协会，它会给你所购买的年金产品提供保障，保障金额有一定的上限。这实质上就是每家保险公司，只要在这个州开展业务，基本上都同意为别家保险公司发行的产品提供保险。

每一个州都有自己的保障上限，但是保障最高为 50 万美元，即使你购买年金的保险公司发生非常罕见的破产事件，你最高也只能得到 50 万美元的赔付。保险公司破产有多么罕见呢？按照联邦存款保险公司的说法，2009 年有 140 家银行倒闭，但是没有一家大型保险公司破产。

可变年金

有一种类型的延期年金，我在上面故意没提，它就是可变年金。我这样做的原因是，我写本书所访谈的每一位专家都同意，个人投资者应该回避可变年金。可变年金特别昂贵，你存进去的钱要投资到公募基金上（也称之为子账户）。

所以你不仅要为公募基金选股支付费用（它们不能战胜市场，而每年的费用平均超过 3%），你还要付钱给保险公司（每年 1%~2%）。这些可变年金是有害的，可是保险经纪人、股票经纪人、银行理财经理还是想方设法地每年卖出 1 500 亿美元，相当于购买年金的客户把 1 500 亿美元存到了保险公司。在第二部分第 7 章中，我花了很大篇幅来讨论可变年金。没关系，你随时可以翻回去，重新回顾一下。

如果你努力工作，明智地投资，你 80 岁生日的时候就有足够的钱，仿佛你只有 65 岁。

图 29–1

现在让我们花点儿时间，深入探讨一下上面这三种延期年金的选择。

固定年金

固定年金提供一种具体的有保障的收益率（例如 3% 或 4%），在一个具体的期限之内，例如 5~10 年，你每年肯定能够得到这样固定的收益率。资金的增值是可以递延纳税的。到了期限的末尾，你有几种选择。你可以拿走你的钱，你也可以把你的钱滚存到一个新的年金，继续保持享受递延纳税，你也可以把你的账户余额转化成一份有保障的终身收入。固定延期年金没有年费。你能够提前知道，到了期末你的年金增值到了多少钱。

这听起来很简单，对不对？从今天的市场来看，这种收益率也许并不是特别令人激动，但是它们可以随着利率的变化而变化。至少这种类型的年金有税收效率，如果正确处理的话，它可以显著提高你的税后净收益率。

不过，我还要和你分享一些更有趣的东西。

等待的时间越长，得到的越多

如果你还年轻，刚刚开始打造你的财务未来，或者你走到人生的一个阶段，你现在并不需要收入，但是你担心你的投资收入也许持续不到你的寿命那样长。别忘了，现在的人65岁退休，还有20~30年的寿命预期，自然也需要有20~30年的收入来维持退休生活。努力想出办法让你的钱能持续支撑那么长时间，是一个相当艰难的任务。所以现在出现了一个新的解决办法，被称为长寿保险，它变得越来越流行，这些产品允许你创造收入保险，以支撑你的长寿，比如从80岁或85岁直到你去世，你都能得到有保障的收益。你知道会有一份收入，从你年老的阶段开始，你便可以做一个15年的退休收入计划，不是20年或30年。我来给你举个例子。

2012年《华尔街日报》上有一篇文章，题目是《如何创造一份养老金》(有几个圈套)，作者安妮·特格森特别强调，今天拿出10万美元放到一个延期固定收入年金里，对于年满65周岁的男性来说，会有很大好处。案例中的那个人还有其他储蓄和投资，他认为用这些储蓄和投资能支撑他20年的退休生活，直到85岁，然后让他从山顶上安全地下山。但是如果他的寿命超过85岁，他的收入保险就能让他定期收到一笔收入，他收到的钱会远远多于他原来放进收入保险里的钱。

“现在一个年满65周岁的男人，支付了10万美元购买一份即期固定年金，可以每年得到7 600美元……但是加上一个长寿保险单，它就是一份长期的延期固定收入年金（我知道名字很长，但很容易理解），这样等于当他年满 85 周岁时，保险公司就开始每年定期给他发一份收入，每年金额达到 63 990 美元。”纽约人寿保险公司的人员这样说。

哇！65 岁的时候，他只要一次性存入 10 万美元，等到他 85 岁，每年就能领到接近 6.4 万美元！为什么这个延期年金这么有价值？因为到了 85 岁，如果他再活 10 年或 15 年，每年领 6.4 万美元，那么他累计能够领取 64 万美元或 96 万美元，远远高于他原始投资的 10 万美元。最好的是，他原来的储蓄和投资只需要支撑他 20 年的退休生活就够了，不是 30 年或 35 年。股市的波动性，加上收入靠后顺序不可避免的挑战，这个任务对于每个人来说几乎都是一个巨大的挑战。

我自己计算了一遍，我现在只有 54 岁，如果我现在一次性存入 10 万美元，等我年满 85 岁了，我每年可以领到 8.3 万美元！（而且你并不是一定要一次性支付 10 万美元，你也可以减少金额，相应的，以后保险到期提供给你的收入也会减少一些。）这意味着如果我活到 95 岁，每年领 8.3 万美元，累计领取 10 年就是 83 万美元，而我只存入了 10 万美元，真是赚大了。我甚至并不需要等到 85 岁再开始领取收入。从我把钱存进去的那一天，我就能够得到一张时间表，上面清清楚楚地列出在任何一个年龄，如果我开始领取收入，每年能够领取的收入会是多少。如果到了 65 岁或者 75 岁，我觉得自己需要钱花，我一看这张时间表就能够清楚地知道，这时开始领，我每年能够领到多少钱。[①]

收入保险，如果结构安排合理的话，作为一个总体计划的一部分，会是一个神奇得不可思议的工具，能够减少或者消除你晚年没钱的风险，避免你成为家人的负担。有一次，我遇到了艾丽西亚·穆奈尔，他是波士顿大学退休研究中心的主任，她很支持我，并热情地推荐这种高龄延期年金：“和我一起工作的很多人，一听这种高龄延期年金就非常激动，也非常积极，实质上这就是长寿保险。”

① 很明显，如果我开始领取年金收入的时间提早，比如65岁或70岁，那么肯定没有我等到85岁才开始领取的收入多。

我每年都在爱达荷州的太阳谷举办一次投资理财讲座，有一次我采访了著名的出版人史蒂夫·福布斯，他是《福布斯》杂志的老板。我问他自己的个人投资理财之道是什么，他说自己已经买好长寿保险了。

延期年金还有什么优点？美国国税局看起来非常支持这种延期收入年金，所以你以后每年领取到的收入都不用交税，因为你收到保险公司支付的收入，很大一部分被视为你原始存款的收益。

终极收入解决方案

你给人一把锤子，那么你看到什么东西都是钉子。下面我简要讲述的这个收入解决方案，尽管听起来令人非常兴奋，但它并不是包治百病的万能药，既不是适用于每个人，也不是适用于每一种情况。它只是一个整体资产配置方案的一部分，我在这里讲述这个收入解决方案的目的是，简要介绍一个强有力的金融产品，一个杂交年金，在其增长阶段能够给我们带来巨大的上行收益，而且能够提供一份有保障的终身收入。当我们不断积累财富，爬上财务上的珠穆朗玛峰顶峰后，然后我们开始转向我们人生的“第二幕”，从退休前的攒钱为主，变成花钱为主，此时，有份稳定的收入特别重要，收入就是结果。这种年金被叫作固定指数年金。

我要先说清楚，有两类相对较为新型的延期年金，它们从 1991 年被推出之后，很快便得到普及。这两类年金是：

1. 指数年金。你的收益率与一个股票指数绑定。

2. 更加流行的是杂交版本的指数年金。你既可以得到固定收益率，还可以得到和股票指数涨幅绑定的收益率，再加上一份有保障的终身收入附加条款。这些杂交年金普遍被称为固定指数年金，有终身收入附加条款或者有保障的最低取现收益。（我告诉过你，我们要弄清楚这种专业术语。）

只 2013 年这一年，这些新型年金就有 350 亿资金买入。事实上，我快要完成本书的时候，流入固定指数年金的资金在 2014 年上半年就有 240 亿美元，创出历史纪录，比 2013 年大涨 41%。为什么会有这样创纪录的巨大增长？

- 投资固定指数年金，你的存款一直完全在你的控制之下。你并没有放弃对自己的现金的使用权。
- 能够提供潜在的机会，让你获得更高的年收益率，相比于安全资金解决方案，例如定期存款或债券，年收益率明显高得多。
- 提供 100% 的本金保障，你肯定不会亏钱。①
- 投资增值是税收递延的，它让你的投资复利增长率最大化，推动你的财务自由基金规模更加快速增长。
- 提供收入保险，或者有保障的终身收入，选择一个可选收入附加条款，你就能得到。

就像我前面顺便提到过的那样，这些产品能够提供上行收益却没有下行风险，只赚不赔。在很多方面，它们是收益先后顺序难题的解毒剂。

它们是怎么工作的？

首先，一个固定指数年金是固定的，这意味着你的账户是有保障的，绝对不会下跌贬值。不管发生什么事，你都不会损失存进来的原始本金。善战者先立于不败之地，所以你没有开战已经先赢了一半。不过，它并不像传统的固定年金那样，让你得到一个较低但有保障的收益率。你的“基本账户”增值取决于所追踪的那个股票指数的收益率，比如标准普尔 500 指数。如果标准普尔 500 指数有一年上涨了 8%，你可以留下（或者说“分享”）这个指数收益率的一个具体比例，它一般会设定一个上限。如果你的上限是 5%，那么按照你的基本账户价值，你会收到 5% 的收益。②换句话说，大多数年金，对你能拿到的年金挂钩指数收益率的比例，都规定

---

① 记住，有保险公司的保障，还有政府的保险保障。

② 不同的产品参与分享的比例和上限不同。

了一个“上限”，或者说是“天花板”。但是相反，如果那一年市场下跌了，你一分钱也不会亏损。

最近这些年，有一些独特的产品，允许你拿到 100% 的挂钩股票市场指数收益率，而且你还可以避免下跌的年份！也就是说，你的上行收益没有上限。怎么会有这样的好事，这里有什么陷阱吗？保险公司对你的年度收益率没有设定上限，但也不能赔本做生意，它要分享你的一小部分收益（大部分情况下是 1.5%）。所以，例如有一年年金挂钩的股市指数上涨了 8%，那么这一年你会得到 6.5% 的收益率，这笔收益就会进入你的账户。不是 100% 拿到手吗，应该是 8% 才对呀？因为保险公司要分走 1.5%。如果那一年股市涨得很猛，有 14% 的收益率，那么你能够拿到 12.5%，保险公司还是只拿 1.5%。我交流的很多专家都预测这种没有收益率上限的指数年金也许未来会非常火。

股市上涨，这类指数年金确实会很好。但是如果市场下跌了，它会怎么样？

要是市场下跌了，即使是跌得很惨，一年下跌 20%、30% 甚至 50%，你也一分钱都不会亏。你可以躲避所有股市跌得很惨的年份，只享受股市上涨年份给你带来的收益分成。

现在，我知道你心里在想什么。我第一次听说这种产品，心里也是这样想的：“那些保险公司给你分享上行收益，却不让你承担下行损失，难道它们是傻瓜吗？”

我问了退休研究专家戴维·巴贝尔博士这个问题，他说“这里没有什么陷阱”。戴维·巴贝尔博士解释说，保险公司把你的钱的大部分都安全地放在它们的现金储备里，事实上这些钱一分钱也不会被投资于股市。正是因为这个原因，它们完全可以保证你的本金安全。剩余那一小部分钱用来购买股票市场指数期权，还被用来支付各种费用。如果股票市场上涨了，你就可以按照合同约定比例分享那部分期权投资收益。如果股市下跌了，这个期权就会“终止”，但是你不会亏一分钱，保险公司也不会亏一分钱。你赢，保险公司也赢，大家双赢。

锁定你的收益

固定指数年金最大的好处是，只有上行收益，没有下行风险。除此之外，它还有其他特别的好处。你看，我们都喜欢当打开自己的股票账户对账单时，看到账户余额正在增长。但是我们并非真的知道，这些钱我们将来有一天会花掉，或者以后市场一下跌就会将这些账面盈利全吃回去了。固定指数年金有一个巨大的好处就是，每一年你拿到的收益或者挂钩指数的涨幅都是被锁定的，从此这些赚的钱就都是你的了。现在，加上你的投资收益之后的账户余额就成了新一年的本金。例如，我买了 10 万美元的固定指数年金，今年赚了 6.5%，那么我账面上现在连本带利就有 10.65 万美元，这些钱就被锁定了。不管以后股市如何大幅下降，我绝对不会失去今年这 6 500 美元的投资收益。固定指数年金就像一台只会上升的电梯，因为只有上行收益，没有下行风险，而且每年的收益完全被锁定，它变成了实实在在的钱进到了你的账户里，永远不会像股票账户的账面盈利那样一跌就又回去了。固定指数年金能够年年锁定投资收益，这个特点对于我们追求安全的资金来说，是一个强有力的工具。

收入！收入！还是收入！

像固定指数年金这样强有力的工具，可以用来给你追求安全的资金赚取收益，这就是它们的本事，同时还能为你提供一个有保障的终身收入流，让它们看起来特别有吸引力。固定指数年金，因为有上面我所说的这些优点——本金安全，税收效率，只有上行收益，没有下行风险——让我喜欢，而且收入有保障这个优点，让我爱上了它。你如果选择加入一个有保障的收入流附加条款，就能得到这种好处了。好了，它听起来很专业，让我们把它解释得更加通俗一点儿。

不管你的账户表现如何，即使过了很多年，你的账户持平，没怎么涨也没怎么跌，或者只是略微上涨，加入这个有保障的终身收入附加条款，也能够确保你持续每年得到一份收入，你只要决定什么时候开始领取收入就行。不管你的基本账户投资业绩如何，你都可以拿到这份终身收入。

看看我的真实案例：我有一份年金，年金里面的收入账户保证每年增长 7%，期限是 20 年，没有任何市场风险。当我去买的时候，我得到了一张收入计划表，那么只要我决定开始，我就确切地知道，我余下的人生，可以保证每年得到多少收入，不管我能够活多久，只要我活着，收入就一直有。而且我等待领取的时间越长，我的收入账户就会增长得越多，自然每个月发给我的收入也就越多。这个年金账户已经成了我的安全 / 安心水桶里面一个重要的组成部分。你是不是又觉得听起来简直太好了，好像不可能是真的？我让我的受托人财务顾问从表面向下深入挖掘，结果他发现，这种年金不但是合法的，而且每年能够吸引几十亿美元流入，都是像我这样五六十岁的人买的。

毕竟，谁不想要这样的产品呢？收入账户有 7% 的保证收益率，同时它可以避免市场下跌、收益先后顺序等很多风险。记住，这是在 2009 年年初，市场环境很糟糕，看起来好像根本找不到这样一个安全的地方。其他能保本的投资工具，如大额存单，收益低得可怜。你可能还能记得起来，2009 年金融危机还未散去，空气中都弥漫着恐慌，人们在全世界到处搜寻，想要找到一个财务上很安全的投资之处。后来我发现，这种特殊的年金产品，当时成了地球上卖得最快的年金。

我给自己投资了这种固定指数年金，接下来我想："我能不能给我的儿子、女儿，还有孙子、孙女也买些这种年金？这些年金简直太好了，简直不像是真的。"

那么这种固定指数年金有什么缺点？我后来发现，保险公司只把这种年金卖给 50 多岁的人。它们不能永远给你提供 7% 的保证收益率，所以说它们限定的最长年限是 20 年。如果你很年轻，还要活上 50 年甚至 70 年，保险公司可负担不起这么多年一直每年给你 7% 的有保障的收益率。而且这种年金要求你一次性存入一大笔钱。我很困惑，也倍受打击。要是这种产品对我们这些 50 多岁的中老年人有这么强大的吸引力，对那些 20

多岁、30 多岁、40 多岁的年轻人，会有更加强大的吸引力，因为他们有更多的时间让自己存到年金里的钱按复利增长。那天我下定决心，要给年轻人创造一种他们可以负担得起的年金解决方案。除此之外，他们利用这种年金还能建立一个安全无忧的终身收入计划，让他们可以开拓一条清晰的道路，直达财务自由，既不用承担股市的波动性风险，也不用承担由此产生的心理压力。

你的个人大奖

科迪·福斯特有两个合伙人戴维·卡拉和德里克·汤普森，这三个人的经历，好像是霍尔肖·阿尔杰写的那些艰苦奋斗、发财致富故事的现实版。2005 年，这三个小伙伴坐在科迪家的厨房餐桌旁，他家住在冷冷清清的堪萨斯州托皮卡市。他们三人拿出各自的积蓄，凑出来 13.5 万美元，他们决定创办卓越理财顾问公司。你可能从来没有听说过这家公司，这很正常，因为它并不服务终端消费者，只服务顶尖的投资理财顾问。卓越理财顾问公司和最大牌的保险公司合作，让投资理财顾问可以拿到最新又最安全的年金产品来卖给客户。你可以把他们三人办的这家公司看作投资理财顾问的顾问。

卓越理财顾问公司发展飞快，只用了短短 9 年就成了美国最大的年金批发商，每年年金销售接近 50 亿美元。在年金这个行业，很多销售年金的公司都已经经营好几十年了，而卓越理财顾问这个才成立 9 年的公司就成了主导行业的老大。这家公司经营成长得太快了，以至 3 个创始人 5 次发现办公室面积远远不够用了。他们最初是在一个牙医诊所的地下室办公，在那里，他们雇用了第一个员工，用箱子给他当临时办公桌用。现在他们的办公室接近 8 000 平方米，有最先进的办公设施。可能再过不久他们的办公室面积又会不够用了！

要是你遇见科迪，这个来自托皮卡市的普通人，你绝对想不到他有一家年销售收入几十亿美元的公司。他是辛辛苦苦打拼出来的，从来没有忘记过自己的根在哪里，他把自己的成功归于上帝的荣恩。我第一次见到科迪，是在我住的酒店里，那是在加利福尼亚州的圣何塞市，那天早上他参加了我的大型讲座“释放你内在的力量”，该讲座有 6 000 人参加。促成我们俩见面的是我儿子乔希。这次见面，原计划只谈一个小时，结果我们一直谈了三个小时。（对于我来说这是常事儿。）

我一坐下来，就直奔主题：

“科迪，我有一个想法，我相信能够改变 700 万人的生活，办法是帮助他们更快地达到自己的财务目标，而且压力和风险要小很多。”

“好啊，请讲。”他说，他往椅子后面挪了一点儿，很期待我接着讲下去。

“有一件事，我想看看我们能不能做成：那些固定指数年金，只有那些有钱又一大把年纪的人才能买，我们能不能把同样的机会带给更年轻的人？他们也许并没有太多的钱来做投资。我们可以做出一个固定指数年金，年轻人可以每个月分期缴费，就像他们每个月给 401（k）退休养老金账户交费一样，他们知道自己存到年金账户里的每一美元，都能帮助他们得到一份有保障的终身收入。这就像是一个个人版的退休养老金计划。”

科迪往后坐了坐。他看起来有些怀疑。

这种想法非常不符合常规，听起来太离谱了。

我火力全开，进入研讨会那样的攻击模式。我对他发出充满激情的请求，向他解释为什么这种解决方案会改变整个年金行业的游戏规则。和这些“80 后”“90 后”打交道，让金融服务行业很头大。因为这些年轻人既十分独立，喜欢独立思考，根本不听你说的那老一套，又非常难接近，这一点众所周知。研究表明，他们并不是股票市场的巨大粉丝。因为他们才刚刚进入股市，2008 年的股市大崩盘，就把他们刚刚攒的那点小钱全赔了。更糟糕的是，人寿保险和金融服务行业最大的交易协会——美国寿险行销研究协会做的研究发现，2005—2010 年，出生于 20 世纪 60 年代中期至 70 年代末的一代人积累的财富亏掉了 55%！我的天哪！他们现在想要保障，他们想要保护，他们想要收入，他们想要操作简单容易。

科迪开始点头，表示赞同。他明白我想的是什么，但是他也知道困难很大。毕竟他从大学一毕业就进入这个行业，在这个行业里待了好多年，他清楚地知道每一家世界最大的保险公司的限制和优势。

“托尼，我知道你想要的是什么，你追求的是什么，但是你需要理解这个行业的情况。保险公司不能把这些固定指数年金卖给那些不到 50 岁的人，因为能让终身收入年金运作的，能让保险数据运作的，就是一切都要受到对死亡率理解的驱动。到了 55 岁，保险专家就知道你的寿命长度，当然是从平均寿命来看的。根据这一点，他们可以做出财务决策，但是如果你只有 45 岁、35 岁，甚至是 25 岁，他们就很难做到了。

我早就预料到他会这样回答，于是我又出了一个主意：

“那么你看这样做行不行，你给他们一个保证，他们绝对不会损失本金，从第一天直到永远，都不会亏本？要保证他们的未来收入，要比 50 岁以上的人花得更多，那么为什么不能先给他们一个低一些的有保障的年收入增长率，然后再给他们加上分享股票指数上涨带来的收益？这样最终可能给他们带来的收益率会超过 7%，特别是对那些更年轻的人，因为他们有更多的时间来让自己的投资持续地按复利增长。大多数人都知道，长期而言，股票市场会创造最高的增长，但是问题是那些股市大幅下跌的风险非常可怕，你可以保证他们的上行收益，没有下行风险，绝对不会损失本金，再加上一份有保障的终身收入。

“你还要想方设法地让这些年纪不到 50 岁的年轻人买得起这种年金，不要求提前支付一大笔钱，相反，他们可以选择每个月分期支付一小笔钱，具体每个月付多少钱，他们可以自己选择。用这种方式，保险公司不用担心因为客户年轻，寿命预期跨度太长，预测未来寿命非常困难。客户也有机会获得更高的收入流，因为大部分收入都是跟股市上行收益挂钩的。”

科迪喜欢这个想法，因为从长期来看，市场表现是对投资者有利的，特别是你只分享上行年份收益的话。但是还有一个主要障碍：

“托尼，你的想法，我明白了，这个产品还需要很有效率、很简洁。但是传统上，给年金定价最贵的那一部分就是佣金。保险代理人把年金保险产品卖给客户，保险公司就要支付佣金，这是从他们自己的口袋里掏钱，他们不能从客户的账户里扣钱。照你的想法操作，保险公司要卖这种年金，就要从自己的口袋里预付大量的佣金，他们根本负担不起。这意味着很难让传统的代理人来卖这种年金，就像是“第22条军规”，它成了一个让人左右为难的困境。”

这个问题我也早有准备：

“如果保险公司不用预付任何佣金呢？”我反问道，“我们要跳出条条框框来思考年金销售。50年前，人寿保险都是挨家挨户地上门推销的。现在你可以在网上购买，连话都不用跟销售员讲一句，结果是现在买人寿保险很方便，也便宜多了。我们运作的是新型年金，也要运用新的销售模式。现在年轻的一代实际上不愿意跟任何人说话！直接省略中间人！

“这种年金销售应该设计得很简单，网上就可以操作，你决定每个月投多少钱，直接从你的银行账户里扣除，你设置好之后就什么也不用管了。这个网站能够精确地规划出来，你将来到什么年龄，能够提供多少收入，这些都取决于你能拿出来多少钱存到年金里。只需在网上点击几下，随便一个年轻人就能设置好一份终身收入计划。他们既不用很有钱，也不用等50多岁，才能够利用这种年金。对了，还有，他们甚至可以用手机上的应用软件来追踪自己年金的价值变化。”

科迪开始理解我的想法。于是我问他：“科迪，你觉得这种新型年金能影响多少人的生活？如果你手下的人与保险公司合作来创造这样一种年金产品，每个人都能买，保证能给他们提供一个更安全的财务未来，你觉得有多少人会心动？”

科迪一听，笑了。“这要看再过多少年，100万年，1 000万年，绝大多数美国人听了都会心动！”我的话触动了这个男人的心弦，他是在小镇的农场里长大的，家里尽管算得上中产阶级，却是收入最低的那一级。科迪创业成功，有钱后非常慷慨，乐于助人，希望每个人都能得到发展机会，特别是在财务自由方面。

科迪离开了我住的酒店。他现在浑身充满了热情。他走的时候带着一个使命：看看自己是否能运用自己的影响力，说服世界上最大的保险公司，打造一个“终身收入计划”的解决方案，提供给更年轻的一代，起始存款金额的要求更少一些。

快速前进

就在几年前，大多数固定指数年金，对购买者最低年龄要求是 50 岁或 55 岁，不同的保险公司要求各有不同，而且大多数要求客户至少先存进来 2 万 ~5 万美元。要给更年轻的客户群体（低于 50 岁）找到一个有保障的终身收入附加条款，可以说是完全不可能的。但是现在情况已经完全改变了。我很骄傲地告诉大家，通过我们和卓越理财公司的共同努力，我们已经说服世界上最大的保险公司开始设计和打造新的革命性年金产品，不管年纪大小，收入水平高低，大家都可以购买。

这些新的固定指数年金能给你提供很多好处，比如：

- 保障本金安全。只要是你投进来的钱，一分钱都不会亏。
- 有上行收益，却没有下行风险。你可以参与分享股票指数上涨 100% 的收益。是的，100% 的上行收益，没有下行风险，不可能亏钱，你能赚的钱也没有上限。保险公司不收你的费用，只是从你赚的利润里分享一小部分（范围在 1.25%~1.75%）。比如，如果股市上涨了 10%，保险公司只拿走 1.5%，你可以得到 8.5%，收益都记在你的账户价值的增长上。相反，如果某个年份股市下跌，保险公司一分钱也不收，你不会损失一分钱，也不用支付任何费用。只有你赚钱了，你才会从中分给保险公司一小部分。

要了解这种产品结构安排多么强大有力，我想到了一个比喻很合适，当时我正在跟一个朋友共进午餐，就在拉斯维加斯的永利安可酒店。我放眼看了一下巨大的赌场，对我的朋友说：“想象一下，这个赌场有一张非常特殊的赌桌，特意留给那些贵宾客户。规则是你可以成夜赌博，但是你一美元也不会输。不管发生什么情况，赌场老板史蒂夫·韦恩都保证，你来的时候带了多少钱，你走的时候都还会带走。也就是说，你的本金可以保证绝对安全，一分钱都不会亏。”

“如果你赢了，只不过从你赢的钱里拿走1.5%给赌场，当作小费，其余全部归还你。要是能够这样赌，你愿意赌多少？你愿意玩多久？因为你知道你不可能输钱，如果你赢的话，你只需要把赢的钱拿出来一小部分作为小费就行了。”

这位朋友一听就笑了，回答：“我有多少就赌多少，我能赌多久就赌多久！”我一听哈哈大笑，说道：“我也会这样！”这就是固定指数年金能给你带来的好事，现在，固定指数年金不再只限于销售给年纪大而且很有钱的人了。

- 固定指数年金没有年度管理费，没有销售手续费，也不会从你的账户上扣任何费用。
- 你如果想要拥有一份有保障的终身收入，可以选择收入附加条款。你这样选择后，你就有两个账户互相竞争：一个是基本账户，股市上涨的年份，你的财富就会随之上涨，每年股票上涨的收益都会锁定，我们前面已经讲过了；还有一个是收入账户，你会享有一个有保障的收益率，或者有保障的收益率加上市场表现业绩所混合的收益率，具体条款取决于保险公司。对你有益的是，你将来得到的收入，按照在你决定需要拿到收入的时候，两个账户里面资产规模最大的那个账户来计算。

更重要的是，除了以上所有这些好处之外，科迪设法影响那些保险公司，删除了购买固定指数年金需要你先一次性大额支付一笔钱的要求。有了这个金融工具，无论你钱多钱少都能买。原来你需要先付2.5万美元或者5万美元才能购买这种固定指数年金，现在初始存款很低，只要300美元。你可以更加方便地投资这种固定指数年金，只要给你的银行账户设立一个每月自动扣款计划，你的财务自由基金每个月就会成长为一份“个人退休养老金”，将来给你带来一份稳定的终身收入。

即使你做的其他投资金额很小，甚至其他任何投资都没有，这个创新的固定指数年金产品，也可以成为你投资起步的最佳起点。为什么？因为这个产品给你分享股票市场指数上涨收益的机会，却不用你承担股市下行的亏损。你知道你存到里面的每一美元，都可以保证自己能得到一份终身收入流。你存的越多，将来能领到的收入也就越多，而且你是有保证的，你存进来的每一分钱都不会亏。

因为市面上有几千只年金产品，给出收入的范围也非常宽，所以科迪和他的团队建立了一个网站，名叫“终身收入”，来做年金投资者教育，让你提高投资选择和决策能力。它能够让你根据自己的具体情况，寻找和选择对你最合适的年金产品。

你访问终身收入网，只需要简单几步，就能让你快速又轻松地设立你的终身收入计划，只用几秒钟，你就能算出你的潜在收入是多少，你每个月能存进来的钱越多，晚年每月能够领到的收入就越多。不管你的年纪是多大，这个系统都能帮你找到最好的年金保险投资产品，让你得到最理想的稳定退休收入。所以不管你年纪轻，想要更加灵活、金额更小的月供，还是年纪较大，有一大笔钱正在找合适的长寿保险，这个系统都会指导你找到一个最佳收入解决方案。你可以选择多种方式，可以自己在线完成，可以打电话咨询专家，也可以直接联系你住的地方的年金顾问。终身收入网有一个专家库，在全美 50 个州有 500 多个年金专家。他们可以帮你免费评估和分析你手上现有的任何一只年金，你可以选择，是继续持有你手上的年金，还是把你的账户价值转移到另外一家保险公司，这种转移账户是免税的。

我前面说过，合适的终身收入产品是一个强有力的投资工具，和全天候投资组合可谓是双剑合璧，能让你天下无敌。终身收入网是堡垒投资理财顾问公司的独家年金供应商。所以如果年金只是你整体资产组合的一部分（或者只是你安全 / 安心水桶里的一部分投资），你也可以通过堡垒投资理财公司来购买这些年金产品。堡垒投资理财公司会帮你联系一位年金专家，为你提供咨询服务。

万里挑一的投资高手使用的工具

在7步通向财务自由的道路上，现在我们走完第5步了！我们现在不仅能像投资内行那样思考，我们还有了投资内行才会用的工具！只在第五部分，我们就从投资偶像瑞·达利欧那里学到了强有力的投资组合模型，历史数据证明，从1925年到现在每一个经济季节，这个投资组合都很有弹性，业绩持续表现很好且稳定。大多数人必须投资1亿美元才能得到瑞·达利欧的投资高见！我们在这里能够免费分享，实在是非常荣幸。我们可以很有信心地认为，我们模仿着瑞·达利欧的投资组合模型去做自己的全天候投资组合，这一组合将会持续工作，而且过了很长一段时间之后，在任何环境下，它都会持续稳定地赚大钱。

我们已经学会如何正确地合理安排收入保险，就是年金保险，这样能给我们一份终身收入，让你不用为了养家糊口去工作赚钱。不仅如此，选择合适的固定指数年金。我们存到年金里的钱可以百分之百地分享股票市场指数的上行收益，而在市场下跌的时候可以避免承担任何亏损！这种固定指数年金完全可以进入安全/安心水桶，还能给你带来一份令人兴奋的潜在收益。你尽管有很多途径可以获得财务自由，但运用全天候投资组合偶尔来两次重拳出击，再加上你运用固定指数年金得到有保障的终身收入流的确定性，一攻一守，双剑合璧，这会是一个强有力的组合，让你一生无忧，收入安定不用愁，内心安宁又平静，一生一世乐悠悠。

你积累好了足够多的财富，还必须保住这些财富，为了自己也为了自己的孩子，赚钱难，守住你赚的钱更难。这些超级富豪想方设法地保住他们的财富，为此聘用了一帮资深、技能高超的投资理财顾问。那么他们是用什么人、用什么办法来保住自己的巨大财富的？我们将揭开这些超级富豪的秘密。

投资固定指数年金的常见问题

下面列了几个常见问题，人们了解固定指数年金的时候经常会问：

万一我早逝了怎么办？

如果你死了，还没有开始领取年金带来的收入，你的整个账户余额会留给你的继承人。这是传统收入年金的一个巨大好处。如果你决定开始领取你的年金收入，只需要打个电话就行，但这样开始领取年金收入之后，并不是把你的整个账户价值都交到保险公司手里，从此这些钱都不是你的了。你的继承人还能够得到你的年金账户余额，只不过要扣掉你到那个时点已经领取的年金收入。

我如果急需用钱，能把年金里面的钱取出来吗？

大多数固定指数年金，都允许你提现一部分，最多是账户余额的 10%~15%，无须支付任何罚金或者退保手续费。请记住，在美国，如果你是在 59 岁之前提现，只要任何投资的投资增值可以得到税收递延，美国国家税务局就会收取你 10% 的罚金，这是标准做法。如果你需要把你年金保险里所有的钱都取回来，你可以把这份年金保险退保，把你的本金都取出来，以及所有的投资增值。不过这样全部提现就是退保，保险公司要收退保手续费，具体金额取决于你持有年金保险的时长。退保手续费其实是自己强加给自己的一种惩罚，因为你提前把你的钱拿回来了。典型的时间安排是，退保手续费起点是 10%，然后每年降低 1%，直到最终达到 0%。所以，如果你已经持有年金保险 5 年，这时要退保，取回你所有的钱，你需要交纳 5% 的退保手续费。退保时间越早，手续费越高。所以，所有投资到年金保险这个工具上的资金，你都应该当成长期投资的资金来考虑。

固定指数年金内部有什么收费？

你的账户不会扣除任何年度管理费，不过，如果你选择了有保障的终身收入附加条款，这种安排所收取的年度费用在0.75%~1.25%，具体比例取决于保险公司。

我可以把我个人退休金账户里面的钱放到年金里吗？

是的，你可以用你的个人退休金账户或者罗斯个人退休金账户里的钱来投资年金，也可以用税后的钱（这些钱已经交过所得税了），来投资年金。这种情景，也被称为合格或者不合格的资金，这两种资金都可以用来投资年金。

我的账户价值增长有上限吗？如果有的话，上限是怎么规定的？

上限（天花板）是指你能从股市涨幅中保留的最高收益率，一般和利率挂钩。利率越高，收益率上限就越高，反过来也是如此。有些新型固定指数年金产品提供100%的上行收益，没有分享收益率的上限，但是它们要收取一笔小小的差价，也就是说要分享你的上行收益利润或者投资收益。例如，如果股市上涨了10%，你也许可以得到8.75%的投资收益，计入你的账户价值，也就是说保险公司从你10%的收益里分走了1.25%。但是如果市场下跌了，保险公司一分钱也不会拿走，你也不会亏损任何一分钱，我喜欢这种没有上限的投资策略，因为它能在当年让你有机会得到最多的上行收益。

与我的账户挂钩的市场指数是什么？

最流行的股票指数是标准普尔500指数。现在经常会有新的指数加入进来，例如有些账户可以挂钩巴克莱动态平衡指数（股票和债券混合）或者摩根士丹利动态配置指数（12个不同的板块混合在一起），有些指数甚至是大宗商品指数。

什么因素能决定我得到的收入？

你的年金缴费额、在你决定开始领取收入之前等待的时间、你开始领取收入时的年龄，这三个主要因素将会最终决定你能够领到的收入有多少。基本上，每月缴费越多，以后领到的收入越多；前面等待的时间越长，你的年金本金投资增值的时间越长，你以后领取的收入也就越多；你开始领取收入时年纪越小，将来领取收入的年头就越长，自然领取的收入总额就越多。不过影响最大的因素是你选择的产品，每个年金保险合同所提供的有保障收入的数量都是不同的，所以在你扣动扳机决定购买年金之前，务必要弄明白这一点，这很重要。

固定指数年金投资怎么交税？

你的固定指数年金的投资增值是可以税收递延的。当你开始领取年金收入之后，你领取到的终身收入要交纳普通收入所得税。因为政府让你享受税收递延的优惠，所以你在年满 59 岁之前，把钱从年金里面拿出来，就要交纳罚金。如果你是通过罗斯个人退休金账户来持有固定指数年金的，那么不管是你的投资收益，还是以后领取的年金收入，你都不用交税。

投资固定指数年金，你可以避免所有股市暴跌的重大打击：投资固定指数年金最大的好处是，能够得到上行收益，却没有下行风险，这样的好处简直太强大有力了。你只有回头看看美国股市大崩盘的历史，才能真正明白。股市的特点是，跌起来很快，但涨回来很慢。你看看市场需要多久才能重新回到原位，投资者需要多长时间才能重新回本，时间漫长得会让你震惊。看看下面这些股票市场崩盘的历史知识，记住，有了这种固定指数年金，你的投资只会涨不会跌，所有的股市上涨收益你都可以得到，而且你可以避免所有这些股市暴跌带来的巨大亏损。

1901—1903 年

- 道琼斯指数下跌 46%
- 1905 年 7 月恢复
- 恢复时间：2 年

1906—1907 年

- 道琼斯指数下跌 49%
- 1916 年 9 月恢复
- 恢复时间：9 年

1916—1917 年

- 道琼斯指数下跌 40%
- 1919 年 11 月恢复
- 恢复时间：2 年

1919—1921 年

- 道琼斯指数下跌 47%
- 1924 年 11 月恢复
- 恢复时间：3 年

1929—1932 年

- 道琼斯指数下跌 89%
- 1954 年 11 月恢复
- 恢复时间：22 年

1939—1942年

- 道琼斯指数下跌40%
- 1945年1月恢复
- 恢复时间：3年

1973—1974年

- 道琼斯指数下跌45%
- 1982年12月恢复
- 恢复时间：8年

2000—2002年

- 道琼斯指数下跌36%
- 2006年9月恢复
- 恢复时间：4年

2008—2009年

- 道琼斯指数下跌52%
- 2011年4月恢复
- 恢复时间：2年

第30章　超级富豪的秘密（你也可以用）

> 那些超级富豪都把它看成圈里人的秘密：投资方式合法合规……只不过投资收益都不用交税。
>
> ——《纽约时报》（2011年2月9日）

寿险的新世界纪录

2014年年初，吉尼斯世界纪录大全宣布，一个新的世界纪录诞生了，这并不是什么世界第一高人，而是一个大部分人没有注意到的世界纪录：

> 神秘的亿万富翁购买2.01亿美元的人寿保单，这打破了历史纪录。

为什么这个亿万富翁要买这么大的人寿保险？即使他提前离开人世，他有那么多钱，他的孩子也一样会过得很好。是不是媒体没有抓住重点？不管你信还是不信，那些超级富豪确实购买了天文数字般的人寿保险，但是买得最多的并不是那些亿万富豪，最大的买家是银行和大企业，从沃尔玛到富国银行，都大买人寿险。例如富国银行的资产负债表显示，其一级资本中存到人寿保险上的现金价值为187亿美元（截至2014年5月27日）。要知道，一级资本可是一家银行的财务实力的核心衡量指标！与媒体所说的相反，大公司、大银行和超级富豪大买人寿保险，并不是想从任何人的死亡中获利。他们真正想要的是，找个地方来存放他们的现金。作为一种美国税务局批准的工具，那里允许他们的投资增值免于纳税。这听起来太好了，简直不像是真的。事实上，这在税收待遇上非常像罗斯个人退休金账户。你赚到的钱（收入），交了所得税，但是一旦你把这些纳过税的资金放到一个特殊类型的人寿保险里，美国税务局就同意，这笔投资以后的增值就不用再交所得税了，如果结构安排正确（后面详述），当你从保单里把钱拿出来的时候，你也不用交税。所以尽管这是人寿保险，却不是你死了才能赚钱，而实际上它是精心设计的，在你活着的时候用来从中获利的。

这种特殊的人寿保单，对于亿万富翁和世界上最大的公司来说，再好不过了；对于我们这些普通人来说，也可能是再好不过了。让我们仔细研究一下，看看如何利用这种强大有力的避税工具，来加快我们的财富积累速度，提早实现财务自由。

富人的免税账户

后面要讲的策略属于私募人寿保险，《纽约时报》称之为富人的秘密，这个说法非常贴切。这个工具就是我认识的两位超级富豪推荐给我的，但是你并非一定要是超级富豪才能利用这种工具的优势。很多高收入人士，包括医生、律师、小企业主，也会从后面我们要讲的人寿保险投资知识中发现巨大的应用价值，但是那些只有几千美元闲钱的普通人将会学到如何创造一个类似版本的投资结构，给你提供同样的好处。所有人都可以得到以下令人震惊的好处：

- 存入资金数量没有限制（没有最高收入限制）
- 投资增值不用交税
- 提现不用交税（前提是结构安排正确）
- 留给你的继承人的所有钱都不用交税

我们不要觉得这个工具是一种很酷的策略，就一带而过。这本质上是把你的一部分或者全部养老金从税收体制中全部挪走了！这样一安排，你以后的投资增值再也不用交税了，你以后的投资取现再也不用交税了。这正是媒体为什么称私募人寿保险是富人的“免税投资账户”。好好思考一下登在《华尔街日报》上的那篇文章《如何创造一份养老金》中的一段话：

> 最主要的吸引力：因为你持有的投资外面包装了一层人寿保险，所以保险里面实现的投资收益可以免缴收入所得税，直到你死后才用纳税。另外，保险持有人可以拿到他们的钱，就在他们活着的时候，可以提前取现，也可以用保险贷款，完全免税，具体数额取决于保险的产品结构设计……这种人寿保险销售大幅增长，一个很大的原因是，最近几年，美国国税局发布了一系列的规章制度，里面说得很清楚，私人订制的人寿保险和年金，哪些允许免税，哪些不允许免税。相应地，这消除了保险公司和投资者之间的不确定性。

把税收从投资等式中拿出来之后，你的财富积累速度会大大加快，让你能比计划提前好多年到达你的财富关键规模目标和财务独立所需的财富目标。你再也不用担心，你赚的钱究竟有多少是你可以花的，因为税务局的人会先把你的苹果咬一大口，事实上，想知道你未来真正需要多少钱才够，面临的一个最大的困难就是，你不知道你未来要交税的税率会是多少。记住，税收很容易就会提高，突然之间，所得税提高了，自然你的可消费收入就减少了。如果你做投资理财规划的时候，用的是 50% 的所得税税率，但是到了你预计的将来，对富人征收的税率提高到了 70%，或者现在你的所得税率是 30%，到你预计的未来，你这样的收入等级的所得税税率提高到了 50%，那么原来你做的投资理财规划的收益，在税率提高后，你实际拿到手的钱就达不到你财务自由的目标了。

我们来看一个案例，你如何运用这种工具，只用原来计划的一半时间实现财务安全或者财务独立，抑或是你保持同样长的投资期限，最后你真正到手可以随意消费的资金数量增加 1 倍？

如果你是一个高收入人士，就像医生、牙医、律师、小企业主，你很幸运，每年税前收入能达到 25 万美元。收入高，所得税也高，意味着交过所得税之后，假定联邦所得税和州所得税的合计税率为 50%，你能拿到手的税后净收入只剩下 12.5 万美元。你一年正好需要 12.5 万美元，才够维持你现在的生活方式，挣的越多，花的越多。这 12.5 万美元就是你每年的全部可消费收入。传统的投资理财规划是，你需要积累的财富是你现有年收入的 20 倍，也就是说，你的关键规模必须达到 500 万美元，才能产生 25 万美元的税前收入（假定提现比例为 5%）。如果国家不要求你交税，那么你需要的实际年收入是 12.5 万美元。你实际上只需要积累 12.5 万美元的 20 倍，或者说，在现在这种结构安排下，总的关键财富规模只需要 250 万美元就够了。这意味着你到达你的财富目标的速度快了 50%，或者说，你用同样的时间到达你原定的财富规模目标，这让你得到的可消费收入增加了 1 倍。

如果你收入不高，一年只能赚到 5 万美元，你会说："那又怎样？这种人寿保险难道不是只对那些有钱人有好处吗？"别着急，你先听我讲富人怎么利用这种人寿保险来避税的。接下来，我会讲普通收入阶层也能利用这种人寿保险来避税，加快财富积累，让你实现财务目标的时间加快 30%~50%，而且所有这些避税的产品都能得到美国税务局的支持，就像支持 401（k）计划或者罗斯计划一样。

人寿保险贵吗？

我的律师第一次跟我谈到私募人寿保险时，我一听就觉得非常反感。跟大多数人一样，过去碰到太多人向我推销昂贵的"零售"人寿保险了，我再也不想让那些卖保险的家伙欺骗我了。

我的这位律师接着解释道："托尼，这并不是那种你平时经常见到的零售人寿保险。那种见人就推销人寿保险的推销员，发型做得很帅，开着一辆金色的劳斯莱斯，但是你从他那里根本买不到这种人寿保险。这是一种机构定价的保单，没有佣金，没有退保手续费，也没有你遇到的那些零售代理人碰到你时讲的那一大堆废话。你可以把这种人寿保险想象成只是在外面包了一层‘保险的皮’，其实你买的是一个用来放置你投资的地方，你放到这里的所有投资都可以合法地避税，只要在这层保险的包装里面就行。这种人寿保险里的资金可以投资到各种各样的基金，你的投资增值不用交税，如果我们操作正确的话，你从保险里提出来的现金也不用交税。”

免税复利增长

复利增长的时间长了，这种私募人寿保险带来的好处会大得惊人。我们来看一个案例，两个保单投资相同，只不过一个包装在这种私募人寿保险里面，不用交税，另外一个就是标准的做法，每年要交税。

假设一个健康的男性，现在45周岁，每年存入25万美元，连存4年，累计存入100万美元，如果他能得到10%的投资收益率，而且必须年年交税，那么过了40年，他的账户余额总额会是700万美元。还不错，是吧？但是如果他把投资包装进一个私募人寿保险，相对而言他只是支付一笔很小的费用作为保单的费用，他的最终账户余额（保单现金价值）超过3 000万美元！同样的投资策略，他实际拿到自己手里的钱高了4倍（400%），这样他和他的家人能够花的钱就多了4倍，关键在于他能运用税法来合理避税。（请记住，对投资管理有非常严格的法律法规约束，必须由一个第三方投资专业人士来投资操作，而不能由保单持有人自己操作。）

顺便说一下同样强大有力的好处，甚至也可以被用在规模更小的投资上，它就是不用交税的复利增长！但是接下来我想知道，我若想取出保单里的钱，该怎么办。

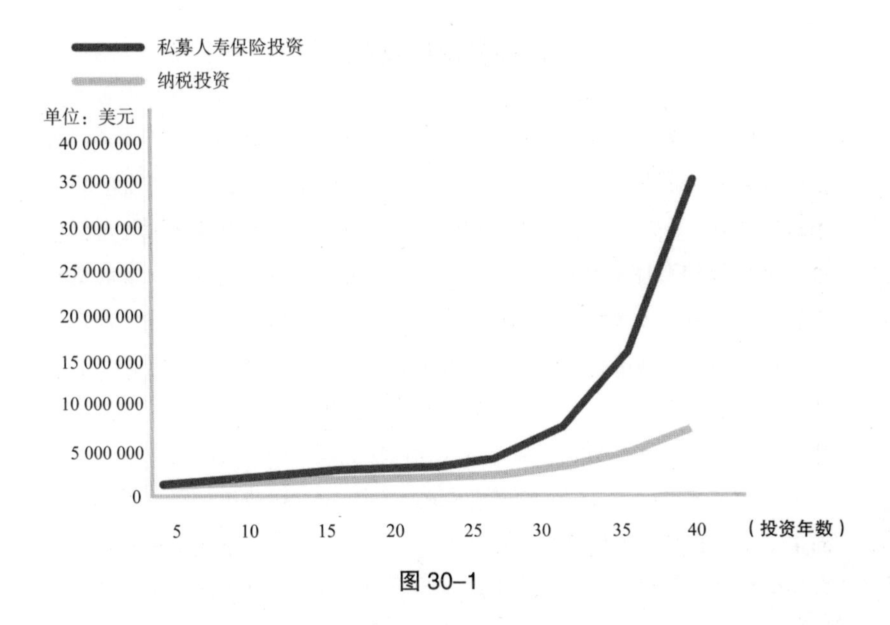

图 30–1

把保险里的钱取出来

私募人寿保险的威力在于，你不需要担心将来的税率是多少，在你一生投资的过程中，只要是在这个保险里的投资产生的收益，你就不用纳税，钱全都是你自己的。但是如果你需要现金呢？那么就像政府批准享受税收递延优惠的其他投资工具一样，提现就必须交税，但是你有权力从你的保险里借钱，换句话说，你可以打电话给保险公司得到一笔现金，相当于你的保险现金价值，但是从法律上讲它是一笔贷款，这笔贷款是不用交税的。到了你选定的还款日期，你可以归还贷款，你如果去世了，就用人寿保险的分红来归还贷款。这是合法的贷款，它确实能让你拿到现金。还有没有别的巨大好处？人寿保险受益人得到的死亡赔付款是免税的，所以你的孩子收到这些赔付款的时候不用交税。

你有资格吗？

要购买私募人寿保险，和购买私募基金一样，你必须是他们所说的合格投资者[①]，而且一般要求每年最低存入年金25万美元，至少要连存4年。不过，还有一个版本的私募人寿保险，现在哪怕你只有几千美元也可以投资。美国教师退休基金会是1918年由当时很有远见的安德鲁·卡内基设立的，目标是服务教师，而不是为了给公司或者给股东带来利润。现在美国退休教师基金会也给公众提供金融服务，但是这个基金会独一无二的非营利结构允许其提供人寿保险产品，既不收销售手续费，也不收退保手续费。在这样的保险里面的资金投资选择包括低成本的指数基金，这些基金完全符合本书里很多投资专家给我们的投资建议。税收上的好处和我们前面了解到的私募人寿保险没有什么不同。记住，作为一个无手续费也无佣金的保险产品，根本没有保险代理人会敲你们家的门来推销这种产品，所以你需要访问基金会的网站，自己动手购买或者找一个受托人理财顾问来帮助指导你买一份保险。

作为受托人，你的代表不能收取佣金。如果他在这方面很有技巧，而且完全了解如何设置这样一个有税收效率的策略，他就能为你提供优质的服务。基于你现在的税率，这种人寿保险能帮助你更早地实现你的财务目标，时间会提前30%~50%，没有任何附加的风险。当然，如果你是堡垒投资理财公司的客户，我们会有一个团队来为你安排所有这些细节。

亿万富翁战术手册

我们一起走了这么长的投资旅程！我们和瑞·达利欧一起征服了丛林，学到了如何设计一个投资组合，安度所有经济季节，为你持续提供平

① 要有资格购买私募人寿保险，你必须成为一个合格投资者。这意味着你的财富净值至少要有100万美元（不包括你的主要住所的价值在内），或者你最近两年每年至少要有20万美元的收入（或者你和你的配偶合计每年收入为30万美元）。

稳的收入接近 75 年之久 。我们学会了如何创造一个有保障的终身收入计划，能够获得上行收益，而且没有下行风险，使用的工具就是收入保险。在这个部分的最后，我们了解了一个非常少见的无佣金人寿保险，它能给我们带来等同于罗斯账户的免税好处，却没有收入和缴费金额的限制。现在是时候得到机会——礼物了，让你能够坐下来直接向一些投资世界最优秀的大师学习，倾听他们的心声，了解是什么把他们塑造成现在这个样子的。他们会告诉自己的孩子什么东西，来教育孩子成为一个成功的投资者？现在让我们翻到下一部分，跟大师面对面。

生前信托

还有一点要讲一下，它很简短，但是很重要。那些富豪都费尽心机做好投资理财规划来保护他们的家庭。有些特别简单的事情，你一做就能保护好你的家庭，其中之一就是建立一个可撤销的生前信托。用生前信托来持有你的核心资产，包括你的房子、证券交易账户和你的交易账户等，最大的好处就是，一旦你去世了，这些财产可以避免法庭认证。法庭认证要走一套程序，成本高且时间长，让法庭盘点你的财产（每样东西都要做成公开记录）。但是和遗嘱不一样，生前信托也可以在你活着的时候保护你和你的家人。如果你生病了或者没有行为能力了，你可以在生前信托里面加入一个无行为能力条款，允许某人做继任受托人，处理你的账单和其他事务。但是不要听信那些专家说一个生存信托要花费好几千美元，你可以在网上得到一个免费的模板文件。香奈儿·雷诺兹就创办了这样一个非营利网站，那是在她丈夫骑自行车时因交通事故死亡之后，她想确保没有人再次经历这种毫无准备的痛苦经历。

我在这时特意附上生前信托这个提醒，是因为即使本书的目的并不是要成为一个遗产规划工具，我们也都要承担一个重要的责任，就是不管我们积累的财富是什么样的，不管这些财富是大还是小，都要确保我们的家人能从中受益，不会陷在一个法律程序里，让它吸干我们要留给继承人的礼物。如果你已经积累了一些财富，请寻找高质量的帮助，帮你做好遗产规划。不要再等了，马上设立一个生前信托。每个人都需要设立一个生前信托。

MONEY

7 Simple Steps to Financial Freedom

MASTER THE GAME

第六部分

像万里挑一的大师那样投资：亿万富翁战术手册

第31章　顶级大师面对面

色不过五，五色之变，不可胜观也。

——《孙子兵法》

4年之前，我开始了一趟奇妙的投资理财取经旅程，想要为像你这样的个人投资者寻找一种投资之道，让你能控制好你的金钱。现在的美国这套金融体系好像受到操纵，对个人投资者很不利。我立志要去拜访最有见识也最有影响力的世界顶级投资理财专家，从他们那里取回投资理财真经，带给你最好也最有用的投资理财知识、经验和信息。多么不可思议的投资理财取经之旅啊！在这4年的取经路上，我采访了50多位世界顶级投资理财大师，包括白手起家的亿万富翁、诺贝尔经济学奖获得者、畅销书作家、教授、金融界传奇人物。我问他们的问题，换作你和我一起跟这些大师面对面，你肯定也会问这些大师同样的问题。例如：

- 你在投资上的竞争优势是什么？是什么让你与众不同？你有哪些深刻的见解让你在市场上笑傲风云一个十年又一个十年？
- 个人投资者参加投资这个游戏还能赢吗？在今天经济发展波动性这么大的环境下，个人投资者怎样投资才能长期赚到大钱？
- 从全世界来看，个人投资者面临的最大挑战是什么？对于今天的投资者来说，最大的投资机会又是什么？

还有一个也许是所有问题中最重要的问题：

> 如果你一分钱都不能留给你的孩子，只能传给他们一个投资组合或者一套投资理财的基本原则，以帮助他们发展，那会是什么？

同样的问题，这些世界投资理财顶级大师会给出不同的回答，有些让我兴奋，有些让我震惊，有些让我哈哈大笑，有些让我感动落泪。这些东西是大学教育给不了你的，你无法想象。这些大师的回答，都是真刀真枪一线实战多年的经验之谈，都不是从书本上学来的，他们的一句话能胜过上百篇博士论文。实践出真知。发自肺腑的东西，你到哪里去找？我拜访的这些投资理财界的顶级大师，能够影响市场的重大变动，能够影响经济的重大发展，在投资理财上，他们是教授，我只是小学生。能这样一对一地上课，我是多么荣幸。

我的使命是，把这50多位投资理财世界顶级大师的高见融会贯通，取其精华，整合成一个协调统一又简单易行的7步投资理财路线图。你可以实践应用，从你现在的财富水平起步，达到你真正想要实现的目标财富水平。

我真希望能把这些大师告诉我的东西全都告诉你，可惜本书已经太厚了，实在放不下更多内容了。不过这些大师表达的东西都记录在这一部分的内容里了，有的是直接引用，有的不是。我和这些大师交流的时间，有的长，有的短。交流时间最长的是保罗·都铎·琼斯，我们认识超过20年了，他是我的好朋友，也是我的客户，所以经常见面交流。交流时间最短的是沃伦·巴菲特，非正式见面只有20分钟，当时我们正在录《今日秀》节目，中间在休息室里休息，我见缝插针，抓住机会，和他进行了一段简短的对话。

大多数访谈都是事先安排好的，计划一个小时，甚至更短时间，但是后来很多都变成3~4个小时了。为什么？因为每一个金融界的大腕儿，看到我来拜访他们不是为了问一些很浅薄的问题，都会很有兴趣地和我更加深入地交流。我的使命是服务亿万名个人投资者，这打动了那些大师。这些金融界大腕儿的时间都非常宝贵，他们能够主动延长访谈的时间，真是令我无比感动。

我和这些大师交谈的内容极为分散。我非常荣幸能够把全世界最杰出的投资理财大师聚到一起。有一次，两位大师不期而遇，这非常有趣。那是我在爱达荷州太阳谷举办的投资理财大会上。我在台上访问劳伦斯·萨默斯，他是美国财政部前任部长、美国经济委员会主任，在经济危机期间他还担任了美国总统奥巴马的顾问。我们谈的问题是，美国政府已经做了哪些事，还需要再做哪些事，才能重振美国经济。《福布斯》杂志发行人、共和党前总统候选人史蒂夫·福布斯一直认真地听萨默斯讲，然后他举起手提了一个问题：你能想象大师之间思想碰撞的那种火花吗？

另一次是卡尔·伊坎和约翰·博格两位大师的相遇：我知道卡尔·伊坎一直是约翰·博格的粉丝，他想见偶像有好多年了，可是一直没有见到。我很荣幸能从中间牵线搭桥，让两位投资巨头聚到一起。这两位大师加在一起，有超过 100 年的投资经验。约翰·博格邀请我俩和他一起交流，可惜我当时人在国外。要是两位大师在面对面交谈的时候，我能像只苍蝇一样一直贴在墙上，躲在旁边静静地倾听，那该有多棒啊！

最疯狂的是，我跟这些专家单独交流，很多都是三四个小时，谈的内容很多、很广，平均每次的访谈记录有 75 页。要是把所有访谈内容都写进来的话，只这一部分就超过 900 页了。可是，你会看到本书里每一次访谈只有 5~10 页的内容。而且我从 50 多位大师的访谈中，只精选出了 11 位大师的访谈，呈现的也只是其中的精华内容。对了，11 位大师的访谈，还要再加上另一位大师，这是特别的福利。尽管他已经离开人世，我却永远不能忘记那次对约翰·邓普顿爵士的访谈，他是有史以来最伟大的投资者，也是一个具有非凡灵魂的人。

就像所有专家一样，后面你会了解到这些投资理财大师的看法也各不相同。对不久的将来的看法，这些大师的观点各不相同；对什么是他们最喜欢的投资工具，这些大师的看法也各有不同。有些人是短线交易者，有些人喜欢长期持有；有些人认为指数基金是投资的阳光大道，有些人却说做套利交易才能赚到更多的钱。尽管他们有时候在具体操作策略上各自有不同的看法，但是我们应该向全部这些大师鼓掌、致敬，他们尽管走的路往往各不相同，但是最后都到达了相同的目标。俗话说得好，条条大路通罗马。

有一点是确定无疑的，这些投资理财大师也都是伟大的领导者。比如，卓越非凡的玛丽·卡拉汉·厄道斯女士，她是摩根资产管理公司的首席执行官，领导着 22 000 名金融专业人士，其中包括一些全世界最优秀的投资经理，他们管理资产规模高达 2.5 万亿美元，数目大得惊人。再比如查尔斯·施瓦布，他改变了整个证券经纪行业，靠的是他痴迷于服务个人投资者和保护个人投资者，他创立的嘉信理财公司迅速发展壮大，现在有 820 个客户交易账户，资产规模达 2.38 万亿美元，在全世界有 300 个分支机构。

下面的内容会展示给你，在我们生活的这个世界里，有很多办法可以让你赢得投资比赛，有很多办法可以让你在投资理财上获得成功，让你变得富有。尽管这些投资理财界的传奇人物每个人都有不同的投资方式，但我发现，他们至少有以下 4 个共同点：

第一，不要亏钱。所有的投资理财者，尽管驱动他们的是获得非凡的投资业绩，但他们更加痴迷于如何确定自己不会亏钱。即使是最伟大的对冲基金经理也是如此。你可能认为他们会从容自在地承受巨大的风险，实际上他们像激光一样专注于保护自己，避免自己承受下行风险。从瑞·达利欧到凯尔·巴斯，再到保罗·都铎·琼斯，三大超级明星对冲基金经理都信奉这一条投资原则：只要你不亏钱，你就能活下来，第二天继续战斗。正如保罗·都铎·琼斯所说的："我非常关心如何赚到钱。我想知道，我不会亏钱……我觉得最重要的事情是防守，防守要比进攻重要 10 倍。你必须非常关注下行风险，任何时候都要这样。"这句话来自一位帮助他的客户连续 28 年赚钱的人。不要亏钱，听起来很简单，但是我再强调也不会过分。为什么？如果你亏了 50%，那你就需要再赚 100% 才能回本，还要赔上你永远也赚不回来的东西——时间。

第二，冒小风险赚大钱。大多数投资人都想找到一种方法获得“良好的”回报，但这些投资大师，无一例外，寻找的是完全不同的东西——本垒打，他们活着就是为了找到这样的绝好投资机会：冒小风险赚大钱。他们称之为风险—收益不对称。

你会注意到，约翰·邓普顿爵士冒小风险追求大收益的投资之道，不靠跟随市场买入，而靠等待，一直等待，像 18 世纪英国贵族巴隆·罗斯柴尔德所说的：“大街上血流成河的时候，每个人都绝望地想要全部卖出。这个时候你可能拣到最好的便宜货。”保罗·都铎·琼斯追随市场趋势，但是正如他在接受我的访谈时所说的，他不会出手投资，直到他找到机会，每承受损失 1 美元的风险，就有可能得到至少 5 美元的收益。他说：你去读 10 万美元的工商管理硕士课程，都不如记住这一句话！听听凯尔·巴斯的访谈，听他说的东西，你会学到他如何寻找投资机会，只承受 3% 的风险，追求 100% 的收益，以及他如何充分利用那场胜利，扩大增值超过 600% 的收益。

第三，预测和分散。在最好的预测中寻找最好的预测，寻找获得风险—收益不对称的投资机会。他们一直在踏踏实实地做研究功课，直到直觉告诉自己“就是它”，才会出手，否则他们就不会出手。为了保护自己，他们分散投资，提前准备，预防失败。最终，所有伟大的投资者都必须做出投资决策，而他们决策所能用的信息永远都是有限的。我访问了凯尔·巴斯以前的合伙人马克·赫德，他告诉我：“很多非常聪明、杰出的人，在投资上却做得非常糟糕。原因是他们没有能力只用手上有限的信息做出良好的投资决策。等到你得到了所有的信息，所有人就都知道了，你就不再有优势了。”布恩·皮肯斯打的比方很巧妙：“很多人说，‘准备好了吗？瞄准！瞄准！……’但他们从来没有开火。”

第四，永不停歇。大多数人会想，这些投资理财大师已经非常有成就了，从此什么事都不用做，事实完全相反，这些大师要做的事情永远都做不完！这些大师学习不停歇，赚钱不停歇，成长进步不停歇，给予不停歇！不管他们已经持续做得多么好，他们从来没有失去饥饿感，正是这种力量释放了人类的天赋。大多数人都会这么想："要是我有那么多钱，我肯定什么也不干了。为什么还要继续工作，那么累干吗？"因为每个大师都相信，在自己灵魂的某个地方，"那些多得的，神亦会向他们多要"。不过他们的劳动就是他们的挚爱。

就像这些投资理财大师投资方式各有不同一样，他们回馈社会的方式也各不相同，他们分享自己的时间、分享自己的钱、创立慈善基金会给他人投资，他们每一个人都认识到，生命的真正意义在于给予。他们感受到自己有责任用上天给他们的天赋来服务世人。正如温斯顿·丘吉尔所说的：我们靠自己得到的东西来生存，但是我们靠自己给予的东西来生活。"把这些大师紧密相连在一起的是终极真理：生命并不仅是你所拥有的东西，生命更重要的是你所给予的东西。"

这一部分接下来要讲的是亿万富翁投资战术手册——如何帮助你成为水平更高的投资人。阅读这份亿万富翁投资战术手册，就相当于你坐在我身边，跟我一起采访金融投资界12个最强大脑，启发你的投资智慧，让你找到自己通向财务自由的路。聆听这些投资大师讲述自己的故事，如何在他们各自所有的细分投资领域里，成为业内冠军，树立自己的名号，你可以从他们那里学到智慧，得到启迪，逐渐懂得如何像他们那样始终保持警觉，准备好应对可能发生的任何情况。你会学到一些投资策略，让你能够做好准备应对所有投资季节，不管是通货膨胀还是通货紧缩，不管是战争时期还是和平时期。正如约翰·博格所说的："不管是痛苦的时候还是欢乐的时候，你都有了妥善准备。"

第32章　卡尔·伊坎：宇宙主宰

华尔街上最让人害怕的人

问：什么时候发一条微博能价值170亿美元？

答：卡尔·伊坎发微博说，苹果公司的股票被低估了，他宣布自己正在买入苹果股票。

2013年夏，卡尔·伊坎发了这条微博，之后不到一个小时，苹果股价跃升0.19%。股票市场明白这条微博背后的意思：什么时候这个身家百亿的投资家对一家公司的股票有兴趣，那时就是你买入的好时机。4个月后，《时代》杂志把卡尔·伊坎作为封面人物，标题是《宇宙主宰》。这名号封得有些大了。文章里面说他是“美国最重量级的投资人”。这话说得对。在过去40年里，卡尔·伊坎的公司赚的钱要比另一位投资大师沃伦·巴菲特的公司高出50%。《吉普林》个人理财杂志上有篇文章分析道，尽管大多数人都认为巴菲特的长期投资业绩是最好的，但是如果你在1968年投资卡尔·伊坎控股的公司，到2013年，你持有45年得到的复利年化收益率为31%，而沃伦·巴菲特控股的公司伯克希尔－哈撒韦公司的同期年化收益率“只有”20%。

卡尔·伊坎高超的投资和经营技巧让他成为世界上最富有的人之一，根据最新一期《福布斯》400富豪排行榜，他排名第27，个人财富净值超过230亿美元，他给伊坎公司的股东的钱更多。伊坎公司在纳斯达克上市，股票代码是IEP，是一家多元化的控股公司。持有伊坎公司的股票，就能跟着卡尔·伊坎这位投资大师赚大钱，或者去买卡尔·伊坎盯上的要收购公司的股票，它们往往后来会大涨，也能让你赚到很多钱。卡尔·伊坎投资成功的秘诀是什么？即使是他的批评者也会告诉你，卡尔·伊坎不仅是寻找机会，他还制造机会。

但是大多数投资外行仍旧把他看作华尔街上的秃鹫，一个残酷无情的资本家，袭击并购上市公司，大肆掠夺，肥了自己的腰包。你在谷歌上搜索“公司袭击者”，卡尔·伊坎的名字便会自动出现在搜索框里。

但是，卡尔·伊坎是在挑战传统的腐朽观念。卡尔·伊坎把自己看作一个“股东维权者”，这是什么意思？“我们购买股票，进入上市公司，告诉管理者真相：你们并没有创造出股东应得的价值。”他告诉我。他说，他痴迷的事情是让上市公司停止虐待股票，为此要改善公司管理，加强公司问责，这样做能让美国公司更加强大，从而让美国经济更加强大。

《纽约时报》这样描述他：“威逼公司董事会做决策，积累控制公司的实力，大力推动公司进行改革，这让卡尔·伊坎建立了数十亿美元的财富，但在上市公司高管中激起了一片恐惧，同时在这个过程中，此举在追随他的众多投资者中也激起了一片崇拜。”

卡尔·伊坎大量买进投资过多或者业绩低于预期水平的上市公司股票，然后提醒公司董事会和高管注意，现在该加快前进速度好好表现了，否则他们就要面对争夺董事会控制权的战争。

他把自己看作一个斗士，那些高管运用上市公司的宝贵资源，肥了自己的腰包，而让股东们为此付出代价，他就是要跟这些吃里爬外的高管斗。“托尼，那些股东根本不知道他们吃了这些高管的大亏。”卡尔·伊坎对我说，再加上一般投资者根本不知道，在董事会关上门的背后，那些高管滥用股东赋予的权力，做出的决策是损害股东利益的。但是，有一部分原因是股东并不认为他们有能力改变现状，因为他们并不像企业所有人一样思考。可是卡尔·伊坎知道杠杆的巨大力量，而且他并不害怕使用杠杆。

有些上市公司董事会采取的行动会惹怒卡尔·伊坎，其中的一个例子是他猛烈地批评可口可乐公司。这是因为可口可乐公司决定，折价发行价值 240 亿美元的新股，但这样会稀释公司的股票价值。为什么要这样做？为了筹集巨资对公司高管进行股权激励，这将会削弱普通投资者的退休金投资收益，其中包括教师和消防员，因为很多人都在退休金投资组合里持有可口可乐公司的股票。

卡尔·伊坎在《巴伦周刊》上写了一篇评论文章，猛烈抨击可口可乐公司这项股票发行计划，而且批评沃伦·巴菲特没有投票反对公司这个举动，因为巴菲特控股的伯克希尔–哈撒韦公司是可口可乐公司的最大股东，巴菲特也是可口可乐公司董事会成员。“太多董事会成员都把董事会当作大学生联谊会或者俱乐部了，在那里你一定不要批评别人。”卡尔·伊坎写道，“正是这种不得罪人的态度助长了管理层的平庸。”

巴菲特回应道，他放弃了投票，但他是反对这个计划的，他已经平静地跟管理层谈过了，付给管理层的股权激励过高，应该降低，但是巴菲特在这个问题上不想和可口可乐公司“开战”。

相反，卡尔·伊坎随时准备开战，他已经多次在战壕里和很多公司开战了。这些公司的范围很广，包括美国钢铁公司、高乐士、亿贝、戴尔、雅虎。但是这一次不同，不是卡尔·伊坎，而是一个年轻的基金经理，名字叫戴维·温特斯，他正在买入股票，然后众人开始控告可口可乐公司管理层。由于看不惯付给首席执行官的薪酬过高的现象，新一代“维权投资者”接过了卡尔·伊坎的枪，要把他几十年前发起的战斗继续打下去。

自然而然地，卡尔·伊坎也惹怒了一大帮企业大佬，他的这些敌人在媒体上有很大的影响力。所以，你经常可以听到媒体对卡尔·伊坎的批评，说他干这事只是为了钱，或者说他“先建仓后推高股价再压低股价出货”，以牺牲公司的长远目标来换取短期的盈利，但是卡尔·伊坎指出，这种说法简直荒谬可笑，因为他经常持有股票很长时间，比大家认为的要长得多，有的时候持有时间长达10年、15年，甚至30年。他获得一家上市公司的控制权之后，这家公司的市场价值会持续上涨好多年，甚至在他抛掉股票离场之后依然如此。这种说法得到了研究证实，哈佛商学院的教授卢西恩·拜伯切克做了一项调查研究，分析了2 000个股东的维权行动，时间从1994年到2007年共14年，分析得出的研究结论是：“股东维权者介入之后，公司经营业绩得到改善。”这项研究还发现，股东维权不但没有破坏性的长期效应，相反，5年后这些公司的经营业绩出色。

卡尔·伊坎并不是对每个上市公司的首席执行官都进行攻击，他承认确实有一些非常杰出的公司管理团队，这些公司高管最大限度地利用公司资源，让公司的经营更有活力。但是他始终在寻找一些方法，让管理层对股东更加负责，即使是最流行而且管理很好的公司管理层。

比如卡尔·伊坎发那条关于苹果公司的微博，他告诉我，他并不是想要推高股价，为了把自己手里的股票高价卖掉。（事实上，在我们对话的那一天，他又买进了很多苹果股票。）卡尔·伊坎并不想插手苹果公司的管理，他觉得公司的管理很稳固。卡尔·伊坎发这条微博，只是他搞的这场战役中的一场战斗而已，他的这场战役是向苹果公司施压，把1 500亿美元的现金储备的全部分红还给股东。苹果公司最终在2014年4月扩大了原来的资本收益计划，规模超过1 300亿美元，其中包括提高股票回购授权，从原来宣布的 600 亿美元提高到 900 亿美元。与此同时，苹果公司宣布提高季度分红，然后进行 7 股合成 1 股的股票反向拆分。现在，和他发出微博那天相比，苹果公司的股价上涨了 50%。

卡尔 · 伊坎本人也是一位首席执行官，持有伊坎公司这家上市公司 88% 的股份。这家公司的股票市场表现简直好得惊人，即使是在过去所谓失落的十年，它也涨得很好。如果你在 2000 年 1 月 1 日买入伊坎公司的股票，那么到 2014 年 7 月 31 日，你能赚到 1 622% 的总收益率，相比之下，同期标准普尔 500 指数的收益率只有 73%。

卡尔 · 伊坎并不是一生下来就过上这种生活的。他说，他是在纽约法洛克威“街头”长大的，他的妈妈是一名老师，他的爸爸原来在大学里学法律，后来成了一个不成功的歌剧演员，在当地的犹太教堂的唱诗班做领唱。卡尔 · 伊坎靠玩扑克牌赢钱支付自己读普林斯顿大学的学费和生活费，他读的专业是哲学。大学毕业后，他先到一家医疗学校干了很短一段时间，又到部队里干了一段时间（主要就是打牌），他逐渐意识到自己最大的才能是赚钱。每一副扑克牌都是一样的，但美国上市公司从来不是一样的。

写本书时，卡尔 · 伊坎 78 岁，他在考虑他要给后人留下什么样的遗产，他一直忙着写评论文章，也有选择性地接受一些采访，谈谈关于投资者和股东的维权。但是坦白地说，他大概烦透了别人误解他的话，断章取义地引用他说的话。这也正是为什么他一开始在不知道我是什么样的人，也不知道我真正的意图是什么时，他不许我们拍摄访谈过程，而且直接声明：“我只给你几分钟。”

让我感到长舒一口气的是，虽然刚开始气氛有点儿尴尬，但是过了一小段时间后，卡尔 · 伊坎就像做了热身运动一样开始活跃起来，我们一直聊了两个半小时，之后我和他在大堂里散步，他还把我引荐给他的妻子盖尔，她是位非同寻常的女士，他们已经结婚 15 年了。卡尔 · 伊坎本人实际上跟他的公众形象差别很大，他幽默风趣，又很好奇，甚至有点儿像个慈祥的老爷爷。朋友们都说他现在比以前温和多了。但是他说话还带着纽约皇后区的口音，而且他依然带有纽约街头跟人吵架的那种锋芒。卡尔·伊坎说，他可不是那种会放弃的家伙，特别是他发现有种东西值得去战斗时。

罗宾斯：你出身于一个条件一般的家庭，在皇后区的一个贫困地区，你上的是公立学校。最开始，你有没有设立一个目标，要成为历史上最优秀的投资者？

卡尔·伊坎：我是竞争欲望很强的人。很有激情或者说很痴迷，不管你怎么说。不管我干什么，我都要成为最好的那一个，这是我的天性。我申请读大学的时候，我的老师说："你就别费事去申请那些重点名校了，它们根本不会要我们这些来自贫困地区的孩子。"我仍然坚持参加了大学入学考试。结果多所重点名校都录取我了。我从中选择了普林斯顿大学。本来我父亲答应了，如果我考上名牌大学，所有的费用都由他来付。后来他却说话不算数了，只帮我付了学费，你相信吗？那个时候一年只要750美元。我说："你这个父亲说话不算数，不给我生活费，我睡哪儿，我吃什么？"我的父亲说："你这么聪明，你会想到办法的。"

罗宾斯：那你是怎么解决的？

卡尔·伊坎：打工呗。我在新泽西洛克威的一家俱乐部里找到一份工作——当个沙滩男孩。我是个很棒的沙滩男孩。沙滩上那个更衣室的老板经常招呼我："嘿，小伙子，快过来跟我们打扑克牌吧，我要把你这个星期挣的小费都赢光。"一开始我根本不知道怎么玩扑克牌，他们把我的钱赢了个干干净净。我这个人从来不服输，我一个名校大学生难道还玩不过你们！于是我借了三本讲玩扑克牌技巧的书，花了两个星期仔细阅读，从此我的牌技比他们都要高上10倍，我当然经常赢了。当时我觉得那真是个大游戏，赌注很大。每年夏天我都能赢差不多2 000美元，你要知道，那可是在20世纪50年代，那时候的2 000美元抵得上现在的5万美元。

罗宾斯：那你在商业投资上是怎么起步的？

卡尔·伊坎：大学毕业后，我去参军，在部队里我继续玩扑克牌赌钱。等我离开部队的时候，攒了2万美元。我开始在华尔街做投资，那是1961年。当时我的生活过得很好了，还找了一个很漂亮的模特做女朋友，我买了一辆白色的敞篷银河跑车。结果1962年股市崩盘了，我的所有东西都亏掉了。我不知道是哪个先跑的，可能是我的女朋友，也可能是我的跑车！

罗宾斯：我看过关于你的报道，说你后来重新回到了投资市场，卖期权，然后又开始做套利交易。

卡尔·伊坎：我借钱去纽约股票交易所买了个席位，我是艺高人胆大的家伙。我的经验教会了我，在股市上做短线交易很危险，不如发挥我的数学能力，在某方面成为专家，这肯定要好得多。我做套利交易，银行愿意贷给我90%的资金，因为那个时候我做的是根本没有风险的套利交易，如果做得好的话，我基本上不可能亏钱。从这以后我就开始赚大钱了，一年能赚150万~200万美元。

罗宾斯：我很想请教你一下风险—收益不对称。当时你开始收购股票价格被低估的公司的控制权时，你是不是也在寻找风险—收益不对称的机会？

卡尔·伊坎：我开始仔细研究这些公司，认认真真地分析。我告诉你，这有点儿像是套利交易，但是没有人喜欢做这种事。你要是收购了一家公司，你真正买到手的是公司的资产，所以你要好好看看这些公司的资产，认真问问自己："它们本来应该做得不错，为什么它们做不到？"整体来看，有90%的可能性，问题出在管理上。所以我们会去寻找那些经营管理做得不好的公司，我有足够多的资金，我能够大量买入这家公司的股票，然后警告这家公司的董事会："你要是不改变的话，我就收购你们公司，拿走控制权，除非董事会做到我说的一二三条。"大多数时候这家公司的董事会会说"好的"，但是有的时候，公司管理层会跟我斗，可能还会斗到法庭上。很少有人有我这么大的韧性，也很少有人像我这样愿意拿大钱去冒险。你看看这个局面。可能你会觉得我拿了很多钱在冒险，但是其实我根本没有。

罗宾斯：但是你并不觉得这是冒险，因为你知道公司资产的真实价值。

卡尔·伊坎：你在到处寻找风险—收益比，对不对？每一件事既有风险又有收益，但你必须要明白风险是什么，也要明白收益是什么。很多人看到的风险要比我多得多。但是数字不会撒谎，他们就是没有算明白。

罗宾斯：为什么他们算不明白？

卡尔·伊坎：因为有太多变量，太多分析，可能会动摇你的看法。

罗宾斯：现在这些日子，那些上市公司的高管严防恶意收购，你要击败他们比以前更难。

卡尔·伊坎：其实并非如此。现在美国这套体制是有缺陷的，你没办法把那些业绩平庸的经理人赶走。举个例子，我继承了一个很好的酒庄，在一块美丽的地方，有一片美丽的葡萄园。过了半年，我想卖掉它，因为这个酒庄不赚钱。但是我碰到了问题，管理这个酒庄的那个家伙从不来葡萄园上班。他整天到处打高尔夫球，可是他又不愿意放弃这份管理酒庄的工作，因为这会减少他一大笔收入。他不想让任何人进来看这个酒庄，因为他不想看到酒庄被卖掉。你也许会对我说："你怎么回事啊，你傻了？把警察叫来，让他离开！"但是，要是上市公司就麻烦大了：不经过一场非常艰苦的斗争，你不可能做到让管理层走人。

罗宾斯：法律法规有太多障碍，让你很难在自己控制的公司把首席执行官踢走。

卡尔·伊坎：麻烦就在这里。上市公司的股东想让管理层听到自己的意见，有非常大的困难，但是我们伊坎公司会去斗争，也经常获胜。一旦掌握了上市公司的控制权，有的时候我们发现，其实管理层也不是那么糟糕。但是关键在于上市公司的治理方式，对于这个国家来说实在是太糟糕了。美国有很多法律法规，让你无法成为一个积极维权的股东。你要获得上市公司的控制权有很多障碍，但是一旦我们拿到控制权，所有股东的一般收益都会非常好，历史业绩记录也证明了这一点。除此之外，我们做的事，对美国经济也非常好，因为这让公司生产效率更高，而且这不仅仅是短期的效应。有的时候我们会一直持股不卖，持有股票长达 15~20 年。

罗宾斯：你有什么解决方案？

卡尔·伊坎：废除那些毒丸计划（公司高管发现有个股东买的股票太多了，怕他收购公司，他们就会折价发行很多股票，来稀释这个股东的股权比例），废除那些令人震惊的董事选举，让股东能够决定他们想让谁来管理公司。我们应该让这些公司高管真正对股东负责，进行真正的选举。即使是在政治上，尽管美国政治体系相当糟糕，但只要选民愿意，他们还是可以摆脱那些烂总统的。总统再烂，最多不过是在那一届干上四年，连选不上，就会下台走人。但是，在上市公司中，即使那个当首席执行官的家伙做的工作非常糟糕，你作为股东，要换掉这个烂首席执行官，也非常困难，比美国选民要换掉美国总统还难。这些首席执行官就像在大学里学生会的会长一样，他们并不是最聪明的家伙，但是他们是最会搞社交的，是最受大家喜欢的，所以他们才能一级一级地爬到最高的位置。

罗宾斯：有的时候你并不需要发动一场代理权战争来改变公司的发展方向。例如，最近你买了很多网飞公司的股票，股权占比接近 10%，让你两年就赚了 20 亿美元。

卡尔·伊坎：那都是我儿子布雷特和他的合伙人干的。我对高科技不太了解，但是，我儿子只用 20 分钟就给我讲明白了，为什么这是一笔好买卖。我只说了一句："能买多少就买多少！"这其实并不是那种股东维权的投资。

罗宾斯：你看到了什么东西？你儿子在那 20 分钟里展示给你的是什么东西，让你判定这只股票股价被过分低估了呢？

卡尔·伊坎：很简单。大多数杰出的专家都很担忧那些错误的东西。就在那个时候，网飞公司每年能进账20亿美元的订阅费，但是这些收费并没有显示在公司的资产负债表上。因此所有这些专家都在问："网飞公司怎么能搞到那么多钱去购买播放内容？"很简单，它有20亿美元的订阅费进来啊！一般来说，网飞公司的订阅用户都很忠诚，留下来继续订阅的时间比你想象的还要长！不管发生什么情况，要搞得如此巨大的现金流陷入危险的境地，都需要很长的时间，要比大多数人想象到的时间长得多。

罗宾斯：但是你从来没有打算夺取网飞公司的控制权吗？

卡尔·伊坎：网飞公司的高管认为，他们会有一场代理权大战，我肯定想要夺走公司的控制权。但是我说："里德（网飞公司的联合创始人兼首席执行官），我不会跟你搞一场代理权大战。因为你有个举动刚刚在我这里得到了100分。"他听得一头雾水。我问他，你知不知道伊坎规则。他们说："不知道，请问它是什么？"我说："伊坎规则就是只要三个月不能赚到8个亿，我就会一拳打得他满嘴出血。"

罗宾斯：（哈哈大笑）我看到，快到2013年年底的时候，你把一部分网飞公司的股票卖出变现了。

卡尔·伊坎：股价涨到350美元的时候，我决定卖掉一部分股票，落袋为安，但是我并没有全部卖掉。

罗宾斯：你觉得大家对你最大的误解是什么？

卡尔·伊坎：我想，也许是大家不明白，也许是我自己不明白，我自己的动机到底是什么。也许这听起来很像陈词滥调，但是我确实在想，我的年龄到了70多岁，我很想做些事情，让我的国家更加强大。我希望留给后人的遗产是我改变了公司做生意的方式。这件事一直困扰着我，美国有这么多非常伟大的公司，却管理得那么糟糕，我想改变规则，让公司的首席执行官和董事会真正地对股东负责。

罗宾斯：你和你妻子签订了给予誓言，要把大部分财产捐赠给慈善事业。除此之外，还有其他什么类型的慈善活动让你充满激情，非常投入？

卡尔·伊坎：我给予了很多，但是我喜欢由自己来做。我刚刚捐赠了3 000万美元给私立学校，因为在这些私立中小学校，校长和老师都很尽职尽责。一家私立学校，如果经营管理得好，会给我们的孩子更好的教育，它比公立学校强多了。美国是个伟大的国家，但很悲哀的是，我们经营管理公司的方式、我们管理教育体系的方式，在很大程度上是功能失调的。我希望能够运用我的财富，让我成为改变这种现状的一股力量。可悲哀的是，我们如果不这样做，这样一路发展下去，就会成为一个二流国家，甚至是三流、四流国家。

投资要点①

卡尔·伊坎相信，对于主动型投资者来说，如果操作正确的话，再没有比今天更好的投资时机了。

这个看法主要基于以下因素：

- 利率水平低，这让并购成本降低，相应会提高并购投资收益率，让并购更有吸引力。
- 现在有很多现金丰富，能从并购的协同效应中大大受益。
- 很多机构投资者现在普遍意识到，现在很多上市公司高管能力平庸，董事会根本不关心股东，这种普遍现象必须处理，否则美国就无法终止高失业率，在世界市场上保持竞争力。

但是要让并购发生，需要一个股东维权者作为催化剂：

- 伊坎公司花了好多年建立并完善股东维权模式，我们相信，推动高增值型并购和合并事件就是需要的催化剂。
- 可以推断，低利率水平将会大大增加伊坎公司控制的公司能力，运用我们的股东维权专长，做出公正的、善意的或者不是那么善意的并购。

创造超一流业绩的可靠历史记录②

伊坎公司的股票从 2000 年 1 月 1 日以来累计涨幅为 1622%。

• 同期标准普尔 500 指数上涨 73%，道琼斯指数上涨 104%，罗素 2000 指数上涨 168%。

伊坎投资基金从 2004 年 11 月创立以来的业绩表现：

• 总收益率 293%，年化复合收益率 15%。

• 年度业绩：2009 年 33.3%，2010 年 15.2%，2011 年 34.5%，2012 年 20.23%③，2013 年 10.2%，2014 年年初至今 30.8%④。

最近的财务数据

2014 年截至 6 月 30 日前 6 个月，归属于伊坎公司的调整后净利润为 6.12 亿美元。

2014 年 6 月 30 日，净资产价值约为 102 亿美元。

2014 年 6 月 30 日，归属于伊坎公司的 EBITDA（息税折旧摊销前利润）约为 22 亿美元。

年底分红每股 6 美元（2014 年 7 月 31 日按收盘价计算的股息收益率为 5.8%）。

注：①数据来源于彭博资讯，包括红利再投资。根据 2014 年 7 月 31 日收盘价计算。

②收益计算按照 2014 年 6 月 30 日收盘价。

③收益计算假设伊坎公司持有的 CVR 能源股票整个期间都在投资基金里面。伊坎公司是在 2012 年 5 月获得 CVR 大多数股权。在 CVR 能源变成一个统一的实体之后剔除 CVR 能源的收益，投资基金的收益率约为 6.6%。

④截至 2014 年 6 月 30 日的前 6 个月。

第33章　戴维·斯文森：管理239亿美元的工作都是爱

耶鲁大学首席投资官，著有《不落俗套的成功》

戴维·斯文森可能是你没有听说过的最有名的投资大师。有人称他为机构投资界的沃伦·巴菲特。戴维·斯文森担任耶鲁大学首席投资官27年，其间他把10亿美元的资产变成239亿美元，27年的年化收益率达到13.9%，即使很多很牛的对冲基金业绩也无法与之相比，难怪在这27年中很多对冲基金一直在引诱他离开耶鲁大学，加入对冲基金肯定能让他的个人收入多上好几倍。

你要是见到斯文森，就会马上认识到他做这份工作不是为了钱，而是因为热爱投资这种比赛，还有那种服务一所伟大的大学的感觉。戴维·斯文森愿意一直领着耶鲁大学给的这份薪水，就证明这一点。他要是加入对冲基金，会让他的个人财富超过他在耶鲁大学收入的N多倍。

但是从核心原则来看，戴维·斯文森是发明者，也是毁灭者。戴维·斯文森的耶鲁大学投资模式，也被大家称为捐赠基金投资模式，是他和同事也是他以前的塔卡哈什教务长一起开发形成的，是现代投资组合理论的实践应用。这个投资模式就是把投资组合分成5~6个大致相等的部分，分别投资不同的资产类型。耶鲁大学投资模式是一个长期投资策略，喜欢范围非常宽广的分散投资，偏好股权投资，而不太强调投资收益较低的资产类型，比如债券或者大宗商品。业内也称戴维·斯文森在流动性上的立场是革命性的：他不追逐流动性，而且避开流动性，他的理由是流动性会导致收益率降低，如果不追逐流动性的话，这些资产可以投资得更有效率。

在他成为机构投资界的摇滚明星之前，戴维·斯文森在华尔街工作，就职于投资界的黄埔军校所罗门兄弟公司。很多人认为是戴维·斯文森设计出来全世界第一例货币掉期交易，那是IBM公司和世界银行之间的交易，事实上这导致了利率掉期以及最终的违约信贷掉期市场的产生，现在有1万亿美元的资产规模。不要因为这导致了金融危机而记恨于他！

我很荣幸能有机会和戴维·斯文森面对面地交谈。来到耶鲁大学，走进他的办公室，进入传说中的机构投资圣殿，我有些紧张。在此之前，我做了很多功课，任何一个好学生准备考试之前都会拼命复习，我也是通宵达旦地拼命恶补。我可不想让他看出来我有任何一点的准备不足，为此我仔细阅读了他写的那本400多页厚的书《不落俗套的成功》，他在书中讲的是关于个人投资和分散投资的观点。直到做完所有这些功课之后，我才满怀崇敬之心地去拜见这位资产配置大师。我们的访谈时间接近4个小时，下面是经过编辑的访谈内容的精简版本。

罗宾斯：你为美国资产规模最大的机构之一工作，但是你非常关心个人投资者，花了很多时间精力为个人投资者提供指导，你为什么会这样做？请谈谈你的想法。

戴维·斯文森：我基本上是一个乐观的人，但是一看到个人投资者面对的这个世界，真是一团糟，我很悲观。

罗宾斯：为什么会这样？

戴维·斯文森：投资者本来该有一些类型的投资选择，可事实上他们却没有，最根本的原因是公募基金行业以利润为导向。不要误解我的意思，我信奉市场经济，我相信做生意的目的就是赚取利润，但是在盈利动机和受托责任之间存在着一个基本的冲突，因为服务提供者的利润越高，投资者得到的收益就越低。

罗宾斯：你说的受托责任，并不是所有的投资者都知道它是什么意思。我们真正能讨论的是：你必须把投资者的利益放在你自己的利益前面，以投资者利益为先，以投资者利益为重。

戴维·斯文森：问题是公募基金公司积累的资产规模更大，收取的费用更高，自然赚的钱更多了。而高费用与投资人创造高收益的目标直接冲突。所以一次又一次发生的情况是，盈利赢了，寻找收益的投资者输了。现在有两个机构，这种利益冲突是不存在的，它们是先锋公司和美国教师退休金协会。这两个机构都是在非营利基础上经营的，它们寻求的是满足投资者的利益，所以它们是强大的受托人。在这两个机构里，受托责任最后总会赢。

罗宾斯：因为公募基金业绩大部分都跑输市场。我读到过一篇文章，里面写道，1984—1998 年，只有 4% 的公募基金管理（规模超过 1 亿美元）战胜了先锋标准普尔 500 指数基金。但是这 4% 的公募基金，每年都不一样。用更简单的话说就是，所有公募基金中有 96% 的基金没能战胜市场。

戴维·斯文森：那些统计数据只是冰山的一角。现实更加糟糕。你看过去的基金业绩的时候，只能看到至今还存在的基金的业绩。

罗宾斯：只能看到幸存者，清算消失的基金就看不到历史业绩了。

戴维·斯文森：你说得很对。这些统计数据都有幸存者偏差，过去10年里有好几百个公募基金都关掉了，再也看不到了，因为它们的业绩太差。当然，公募基金公司不会把那些业绩非常棒的基金合并到业绩非常差的基金里，它们肯定是反过来做的，把那些业绩非常糟糕的基金合并到业绩非常出色的基金里面，好基金并吞烂基金，这样公募基金公司里面就没有烂基金了，全都是好基金。

罗宾斯：所以，统计数据说96%的基金没有能够战胜市场，并不准确？

戴维·斯文森：事实上更加糟糕，输给市场的公募基金超过96%。

罗宾斯：噢！

戴维·斯文森：另一个原因表明，基金投资者真正得到的实际业绩，比你所引用的数据更加糟糕，这是因为我们作为个人投资者，自己的投资行为会有一些错误。个人投资者倾向于购买那些有良好业绩的基金，他们追逐收益。后来在基金业绩表现糟糕的时候，他们就会卖出。所以他们最终是高位买入低位卖出。要用这种方式赚钱，那就糟了。

罗宾斯：追逐业绩的真实情况是什么？

戴维·斯文森：这种事很多都跟市场营销有关。没有人愿意出去说："我持有几只一星评级和二星评级的基金。"人们都想要持有四星评级的基金，还有五星评级的基金，然后在办公室里到处炫耀。

罗宾斯：人之常情。

戴维·斯文森：但是这些获得了四星和五星评级的基金，是那些过去业绩表现良好的基金，并不一定是那些将来业绩会表现良好的基金。如果你一直买的是那些过去业绩表现良好的基金，而卖出那些过去业绩表现糟糕的基金，那么你最终得到的业绩肯定会低于市场平均水平。再加上你刚才所说的统计数据，超过96%的基金业绩达不到市场平均业绩，以及人们那种高位买入低位卖出的实际投资操作方式，都会让它们的业绩更加落后于市场。

罗宾斯：所以，追逐业绩不但得不到你想要的更高业绩，而且保证让你的业绩比市场平均水平更低，甚至还会亏钱。

戴维·斯文森：有些因素偶然导致某些基金业绩表现良好，但是将来很可能会反转，过去表现良好的基金接下来的业绩会很糟糕，这叫作均值回归。有涨必有跌，长期看来，都跟市场平均水平差不多。

罗宾斯：那么，投资者能够做些什么来帮助自己的投资做得更好一些?

戴维·斯文森：只有三种工具或者三种杠杆，能让投资者增加投资收益率。第一个工具是资产配置。你在投资组合里持有什么资产，你持有这些资产占组合总资产的比例是多大。第二个工具是选择市场时机。就是你去赌哪一种资产类型在短期内市场表现更好，能胜过你持有的其他资产类型。

罗宾斯：比如是持有债券、股票，还是房地产，赌哪个短期会涨的更好，是吗?

戴维·斯文森：是的，这些都是短期市场择时的赌博。第三个工具是证券选择。你如何安排你的债券投资组合或者股票投资组合？选择哪些债券或者个股？我们总体上只有这三种工具。其中最重要的就是资产配置。你肯定猜出来了。

罗宾斯：我在你写的书里面读到了，这让我感到惊讶。

戴维·斯文森：我喜欢教给耶鲁大学的学生一些东西，其中一个就是，资产配置实际上能够解释投资收益率占比超过 100%，这怎么可能？原因是，你通过预测市场频繁地买进卖出，这增加了你的交易成本，因为这种事情不是免费的。你每一次买进或者卖出都要付给券商佣金，所以你的组合就会有资金漏出，以支付交易佣金和手续费，这就减少了你的整体收益率，同样你要做证券选择，选股、选择债券等，都要付出很高的成本。

罗宾斯：所以，还是让我们回到指数基金，采用被动投资方式。

戴维·斯文森：主动管理型基金经理收取更高的管理费，理由是他承诺能够战胜市场，但是我们已经知道了，这是一个虚假的承诺，他们说得很好听，但往往做不到。你可以采用被动投资方式，购买全市场指数基金，同时持有整个市场的所有股票。你只要购买全市场指数基金，就可以买下整个市场所有的股票，而管理费非常低。

罗宾斯：有多低？

戴维·斯文森：低于20个基点，就是低于2‰。你去买先锋公司的指数基金，就能得到这么低的费用。你用这种低成本的、被动管理的指数基金来做投资，就会成为赢家。

罗宾斯：你不用支付那些买进卖出的交易费用，还有选股费用，因为你不想白费力气地追求战胜市场。

戴维·斯文森：你还能得到另外一个好处：你的税率会更低。这一点作用非常大。一个特别严重的问题是，公募基金行业其实充满了很多严重的问题，其中一个特别严重的问题是，基本上所有的公募基金经理买进卖出都非常频繁，每次卖出实现的投资收益都要交税，他们这样频繁交易就好像交税这事并不重要一样，但是税收很重要，非常重要。

罗宾斯：我们这辈子面对的账单，有比税单金额更大的账单吗？

戴维·斯文森：没有。所以，我们要充分利用每一个有税收优惠的投资机会。如果你有401（k）账户或者如果你在非营利机构工作，你会有403（b）账户，你能往里面存多少钱，就存多少钱，达到缴费的上限最划算。你应该抓住每一次机会，用税收递延的方式做投资。

罗宾斯：我们如何建立最有效率的资产配置？

戴维·斯文森：只要是学过经济学的人都听说过这句话："世界上根本没有免费的午餐。"但是现在投资上有了，哈里·马科维茨，人称现代投资组合理论之父，他说："分散投资就是免费的午餐。"

罗宾斯：为什么这么说？

戴维·斯文森：因为对于任何一个收益率水平，如果你分散投资的话，你可以达到相当的收益率水平，而承担的风险更低了；或者对于任何一个风险水平，如果你分散投资，风险水平是相同的，但是你可以获得更高的收益水平。所以，分散投资是免费的午餐。分散投资让你的组合更好，要么收益更高，要么风险更低。

罗宾斯：那么你需要的最低分散程度是什么？

戴维·斯文森：有两种水平的分散投资，一种与证券选择相关。如果你决定买指数基金，你就分散到了可能的最大程度，因为你拥有了整个市场所有的股票。这就是指数基金一个最大的好处，这是指数基金创始人约翰·博格给美国投资人做的大好事。这让投资者有机会用低成本的方式来购买整个市场。但是从资产配置的角度来看，当我们谈论分散投资的时候，我们谈论的不是投资个股，而是投资不同的资产类型。有 6 种资产类型，我觉得非常重要，它们分别是：美国股票、美国国债、美国通货膨胀保值国债、外国发达国家股票、外国新兴市场股票和房地产投资信托基金。

罗宾斯：有那么多资产类型，你为什么会选出来这 6 种呢？你的投资组合配置是什么？

戴维·斯文森：从长期来看，股票投资是投资组合的核心。股票明显比债券风险大。如果世界像过去长期运转的那种方式正常运作的话，股票会产生高得多的收益率。但今天买进明天卖出股票未必能胜过债券，这周买进下周卖出也未必，今年买进明年卖出也未必，年年如此，但是，从相当长的时间来看，股票应该会产生更高的收益率。我的书中有一个稻草人投资组合，70% 的资产投资在股权（或者类股权）资产上，30% 投资在固定收益资产上。

罗宾斯：我们先看看投资组合里股权投资这一部分，就是占 70% 的那一大部分。你有一个分散投资原则，无论什么类型的资产，在整个组合里占比绝对不能超过 30%，对吗？

戴维·斯文森：是的。

罗宾斯：那么你把第一个30%的资金放在什么资产类型上呢？

戴维·斯文森：美国股票。我想，有一件事真的非常重要，就是我们绝对不应该低估美国经济的复原力。它实在是太强大了，不管那些政治家怎么折腾、怎么破坏，美国经济总是有种强大的基本力量，总是能反弹继续发展。我可不想跟这种强大的力量对赌。

罗宾斯：这正是为什么你会把这么重的资产比例——70%放在股票上，因为你赌的是经济长期持续增长。不仅仅是美国股票，而且是全球股票，你不仅仅赌的是美国经济长期持续增长，还赌全球经济持续增长。

戴维·斯文森：接下来我会放10%的资金在新兴市场上，15%放在外国发达国家市场上，15%放在房地产投资信托基金上。

罗宾斯：请讲一下你的30%的固定收益资产如何配置。

戴维·斯文森：我会都放在美国国债上。一半投资传统债券，另一半投资通货膨胀保值国债。如果你买了传统的国债，后来发生通货膨胀，你最终就会遭受亏损。

罗宾斯：不幸的是，人们经常把这两种债券搞混。

戴维·斯文森：我一开始在华尔街上班的时候，记得第一次跟客户开会，生怕自己搞错，一遍又一遍地小声念叨："利率上升，债券价格下降。"我生怕搞错了，那可就糗大了。

罗宾斯：在今天这样的市场上，个人投资者还能赚到钱吗？

戴维·斯文森：这正是买入并持有长期投资策略的美妙之处，这也正是为什么你要分散投资。我没有那么聪明，不知道市场未来的走势，1995年后，人们总说"你那么麻烦把投资组合分散，很简单，你只要买标准普尔500指数基金就行了"。实际上他们做的事是寻找表现最好的资产类型，结果正好是美国股市。他们说"你这样分散投资做的每一件事都是浪费时间"，但是这只是美国的经验，并不是全世界的唯一经验。1990年，如果你是个日本投资者，把所有的资金都投在日本股市上，那么到 1999 年，你会亏得很惨，你永远不会获得和市场表现最好的资产类型那么高的收益率，因为你永远不知道每个资产类型的业绩最终会怎么变化。只有时间过去了，事实出来，你才会知道。

罗宾斯：美国婴儿潮世代在不久的将来，就要退休了，你能给这几千万名美国人一些投资建议吗？

戴维·斯文森：不幸的是，我想，大多数人根本不知道，需要攒多少钱才能满足他们退休生活的基本需要。我真的很担心，很多人会看着他们的 401（k）退休金账户说："我账户上有 5 万美元，或者我有 10 万美元，这真是一大笔钱。"但是如果你要满足几十年退休生活的需要，你的这些钱就不算多。

罗宾斯：有很多人想退休却不能退休。

戴维·斯文森：能让人到达正确的地方，唯一的方法是自己教育自己。我很激动，因为看到你想帮助人们得到他们需要的知识，这才让他们能做出明智的投资决策。

罗宾斯：谢谢你的鼓励。我知道你最近一直在努力恢复健康。那么下一步你打算做些什么？

戴维·斯文森：大概一年之前，我诊断出来患有癌症。我并没有列遗愿清单，我也不想辞职去周游世界，我只想继续做好我能做的事情——支持耶鲁大学的发展。管理耶鲁大学的投资组合，我能干多久就干多久。我想干的事，就是我现在干的事。我喜欢我的工作。

罗宾斯：你太令人敬佩了。

戴维·斯文森：我认为耶鲁大学是世界上最伟大的一个机构。如果我能做些事，帮助耶鲁大学成为一个更加强大和更好的地方，那样的话，我这辈子就很有意义了。

罗宾斯：谢谢您，听了你今天的讲述，我的收获太大了。好像我在耶鲁大学上了一堂课，专门学习了构建投资组合。

戴维·斯文森：不客气，希望如此。

第 34 章　约翰·博格：投资先锋

指数基金之父，先锋公司创始人和前任首席执行官

如果你没有读过约翰·博格的书，也没听过他在电视上一句废话都没有、全是干货的评论，那你就错过了一位美国国宝级投资大师。《财富》杂志将约翰·博格列为 20 世纪四大投资巨头之一。凭借突出的创造性和公民精神，有人把约翰·博格比作当代的本杰明·富兰克林。有人说，他对个人投资者做的贡献，超过美国历史上任何一个人。

他是如何做到如此巨大的成就，令人如此敬仰的？1974 年，约翰·博格创立了先锋公司，那个时候指数基金还只是一个学术概念。但是约翰·博格愿意把整个公司押在指数基金上。指数基金是一个低成本低费用的公募基金，只单纯追踪整个股票市场的表现，时间一年年过去了，指数基金将会战胜绝大多数基金经理管理的主动型基金。为什么？投资者作为一个整体，绝对不可能战胜市场，因为投资者整体本身就是市场。基金行业的一些人知道来了一个破坏分子。首先，很多基金公司嘲笑博格的指数基金是“博格的傻瓜基金”，指数基金的竞争对手——那些主动管理型基金经理甚至说，指数基金这个想法太不像美国人的想法了，没有一点好胜心。

但是，约翰·博格根本不理会这些批评，继续坚持努力，把先锋公司打造成全世界最大的公募基金管理公司，管理规模达到 2.86 万亿美元。这个规模有多大？如果先锋公司是一个国家的话，那么这样的管理规模相当于英国的国内生产总值！现在，按照晨星评级公司的统计，美国指数基金在所有股票型公募基金的投资总额中占比超过 1/3，也就是说，在美国，每 3 美元的股票公募基金，就有 1 美元是指数基金。

约翰·博格，1929 年出生在美国新泽西州，恰好是美国经济大萧条开始的那一年。约翰·博格的家庭并不富裕，但是他聪明好学，后来考上了著名的普林斯顿大学，并且顺利毕业拿到了学位。约翰·博格在学校食堂打工，给其他同学做饭做菜，以赚取自己的学费和生活费。约翰·博格大学毕业写的论文主题就是公募基金，这预示着他以后要在公募基金行业开创一条新路。约翰·博格永远忘不了，有一年他暑假打工，当股票推销员朋友告诉他：“博格，我要告诉你，关于股市你需要知道的东西，都在这一句话里——没有人一无所知。”

1951 年，约翰·博格大学毕业之后加入了惠灵顿基金管理公司，来到了费城。他不断地追求上进，步步高升，最后成了公司的总裁，在 20 世纪 60 年代中期那个热火朝天的大牛市里，约翰·博格把惠灵顿基金公司跟另外一家基金管理公司合并，希望这样能够促进公司业务的发展。“这是我一生最糟糕的错误。”他对我说。新来的合伙人把公司旗下的基金做得非常糟糕，然后利用他们在董事会的多数席位撤掉了约翰·博格的总裁职位。

突然遭受如此重大的危机，约翰·博格该如何应对？他没有接受失败，认输走人，而是把失败转化成他一生最大的成功，用创新改变了整个投资行业。由于公募基金的法律结构安排，博格还要继续负责惠灵顿公司的基金，但是与其管理公司分开经营运作，董事会成员也有所不同。约翰·博格留下来担任这些基金公司的董事长，但是他不被允许来管理这些基金的投资。“我怎么样才能做到不用成为基金经理，照样可以介入这些基金的投资管理？”他接受我的采访时说，“你已经知道答案了：创造出一种不用管理的基金。我们称之为指数基金。我给它起名叫先锋。一开始所有人都觉得我搞的指数基金完全是个笑话。”真不可思议，如果博格没有犯下那个大错的话，他就绝对不会创立先锋公司，亿万投资者也许就根本没有机会避免过度的基金收费，让他们的整体投资收益增加几十亿美元，甚至几百亿美元。

我和这位美国投资界的传奇人物面对面地坐在他的办公室里，在费城莫尔文的先锋公司园区里面，当时正是冬季，一场暴风雪席卷了美国东海岸。约翰·博格还是每天都上班。2000 年，他卸任资深董事长之后，就开始负责先锋研究中心。一见面，85 岁的约翰·博格跟我握手，力气很大，好像是一个只有他年龄一半的中年人。也许这是 1996 年移植心脏之后所赋予他的新的生命活力，让他可以继续他的投资改革运动，目标是给投资者公平的待遇。

我们交谈了 4 个小时，下面是经过编辑的访谈缩略版。

罗宾斯：约翰·博格先生，请告诉我，您的驱动力从哪里来？

约翰·博格：从我年轻时最早的记忆来，我必须工作。我 9 岁就开始工作了，在我们住的街区送报纸，我一直很喜欢送报纸。我是一个相当内向的人，长时间工作之后，就不会讲很多废话了。我这个人性格特别好胜，就是那种要跟人争斗一番的脾气，即使有时根本没有必要，这种好胜心弥补了我很多方面的不足。

罗宾斯：您的职业生涯是从一家传统的公募基金管理公司开始起步的。

约翰·博格：我那时还很年轻，还不够聪明睿智，我本来应该多从历史教训中吸取经验教训，依此采取行动。我当时还相信确实存在永久性的优秀基金经理，他们其实根本不存在。好的基金经理出现过又消失了。

罗宾斯：为什么会这样？

约翰·博格：其实投资业绩更多的是靠运气而不是靠能力。投资是 95% 的运气加上 5% 的能力，也许我说的还不太对，投资应该是 98% 的运气加上 2% 的能力。

罗宾斯：每个主动管理型基金经理听了你这句话都会被气死。

约翰·博格：我给你举个例子。要是你找来 1 024 个人，聚到一个房间里，一起来比赛抛硬币。你告诉他们一起抛，连续抛上 10 次，那么这 1 024 个人里面会有 1 个人连续 10 次正面朝上。你会说："这个家伙真是太幸运了。"对不对？但是换成是在基金行业，你会说："你真是个天才。"（哈哈大笑）你甚至可以把人换成大猩猩来抛硬币，结果完全一模一样。

罗宾斯：您这样说的意思是不是说"一个聪明的人和一个优秀投资者之间有着巨大的差别"？

约翰·博格：首先，投资者追求平均水平。我们先从这一点开始。非常简单。大多数个人投资者为得到平均水平的业绩付出了过高的成本。

罗宾斯：这是怎么回事？

约翰·博格：整体而言，你买主动管理型的基金平均要耗费你约 2% 的成本（包括平均 1.2% 的管理费，交易成本，现金拖累，销售手续费）。这意味着，如果市场平均业绩是 7%，那么扣掉付给基金公司 2% 的费用之后，这些投资者只能得到 5%。（如果你买的是指数基金，成本只有 0.05%，这意味着你能得到 6.95% 的收益率。）按照

6.95% 的收益率，经过 50 年，你可以把 1 美元增值到 30 美元。但是，按照 5% 的收益率，经过同样的 50 年，你只能把 1 美元增值到 10 美元，而不是 30 美元。这么大的收益差别意味着什么？这意味着，投资的本金 100% 都是你付出的，投资的风险 100% 都是你承担的，但是所有的投资收益里面，你能拿到手的只有 30%。看看股市的长期业绩，再看看主动管理型基金的长期业绩，你就会发现这个真实情况。很多人不愿意这么做，但是他们不得不学会这样做。

罗宾斯：他们没有搞明白成本的复利效应和费用的复利效应。

约翰·博格：这些人应该真正搞明白他们为什么要买股票。买股票的真正目的是要得到股利即现金分红，是为了得到盈利增长。事实上，从长期来看，股票市场的收益一半来自股利即现金分红。所有基金的费用支出也都是从这里出的。所以你好好想一想，托尼，我告诉你，平均每只基金的股利收益率是 2%，平均每只股票基金的费率是 1.2%，羊毛出在羊身上，基金的管理费都是从基金分到的现金分红里扣掉的，所以你拿到手的股利收益率只剩下 0.8%，基金公司从你的股利收益率里面拿走了一半来付给它们自己作为基金的管理费！整个基金行业向基金持有人收取的费用占属于投资者股利收入的 60%，有的时候是 100%，有的时候甚至超过 100%。现在你能明白为什么我对基金行业如此痛心，它吃掉投资人的收益实在太多了。

罗宾斯：但是还有 1 亿人投资主动管理型公募基金。这些人怎么可能这样任人宰割？

约翰·博格：绝对不要低估市场营销的力量。回到 2000 年，我们来看看，那些在《金钱》杂志上打广告的公募基金，平均年度业绩为 41%，这些基金有很多，甚至可能是大多数，现在都不存在了。基金投资者预期，他们选择的聪明基金经理，会永远聪明下去，但是根本不会有这种事。基金投资者心里的预期是，这个聪明的基金经理上一年创造出来 20% 的年收益率，将来能够持续很多年创造出来 20% 的收益率。这种想法太荒谬可笑了。这不可能发生，这绝对不可能发生。

罗宾斯：先锋公司的经营管理，只是为了让公司的基金持有人受益，实际上先锋公司是由基金持有人持股的公司。您支持统一受托人标准了？

约翰·博格：我是这个要求的提出者。也许我是第一个提出这个要求的人。投资公司研究所（公募基金行业的游说组织）说："我们并不需要制定一个联邦式的受托责任的标准，我们就是受托人。"那么，既然如此，第一点，为什么他们还要反对这件事？这是一个很有趣的问题。

但是，第二点，他们不明白，我们有受托责任冲突，一个上市公司，比如贝莱德集团，有两个受托责任：一个是对贝莱德集团旗下公募基金的股东有受托责任，责任是让股东赚到最多的钱；另外一个受托责任是对贝莱德集团的股票持有人，也就是公众持有人有受托责任，要尽可能赚到最多的钱，责任是要让这些基金持有人的收益最大化。因此，贝莱德集团的首席执行官劳伦斯·芬克就陷入了终极的两难处境。要让贝莱德集团的基金持有人的收益最大化，他就必须降低收费，但是要让贝莱德集团的股东收益最大化，他就必须提高收费。你不可能同时做到这两点，既提高收费，又降低收益，你只能选择一条路。贝莱德集团努力想要同时做到这两点。结果是现在这家公司给股东赚的钱比以前任何时候都要多。

罗宾斯：这太讽刺了。

约翰·博格：美国是个伟大的国家，不然怎么会有这种事？

罗宾斯：按照您的看法，下一个最急迫也最具挑战的事情是什么？

约翰·博格：我认为，美国上市公司会继续成长，记住，股票市场是一个衍生物，它是我们上市公司创造的价值的衍生物。美国上市公司现在为股东赚钱，将来会继续为股东赚钱，也许可能会赚得少一点儿。但是，美国上市公司规模会变得越来越大，而且生产效率会越来越高。所以它们会继续增长，也许比我们习惯的速度要稍微慢一点儿，但是还会是一个健康的增长速度。

罗宾斯：主要是因为消费会下降，这是基于人口统计资料，或者是因为我们借的钱太多了，我们买房花的钱还没有还清。

约翰·博格：我们还得继续去杠杆，我们美国的借债太多了。公司这方面其实没有太多的借债，美国公司方面的负债率并不高，资产负债表相当不错。但是，美国政府，包括联邦政府、州政府和地方政府，负债率都太高了，我们必须做出行动来解决这些债务问题。

其中的一个风险是个大问题，就是现在美联储有4万亿美元的存款准备金，和正常水平相比多出3万亿美元，这3万亿美元差不多都是最近5~6年量化宽松多出来的，必须消化掉。谁都搞不清楚这件事是怎么发生的。但是每个人都知道这件事迟早会发生。

罗宾斯：我们是不是要小心会再发生金融危机？

约翰·博格：如果你觉得你不是像一般投资者那样思考，而是像那些有大视野的人那样思考，绝对不要丧失你对历史的感觉。不要认为历史不会重演。正如马克·吐温所说的："历史可能不会重复，但是历史的节奏会重复。"所以，我们将来确实有可能再发生一次严重的全球金融危机，甚至是全球经济大萧条，但是全球经济大萧条的概率有多大？我说可能是1/1 000的概率。但这并不是1/10的概率，所以我并不认为全球大萧条可能会发生，但要是有人说全球经济大萧条绝对不可能发生，那就错了。

罗宾斯：这样说肯定是没有好好研究历史。

约翰·博格：是的。这件事基本上只要你用常识就能想明白。不要让一时的潮流和一时的风尚冲昏你的头脑，也不要被市场一时的盘旋冲昏你的头脑，不管是股市还是债市。

罗宾斯：您在投资行业干了64年，您经历过各种各样的市场波动起伏，您是怎么在投资中抽离人的感情因素的呢？

约翰·博格：没有人能够做到，包括我在内。我只是努力在投资时尽量减少感情因素。人们会说，要是股市跌了一半，你会有什么感觉？我说，老实说，我感觉非常痛苦。我的心都揪得紧紧的。那么我能做点儿什么减轻一些痛苦？我会找出来一两本讲“坚持到底”的书，再读一遍。

罗宾斯：如果您不能把任何一分钱传给你的子孙后代，但是您可以传给他们一些投资基本原则，您会告诉他们什么？

约翰·博格：我会告诉他们三个投资基本原则：第一个原则是，注意你投资的是什么类型的资产。你选择你的资产配置，要跟你的风险承受度和你的目标保持一致。第二个原则是，分散投资，你一定要用低成本的指数基金来做分散投资，有很多基金都是成本很高的。我们不要忘了这一点。第三个原则是，不要交易。什么都不要做，一直拿着你的指数基金，放在那里！不管发生什么事，一直持有不动。你要是想让自己更容易抵抗住下跌的恐惧那么继续持有不动，你可以在做资产配置时，在你原来觉得合适的债券配置比例的基础上，再稍微多加上一点点。

罗宾斯：您对投资者还有什么其他建议？

约翰·博格：别看《华尔街日报》！别看电视上播出的那些财经节目！开个玩笑。我上过很多次美国全国广播公司的电视节目，多次接受采访，我一直很奇怪，为什么他们一次又一次地问我。吉姆·克莱默的节目，我看上40~50秒就受不了了。那些股票电视节目，都是在大喊大叫地让你买这个股票，卖那个股票。这只会让你偏离投资的本质，只会让你分心。我们浪费了太多时间，浪费了太多能量，关注那些与投资相关的东西，其实你知道结果会是什么样的。你只能得到市场平均业绩，即和市场指数相同的业绩，有时多一些，有时少一些。大多数时候只会比市场平均水平少一些。所以，为什么你还要花这么多时间整天交易标准普尔500指数，就像早期的外汇交易基金市场营销大战建议的那样？只要一直持有标准普尔500指数，你就可以轻松地拿到平均业绩。

那些一直持有指数基金的人，赚的最多的不是钱，而是时间，是生活。不做频繁交易，不天天折腾，给你节省大量的时间精力，让你更多地享受生活。带孩子去公园玩，带家人出去吃顿晚餐。如果这些都做不了，你也可以读一本好书。

罗宾斯：钱对您意味着什么？

约翰·博格：我不把钱看成目标，而是把钱看作达到目标的手段，有一个很精彩的故事，讲的是两位作家库尔特·冯内士特和约瑟夫·海勒。他俩在谢尔特岛一个聚会上碰到了，于是一起喝酒。库尔特·冯内士特看看约瑟夫·海勒，对他说："你看那个人，我们今天聚会的东道主，就在那里。你知道吗，这家伙今天赚了1亿美元。他一天赚的钱比你那本书《第22条军规》所有的版税加在一起还要多。"约瑟夫·海勒回过头来看看库尔特·冯内士特，然后说："那也没什么，因为我有些东西，他再有钱也永远不会有。这就够了。"

我留给孩子的财富足够他们干自己想干的事，但是并不够养着他们什么事都不用干。我经常对他们说："有的时候，我真希望你们能有我小时候那样的成长经历，你们就能拥有我拥有的所有优势了。"我的孩子听后的第一反应是："像你那样长大，你说的应该是劣势吧？""不，孩子，我说的是优势。穷得只能勉强生活，努力工作，努力打拼，闯出一条自己的路。"

罗宾斯：投资大众花了好多年才接受指数基金的概念，现在指数基金像风暴一样席卷整个基金行业，规模占比超过1/3。您当年创造第一只指数基金的时候，您怎么感觉指数基金这条路是对的？

约翰·博格：人们说，你肯定非常骄傲。看看你创造的指数基金现在规模多么庞大。我告诉他们，它还有很大的发展空间，我觉得，到了将来某一天，我才能说可以了，现在还没有到那一天。我记得索福克勒斯说过："我们必须等到晚上才能欣赏到白天的光辉灿烂。"我的晚上还没有到来。

你知道的，我要坦白地说，我很早以前就遭遇了死亡。做心脏移植手术之前，我有过8次心脏病发作。我的心跳都停止了，我根本没法活下去。但是我后来做了心脏移植，我继续活下来了，这实在是太不可思议了。我没有花太多时间来考虑这件事，但是我认识到，我正亲眼见证指数基金大胜，投资者现在青睐指数基金，这真的是一场革命性的变化，这一点毋庸置疑。指数基金正在改变证券行业。现在证券公司赚的佣金和基金公司赚的管理费比以前少了好多。我并不确定我能够完全理解这件事，但是我想，要是我死了，我就看不到指数基金的巨大胜利。

罗宾斯：顺便问一下，您会退休吗？

约翰·博格：可能这件事更多的是上帝说了算，而不是我自己说了算。能活着，我很享受，我很享受我的生活和我的工作，我的使命是给投资者带来公平的待遇，我以此为乐。

约翰·博格的投资组合核心原则

1. 资产配置要与你的风险承受能力和你的目标保持一致。

2. 通过低成本指数基金进行分散投资。

3. 你的债券基金配置比例要跟你的年龄一样大。这是一个“大致”的基准。

约翰·博格现在 80 多岁，他的投资组合中 40% 投资在债券上。但是一个非常年轻的人可以把资产百分之百地投资在股票上。

所以，我的整个投资组合，包括我的个人账户和退休金账户，60% 左右的资产投资在股票上，大部分都是先锋公司的股票指数基金，其余的 40% 被分成两部分，一部分投资在先锋公司的全债券市场指数基金，另一部分投资在免费（市政）债券基金，我的市政债券是这样分散投资的，2/3 投资先锋公司的中期免税债券基金，另外 1/3 投资先锋公司的有限期限免税债券基金（有限意味着在短期和中期之间。期限长一点儿，收益会多一点儿）。

我希望我不需要从我的含税投资组合里面提取现金。我的免税投资组合，是有相当不错的免税收益率的，有3%左右，按照我的税级来说，这相当于税前5%的税率。我不需要比这更高的收益率了。能拿到这么多，我已经很开心了。

当然我也有一点儿担心市政债券市场的稳健性，但是我相信，有我们先锋公司的一流分析师，这两只市政债券基金应该会做得不错。在我的递延纳税投资组合里，这也是我最大的一部分资产，我的债券资产大部分都配置在先锋公司全债券市场指数基金上。这只债券基金持有的债券包括长期、中期、短期债券，还包括国债、抵押贷款、公司债券。

我对我的投资组合整体收益率非常满意。尽管2008年这一组合下跌了17%，很惨，但是那一年标准普尔500指数下跌了37%，比我的投资组合净值跌幅高出200%以上。我的投资组合收益率一直是正的，平均每年约10%。我很高兴，我只是一直持有，坚持到底，结果安然地度过了金融危机大熊市。

第35章　沃伦·巴菲特：奥马哈圣人

投资传奇大师，伯克希尔–哈撒韦公司首席执行官

我坐在美国《今日秀》节目的休息室里，等着开始录节目，这时一个人独自走了进来：沃伦·巴菲特，20世纪最伟大的投资人之一，个人财富676亿美元，世界排名第三的富豪。按照节目安排，我们一起参加圆桌讨论会，还包括Spanx内衣创始人萨拉·布雷克里，将要担任白宫住房和城市发展部部长的朱利安·卡斯特罗，以及主持人马特·劳尔。我们要一起讨论经济，谈谈我们对美国经济发展方向的看法。跟全球数以百万计的投资者一样，我一直是巴菲特的超级粉丝，他白手起家的故事深深地打动了我。巴菲特当初不过是内布拉斯加州一个不起眼的股票经纪人，后来做投资，收购了新英格兰地区一家失败的纺织企业伯克希尔–哈撒韦公司，并将其一步一步地发展成为全球市值第五大的上市公司。它资产规模近5 000亿美元，投资控股很多家公司，业务种类繁多，从GEICO汽车保险公司到喜诗糖果公司，几乎你能想到的业务它全都有。巴菲特的投资成功之道并不那么神秘，就是价值投资：这套投资体系是他从导师格雷厄姆那里学来的，他不断完善，发扬光大，使其日臻完美。价值投资策略的核心是寻找价值被市场过于低估的公司，然后买进股票，预期这家公司的股价长期来看会上涨，回归到其价值水平。这是一种最简单的风险—收益不对称的投资机会，它要求你要花费很多时间和精力进行研究分析，要求你有相当高的研究分析和投资技能，还要求你手上有相当多的现金，这也正是为什么巴菲特一直追寻收购保险公司的机会，因为保险公司能够产生巨大的现金流，手上有了规模巨大的资金，巴菲特才能抓住巨大的投资机会。

巴菲特不但在商业投资上取得了非凡的成功，还成为有史以来慷慨捐赠最多的慈善家，他发誓要把个人财富的99%都捐赠给慈善事业，他把这些资金委托给比尔·盖茨夫妇的慈善基金会，以用于慈善事业。在企业领导人里面，巴菲特说的话可能是得到引用次数最多的。你在本书里也会时不时地读到巴菲特的名言，这些都是他的智慧结晶，对于投资者来说都是无价之宝。

我发现，我的投资偶像巴菲特竟然和我同处一室，这么好的向大师求教的机会，我怎能错过？我赶紧上前打招呼，自我介绍，告诉他我正在写书的事。我问道："巴菲特先生，我们能不能找个时间坐一下，请您谈谈，在现在这个波动性很大的经济情况下，个人投资者应当怎么做才能在投资比赛中获胜？"

巴菲特看着我，眼睛眨了几下，明显在思考。然后他微微一笑，说："托尼，我很想帮你，但是关于这个主题，能说的东西我都已经说过了。"

巴菲特说的这个理由，我很难跟他争论。从1970年开始，巴菲特每年都要在年报里写一封致股东的信，大家都热切期待。巴菲特致股东的信，语言朴实无华，他给出投资建议，评论经济形势和企业经营，字字珠玑。除此之外，封面上印有巴菲特名字的书有50多种，甚至其中几本还是巴菲特本人写的。

不过，我还是想再试一试。

"但是，既然你现在已经公开宣布，要把绝大部分财富都捐赠给慈善事业，那么你会给你的家人推荐什么样的投资组合，让他们自己的投资得到安全保值，并且不断增值？"

巴菲特一听，又微微一笑，抓住我的胳膊。"很简单。"他说，"投资指数基金，这是一条阳光大道，让你能够投资伟大的美国企业，不用像购买公募基金那样付给基金经理很高的管理费，一直持有这些伟大企业的股票，长期下来，你就会赢。"

哇！全世界最有名的选股高手，已经欣然接受了指数基金，巴菲特公开说，对于绝大多数个人投资者来说，指数基金是最好的投资工具，也是最有成本效率的投资工具。

后来，我还找了史蒂夫·福布斯和瑞·达利欧两位好友，帮我劝沃伦·巴菲特接受一次更加细致深入的交谈，他传话给我，没有必要。巴菲特告诉我，关于投资最重要的事，他想说的，在致股东的信里都说过了，印成白纸黑字随着年报公开披露。他想告诉个人投资者的东西，浓缩起来就是一句话：投资指数基金，让你能够分散范围很广的整个股票市场，同时持有那些全球最优秀公司的股票，购买指数基金之后，你只要一直持有它很多年就行了。我明白了！在2014年致股东的信中，巴菲特再次特别强调了他给所有投资者的建议：投资指数基金。巴菲特的资产配置是什么样的？下面是巴菲特留给他妻子的投资指令，巴菲特要求他去世之后他的信托资产做如此投资：

"10%放在美国短期国债上，90%放在成本非常低的标准普尔500指数基金上。（我建议投资先锋公司的标准普尔500指数基金。）我相信，按照这个投资方针执行的话，这个信托资产的长期业绩会胜过大多数投资者——那些购买基金支付很高费用给基金经理的投资者。不管是养老基金这样的机构投资者还是个人投资者，长期业绩都会大幅落后于指数基金。

约翰·博格听到这些肯定会非常高兴！美国最受尊敬的投资大师对约翰·博格近40年来一直推广的指数基金，表示完全认同和支持，而且会直接使用。

别忘了，巴菲特下了100万美元的大赌注，赌指数基金长期能够战胜对冲基金。和巴菲特对赌的对手是位于纽约的门徒伙伴公司，专门为客户精选对冲基金。巴菲特发起的赌局是：门徒伙伴公司精选出5只顶级对冲基金的平均业绩，不能战胜巴菲特选择的先锋标准普尔500指数基金，赌期是10年，从2008年1月1日到2017年12月31日。2014年1月，赌局已经过去了6年，标准普尔500指数上涨了43.8%，而门徒伙伴公司挑选的那5只对冲基金平均业绩为12.5%，巴菲特大幅领先。

你听到了吗？奥马哈的投资圣人已经说过了：最好的投资方法是买入并长期持有指数基金！

第 36 章　保罗 · 都铎 · 琼斯：当代罗宾汉

都铎投资公司创始人，罗宾汉基金会创始人

保罗 · 都铎 · 琼斯是有史以来最成功的交易员之一，26 岁创办自己的企业，在此之前他在大宗商品期货市场做棉花交易，白手起家。

保罗 · 都铎 · 琼斯好像完全违反了重力法则，连续 28 年，年年盈利。这个人还是个成功预测到“黑色星期一”的传奇人物。1987 年股市大崩盘，一天暴跌 22%，创下有史以来最大单日跌幅。2008 年，当全世界都深陷在股市大崩盘的痛苦之中时，保罗 · 都铎 · 琼斯的对冲基金却获得了 60% 的单月收益率，这一年的收益率接近 200%。

保罗·都铎·琼斯是我的密友，也是我的个人英雄偶像，我非常荣幸，从 1993 年起一直担任他的巅峰表现教练，在他创下连续 28 个年度赚钱的传奇过程中，其中 21 年我都陪伴左右，和他共度大半个交易生涯。比起保罗·都铎·琼斯令人震惊的投资成功，我印象更深刻的是，他发自内心地痴迷于不断寻找合适的方式回馈社会，为推动社会发展进步而努力。保罗·都铎·琼斯创办了著名的罗宾汉基金会，激发和组合一些全世界最聪明和最富有的投资者互相合作，与纽约市的贫穷问题开战。保罗·都铎·琼斯和他的罗宾汉团队做这份慈善工作，也是尽力做出非常严谨的分析——那些对冲基金的亿万富翁本来只在投资上才肯下这么大的功夫。从 1988 年起，罗宾汉基金会已经投资了 14.5 亿美元用于解决纽约市贫穷问题的项目，就像在投资上无情地追求风险—收益不对称一样（下文将分享他的 1∶5 风险—收益不对称投资原则），保罗·都铎·琼斯的基金会做慈善工作也没有什么不同。罗宾汉基金会的运作和管理成本百分之百地由董事会委员自掏腰包，所以，捐赠者投资于自己所在社区的慈善项目能得到 15∶1 的收益率！正如谷歌公司的执行董事长埃里克·施密特所说的：“简直就像没有基金会，没有搞活动，却更有效果。”

保罗·都铎·琼斯会告诉你，他是一个交易员，不是传统的投资者，但是就像他的前任老板 E. F. 赫顿一样，保罗·都铎·琼斯一说话，人人就会侧耳恭听。作为一个宏观交易者，他研究了很多影响因素：基本面、心理、技术分析、资金流动、世界性的大事件，以及它们对资产价格的影响。保罗·都铎·琼斯不关注个股，他赌的是影响整个世界格局的大趋势，比如，从美国到中国、从货币到大宗商品再到利率。很多全世界最有影响力的领导人都向他寻求指导和帮助，其中包括财政部部长、央行官员、全世界各国政府的智囊团。

我和保罗·都铎·琼斯这次会谈的地点在他的公司办公园区里，那里面积很大，坐落在康涅狄格州格林尼治市，都铎投资舰队都在这里办公。会谈期间，我们深度探讨了最有价值的投资原则，他要分享给大家，让你我这样的个人投资者能够从中受益。结果一番长谈之后，保罗 · 都铎 · 琼斯要送给我们的是他的“价值 10 万美元的商业投资课程”，原来每年能够听到他这个课程的只有他们公司的交易员，以及极少数非常幸运的大学生。保罗 · 都铎 · 琼斯的所有投资智慧都浓缩在下面短短几页的文字里。

罗宾斯：保罗，你在投资上，在交易上，都可以说是连续 28 年盈利，没有一年亏钱，这简直难以置信，你是怎么做到的？

保罗 · 都铎 · 琼斯：我们都是环境的产物，环境造就人。我是 1976 年进入金融行业的，一开始做大宗商品交易员，交易棉花、大豆、橙汁等，最重要的事情是，这些市场很大程度上会受到大气候的影响。只需三四年的时间，你就会经历巨大的牛市和巨大的熊市。我很快搞懂了牛市和熊市的心理，它们的转变能有多快？当市场跌到谷底的时候，市场的情绪是什么样的？我看到有人先赚到巨大的财富又全部亏掉。我就坐在那里，亲眼看着邦克 · 亨特大买白银 4 亿美元，到 1980 年涨到 100 亿美元，这让他一下子成了世界首富，后来只过了 5 个星期，他就从 100 亿美元又跌回到了 4 亿美元。

罗宾斯：啊！

保罗 · 都铎 · 琼斯：这样我就一下子知道了，钱去得有多快。你能拥有财富的时候，一定要知道这是多么宝贵。从那件事上我学到的最重要东西是，防守比进攻重要 10 倍。你拥有的财富，很容易像刮大风一样一下子就没了，你必须非常小心下行风险，任何时候都要小心。

罗宾斯：必须。

保罗 · 都铎 · 琼斯：如果你有一笔投资涨得很好，那你根本不用管它，它会自己照顾好自己的。你需要非常关注的是正在亏钱的投资，可是事实上大家往往看都不愿意看正在亏钱的投资：“我的账户正在下跌，我甚至都不愿意打开它。”所以长期下来，我创造出一个流程，让我关注的最重要的单一因素就是风险控制，每天都是这样。

我想知道如何不亏损。

罗宾斯：你认为普通投资大众关于投资最大的误区是什么？什么样的投资误区损害了他们？

保罗·都铎·琼斯：你能投资很长时间，但你要变得富有并不是非得用很长时间。因为市场上每样东西都有价格，长期来看也有一个中心价值，找到那些价格过分低于中心价值的品种，你就能赚到大钱，这不一定需要很长时间。但是我认为，这要求普通投资者明白那些一直适用的估值指标，你一定要防备好估值出错，因为事实上你并不是对每一种资产类型都了解，预防出错的办法就是建立一个非常分散的投资组合。

罗宾斯：你说得很对。

保罗·都铎·琼斯：有个故事，我永远不会忘记，那是1976年，我才工作了6个月，我去见我的老板伊莱·塔利斯，他是一个棉花期货交易员。我说："我要做交易，我要做交易。"他说："孩子，现在，你还不能做交易，也许再过6个月，我会让你做交易。"我说："不，不，不！我现在就要做交易。"他说："现在你给我听着，再过30年，市场肯定还在，问题是你还在不在！"

罗宾斯：这个问题问得太好了。

保罗·都铎·琼斯：所以龟兔赛跑最后是乌龟赢了，对不对？我想，你能做的最重要的一件事就是把你的投资组合分散投资。分散是关键，搞好防守是关键，那我要再说一次，还有，一直留在比赛里，能待多久就待多久，剩者为王。

罗宾斯：按照分散投资的原则，那么你看，要做好防守，应该怎么做资产配置才行？

保罗·都铎·琼斯：从来不会有这样的时候，你可以绝对肯定地说，这样配置的投资组合我能一直持有5~10年。这是不可能的。现在这个世界发展变化得太快了。你现在看一看，美国的股票和债券都被高估得简直荒谬可笑。现金一文不值，活期存款利率相当于零，你手里的钱该用来做什么？有的时候应该拿着现金，有的时候应该做投资。你并不需要总是能有机会赚大钱，耐心等待，赚大钱的机会并不是想有就有的，也并不是经常有的。

罗宾斯：那么你是怎么做的？

保罗·都铎·琼斯：有的时候，你只能说："哎呀，这里根本没有价值，那里一点儿都没有吸引力。我要做好防守，配置一个投资组合，没有很大的盈利预期，但关键是不要亏损。我会做一些投资，肯定不会让自己受到损失的投资，将来如果市场的投资价值增长了，我还有资本抓住一些机会。"

罗宾斯：那么你用什么具体的策略来保护你的投资组合？

保罗·都铎·琼斯：我在弗吉尼亚大学给本科生上课，我告诉那些来听课的学生："你不用去商学院读工商管理硕士了，我能给你省一大笔学费。现在你就能得到价值10万美元的一堂课，只需要记住我说的两点就够了：你一定要跟上最重要的大趋势；做逆向投资者，你想都不要想。美国两个最有钱的人——巴菲特和比尔·盖茨，他们是怎么赚到那么多钱的？比尔·盖茨能赚到那么多钱，是因为他一直拥有一只股票，就是他创立的微软，这只股票涨了800倍，他一直跟着大趋势走。巴菲特呢，他说"我要买伟大的公司，我会一直持有这些公司的股票，我不会卖，因为这才是既正确又精明的做法，只要我不卖，一直拿住，复利法则就会为我工作，给我创造巨大的复利增长。

罗宾斯：还有巴菲特控股的保险公司有巨大的现金流，能给他提供投资所需要的巨额资金。

保罗·都铎·琼斯：巴菲特就这样一直握着那些大公司的股票，坐在那里一动不动，经历了人类文明史上最大的牛市。巴菲特抵抗住了忍不住想要兑现盈利的痛苦。

罗宾斯：巴菲特太了不起了。所以，我的下一个问题是，你怎么判定未来的大趋势？

保罗·都铎·琼斯：我对任何投资的衡量标准都是看200日收盘价格移动平均线。我看到过很多东西最终价格都归于零，股票是这样的，大宗商品也是这样的。投资的全部技巧都在这一点上："我怎么避免亏个精光？"如果你用200日移动平均线，你就能避免亏个精光了。做好防守，你就能避免亏个精光。我在大学里给学生上技术分析课程的时候，我会让学生做这种练习。我会画一个假设的走势图，像下边这个图一样，在白板上贴一张白纸，画上一根走势线，一直上涨，涨到最高的地方，纸上都画不下了。

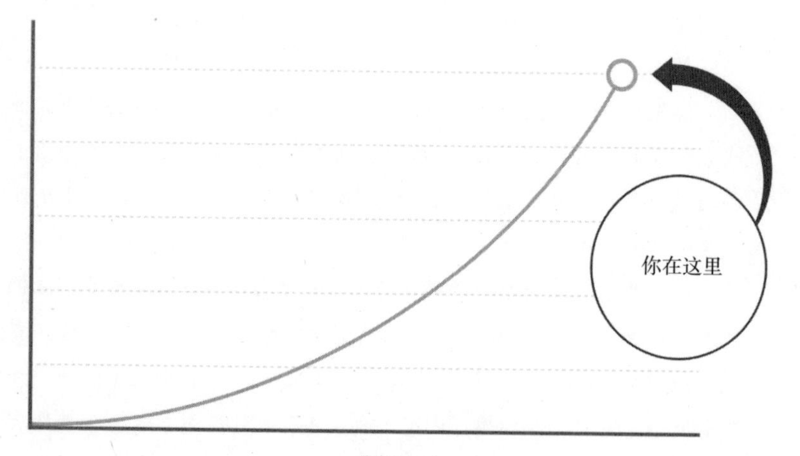

图36–1

画好之后，我会问学生："好啦，你知道的就是现在你看到的。有多少人会看涨，而且继续看涨呢？请举手。"一般会有60%的人举手。我再问：有多少人会看跌，会卖出这些投资呢？一般会有40%左右的人举手表示愿意卖出。然后我说："你们这40%想要卖出的人这辈子永远不要用你自己的钱做投资，因为你的脑子里有逆向投资的漏洞。本来有可能赚到大钱，结果你一搞逆向投资，高位卖出，就把这样的大好机会给毁了。这意味着你会去买那些价格跌到接近于零的东西，然后卖掉那些可能会涨到无限高的东西，最后，有一天你会赔得精光。"

罗宾斯：你说的对极了，很有道理。事实上，你说过，你那些伟大的胜利就是在市场的重大转折点上取得的，对不对？这正是你与众不同之处。

保罗·都铎·琼斯：是的，1987 年股市大崩盘，在大崩盘的日子里，我赚了不少钱。

罗宾斯：你可得给我好好讲讲这段故事。很多人认为这是历史上三大顶级交易之一。大多数人一年能赚 20%，就激动得发抖了。你一个月就赚了 60%。当时你那套 200 日移动平均线的理论给你发出警告信号了吗？

保罗·都铎·琼斯：你说对了。崩盘之前股市一直在 200 日移动平均线目标上方运行。就在股市即将要崩盘的时候，两条线走平了。

罗宾斯：你一直在等待，直到股市反转才出手。

保罗·都铎·琼斯：是的。

罗宾斯：这太令人震惊了，我都被你吓住了。所以你并不认为你是一个能承受风险的人，你专注于如何持续保护自己，而且如何和大趋势保持一致。那你给学生们传达的第二个思想是什么？

保罗·都铎·琼斯：5∶1 公式。

罗宾斯：风险—收益不对称。

保罗·都铎·琼斯：你说的对。5∶1 公式就是，冒 1 美元的风险去拼 5 美元的盈利。5∶1 公式允许你只要达到 20% 的击打成功率就行。我可能实际上是个十足的大笨蛋，我可能 80% 的时间里都是错的，但是我仍然会不亏钱，只要我的风险控制做得好就行。你只要 5 次里有 1 次做对，就不会亏钱。因为人性就是这样的，我们从来没有真正计算过我们买入的价位是否合算。我们从来没有好好想过，我们什么时候要认输出局，我们真正冒的风险是什么。

罗宾斯：你并不是 80% 的时间都是错的！所以你这样做肯定会赚很多钱。资产配置非常重要，所以我要再问问你：如果你一分钱也不能留给你的孩子，只能给孩子讲一个具体的投资组合，还有一套基本原则来指导他们投资，那会是什么？我问这个问题是想帮助个人投资者得到一个投资模型，让普通人可以借助你的慧眼来配置投资组合。

保罗·都铎·琼斯：我确实非常担心普通投资者，因为对于他们来说投资确实很难。如果做投资很容易，有一个公式，有一个办法，就能做好投资，我们大家就都成亿万富翁了。我觉得，有一个基本原则是确定无疑的：不管是什么股票、什么商品，跌破200日移动平均线，你一定要卖出离场。另一个原则是，专注于投资收益—风险不对称5∶1的目标。你要有约束，不符合这样标准的就不投资。但是这只是我所知道的东西，你还会采访瑞·达利欧，他对投资比任何人知道的都多，这个家伙做得比任何人都好。

罗宾斯：他就是我下一个要采访的人了，谢谢你！好了，我们换个投资以外的话题。你已经在人生中取得了惊人的成功，你已经是传奇人物了，但是你如此谦虚低调。我想请你谈谈你回馈社会的事。是什么驱动你做了这么多令人震惊的慈善工作？是什么在持续驱动你帮助那么多的人改善生活？

保罗·都铎·琼斯：我还是个小孩子的时候，有一次去孟菲斯，跟着妈妈到那个很大的室外蔬菜市场买菜，我记得好像我突然抬头一看，我妈妈不见了。那时我只有4岁，妈妈就是一切，妈妈不见了，我吓死了，大哭起来。这时一个面容很慈祥、人很高的黑人老爷爷，走过来温柔地说："不要担心，小朋友，我们会找到你妈妈的。不要哭，我会找到你妈妈的。过一小会儿你就找到妈妈了，你就会开心起来。"这位黑人老爷爷牵着我的手，领着我沿着市场里的路走，终于我看到了妈妈，妈妈看到我在哭，他就笑了。

罗宾斯：噢，好温馨的故事。

保罗·都铎·琼斯：你永远不会忘记这样的事，上帝做的每件事，你遇到的人做的这些小小的善事，其影响会变得越来越大，会影响到很多其他的人与事，并出现叠加效应。我们忘了，小小的善行会是多么重要。我觉得，这个黑人老爷爷小小的善行，在我心里种下了善行的种子，让我一直想着要回馈。

罗宾斯：这个故事太动人了。我明白了，甚至现在我也能感受到那个时刻对你人生的影响有多么深刻。你一讲，我们两个大男人都快要流眼泪了。谢谢你给我讲这个故事。最后还有一个问题，请你回答：大多数人都有一种错觉，如果他们有足够的钱，压力就会全部消失。这是真的吗？财务压力真的会消失吗？

保罗 · 都铎 · 琼斯：那天还没有到来。

罗宾斯：好，这正是我想要听到的。

保罗 · 都铎 · 琼斯：问题是，跟其他任何东西一样，钱也是从来都赚不完的。财务压力，现在对于我来说就是，我觉得应该花钱去做的事情太多了。如何把钱花到能让我感到快乐幸福的地方，花到能让我激情燃烧的地方，花到真正让我兴奋激动的地方？就在一个月前，我发现有个保护项目很值得做，但是我承担不起那么大的费用。这个项目需要 100 年的时间，真的是百年大计。我在想："天哪！如果我能买下这家木材加工厂，修复那块土地，恢复原来的生机，从我接手那一天开始，再过 100 年，这块土地就会成为世界上最美的地方，美得让人窒息。上帝看了这个地方，会对亚当说：'这应该就是你的伊甸园。'"我想，尽管我确实负担不起，但是我真的想做。最好的方法就是跑到那里，行动起来，因为这是我能做的最好的贡献，从现在开始 100 年后的人都会从中受益，他们可能不知道是谁做的，但是他们肯定会爱上这个地方，他们来到这里肯定会非常开心，这就够了。

罗宾斯：谢谢你。保罗 · 都铎 · 琼斯，我爱你，我的好兄弟。

第 37 章　瑞·达利欧：全天候投资大师

桥水基金公司创始人兼首席投资官

看了本书前面的部分，你肯定知道，瑞·达利欧的全天候投资策略占了整整一大部分，本书的基因有一部分就来自瑞·达利欧，我第一次采访他的时候就做了这个决定。那是在康涅狄格州他的家里，我们俩第一次坐下来交谈，就谈了近三个小时，你一言我一语，谈话的内容非常广，从冥想的好处（达利欧说“冥想给我带来内心的宁静”）到宏观经济的运行机制（达利欧说宏观经济其实是一个简单的机器）。我事前做了功课，瑞·达利欧在对冲基金行业可以说是大名鼎鼎，他管理的对冲基金规模超过 1 600 亿美元，全球第一，遥遥领先于同行，历史业绩优异，令人震惊。我也知道瑞·达利欧的风险管理水平是最好的，这个地球上没人比得上他。在这个波动性很大的市场里，当需要找个安全的港湾时，很多人都会向瑞·达利欧请教，包括世界各国的领导人，还有那些规模巨大的金融机构。

为写本书，我访问了 50 多个金融行业的超级明星人物，面对每一个人，我都会问同样一个问题：如果你不能留一分钱给你的孩子，只能留给他一个投资组合清单，那么会是什么？但是，我一点儿也不知道，如果我问达利欧这个问题，他会如何回答。结果达利欧的回答，成了我一直在寻找的投资真经，瑞·达利欧给出了完美的答案。他的回答是什么？一个投资规划，像你这样的个人投资者都能用，能让你攒的退休养老金不断增值，而且在所有的经济季节里它都可以有效地运作，从而不会让你一辈子攒的钱有亏本及大幅亏损的风险。到现在为止，只有那些有巨额资金的超级富豪和大型金融机构，才有资格加入瑞·达利欧管理的对冲基金，才有机会了解他在每个经济季节都能成功的那套投资魔法公式。瑞·达利欧愿意选择这个时间，在本书里，和全球的个人投资者分享他的投资魔法公式，他慷慨助力的善行让我感到非常震惊，也让我非常感激。

在这里，我就不需要重复地详细介绍瑞·达利欧的背景资料了。从本书的第一页开始，你的通向财务自由投资之旅都一直与他同行。你读了这么多，肯定在前面的章节里详细了解了达利欧的故事和他的整个投资组合的基本资料。我会在这里再列一个简单的投资组合清单，但是没有文字介绍，可能读起来不是那么有说服力。在你进入下一章之前，回忆一下你读过的第五部分的内容。你如果还没有读或者读得太快印象不深，就回过头去重新阅读那些章节。瑞·达利欧的投资思想和投资组合，会给你一种当头棒喝的感觉，改变你的人生。如果你已经读过且已深入理解，现在是去实践应用的时候了。瑞·达利欧绝对是全天候投资大师。大师一句话，胜读十年书。

第 38 章　玛丽·卡拉汉·厄道斯：管理万亿美元资产的女人

摩根大通资产管理集团首席执行官

玛丽·卡拉汉·厄道斯可能不到 1 米 56，这位身材娇小的女士，影响可不小，她担任世界上最大的资产管理集团摩根大通资产管理集团的首席执行官。摩根大通集团是美国最大的银行之一。《福布斯》杂志称厄道斯为“在男性主导的华尔街企业里非常罕见的女强人”，而且评选她为“世界上 100 位最有影响力的女人”之一。从 2009 年厄道斯接管摩根大通资产管理集团以来，资产管理规模增加接近 5 000 亿美元，增幅超过 30%。

厄道斯监督管理的资产规模达到 2.5 万亿美元，服务的投资人包括基金会、各国中央银行、养老基金，还有一些世界上最富有的人。媒体经常把她列为接替摩根大通首席执行官杰米·戴蒙的少数候选人之一。

尽管在本书访问的 50 多位投资理财超级明星中，大多数人都赞同投资指数基金，采取这种被动的、低费率的资金管理方式，长期来看，能够为个人投资者带来最好的业绩，可是厄道斯说，行业内最优秀的基金经理做主动管理型的基金所创造的业绩更好，和他们收取的费用相比，物超所值。她说，证据就摆在那里，这些优秀基金经理人的客户非常忠诚，长期持有基金，而且这些基金经理继续吸引新的资金进来，管理规模不断扩大。

资金管理从小就融入厄道斯的血液里了。她出生在温尼卡一个爱尔兰天主教大家庭，她是家里的第一个出生的孩子，也是唯一的一个女孩子，他的父亲帕特里克·卡拉汉是个投资银行家，在芝加哥的拉扎德公司工作。厄道斯在读高中的时候数学成绩就非常突出，还赢得了马术比赛的奖牌，后来她读了乔治城大学，成为他们那届数学专业中唯一一名女学生。后来，她在哈佛大学商学院读工商管理硕士时遇到了她的丈夫菲利普·厄道斯。

作为一名金融服务行业的高管，厄道斯在很多方面打破了原有的模式：这个行业以侵略性管理而闻名，非常男性化，而她的同事用这样的词语来描述她："忠诚""团队为先""有爱心"。厄道斯在摩根大通一路奋斗，晋升到最高管理层。她最有名的就是在服务客户上非常投入，她经常飞越整个美国去见客户，给客户在管理资产上提供额外的帮助。她 47 岁，成为这个有 2.6 万名员工的公司的最高管理人。她受人尊敬，一是因为她投资理财的专业能力很强，二是因为她的领导能力卓越非凡。

我们俩的会面就在摩根大通的全球总部，那座古典的联合碳化大楼里，那里可以俯瞰派克大街和曼哈顿的摩天大楼。我坐上电梯前往会议室，摩根大通资产管理集团的公关部主管达林·奥多约讲了一个她自己的故事，深深触动了我，从中也可以看出，我要见的这位首席执行官是个什么样的人。奥多约一直想当节目主持人，却在摩根大通的公募基金部门找到了工作。后来能转到公关部门，还是厄道斯的功劳。厄道斯让奥多约去当制片人，做一档晨间会议广播，播放给财富管理集团全球2万多名同事，他一听就惊呆了。

“我对投资知道得不够多！”奥多约反对说。

“是你告诉我，你一直想当一个节目主持人。”厄道斯说，“现在你要更上一层楼，成为一个谈话节目的制片人。”

“她看我看得很透，比我自己看自己还要透。”奥多约告诉我。

不管这些员工在公司做的是什么工作，厄道斯都用自己的方式，尽可能多地了解他们。此外，她还尽量想方设法地留出固定的时间，和她的三个小女儿共进午餐，开车送她们上学，大多数日子都是这样的。这是厄道斯这位母亲的方式，这种方式既让她成为非凡的企业领导者，又让她做好一个普通人——她就是这样独特。

罗宾斯：你领导着世界上规模最大的资产管理集团，请问你是怎么一路走过来的？你面对过什么样的挑战？指导你的基本原则是什么？

厄道斯：我想，你不可能精确地规划出人生要走的路，正好能让你到达你想去的地方，很多事情发生了，有的靠运气，有的是环境的关系。

我还记得我得到的第一只股票——联合碳化，这是我奶奶送给我的生日礼物。我那时有七八岁吧，那个年纪开始记事了，但是毕竟还很小，我不知道拿这股票该怎么办。

我奶奶告诉我的第一件事情是：“这个股票不能卖掉。”当时我不敢肯定我能不能做到，但是我奶奶说：“这就是复利的价值，如果你一直拿着这只股票，那么这只股票就有希望随着时间的推移不断地增值，最后你得到的价值要比现在大得多。”奶奶这番话，在七八岁的我的心里种下了投资的种子，让我知道了储蓄的重要性，让我开始思考资金管理。当时我已经感觉到我对数字很敏感，对于我来说存钱比花钱的概念更强大有力。

正好我父亲也在金融行业工作，这对我很有帮助，有很多周末他在办公室加班，我就陪着他在办公室"玩"，我坐他的办公桌，让我的几个小弟弟坐他助理的办公桌，我当然是大姐大啦！我们就这样在陪着爸爸加班中长大，很有乐趣。我想，这让我觉得金融服务业多么有趣好玩，又多么让人兴奋激动，它不是什么让你恐惧害怕的东西。在我人生的早期阶段，这种感觉对我很有帮助。

罗宾斯：你所在的金融行业，一直都是男性做主导。这一路走过来，你面对了哪些最大的挑战？

厄道斯：资金管理这个行业，用业绩说话。实际上这是个循环：你给客户管理资金的业绩好，他们就会投入更多的钱让你管理，他们投入更多的钱，你就会赚更多的钱。这就是我从我奶奶那里学到的复利的巨大作用。因为专注于业绩，资金管理这个行业更容易形成男女平等。你只要业绩表现好，就会成功。

罗宾斯：什么是领导力？你怎么定义领导力？

厄道斯：不要把管理和领导搞混，这一点很重要。我的看法是，管理是我自己不愿意做的事，也不要让任何人去做。领导就是每天早上醒来，努力让你领导的这个组织变得比以前更好，我真的相信，我是为了摩根大通资产管理集团的人工作的，而不是让大家为我工作。正是因为这个原因，我要努力比大家看自己还要看得更高更远。

我做过投资组合经理、客户顾问、企业领导者，我知道，我们能够为客户取得什么样的成就，所以我觉得我的工作并不是领导我们的团队，而是钻到战壕里，与团队一道战斗，与团队一路同行，

我认为，从很多方面来说，你要么天生有领导力，要么就没有，但这并不意味着你不能。持续不断地修炼，持续不断地精进，搞清楚什么领导方法有效、什么无效。领导的风格要随着不同的人、不同的环境而有所改变，但是领导的基本原则是一直不变的。

罗宾斯：最近我访问了罗伯特·席勒博士，他曾赢得诺贝尔经济

学奖，他谈到金融机构在这个世界上做的所有好事，人们都以为那是理所当然的。你认为金融机构的名声是不是已经变差了？能做些什么来恢复金融机构的声誉？

厄道斯：因为发生了金融危机，所以这可以理解，为什么有些人对金融行业失去了信心。回过头来看，确实有些事情需要改变，有些产品太复杂，太容易让人困惑。但是总体来说，金融服务行业对这个世界做出了很大贡献。我们为公司提供成长所需要的资本，最终推动了就业增长。我们帮助个人把他们辛辛苦苦赚来的钱储蓄起来，去做投资，赚更多的钱，让他们有钱去做自己想做的事，例如买房子、付大学学费、退休后能过上舒服的晚年生活，我们支持当地的社区发展，在金融上支持，也用我的智力资本和物质资本积极支持。

我非常骄傲能加入金融行业，我也更加骄傲能够加入摩根大通资产管理集团。我们有2.6万名员工，每天努力工作，为客户提供服务，总是尽力做正确的事。我们有个说法是，如果你不愿意让奶奶买这个产品，那么这个业务我们就不应该做。这种看问题的方法非常简单，但是非常重要。

罗宾斯：有个敏感的话题。我可以肯定，如果你问瑞·达利欧、约翰·博格、戴维·斯文森、沃伦·巴菲特，他们都会说主动管理型投资长期而言无法战胜市场。96%的主动管理型基金经理无法战胜指数，我想听听你对这个问题的看法，因为你的投资业绩一直非常出色。

厄道斯：成功投资面临的最大困难是，没有一个包治百病的万能投资方式，但是如果你看看世界上最成功的投资组合经理，你会发现，他们很多人都是积极主动地管理资金，买进和卖出他们觉得自己比市场看得更加清楚、更加明白的公司股票。他们的历史业绩记录已经证明了主动管理型资金经过长期的复利，可以让你的投资组合业绩有极大的不同。主动管理型基金经理能够做的就是，分析两个看起来非常相似的公司，根据深入研究做出判断，哪个才是更好的长期投资。在摩根大通资产管理集团，我们身边有好多基金经理，在较长的一段时间内，他们都做得相当成功，这也正是为什么客户会让我们来帮助管理 2.5 万亿美元的资产。

罗宾斯：伟大的投资者几乎总是在寻找风险—收益不对称的投资机会，对不对？那些超级富豪一直在做这样的事。请问，普通的投资者现在如何能够获得财富又不用承担风险，或者至少是获得财富而只承担很小的风险，如果他们现在不是超级富有的话？

厄道斯：这件事和财富水平没有关系，关键是你要有周密的准备，能够得到良好的投资建议，然后一直坚持你的投资计划。经常发生的情况是，他们刚开始也是按照计划做分散投资，但是随着市场情况的变化，他们就开始想要预测市场的未来走势，要么是行情上涨的时候想抓住更多上涨的机会，要么是在行情下跌相当不利的情况下想要更好地保护自己，结果偏离了原来分散投资的计划。但是这样预测市场走势、择时交易是非常危险的，因为你根本不可能准确地预测到每一种情境。

一个做到良好分散投资的组合，能帮助你俘获那些尾部风险，这些风险不大，但是能够带来巨大回报。你如果坚持原来的计划，长期而言，就能创造出数量巨大的财富。

罗宾斯：今天的投资者最大的投资机会有哪些？最大的挑战又有哪些？他们需要做好什么准备？

厄道斯：我想，将来我们回头看现在，肯定会说："那是一个应该投资的绝好时机。"我们现在这个经济体系流动性很大，可以解决很多过去的错误。但是，现在是个 5 年投资的好机会，特别是那些有长期增长前景的投资项目。很多投资者现在只想要稳定的收入，温和的波动性、流动性。这是由于 2008 年金融危机的影响还在心头萦绕，很多人非常担心："如果我现在就需要钱，我能拿到钱吗？"如果你并不是现在就需要钱，就拿这些钱去投资吧。你的这些投资，未来 5~10 年会给你带来丰厚的回报。到时候回头看，你会非常庆幸自己实在是英明果断。

此外，金融行业在法律法规上做出了很多改变，努力保证未来有更好的投资环境。这并不是说，以后就不会有异常巨大的市场波动，但是整个市场体系更好，所以也应该会更安全。

罗宾斯：每一次和白手起家，后来赚到几十亿财富的超级富豪交流，我都会问他这个问题：有了几十亿财富，财务压力是不是从此离你而去了？

厄道斯：财务压力永远不会离去，不管你有多么巨大的财富，不管你取得多大的成功。

罗宾斯：怎么会这样？

厄道斯：不管你处于什么人生阶段、什么财富水平，你都想确定你是在最高效地使用你的钱，不管你是花钱做医疗保健，还是花钱让家人生活得更好，或者你想确保你的钱做的长期投资是合适的，能够满足将来子孙后代的需要，或者能够实现你的慈善捐赠目标。

罗宾斯：这种财务压力有没有什么解药？你碰到财务压力时如何缓解？

厄道斯：我自己缓解心理上的财务压力，关键在于正确恰当地处理问题，集中关注那些你能够控制的事情，比如确保每一天你能做多少就尽可能地做多少，你能给予多少就尽可能地给予多少。千万不要失去平衡，照顾好你自己，做个完整的人；照顾好你的工作，做个优秀的专业人士；照顾好你的家庭；照顾好你的朋友；照顾好你的头脑；照顾好你的身体。每隔一段时间，肯定会有些事情偏离正轨，这很正常，但是如果它们一直偏离正轨，那就不正常了。

罗宾斯：如果你一分钱都不能留给孩子，只能留给他们一套规则，或者一套投资组合策略，或者一个资产配置策略，那么它会是什么？

厄道斯：长期投资，一直持有很多年，只有你真的需要钱的时候，才卖出一些投资，够用就行了。具体构建什么样的投资组合，因人而异。例如，我有三个女儿，三个人年纪不同、技能也各有不同，而且随着时间变化，她们也会发生变化。有的人花钱可能更多一些；有的人可能更加节俭。有的人要找个好工作，想让自己赚很多钱；有的人可能天性喜欢做慈善。有的人可能结婚；有的人可能不愿意结婚。有的人会要孩子，有的人可能不愿意要孩子。总之，她们会有很多不同的地方，相当于方程式有很多不同的变量。每一个单独的变量，都会随着时间的推移而改变，这正是为什么从她们出生的第一天起，我就给每个孩子分别设立了一个投资组合，每个人的投资组合会随着时间的推移而改变。

罗宾斯：你的孩子们多大了？

厄道斯：11 岁，10 岁，7 岁。她们都很有意思。

罗宾斯：我读了很多关于你的采访报道，按照我的理解，你相信“工作生活合二为一”。能给我们更加详细地解释一下吗？

厄道斯：我真是非常幸运，能够在摩根大通这样一家公司工作，因为公司对员工的家庭非常支持，给了员工很多的灵活性，可以选择对自己最好的方式来安排好工作和生活。这意味着你可以早点儿下班，去看孩子的足球比赛，但是比赛完了你会重新回到公司，晚上加班，直到你的工作任务完成。或者周末把你的孩子带到办公室，一边加班一边陪着孩子，两不耽误，就像我小时候父亲周末带着我去办公室加班一样，我们都有一些工作上的选择和安排，可以去做对你和你的家庭最好的事情，同时也不会耽误你及时完成工作。

罗宾斯：哈哈，你的孩子就像你小时候坐在你父亲办公室里一样！孩子坐在你的办公桌后面，为未来做好准备。

厄道斯：对，我的工作和家庭生活，其实都是一回事，都是我的生活，都是我的人生，我总是决心要做到工作和家庭都要好，这才是我想要的最美好的人生。

第39章　布恩·皮肯斯：努力致富，努力给予

美国石油资本管理公司董事长兼首席执行官

布恩·皮肯斯，美国全国广播公司财经频道称其为“油神”，他总是能够超前自己所处的时代一大截。20世纪80年代早期，他是最早的一批公司袭击者，尽管他一直更喜欢“股东维权者”这个名号。布恩·皮肯斯早期重点关注的是股东价值最大化，那个时候几乎没有人听说过这种事，而现在股东价值最大化成了美国公司文化的一个标准。正如《财富》杂志所说的那样：“布恩·皮肯斯提出的曾经一度被认为是革命性的想法，现

在大家一致认为这是理所当然的做法，而且是经济发展进步的关键所在。”

21 世纪早期，皮肯斯成为一名对冲基金经理人，他年满 70 岁之后挣到了自己第一个 10 亿美元，通过投资能源类资产，他的职业生涯焕发了第二春。在接下来 15 年里，他把 10 亿美元变成了 40 亿美元，其中 20 亿美元后来又亏掉了，还有 10 亿美元捐了。

布恩·皮肯斯一直是个乐观主义者，最近第五次结婚。尽管已近 90 岁高龄，但他在社交媒体上有巨大的存在感，丝毫没有显露出慢下来的迹象。2013 年布恩·皮肯斯未被列入《福布斯》美国 400 富豪排行榜，他发了一段非常有名的微博：“别担心。我还有 9.5 亿美元，我会做得很好。有意思的是，我捐了 10 亿美元，比我现在拥有的财富还要多。”我们俩交谈的时候，谈到个人财富缩水的事，布恩·皮肯斯说：“托尼，你是知道我的，我会再赚回来两个 10 亿美元，再过一两年就行。”

布恩·皮肯斯，1928 年出生，正赶上美国经济大萧条，他起步的时候真是一无所有。12 岁他就开始送报纸赚钱了，他最初送 28 种报纸，后来增长到 156 种报纸。他把这份少年时代的送报工作称为“通过并购实现增长”的入门课。1951 年从俄克拉荷马州立大学毕业后，布恩·皮肯斯进入菲利普斯石油公司工作，1956 年他自己创业，1964 年他把自己的公司更名为梅萨石油公司，并逐步将其打造为得克萨斯州的一个能源王国。到 1981 年他的梅萨石油公司成为当时世界上最大的独立石油企业。布恩·皮肯斯在 20 世纪 80 年代的企业并购成为一个传奇，在此期间，海湾石油、菲利普斯石油、加利福尼亚州联合石油都一度成为他最著名的并购目标。

但是布恩·皮肯斯的运气（和财富）总是在变化。1996 年他离开了梅萨石油公司，他创办的对冲基金公司的盈利螺旋式大幅度下滑，很多人都不把他当回事了——因为他很快就要亏损 90% 的投资资本。但是布恩·皮肯斯上演了这个行业里的一个超级大反转，他把投资基金最后剩下的那 300 万美元又变成了好几十亿美元。

我们前面访谈的每位投资大师都主要关注两大资产类型——股票和债券，布恩·皮肯斯的英国石油资本公司的对冲基金却并非如此，他赌的是能源期货和衍生产品市场的走向。尽管本书致力于帮助人们取得财务独立，但布恩·皮肯斯说，美国过度依赖国外原油，这是最大的危险因素，对于美国整个国家安全来说是如此，对于我们经济上的幸福安宁也是如此。作为一个总是走在曲线之前的人，布恩·皮肯斯发起了一场改革运动，他要让美国这个国家摆脱对欧佩克（石油输出国组织）石油的依赖，他提出了皮肯斯计划，建议推行能源新政策。

我一直是布恩·皮肯斯的粉丝，从我长大能够记事起便一直如此，我现在很荣幸地能够称他为我的朋友。布恩·皮肯斯非常亲切和蔼，参加过我举办的很多场财富讲座活动，并发表演讲。下面的内容是我们最近谈话的节选，内容包括积累财富，保护美国能源的未来，还有他低微的出身。

罗宾斯：我一开始想讲的第一件事是，你出生的那个不可思议的故事，你总是说，你是“世界上最幸运的家伙”，而且你这样说是很认真的。请给我们详细讲讲。

布恩·皮肯斯：我的妈妈是1927年怀孕的，我是1928年5月出生的，在俄克拉荷马州乡下的一个小镇上。医生对我父亲说：“汤姆，现在你必须做出一个艰难的决定，要老婆还是要孩子，只能保住一个人的命。”我父亲说：“不可以，你肯定有办法，让母子两个人都能保住。”我们小镇上只有两个医生，幸运的是，给我妈妈接生的医生是个外科医生，他说：“好吧，汤姆，要做到你说的母子两个都保住，只能做剖宫产手术。我从来没有做过，但是我见过，我也读到过这方面的书，我可以展示给你看。”于是这位外科医生带着我父亲穿过房间，给他看一本书上有一页半讲剖宫产手术的内容。“汤姆，我要做的手术只写了这么一页半。”他说。我父亲读了一页半的内容，看着医生的眼睛说：“我想你肯定能做到。”他们两个人一起跪下来祈祷。后来他说服这个医生给我妈妈做了剖宫产手术，这才把我生出来了。

罗宾斯：我的天哪！

布恩·皮肯斯：又过了30年，他们那家医院才再一次做了一例剖宫产手术。

罗宾斯：你父亲真是太有勇气了，关系到他深爱的妻儿两人的生命时，他也有勇气拒绝别人的建议，还有勇气说肯定有别的办法，他没有屈服。这件事肯定影响了你的人生，对不对？别人说不，你肯定不会轻易接受。

布恩·皮肯斯：不会，我肯定不会。

罗宾斯：你的父亲真是为你树立了一个榜样，有能力做出重大且困难的决策。你生下来了，你的妈妈也活得很好。多么美好的故事啊。我现在明白了，为什么你总是说你是“世界上最幸运的人”。

布恩·皮肯斯：是的。

罗宾斯：你说过，从小诚实的概念就深深影响了你。但是，不幸的是，在金融行业，很多人并不是把诚实当成做人做事的核心原则。

布恩·皮肯斯：我十几岁时天天送报，有一天拿着报纸走在路上，无意间低头一看，忽然看见路边草丛上有什么东西，仔细一看，是个钱包。我拿起钱包，认出这是一个邻居怀特先生的，他就住在我送报的这条路上，他曾几次付钱给我，所以我记得这是他的钱包。于是我跑过去敲他家的门，见到他出来马上说：“怀特先生，我捡到了你的钱包。”他大叫一声：“哦，我的天哪！你可帮了我的大忙！谢谢你，我要好好感谢你。”怀特先生给了我 1 美元，我简直不敢相信，那个时候，1 美元可是很大一笔钱，能买好多东西。

罗宾斯：当然啦。

布恩·皮肯斯：那是 1940 年，我才 11 岁。

罗宾斯：噢。

布恩·皮肯斯：于是我回到家里，我可高兴了，逐一告诉我的妈妈、婶婶、奶奶，我怎么碰巧捡到钱包还给怀特先生这件事，当然还要自豪地说，怀特先生给了我 1 美元。她们听了却都是摇头，我一看就知道她们不喜欢我讲的这件事。我说：“你们听明白了吗？怀特先生非常高兴，因为我捡到了他丢的钱包，赶紧把钱包还给他。”奶奶看着我说："好孩子，你不应该因为诚实得到奖励。"于是我决定把这1美元还给怀特先生。

罗宾斯：这种事肯定让人终生难忘！勇敢和诚实，这两个价值观确实塑造了你。我记得读到过你说的一句话，那时我还小，这句话让我很受启发。我总是非常着迷于这个问题，是什么东西让一个人成为一个领导者，而不是追随者。你说过你想按照自己的想法活出你自己的人生。我记得你让我小时候很受启发的那句话是：领导的秘密就是要决断。

布恩·皮肯斯：1984年，我想收购海湾石油公司，我觉得这家公司的管理团队太弱了。我说："这些人甚至都不敢扣动扳机。他们只是瞄准，再瞄准，却从来不会开火。"

罗宾斯：你说得太形象了。那么你能够快速开火吗？

布恩·皮肯斯：很多人是让人摆到领导位置上的，这让我气得发疯，因为这些人当了领导却不敢做决定。这些人不愿意自己做决定，他们希望别人来为他们做决定。我不一样，我能很快地做出决定，我觉得我做出的决定会很好，我会看到好的结果。

罗宾斯：不错，结果才能证明理论是否正确。结果表明你的想法肯定是正确的。你成了拥有几十亿美元的大富翁，因为你对能源行业的理解更加准确，而且充分利用了这个优势做出正确的投资决策。

布恩·皮肯斯：我21次预测油价，19次都预测准确。

罗宾斯：21次预测对了19次，成功率太高了！

布恩·皮肯斯：是的。我是在美国全国广播公司财经频道的节目上公开预测的。

罗宾斯：这简直太不可思议了。你预测油价会达到每加仑4美元，是吧？当时是2011年，根本没有人想到油价会反弹到那么高。

布恩·皮肯斯：我在你搞的讲座上演讲时公开说过，托尼，那是2011年在太阳谷，我冒着风险公开说，到7月4日美国独立日那个周末，我们会看到油价达到每桶120美元，结果确实如此。我记得我说，全球石油需求会上升到每天900亿桶，所以价格必须上涨，和这么高的需求水平相匹配。

罗宾斯：我的很多白金合伙人，按照你的预测押注油价会涨，结果赚了很多钱。你让他们买入合成看涨期权，以充分利用那次油价上涨来赚钱。你的预测太准了，非常感谢你。那么，回顾你过去多年优异的历史业绩记录，有条主线，我在很多卓越的投资大师身上一次又一次地看到，那就是非常关注风险—收益不对称的机会。请问，你认为应该如何减少风险，或者如何确认冒这些风险和潜在收益相比是值得的？你在风险—收益不对称投资机会上的投资哲学是什么？

布恩·皮肯斯：你如果读工商管理硕士，他们肯定会教你：减少你的下行风险，给你自己更大的上行收益，那么好的投资回报就会来了。但我从来不用这种方式做投资。

罗宾斯：真的吗？

布恩·皮肯斯：听我说，有些交易会比别的交易好得多。我想，我们在分析风险上做得很好，但是我不能具体告诉你，我究竟是怎么做出一个决策的。我知道，要是我击中了，我就能击出本垒打，也就是说我做对了，就会大赚特赚。同样的一件事，也许我会三振出局，就是说我也可能输得精光。我愿意承受大风险追求大回报。

罗宾斯：好的，我明白了。那么，我来问问你这个问题：如果你的金融财富一分钱也不能传给你的孩子，只能传给孩子一套投资哲学，或者一套投资组合策略，那么会是什么？你会如何鼓励他们，好让他们能够长期投资之后拥有很大的财富？

布恩·皮肯斯：我十分相信，如果你有一套好的工作规范，你要把它传给子孙后代。如果你有了良好的教育，再加上一套好的工作规范，你又愿意努力工作，我相信你肯定会实现自己的人生目标和财富目标。我觉得，我的那一套良好的工作规范，是在我的老家俄克拉荷马州那个小镇上学到的。我看到我的奶奶、妈妈、爸爸都非常努力地工作，我看到我周围的人都在努力地工作。我看到那些受过良好教育的人赚的钱更多。

罗宾斯：听起来，你不是教给他们一个投资组合，你更想教给他们一套思维模式，一套工作规范。

布恩·皮肯斯：是的，你说的对。

罗宾斯：你赚到几十亿财富，又亏掉几十亿财富。钱对于你来说是什么？财富对于你来说又意味着什么？

布恩·皮肯斯：我可以告诉你我过去什么时候觉得自己非常富有。

罗宾斯：什么时候？

布恩·皮肯斯：就是我有12只捕鸟猎狗的时候。

罗宾斯：那时你多大年纪？

布恩·皮肯斯：那时我50岁。

罗宾斯：真的！

布恩·皮肯斯：那一天我在打猎。我一直养捕鸟猎狗，我一直是个捕捉鹌鹑的猎手。我父亲是，我也是，但是我只是在后院养了一只捕鸟猎狗。后来我的捕鸟技术提高了，我就养了两只捕鸟猎狗。后来我养的捕鸟猎狗多到12只，我就建了一个狗屋。有一天我说："你知道吗，我是一个大富豪了，我有12只捕鸟猎狗。"

罗宾斯：你用你的财富给美国做了那么多有益的事。我知道，你是有史以来给大学捐赠最慷慨的人，你已经给你的母校俄克拉荷马州立大学捐赠了5亿多美元，这简直太让人吃惊了。

布恩·皮肯斯：我的目标就是让俄克拉荷马州立大学变得更有竞争力，在运动上，在学术上，都更有竞争力。我非常荣幸能向我的母校捐赠。

罗宾斯：你在2005年给俄克拉荷马州立大学运动队的捐赠，是美国大学生体育协会历史上最大的一笔捐赠，对吗？

布恩·皮肯斯：是。

罗宾斯：这太令人震惊了。我知道这只是你捐赠和给予的一部分而已，你的善举让我非常敬佩。让我们换个话题，谈谈能源独立这个大问题。你在石油行业发了大财。按理说，你应该最不可能是那个鼓吹美国能源独立的人，可是最近 7 年这却成了你的使命。请给我们讲讲你的皮肯斯计划。

布恩·皮肯斯：我正想谈谈这个事。美国人是对石油上瘾了，这种油瘾威胁到了美国的经济、环境和国家安全。每过 10 年，这个问题就变得更加严重。1976 年美国进口原油占比为 24%，现在美国进口原油占比接近 70%，而且比例还在不断提高。

罗宾斯：所以你现在想把我们从那种石油进口依赖中解脱出来。

布恩·皮肯斯：是的，我们把美国的国家安全放到了那些可能并不友好也并不稳定的外国政府手里。如果美国用的原油 70% 都要依赖外国进口，那么在这个世事难料的世界上，美国就处在危险的境地。再过一个 10 年，美国进口原油的成本会达到 10 万亿美元，这会是人类历史上最大的财富转移。

罗宾斯：这简直难以想象。你有什么解决方案吗？

布恩·皮肯斯：我们应该搞能源升级，开发利用可再生能源，这能让美国获得巨大的好处，但是这并不能解决欧佩克问题。欧佩克是那些石油输出国搞的组织，实际上跟再生能源没有关系。风能和太阳能都是交通运输车辆可以使用的能源，天然气也可以派上大用场。全世界使用的原油总量，70% 是用在交通运输上的。我们要退出欧佩克实现能源独立自主，唯一的依靠就是美国自己的天然气，或者美国自己的原油。

罗宾斯：那么我们应该怎么做？

布恩·皮肯斯：美国每天要进口 1 200 万桶原油，其中 500 万桶是从欧佩克国家进口的。我们需要在美国生产更多的天然气，才能摆脱从欧佩克进口这么多原油。我们有足够多的资源，完全能够做到这一点。托尼，我们现在就坐在天然气田上，我们座位下面的天然气储量足够美国使用 100 年。我们的天然气储量相当于 4 万亿桶原油，这是沙特阿拉伯原油储量的3倍。如果美国不能充分利用自己如此巨大的天然气资源，我们就会和最愚蠢的螃蟹爬到城里的下场一样。

罗宾斯：这太让我震惊了。

布恩·皮肯斯：天然气现在非常便宜。100美元买1桶原油，按照油气当量，相当于16美元买到1立方米天然气的热量，可是我们从来没有见过天然气价格达到过1立方米16美元。不管是运输还是发电，现在任何人使用能源都应该优先考虑更加便宜的天然气。

罗宾斯：我知道你花了自己很多时间、精力、金钱，宣传你的这个皮肯斯计划。你把你的计划传播给美国公众，出钱在全国范围宣传，在媒体上大打广告，这么大的投入有效果吗？

布恩·皮肯斯：2008年，我在华盛顿发起了皮肯斯计划，我用自己的钱在这个计划上投入了1亿美元。我觉得，在争取美国能源独立自主这件事上，我能做的事情我都做了，这是美国的大事，我们要给美国搞一个能源计划。

罗宾斯：在本书里我谈了很多资产配置。可以说，你把所有资产都配置在能源行业上了。你人生中大多数时候都是这样重仓能源行业，对吗？

布恩·皮肯斯：你说的对，但是在能源行业里有很多不同的板块。我们的投资横跨整个能源领域，但是没有超出能源行业这个大板块。

罗宾斯：这是你个人独特版本的资产配置。如果你是一个普通的个人投资者，今天要做投资，比如你现在手里只有5万美元可以投资，你会把这5万美元投到哪里？

布恩·皮肯斯：我会投资到能源行业的下游，在这里你会看到一些炼油公司等。我这辈子大部分时间都花在能源行业的上游，主要是做勘探和开采。但是现在天然气比石油便宜了。天然气行业非常有吸引力，这是一个值得投资者关注的领域。总体而言，我觉得石油和天然气行业，有着非常光明的未来，这是因为科技的发展进步。我们在科技上的进步，简直令人难以置信。从自然能源的角度来看，美国现在看起来要比 10 年前做得好多了。10 年前我可不是这样想的，那时我可不像现在这样对美国未来的能源状况充满信心。

罗宾斯：请问，是什么在驱动你一路奋斗？

布恩·皮肯斯：托尼，你知道，在现在这个时间点上，驱动我的动力是我喜欢赚钱。我也喜欢捐钱，相比之下我更喜欢赚钱，但二者非常接近。我坚信，我能幸运地来到世界上，有一个原因是要成功，要赚大钱，要慷慨大方地花大钱。

罗宾斯：慷慨大方地花大钱？

布恩：慷慨大方地捐大钱。我有个人生目标，就是要在生前捐出 10 亿美元。你知道巴菲特和比尔·盖茨发起的给予誓言行动吗？就是自愿捐出一半的个人财富。他们打电话给我，让我参加。我说："你看一下 1983 年以来的《财富》杂志，你们为什么不加入我搞的俱乐部？我在这个俱乐部里说了，我要捐出 90% 的个人财富，比你们号召捐出的 50% 还要多出 40%。"

罗宾斯：你的捐赠比例真是太高了。

布恩·皮肯斯：每天我都去办公室上班，我天天早上盼望着去办公室上班。我这辈子一直都是这样过来的。所以我的工作对于我来说就是一切，但是你可能会说"不，我的家庭对于我来说才是一切，你不能那样说，工作并不是一切"。应该说，工作和家庭都充满乐趣。我和家人在一起的时候，很有乐趣，我工作的时候，也很有乐趣。结果并不完美，但是已经够好了，它能让你觉得，第二天你会来个本垒打，大赢一把。也许后来没有大赢一把，但我仍然认为每天我都有机会大赢一把。

罗宾斯：你启发了我，就像你启发了世界上很多人一样。我受到你的激情感染和全力以赴的启发。布恩·皮肯斯，现在你 80 多岁了，取得了这么多非凡的成就之后，你还在持续进步，持续成长，持续给予。

布恩·皮肯斯：谢谢你，托尼，你也一直是个非常成功的人，帮助了很多人，也许你帮助的人比我还多。

罗宾斯：噢，我也不知道帮过多少人。

布恩·皮肯斯：但是我们俩都是人生赢家，因为我们俩真的在持续给予。

罗宾斯：这一点我同意。我非常敬重你，我的好朋友。谢谢你！

第40章　凯尔·巴斯：风险大师

海曼资本管理公司创始人

凯尔·巴斯原来是一名水平很高的潜水员，他了解物理学的基本原则，他清楚地明白，涨上去的肯定还会跌下来。这正是为什么在2005年美国房地产市场一片红火时，他开始问一些别的人根本不会想更不会问的问题，例如“如果房子价格不能持续上涨（直到永远）会发生什么情况？”这些问题导致凯尔·巴斯下了世界上最大的赌注，就在2008年美国房地产即将崩溃并导致经济崩溃之前。这笔交易让凯尔·巴斯赚到了人生第一个10亿美元。凯尔·巴斯后来仅在18个月里就达到600%的投资收益率，这让他在业内牢牢树立了自己的地位，成了当代最聪明又最具头脑的对冲基金经理。

凯尔很少接受采访，但是，他还在读大学的时候恰巧读到过我的书，那本书启发了他，所以他愿意接受我的采访。我很荣幸能飞到得克萨斯州，和他面对面交流。我们俩坐在他的办公室里，那是一栋摩天大楼，能俯视达拉斯这个伟大的城市。凯尔·巴斯是少数特立独行的金融大腕儿，认为远离美国金融中心纽约反而会给他带来竞争优势。“我们不愿意让那些噪声淹没掉。”他说。

凯尔·巴斯为人很低调，很谦卑，也很平易近人。我问他，他提出什么样的问题，导致他敢于对赌当时非常火爆的房地产市场。凯尔·巴斯回答说：“托尼，这东西又不是什么火箭科学，这只不过是个达拉斯的傻瓜问的问题罢了。”

凯尔·巴斯跟他太太、孩子生活在一起，他在得克萨斯大学投资管理公司的理事会工作，帮助监管美国最大的公共捐赠基金，资产规模超过260亿美元。你可能还记得，我在本书前面讲过凯尔·巴斯投资5美分硬币的故事，这个家伙教他的儿子学习理解风险—收益不对称，使用的方法就是购买市场价值200万美元的5美分硬币，结果他儿子第一天投资就赚了25%。事实上，凯尔·巴斯说了，他愿意把所有的个人财富都拿来买5美分硬币，只要他在市场上能找到这么多的5美分硬币，他肯定全部买下。

除了5美分硬币之外，凯尔·巴斯一直在极其专注地寻找更多更大的风险—收益不对称的投资机会，这让他下了最近100年来两个赚钱最多的赌注：第一次是赌美国房地产市场崩盘，第二次是赌2008年开始的欧洲债务危机。凯尔·巴斯说他正在做第三次大赌，这次规模更大。我们俩在凯尔·巴斯的办公室里谈了两个半小时，下面是内容节选：

罗宾斯：能给我们简单介绍一下你自己吗？

凯尔·巴斯：我原来是一名跳水运动员，跳板跳水和高台跳水。大家都觉得跳水主要是身体上的运动，但是其实 90% 是脑子里的活动，基本上就是你和你自己在脑子里做斗争。跳水让我受益匪浅。因为跳水教会了我如何用纪律约束自己，如何从失败中学习。其实，如何来对待失败决定了你是个什么样的人。我有一对非常慈爱的父母，但是我父母从来没有存过钱。我发誓我绝对不会像他们俩那样把钱全部花光，一分不留。我父母都抽烟，我发誓我绝对不抽烟。我觉得，更能驱动我的都是那些负面因素，而不是正面因素。我的人生经历，有很多地方，和你的教导完全一致。

罗宾斯：你说得太对了。我去寻找能让人成功的一个共同决定因素，结果发现，有个因素远远胜过教育，远远胜过天赋，那就是饥饿感。

凯尔·巴斯：饥饿和痛苦。

罗宾斯：饥饿来自痛苦，如果很容易得到的话，你就不会有那种饥饿、渴求得到的感觉了。

凯尔·巴斯：对，你说的没错。

罗宾斯：那么，是你的饥饿感驱动你创立自己的基金，那是在 2006 年，对吧？

凯尔·巴斯：对。

罗宾斯：让我感到震惊的是，你一开始创造收益的速度简直太快了。

凯尔·巴斯：那是我运气好。

罗宾斯：第一年你就赚到了 20%，第二年你赚了 216%，对吧？

凯尔·巴斯：对。我只是碰巧比较早就预见到了房地产抵押贷款市场会发生的情况。我相信这个说法："幸运就是有准备的人碰到了机会。"我记得我是在上大学的时候，在你写的一本书里读到了这句话。是的，我准备好了，我喜欢这样，我很幸运，在正确的时间出现在正确的地方，因为在此之前我已经把所有需要都准备好了，就在等这一刻的到来。

罗宾斯：很多人都知道房地产市场有问题，但是没有人对此采取行动。那么你和他们有什么不同？是什么让你在这个板块的投资上取得成功？

凯尔·巴斯：你还记得吧，那个时候钱基本上是"免费使用"。2005—2006年，你可以用LIBOR（伦敦银行同业拆借利率）加上250个基点（一个基点相当于1/1 000），拿到定期贷款，这样的利率水平，实在太便宜了，任何人都可以去融资并购一家他们想要的公司，这家公司只有一点点股东权益，剩下的就是一大堆债务，所以收购成本也非常低。那个时候我正在打电话给我的好朋友兼同事艾伦·福尼尔，我们想要搞清楚，跟房地产市场对赌如何不亏钱。那些权威专家一直在说"房价增长是就业增长和收入增长的产物"，所以只要我们的收入在增长、就业在增长，房价就会持续增长下去。这种说法当然有很大缺陷。

罗宾斯：是的，我们后来都明白了。

凯尔·巴斯：我到美联储参加会议，那是2006年9月，他们说："你看，凯尔，你对这方面不太了解，因为你是个新手。你要认识到，收入增长会驱动房价增长。"我一听就说："等等，房价和收入水平中位数完美地同步增长，已经持续50年了，但是至少最近4年，房价每年增长8%，而收入水平每年增长只有1.5%，所以说我们现在看到房价和收入水平中位数之间有5~6个标准差[①]。"要让二者重新回到同步增长的关系，要么收入增长接近35%，要么房价下跌30%。于是，我打电话给华尔街的那些证券公司的分析师，我说："我想看看你的分析模型。给我看看，如果房价一年只上涨4%、2%、0%，会

---

① 在金融投资领域，标准差用在投资年化收益率上来衡量投资的波动性，标准差用历史数据计算出来的结果代表历史波动性，投资者用它来估计未来预期波动性的大小。

发生什么样的情况呢？”2000年6月，假设房价持平，增长率为0%，拥有这个分析模型的公司，华尔街的证券公司里一家也没有，竟然一家也没有。

罗宾斯：你说的是真的吗？

凯尔·巴斯：真的一家也没有。

罗宾斯：这些家伙都是人云亦云，都是随大流。

凯尔·巴斯：2006年12月，我让瑞银证券给我构建一个分析模型，假设房地产价格持平，零增长，那么瑞银证券的模型分析表明，房地产抵押贷款资产池会损失9%。（抵押贷款资产池就是，一批房地产抵押贷款，有相似的到期日和利率，然后打包在一起，成为一个单独的资产包或证券，这就叫抵押贷款支持证券。这些抵押贷款支持证券得到了很高的信用评级，卖给投资者，卖点是有较高的预期收益率。假设房地产价格持续上涨，这个抵押贷款资产池就会给他们带来高收益。）但是如果房地产价格不上涨，或者说只是持平，那么这些抵押贷款支持证券会下跌9%。我一看，就打电话给艾伦·福尼尔，他以前在戴维·泰珀的阿帕卢萨投资管理公司工作，我跟他说：“就是这样，我们干吧。”于是我们俩合伙成立了一系列次贷投资基金，我组建了一家公司作为一般合伙人，我将这家公司命名为艾伦·福尼尔集团，因为我和艾伦·福尼尔打了那个电话。对于我来说，那个电话就像打开了开关。

罗宾斯：请问，你和艾伦·福尼尔打的那个大赌，风险—收益之比是多少？

凯尔·巴斯：嗯，大致可以这样讲，我赌房价下跌，每年只要支付3%。就是说，如果我赌1美元，房价后来上涨了，我就赌输了，可我最多只会输掉3美分！

罗宾斯：太令人震惊了。也就是说你的风险，你赌房价下跌的代价，低得简直离谱。

凯尔·巴斯：是的，打赌房价下跌，我的成本只有3%。

罗宾斯：这是因为每个人都觉得，房地产市场肯定会持续上涨，永远上涨下去。那么你的上行收益是多少？

凯尔·巴斯：如果房价持平或者下跌，我就会赚到整整1美元。

罗宾斯：也就是说，如果你赌错了，下行风险是3%，如果你赌对了，上行收益是100%。

凯尔·巴斯：是的。我没有听那些房地产抵押贷款专家说的话，真是一件大好事。他们见到我就会说："凯尔·巴斯，你根本不了解你正在讲的这些东西，这不是你熟悉的市场。房价下跌这样的事根本不可能会发生。"我会说："你这样说，对于我来说并不是一个非常充分的理由。因为我在这上面已经做了很多研究，我也许并不明白你明白的每一件事。"但是我可以避免专家容易陷入的误区，只见树木，不见森林。

罗宾斯：你理解了风险—收益不对称的核心。

凯尔·巴斯：我听过很多这样的说法："房价下跌这件事根本不可能发生，因为这样整个金融体系都会崩溃的。"我觉得这样的理由也站不住脚。这是一种偏见，这种正面的、乐观的偏见，我们都有，这是人类的天性。如果你不是对自己的人生充满乐观，你就不会起床干活了，对不对？我们人类都有这种积极乐观的偏见。

罗宾斯：这种积极思考的人生态度，在每个地方都很有效，只有金融世界除外。

凯尔·巴斯：你说得非常对。

罗宾斯：更加令人震惊的是，你准确预测房地产市场崩盘之后，你又准确预测到欧洲债务危机和希腊债务危机。你是怎么做到的？我想知道你是怎么思考的，你思考时的心理状态。

凯尔·巴斯：2008年年中，贝尔斯登破产之后，雷曼兄弟破产之前，我和我的团队也是坐在办公室里，我说："好了，美国金融危机之后，就是全球金融危机，往往先是私人资产负债表出问题，然后转移到公共资产负债表上出问题。我们搞个白板，重组一下全球各个国家的公共资产负债表。我们看看欧洲，看看日本，再看看美国。我们看看那些有很多债务的国家，我们要努力搞明白。”当时我想：“如果我是美联储主席，或者是欧洲中央银行行长，我想要充分理解这个问题，我应该做什么？我要怎么做？我会先看看我们自己整个国家的资产负债表。然后我需要知道的是，我们国家的银行体系规模有多大，要和两个指标相对而言：一个是国内生产总值，另一个是政府财政收入总额。

罗宾斯：很有道理。

凯尔·巴斯：我们大致看了一些国家，提出问题：“银行体系规模有多大？贷款规模有多大？”然后我们努力找出这些国家里面有哪些国家会变得糟糕，然后回过来推导，美国作为一个国家来说这又会有多么糟糕。然后我让我的团队打电话给一些证券公司的研究员，搞清楚这些国家的银行体系有多大。你猜猜，在2008年年中有多少家证券公司能搞懂各个主要国家的银行体系有多大？

罗宾斯：有多少家证券公司？

凯尔·巴斯：零。一家也没有。我们给每家证券公司都打电话了。

罗宾斯：啊！

凯尔·巴斯：于是我找了大量主权国家债务白皮书，全部都读了。这些白皮书大多数关注的是新兴市场国家的债务，因为从历史来看，重组主权国家资产负债表的都是新兴市场国家。

罗宾斯：发达国家只是在世界大战之后重组过资产负债表。

凯尔·巴斯：对。德国和日本两个国家把大量财富投入战争，结果战败后，欠下巨额债务。胜者为王败者为寇，胜利者得到大量战利品，失败者只能投降纳贡，每一次战争都是这样，这个世界就是这样运作的。在这种情况下，这次金融危机是世界历史上和平时期积累的最大债务规模。

罗宾斯：令人震惊。

凯尔·巴斯：那么银行体系有多大？我们到处寻找，搜集了很多数据，然后用了两个指标来衡量相对大小：国内生产总值，政府财政收入。这是一个艰巨的学习过程，因为以前从来没有人这样做过。

罗宾斯：听起来好像除了你们之外，从来没有人这样做过。

凯尔·巴斯：这又不是什么火箭科学，托尼，这只是有个达拉斯的傻瓜说："我怎么能搞懂这个问题？"我们做了研究，我画出来一些图表，我说："把这些国家从最差到最好按顺序排列。"谁是这张表上最糟糕的国家？

罗宾斯：冰岛。

凯尔·巴斯：冰岛排名第一，谁排名第二呢？这又不是火箭科学，你可以猜。

罗宾斯：希腊。

（凯尔·巴斯点头称是。）

罗宾斯：哇，我都猜对了。

凯尔·巴斯：我们做完了所有这些研究，我看着这些分析，我说："这不可能是对的。"我跟我的团队很夸张地说："如果这是对的，那么你们知道接下来会发生什么？"

罗宾斯：你说的对。

凯尔·巴斯：于是我接着问："哪里有针对冰岛和希腊的保险合同交易？"我的团队说"希腊是11个基点"。11个基点，就是0.11%，我说："好，我们要买10亿美元这种保险合同。"

罗宾斯：哇，买这么多。

凯尔·巴斯：提醒你一下，那是2008年的第三季度。

罗宾斯：在那个阶段，这是灾难即将来临的不祥之兆。

凯尔·巴斯：我打电话给哈佛大学的肯尼思·罗格夫教授，他根本不认识我。我说："我花了好几个月构建了一张全世界的资产负债表，我想搞明白全世界的资产负债情况，我们构建出来的全世界资产负债的结果，让我觉得情况实在太糟糕了。"我急切地说，"我想，我肯定是有什么地方搞错了。请问，我可不可以去拜访您，请您看看我们的研究成果？”他说：“非常欢迎，你一定要来。”

罗宾斯：太好了。

凯尔·巴斯：2009 年 1 月，我去拜访肯尼思·罗格夫教授，我们俩谈了两个半小时。我永远不会忘记那一幕：他，直奔数据分析汇总那一页，上面有张图表，汇合了所有数据，看完之后，他往椅子后面一坐，一手举起眼镜，说道：“凯尔·巴斯，我简直不敢相信，全球资产负债情况会是这么糟糕。”我一听心里马上大叫一声：“哦，天哪，我所有的担忧都得到证实了，这个人可是主权国家资产负债表分析之父啊。”很明显，如果他都没有想到过会有这种情况，那美联储主席和欧洲央行行长会想到吗？没有人想过这件事，更没有一个周密的应对计划。

罗宾斯：根本没有？

凯尔·巴斯：美联储主席和欧洲央行行长正在处理政府抛给他们的那些难题呢。

罗宾斯：这简直令人难以相信。我得问问日本的情况，因为我知道现在你关注的是日本。

凯尔·巴斯：现在，世界上最大的投资机会是在日本，要比上次次贷危机的机会更好。时机不是那么确定，但是收益率会是次贷市场的好几倍，我相信全世界压力聚集点就在日本，你要买一类保单的话，现在（差不多）是历史上最便宜的价格水平。

罗宾斯：那么，这要花你多少钱？

凯尔·巴斯：你要使用期权定价模型，有两个因素要考虑：一个是无风险收益率，另一个是基础资产的波动性。所以你可以想象一下，如果火鸡也是用这个理论来评估自己的风险（被主人杀掉的风险），那么基于火鸡过去活着的所有年份的历史波动性数据，分析结果会是风险为零。

罗宾斯：是的。

凯尔·巴斯：在感恩节来临要吃火鸡大餐之前，火鸡的分析都是对的。

罗宾斯：等到感恩节要吃火鸡大餐那一天，一切都晚了。

凯尔·巴斯：你想想日本，它已经有10年在压制价格和抑制波动性。波动性很小，还不到0.5个百分点。日本的资产价格低到全世界最低的水平，无风险利率只有1‰。所以你要是询问期权的定价，公式基本上会告诉你，相当于免费。

罗宾斯：对。

凯尔·巴斯：如果日本的债券上升150~200个基点，就是上升1.5%~2%，那就完了。整个金融体系就会爆炸了，这是我的看法。

罗宾斯：哦。

凯尔·巴斯：但是我的理论是，我也总是跟我们基金的投资人这么说："如果移动了200个基点，那么将来就会移动1 500个基点。

罗宾斯：是的。

凯尔·巴斯：要么就是静静地坐着一动不动，要么就是大爆炸。

罗宾斯：这些都符合你所说的"尾部风险"。请给我们讲讲什么是尾部风险，很少有投资者关注尾部风险。

凯尔·巴斯：你看看我正在做的事就明白了。我每年在日本债券上要花费3~4个基点，这就相当于1%的40%。如果你对这种情况的潜在结果的二进制看法是对的，这些债券将会有20%的收益率，甚至更高的收益率。所以说，我为一个期权支付的成本1%的40%，即4‰，可能会得到20倍的收益率。托尼，在世界历史上从来没有过定价错得这样离谱的期权。不过，这只是我的个人看法，我可能是错的。不过到现在为止，我一直是对的。

罗宾斯：你可能在选择时机上是错的。

凯尔·巴斯：我会告诉你是怎么回事。未来10年我可能一直都是错的，如果从现在开始10年之后我是对的，那么在它发生之前我还是有100%的概率能赢。人们会说："你怎么会赌这种事会发生呢？以前从来没有发生过？"我会说："如果我给你描述我刚才所说的那种情景，你却不像我这样做，你还可能会是一个精明的受托管理人吗？忘了吧，不管你认为我的预测分析是对还是错。当我给你看成本有多低时，你怎么会还不做这种投资呢？如果你的房子所在的地区很容易着火，200年前发生过一次大火把所有东西都烧了个精光，你这个业主怎么会不给这个房子买保险？

罗宾斯：我明白了，这太让我感到震惊了。那么，我要问你这个问题：你认为自己是一个愿意承受相当大风险的投资人吗？

凯尔·巴斯：不是。

罗宾斯：我也觉得你不是。这也正是我为什么会问你这个问题的原因。你为什么说你不是一个愿意承受风险的人？

凯尔·巴斯：让我换个说法，说得更清楚一些。承受相当大的风险，意味着我们可能会亏掉所有的钱，我从来不会把自己置于这种让人一记重拳击倒输掉比赛的地步。

罗宾斯：请回答我最后一个重要的问题：如果你一分钱都不能留给你的孩子，只能留给他们一个投资组合清单，或者一套投资原则，那么你会告诉你的孩子什么？

凯尔·巴斯：我会给他们价值200万美元的5美分硬币，因为硬币在手，他们就什么也不用担心了。

罗宾斯：你已经买了200万美元的5美分硬币了，你给孩子的投资组合已经做好了。哦，我的天，这也太疯狂了。什么东西给你带来了生活中最大的快乐？

凯尔·巴斯：我的孩子们。

罗宾斯：难以置信。

凯尔·巴斯：我可以百分之百地肯定，孩子给我带来的快乐最大。

罗宾斯：凯尔·巴斯，谢谢你，和你聊天，我太开心了，我还学到了很多东西！

第 41 章　麦嘉华：被称为末日博士的亿万富豪

麦嘉华有限公司董事长，《股市荣枯及厄运报告》作者

麦嘉华做了一份投资通讯，叫作《股市荣枯及厄运报告》，他对市场的看法，这个名字应该会给你一个提示！但是这个来自瑞士的亿万富豪，可不是个一般人。我和麦嘉华认识好多年了，他这个人的生活多姿多彩，说话直来直去，在投资上总是喜欢唱反调，是个标准的逆向投资者，他总是遵循 18 世纪的投资大师巴伦·罗斯柴尔德的教诲："最好的买入时机就是街上血流成河的时候。"就像约翰·邓普顿爵士，他追逐的股票，都是

别人不重视或者远远避开的东西。这正是很多人聚焦美国股市的时候，只有麦嘉华转向亚洲市场寻找成长股投资机会的原因。麦嘉华经常直言不讳地批评所有国家的中央银行，特别是美联储，他谴责美联储把世界经济搞得很不稳定，因为美联储大搞量化宽松，把数以万亿的美元货币投到市场里，让市场好像发了洪水一样，而这些货币可以说都是凭空“印”出来的。

麦嘉华得到一个外号，叫作“末日博士”，这是因为他多年出版《股市荣枯及厄运报告》，持续不断地预测当前市场最流行的资产定价过高，末日即将来到，价格肯定暴跌。伦敦的《星期日泰晤士报》写道：“麦嘉华说的东西，没有人愿意听。”是的，但麦嘉华说的东西往往是对的，特别是 1987 年，他预测到了美国股市大崩盘，赚到了很大一笔钱。

麦嘉华的父亲是一名骨科医生，他的妈妈来自瑞典一个经营旅馆的家族。麦嘉华在苏黎世大学获得经济学博士，进入一家全球性投资企业怀特·维尔公司，从此开始金融投资生涯。1973 年，麦嘉华转到亚洲，从此再也没有回去，一直都在亚洲工作生活。麦嘉华的公司设在中国香港，他住的度假别墅在泰国清迈，这让他像看演出坐在第一排一样，近距离看到了中国令人不可思议的经济大转变，从一个陷入泥沼的经济体，转变成驱动地区增长的引擎。现在，麦嘉华成为数一数二的亚洲市场研究专家。

麦嘉华的特立独行是出了名的，他非常开心地知道别人封他为“世界夜生活鉴赏家”，他也是世界各地金融论坛上很受欢迎的演讲人，经常作为嘉宾在各大电视新闻节目上发表评论。麦嘉华是投资界享有盛名的巴伦圆桌会议成员，按照独立观察人士的分析，他推荐的股票收益率是最高的，过去连续 12 年的平均年化收益率为 23%。麦嘉华写了几本关于亚洲市场的投资书籍，他是麦嘉华有限公司的董事长，这是一家设在中国香港的投资顾问和投资基金公司。麦嘉华说的英语带有浓浓的瑞典口音，他也从来不太把自己当回事儿，一点儿投资大腕儿的架子也没有。2014 我在太阳谷举办经济论坛，麦嘉华应邀参加，我在台上现场采访了他，下面是访谈的内容节选。

罗宾斯：你说过，现在世界上有三个最大的投资谎言，到处都在推销，请给我们详细讲讲。

麦嘉华：我觉得，所有宣传推销的东西都是谎言！其实真理往往非常简单！不过，我的意思是，你看，我碰见过很多非常诚实的人，但是不幸的是，在你一生中，你会碰到很多像推销员一样的金融投资顾问，你本来觉得人都是非常诚实的，但是我必须诚实地告诉你：每个人都想推销给你你梦寐以求的投资。但是，按照我多年的经验，我担任过好多个投资基金公司的董事长，对这种事看得太多了，一般来说，客户只能赚到一点儿钱。但是这些基金经理——这些卖基金的投资理财顾问，他们走的时候都会带走一大笔钱。客户赚不到什么钱，钱都让这些基金经理和基金销售人员赚走了。

罗宾斯：那么投资者应该转战哪里？

麦嘉华：投资世界有各种各样不同的理论，基本上讲的都是有效市场理论。这些理论说，市场是有效的。换句话说，你投资的时候最好就是只买指数基金，个人选股基本上是没有用的。但是我可以告诉你，我知道有很多基金经理，长期来看确实明显跑赢了市场，领先幅度很明显。我相信有些人在分析公司上确实有一套，他们要么是很好的会计师，要么是确实很有本事。

罗宾斯：你觉得近期市场怎么样？

麦嘉华：我觉得在新兴市场国家还存在一些风险，现在要买这些新兴市场的货币和股票，时间还太早，但是要买美国的股票，时间就太晚了。标准普尔指数都到1 800点之后，我就不再想买美股了。我看不到美股有任何投资价值。所以说，最好就是去喝酒、跳舞，尽情享乐，什么投资也不要做！你明白吗？杰西·利弗莫尔这个20世纪早期最有名的交易员说过："大多数钱都是这样赚来的，什么也不做，稳稳地坐着。"稳稳地坐着，就是说，你手上拿着现金，耐心地等待机会。

你这一辈子，最重要的事情就是不要亏本。如果你没有看到确实很好的机会，为什么要承受巨大的风险呢？有些非常好的机会，隔上三五年就会出现，那个时候呢，你真希望自己手里有很多钱。2011年年底，美国房地产市场价格暴跌之后，就出现了巨大的投资机会。事实上，我专门写了一篇东西，指出这是房地产投资的大好机会。我跑到亚特兰大看房子，又跑到凤凰城看房子。我并不是想住在那里，而是那里的房子有投资机会，但是投资机会很快就没有了，个人投资者是没有优势的，因为对冲基金进来了，拿着很多钱，那些搞私人股权投资基金的家伙，他们一下子买走了好几千套房子。

罗宾斯：未来会出现通货膨胀还是通货紧缩，你怎么看？

麦嘉华：通货膨胀还是通货紧缩，这种二分法的争论，其实双方都搞错了。按照我的观点，通货膨胀应该定义为货币流通数量增加，如果流通的货币数量增加了，这是信用扩张的结果，我们就会出现货币性通货膨胀。这是很重要的一点，货币性通货膨胀。接下来我们还会再有一些货币性通货膨胀的症状，这些症状可能非常分散。可能会是消费价格的增长，也可能是工资收入的增长，但是事情并不是那么简单，不能一概而论，因为美国有很多行业板块，过去20~30年来，按照通货膨胀进行调整之后，真实工资收入水平是降低了。但是中国和越南的工资水平情况如何呢？中国的工资水平一直在增长，每年增长率有20%~25%，在其他新兴市场国家也是这样。

所以我只能这样回答你的问题，从整个系统来看，我们可能在某些地方是通货紧缩，某些商品、某些资产甚至某些服务，而在其他地方是通货膨胀，就是说通货膨胀与通货紧缩同时存在。极少存在那种一刀切的现象，所有的东西价格都按照同样的比例上涨，全部通货膨胀，或者所有的东西的价格都按照同样的比例下降，全部通货紧缩，这种所有东西价格同步上涨或者同步下跌的现象，极其少见。特别是如果这个国家是法定货币体系，国家可以印刷纸币，那么这个国家所拥有的货币，其实根本不会消失不见，有时只不过是暂时藏到某个地方，不再流通而已。真正会消失不见的，是信用，这也正是为什么你会看到整体价格水平会下跌。

这时我们投资者本质上想要知道的是，什么资产的价格会上涨，就像“原油价格会上涨还是会下跌”一样，因为如果原油价格上涨了，那么我可能想持有一些石油股，如果油价下跌了，我可能会想卖出石油股，持有别的股票。

罗宾斯：那么你对个人投资者的资产配置有什么建议，能让我们充分利用现在这种投资环境的优势，并且保护我们避免损失吗？

麦嘉华：我的资产配置一般分成4个等份，1/4放在股票上，1/4放在黄金上，1/4放在现金和债券上，1/4放在房地产上。现在，我已经减少了股票配置的仓位，就是股票资产在我所有资产中的占比减少，我持有的现金占比要比通常的比例高了一些。我增加了对越南房地产的投资，我也增加了对越南股票的投资组合。

罗宾斯：那么，今天来看，你的这4类资产的配置比例分别是多少？只是非常好奇，随便问问。

麦嘉华：哦，这个很难说，因为规模太大了。

罗宾斯：你说的是投资组合还是别的东西？

麦嘉华：哈哈，不是，事实上我根本不知道！我的意思是说，我不会每天都把每样东西都算一下的。

罗宾斯：那么，大致是什么样的资产配置比例？

麦嘉华：大致上，我认为，债券和现金现在应该配置到30%或者35%；股票应该配置到20%；房地产，我不知道，配置30%；黄金25%。呀，加在一起超过100%了，可是超过100%又怎么样？我就像美国财政部，没钱，可以印！

罗宾斯：我们知道为什么你喜欢现金。那么债券呢？很多人很害怕债券，因为债券的价格现在是在最低的水平。

麦嘉华：我一般持有的都是新兴市场国家的债券。公司债券，大部分是美元债券和欧元债券。但是我想在这里非常清楚地解释一下，这些新型市场债券，有很高的权益属性，就是说很像股票，和股市关联度很高。如果这个新兴市场国家的股票市场下跌了，这些债券的价值也会随之下跌。就像 2008 年，这些新兴市场债券跌得就像垃圾债券一样，所以它们更像是股票，而不是国债。我持有一些这样的新兴市场国家的国债，这也正是为什么我的股票仓位配置只有 20%，但是由于我这种新兴市场国债有很大的股票属性，所以其实我的股票仓位配置比例肯定超过 20%，甚至会有 30%。

我想，有的时候，作为一个投资者，我们容易犯一个错误，就是我们对自己的看法太有信心了，过度自信，因为你的观点其实和整个市场无关，你明白吗？市场的波动完全独立于我的个人看法，所以我也许对国债的看法不是那么乐观，但是我能看到，在某种情况之下，国债实际上会成为非常好的投资品种，甚至好几年都会表现非常好。你投资国债可能只能赚到 2.5%~3%，但是相比之下，全世界的资产价格都在下跌，能有这样的收益率算是相当高的了。你明白吗？如果未来三年股票市场下跌，比如说每年下跌 5%，或者每年下跌 10%，而你手里拿的是这种年收益率 2.5%~3% 的债券，那么你就成市场之王了。

罗宾斯： 你对其他资产类型怎么看？

麦嘉华： 现在高端房地产市场有很多投机成分，这让高端房地产现在的价格水平膨胀得太高，简直是高到不可思议的水平。我相信，所有这些过度膨胀的价格水平，我并不是说它们将来不会涨得更高，但是我认为，总有一天它们会大幅下跌。在那种价格大跌的情况下，你会想要持有某种资产，能够对冲这种风险。

罗宾斯： 你把 1/4 的资产配置在黄金上，为什么？

麦嘉华： 实际上，有意思的是，临近 2011 年，那时黄金价格开始下跌，我告诉过听众，我把 1/4 的资产配置在黄金上。结果人们一听就说："老麦，如果你对黄金价格非常看好的话，为什么你只把 1/4 的资金配置在黄金上？为什么不把所有资金都放到黄金上？"我说："哦，也许我的看法是错的。我希望我的投资组合能足够分散，因为金价已经上涨一大截，后面应该会放缓巩固一下。”黄金可能在某种程度上可以作为对冲，但是在通货紧缩的情况下如果你持有的是实物黄金的话，这并不是一种完美的对冲。但是跟其他很多根本没有流动性的资产相比，黄金这种投资相对而言又好多了。黄金可能会出现价格下跌，但是要比其他东西跌得少。至于国债，至少从未来几年看，在通货紧缩的情况下，应该会表现不错，至少在政府破产之前国债在通货紧缩期间肯定会价格上涨！

罗宾斯：最后一个问题：如果你不能把钱留给你的孩子，只能给他一套原则来指导他们构建一个投资组合，你会告诉他们什么投资原则？

麦嘉华：我想，这是最重要的一课，我会教给孩子或者任何一个人的是，重要的不是你买什么，重要的是你为这个东西付出的价格是多少。你必须非常谨慎小心，不要花太高价格买东西，因为等到后来价格下跌的时候，你一亏钱就容易泄气，根本拿不住了。当所有人都在抢着买入股票的时候，你必须保持冷静不动，一直拿着现金，因为过一段时间市场就会反转开始下跌，让你的邻居和所有人都很沮丧。当股市低迷的时候，别的人都拿着现金不愿意买入股票，你不要拿着钱，而要趁机低价买入，因为过一段时间，股市反转涨上来，每个人都会抢着出高价来购买资产，这个时候资产的价格就变得太贵了。

我还要说，我个人认为，我们整体上根本不知道未来会发生什么，甚至5分钟或者10分钟会后发生什么都不知道，更不用说1年、10年后会发生什么了。我们可以做一些假设，有的时候我们猜得挺准的，有的时候我们错得离谱，但是，我们其实根本不可能确定无疑地知道未来会发生什么，这正是为什么我说每个投资者都一定要分散投资。

并不是每个投资者都能做到分散投资，因为有些投资者投资的是他们自己办的公司。如果我是比尔·盖茨，创办了一家像微软那么好的公司，我会把我所有的钱都投到微软公司的股票上，这肯定是非常好的投资，至少从一段时间来看是这样的。可能对于大多数人来说，最好的投资就是拥有自己的公司，投资到他们真的具有独特的优势的东西上，而市场上其他所有人都比不过他们，或者是投资到他们像内行一样非常了解的东西上。这正是我要做的事情，不然的话，你就把钱交给基金经理管理好了。如果你非常幸运的话，他可能不会亏掉你的钱，但是，你需要非常幸运地才能找到不会让你亏钱的基金经理。

第 42 章 查尔斯·施瓦布：跟查克谈谈，他是普通人的经纪人

嘉信理财公司创始人兼董事会主席

你肯定看过这个广告：一个很帅的白发老者，两眼炯炯有神，直视着你，敦促你“要拥有自己的明天”。也许你还记得另一则广告：有些卡通人物，在问一些关于投资的问题，然后，有个气球弹出来，鼓励他们去“跟查尔斯谈谈”。这种亲身参与和坦诚交流的风格，让查尔斯·施瓦布在过去 40 年一直站在证券折扣经纪行业的顶峰，把嘉信理财打造成金融企业帝国，管理高达 2.38 万亿美元客户资产、930 万个经纪账户、140

万名公司退休金计划参与人、95.6 万个银行账号，还有一个用于服务 7 000 个注册投资顾问的网络。

嘉信理财公司出现之前，如果你要想买些股票，必须通过一个传统券商的卡特尔联盟，或者找一家券商，每一笔交易收的佣金都高得离谱。但是到了 1975 年，美国证券监督管理委员会强迫这个行业解除管制，放开佣金，查尔斯 · 施瓦布创办了第一个折扣经纪公司，率先探索性地用一种全新的方式来做证券经纪业务，为客户提供比同行更低的佣金折扣优惠，结果从核心上动摇了整个华尔街。查尔斯 · 施瓦布领导掀起一场投资者革命，突然之间，个人可以完全自主地参与市场交易，根本不需要成本很高的经纪人。那些像俱乐部一样相当排外的传统券商，比如美林证券，提高了交易手续费，而查尔斯 · 施瓦布大幅削减手续费，甚至完全免除手续费，提供一系列免除各种不必要手续费的服务，把客户的利益放在第一位，建立了一种新型证券经纪行业经营模式。后来查尔斯 · 施瓦布又带头进军电子交易领域，带头创新性地教育投资者，提高投资者的自主权，让他们能够独立地做出合理的投资决策。

2014 年，查尔斯 · 施瓦布已经 76 岁了，他待人接物非常谦卑，也非常正直。“大家看起来对我们非常信任。”他对我说，“我们对待每个人，也要让人有这种感觉，我们值得他们信任，我们要用小心谨慎的方式照看好他们的资产。”

查尔斯 · 施瓦布为人非常谦虚稳重，做事又很有信心，这可能是多年生活经历磨炼出来的。他这辈子克服了一系列的困难挑战，一开始是跟读写障碍做斗争，就是很难学会阅读和拼写。其实很多非常成功的企业领导人从小都有读写障碍，人数多得惊人，其中包括维珍集团创始人理查德 · 布兰森、思科系统公司的约翰 · 钱伯斯等。尽管在阅读上有困难，查尔斯 · 施瓦布还是成功地考上斯坦福大学，也成功地毕业了，后来又读了斯坦福商学院的工商管理硕士。1963 年，施瓦布进军金融行业，一开始是搞了一份投资时事通讯。施瓦布这个人不装，他轻松自然地接受了自己的身份地位——一个证券行业的外行。回到老家加利福尼亚州，他打起自己的大旗。1973年，在旧金山创立了自己的证券经纪公司，就是今天的嘉信理财公司。从此之后，嘉信理财公司风风雨雨40年，历经一轮又一轮狂暴的牛市和熊市，特别是1987年、2001年、2008年的股市大崩盘淘汰掉了那些规模较小的证券公司，嘉信理财公司却在崩盘后迅速反弹，尽管有很多同行公司抄袭嘉信理财公司的经营模式，夺走了嘉信理财公司的不少市场份额，但是嘉信理财公司总是能找到办法，不断创新，在每种市场环境下都能继续成长。

2008年施瓦布不再担任嘉信理财公司的首席执行官，但他继续担任公司的董事会主席，也仍然是公司最大的单一股东，继续活跃在公司的舞台上。按照《福布斯》400富豪排行榜的统计，查尔斯·施瓦布的个人财富有64亿美元。在他妻子和女儿嘉莉·施瓦布·波梅兰兹的协助下，他非常深入地参与家庭的私人基金会运作，支持由企业家组成的机构的慈善工作，包括教育、预防贫穷、健康卫生、公共服务。施瓦布还是旧金山现代艺术博物馆的馆长。

我一直想采访施瓦布，虽然我们两个人每天的日程表都排得满满的，但是最终我们还是想方设法地在他位于旧金山的办公室见面了，那个时候本书马上就要出版了。我们俩聊了很久，下面是一些内容节选：

罗宾斯：每个人都知道查尔斯·施瓦布的大名，他们知道的是嘉信理财公司（公司英文名字与创始人同名——Charles Schwab），但是大多数人并不真正地了解查尔斯·施瓦布你这个公司创始人。我想请你给我们讲讲你个人的故事，讲讲你印象最深的故事，可以吗？我听说，你很小就对投资开始感兴趣了，那时你才13岁，是吗？

施瓦布：对。我是在13岁开始对投资产生兴趣的，那是1950年，"二战"结束不久，整个世界还不是那么富裕。我的父亲在加利福尼亚州萨克拉门托的一个小镇上当律师，我们家肯定不是非常富有的。我想，要是我有更多的钱，我们家的生活就能过得更好一些，于是我就经常琢磨怎么样赚钱。我跟父亲谈了我想赚更多钱的理想，他鼓励我读一些美国名人传记。这些人能发大财，看来都是因为有些投资做得好。于是我就对自己说："这就是我要干的事！"

我 13 岁创立了一个小鸡公司，就是养养小鸡之类的，后来我还创立了一些诸如此类的小公司。所以我知道很多关于企业经营的内容，我开始思考企业如何运作、如何经营。

罗宾斯：那么你最初的愿景是什么？你第一次真正踏出实践的第一步是什么？如果你愿意的话，给我们讲讲最精彩、最重要的部分，好让我们更加了解你一路走来的投资之路。

施瓦布：我非常幸运，很早就踏上了投资旅程。我一开始是当一名金融分析师，后来又搞过投资时事通讯，经历过一些起起伏伏。我快 35 岁时，积累了很多经验，1973 年我就创办了嘉信理财这家公司。因为我在金融投资行业做了十多年，有多年的实践经验，所以我非常清楚金融公司存在一些缺陷，其中包括，为什么它们对待客户很不友好？这是因为这些金融公司只关心给自己多赚钱，而不是对投资者以诚相待、公正相待。这些金融公司总是先想着自己后想着客户，先想着自己赚钱再想着客户赚钱，公司利益第一，而不是客户利益第一。我说："我要用完全不同的方式来做金融业务。"

罗宾斯：过去这么多年来嘉信理财公司遥遥领先于同行，你们的竞争优势是什么？我的意思是，你看看美国投资市场的规模，我想差不多有 32 万亿美元。你们嘉信理财公司占的市场份额相当大。

施瓦布：我们可能占有零售市场的 5%~10%，大概是这么多吧。但是你知道，我要开发一项业务，会仔细查看我们提供给客户的每一种产品、每一项服务，我不是用自己的眼睛看，而是通过客户的眼睛看，一切从客户的利益出发。我们设计了一种类似于免佣金公募基金的产品，我们做得很大，客户在我们嘉信理财公司买基金，免收手续费，好多年前我们就开始这样做了。

大家会说，你们卖基金不收手续费，那你们怎么赚钱？我们想到一个方法，这样不收手续费也可以赚到一些钱。我们跟那些公募基金公司合作，说服它们从基金管理费里分给我们一点点，作为销售基金手续费。这样做我们的客户省钱最多，受益最大。就这样，我们的基金销售业务就火起来了。这样做，个人投资者得到了巨大的收益，因为他们购买了很多基金，却一分钱手续费也不用付。我们对我们做的其他产品和服务，也做了同样的分析。我们看这些产品和服务，都是用客户的眼睛来看的。

但是华尔街上的公司做的完全相反，它们总是这样来做决策："首先我们做这个事情能赚多少钱？好，赚得挺多，那我们就做这个业务吧。各位兄弟，我们要大卖特卖，就能大赚特赚。"这是它们做决策的方式。我们做决策的方式正好相反。

罗宾斯：现在这种情况有变化吗，或者说还是老样子吗？

施瓦布：还是老样子。也正因如此，这个市场对我们来说非常有吸引力。你知道，我们有一种无尽的使命，就是对待客户像对待国王一样，客户就是国王，客户就是上帝。我们要确认，我们做的每一件事都是以他们的利益为先的，把客户的利益放在第一位。是的，我们也要赚上一点点钱，不管我们做什么业务，当然要赚钱了。我们毕竟是一个营利组织。但是首先我们要为客户着想。

罗宾斯：你认为，有哪两三个严重的投资迷思，你想给指出来，让投资者一定要注意，以免他们考虑投资的时候，陷入这些误区？

施瓦布：哦，这很容易。我已经在证券行业看到这些投资误区，也可以说是投资营销谎言很多次了。你会看到有些券商滥用权力虐待客户，靠的就是这些投资营销谎言。有些券商的经纪人穿着打扮非常精致，见到客户嘴甜得很："阿姨，你炒股是想赚点儿钱吗？""当然了！"这家伙说话就要给你下套了："你看看我们重点推荐的这只股票，这些人研发出来的东西是业内最优秀的，你这辈子从来没有见过这么优秀的产品，这家公司可能会成为下一个苹果公司。"我们这些业余投资者，当然一听就信这种传奇故事，马上就会说："好，我马上买一些。"

这些人推荐股票，可能 10 000 次里能有 1 次灵验就非常不错了。其实他们就是忽悠你，为什么你不去赌马？为什么你不去买彩票？这样会满足你的投机欲望，却会让你赔个精光。个人投资者就别让他们这么忽悠了，把你辛辛苦苦攒的钱投到一只指数基金里，你知道投资业绩已高度可预测，收益率相当不错。

罗宾斯：所以说，会有这么多人受到伤害，因为他们对这些东西根本不了解，而且他们也不问问题，你是第一个提出这个忠告的人——“要问问题”。

施瓦布：对。

罗宾斯：但是只有很少的人知道要问什么样的问题，你知道，当他们看到一只公募基金时，他们只看基金的历史业绩。他们会觉得这就是他们将来能够得到的业绩。而你我都知道，根本不是这么回事儿，历史业绩根本不能保证未来业绩。

施瓦布：是的，没有这回事儿，从来没有。基金经理管理的主动管理型基金过去的业绩无论怎么样都不能保证未来的业绩。但是指数基金不一样，这也正是为什么我们编了一本小册子，一份指数基金白皮书。我们在里面讲了为什么指数基金投资股票市场是长期投资最好的途径，原因就是这些上市公司的业务会增长。我是多家公司的董事，其中有六七家公司是《财富》杂志世界 500 强，每一次参加董事会，会上每一次谈话，谈的都是增长。我们怎么能让这家公司业务增长？如果公司业务不能增长，你就会炒掉公司的管理层，找一个新的管理团队，继续追求增长。

你看，那边的大楼都是很漂亮的大楼，但是从现在再往过去追溯 100 年，对比一下 100 年前和现在，这些大楼还是老样子，一点儿没有变高，甚至有些推倒重建了，不管怎么样，这些大楼绝对不会增长。但是公司不一样，只有公司会增长。这也正是为什么去买股票是一件非常美妙的事情。当然，按照我们的情况，我们鼓励个人投资者都买指数基金，这样他们就能持有范围非常广泛的各种行业的各种股票，而且他们这样做会得到——

罗宾斯：最低的成本。

施瓦布：是的，最低的成本，而且他们可以非常确定，指数表现有多好，他们也会赚得有多好。你看看任何一个行业过去100年的历史走势，长期来看都表现非常好，给客户创造了巨大的回报。

罗宾斯：你肯定听说过先锋公司的约翰·博格或者耶鲁大学的首席投资官戴维·斯文森，他们两人都说，采用指数基金这样被动管理的模式才是投资正道。因为所有的公募基金的10年业绩里，96%都赶不上指数。那么，你觉得，对于普通投资者来说应该如何选择？被动投资还是主动投资？

施瓦布：我是个混合型投资人。我自己也投资了很多个股，但是我和一般投资者不一样，我有时间，我有专业能力，我也受过良好的教育，但是98%的个人投资者都不是专门研究股票投资的。绝大部分个人投资者这辈子都是在忙别的事情，而不是只关注投资，就像我和巴菲特一样，什么也不做，专门做投资。你知道，个人投资者都是专业人士，有的是医生，有的是律师……都是各行各业的专业人士。正因为有了这些各个行业的专业人士，整个社会才能成功地运转，才能兴旺发达。也许我们所有人里面，只有2%的人真正懂得投资。其余的98%的人要做投资就需要一些帮助和投资建议。这件事，我很早就看明白了，这也是现在我们正在做的事。98%的人就应该分期分批地购买指数基金，这是我的看法。投资指数基金是稳妥的，结果是最有把握预测到的。如果他们想自己动手，挑选各种各样的股票，选股这件事做起来非常困难，98%的人自己选股的业绩长期来看肯定不如指数基金。买了指数基金，你就什么都不用管了，安心做好自己的本职工作就行了。你不可能熊掌与鱼兼得，自己本身的专业工作做得好，投资也做得很好，能精通一种专业，就已经非常困难了。

罗宾斯：另一方面是，人们没有意识到，自己选股交易成本有多高。约翰·博格用计算表明，你这一辈子做投资，每次支付1%的费用成本，就相当于拿走了你一生投资收益的20%。

施瓦布：是啊，成本费用这么一点一点地把你的收益全吃光了。

罗宾斯：支付2%的成本费用，就相当于拿走你一生投资收益的40%。支付3%的成本费用，就相当于拿走你一生收益的60%。

施瓦布：成本费用占的比例实在太大了。从税后收益来看，成本费用占比更高。

罗宾斯：我采访过的每一位投资大师，都谈到过这样一个事实：资产配置是我们个人所做的重要的投资决策之一。你做的证券经纪业务，跟非常多类型的投资者都打过交道。你希望你的团队运用什么样的投资哲学，来帮助人们明白他们的资产配置该是什么样的？

施瓦布：资产配置这个事情现在实际上很容易。可是在40年之前就不是这么容易了。因为现在我们有指数基金了，我们前面说过，我们还有交易所交易基金。所以说，购买指数基金或者交易所交易基金，相当于你从整个市场切下来一个薄片，每只股票你都有小小一片，这样能让你的投资足够分散。你想买能源股吗？你可以买一个能源交易所交易基金。你想买医疗器械股吗？你也可以买一个医疗器械交易所交易基金。当然，我认为，你应该把投资分散到10个市场最大的行业板块。其实你买一个全市场指数基金，一下子就做到这样分散投资十大行业板块了。你同时投资所有这些行业板块，因为你从来都不知道这一年哪个行业会表现更好。有的年份，电子设备行业大涨，表现很牛，但石油股表现就没那么好。但是第二年呢？也许，石油需求增加，推动油价上涨，石油股自然会表现很好，而电子设备可能就表现不好。就像这样每年每个行业表现都会各有不同，你根本预料不到。但是你买了全市场指数基金，就同时持有所有行业板块，哪个行业表现好你都不会错过，这样你的整个业绩就可以保持均衡。

罗宾斯：如果你要做一个资产配置，那么你觉得，美国市场和国际市场之间应该如何配置呢？

施瓦布：这就又提高了一个层次，更加复杂。我认为每个人都应该在投资组合里配置相当大一部分国际市场的股票。原因非常简单，事实上美国经济每年的增长率只有2%~3%，而世界上有很多国家的经济增长率大幅超越美国，包括中国、印度尼西亚、日本等。可以坦白地说，哪里的经济增长更高，哪里的投资收益也就更高。

但是尽管美国经济整体来看每年增长率只有2%，但我们有些行业板块增长得非常快，所以说，很明显你会很想投资这些高增长的行业板块。

罗宾斯：你对未来十年世界的发展怎么看？你认为投资者会面临哪些投资机会和挑战？

施瓦布：我相信之后还有巨大的机会，尽管现在事情好转的速度非常缓慢，但是如果我们能够有一种合适的政策——我相信最终我们会回到合适的政策上的——那样我们的经济就会爆发性增长。因为你根本不可能拿走美国经济中那些增长的部分。美国这个国家创新非常普遍而且非常深入。我就住在旧金山，这里到处都有创新，无论你走到哪里，地上每个缝隙都在冒出创新。到处都有创新。

罗宾斯：我们现在是不是正处在一个市场泡沫里？因为美联储一直控制着利率，把利率压制得很低。你觉得投资到哪里，要承受相当大的风险才能看到收益？现在股票市场看起来是资金能去的唯一地方，这种情况会持续多久呢？

施瓦布：对于美联储现在的政策，我并不是非常支持。我认为，操纵利率，尽管它一直都在这样做，但其实并不是正确的决策，我猜想，美联储这样一直压低利率，确实为某种市场泡沫创造出一些可能性。但是，这样压低利率不可能永远持续下去。我们会为此付出代价的。但是这并不是一个永久性的话题，因为将来肯定会出现一些很高的通货膨胀，或者股市下跌。这些都是我们现在正在做的事情导致的后果，但是我们都会挺过去。每一次政策制定者做出糟糕的决策，结果都是这样，我们最终都会挺过去的。

罗宾斯：尽管有不同的叫法，但是世界上每一个投资大腕儿最大的竞争优势就是风险—收益不对称。他们只承受那么一点点风险，就有机会获得巨大的回报。那么现在普通投资者应该怎么做才能得到这样风险—收益不对称投资的好机会？你能指点一下普通投资者吗？

施瓦布：我想所有的投资分析都会回归到一个最基本的问题：哪里能够得到最好的增长？理解增长的基本面，对于获得长期投资收益来说非常重要。比如说巴菲特，他在很年轻的时候就明白这一点。他只购买公司股票或者整体收购公司，却从来不卖出。为什么？因为公司会一直增长。公司业绩持续增长，让巴菲特的财富也随之增长。

罗宾斯：他还不用交税。

施瓦布：是的，他不用交税，只要你不卖出，就没有实现所得，当然不用交所得税了！

罗宾斯：这简直太美妙了。

施瓦布：这就是巴菲特的投资神话。巴菲特的投资神话，我们已经破解了！关键是巴菲特一直拿着公司股票不卖。

罗宾斯：我知道你有 5 个孩子。

施瓦布：还有 12 个孙辈。

罗宾斯：12 个孙辈！请问：如果你一分钱都不能留给你的孩子，只能留给他们一套投资原则或者是一个投资组合，那么你会给他们什么样的投资建议呢？

施瓦布：我想，首先他们要找到工作，能够自立，自己赚钱养活自己。然后在工作上能取得成功，提高收入。接下来就是从收入中拿出来一部分储存起来，去做长期投资，不断增值。

确保你得到正确的教育。希望你接受的教育能够适合市场的需要，这个市场正在不断地创造出新的工作岗位。你得找到一个薪酬待遇不错的工作，现在这种工作机会不像过去那么多了。然后拿出一部分收入储存起来，存到你的个人退休金账户里。这就需要你放弃一些东西，不要买那么好的车，放弃度假，减少不必要的花费，你才能存起来一部分收入。然后你可以开始做一些合理的投资。

这只是一个非常简单的模式。很多人并没有意识到，这样赚钱存钱做投资非常重要，希望你能够教会人们这样做。

罗宾斯：哈哈！希望我能够做到！

施瓦布：你知道的，我相信一定要给后代留下一些东西。要保证孩子受到良好的教育，但是并不需要给他们太多钱，这样做会剥夺孩子的自我奋斗和成长的机会，他们要追求那种属于自己的东西，才能够真正实现自我。你必须成为一个充满好奇心的人。要保证你的每一个孩子都充满好奇心。人这辈子并不是一定要赚很多钱。

我的家族既没有钱，也没有财富，我清楚地知道有钱和没钱的差别。当然了，在最近20年，我的事业做得很成功，得到了很多好处，有了很多财富，让我能够有一些原来没钱时根本不敢想的选择。对于我和我太太来说，我们可以去度假，根本不用考虑需要花多少钱，可以好好地享受假期。我很享受运动，我喜欢打高尔夫球等，有钱能享受的快乐还有很多。所以我们希望能够长期保持这种成功，我们希望下一代也能享有我们现在享有的东西，还能享有一些我们现在没有的东西。

罗宾斯：你和非常多的成功人士打过交道，你也研究过成功的企业和成功的个人，他们驱动企业持续成长。那么你认为要取得成功最重要的一个因素是什么？

施瓦布：你知道，也许是99%的必需品。但是，这个世界有很多人真的非常需要得到更多的资源才行。他们没有受过教育或者他们没有得到那种激励，也许他们没有意识到，机会就在他们眼前。如何察觉到机会就在身边？你往四周看看那些已经非常成功的人，你会想“他能做到，我也能做到”。你怎么能意识到这一点？我也不知道。

罗宾斯：（2014年）现在你76岁了，听说你一直没有发现自己有读写障碍，直到40多岁才知道自己阅读和拼写有困难是因为这个，是吗？

施瓦布：对。

罗宾斯：很多人认为读写障碍会限制自己的人生发展。为什么同样是读写障碍，对你根本没有限制呢？

施瓦布：也许应该感谢上帝，我是个孩子的时候，多亏不知道自己有这个病！但是我的儿子就没有我那么幸运了，刚刚开始上学，我们带他做了测试，结果发现他也有读写障碍。我说："我的天哪！那些读书写字的困难，我7岁、8岁、9岁必须对付，他现在6岁刚上学就要开始对付了。"很明显，我也有读写障碍，我小学前几年为什么阅读拼写那么困难，这个问题一直让我感到非常困惑，这一下子解开了。我要看懂字母表，结果发现那是根本不可能的。阅读对于我来说非常困难，即使现在我也不读小说。除了那些非虚构作品，我什么东西都不读。

罗宾斯：那么是哪些因素让你在金融行业获得成功的？

施瓦布：我阅读不行，语文不好，但我的数学非常棒。我和人打交道也做得非常好。我写东西不太好，但是我找到很多写作很棒的人来帮我写。所以你可以很快就学到这一点：你不可能什么事情都自己做。你需要找些人在身边帮你，你做你最擅长的事，其他事情别人来做会比你做得更好。但是你必须激发你周围的人和你一起努力工作，不管你们的共同目标是什么，都要一起共同努力才行。这就是我这些年来一直在做的事。

罗宾斯：让你激情燃烧的事情是什么？

施瓦布：让我激情燃烧的事情是，大家都必须去赚钱，去储蓄，去投资增值，因为我们每个人都有责任积攒退休养老金，为退休生活做好准备。天哪，我们现在的寿命长多了。你看，我现在70多岁了，很有可能活到90岁，甚至95岁。所以现在的退休生活是一段很长的时间，有30多年。所以说你必须积蓄一大笔财产，才能让你30多年的退休生活过得舒舒服服的。

罗宾斯：我和你的一些老朋友交流过，他们认识你有20多年了，可是他们说，你的激情现在跟20年前一样大，甚至更大了。

施瓦布：可能是激情更大了。哈哈！

罗宾斯：为什么会这样呢？你是怎么保持你的激情的？你是怎么让你的激情持续不断地扩大的？

施瓦布：例如，我看到你在慈善活动中做的，怎样能够真正帮到别人。你要帮助别人，首先你要自己做得非常成功。如果我自己都不成功，那我就没有办法帮助别人了。因为我就没有资源做这些帮助别人的事，但是我可以换一种方式把事情做成。克服读写障碍的事，我们能帮助孩子。私立学校的事，我们也可以帮助孩子。博物馆的事，我们可以帮助把博物馆建得更好、更大，让大家能来欣赏艺术品。

我认为，取得巨大成功，最大满足就是，能够在你的一生里回馈社会一些东西，这真的能够让人们享受到的快乐增加许多倍，也让你自己享受到的快乐增加许多倍。

罗宾斯：如果有人开创全新的事业，你会给他们什么样的优势，帮助他们创办企业？当你还是个年轻人的时候，你就说“我真的很想帮助人们照顾好客户”，从这个愿景出发，你建立了一个管理资产规模几万亿美元的超大企业，你是怎么从小到大做成这么大的事业的？你会告诉创业者他们应该真正关注哪些东西？

施瓦布：你要得到所有的教育，还有实践经验，然后要有耐心，一天一天地坚持去做。日复一日，年复一年，这样长期坚持可不容易，我来告诉你怎么才能坚持下去。这就像开一家餐馆，每一餐都要供应上等饭菜，这可不容易，但是你只有这样才能做成一家有口皆碑的餐馆。只有这样你才能做成一家很棒的汽车行，每天都要提供很棒的服务。你不要错过击球，你必须每天都打出本垒打。服务业是这样的，高科技行业也一样，我们一生中看到过很多企业在竞争中失败，好像拳击手故意输掉比赛，其实是因为它们无法继续创新，或者是因为它们无法为客户提供更好的服务。永远不要随意失去任何一个客户，要想办法保住你的客户。

罗宾斯：最后一个问题。我敢肯定你还会活上20年甚至30年，因为你精心照顾你自己的心理和身体，而且你如此充满激情。不过，百年之后，你愿意让后人如何记住你？你给后人留下了什么样的遗产？你这辈子成就了什么？

施瓦布：当然啊，我有一系列的遗产，比如我的家人。在职业生涯这方面，我觉得非常骄傲的是，我确实让证券行业的实务操作发生了巨大的改变。那些大券商已经有一两百年的历史了，我们嘉信理财这样一家美国西海岸的小公司，能够引领这些历史悠久的券商走上不同的发展道路，我实在太引以为傲了。我们确实让传统券商对待客户的方式发生了很大的变化。它们现在做的工作比原来好多了，但还是没有我们嘉信理财公司做得这么好。哈哈！但是它们现在做的工作确实比以前好多了，而且在如何对待客户这件事上，比以前用心多了。

罗宾斯：你们做了榜样，引领整个行业发展进步。

施瓦布：非常感谢你的鼓励。

罗宾斯：非常感谢你能抽出时间接受采访。祝你健康幸福！

第 43 章　约翰·邓普顿爵士：20 世纪最伟大的投资人

邓普顿基金公司创始人，慈善家，百万英镑邓普顿奖创立人

约翰·邓普顿爵士，不仅是有史以来最伟大的投资管理大师之一，也是有史以来最伟大的人之一。我很荣幸能够称他为我的导师。邓普顿的信条是“所知愈少而所学愈饥”，这一信条指导了他漫长又光辉灿烂的一生，让他成为一个投资先锋，一个打破传统习俗束缚的人，一个追求精神境界的灵魂，一个慈善家。约翰·邓普顿爵士最为人称道的是，他能够洞察世界上最困难的情况，然后找到办法加以利用，从而获利。

约翰·邓普顿受封“约翰爵士”，不是因为有背景，也不是因为父母有钱，而是靠自己多年奋斗才实现受人尊敬的。他出身很卑微，1912 年出生在田纳西州的一个小镇上，家境贫寒，从小到大培养出非常有用的人生价值观：节俭、自立、自律。他非常努力，靠奖学金先上了耶鲁大学，又到牛津大学读了研究生。1937 年在华尔街找到了第一份工作，那个时候正是美国经济大萧条最严重的时候。邓普顿天生就是一个逆向投资者，他相信，买股票就要在“市场最悲观的时候”。其他人都觉得世界末日就要来了，邓普顿却认为这正好是投资买入的好时候。其他人都认为：“我的天哪，这是历史上最好的投资时机！”邓普顿却认为这时候应该卖出股票。

邓普顿第一次把他的理论用实践来检验是在 1939 年秋天，当时美国经济大萧条，希特勒的部队已经开进波兰，“二战”刚刚开始，市场极度恐慌，股市暴跌。邓普顿决定，把他手上存的所有钱都拿出来，又另外借了些钱，纽约交易所里的股票，只要股价是 1 美元或者低于 1 美元的，他就每只买上 100 美元。正是这个熊市里的一美元股组合，成为他个人巨大财富的根基，也成为他资产管理帝国的根基。邓普顿也是国际投资的先锋，其他美国人拒绝跨出美国国境一步的时候，邓普顿已经在全世界到处发掘投资机会了。

财富增长得越多，邓普顿回馈社会的也就越多。1972 年，邓普顿建立了世界上奖金最高的年度大奖，颁发给个人的奖金比诺贝尔奖的奖金还要高，用来奖励那些获得巨大精神成就的人士。特蕾沙修女是第一个邓普顿奖获奖人。邓普顿基金会也赞助科技研究。1987 年，英国女王伊丽莎白册封邓普顿为爵士，以表彰他对人类做出的巨大贡献。

邓普顿不断演讲和写作，激发了数百万人，他的言语非常谦逊，传达的信息却非常宝贵，主要是关于正直、企业家精神、信仰，一直持续到他 2008 年去世，享年 95 岁。（巧合的是，他准确地预测了那一年房地产市场泡沫的破裂。）就在他去世几个月前，我对约翰·邓普顿爵士做了一次访谈，下面就是这次访谈的内容节选。邓普顿和善的光芒闪耀在每个回答上，他分享了自己的哲学，能让你成为伟大投资人的特质，同样也能让你成为一个伟大的人。

罗宾斯：约翰·邓普顿爵士，很多人做事，要么是为了钱，要么是为了精神信仰，但是你找到了一条路合二为一，在你的生活中把二者融合在一起，非常自然，又非常紧密。你觉得一般人在生活中能把二者融合到一起吗？

邓普顿：绝对可以！其实二者没有什么差异，你会跟一个你不信任的商人打交道吗？肯定不会！如果有个人名声坏，不值得信任，大家都会躲他远远的，他的企业肯定会失败。如果一个人有很高的道德准则，很高的精神准则，他会努力给他的客户和他的员工贡献更多，比他们预期的还要多，做到这些的人就会很受大家欢迎。他会有更多的客户，赚更多的钱，对这个世界做出更多的贡献，这样自然也会让自己兴旺发达，会有更多的朋友，会更受人尊敬。

所以，你从一开始要努力给予别人更多，比别人预期会从你这里得到的还要多，对待别人不只是公平，而且是更加优厚，这就是成功的秘诀。不要想占别人的便宜，也不要阻挡别人的进步。你帮助别人越多，你自己就会越兴旺发达。给予的越多，得到的越多。

罗宾斯：你的第一笔投资是什么？是什么吸引你做这笔投资的？后来这笔投资的结果怎么样？

邓普顿：我第一次开始投资的时候，正好赶上“二战”刚开战，那是1939年9月。我们刚刚结束了世界上最大的经济大萧条，有很多公司都破产了。但是战争一来，每一种产品的需求都大大增加，结果战争期间，几乎每家公司的生意都重新兴旺发达，所以我非常看好股市，于是我向券商下了单，只要是一元股，就是股票交易价格是1美元，或者更低，就每只买上100美元，当时股市一共有104只这种一元股，我一共买入10 400美元。结果后来这104只一元股里有100只股票我都赚钱了，只有4只股票亏损。

三年之后，我和我太太有机会收购一家规模很小的退休投资顾问公司，我们手上的积蓄正好够收购这家公司！一开始，一个客户都没有。我们公司的办公室就设在纽约的无线电城，我们在那里一直干了 25 年，我们一直是赚到 1 美元就存起来 50 美分，好让我们能够积攒起一些资产，支撑我们以后的退休生活，也支撑我们做慈善活动。

罗宾斯：哇！你每赚到 1 美元，就存起来 50 美分，我的天哪！你的收入储蓄比例有 50%，这也太高了，我的约翰·邓普顿爵士！大多数人现在都会说"这根本不可能！我不可能从我的收入里拿出一半存起来，然后去投资"。但是，正是靠着平时把一半收入存起来，你才能从一无所有开始逐步积累起一些个人财富，而且你是在经济大萧条的时候开始这样做的，太不容易了！我读到过这样的报道，可是如果有人投资给你 10 万美元，从 1940 年开始，以后不用再追加投入，然后从此就把这笔钱给忘了，那么到了 1999 年，就是过了 50 年之后，他的这笔投资会升值到 5 500 万美元！这个数字准确吗?

邓普顿：是的，前提是他们每年的基金分红一分不拿，用这些红利继续再投资。

罗宾斯：我想请教一下你的投资哲学。过去，你曾经跟我说过："不但要敢于在最悲观的时候买入，而且还愿意在最乐观的时候卖出。"我说的对吗?

邓普顿：你说的对。你说得很好，托尼。"在悲观主义弥漫的时候牛市初生，在怀疑主义弥漫的时候牛市初成，在乐观主义弥漫的时候牛市成熟，在人人陶醉的时候牛市结束！"每一波大牛市都会出现这 4 个阶段，这一规律可以帮助你分析你现在处在牛市的哪个阶段。如果你跟足够多的投资者交谈，搞清楚这些投资者的心理状况，你就能分辨出来现在是市场估值水平很低，相当安全，还是市场估值水平太高，已经到相当危险的高位。

罗宾斯：你觉得投资者会犯的最大错误是什么?

邓普顿：绝大多数人都没有积累财富，是因为他们做不到约束自己，保持自律，每个月都把固定比例的一部分收入储蓄起来。但是，只是这样定期储蓄还不够，一旦你储蓄起来一部分收入之后，你还必须把这些钱明智地投资出去，购买价值相对于市场价格相当便宜的股票等资产，这并不容易。能够这样明智地投资的人是罕见的，特别是那些业余投资者，平时工作很忙，只能利用有限的空闲时间进行研究分析，选择正确的投资目标，这真的太难了。这就跟你要成为你自己的医生或者自己的律师一样困难，所以想要自己成为自己的投资经理，可能并不明智。更好的办法是找到最好的基金经理、最聪明的证券分析师、最好的专业投资顾问，帮助你管理好投资。

罗宾斯：我在巴哈马遇到你的几个朋友，一起聊天，我问他们："约翰·邓普顿爵士最近在投资什么呀？"你的这些朋友说："什么都投！如果他觉得买树是笔好买卖，能让他赚到钱，他会去买一棵树。"我听了就问你的朋友："那么邓普顿会持有这笔投资多久呢？"你那几个朋友都说："永远！一般至少会持有到这笔投资升值更多的时候！"约翰·邓普顿爵士，你会持有一笔投资多久，直到你觉得应该放手？你怎么知道你是否犯了一个错误？你怎么知道是时候该卖出变现了？

邓普顿：卖出这个问题，也是最重要的投资问题之一！很多人会说："我知道什么时候买入，但是我不知道什么时候卖出。"过去54年里，我一直在帮助投资者，我认为我已经找到卖出时机的答案了，答案就是，你要卖出一项资产，必须满足一个前提，就是你找到了另外一项资产，价格还要便宜一半。你一直在寻找便宜货，然后再看看你手中持有的资产，如果你现在的投资目标清单上有一项新资产，要比你原来发现并已经买入的老资产还便宜一半，那么你就可以把老资产卖掉，去买新资产。但是即使是这样，也要小心，因为你不会每一次判断都是对的。

罗宾斯：约翰·邓普顿爵士，为什么美国人觉得在美国以外进行国际投资挺好？

邓普顿：你好好想想这一点，如果我们的投资工作是找到最好的机会，如果不把自己局限在一个国家里，那么我们肯定能找到更多的机会。同样，如果我们在世界各地到处寻找机会，而不只是在一个国家寻找机会，可能我们就会找到更好的机会。但是最重要的是，这样会减少你的风险，因为每个国家都会有熊市。通常，每12年，在一个大国就会出现两次大熊市，但是不同的国家出现大熊市的时间并不相同。有的人把所有的鸡蛋都放在一个篮子里，都集中投资到一个国家，这个国家一旦发生大熊市，他就损失惨重。相比之下，如果你分散投资，把你的资产分散投资到很多国家，那么这个出现大熊市的国家的投资占比并不大，你的损失就要小多了。

我们一直建议我们的投资者要分散投资，不仅要分散投资到多家公司，要分散投资到多个行业，而且要分散投资到多个国家，这样他们才能够得到更大的安全保障，也能够得到更大的盈利潜力。

罗宾斯：你认为是什么因素把你跟其他投资者区别开来？是什么让你成为有史以来最伟大的投资人？

邓普顿：谢谢你，我并不认为自己有那么了不起。我们并不总是对的，没有一个人总是对的，但是我们努力地要比其他竞争对手做得好那么一些，给我们投资者的回报比他们对我们的预期高一些，而我们总是努力改善我们的投资分析方法，以在竞争中保持领先。如果说我们在投资上有什么秘诀的话，那就是这一点：不要努力成为一个积极的获得者，而要努力成为一个积极的给予者。

罗宾斯：约翰·邓普顿爵士，现在社会上各个阶层的人都有很多恐惧，我们怎么应对这些恐惧？

邓普顿：要克服恐惧，最好的办法就是有一颗感恩的心。如果你每天早上醒来，能够想到5件不重复的感恩之事，你就不大可能会恐惧了，你可能就会释放出你的乐观、你感恩的态度，你可能就会用更好的方法来做事，吸引更多的人来到你的身边支持你帮助你。所以我认为，有一颗感恩的心，可以阻止一生的恐惧。

罗宾斯：我很想听听你对自己的看法：约翰·邓普顿爵士是个

什么样的人？你的人生究竟是为了什么？最终，你希望别人怎样记住你？

邓普顿：我是一个学生，一直想要学习。我是一个罪人，我们都是罪人。我一直在努力一天比一天活得更好，特别是我一直不断地在问自己："上帝的目的是什么？为什么上帝要创造出宇宙？为什么上帝希望他的孩子住在这里？"你可以得到的最接近的回答只有简单几个字：上帝希望我们在精神和信仰上成长进步。上帝给我们考验和磨难，就像学校里给我们考试测验一样，因为这样才能帮助你成长为一个拥有更加伟大灵魂的人，不然的话，没有这些考验和磨难，你在精神和信仰上就不会有那么大的成长进步。所以人生就是挑战，人生就是冒险，人生就是一个神奇的、刺激的冒险。我们所有人都应该尽己所能地做到最好，只要上帝还把我们留在这个星球上，我们就要一直努力，尽己所能地做到最好。

MONEY

7 Simple Steps to Financial Freedom

MASTER THE GAME

第七部分

只管去做，尽情享受，尽情分享

第 44 章　未来比你想象的更加光明

生活的关键是，要相信最好的还在后面。

——彼特·乌斯蒂诺夫

为什么大多数人要追逐财富？因为他们要追逐更高品质的生活。毋庸置疑，那就是任何人都能够应对艰难的日子，只要可以确定有更好的明天。

我们都需要美好的未来。

你是否在疑惑，为什么我写的是一本投资理财书，却要花时间大谈未来和科技上的突破创新，这是因为科技是一种隐藏的资产，每一天科技水平都在呈复利式增长，让我们的生活更加富足。

每天都在发生颠覆性创新，未来几个月、几年，将会发生革命性的创新，以提高你和地球上所有人的生活品质，这种高科技的发展进步像巨大的浪潮，让我们所有人像船一样都向上浮，生活品质大大提高。

用金融术语来讲，你知道科技创新最厉害的地方是什么吗？科技创新的成本在减少，而科技创新的能力在呈指数化扩大！你知道这对于你来说意味着什么吗？这意味着即使你现在才开始打造财富，即使年纪已相当大而财富一点儿都不多也没关系，你将来还是能够拥有品质很高的生活，所需要的钱比你想的还要少。

而且，学习了解这些高科技发展的趋势，能够让你清醒地意识到，你这一生正面临最伟大的投资机会。这些科技创新正在呈指数化增长。你要留意关注这些科技创新，时间就从现在开始。

我希望这一章的内容能够激励你更好地照顾自己和你的家人，不仅是在财务上，还要在身体上。没有健康的身体，就没有财富。你要活得时间足够久，才能充分利用科技上的巨大进步，你应该把健康长寿放在第一位，特别是你听我下面讲到有些巨变正在展开之后，更要把健康放在第一位。

让我们来展开一段简短的科技最前沿之旅，探索科技未来发展的最前沿。我要先说一下，这一章的内容是一点儿也不怕出错的积极观点，这并不是基于我个人的热情，而是反映了目前世界上一些伟大科学家做的研究工作成果。这些人，不是只会预测，而是亲自把自己的预测变成现实成果。这些人已经做了很多了不起的大事：解码人类基因，设计出第一个数字语音识别系统，设计研发商业运载火箭以实现载人在地球和国际空间站之间往返运输。

我知道，很多人对科技创新的观点和我不同，有很多怀疑。也许他们是对的。有些人展望未来，看到的是像电影《终结者》那种类型的机器人杀手，还有转基因食品。有些人展望未来，看到的是：会飞的汽车，就像动画片《杰森一家》里的一样；灵活的机器人帮手，像电影《星球大战》中的 C–3PO 一样的人形机器人助手；肉和蔬菜可以从单细胞培养出来以提高生产效率，完全可以解决世界饥饿问题。不过所有这些极端的未来场景，没有一个变成现实。所以我选择探索的问题更加实用一些，如何利用科技创新大幅度提升我们的生活品质，更健康，更美好。我知道，人们往往对科技创新出来的新东西感到恐惧，担心我们发展得实在太快了。

毕竟这些科技进步都有负面影响，通常是因为这些科技一开始会让人们丢掉原来熟悉的工作，直到他们适应新技术，学会用新方式工作，正如史蒂夫·拉特勒这位影响力很大的金融家和专栏作家在《纽约时报》上撰文所指出的那样，即使是英格兰伊丽莎白女王一世，也拒绝给一台16世纪的纺布机器颁发专利，因为这会让她那些“可怜的臣民”丢掉工作。但是按照拉特勒的看法："这项科技创新并不是为了保住旧工作……而是为了创造新工作。自从车轮发明以来，就经常如此。"

大多数时候，这些新工具用以提升人的生活品质。但是现在世界面临一些巨大的挑战：过多的二氧化碳排放、缺少淡水、耕地短缺，而科技创新正在解决这些大难题。所有这些科技进步看起来好像一夜之间发生的，但是从整个历史来看，也有少数人会利用任何工具或者任何科学技术作为武器来危害人类。比如电力既可以用于路灯照明，也可以用于电椅杀人，但是世界上的路灯有好几百万个，数量要远远超过杀人的电椅。波音喷气式飞机既可以用来载人穿越大洋，也可以用来载着炸弹杀死成千上万人，但是世界上的民用航空飞机数量比战斗机多出好几百万架。

人类害怕新事物，未知的事物，过多关注最糟糕的情况以做最坏的打算，这很自然。我们的大脑天生是为了追求生存，我们作为一个物种天生就是这样的，把生存放在第一位。但是我们的想象力也可能会阻碍我们。科幻小说让很多人恐惧未来的科技发展，就像人工智能。但是现实派的科学家和未来学家，就像雷·库兹韦尔、彼得·戴曼迪斯、胡安·恩里奎，都是把先进的科技看作机会，它们能让人类进化得更好，让世界变得更好。

如果你一看未来如此积极乐观就怒了，你可以马上转到下一章！但是如果你真的对未来很感兴趣，想要知道科技如何塑造我们的生活，我想这一章肯定会帮助你明白，哪些科技就在身边可以使用，哪些正在到来。我看待科技的方式是，你可以选择恐惧未来，也可以拥抱未来。不管你怎么做，都不会改变科技，而科技肯定会改变你的生活。

为什么？因为未来已经来了。

预测未来的最好方法就是创造未来。

——艾伦·凯

每过 10 分钟，美国就有一个人严重烧伤。他们冲到医院，充满烧伤的痛苦——这是人体能够承受的最大痛苦。护士刮掉那些满是水疱和烧焦的皮肤，用从尸体上取下来的皮肤覆盖住伤口，以避免他们受到感染而死亡。你能想象吗？从尸体上取下来的皮肤盖在你自己的伤口上！即使伤者活下来，疤痕也非常严重。你会看到他们的脸上、胳膊上、腿上都是伤疤，面目全非。有的时候，需要进行多次手术，经过好多年才能痊愈。

那么你可以想象一下，有一天晚上，40多岁的州警马特·尤兰姆也被烧伤了，发现自己也成了这些残酷的统计数字中的一个。他的人生从此永远被改变了。

这是怎么回事？当时他坐在一堆篝火旁，有人往火里面扔了一罐汽油，结果大火燃烧起来，烧到了他的右臂、头、右脸。大家赶紧把他送到医院，医生和护士动作很快，清除掉起了水疱的皮肤，给伤口消毒，避免感染，涂了药膏。正常情况下，他应该在烧伤病房里住院几个星期，甚至好几个月，接受一系列痛苦的检查，每天两次。而这次不同于传统方式，有一个专家团队使用一种新的医疗科技为马特治疗。医疗专家从马特身上取下一小块没有烧伤的皮肤，得到了健康的皮肤细胞，而不是给马特使用从尸体上取下来的皮肤！医疗专家对这些细胞进行培养，不久之后，用喷枪喷到马特的伤口上，喷出来的都是马特自己的组织细胞溶液。

过了三天，马特的胳膊和脸上烧伤的皮肤就痊愈了。在马特身上几乎看不到任何伤疤。我知道这事听起来像是一个科幻片。但是这是一个真实的故事，几年前就发生在匹兹堡。

尽管治愈马特·尤兰姆烧伤的技术，在美国还处于临床实验阶段，但一个类似的干细胞手术已经在欧洲和澳大利亚用在几百个烧伤病人身上了。真让人吃惊，是不是？现在甚至有一种“生物笔”，能让外科医生从骨头和软骨不同层面上提取健康的细胞，这些细胞繁殖生长，成为神经、肌肉、骨骼，用来治愈受到损害的对应部分。科技能让外科医生把细胞置于他想要放的地方，一眨眼就能完成。这只是其中之一，还有好多不可思议的新型治疗方法正在投入使用，而且价格越来越便宜，人人都负担得起。

可能你还没有注意到：我们生活的这个世界，每一天都在发生奇迹，变化得非常快，有时我们甚至根本没有注意到。或者我们已经把这些变化看作理所当然。

但是如果你回到 1980 年，距离现在也不过是 30 多年前，你向那个时候的人描述我们现在的世界，他会觉得，你正在做的事情，简直是魔法一般不可思议！往皮肤上喷组织细胞？一边跟人打电话，一边开车？我的天哪，这简直太不可思议了。

我们习惯预测未来的方式是，看看今天发生了什么，或者昨天发生了什么，我们就能预测出明天会发生什么。但是再也不能这样预测未来。直到非常接近现在的“最近”，也是变化很少而且很慢的，可以用几十年甚至几百年的一个时代来衡量，比如铜器时代、铁器时代等。现在变化比过去快多了，而且是指数型加速变化。这意味着速度不是不变，而是快上加快，在很短的时间之内，就能发生巨大的跳跃性变化。这意味着，我们正在制造工具，把我们的生活品质改变得更快更好，现在这些工具每个人都能得到。

现在普通人都能享受到的东西，是古代最富有的帝王做梦都想不到的。想象一下，如果古代的帝王坐在椅子上或者躺在床上就能飞到天上，只用几个小时就能飞到世界上任何一个遥远的地方，而不是在海上航行好几个月才到达，那么这个帝王愿意给你多少金银财宝？现在，你只要付出 494 美元，坐上维珍 · 亚特兰大航空公司的飞机就能做到了。

即使是帝王，也不能花费 2 亿美元拍一部电影，娱乐自己 2 个小时。但是现在每个星期都有新电影上线，我们只要花上 10 美元就能在电影院看大片了，或者在视频网站上花 9.99 美元包月，大片随便看。

让我们面对现实吧，我们生活在地球上最非凡、最不可思议的时代。我们看到，最近 100 年，人类的寿命从 30 岁延长到 67 岁，寿命增加了 1 倍多。与此同时，全球平均收入增长了 3 倍。100 年前，大多数美国人，只有每天把工作收入的 43% 花在吃饭上，才能填饱肚子。现在，由于农业和物流分销的进步，现在美国人每天用在吃饭上的钱只占收入的 7%。

你有新邮件

我第一次见到美国前总统比尔·克林顿是在 20 世纪 90 年代早期，我还非常清楚地记得，我坐在他旁边对他说："你看，总统先生，也许有个方法，能让我们用电子通信的方式沟通。"克林顿总统一听一脸迷惑，我马上解释说："我已经开始使用这个新东西，它叫作电子邮件。我用美国在线开了电子邮件账户，你有吗？"克林顿总统说："哦，我听说过那个东西！"但是那个时候，美国总统还没有电子邮件账户。现在亚马孙流域那些原始部落里的人，也带着手机在丛林里四处行走，他们的即时通信能力非常强大，35 年前，连克林顿这个全世界最强大国家的领导人当时的即时通信能力也根本比不上。尽管住在丛林里，他也可以在线购买奶牛饮料，可以在线支付小孩的学费。他可以在线翻译，他愿意的话，甚至可以上耶鲁大学网站得到免费的经济学课程，也可以从麻省理工学院得到免费的数学课程。我们现在生活在一个完全不同的世界中，现在还只是在开始阶段。

"戴上我们家狗狗的头套，才能防止我 2 秒就要刷一次手机。"

图 44–1

每天，事情都在变得更好、更快。“未来肯定要比你想象的好得多。”我的好朋友彼得·戴曼迪斯说。他是 X 大奖基金会的创始人、太空飞船设计师、医生、实业家，是一个伟大的全才。“现在人类正在进入彻底变化的时代，科技有潜力提升每个人的基本生活水平，包括每个男人、每个女人、每个孩子。”

这对于你来说有什么意义呢？这意味着即使你搞砸了，并没有照着你在本书前面章节里学到的投资理财方式去做，存的钱很少，赚的钱也很少，也没关系，未来你还是能够享受到相当好的生活，远远超过你的想象，即使你将来并没有一份巨额收入也不要紧。对于那些听从了我前面的投资理财建议会有一大笔收入的人来说，未来你有无限的可能，未来的生活好得远远超出你的想象。

富有的关键是用有限的环境满足无限的想法。

——玛丽安·威廉姆森

科技将会改变我们对短缺的看法。短缺，是让我们感到恐惧的一个共同因素。我们害怕我们需要的东西数量不够，或者我们觉得非常宝贵的东西数量不够，包括饮用水、食物、金钱、资源、时间、空间、快乐、爱。为什么大家都想变得富有？因为我们都相信，一旦自己变得富有，就能得到足够的东西，再也不会因为缺少自己想要的东西而发愁。“这种恐惧，我们脑子里天生就有。”

但是短缺并不一定是永久的状态。科技会改变短缺情况。你知道吗？有很多年，地球上最短缺最宝贵的金属是……难道是铝？对了，你猜对了！起初要把这种元素从泥土中分离出来非常困难，花费非常大。结果当年铝以稀为贵，在 19 世纪的法国，拥有铝制品是最高地位的象征，在国宴上，拿破仑三世招待泰国国王用的是铝制餐具，而不是常见的金制餐具。但是到了 19 世纪末，科学家经过几十年的探索研究，找到了电解铝的工艺，使铝可以大规模生产，一下子这种又轻又便宜的金属在市场上随处可见，从此原来帝王才能用得起的铝制品走入万千寻常百姓家。

彼得·戴曼迪斯喜欢用铝的故事来说明，短缺程度取决于我们获取资源的能力，或者说是短缺程度取决于我们缺少的获取资源的能力。他写了一本非常棒的书《富足：改变人类未来的四大力量》，这本书有300多页，讲述了一些关于未来的概念，我们这一章只简略地介绍一下。这本书用了一个很棒的比喻来解释科技如何征服短缺。“想象一下，有一棵巨大的橙子树，上面结满了橙子。”彼得·戴曼迪斯写道，“如果我只是从那些很低的树枝上摘橙子，那么那些很容易够得着的橙子很快就被摘光了，橙子就变得短缺了。但是如果有个人搞了一项新的科技发明，叫作梯子。现在，使用梯子，我能够得着的橙子就变多了，橙子短缺的问题就解决了。科技是一个解放资源的好办法。”

由于全世界人口不断增长，我们需要用科技解放这些资源，速度要比以前更快。这就需要实现我们前面说过的那种指数型变化。指数型变化是什么？下面就是一个例子。

- 人类用了20多万年的时间，直到1804年，才让全世界人口达到10亿。
- 接下来只用了123年，到1927年，全世界人口就又增加了10亿，世界人口总数达到20亿。
- 但是接下来只用了33年，到1960年，世界人口就又增加了10亿，世界人口总数达到30亿。
- 接下来只用了14年，到1974年，世界人口就又增加了10亿，世界人口总数达到40亿。

世界人口增长并没有到此停止。尽管中国13亿人口实行了“计划生育”政策，再加上全世界其他国家控制人口增长的努力，但都没有阻止世界人口的加速增长，只是最近40年，世界人口就新增加了30亿！也就是说，最近40年增加的人口数，相当于人类历史最初20万年增加的人口数量的3倍！现在地球上人口总数有72亿！照这个速度增长下去，科学家预计，到 2050 年地球上会有 96 亿人。

地球能养活这么多人吗？我们持续消耗自然资源，按照现在的消耗速度，根据《华尔街日报》上引用世界自然基金会的吉姆·利佩的研究结果：“我们现在使用的资源数量，比地球能够持续产生的资源数量超出了 50%，除非我们改变发展方式，不然这个数字还会快速增长，到 2030 年，即使有两个地球，产生的资源也不够我们人类使用。”

人类的独创性和科技融合在一起，才能够找到一种方式，持续满足我们的需要。

我记得有一段时间，我们以为人类要把石油用完了。那是 1973 年，我还是一个高二学生，当时中东发生了石油危机。年纪大的人都还记得，那时汽油实行配给制，按照车牌号，一天是单号加油，一天是双号加油。还在读高二的我心里直嘀咕：可能我还没有拿到驾照，地球上的石油就用完了，我这辈子连汽车都开不上了！有一天，在学校里，我们的工程学老师说：“我来给大家读一篇文章。”那篇文章我在《时代》杂志上已经读过了，是罗马俱乐部发表的一份研究报告，这份研究报告把每个人都吓死了，因为它预测我们的石油供应只能再持续几年，整个经济将会崩溃。老师读的这篇文章讲的内容差不多，用的也是对未来非常悲观失望的语气。然后老师给我们展示了一篇他过去读过的东西，那是 19 世纪 50 年代报纸上的一篇文章，讲的也是燃油危机。不过当时的人讲的燃油是——鲸油。

在 19 世纪，鲸鱼的脂肪是点灯用油的主要来源。没有鲸油，你在家里根本没有办法点灯照明。但是鲸鱼当时被过度捕杀，人们担心会出现点灯用油的短缺，结果鲸油的价格都涨到天上了。但是 1859 年发生了什么事情呢？在宾夕法尼亚州发现了原油。我们从此可以得到一种全新的资源。不久，我们就用上了煤油灯和内燃机。1973 年的石油危机？科技已经减轻了石油短缺问题。新的石油勘探和开采技术，为石油供应量打开了更加广阔的空间，现在采用横向钻井技术，美国能够开采的天然气储量，按照油气当量计划，超过沙特阿拉伯的原油储量！这样的科学技术改变的并不只是一个国家的经济情况，而且会对地缘政治产生影响。2013 年，

10年来几乎第一次，美国国内生产原油的数量超过了从中东进口的原油数量。

未来还会有其他替代能源，例如风能、生物燃料，还有最大、最方便利用的自然能源——太阳能。按照发明家和未来学家雷·库兹韦尔的说法，世界上的能源需求总量，只要用地球上太阳能的万分之一，就可以解决了。捕获和储存太阳能的技术已经有了，关键是成本要降低到有竞争力的水平，这是最大的挑战。雷·库兹韦尔预测，再过几年，每瓦太阳能发电的成本就会低于原油和煤炭发电的成本。

我们需要的是，有更多的人擅长解决不可能解决的问题。

——西奥多·罗特克

我们停下来想一想：所有这些新科技是从哪里冒出来的？过去一直从我们大家熟悉的那些地方冒出来：硅谷、美国国家航空航天局、美国国防部高级研究计划局、世界上一流的大学和实验室。但是现在越来越多的自己动手的独立发明人出现了，他们运用网络上的丰富资源，找到方法把事情做得更快、更好、更便宜。

我给你讲一个少年儿童搞发明创造的故事。我遇到了一个小孩，自己创新设计出一个机械假肢，假肢行业掀起了一场革命，这个革命的发源地就是他的实验室，其实就是他的卧室。这个少年名叫伊斯顿·拉切贝尔，他17岁到美国国家航空航天局开展了一个机器人项目，他根本不用去上大学来学工程学，因为他有网络。

伊斯顿·拉切贝尔是在科罗拉多州一个很小的镇上长大的，那里没有什么给小孩玩的玩具。于是他在家里自娱自乐，把家里的玩具、电器之类各种各样的装置拆了又装，装了又拆。14岁的时候，伊斯顿决定自己打造一个机械手臂。为什么？好玩呗！他住的小镇上既没有大型图书馆也没有大学，于是他在网络上搜索，自学电子学、编程、机械。然后他用他身边能够找得到的东西，包括乐高积木、钓鱼线、绝缘胶带、玩具小马达，还有一个玩游戏用的任天堂能量手套，造出了一个机械手臂原型。

等到他 16 岁的时候，他进一步完善设计，因为这时他得到了一台 3D（三维）打印机，能用一层一层的塑料打印出一个机械手臂。伊斯顿带着这个发明参加了科罗拉多州的科学展览会，正是在那里，他找到了他所说的“啊哈”时刻，他一下子顿悟了。伊斯顿碰到了一个 7 岁的女孩，两只胳膊装的假肢，家里花了 8 万元，等她长大成人还需要再装两个大的胳膊假肢。伊斯顿一听，心里说：“谁能买得起那么贵的假肢呢？”除了价钱贵之外，这个假胳膊上连的机械手功能非常有限，上面只有一个感应器，只能做一种运动。相比之下，伊斯顿设计的机械手臂装置就灵活多了，还有 5 个灵活的手指。就在那个地方，就在那一刻，伊斯顿决定设计创造一个新型机械手臂，使用简单，功能实用，价格便宜，大家都买得起，从而帮助那些像那个小姑娘一样失去胳膊需要装假肢的人。

伊斯顿回到他的卧室兼实验室，打造出来一个完整的机械手臂，能够复制人类手臂的动作和力量，但更加令人惊奇的是，他想出一个好主意，为手臂配一个脑电波头戴式设备，将脑电波转化成蓝牙信号，来控制这个机械手臂。（这些东西并不只是科幻电影里才有。）这个机械手臂比小姑娘花 8 万美元买的假肢轻 1/3，力量却强大得多。事实上，一个人用这种机械手臂能提起 150 千克重的东西！和过去假肢的性能相比，这是多么巨大的改进。那么你猜猜伊斯顿发明的新型机械手臂成本是多少？跟那个 8 万美元的假肢相比，功能强大这么多，价格肯定应该更贵对不对？然而，恰恰相反，这款假肢便宜多了。2 万美元？ 5 000 美元？ 1 500 美元？只要 250 美元！

18 岁生日前那个夏天，伊斯顿受到美国总统奥巴马的接见。随后，伊斯顿到美国国家航空航天局位于休斯敦的约翰逊太空研究中心实习，由他领导一个团队研发机器人技术，用于国际空间站。到了 8 月底，伊斯顿就待不下去了，心里想：“我要离开这里，这些家伙做事太慢了！”他非常想制造自己设计的东西，可是这里有太多层级的官僚机构，需要一级一级批准。于是他又回到家里。伊斯顿开始打造一个机械外骨骼，这是为他所在高中的一个男孩设计的，那个男孩出了车祸，腰部以下瘫痪。伊斯顿希望他穿上机械外骨骼，能够自己行走，参加毕业典礼。

我一看到伊斯顿研发机械外骨骼的报道，就想我一定要联系上他。我一直在跟最近大规模枪击事件的幸存者一起合作，包括康涅狄格州牛顿市和科罗拉多州奥罗拉市的两起枪击事件。我帮助很多幸存者改变他们的人生，在人生蒙受如此巨大损伤之后能够重新振作起来，重新正常生活。其中一位是阿什利·莫泽，她是个怀孕的妈妈，亲眼看着那个发疯的杀人犯杀死了她6岁大的女儿，然后掉转枪口指着她。两颗子弹射穿她的肚子，杀死了肚子里还没有出生的孩子，也让她腰部以下瘫痪。我遇见阿什利的时候，她满脑子都是自杀的想法，我用飞机去接她的家人和医疗团队来参加我们“释放内在力量”的活动，我们一起努力，想要创造出一种环境，让这个可怜的年轻妈妈能够开始她的情绪治愈过程。

我很希望阿什利能够重新行走，于是我联系伊斯顿，提出要赞助他的研究计划。从那以后我们两个就开始业务合作了，想要创造发明出一种低成本的假肢装置，能够用到全世界，让很多人用了这种机械手臂，人生从此发生巨大变化，不管他们住在哪里，不管他们有多少钱，都能装上这种机械手臂。这就是伊斯顿的使命。

伊斯顿的另外一个使命是，向全世界的年轻人传播他的想法，所有年轻人都能成为高科技的创造者，而不只是消费者。“每个人都可以成为创造者。”伊斯顿说，“只要能上网，能用上3D打印技术，那么小孩子想做什么都能做到。他们不必在思想上受限于‘我必须得去上大学才能成功，除此之外根本没有别的路’，其实你真的有很多其他选择。”

毫无疑问，伊斯顿·拉切贝尔是一个非凡的人物，也许称他为天才都不为过。但是你认为世界上还有多少个伊斯顿这样的天才少年，在印度、坦桑尼亚、澳大利亚、塔吉克斯坦、乌拉圭、新加坡，天天挂在电脑上，梦想着找到办法来改善我们居住的这个世界？伊斯顿用开源的技术来分享他的第一个机械手臂设计，这样全世界的人都能够模仿、改进，只要他们愿意做就能自己做出来。现在我们所有人都可以成为自己的出版者和创造者，通过互联网，跟任何一个人来分享我们的创意。

闸门已经打开，科技创新的浪潮奔腾而来，带来我们这个时代最伟大的革命之一——人们称之为创造者革命，我们这个时代也成为创造者时代。伊斯顿·拉切贝尔，只是创新大爆炸的众多前沿人物之一，正是科技迅猛发展进步才让无数个人成为自主创新者。克里斯·安德森，3D 机器人公司的首席执行官，他将此称为“新工业革命”。现在全世界的人想学什么都能学到，原来只有考上哈佛大学、麻省理工学院、斯坦福大学这些世界名校才能学到的东西，现在全世界的任何人只要上网都能学到。每个人只要上网就可以跟世界上最好的老师进行互动，而且是一对一交流，比大学里的学生上课交流更加紧密，分享想法，分享技术，制造设备，提供服务，这些东西过去要花费好几百万美元，现在只要几百美元就可以得到了。

每一年，创新者大会都会在全美各地召开，参加展会的创新者多种多样：发明者、业余爱好者、工程师、学生、教师、艺术家、企业家，他们一起来到这个“地球上最伟大的创新者秀”。2013 年，全球共举办 100 场创新者大会，超过 54 万人参加。创新者传媒是创新者大会的创立者，2014 年 6 月 18 日，时任美国总统奥巴马在白宫主持召开一场创新者大会。有个 5 米多高的机器人斑马，名字叫鲁塞尔，和总统热情打招呼。奥巴马参观了一个 12 平方米的可携带房子，还玩了一下用香蕉制造的键盘。奥巴马总统会见了来自旧金山的马克·罗斯，当他还住在无家可归的流浪汉收容所里的时候，他就开始到当地的科技市场学习如何使用 3D 打印机和激光切割机。16 个月之后，他自己创办了一家激光切割企业，现在开展一个培训项目，给那些想要重新开始创业的人培训高科技实用技术。

奥巴马还公开称赞北卡罗来纳州两个十一二岁的小女孩，她俩创办了一个机器人公司，而不是像大多数同龄少年那样去送报纸。她们的座右铭是：“只要你能想象到，你就能做到，无论它是什么。”

“这句座右铭非常适合美国人。”奥巴马对观众们说，“美国是非常能想象的国家，想象用铁路连接一整个大洲，想象把电力送到所有城市和乡村，想象摩天大楼直入天际，想象用互联网让你我紧密相连。”奥巴马呼吁每个公司、大学、社区都要支持这些创新者。“如果我们这样做，我们就会创造出更多好工作，再过几年就能做到。我们就能创造出一些全新的行业，我们以前根本想象不到。”

创新革命正在逐步成为现实，推动创新革命的力量是新技术大爆炸和网络大扩张。10年之前，互联网只连接5亿人，现在互联网连接20亿人。专家估计，只要再过6年，就会又有30亿人加入互联网，那么互联网就会连接50亿人。想象一下，50亿人在互联网上，会在这个星球上激发多少新的联系，会释放多少创造力，联网的力量会有多大！最早的互联网，只是军事机构和科研院校之间联系的互联网，后来成了公司的互联网，再到后来成了创意的互联网，最后有了社交媒体就成了人际关系的互联网。现在的互联网是万事万物的互联网。电脑和感应器可以植入日常使用的物品之内，相互传递信息。机器跟机器之间互联，机器又跟我们人类互联，把所有的人所有的事物互相联结成一个强大的全球性网络。3D打印技术正好是一个代表性技术，可以说明这种互联网会如何改变和扩张，远远超越我们最狂野的梦想。

3D打印：从科幻小说到科学现实

还记得吗，在电影《星际迷航》里，企业号飞船上有复制机，能够无中生有，把能量转化成特质，凭空合成出来汉堡包和热咖啡。不过，科学家说，我们再过不久就可以创造出真正的复制机了！我们已经讲了很多3D打印，但是你可能很难理解这是一种力量多么强大的技术，除非你亲眼看到3D打印的实况才会相信。3D打印其实是一个代表数字制造的短语，含义很广。“打印机”实际上是一个迷你工厂，用计算机文件作为蓝图，一层一层地创造出三维立体物体，3D打印机可以使用至少200种液体或者粉状材料，包括塑料、玻璃、陶瓷、钛、尼龙、巧克力，甚至活细胞。用3D打印机能制造出什么东西？更好的问题是，用3D打印机不能制造出什么东西？到目前为止，用 3D 打印机能制造出来的东西有：跑鞋、金项链、飞机零部件、餐具、比基尼、吉他、太阳能电池板——更不用说人的气管、耳朵、牙齿。你知道，有些 3D 打印机体积很小，一个小孩子的卧室就能装得下，能够把一层又一层的合成糊状物变成一个能够有效发挥功能的假肢。在中国还有一种体积很大的 3D 打印机，一天能够打印出来 10 套房子，用的是一层又一层的混凝土与可回收建筑废物的混合物。成本？一套房子只需要 5 000 美元，而且几乎不需要劳动力。

也许更重要的是，美国国家航空航天局和“美国制作”这家 3D 打印公司合作，应对人类最大的挑战之一：避难所需要，特别是紧急避难所。当发生自然灾害，例如龙卷风、海啸、地震等，会一下子需要面积很大的避难所。想象一下，用 3D 打印机，现场打印出来房子，使用当地的材料，只用几个小时，而不是几个月就能完工，那会造福多少受灾的人。这项技术的作用，如果有效使用，简直是无限大。

有一天，也许你不用离开家门一步，就能打印自己合身的蓝色牛仔裤。与此同时，地处喜马拉雅山脉的山村，能从云端下载样式，打印出来工具、水泵、教学用品，当地人需要的东西都可以打印出来。你也可以打印出来空间旅行飞船，当然，3D 打印这种新科技来了，有些旧技术就会毁灭，有些老行业可能就消失了。将来五金配件商店就没有多大的存在必要了，因为很多零件都可以用 3D 打印，是不是？货物运输因此也会大大减少。这对于我们的星球肯定是件大好事，但是如果你是个卡车司机，那么对于你来说情况就不太妙了。专家预测，美国 350 万个卡车司机会失业，因为将来会有机器人自动驾驶卡车，能够每天 24 小时运行，而要是人来驾驶，开上 8 个小时就必须休息。而且你根本不需要付给司机工资，你只用投资一辆自动驾驶的卡车就行了，司机是随车免费赠送的。

随着旧行业的消失，新的行业就会出现，我们要训练思维模式来拥抱改变，来满足新型经济的需要。

3D 打印技术只是高科技中的一项而已，还有很多非凡的科技正在发展进步，将会改变你的生活品质。纳米科技、机器人、组织再生，这三项技术也非常值得关注。要是你还搞不懂为什么我们要讨论上面这些东西，我告诉你，因为我们知道，科技发展进步为我们目前很多最紧迫的问题提供了解决方案，不管未来是什么经济季节，不管我们经历通货膨胀还是通货紧缩，不管是战争还是和平，科技发展进步都会持续不断地发生。

听说过人口浪潮吗？婴儿潮一代出生的有 7 700 万人，这一代人的消费支出推动美国经济增长了好几十年。但是现在每天都有 10 000 个婴儿潮出生的人年满 65 周岁，这就形成了一种潜在的退休危机浪潮，因为他们大多数人都没有存下足够几十年退休生活支出的一大笔钱，也根本没有养老金。

有一股债务浪潮正在美国这个国家内部形成，比历史上任何时候的债务规模都要大：17 万亿美元债务，还有 100 万亿的没有资金支撑的支付责任，包括医疗保障制度、医疗补助方案、社会保险计划，以及美国政府

图 44–2

的其他承诺。

还有一股环境浪潮也在形成，尽管可能你并不相信气候变化。但是很明显，现在我们所居住的陆地气温过高。不管人口浪潮、债务浪潮和环境浪潮有多大，科技浪潮都会更大，并承诺能让所有的船都升起，带领整个世界进入更加富足的未来。

我想这些技术的潮流倾向比任何问题都重大，那是在我最近举办的一次经济研讨会上，未来学家和风险投资家胡安·恩里奎斯说，尽管每个人都担忧朝鲜战争和冷战，但那时人们还是发明了晶体管，尽管每个人都担忧“二战”，人们还是制造出了抗生素。大多数这些进步，都对你的生命有更加重要的影响，影响比战争还要大，比那些政治和经济的起起伏伏还要大。

我们的问题一波接一波地冒出来，但是解决方案也一波接一波地冒出来。

我在巨大的生命浪潮上冲浪。

——威廉·夏特纳

科技创新像波浪一样呈指数型增长，对于这个看法的了解，没有能胜过我的好朋友雷·库兹韦尔的，他是个发明家，又是作家，又是企业家。作为我们这个星球上的最强大脑，大家称他为我们这个时代的托马斯·爱迪生。不过你可能从来没听说过他的名字，除非你是一个特别喜欢收看 TED 演讲的人，或者你研究过谷歌的团队成员组成，你才知道他是谷歌工程设计部门的头儿。不管你是否知道他这个人，雷·库兹韦尔在很多方面都影响了你的生活，比你能想象的还要多得多。你用手机播音乐，或者用电脑播放网上的音乐，或在任何地方听到数字设备播放出来的音乐，你都要感谢这个人——是他发明了第一首数字音乐。如果你用 Siri（苹果手机上的语音控制功能）语音输入一封电子邮件，或者用的是语音转换文字系统，那么你要知道这些发明都是雷·库兹韦尔的功劳。

我记得，大约20年前，我第一次听到雷·库兹韦尔描述的未来，我很震惊，这听起来好像是魔法一样遥不可及，但是现在都成了现实，就在身边：汽车自动驾驶；电脑可以击败世界上最厉害的象棋大师。雷·库兹韦尔发明了光电符号识别系统，就是我们常用的扫描文字识别，给盲人创造出来第一个阅读机器，歌手史蒂夫·汪达是他的第一个客户。现在他想帮助盲人识别街道标志，在城市里自主穿行，不需要别人的帮助，进入餐馆可以自己"看"菜单点菜，只用一个香烟盒大小的装置就行了。雷·库兹韦尔告诉我这一切发生的准确年份是：2005年。

"现在是1995年，你怎么知道10年之后能够实现呢？"我问他。

"你不明白，托尼。技术是能够自己喂养自己的，技术发展进步会变得越来越快。技术发展进步是指数型增长的。"

雷·库兹韦尔给我解释了技术进步的摩尔定律。最初是摩尔发现计算机处理能力每两年就会翻1倍，而成本以同样的速度下降，每过两年下降一半。但是后来人们发现，摩尔定律不仅仅适用于电脑芯片，还可以应用到所有的信息技术上，最终可以扩大应用到我们生活的所有方面。

这意味着什么？有些东西不是线性增长或者代数模式增长（1、2、3、4、5、6……），而是指数型增长（1，2，4，8，16，32……），所以你会看到增长速度变得越来越快。但是我们发现，这个概念难以理解，因为这不符合人类天生的思考方式。

"首先，指数型增长跟我们的直觉有很大的不同。"雷·库兹韦尔说，"我们对未来有一种直觉判断，像在我们大脑结构定型一样，我们会自动这么想。1 000年前，当我们穿过非洲的草原，从眼角看到有一个动物冲着我们跑来了，我们可以做出线性预测，再过20秒，这些动物会来到什么地方，我们应该怎么应对，逃跑还是战斗。但是如果那个动物的速度是呈指数型增长的，一开始很慢很慢，逐步加速，然后突然之间一下子就到了另一个地方。"

彼得·戴曼迪斯用另一个比喻解释指数型增长："如果我告诉你'走线性30步'，你走30步一般就是30米远。但是如果我告诉你'不是走线性 30 步，而是走指数型 30 步’，猜猜你能走多远呢？ 10 亿米，你能猜得到吗？这相当于绕地球 26 圈。”

雷 · 库兹韦尔说，明白了指数型增长，就可以预测出增长的轨迹。他知道，什么时候科技进步会追上他的展望。他预测到了他的第一个盲人用口袋型阅读器和其他产品的投放日期。雷 · 库兹韦尔经常在我组织的论坛活动上发表演讲。最近一次他在演讲中告诉我们，他是如何准确地预测到人类基因计划全部完成的时间的，这可是我们这个时代一个不可思议的发现。

“在 1990 年人类基因计划刚刚开始的时候，我就预测人类基因计划会在 15 年内完成，因为我意识到这个进程将会是指数型的。”但是那些怀疑的人认为需要 100 年才能揭开复杂的人类基因密码。过了 7 年半，到了 1997 年，人类基因计划只完成了 1%。雷 · 库兹韦尔说：“那些怀疑的人变得更有理由怀疑了，他们说‘我告诉过你，15 年肯定不行。现在一半时间过去了，才完成了 1%。这真是非常失败’。”但是雷 · 库兹韦尔指出：“这并不是失败，这完全是按照计划正常进行！”指数型增长一开始速度很慢，你会怀疑，这些小小的数字能行嘛，看起来好像什么增长也没发生一样。但是等你实现了 1%，你离百分之百地完成只差 7 次翻倍了。人类基因计划在 2003 年成功完成，比预测的 2005 年提前 2 年。

那么，接下来还会有哪些重大的技术进步？我们前面讲了，如何用组织细胞让病人重新生长出自己的皮肤，没有痛苦，也没有疤痕，还有我们如何能够征服太阳能和风能，未来给我们提供丰富的能源。但是我们面临的其他巨大挑战是什么？

缺少淡水是地球上干旱地区疯狂增长的人口最关注的问题。现在全世界到处都缺水，从加利福尼亚州的洛杉矶到尼日利亚首都拉各斯，按照联合国的统计，全球每年有 340 万人死于水源性疾病。但是从澳大利亚到沙特阿拉伯都在开发新的脱盐技术，把海水变成自来水。以色列有一家公司叫“水创”，研制出一种机器，能从空气中提取出来干净的水，使用 2 美分的电力，就能产生出 1 升水。在偏僻遥远的村庄，没有电力，可以使用新型水塔，运用自身的独特造型和自然材料，就可以抽出空气中的潮气，把潮气转化成饮用水。

令人震惊的发明家迪恩·卡门发明了赛格威平衡车，从此名扬天下。迪恩·卡门跟可口可乐公司合作为全世界提供干净的饮用水。用一台能效很高的机器（大小跟集体宿舍用的冰箱差不多）把脏水蒸发，然后变成又干净又安全的饮用水。这家公司给这台机器起名叫“弹弓”，人类像戴维一样小，问题像巨人歌利亚一样巨大，但是解决方案像戴维的弹弓一样，虽然很小却能让戴维战胜歌利亚。有了上面这些创新，不久之后，人类用水短缺的问题就会得到解决。

雷·库兹韦尔说，新的食品技术正在涌现出来，会克服人类在食物方面面临的两大挑战：可以耕种的土地太少，农业污染太严重。怎么解决呢？改用横向种植，而不是垂直种植。雷·库兹韦尔展望未来15年会是这样的：“我们种植植物不是像现在这样用竖直方法，而是在水平方向，而且我们可以不用屠宰动物就能有肉吃，就是试管内克隆肌肉细胞，在计算机化的工厂生产肉，所有这些生产，成本非常低，但营养价值很高，对环境也不会产生影响。”不用杀虫剂，也不会因氮肥施用太多而造成污染。没必要杀死动物来获得蛋白质。这听起来简直不可能，但是库兹韦尔说，这是真的，就快要实现了。

这些人类的基本需求得以满足之后，人类就有机会实现自己更多的抱负，特别是如果我们能战胜另外两大挑战——健康和衰老。雷·库兹韦尔相信我们也能够解决这两个挑战。这样的话，人类的自由就大多了，能够自我实现的地方就大多了。

年龄，是个思想的问题，而不是物质的问题，如果你根本不在意，年纪就根本不重要。

——马克·吐温

我们谈论的这些变化都是革命性的，但按照胡安·恩里奎斯的看法，科学技术进步带给未来健康医疗保护的变化比别的方面更让你震惊，生命其实就是信息技术。怎么会是这样？好了，我们都知道，我们的基因就是 4 种化学基质构成的序列，编码分别是 A、C、T、G。还记得小学生的生物作业吗？换句话说，生命本身的构件可以用代码来表示，而这些代码是可以改变的，也可以创造出来新的代码。就像制造出来人工生命一样，这正是克雷格·文特尔这位人类基因研究先锋 2010 年就做到了的事。胡安·恩里奎斯也是这个团队的成员。

最近在我组织的一次大型论坛上，我邀请胡安·恩里奎斯发表了演讲。我问他："你和克雷格·文特尔是怎么想出来创造人工生命这个主意的？"

他呵呵一笑，说："有一天，我们一大堆人在弗吉尼亚州一家酒吧里喝酒，喝了第四杯威士忌之后，有个家伙说：'如果你能从一无所有利用编程设计出一个细胞，就像你从一无所有利用编程设计出一个计算机芯片一样，那会多酷啊？这样做需要什么？'"他停了一下然后说："这只需要 5 年，投入 3 000 万美元，就能设计出来。"首先他们从微生物里提取所要的基因，然后再植入一个新的基因代码，这个微生物就变成了一个完全不同的物种。与此同时，这是一个新的生命形式，有个网址就嵌在他的基因代码里。正如克雷格·文特尔宣布这项惊人的颠覆性创新时所说的："这是我们这个星球上第一个自我复制的物种，它的爸妈是一台电脑。"

雷·库兹韦尔解释道：我们的记忆就像软件程序一样，可以改变，从而像控制开关一样开始或者结束人的行为。这意味着什么？在未来我们可以用细胞做一个小机器，对它们编程来制造其他东西，包括自我复制出更多和它们自己完全相同的东西。"这种软件可以制造出自己的硬件。不管我如何把一台 ThinkPad 电脑编程，第二天早上我也还是只有一台 ThinkPad，但是如果我把一个细菌进行编程，第二天我就会有 10 亿个细菌。"胡安说。

这听起来很疯狂，好像科幻小说里才会有的东西，我只能一再提醒自己，这不是科幻小说。这种技术已经用来制造衣物。"你现在穿的适合的、有弹性的衣服，像安德玛这个牌子的运动服，是吧？”胡安说，“现在所有这样的衣物，都是用细菌制造出来的，而不是用石化产品制造出来的。”在日本，用细菌培养出来的合成丝绸比钢铁还要强韧。农场里饲养基因改变过的动物，已经用来作为医疗工厂。在新英格兰有这样一个牧场，那里的牛奶可能能够治疗癌症。

人的头脑能够感觉到并相信能做到，人就真的能做到。

——拿破仑·希尔

我告诉过你，这是一个全新的世界，你会踏上一个狂野之旅。纳米科技和3D打印技术的进步，意味着将来会有一些医疗设备像血细胞一样小，有一天可能会在你的身体内游走，来和帕金森病和阿尔茨海默病这样的疾病做斗争。纳米量级的计算机插入物将会替代那些疾病摧毁的生物神经细胞。使用微型耳蜗植入物，不但可以恢复人的听力，还可以提高人的听力，让人类能听到的频率像鲸鱼歌唱的频率一样广。按照雷·库兹韦尔的说法，现在有些工作已经完成了，能创造出基因强化血液红细胞，有一天能够携带足够多的氧气，让潜水员吸一口气就能在水下持续待上40分钟，用在战场上就能挽救受伤严重的战士的生命。

现在科学家正在研究，使用3D打印机创造出量身定做的器官和其他身体部位，及时满足你的需要，从而消除危险又昂贵的捐赠器官移植。安东尼·阿塔拉医生是苏醒森林再生医药研究所的所长，他说：“从理论上，任何体内生长的东西都能够在体外生产出来。”阿塔拉医生在实验室里创造出有完全功能的人造膀胱，并完成了移植。最近15年，从干细胞生长出来的人体组织，移植后没有一例受到身体排斥。阿塔拉医生和其他人正在努力培育更加复杂的器官，像心脏、肾、肝。也许将来某天，如果你得了心脏病，或者你的心脏瓣膜受到病毒损坏，你的医生可以为你定制一个一模一样的新的心脏瓣膜，或者可以用你的一些皮肤细胞，为你培养出一颗新的心脏。

将由机器人完成，也就是有一半人会失业！这意味着，我们整个社会必须重启，给每个人创造出有意义的工作，也就是说，我们每个人都必须学习掌握新的技能。这会是一个困难的转型，这一点毫无疑问，但这是必须完成的。

但是，如果将来工作本身都消失了，由电脑来完成所有的工作和大部分的思考，那么会发生什么样的情况？我们人类要做的就是，坐在自动驾驶的汽车上到处逛，每天等着无人机送来快递。没有压力就没有动力，没有挑战就没有进步，我们什么压力都没有，也就没有相应的推动力了，那可怎么办？这是一个很有趣的问题。

十多年前，我和雷·库兹韦尔讨论过这个问题，他给我讲了一个故事。那是他小时候看的电视剧《阴阳魔界》，这是一个很有趣的系列电视剧，每一集最后总是会有一个令人毛骨悚然的转折，其中一段情节是：有个人爱赌博，死了之后，又醒来了，看到一个友善的“向导”，穿了一身白色的制服，站在他的旁边。这个向导是个天使，更像一个男管家，带他来到一个豪华的赌场，这肯定是赌徒才会想象出来的天堂。他领着这个赌徒进入一个超级豪华的包间，这个赌徒打开橱柜，发现里面都是超级奢侈的西服套装，还有超级高档的鞋子，这些衣服和鞋子穿上去都很合身，效果非常好。他的向导打开一个抽屉，里面装满钞票，比他以前看过的所有钞票加在一起还要多得多。于是这个赌徒穿戴打扮好，走到楼下，来到赌桌旁坐下，每个人都知道他的名字，每个人都对他微笑。许多比超级模特还要性感、还要迷人的漂亮女人围着他。帅气、多金、受人尊重、美女围绕，这是他的人生终极梦想，现在全都有了！开始赌吧！这个赌徒开始玩21点，第一把就拿到了21点。这简直太棒了！他一下子搂过来桌子上的筹码，心想：都是我赢的啦！第二次，又是21点。第三次，还是21点。连续十次，他都拿到了21点！这简直太棒了！这个赌徒又去玩骰子，还是赢赢赢！他赢了大量筹码。赢了这么多，当然得花了，随意点更多的酒、更多的牛排、更多的女人。想要的一切都有了。玩好、吃好、喝好后去睡觉了……我们都知道，他肯定不是一个人睡的，他这一夜过得非常开心。

如果你财力足够的话，有些奇迹般的治疗手段现在就能使用。有一种东西叫作“细胞外基质”（ECM），是用猪膀胱上的细胞做的，可用于受到伤害的人体组织上。这个母体能吸引我们自己的干细胞，再长出来肌肉、肌腱甚至骨头。现在已经用这种母体再生出手指了！这种非凡的物质现在已经存在，但是费用很高，还不是每个人都能用得起的。但是，很快就可以了。

再生医疗背后的概念非常简单：我们的身体知道如何再生出自己的各个组织器官，我们只需要知道如何启动这些就在我们体内的干细胞，使其开始生长就行了。我们知道，乳牙掉了没关系，会再长出一口新牙。但是你能想到手指也会再生吗？根据匹兹堡大学斯蒂芬·贝狄拉克博士的研究，一个新生婴儿如果失去一根手指，那么在原来的位置，过两年就会再生出一根同样的手指。随着年纪增长，人就失去了这种组织再生能力，所以问题就是我们怎么刺激出来这种再生能力。蝾螈能够重新长出尾巴，为什么人类不能重新长出四肢或脊髓？如果我们找到办法能够完全掌控干细胞的所有能力，那么它在医疗和整形美容的应用前景将会无限大。

雷·库兹韦尔说，如果我们想要以后充分利用这些医疗技术上的突破创新延长寿命，那么我们最好现在就要照顾好自己的身体。这个想法其实就是要让自己活得足够长，能够活到技术实现的那一天。如果你是2000年之后出生的“00后”，你应该会享受到这些创新医疗技术的好处。如果你是婴儿潮一代出生的人，现在已经50多岁了，你最好赶紧去买个椭圆机开始健身，还要开始合理饮食，好好爱护你的身体，让自己活到人体器官再生技术实现突破的那一天。雷·库兹韦尔甚至和一位保健医生合作写了一本书《超越：迈向生活永生的9个步骤》，告诉大家一些方法保持身体健康，利用医疗技术突破的力量，大大延长你的寿命。

雷·库兹韦尔最近的目标是，至少活到看到电脑变得比人脑更聪明的那一天。这一天很快就要到来了。

把人脑变成电脑

人类要花好几个小时才能吸收理解的东西，电脑只用几秒就可以做到。但是到2020年，按照雷·库兹韦尔的说法，一个1 000美元就能买到的电脑，能力完全比得上人类的大脑。到2030年，一台电脑就能处理的知识相当于地球所有人类大脑掌握的知识总和。

到那个时候，我们就辨别不出人类智能和人工智能之间有什么差别了，雷·库兹韦尔说。但是我们没有什么好害怕的。为什么？因为那时的电脑就成了我们人体的一部分，让我们更聪明，更有力，更健康，更快乐。你觉得这种事情不可能发生吗？要是你的手机不在身边，你会有什么感觉？有点儿失落，是吧？这是因为科技还有依附于它的互联互通，已经成了我们生活的一部分。手机成了我们的“外置大脑”，因为手机成了我们的便携记忆中心，储存了我们太多的个人信息，导致我们根本离不开手机。未来20年，我们也许会从移动手机发展到可穿戴设备，再发展到可植入设备。

所以你可以想得更远一些。想象一下未来会是这样的世界——你根本不需要读书，你可以把本书的内容下载到你的大脑里。哈哈，我怀疑你希望这种技术现在就能成为现实，特别是你要阅读这么厚的一本书，要是能把它一下子下载到大脑里该有多好啊。你还可以想象这样一个未来的世界，你可以把你的思维、你的想法、你的个性，上传到云端，永久保存。到了这个时候，大概就是雷·库兹韦尔和其他伟大的思想家和未来学家相信的人和机器融合的时代了。这个史诗般的时刻被称为“奇点”，这可是让那些技术宅男狂喜的时刻。这种事情什么时候会发生？雷·库兹韦尔预测，奇点会在2045年左右到来。

> 那些知道“为什么”活着的人，
> 遇到千难万险，都能承受。
> ——维克多·弗兰克尔

如果科技解决了我们资源短缺的问题，我们就会更加安全
由，更加快乐吗？肯定是的。正是资源短缺激发出人类的生存本
了人类爬虫脑的深层部分，它让你相信，这些东西要么是你的，
的。这种不战即逃的机制，能帮助我们活下来，但是也会带来
明”社会最坏的一面。我们现在拥有的大脑，有200多万年的
而大脑进化并没有那么大的提高，所以侵略和战争总是人类的
资源短缺减少，引发暴力攻击的事件也就减少了。

统计数据表明，能得到更多的科学技术，会让人更快乐。
调查表明，1981—2007年，调查覆盖的52个国家中，有45个
指数提高了。这是因为什么？你猜对了，就是数字革命。科技
世界扩散，这个报告称其为“从工业社会到知识社会的转型”。
家如此解释这种幸福指数的增长：“经济发展，民主化，提升社
这三个因素增加了人们感觉自己拥有自由选择的程度，相应地
范围内人们普遍感到幸福水平更高。”同样也是这个调查表明
的钱并不能让人更快乐，有些最快乐的人反而生活在最贫穷的
在菲律宾的人就觉得自己比生活在美国的人更快乐。快乐更多
关，而不是和国内生产总值相关。

我们都知道，那些维持生存的劳动，剥夺了我们最宝贵的
间。还记得我前面说过，不久之前，大多数美国人还都是农
时间花在种地上，不种地就没有饭吃；现在我们每天的时间，
到足够食物养活自己的时间只占7%。有了更多科学技术的帮
能有更多的自由时间，这意味着我们就有更多的机会学习、成
通、给予，所有这些追求都让我们作为人类能够更加圆满地实
就自己，满足自己。

我们得到更多的自由时间，有利也有害。不利的那一面是

人工智能和自动化设备将会承担越来越多由人来承担的
大学的一项研究发现，现在美国劳动力市场上47%的工作，
化的危险。实质上牛津大学专家的意思是，现在所有的工作

以后的日子天天都是这么幸福快乐，想要什么就有什么。就这样过了一天又一天，几个月后，他又去玩 21 点，那个发牌的庄家说："21 点。"

这个赌徒大叫："当然是 21 点。"

庄家说："21 点，你赢了。"

"当然是我赢了！我总是赢赢赢！，我都烦死了！我每次都赢，不管什么时候都是我赢！"这个赌徒大声抱怨，看着那个给他当向导的白衣天使，他要求跟天使的首领对话。

天使的首领来了，这个赌徒开始长篇大论地大声指责抱怨："我都烦死了，我都要疯了！你知道这是怎么回事吗？肯定有什么地方出错了。我不是那么好的人，我肯定来错地方了。我根本不配住在天堂里。"

这个天使首领脸上的微笑突然凝固了，他说："你怎么知道你是在天堂？"

如果我们不费吹灰之力，就得到我们想要得到的所有东西，那么会发生什么情况？过了一阵子，我们就会觉得像是身处地狱一样难受，是不是？这样我们就会面临一个新的问题：生活在一个物质极大丰富的世界，我们到哪里能够找到活着的意义？所以，也许到了将来你的问题就不是短缺了。解决方案并不只是物质的极大丰富。正如彼得·戴曼迪斯所说的："物质上的极大丰富，不能提供给地球上的每一个人极其丰富的人生，而是提供给所有人拥有无限可能的人生。"

所以，在最后这几章，让我们来看一看，能给你人生永恒意义的核心是什么。有些东西能给你带来快乐，不管你是面对巨大的挑战，还是面对非同寻常的机会；有些东西能够成为你力量的源泉，不管是在经济困难时期，还是在物质极大丰富时期。让我们揭开成就和意义的终极财富，让我们学会使用激情的财富。

第45章 激情的财富

只有在激情奋斗时，人才是伟大的。

——本杰明·迪斯雷利

我们一起走了很长的路，是不是？这是一段不可思议的冒险旅程，我非常尊重，非常感激你能够选择和我一起走过这段旅程。

现在，你穿过了那些金钱上的迷思，让它们不再阻挡你通向财务自由之路。你攀爬上财务自由这个财富高山的顶峰，靠的是成功的储蓄和投资，一路坚持，终于实现了你的财务梦想。你学会了新的方式，让你能够顺利而平滑地到达安全又有保障的未来。在那里，你工作只是因为你想要工作，而不是为了赚钱养活自己不得不去工作。

你遇到了一些杰出人物，他们在金融投资上的赚钱能力非凡出众，为人处世品格高尚，努力奉献社会也做得非常好，比如瑞·达利欧、保罗·都铎·琼斯、玛丽·卡拉汉·厄道斯、卡尔·伊坎、戴维·斯文森、约翰·博格、查尔斯·施瓦布，以及其他几十位卓越人士，这些人来帮助指导你走好自己通向财富自由之路。我希望，你阅读本书学到的简单7步投资法，在你的一生中，能够一次又一次地重新阅读、重新回顾、重新学习，让你能够保持对准你的目标，在正确的方向上前进。同时我也会在这部分的末尾，给你提供一个行动清单，帮助你追踪和保持你的前进步伐。将本书所讲作为一种方法来保证你能持续遵守那些基本的原则，以确保你获得财务自由。将来需要的话，重新拿这本书，重新回顾书中的内容，也许就是一种有用的方法，它能提醒你自己，你不是周围环境的创造物，你是自己人生的创造者。记住，知识不是力量，行动才是力量！每一周的每一天，执行都远远胜过知识。

对于我来说，这个旅程是过去几十年学道和传道的顶峰，本书纯粹是我出于爱而心甘情愿的工作成果。本书是我发自内心想要奉献给你的礼物，我希望你能够做得很好，好到你把这份礼物传递给其他人。因为人生最伟大的礼物，就是能够为了某种超越自己生命的东西而活：这份遗产在我们去世之后还会继续增长。

我们快要一起完成这趟旅程了，我希望确认，在我离开你之前提醒过你，我做所有这一切都是为了什么。

我非常荣幸，能够跟各界人士共同合作，包括政治、金融、娱乐、体育等领域的人，也包括宗教和信仰这些精神世界里的人。我曾经在中东开展项目合作，在那里，我把年轻的以色列人和巴勒斯坦人聚到一起，在约旦河西岸组织了一个领导力训练营。一开始，他们彼此表示深切痛恨，但是不到一个星期，他们就成为很好的朋友了。（而且，此后他们在很多和平计划行动上互相支持。）

我从小接受的教导是，没有得到快乐满足的成功是终极的失败。

重要的是，要记住你真正追求的是什么。感觉到快乐、自由、安全和爱，不管你怎么称呼它，就是那种感觉。我们每个人都要找到一条路，通往快乐、满足、意义。路有很多，有些人寻找快乐是通过自然，有些人是通过人际关系。有些人认为，只有身体健康，拥有金钱、学历、优秀的孩子和伟大的商业成就才会让自己感到快乐。但是我们的灵魂深处都知道，真正的财富并不只是你的银行账户存款数字的大小、你拥有的资产规模大小，物质财富并不代表精神财富。

那么，最终的秘诀、富足人生的关键是什么？享受人生，分享人生！但是首先你必须采取行动。俗话说得好，如果你所学的东西只能导向知识，你就学成了傻瓜，如果你所学的东西能够导向行动，你就会变成富人。记住，只有行动才有回报。

所以，在你放下本书之前，复习一下最后的检查核对清单，确认你牢牢记住了通向财务自由之路的这简单的7步，而且你正在路上跟着所学内容前进，正在打造你想要拥有和值得拥有的人生。

检查核对好了，歇口气，放松一下，记住你的目标，所有这些都是为了什么。

财富是一种能力，让你完全体验生命。

——亨利·戴维·梭罗

我们都知道有很多种类的财富：情绪财富、关系财富、智力财富、物质财富，它们体现在能量、力量、活力上。当然我们还有精神财富：感觉到我们的生命有更深刻的意义，有超越我们自身的更高层次的召唤。人类容易犯下的最大错误是，当我们专注于某一种形式的财富时，总是以抛弃所有其他形式的财富为代价。

本书从来都不只讨论钱。本书真正讲的是创造一种非凡品质的生活，就是按照你自己的想法来生活。直到现在，我们一直像调整步枪瞄准镜一样重新校准，我们的目标是精通金钱的游戏，实现财务自由，因为这能对你人生的每一件事产生相当大的影响，从心理到健康，再到亲密关系。但是非常重要的是，你要记住，如果你不能精通亲密关系的游戏、快乐满足的游戏、身体健康的游戏，你就根本不可能过上非凡品质的生活。

成为坟墓里面最富有的人，并不是一个好的人生目标。

我永远不会忘记带我的孩子去看太阳马戏团演出的场景。太阳马戏团来到我的老家加利福尼亚州德尔玛镇演出，那是近30年前的事了。我们很幸运，能够买到贵宾票，坐在第一排，紧挨着舞台，几乎一伸手就能碰到台上的演员。

演出马上就要开始了，我注意到身边还空着三个第一排正中间的好座位。我想："这三个人花大价钱买了这么好的座位，却错过了这么精彩的演出，真是可惜。”但是过了一两分钟，有个体形巨大的人，拄着拐杖，两个人搀扶着他，从楼梯上走了下来，他的体重至少有 400 斤，往下一坐，一个人就占了三个人的座位。他只是走了几步来到前排，就气喘吁吁，浑身出汗。哎，我真为这个人感到难过，也为我的女儿感到难过，因为他那肥胖的身体，从第三个座位里面挤出来，挤向我女儿的身体！我听到后面有人在小声嘀咕，说他是加拿大首富。我仔细一看，他确实是加拿大最有钱的大富翁。但是在那一刻，我禁不住想，他肯定活得很痛苦，都是因为他把太多的注意力放在赚钱上了，忽略了个人健康，有了巨大的金钱财富，却失去身体健康这种身体上的财富。他实际上正在自杀！由于他不能掌控生活中财富之外的其他方面，所以他不能享受他所拥有的东西，甚至舞台上简单而精彩的一场奇妙马戏表演，他也无法正常观看。

我们的内心感受到自身的宝藏，只有在那些时刻我们才可以说我们是活着的。

——桑顿 · 怀尔德

如果你的生活没有平衡，巨大的成就又有什么意义？如果你从来没有时间庆祝和欣赏你拥有的生活，赢得比赛又有什么意义？一个富有的人经常生气，经常不快乐，还有什么比这更糟的事情？真的没有任何借口，但是我看到这种现象经常发生。这是一种极端不平衡的生活造成的结果，一个人想得到的太多，却没有对自己已经得到的东西有足够多的欣赏。对我们已经拥有的东西没有感恩和欣赏，我们就永远无法体验到真正的满足。正如约翰 · 邓普顿爵士所说的：“即使你有 10 亿美元，但是你并不感恩，你就永远是个穷人。即使你只有一点儿钱，但是你对你拥有的这一切充满感恩，那你实际上非常富有。”

如何培养感恩的心？一开始要看清楚控制你大脑和情绪的力量是什么。

我们的决策最终控制着我们的生活品质。这么多年来，我帮助许多人改变了自己的人生，我发现有三个关键的决策是我们生命中每时每刻都在做的。如果我们无意识地做出这三个决策，我们最终拥有的人生就会像大多数人一样身体胖得走形，激情不再，亲密关系变得无聊或者太过舒适，更别提财务紧张了。

但是如果你做出这些决策是有意识的，你就能在一瞬间改变你的生活！这三个决定你生活品质的决策是什么？

人生三大关键决策之一：你关注什么？

生命的每一个时刻，同时会有几百万件事情发生，我们都可以关注。我们关注的事情可以是现在的事物，也可以是未来我们想创造出来的，或者过去的事物。我们可以引导我们的专注力去解决一个巨大的挑战，或者欣赏此刻拥有的美好，或者因为过去那种令人失望的经历而为自己感到遗憾。如果我们没有有意识地引导我们的专注力，我们所处的环境就会不断地提出要求，吸引我们的注意。

有上千亿的资金花在广告上，想得到我们最宝贵的商品——关注。电视新闻为了得到你的关注，会告诉你最可怕的故事："你的孩子喝果汁会死！快看 11 点新闻报道！"或者是其他荒谬可笑的说法。为什么？就像它们在媒体上说的"有流血就有高收视率"。如果这还不够，我们生活在一个社交媒体的世界，你口袋里的手机不断地嗡嗡作响，不停地在呼唤你：快看手机。注意，关键是你的注意力在哪里，你的能量就流向哪里，你的关注模式会塑造你的整个人生。

关注模式有很多，我们来看一看其中的两种，它们能够马上改变你感觉到的快乐、幸福、懊恼、愤怒、压力、满足水平。

第一个问题是，你倾向于更多关注的是你有了什么，还是你的人生少了什么。我可以肯定，你会想这就像一个硬币的两面，但是你要好好看一看你的习惯性想法，你倾向于把你大部分时间花费在什么上面。你更关注得到的东西，还是更关注没有得到的东西？

尽管我们之中那些处于极度困难的人，一生中也有很多东西值得好好欣赏。如果你正在财务上挣扎，也许你应该这样想，即使你每年收入只有 3.4 万美元，在美国只能算是中低水平，但是其实从全世界来看你也属于工资最高的前 1/%，因为全世界所有人口的平均年收入只有 1 480 美元，你的收入水平比全世界平均收入水平高出 25 倍以上，这样一想是不是心里好受多了？事实上，这个世界上接近一半人，总数超过 30 亿人，每天只能依靠不到 2.5 美元的收入维持生活，也就是说，年收入只是略高于 900 美元。在星巴克喝一杯咖啡平均花费 3.25 美元。如果你能付得起，那么你购买一杯星巴克咖啡的钱，就超过这个地球上一半人一天必需的生活开支。

这样你能把事情看得更加清楚明白了，是不是？如果你想占领华尔街，因为你憎恨那些收入属于前 1% 的有钱人，你也许会停下来想一想，照你这样想，全世界其余 99% 的人也想占有你那“糟糕”的生活！

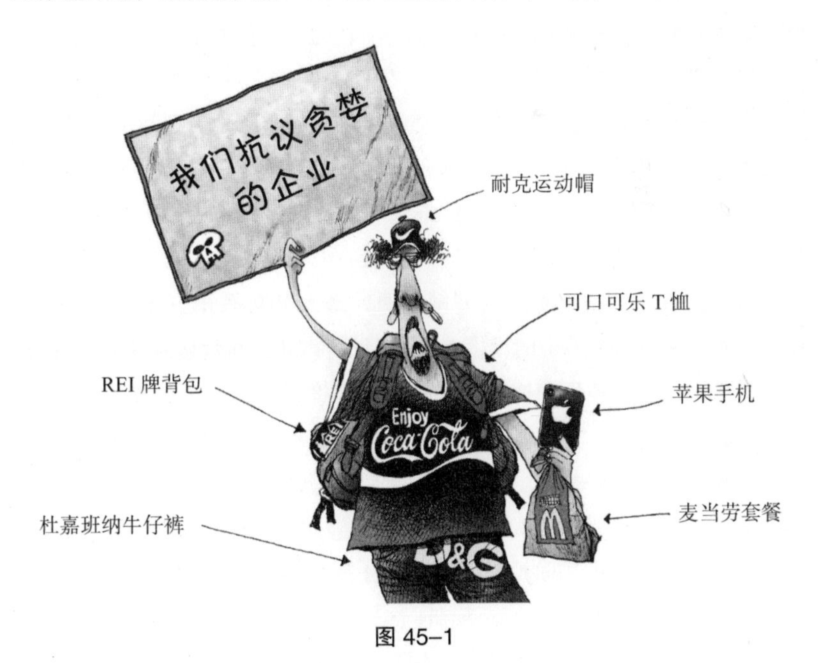

图 45–1

但是非常严肃地说，与其关注我们并不拥有的东西，或者抱怨那些比我们更有钱的人，也许我们更应该知道，我们的生活已经有很多东西值得我们感恩了，而这些东西都与钱无关。好多地方值得感恩：我们有健康的身体、朋友、机会、头脑，我们能在路上开车前行却不用自己修这些路，可以读书却不用自己花费好几年来写这些书，可以上网却不用我们自己去创造如此庞大的互联网。

你倾向于把专注力放在什么地方，是关注你拥有的东西，还是关注你失去的东西？

欣赏你已经拥有的东西，这种模式可以创造出一种新的心理健康水平和财富水平。我猜想，既然你正在读本书，那么你应该是一个注意到你拥有什么的人。但是真正的问题是：你是否拿出时间，从你的身体深处、内心深处、灵魂深处，深深地感到非常感恩？这才是你能够找到快乐和馈赠的地方。只是知识上的欣赏，或者再多得 1 美元、多赚 1 000 万美元，都不能给你带来真正的快乐。

我们来看一看第二个会影响到你生活品质的关注模式：你倾向于关注你能控制的东西，还是你不能控制的东西？我知道，这个问题的答案是依具体情况而定的，你会在不同的时刻有不同的回答，但是我问你的是从总体来看，你更倾向于更多地关注你能控制的东西，还是你不能控制的东西。一定要诚实地回答。

如果你关注的是你不能控制的东西，毫无疑问你在生活中会压力更大。你可以管理你生活中的很多方面，但是你不能控制市场，控制那些你关心的人的健康，你也不能控制你孩子的态度，任何一个人和 2~16 岁的孩子一起生活过的人，都明白这一点。

你可以影响很多事情，但是你不能控制这些事情。我们越是感觉失去控制，越会感觉很受挫。事实上要衡量自尊，可以用我们的两种对比来衡量，对我们自己生活中的事件，我们感觉是我们控制这些事件，还是这些事件在控制我们？

现在，你一开始关注某件事情，你的大脑就要做出第二个决策……

人生三大关键决策之二：这有什么意义？

这有什么意义？最终，我们对人生的感受，和我们生活的事件没有任何关系，和我们的财务状况没有任何关系，和发生或者没有发生到我们身上的事情也没有任何关系。控制我们生活品质的，是我们赋予这些东西的意义。大多数时间我没有意识到，这些快速的关于有什么意义的决策，会对我们的人生产生什么影响，因为这些决策通常是我们在无意识状态下做出的。

某件事情的发生一下子打乱了你的生活，例如出车祸、健康出问题、失去工作等，你会倾向于认为这是个结束，还是个开始？如果有人和你作对，他是在“侮辱”你，“教导”你，还是真的“关心”你？这种“非常犀利”的问题意味着，上天是在惩罚你、折磨你，还是有可能这是上天赐给你的礼物？你给你的人生什么意义，你的人生就有什么意义。因为每种意义后面都是一种独特的感觉或者情绪，我们生活的情绪是什么样的，我们生活的品质就是什么样的。

意义并不只影响我们感觉的方式，还会影响我们的亲密关系，我们之间的互动。有些人认为，人际关系的前 10 年只是开始，过了 10 年才开始互相了解，这真的令人激动。这是个可以更加深入地了解对方的机会。有些人可能只用 10 天就建立了亲密关系，而他们一发生争吵就会觉得他们的关系断了。

如果你觉得，这是一段亲密关系的开始，你的行为表现会不会跟你感觉这是一段亲密关系的结束一模一样？感觉上的轻微改变，意义上的轻微改变，就可以在瞬间改变你的整个生活。一段亲密关系刚开始的时候，如果你全心全意地爱对方，全身心都受到对方的吸引，那你会为对方做些什么？答案是：什么事都行！如果对方让你倒垃圾，你会又蹦又跳地说：“只要能让你高兴，亲爱的，我什么都愿意做！”但是过了 7 天，过了 7 年，过了 17 年，有人就会说：“我是你的清洁工吗 ？”他们会开始困惑，他们生命中这段激情发生了什么问题。我经常跟那些出现感情问题的夫妻分享，如果你能像你们的亲密关系开始时一样做事，那么你们两个人的亲密关系就永远不会走向终结！关键是因为在亲密关系开始的时候，你是一个给予者，而不是一个斤斤计较自己付出了多少又得到了多少的人。你不会不停地掂量给予对方更多有没有意义。你关注的只是让那个人高兴和让那个人开心，只要对方快乐，就会让你感觉你的人生充满快乐。

我们来看看前两个决策：专注和意义，二者经常糅合在一起，创造出现代社会最大的痛苦——抑郁症。我敢肯定你会觉得很奇怪，怎么可能有那么多“富有”又很有名的人患抑郁症？你渴望的每一种资源他们都有。那些名人受到几百万名粉丝的热爱，有几千万美元甚至几亿美元的财富，怎么可能会结束自己的生命？我们一次又一次地看到这种事情发生，其中很多人都特别聪明、有才华，从商人到娱乐明星，再到喜剧演员，都有。这怎么可能？现在有这么多现代治疗方法和药物！

在我组织的大型讲座上，我总是问：“你们中有多少人知道，有人在用抗抑郁药，而且用药之后还是抑郁？”在全世界很多地方，5 000~10 000人的讲座现场，我总是看到现场举起手的人占到85%~90%。这怎么可能？毕竟，你给了他们药，吃了药应该会让他们感觉好多了呀？

这些抗忧郁药，上面都会写着一句警告：可能会有产生自杀想法的不良反应。但是也许真正的挑战是，不管你给自己吃多少药，如果你的关注点保持在你的人生中自己不能控制或者失去的东西，那么你总是感觉自己处于绝望之中。如果你给这些事件赋予的意义是“人生不值得活下去”，你就等于是喝了能产生绝望情绪的鸡尾酒，没有什么抗抑郁药能持续克服这种情绪。

但是我可以告诉你，毋庸置疑，同一个人，如果找到一种新的人生意义，即让自己活下去的理由，或者相信自己的人生是有意义的信念，那么他的内心就会变得非常强大，任何事情发生在他身上都不能击垮他。如果能随时关注谁需要你、谁爱着你、你还想给予这个世界什么，那么任何人都能改变。你会问：你怎么知道？因为在这38年里，我和很多人一起合作，共同努力，帮助他们走出人生困境。在这好几千人里，没有一个人自杀！祈求上天，保佑我好运，希望我永远不会碰到学员自杀这种事，尽管这种事谁都无法保证。但是如果你能让人们转移他们习惯性的关注点和意义，那么这个人的人生就会变得无限大。

改变关注点，改变意义，能在几分钟内就改变你的生理反应。学会掌握这一点，你会变成一个情绪游戏的改变者。除此之外，你怎么解释，伟大的临床医疗专家和思想家维克多·弗兰克尔和很多人在奥斯威辛集中营那些恐怖的日子里展示出的力量与美好？即使是在极端的痛苦之中，他们也找到了人生的意义。这是更高、更深层次的人生意义，它不但让他们自己活下去，而且将来还能拯救很多人的生命，他们靠的就是相信“这种事再也不会发生了”。我们都能找到意义，即使是在我们的痛苦中。也许，我们找到意义了，我们还是会感觉痛苦，但是那种受苦的感觉消失了。

所以要获得控制，一定要记住：意义就等于情绪，情绪就等于生命。有意识地做明智的选择。在任何事物上找到能赋予你力量的意义。让你感觉最深刻的财富，今天就是你的了。

人生三大关键决策之三：我要做什么？

一旦我们在大脑中创造出一种意义，这个意义就会创造出一种情绪，从而带来一种状态，我们会在这种状态中做出第三个决策：我要去做什么？我们采取的行动，在很大程度上是由我们所处的情绪状态塑造的。如果我们感到生气，这个时候我们的行为就会明显不同于我们感觉好玩的时候，也明显不同于我们感觉狂怒的时候。

如果你想塑造你的行为，最快的办法就是改变你的注意力所在，改变你赋予某件东西的意义，让你自己有更大的自主权。即使是两个人都处在生气发怒的状态，行为也会有很大区别。有些人生气发怒时会向后退，而有些人一生气发怒就会往前猛冲。不同的人表达怒气的方式也不同：有些人很安静；有些人较大声；有些人很强烈；有些人会压抑自己的愤怒，只是为了找一个消极对抗的机会重新占据上风，甚至实施报复；有些人发泄他们愤怒的办法是去健身房，在激烈的健身运动中把情绪发泄出去。

那么这些行为方式是从哪里来的？我们往往是模仿生活中那些我们尊敬、喜欢、热爱的人的行为方式。对那些让我们感到懊恼、让我们生气的人，我们经常排斥他们的行为方式，但是我们常常发现，我们也落得跟他们一样，采取同一种行为方式，这是因为我们年轻的时候一次又一次地亲眼看到这些行为方式，我们非常不喜欢这些行为方式，结果越痛恨印象越深，而且次数多了，我们反而无意识学得最像。

一个非常有效的应对办法是，要变得有意识地觉察，当你懊恼、愤怒、悲伤、感觉孤单的时候，你的行为方式是什么。因为如果你意识不到，就根本没法改变。除此之外，既然你已经意识到了这三种人生关键决策的力量，你也许就会开始寻找自己的人生榜样，你想过的生活，你的榜样已经过上了。我敢向你保证，那些拥有充满激情的亲密关系的夫妻，相比于那些不断吵架甚至打架的夫妻，关注的事情肯定完全不同，对亲密关系中出现的困难也会赋予完全不同的意义。这并不是高深的科学。如果你开始意识到人们如何做出这三大决策有很大的不同，你就找到了一条路，能帮助你创造出永久性的积极改变，在你生活的任何一个领域都行。

> 18岁的时候，我下定决心，我的人生从此再也不会有糟糕的一天。我跳入深不见底的感恩之海中，我永远不会离开。
>
> **——帕奇·亚当博士**

你能如何运用这三大关键决策来提升你的生活品质？结果表明我们关注什么，我们就容易生活在什么样的情绪状态里，我们做什么都是可以训练出来并养成习惯的，或者都是可以事先安排好的。毕竟你不希望那种积极的情绪只是一闪而过，而是想要训练自己生活在那种积极的情绪之中。这就像一个运动员锻炼某一块肌肉。你必须训练自己，才能得到你想要的那些非凡品质的满足、享受、快乐、成就，在你的个人生活、职业、感情三个生活领域中都是如此。你必须训练自己专注、感觉，找到最能够赋予你能量的意义。

这种实践操作根植于心理学上的一个概念“启动效应”，它的意思是，词语、想法、感觉体验歪曲了我们对这个世界的感觉，进而影响我们的情绪、动机、行动。

如果你发现，你的想法其实只是受到环境的触发，或者是在某些情况下受到懂得激发力量的人有意识地操纵才有的力量，那么你会怎么样？我来给你举个例子。

两个心理学家搞了一项研究，他们让一个陌生人递给实验参与者一杯咖啡，不是一杯热咖啡，就是一杯冰咖啡。接着他们让实验参与者读一篇文章，里面描述了一个假设出来的人物，然后让这些实验参与者描述这个人物的性格。结果令人震惊！那些拿到一杯热咖啡的人描述这个人物的性格是“热情的”“慷慨的”，而那些拿到一杯冰咖啡的人会描述这个人物的性格是“冷淡的”“自私的”。

在华盛顿大学做的另外一项研究中，对有亚洲血统的女士进行一场数学测验。测验之前，他们让这些女士填一个简单的问卷。如果问卷让这些有亚洲血统的女士写上自己的种族，那么她们的数学测验成绩会提高 20%。但是若让这些有亚洲血统的女士填上性别，就是写下来她们是女性这么一个简单的动作，就会明显地降低她们的数学测验分数。这就是文化方面的词语引发启动效应产生的巨大影响。这影响到我们的潜意识模式，缩小或者放大了我们的真实潜力。

我们可以用这种现象来开发一个简单的每日 10 分钟练习，启动我们的头脑和心灵来感恩，这种感恩的情绪能够消灭恐惧和愤怒。记住，如果你的情绪是感恩的，那么它就不会同时是愤怒的。你的情绪不可能既是恐惧的同时又是感恩的。这是绝对不可能的！

我每天早上至少要做 10 分钟的感恩练习。我停下来，闭上眼，用 3 分钟左右想想，我要感恩什么：我脸上的风，我生活中的爱，我得到的机会和福分。我并不只是关注大事，我不仅注意而且深深地感觉到，我非常感激这些能让人生富足的小事情。接下来的 3 分钟左右，我会祈求上天赐予健康和福气给那些我爱、我了解、我三生有幸接触到的人：我的家人、我的朋友、我的客户和我今天可能会遇到的陌生人。传递爱、祝福、感恩，祝愿所有的人都能富裕安康。这听起来可能有些老掉牙，但是生命的循环就是这样的。

我把余下来的3分钟左右的时间花在我称为“三生万物”的事情上面，即我想成就的三件事。我想象着，这三件事情完成后的情形，感受高兴、庆祝、感恩的感觉。启动效应是你送给自己的一份重要礼物，如果你连续这样做上10天，你就会上瘾，你会欲罢不能。

这个简单的练习很重要，因为很多人说他们心里是感恩的，但是他们并没有花时间去真心感恩。在生活中，很容易忘记我们已经拥有的那些美好和幸福！如果我们不能有意识地每天做些事情，把正确的种子种在我们的头脑里，那些“生命的野草”，即懊恼、愤怒、压力、孤单，就会悄悄地混进你的头脑中。你并没有故意播种野草，它们却会自动生长出来，我的第一个人生导师吉姆·罗恩教给我一个简单的原则：每一天都要站在你的心灵门口当好看门的保安，你自己要决定什么样的想法和信念可以进入你的生命。这些东西将会塑造的情绪感觉，决定你感觉到的是富有还是贫穷，是上天的诅咒还是上天的赐福。

最终，我们若想真正地活得快乐，我们就必须走出自己的狭小天地。

人类的大脑是一个神奇的东西，这是一个生存机制，所以大脑很容易关注哪些东西错了、哪些东西要避开、哪些东西应该小心。你也许已经进化了，但是你的大脑还是那个有200万年历史的结构，如果你想得到的是满足和快乐，这并不是大脑最优先的选择。你必须来控制你的大脑。要做到这一点，最快的办法，除了启动效应之外，就要迈入六大人类基本需要的最高层次需要，就是那两个让人类得以满足的精神需要——成长和奉献。

我相信我们都有成长的渴望，核心原因是我们这样做的时候就有东西去给予。这正是生命最有深刻意义的地方。“得到”也许会让你感觉良好那么一小会儿，但是得到什么东西也比不上给予的终极快乐：你知道，某个能深深地触动你的东西，是超越了你自己的存在。

每个人都能够成为伟大的人，因为每个人都能够服务他人。
——**马丁·路德·金**

如果这是真的，让我们感觉自己完完全全活着的事情是给予，那么可能这个理论的终极测试是，对于那些愿意为他们的信仰付出生命的人来说，生活是什么样子的。20 世纪最伟大的英雄之一马丁·路德·金是民权运动领袖，最近他的大儿子马丁·路德·金三世来到斐济，参加我组织的“与命运相约”大型讲座活动，我正好借此机会和他分享他的父亲对我的启发有多大，因为马丁·路德·金活着的每一天都激情燃烧，他知道他活在这个世界上是为了什么，甚至当我还是个小孩子的时候，我一听他说的那句话就牢牢记住了：“一个人没有找到他死也愿意做的事情，就不配活着。”

真正的财富会在你的生命中释放出来，你会找到某种东西你非常在意，愿意为之付出所有，如果必要的话，就算付出生命，你也在所不惜。这个时候你就真正逃脱了你自己头脑的暴虐统治，你内心深处的恐惧，你自己感觉的限制。这是个大赌注，可以说是孤注一掷，我知道。但是我也知道我们大多数人愿意付出我们的生命，为了我们的孩子，为了我们的父母，为了我们的另一半。那些发现了掌控他们使命的人，会发现巨大的能量财富和意义财富，无人能比。

激情的财富

你可能听说过巴基斯坦女孩马拉拉·尤萨法扎伊的故事。塔利班恐怖分子用枪打穿了她的头，因为这个女孩竟然坚持女孩子有权去上学。一发子弹击穿了她的眼眶，在她头颅里来回反弹，差点儿夺去她的生命。神奇的是，这颗子弹并没有摧毁她的大脑。马拉拉受到这么恐怖的伤害还是活了下来，后来成为一个在国际上奔走的活动家，为女人争取平等权利。那个开枪射击马拉拉的男人还是自由的，没有受到任何惩罚，塔利班还是威胁要杀死马拉拉。但是马拉拉公开反抗塔利班。16岁生日的前一天，马拉拉在联合国发表演讲，她说自己没有任何恐惧。“塔利班觉得子弹能让我们闭嘴，不敢说话，但是他们失败了。从这种沉默中爆发出来成千上万的声音。那些恐怖分子认为，他们开枪射击我的头，会改变我的目标，终止我的雄心，但是我的生活什么都没有改变，除了这一点：虚弱、恐惧、绝望死去了，力量、热情、勇气诞生了。

美国有线电视新闻网采访了马拉拉，主持人克里斯蒂安·阿曼普尔问这个女孩是否会对自己的人生感到恐惧害怕。马拉拉回答：“确实，他们能杀死我。但是他们能杀死马拉拉这个人，并不意味着他们也能杀死我的事业：我的教育事业、我的和平事业、我的人权事业、我的男女平等事业，即使我死了，这些还会永存……他们可以射杀我的身体，但他们不能射杀我的梦想。”

这个16岁的女孩，已经掌握了这三个人生关键决策，她关注的是人生中那些真正重要的事。她找到了一个使命，超越了她的自我，赋予她的生命崇高的意义。她的行动是毫无畏惧的。

我们也许不会像马拉拉那样，把生命置于命悬一线的境地，但是我们都可以选择活得毫无畏惧，充满激情，无限感恩。所以，让我们翻到下一章，结束我们打造的财富之旅，学习最后一课，也是最重要的一课——最终的秘密。

第46章　最终的秘密

我们靠我们得到的东西生存，我们靠我们给予的东西生活。

——温斯顿·丘吉尔

现在我们要一起迈向这次投资之旅的最后一步，我想请你仔细考虑一下：在这个世界上，最能让你激情燃烧的是什么事情？你最在乎的是什么东西？什么事情让你兴奋激动？留给后人什么遗产会让你两眼放光？今天做什么事会让你感到骄傲自豪？你采取什么样的行动，会给个人精神发信号，表明你的人生过得很好？如果你真的受到了启发，你愿意创造什么，或者给予什么？

所有这些问题都会带我们更加接近真正财富的最终秘密。但是这里有一笔交易，其中一部分关键因素也许看起来完全违背直觉。我们花了大量时间来谈论如何掌握金钱、储蓄、投资，打造达到关键数量的财富规模，从而能够最终创造出自由，提升你的生活品质，但是与此同时我们受到的教导是，钱不能买来幸福。正如一项研究想要证实，大多数人相信，如果他们的收入加倍，他们的幸福也会加倍。这是否符合事实？这项研究结果表明，事实上，人们的收入水平从每年2.5万美元提高到每年5.5万美元，收入提高1倍以上，而他们的幸福程度只增加了9%，不到10%。除此之外，关于这个主题有一项最广泛得到应用的研究，它告诉我们，如果你能得到一份稳定的中产阶级收入，在美国就是每年收入7.5万美元左右，之后挣再多的钱，对你个人的幸福水平也不会造成明显差别。

“那么，这又有什么意义？”你也许会问。

真相是，更多的研究证明，钱确实能让我们更加幸福。科学家研究表明，每天只要花上区区 5 美元，就能明显地提高你的幸福感。怎么会这样？关键不是你花多少钱，而是你决定如何来花这些钱。“每一天的消费选择释放出一系列的生活和情绪效应，这从唾液中能检测出来。”哈佛大学的伊丽莎白·邓恩和迈克尔·诺顿在 2013 年的著作《花钱带来的幸福感》中写道：“尽管有更多的金钱，能买来所有种类的奇妙物件，从更美味的食物到更安全的社区，但是金钱的真正力量并非来自数量大小，而是来自我们如何花这些钱。”

他们已经科学地证明了，你可以有很多不同的方式花你的钱，这样居然能显著提高你的幸福感。我不想在这里列举他们讲的那些更加幸福的花钱方式，希望你能好好地读他们的那本书。不过其中有三个最重要的花钱方式，我在这里一定要说一下：

> 第一，投资于体验，例如旅游、学种新的技能、学些课程而不是获取更多的财物，实不如虚。
>
> 第二，为你自己买时间。“如果我们把那些我们最讨厌、最畏惧的劳动外包出去，从刷马桶到清洁水槽，金钱能够改变我们花费时间的方式，把我们解脱出来，去追求我们的激情。”
>
> 第三，投资于别人。你猜对了。把你的钱给出去，竟然能够让我们真的感到很快乐！

研究表明，你给予别人的越多，你自己就越快乐。你拥有的越多，你就能给予越多。这其实是一个良性循环。邓恩和诺顿用他们的科学研究表明，把钱花在别人身上比花在他们自己身上更让人满足。这种好处不仅会延伸到主观上让你感觉更幸福，还会延伸到客观上让你的身体更健康。

换句话说，给予能让你更幸福而且更健康。

按照两位作者的研究，这种现象在全世界都很普遍，不管什么地域文化，不管国家是否富有，不管人群收入高低，不管年纪大小，“从一个加拿大的大学生给妈妈买一条围巾，到一个乌干达的女人给朋友买能够救命的治疗疟疾的药”。而且数据表明，礼物的价格并不重要。

他们的研究中有一项是，作者给实验参与者每个人5美元或者20美元，让他们一天之内花完。作者告诉其中一半人给自己买些东西，告诉另一半人用这些钱去帮助别人。“到了晚上，那些受到指派把钱花给别人的人，在情绪上感觉这一天过得更加幸福快乐，幸福感明显高于那些受到指派把钱花到自己身上的人。”他们这样写道。

这两个作者的同事、心理学家劳拉·阿克宁是西蒙弗雷泽大学的教授，她做了另外一项研究，向实验参与者每人发放价值10美元的星巴克星礼卡。

- 指导一些人单独进入星巴克，用星礼卡来给自己买东西。
- 告诉一些人用星礼卡带别人去喝咖啡。
- 告诉一些人把星礼卡送给别人，但是他们不准和那个人一起进入星巴克。
- 告诉一些人带另外一个人和他们一起进入星巴克，但是只能用星礼卡给自己买咖啡喝，不能给和他们一起进来的那个人买咖啡喝。

这一天结束的时候，你认为哪些研究对象会说自己是最快乐的？如果你选择的是那个进入星巴克里面给别人买了一杯咖啡的人，你就选对了。按照作者的研究，能和自己帮助的人有沟通联系，“看到他们的慷慨行为产生的影响”，这样帮助别人的人是最快乐的。

我们从帮助别人这个行动上感受到的快乐，不但会更加强烈，而且会持续更久。我采访著名行为经济学研究专家丹·艾瑞里时，向他提出金钱和幸福这个话题，他告诉我：“如果你问别人‘什么会让你快乐，给自己买东西，还是给别人买东西’，他们会说‘当然是给自己买东西’。但是事实并非如此。研究表明，人们给自己买东西的时候，他们只能快乐几分钟，最多几个小时，但是如果他给别人买东西，即使买的是一份小小的礼物，这种给予的快乐至少会持续一整天，而且经常会持续好几天，甚至有时候持续好几个星期。

丹·艾瑞里也告诉我一个“美好心灵实验”，有一家公司的雇员每个人都得到3 000美元的奖金，有的人把奖金花在自己身上，有的人接受劝导把钱捐出去了。猜一猜，谁更快乐？

“6个月之后，那些把钱捐出去的人说自己快乐的程度大大超过那些把钱留给自己的人。”丹·艾瑞里说，“我的意思是，我们应该好好地想想给予的意义是什么，对不对？给予这个事情非常了不起，能够把你和世界的其他人联系在一起，这是一个循环，你给予别人好处，你从中得到了好处。

你把钱给出去了，特别是你用钱为一个陌生人做了一件好事，相比于你给你所爱的人做了一件好事，这种幸福放大的程度是呈几何级的，成倍甚至数倍放大。花钱给你爱的人做好事相当于你现在的薪水，花钱给陌生人做好事，相当于你的薪水加了两三倍。

基于我个人的经验，我亲眼看到，当你给予的时候，很多令人惊奇的事情就会发生在你身上。当你超越了自己的生存，超越了你只顾追求自己成功的心态，达到一个新的精神境界，你活着远远不止为了自己，突然间，你的恐惧、你的懊恼、你的痛苦、你的不快乐会通通消失。我真的相信，当我们奉献出自己的时候，生命、神明、荣恩（不管你怎么称呼它，意思都一样）就开始介入，指引我们。记住，生命支持那些能支撑更多生命的生命。

我给你举一个例子，一个小男孩的人生怎么被重新点燃。在此之前，他在康涅狄格州牛顿镇，经受了恐怖的校园袭击，他的心灵和灵魂几乎完全被摧毁了，这个故事讲述的是，通过给予的行动，找到人生目标，得到灵魂上的启发，从痛苦中解脱。

超越痛苦的力量

杰特·刘易斯永远不会忘记2012年12月14日。那天早上，一个精神失常的人举着枪闯进桑迪胡克小学，开枪杀死了 26 个人，其中包括 20 个 5~10 岁的孩子，然后开枪自杀。就在他狂暴开枪射击的过程中，有一个时刻，杰特 6 岁的弟弟杰西注意到枪击者的枪卡住了，于是对班里同学大喊快跑，结果很多同学跑了出去，这个勇敢的小男孩那天早上挽救了很多人的生命，但不幸的是，他没有挽救自己的生命。枪击者掉转枪口，对着杰西，连开几枪，将其击毙。

想象一下，如果杰西是你的儿子或者你的兄弟，你会心碎成什么样子，你会受到多大的伤害。我有幸见到了 13 岁的杰特，还有他和杰西的妈妈斯嘉丽，那是在我飞到牛顿镇参加这个重大枪击事件一周年纪念仪式的时候，我想帮助这群幸存者应对这场毁灭性悲剧带给他们人生的持续影响。正如我所预料的那样，这些家庭中的很多人深受痛苦悲伤的折磨。但是我和杰特交谈的时候，我非常吃惊地了解到，他的痛苦和折磨只是在和一群非同寻常的卢旺达孤儿交流了一次之后，就彻底改变了。这些年轻的卢旺达男孩和女孩听说了杰特经受到的惨痛经历，伸出援手，希望能够和杰特网络视频通话，跨越半个地球，分享他们治愈巨大痛苦的感悟。

这些卢旺达孤儿都经受了历史上最大的悲剧之一。1994 年，卢旺达发生种族大屠杀，导致多达 100 万名图西族人死亡，杀死这些人的凶手是他们的邻居胡图人，这场大屠杀持续了 100 天左右。这些幸存下来的孩子主动联系杰特，用网络电话视频交流。其中有一个叫香塔尔的女孩告诉杰特说，她为杰特失去他的弟弟感到非常难过，但是她想让杰特知道，能夺走你人生幸福和快乐的只有你自己，那个枪击者并没有那种能力。

香塔尔接着分享了她自己的亲身经历：她只有 8 岁的时候就经历了极其恐怖的一幕，一个胡图人用大砍刀砍死她的父母，接着那个凶手又转向她，用刀猛砍她的脖子，把她瘦小的身体，扔到一个巨大的集体埋葬墓地。身体埋到土里，伤口鲜血直流，惊恐万分，但是她心里充满了要活下去的愿望。香塔尔用她的双手，从那个埋得较浅的坟墓中刨出一个洞，爬了出来，跑到她们村庄上面的大山里，得以重获自由。她躲在黑幽幽的森林里，往下能看到她原来称之为家园的村庄，大火吞没了一座又一座房屋，空中回响着她熟悉又热爱的人的尖叫声。香塔尔靠吃草活了一个月，一直等到那场大屠杀停止下来。

你会想，一个孩子被迫见证了父母被人砍死，肯定会在情绪上受到惊吓，持续一生不能解脱。你会预料，这个8岁的女孩从此一生都会生活在愤怒和恐惧中。但是她没有，因为她掌握了能够塑造我们人生的三项重要决策。

香塔尔告诉杰特："我知道你现在不会相信，但是你马上就能治愈，过上快乐和美好的人生。只要你训练自己，每天都训练自己，要感恩，要宽恕，要有同情心。对你所拥有的东西要感恩，不要关注那些你并未拥有的东西。你必须宽恕枪击者和他的家庭，找到一种方式服务他人，这样你才能从痛苦中解脱出来，心灵重获自由。"杰特从电脑视频通话的屏幕上看到，香塔尔的脸庞充满着一种快乐，那种快乐远远超过杰特的想象，尽管杰特的人生同样非常悲惨，但是这个女孩描述的她经历的那些恐怖情景，远远比他能够想象的恐怖。这个女孩都能够从自己巨大的痛苦中解脱出来，我应该也能。现在是时候开始行动，寻求解脱了。

但是，他该怎么做？杰特心想，他必须找到一种方式来回报这个年轻的高尚的灵魂，是她从千里之外，主动联系他进行网络视频通话，在自己需要的时候，送来温暖和爱的。香塔尔找到了活下去的理由，找到了激情。找到了人生目标的她决定去保护，去爱，去扶养这场种族大屠杀中一些比她更小的孤儿。这成了香塔尔的人生使命，让她不再只关注自己，只关注自己失去亲人的痛苦，从而心灵从升华中得到解脱。

香塔尔这种服务他人的事迹深深触动了杰特，他开始执迷于给予他人、帮助他人、奉献他人的想法。杰特决定要帮助这位非凡的女孩创造更好的未来，这就是他的使命。杰特开始日夜工作筹集资金，想让香塔尔有足够的钱读完大学。过了几个月，这个13岁的男孩学会用网络视频电话联系香塔尔，骄傲地宣布他已经筹集了2 100美元，足够送香塔尔去读一年的大学！香塔尔简直不敢相信，她太感动了。但是像很多年轻人一样，尤其是在第三世界国家，上大学对于她来说并不是一个很有实效的选择，特别是她已经开始创办自己的小企业——一家小小的商店。（你也许完全可以想象，有如此精神的女人，肯定会是一个非常成功的企业家！）于是为了继续发扬光大这种给予的精神，香塔尔把这份令人震惊的礼物转送给她最好的朋友贝蒂，贝蒂也是一个孤儿，上一次和香塔尔一起打电话鼓励杰特。

杰特这种爱的无私奉献，深深感动了我，我当场决定为贝蒂提供其余三年的学费，同时也大力支持香塔尔，为她提供资金建造一个全新的商店，也建造一个永久性居所，让她扶养的那些孤儿有足够的地方居住。

今天，我们正在一起努力工作，扩大、募集更多的资源，有 7.5 万个孩子在那场种族大屠杀中幸存下来，我们希望能够帮助更多这样的孤儿。[①]

从杰特和香塔尔两个孩子身上，我们可以学到的经验是：人类可以克服我们自身的痛苦，只要我们选择看到生命的美好，找到办法给予和奉献自我。你给予别人帮助，上天就会给予你治愈痛苦创伤的礼物。关键是找到某个东西，能激发你愿意给予、愿意付出。这种使命感，正是生命的终极力量。就在这个时候，你真正变得富有了，因为你从一种只是贪图享受的人生，转移到既快乐又有意义的人生。

给予就是治愈

当然，给予并不仅是给予金钱，也可以是给予你的时间、给予你的情绪、给予你的存在，陪伴你的孩子、陪伴你的家人、陪伴你的爱人、陪伴你的朋友、陪伴你的同事。我们的工作也是我们给予别人的礼物，不管这个礼物是一首歌、一首诗、一个跨国企业，还是医护人员、教师、咨询顾问，我们都有某些东西可以给予。事实上，仅次于爱，我们可以给予

---

① 我们训练心理学家和职业教练，让他们学会实际操作技巧的和心理技巧，在这些危机发生的时候，能够参与其中，发挥作用。如果你的条件符合要求，又愿意在危机期间参加志愿工作，请联系安东尼 · 罗宾斯基金会（www.anthonyrobbinsfoundation.org）。

的最神圣的礼物就是我们的劳动。当个志愿者，义务劳动付出你的时间，给予别人只有你才能做到的细心关照，分享你的技能，也会给你很大的“回报”。

我的朋友阿里安娜·赫芬顿写了一本精彩的书《发展》，她在书中引用的研究展示给我们，给予的行动如何能实实在在地改善你的身体健康和心理健康。其中我特别喜欢的案例是，英国大学埃克塞特医学院 2013 年做的一项研究表明，志愿工作通常会降低人的抑郁水平，增加幸福感，使死亡率下降 22%！她还写道：“志愿工作之后，至少会有一个星期的时间让你的幸福感提高，相当于你每年的工资从 2 万美元提高到 7.5 万美元带来的幸福感。”

那么，财富的最终秘密是什么？这就是任何形式的给予，都能给你增添更多的财富，远远高于得到为你增加财富的速度。我并不关注，我们作为个人而言是多么强大有力，不管你是一个企业大亨、政治领导人、金融巨头，还是娱乐巨星，过上一个圆满人生的秘密，并不只是把事做好，而且要多做好事。毕竟我们都知道这样的故事——那些超级富豪，有一天突然醒来，意识到：“生命并不只是我一个人的事。”

> 成为躺在坟墓里的最富有的人，这件事对于我来说并不重要。晚上上床能说我们今天做了一些很棒的事，这对于我来说才是很重要的。
>
> **——史蒂夫·乔布斯**

在 19 世纪之前，大多数慈善活动都是由宗教组织举办的，直到后来钢铁巨头安德鲁·卡内基开始大做慈善活动，慈善事业才发生巨变。原来那些国王和贵族，还有最富有的家族，并没有兴趣回馈社会：对于大多数有钱人来说，他们只想紧紧攥住自己手里的钱，只留给自己，或者死后留给自己的继承人。很多企业界人士也有同样的想法。但是卡内基领导和他同时代其他“强盗企业大亨”，创造出了我们现在这样的慈善事业。

卡内基是一个严酷无情的企业家，但他制造出来的钢铁，用来修建铁路和摩天大楼，改变了整个美国。卡内基先给社会增加价值，自己从中赚到了钱，这样整个社会得到了好处，他也从中得到了好处。后来卡内基成了他所在时代中最富有的人。卡内基随之就来到这样一个人生阶段：所有他想要得到的东西，他都得到了，而且比他想要得到的还要多得多。卡内基拥有的钱实在太多了，他开始认识到，钱本身并没有多大意义，除非他能够用这些钱来做一些超越他自己的事情。于是卡内基用前半生给自己赚钱，用后半生给别人花钱。卡内基写了一篇文章，描述自己的人生观、财富观的彻底转变，现在还非常值得阅读，这篇文章的题目是《财富的福音》，这篇文章后来被扩展成一本书。我的朋友、诺贝尔经济学奖获得者、耶鲁大学经济学教授罗伯特·席勒坚持要求他所有的学生都必须好好读这本书，因为他想让学生知道，资本主义也可以成为一股善的力量。卡内基的这篇文章改变了社会，影响了与他财富相当的富豪，甚至挑战了他最大的竞争对手，财富巨大到不可思议地步的约翰·洛克菲勒。受到这个凶猛竞争对手精神力量的感召，洛克菲勒开始把大量的金钱捐给美国一些优秀的慈善基金会。卡内基创造了一个新的人生衡量标准：这个标准衡量你个人的重要性，不是根据你拥有了什么，而是根据你给予了什么。卡内基的捐赠，让美国的图书馆数量增加了 1 倍，为社会发展提供了如此之多的智力资本，促进了我们的社会发展，只有后来出现的互联网才能媲美卡内基的巨大贡献。

我们的朋友查克·费尼成了“现代卡内基”，他把自己拥有的 75 亿美元的个人财富几乎全部捐出，只不过他选择沉默，绝口不提自己的捐赠，他的事直到最近才被披露出来。

我第一次见到查克·费尼的时候，他已经 83 岁了，进入了人生的最后阶段。他想说话时间长一点儿都很困难，但是他一出现在你面前，你就会产生一种言语无法描述的体验。他在你面前，你就能感觉到一种人生活得非常圆满的力量。你可以看到，从他眼中散发出来的快乐，从他脸上随时闪现的微笑，从他内心散发出来的友善。

查克·费尼在卡内基之后又影响了一代人。很多人说，特德·特纳是下一个重新点燃这种大规模慈善捐赠的人，他承诺要捐赠10亿美元给联合国。从那以后，比尔·盖茨和沃伦·巴菲特联合发起了给予誓言活动，激励世界上的富豪至少把一半的个人财富捐赠给慈善事业。按照最近的统计，超过120个亿万富翁已经签署了给予誓言，包括本书中我采访过的一些超级富豪，例如瑞·达利欧、布恩·皮肯斯、萨拉·布雷克里、卡尔·伊坎、保罗·都铎·琼斯。

布恩·皮肯斯告诉我，他的慈善捐赠有点儿过头了。他最近捐赠近5亿美元给母校俄克拉何马州立大学，这让他的捐赠总额超过了10亿美元。可是他最近的投资出现了一些亏损，让他的个人财富下降到只有9.51亿美元，自己手里有的钱竟然没有捐的多，这成了一大奇闻。但是布恩·皮肯斯并不介意。毕竟，他才86岁。“不要担心，托尼。”他说，“我计划未来几年再赚两个10亿美元。”他根本没有损失吃亏的感觉，他从自己的给予行为中得到的快乐是无价的。

在现代社会，全世界最富有和最有影响力的人解决了世界上最大的问题。卡内基捐赠图书馆来解决教育问题，比尔·盖茨和梅琳达夫妇捐赠大量资金用于设立奖学金，并发放疫苗预防传染病。波诺的激情是豁免第三世界国家的债务。但是你一定先要成为一个亿万富翁或者一个摇滚歌星，然后才能解决世界上最大的问题吗？在现在这个互相联结的世界中，并不需要像这样先有钱或者先有名才能解决世界上的大难题。我们可以运用科技的力量一起工作，一起努力，我们每个人都做出自己的一点奉献，但是它们合在一起仍然能够产生巨大的影响力。

消除饥饿，消除疾病，消除奴役

我不能确定你的激情是什么，但是有个领域——我个人曾经有过类似的经历，能够深切地感受到那些人受的苦和受的罪，就是那些急需帮助的孩子和家庭。你甚至需要把冰块放在你的血管上，以免感受到那些孩子的痛苦让你过于激动。所以，我们花上一分钟来看看现在折磨孩子和他们家庭的三个最大的问题，我们可以采取三个能马上见效的具体步骤来发挥我们的影响力，改变这些家庭的现状。

第一个问题是饥饿。你认为，在美国这个世界上最富有的国家，还有谁会每天晚上上床睡觉的时候饿着肚子？根据美国人口统计局的调查，结果听起来令人震惊，事实上，美国 5 岁以下的孩子里，每 4 个孩子里面就有 1 个生活在贫困中，10 个孩子里面就有接近 1 个生活在极端贫困之中。（贫困的定义是年收入低于 11 746 美元，或者每天收入低于 32 美元，一个四口之家只能靠这些钱来维持生活。）

美国有 5 000 万人，其中包括近 1 700 万个孩子，生活在食物得不到保障的家庭里，或者按照纽约对抗饥饿联合会的乔尔·博格告诉莫耶斯公司的特丽萨·莱利的那样，有些孩子所在的家庭“没有足够的钱来定期购买他们需要的食物”，有些孩子生活的家庭“只能定量分配食物，吃了上顿没下顿，父母没有食物来喂养自己的孩子”。与此同时，美国国会决定每年削减 87 亿美元的补充营养协助计划福利，以前称之为食物券，相当于让 50 万个美国家庭每个月少了一个星期的饭钱。

我小时候就生活在这样食物短缺的家庭中。也正是因为有过这样的经历，我特别想在这个领域发挥影响力，做些实实在在的事情，给那些孩子的生活带来一些改变。我知道这不仅是统计数据，那些数字背后都是活生生的人天天饿着肚子，他们非常痛苦。

我曾讲过，我的人生之所以发生改变，是因为我 11 岁时有个陌生人给我们家送来了一篮子食物。这件事能改变我的人生，并不只是因为我们收到了食物，还因为有个陌生人关心我们。这个简单的行动产生了指数型的影响，我一直在回报我得到的那份感恩节礼物，38 年间，我给 4 200 万人提供了食物。关键是我没有等到我有能力大规模处理这个巨大的饥饿问题，才开始行动。我并没有等到我变得很富有，才开始行动。我马上就着手解决这个饥饿问题，尽管当时我手里只有一点点钱，但是我能做多少是多少，关键是我马上行动起来了。

一开始，我的财力非常有限，只够给两个家庭提供食物，但是后来我受到了激励，我把目标提高了2倍——给4个家庭提供食物。第二年，我的目标提高到8个家庭，再过一年又提高到16个家庭，随着我的公司规模不断扩大，我的影响力也在增长，我捐助食物的目标也大幅度地提高，变成捐助食物给100万个家庭，后来提高到200万个家庭。就像投资收益按复利增长一样，我在给予上做的投资，得到的回报也是按复利增长，而且增长得更多。我很荣幸现在能够捐助5 000万份餐食，有了你和其他人一起合作，能够提供超过1亿份餐食，能有这种荣幸，我内心的幸福感简直无法形容。过去我是一个接受别人捐赠食物的孩子，承蒙上天的恩赐，加上个人的努力，现在我很荣幸能够给别人提供食物，当初别人行善捐赠一篮子食物给我和家人，现在我能加倍行善给上亿人。

没有什么能比得上人类的灵魂激情燃烧的力量。一路上，别人的关怀触动了我，也有许多好书触动了我。是这些好书，把我从一个受到限制的世界，带入一个充满无限可能的人生，因为我在读书时仿佛进入了作者的大脑，看到他们如何改变了自己的人生。遵循这种传统，我去找了我的出版商西蒙－舒斯特公司的编辑，让他们知道，我不仅给身体提供食物，还给思想提供养分。

但是现在我想请你考虑一下，和我一起合作，用一种方式，可以在接下来的几年里继续做这些善事。这是一个很简单的策略，能够提供100万份餐食，不仅是今年，而是每一年，给那些需要食物的家庭。这并不需要你做出大额的捐赠。我提议的这个捐赠计划，给你提供能够改变生命和挽救生命的机会，只需要毫不费力地捐赠一些零钱即可。如何操作？跟我一起加入三大战役：消除饥饿，消除疾病，消除奴役。

用你的零钱来改变世界

我给你一个提议。我写本书的目标是，帮助你区别洞察力和技能，给你一个计划，能够真正赋予你能力，为你和你的家庭创造出长期持续的财给3 000万人提供清洁饮用水，把5万个孩子从被奴役中解救出来。这些数字都大得惊人，但是生命无价，即使只能够挽救一个孩子的生命，那也值得我们做所有这些努力。

那么你的愿景是什么？大多数人过高地估计他们一年之内能做成什么事，而经常过低地估计他们10年或者20年能做成什么事。

我可以告诉你，当我开始执行我的个人使命，给两个饥饿家庭提供食物时，我很激动。后来我的目标变成给100个家庭提供食物，后来这个目标提高到1 000个家庭，再后来提高到10万个家庭，再后来提高到100万个家庭。我们自己做得越大，我们看到自己有可能做到的潜力也越大。这取决于我们自己。和我一起努力吧，拿出来你的一点儿零钱，我们一起改变这个世界，消除饥饿，消除疾病，消除奴役，让世界上更多的孩子生活得更美好。

> 我发现，给予能带来很多好处，最大的好处是解放了给予者的灵魂。
>
> ——玛雅·安吉罗

不管你有没有参加消除计划或者其他慈善活动，做出一个决定，从你赚的钱里面拿出来小小的一部分，或者拿出来一小部分时间，有意识地选择投资到某件事上，这件事并不会让你个人直接受益，而是帮助某些急需助的陌生人。这个决定不涉及对错，而关系到你真正的财富，让你真正感到更有活力，内心真正地感到满足。

在《花钱带来的幸福感》这本书里，邓恩和诺顿写道：“给予别人，予和你无关的陌生人，在做对了的时候，你感觉像是一个选择，把我们人联系在一起，此时就产生了一种影响，即使是小礼物也能够增加幸，这有可能引发多米诺效应，激起一连串的慷慨捐赠行为。”

做这种“有利于社会的消费支出”（比如送别人礼物，捐赠做慈善活影响力很大，这触动了丹·艾瑞里和他妻子两个人，他们决定付诸

务安全、财务独立、财务自由。我执迷于找到给你的人生增加更多价值的方法，比你想象的还要多得多，只用一本书就能做到（尽管我必须承认这是一本很厚的书）。我希望本书能激发你超越短缺，实现成为一个富有的人的意愿。你成为富人的那一天，就是你开始内心充满快乐地给予的那一天，不管你在财务上有多少财富，你在精神上已经非常富有了，但是给予必须是发自内心的给予，并不是出于你必须去做才给予，也不是出于愧疚感才给予，更不是出于别人的要求去给予，而是出于给予能让你内心兴奋激动。

根据美国劳工部的统计数据，美国1.24亿个家庭中每年在娱乐上的平均花费有2 604美元，那么美国人只是在娱乐上的花费总额就超过3 200亿美元，想象一下，要是能从这3 200亿美元里拿出一部分解决以前非常棘手的大问题，例如饥饿、贩卖人口、缺少清洁饮用水，结果会怎么样？在美国，只需要1美元，就能给那些饥饿的人提供10份餐食。想象一下，要每年提供1亿份餐食，那会帮助多少人！但这只需要花0.1亿美元，只相当于我们每年花费在娱乐上的3 200亿美元的0.003 4%，就是1%的1/3！这相当于1美元里拿出来3美分多一点儿！于是我跟一些商业界和市场营销界的杰出人士合作，其中包括社会资本家鲍勃·卡鲁索（全球排名前100的对冲基金的高桥资本管理公司的前任管理合伙人和首席运营官），还有我的好友、慈善家马克·贝尼奥夫（Salesforce.com网络公司创始人兼首席执行官），我们共同开发出一种技术，能让你轻松地、毫无痛苦地拿出这些零钱来挽救生命。

只用不到一分钟，你就可以上网选择参加消除计划，这样每次你在世界各地使用你的信用卡时，你的购物消费支付价格会自动取整到最接近的美元数字，那么这个不足1美元的零头就是你的小小捐赠，它会直接转到批准的有效慈善活动中，以后我们会向你汇报你的捐赠让那些受助者发生了巨大变化的故事。我来举个例子说明这是怎么运作的。例如，你在星巴克买了一杯咖啡，价格是3.75美元，那么如果你参加了这个捐赠计划，你刷卡支付的价格会自动取整为4美元，相当于你多付了0.25美元的零钱，

它会按照设定好的路径捐赠给预先选择好的慈善机构。对于每个消费者来说，所有这些化零为整捐赠的零钱，一个月下来平均每个人不会超过 20 美元。你可以给你的这种化零为整的零钱捐赠设定一个每月捐赠总额的上限，但是我们建议你每个月捐赠的上限不要低于 10 美元。

你想知道你这样化零为整的零钱捐赠，会有多大的影响力吗？比如，你一个月捐赠零钱达到 20 美元：

- 你每月捐赠零钱达到 20 美元，可以为饥饿的美国人提供 200 份餐食（也就是说，一年下来你一共能够提供 2 400 份餐食）。
- 你每月捐赠零钱达到 20 美元，你可以提供一份清洁的、可持续的水源，能满足 10 个印度孩子每月的饮水需要，这样的话，每年你一个人就能够保护 120 个印度孩子避免患上饮用水污染所带来的疾病。
- 你每月捐赠零钱达到 20 美元，就可以把这笔钱作为一笔首付款，用它来解救一个因走私交易而变成奴隶的柬埔寨年轻女孩，让她重获自由。

这是全世界孩子和家庭面临的三大难题。在美国，最主要的问题是饥饿。也正是因为这个原因，我们专注于消除饥饿，因此我们和消除美国饥饿组织一起合作，共同努力。

但是从全世界来看，孩子们面临的最大挑战是疾病。你知道吗？由于水污染引发的疾病，是人类的头号杀手，每年导致 340 万人死亡，这是世界卫生组织的官方统计数据。事实上，每隔 20 秒，就会有一个孩子死于水污染导致的疾病，水污染导致的疾病“杀”死的人数，比“二战”以来所有因武装冲突死亡的人数还要多。

这也正是消除计划的第二个承诺：消除水污染传播的疾病，提供清洁的饮用水给全世界尽可能多的孩子。有不同类型的组织机构，提供不同类型的可持续性解决方案。有些解决方案只要求每人 2 美元，就能提供给这些孩子和他们的家庭稳定可靠的清洁饮用水。

自由的代价是多少？

综观全书，我们一直在努力，以确保你能获得财务上的自由。那么只投资相当于你每月支出的一小部分，来帮助一个孩子重获人身自由，你觉得值不值？每年都有 840 万个孩子被拐卖成为奴隶。2008 年，美国广播公司的新闻记者丹·哈里斯暗访，描述了需要多长时间和多少钱就可以买一个小孩当奴隶。这个记者离开纽约，经过 10 个小时到达海地，讨价还价一番，只花 150 美元就买到一个小孩当奴隶。这个记者说，在这个现代世界，买个小孩当奴隶，比买一个苹果音乐播放器还要便宜。

你肯定无法想象，这种事要是发生在我们自己的孩子身上，或者发生在我们喜爱的任何一个孩子身上会怎样。但是你要努力想象一下，你的捐赠行动，让一个孩子的人身重获自由，让受到多年奴役的灵魂重获自由会是什么样的。你的善行，能给那个当奴隶的孩子带来多大恩赐，根有语言能够形容。而且，你知道，即使在你睡觉的时候，你的捐赠也助那些每天正在努力赢得这场战争的人。

那么，我们应该如何处理这些巨大的挑战？我们每个人都要力，一次解决一点点，一次改善一点点。今年你和我，还有我的友，会努力给 1 亿人提供餐食。但是要是能用一种可持续的方式给 1 亿人提供餐食，是不是有点儿太不可思议了？我每天给 10人提供清洁的饮用水，这是我很有激情、非常热爱的慈善事业我们一起努力每天能给 300 万人提供清洁的饮用水，而且捐长，是不是一件很令人震惊的事？或者我们一起努力解救出奴役的孩子，支持他们接受教育，让他们找到途径重新开怎么样？

这就是我们只要有 10 万人参加消除计划，合在一起到的事。就像我建立了一个个人基金会以后，这个使命如果再过 10 年或者更长一段时间，我们就可以找到除计划的人数增加到 100 万人，那么我们就能够每

实践，制定一个简单的花钱制度，让他们夫妇两人和两个孩子作为一个家庭能够一起坚持把慈善活动做下去。孩子们得到零花钱，必须把钱分成三份，分别放在三个罐子里。

> 第一个罐子里的钱，花给自己。
> 第二个罐子里的钱，花给他们认识的某人。
> 第三个罐子里的钱，花给他们不认识的人。

请注意，这三个罐子有两个罐子里的钱都是花在别人身上的，都是有利于社会支出的，因为这样花钱能让孩子感到快乐。把所有钱分到三个罐子，分别花到自己、熟人、陌生人身上，这些钱都是应该花的，但是丹·艾瑞里非常细心，把钱分成相等的三份，花到他们所不认识的人身上的那一份，和花到自己身上以及花到朋友和家人身上的钱是相同的。花钱送给朋友和家人礼物当然会感觉很好，因为这是给予你所爱的人的礼物，但是用第三个罐子里的钱来做慈善，把钱花到陌生人身上，可能是最让人感到满足的，也是最重要的给予方式。

有些人尽管自己的日子过得有些困难，再给予别人很不容易，但是还是想方设法地给予别人，他会有非常大的善报。给予别人，多做善事，会对我们的大脑产生启动效应。这样做会训练我们，让我们逐步养成习惯，知道并不是做到现在这样就够了，我们还能做得更好。只要我们的大脑相信了，我们就能做到，我们就能体验到。

约翰·邓普顿爵士并不只是世界上最伟大的投资人，也是世界上最伟大的人，在大约 30 年前，他跟我分享了一些事：他说在他这辈子认识的人里面，有些人能坚持从自己的收入里拿出 8%~10% 捐赠给宗教机构或者慈善机构，凡是这样每年捐赠 1/10 的收入而且连续坚持 10 年的人，据他所知，没有一个人不是财富大幅度增长的。但是问题就在这里，每个人都会说“等我日子过得好些了，我会给予的”。我过去有段时间也是这样想的。但是现在有一点我可以做证：不管你现在日子过得怎么样，都应该马上开始给予。你应该马上开始培养这种给予的习惯，即使你觉得现在还没有准备好，即使你觉得根本没有多少剩余的钱去给予。为什么？因为正如我在本书第 1 章里跟你说过的那样，如果你有 1 美元的时候没有给予别人 10 美分，那么你有 1 000 万美元的时候，你就不会给予别人 100 万美元。

你如何扩大你给予别人的遗产？你如何给予别人你的时间和能量？你愿意拿出你个人收入的 1/10 捐赠给慈善事业吗？你愿意拿出一分钟上网签约消除计划，把你的零钱变成投资改变那些孩子的人生吗？如果你受到激励，请你现在就这样做，你就联结上了你能拥有的影响力。记住：从你的给予中受益最多的人很有可能是你自己。一个慈善家的人生，也是从简单的一小步开始的。让我们一起迈出这小小的一步吧。

我不去想所有的悲惨，而去想还剩下来的那些美好。

——安妮·弗兰克

顺便说一下，我并非一开始就充分意识到感恩和给予的意义。我过去也是一直过得紧巴巴的，缺这又缺那。回头看，我的人生并不是一直过得一帆风顺，但是我的人生总是得到上天的赐福，可是那时候我并没有意识到。因为在我长大的过程中，从钱上来讲一直是很贫穷的，我一直努力工作，以确认我能够获得最高水平的成就，但是我并没有认识到成就是一阵阵爆发而来的，不可能时时都处于最高水平。

要花很长时间才能真正学会一样东西，而且还要花很长时间才能达到精通，到了这个水平，这样东西在你脑子里就变得根深蒂固，成了你人生的一部分。所以我刚刚开始时，遭受到一系列的挫折。我如何应对这些挫折？我得实话实说，当时我可没有那种开悟之后的智者为人处世的优雅！我一直很生气，很懊恼，简直气坏了！没有一件事顺心如意。我的钱快要花光了！

有一天午夜，我开着车行驶在 57 号高速公路上，接近坦普尔大街出口匝道，快到加利福尼亚州的波莫纳市了，我心里一直在嘀咕：“我什么地方做错了？我工作这么努力，我到底缺少什么？为什么我失败得这么惨，无法得到我想要得到的东西？为什么我这么努力却不行？”突然之间，我两行热泪直流，我把车停到路边，翻出来我每天随身携带的日记本，借着仪表盘的灯光，开始狂乱地书写。我用大字在整整一页上写下这句话给我自己看：“生活的秘密是给予。”

是的！我意识到我忘了生活究竟是为了什么。我忘了正是在这里才能找到所有的幸福快乐，因为生活不仅是为了我自己，生活是为了我们。

我开车回到高速公路上，我受到了激励，重新开始聚焦，重新意识到我的使命，这让我再次激情燃烧。我开始有一阵子做得挺好，但是不幸的是，那天晚上我所写的东西只是一个概念而已，其实这只是表面上的领悟，还完全没有体现在我的具体行动上。接下来，我开始碰到更多的困难和挑战，6 个月之后，我的钱全部亏光了。不久之后，我发现自己正处在人生的最低谷，一个人住在一个只有 37 平方米的单身公寓里面，就在加利福尼亚州的威尼斯市，我内心充满怨恨。其实只要你追求的是相当大的目标，你就会遇到这些困难和挑战，这是自然而然的事，我却为此指责所有的人，没办法，当时我陷入这种误区出不来了。我断定我被那些人利用了，他们就是想占我的便宜。“如果不是因为他们，我肯定现在发展得很好！”我对自己说。于是我到处抱怨求安慰。我变得越来越愤怒，越来越懊恼，于是我就变得越来越低产出、低效率。

心情郁闷，我就开始胡吃海喝，这是我逃避现实的方式，吃的喝的都是那些很糟糕、很可笑、根本没有营养价值的快餐。才过了几个月，我的体重就增加了 37 斤多。这可不容易，你得吃好几千斤的食物，而且不能运动太多，才能这么快就长出这么多肥肉！我发现，自己现在做的事都是以前我嘲笑别人做的事——我不是在吃东西，就是在看电视连续剧。

回过头去看一看，当时的我堕落得是多么厉害，很可笑，当然也有点儿丢人。最后我只剩下 19 美元，还有几个硬币，我一点儿希望也没有了。当时我对一个朋友特别生气，我混得好的时候，他找我借了 1 200 美元，却一直没有还钱给我。现在我手头很紧去向他要这笔钱，结果他根本不理我。我打电话给他，他竟然不接！我很生气，我心里慌张地想：“我的天哪，我该怎么办？我连吃饭的钱都没有了！”

不过我这个人一直是很务实的。我想：“好了，当初我17岁，无家可归，那时的我比现在惨多了，我是怎么熬过来的？”那时我去找了一家专门做自助餐的餐厅，你想吃多少就可以吃多少，只要花一点点钱就可以了。这让我有了一个好主意。

我住的公寓不远处有个美丽的海湾，叫玛丽安德尔湾，洛杉矶那些有钱人都把他们的游艇停靠在那里。那里有家餐厅叫作小公牛餐厅，自助餐非常丰盛，一顿只要6美元。我可不想把任何一分钱浪费在汽油上或者停车费上，于是我不开车，走了5公里路来到餐厅。这个餐厅正对着海湾，风景很美，我找了靠窗的位置坐下来，装了一盘又一盘的食物，猛吃猛喝，就像我活不到第二天了一样，也许可能真的会这样。

我吃饭的时候，看着那些游艇在海湾里来来往往，梦想着那种有钱人开游艇的日子会是什么样子。我的心态开始变了，我可以感到一层一层的愤怒被化解掉了。我快吃完的时候，忽然注意到餐厅外面有个小男孩走过来，穿着一套小西服，看上去只有七八岁，紧跑几步上前推开门，让他年轻的妈妈先进去。然后非常骄傲地领着妈妈来到他们的桌子前，帮妈妈把椅子拉出来，请妈妈坐好。他表现得特别有绅士风度。这个小家伙看起来非常纯真，非常善良。他是一个完完全全的给予者，他对待自己的妈妈的方式那么尊敬、那么热爱，你一下子就能看出来。他深深地打动了我。

我买了单，走到他们的桌子旁，我对那个男孩说：“打扰一下，我觉得你是一位非常优雅的绅士，我很想认识你。看到你能这么绅士地对待这位女士，我非常震惊。”

“她是我的妈妈，我当然要好好对待她了。”小男孩很自然地说。

“哦，我的天哪。”我说，“这就更酷了，你能请你妈妈吃午餐，你太厉害了！”

小男孩定了定睛，用平静的语气说：“哦，其实不是我请妈妈吃饭，因为我只有8岁，我还没有工作呢，无法赚钱请妈妈吃饭。”

“不，你可以请你妈妈吃午餐。”我说。就在那一刻，我把手伸进钱包，拿出我所有剩下来的钱，大概加在一起有 13 美元，还有一些硬币，我把这些钱全都放到桌子上。

小男孩抬起头来看着我，他说："这钱我不能要。"

"你当然能要了。"我对小男孩说。

"为什么？"

我看着他的脸，给他一个大大的微笑，我说："因为我比你年纪大呀。"

他两眼直盯着我，惊呆了，然后开始咯咯地笑。我只是转过身去，走出了餐厅。

我其实不是走出餐厅那扇门，我简直是一路飞奔回家里！我肯定是完全疯掉了，因为当时我名下一分钱都没有了，但是相反我感到完全自由、完全解脱了。

就是在那一天，我的人生永远改变了。

就是在那一刻，我成了一个富有的人。

我内心有某种东西最终超越了短缺的感觉，我从那些大家称为钱的东西里面解脱出来。我能把每一件东西都给予别人，内心没有一丝恐惧。有某种东西超越了我的思考，在我的精神深处，我知道我得到了上天的指引。碰到这个时刻，我们大家都知道。这个时刻是命中注定的，就像你命中注定现在会读到本书的这些文字。

我认识到，我一直都忙着努力得到，但是我忘了给予。不过现在我重新找到了自我，我重新找到了我的灵魂。

我扔掉了我的那些借口，不再指责别人，突然我一点儿也不生气了，我也不感到懊恼了。你也许会说，我简直太傻了！因为我根本不知道明天的早餐在哪里，明天的晚餐在哪里。但是我心里根本想都不会想这种事。相反，我内心感到无比快乐，让我从噩梦中解脱出来——别人做了那么多让我觉得我的人生注定失败的噩梦。

那天晚上，我下定决心实施一个重大行动计划。我设计得清清楚楚，我要去干什么，如何让自己重新找到工作。我觉得我肯定能实现计划，但是我并不知道我什么时候能拿到第一笔工资，甚至比这更加紧急的是，我下一顿饭钱在哪里？

奇迹发生了。第二天早上，有一封老式的传统信件送到我楼下的信箱里。那是我的一个朋友手写的信件，他在信里说他非常抱歉，一直回避不接我的电话。过去他需要我的时候，我都会出手相助。他知道，我现在肯定是遇到麻烦了。所以他把向我借的那 1 200 美元都还给我，还加上了一点儿钱作为利息。

信封里有一张支票，价值 1 300 美元。这么多钱，足够我花上一个多月了！我哭了，一下子如释重负。然后我想："这意味着什么？"

我不知道，这是不是巧合，但是我宁愿相信这两件事是有联系的，我得到了这么大的回报，不仅是因为我过去给予过朋友资助，也因为我发自内心地愿意给予。不是出于义务，也不是因为恐惧害怕，只是一种发自内心地想要给予那个小男孩一份礼物，我觉得我遇到了一个年轻而高贵的灵魂。

我可以诚实地告诉你，我的一生有过很多非常难熬的日子，既有经济上的磨难，也有情绪上的磨难，我们都曾有过这样难熬的日子，但是我再也没有感受过那种短缺的感觉，我以后也再不会有了。

本书的终极信息非常简单，就是我把车停在高速公路边上写在日记上的那一句话：财富的终极秘密是给予。

自由地给予，坦诚地给予，轻松地给予，享受地给予。甚至是在你觉得你没有任何东西可以给予的时候，也给予。你会发现，有一个像大海一样丰富的宝藏，就在你的心里，就在你的周围。生活总是会为你发生，而不是发生在你头上。欣赏上天赐予你的那份礼物吧，你富有了，从现在直到永远。

理解了这个真理，把我带回生命之源：上天造出我这个人是为了什么？上天选出我们所有人是为了什么？只有一个目的，成为一股行善的力量。明白这个真理，把我带回人生的最深刻意义，我一直不停地努力实现我的祈祷：所有我遇到的人，所有我有幸建立联系的人，每一天我都要成为上天赐给他们的福气。

尽管我可能没有跟你见过面，但我写本书也出于相同的想为你带来福气的状态，我在问，我在祈祷，每一章、每一页、每一个概念都能更好地帮助你更加深入地体验你是谁，更加深入地体验你这一生能够创造什么，能够给予什么。

我发自内心的愿望也是本书的目的，就是给你一种方法，提高和深化你的生活品质，以及所有那些你有福气去爱、去感动的人的生活品质。在这里，我能够为你提供服务，我感到非常荣幸。

我期待有一天能与你面对面地交流，也许是我在世界各地组织的某一场讲座活动上，或者只是跟你在街头偶然相遇。我会非常激动地听你讲，你是如何用这些原则让你的生活更幸福、更快乐的。

好了，我们就要分别了，我要深深地祝福你，祝愿你的生活永远富裕安康。祝愿你的人生充满快乐，充满激情，充满挑战，充满机会，充满成长，充满给予。我祝愿你的人生成就非凡。

我永远爱你，永远祝福你！

托尼 · 罗宾斯

充分感受生活，就在此时此地。用心体验每一件事，照顾好你自己和你的朋友。找点儿乐趣，要疯狂，要怪异。走出去，把事情搞砸！反正你肯定会出错的，所以你最好享受整个过程，不要太在意结果。抓住机会从错误中学习，找到问题所在，然后解决。不要想完美，只要成为一个优秀的个体就够了。

托尼·罗宾斯

MONEY MASTER
THE GAME
7 Simple Steps to Financial
Freedom

附　录

简单 7 步通向财务自由：成功检查清单

这里给你准备了一份快速检查清单，你可以随时使用，看看你现在进展到哪一步了，接下来还需要做些什么，这份清单能让你一路前行到达财务自由。看看这简单 7 步，确定你不仅搞明白了，而且把它们付诸行动。

第 1 步：欢迎来到丛林：旅程从这一步开始

1. 要成为一个投资者，而不只是一个消费者，你下定决心了吗？

2. 要承诺将一个具体比例的收入储蓄起来，这些钱放入你的自由基金不得取出，你承诺了吗？

3. 你拿出一部分收入储蓄起来是自动的吗？如果不是，马上利用软件将它设定为全自动。

4. 如果你现在承诺储蓄的金额很小，你开始“明天存更多”计划了吗？详见 http://befi.allianzgi.com/len/befi tv/pages/save.more.tomorrow.aspx.

第 2 步：成为内行：加入之前先了解游戏规则

1. 知道九大投资理财迷思吗？你现在走出这 9 大迷思保护好自己不再上当受骗了吗？下面是一个小测验。

（1）任何一个 10 年，公募基金战胜市场的比例（或者跑赢它们业绩基准的比例）有多大？

（2）基金费率重要吗？公募基金的平均费率是多少？

（3）你支付的基金费率是 1%，与费率 3% 相比，会让你最终投资收益率的差别有多大？

（4）你像买车之前先试驾一样测试过你的理财经纪人吗？你有没有到网上看过，你现在的投资成本有多高，你现在的投资风险有多大，你现在的投资策略在过去15年里的业绩，和其他的简单、低成本的投资指数基金策略的业绩相比，是更高还是更低呢？

（5）一个是基金公司打的广告上面宣传的投资收益率，另一个是你实际上赚到的投资收益率，你知道二者之间的差别吗？

（6）你知道经纪人和受托人的区别吗？

（7）目标到期日基金是你的最佳投资选择吗？

（8）如何让你的401（k）账户缴费最大化，你应该选择使用罗斯401（k）账户吗？

（9）你必须承受巨大的风险追求巨大的收益吗？有哪些工具能让你得到市场上行收益，却不用承担市场下行亏损？

（10）你能辨认出来限制你的故事或者情绪吗？它们过去曾经阻碍或者蓄意破坏你，你打破过它们在你生活中对你的控制模式了吗？

2. 现在你有受托人代表你或者指导你投资理财吗？如果没有，上网去找一个。

3. 你拥有一家公司，或者你是一个公司的雇员，你是否花30秒去检查比较了一下，你们公司的401（k）的费用与市场上的其他计划相比是高还是低呢？

4. 如果你是一个企业老板，你们公司的401（k）必须以其他可比计划为基准，费率保持一致，才符合法律法规要求，请问你的公司合规吗？美国劳工部报告说，他们审查的401（k）计划中，75%都不符合规定，平均每家公司受到罚款60万美元。

第3步：梦想的代价，让游戏能赢

1. 你把游戏变得你能赢了吗？

（1）要实现你的财务梦想，实际需要的财富数字究竟是多少，你搞清楚了吗？你真正需要积累多少财富才能获得财务安全、财务活力、财务自由，你算好了吗？

（2）如果没有，现在就去算。或者如果你想重温一下，从头开始，现在就再算一遍。你可以用手机软件一直保留这些数字，而且只用几分钟就可以算出来。马上开始计算。

（3）记住：清楚就是力量。

2. 你得到了实现梦想实际需要的财富数字之后，用你的财富计算器，制订一个计划，按照保守、中庸、激进三种计划，你分别需要多少年能够获得财务安全或者财务独立，你的计划制订好了吗？

3. 有5招，可以用来加速你的计划实施，让你更快地获得财务安全或者独立，你仔细查看了吗，有没有做出相关的投资理财决策来运用这加速财富积累的5招呢？

（1）存得更多。

• 你仔细看过有哪些地方你可以省钱吗？是你的住房抵押贷款吗？是你的日常购买支出吗？

• 实行“明天存更多”计划，这样做的话，你今天什么消费也不用放弃，但是如果未来你得到额外的收入，你会储蓄更多，你有没有实施这个计划呢？

• 有些消费你可以轻松地砍掉，从而增加你的储蓄，你发现了吗？ 40美元的比萨可以不吃吗？瓶装水可以不喝吗？星巴克的咖啡可以不喝吗？这样做，能节省下来多少钱，让你将来的财务自由基金能增加多少，能让你实现财务目标的速度加快多少年，你算过吗？记住，每个星期少花40美元，这些钱你一直投资就能变成50万美元。如果你正在朝着实现财务目标的道路上稳步前进，需要积攒的钱都攒出来了，那么这些减少不必要消费多攒钱的事，你一个也不用做。但是如果你现在存的钱还不够多，无法实现你的财务目标，那么减少这些不必要的消费，多攒些钱，可以作为你的选择。

（2）赚得更多。你找到方法提高你能给别人增加的价值了吗？你需要重新调整自己，转换行业吗？有什么方法能让你增加更多的价值，成长得更快，以便让你能给予别人更多呢？

（3）节省费用和税收。你有没有想出一个办法，应用我们教给你的东西，减少你的费用，减少你的税收？

（4）获得更高的投资收益率。能够得到更高的投资收益却没有过高的风险，要达到这个目标，你找到一个方法了吗？我们这里推荐的投资组合可以加强你的收益，且能在市场下跌时保护避免重大亏损，不会让你跌得撕心裂肺、痛不欲生，你评估这些投资组合了吗？

（5）改变你的生活，改变你的生活方式。换一个地方，享受更好的生活方式，那里可以减少甚至消除州所得税，把所有这些省下来的税钱用来积累更多的财富，让你的家庭更快地获得财务案例和财务自由。你考虑过吗？

第 4 步：做出你一生最重要的投资决策

1. 做好资产配置，能让你永远不会把自己置于一种亏损太多的危险境地，你的资产配置决策做好了吗？（不要把所有鸡蛋放在一个篮子里，对不对？）

2. 把多大比例的资产放到安全水平，你会运用哪些特殊类型的投资，它们既非常安全又能让你的收益最大化，你决定好了吗？在安全 / 安心水桶里面，你把投资分散到不同类型的资产上了吗？你决定好将积蓄或者投资资本放进安全 / 安心水桶里的比例了吗？

3. 你决定好把资产配置到风险 / 成长水桶里的比例了吗？什么特殊类型的投资可以用来让你的收益最大化，同时使你的下行风险尽可能最小化？你的风险 / 成长水桶里面的投资足够分散了吗？

4. 你实实在在地评估你的真实风险承受能力了吗？你做过罗杰斯开发的风险承受能力测评吗？

5. 你考虑过你现在处于人生的哪一个阶段了吗？你还可以储蓄和投资多少年？基于这两点，你的投资应该更加激进，还是降低激进程度呢？（如果你年轻，多亏损一点儿也没关系，因为你有更多的时间来恢复元气；如果你已经快要退休了，你只有很少的时间恢复元气，可能你需要把更多的资产配置到你的安全 / 安心水桶。）

6. 你评估过你的现金流的数量和规模是多少吗？在你的资产配置中，按照你的保守水平或者激进水平来看，这些现金流会起作用吗？

7. 按照在你的总体投资中所占百分比来算，你怎么决定安全 / 安心水桶与风险 / 成长水桶二者的配置比例呢？ 50：50？ 60：40？ 70：30？ 30：70？ 40：60？ 80：20？

8. 为了填满梦想水桶，让你内心充满兴奋激动，你列出一个短期目标和长期目标清单了吗？这些梦想你是要一直等到未来某天去实现，还是有些梦想现在就可以成真了呢？

9. 你有没有建立一种方式为你的梦想水桶提供资金，用一小部分储蓄，或者是在你的风险 / 成长水桶突然行大运赚大钱时拿出来一部分暴利？

10. 再平衡和基金定期定额投资。

（1）你是否持续承诺把同样数量的钱放到投资上，不管市场是涨还是跌？记住，想要预测市场来选择投资时机，从来不灵。

（2）你是否持续再平衡你的投资组合，或者你有受托人来为你做这件事？这两种办法都行，再平衡至关重要，能让你的收益最大化，波动最小化。

第5步：只赚不赔：创造一个终身收入计划

1. 全季节投资组合的威力。

（1）瑞·达利欧与我们分享他独家创造的全季节投资组合，里面包含强大的投资智慧，你有没有花时间去读、去理解，并采取行动按照他的建议投资？在过去30年，在85%的年份里，瑞·达利欧的全季节投资组合都是赚钱的，过去30年里只有4年是亏钱的，但是没有一年亏损超过3.93%。

（2）你有没有在网上花5分钟来看看，你现在的投资组合在过去几年取得的投资收益率，跟全季节投资组合（或者其他投资组合）相比，它的相对业绩如何？或者去看一看，也只用几分钟，就能自己建立一个全季节投资组合呢？

2. 收入保险。

（1）你做了所有事情中最重要的事情了吗？你有没有百分之百地确定：只要你活着，不管你活多久，你都不会花光你的收入？你有没有建立一个有保障的终身收入计划？

（2）你知道即期年金和延期年金之间的区别吗？你知道选择哪种年金对你来说才是正确的，这取决于你现在处于哪个人生阶段吗？

（3）你有没有回顾和建立一个综合年金，或者利用一种只有上行收益没有下行风险的策略，现在每个人都可以购买这种指数年金，不管你的年龄是大是小，也不用你一次交一大笔钱？

（4）你有没有上网查查，你现在每个月交 300 美元的话，将来可以每月得到多少收入，多交多得呢？

3. 超级富豪的秘密。

（1）你可以大幅削减你获得财务自由所需要的时间，减少幅度可能会有 30%~50%，只要你运用一种税收效率高的人寿保险策略就行，你了解过如何具体操作吗？记住，私募人寿保险对于高净值客户来说是非常好的产品，但是即使你的财富净值很小，每个人也都可以运用这种保单。这份保险由美国退休教师基金会提供，只需要很小的缴费金额就行。如果你还没有探索这些投资工具，请联系一位合格的专业受托人，或者上网给你做一个免费分析。

（2）你有没有投资 250 美元设立一个生前依托，好让你的家庭得到保护，你死后财产就可以转给你的家人，而不用再让他们忍受经常长达一年的法庭认证进行资产调查登记？你有没有保护好你的财富，不但为你现在的儿女，而且为你的孙子孙女和你的曾孙子曾孙女？

第 6 步：像万里挑一的大师那样投资：亿万富翁战术手册

1. 你有没有花时间好好吸收前面 12 篇简短访谈里面的精华？要知道我访问的这 12 个人都是世界上投资理财的最强大脑，都称的上是有史以来最伟大的投资大师。

2. 谁是“宇宙投资大师”，他获得了什么样的投资收益，和包括沃伦 · 巴菲特在内的其他任何人相比怎么样？如果你想的话，怎么能跟他一起投资？

3. 你从耶鲁大学的戴维·斯文森、摩根大通资产管理集团的首席执行官玛丽·卡拉汉·厄道斯那里，关于资产配置你学到了什么东西？

4. 从指数基金大师约翰·博格那里，从末日博士麦嘉华那里，你学到了什么？

5. 你有没有领会巴菲特现在推荐给所有人的简单投资策略，包括他的妻子和他的遗产信托基金？

6. 你有没有深刻领会如何抓住风险—收益不对称的投资机会的重要性？

7. 你有没有充分理解保罗·都铎·琼斯给你讲的那个价值 10 万美元工商管理硕士的一堂课，收益—风险不对称比例起码不少于 5 ：1，而且总要借助于大趋势的力量？

8. 你有没有认真观看瑞·达利欧制作的视频《经济机器是如何运行的？只用 30 分钟就能轻松掌握》？

9. 你深刻领会凯尔·巴斯让你投资绝对不会亏损的投资之道了吗？还记得 5 美分硬币的投资威力吗？投资 5 美分硬币，美国政府永远确保你的投资绝对不会亏损，而且你会有 20%~30% 的潜在上行收益。

10. 你深刻理解查尔斯·施瓦布讲的内容核心了吗？你深刻理解约翰·邓普顿爵士的投资秘诀了吗？你要是真懂了，市场就会持续不断地送给你大礼，前提是你能够明白，最坏的市场环境是你最好的投资机会，在整个世界就要“完了”的时候，能够保持最乐观的投资态度，就像“二战”，就像拉丁美洲通货膨胀，就像美国 20 世纪 30 年代的经济大萧条，就像“二战”之后的日本？你有没有深刻理解约翰·邓普顿爵士真正的核心战略投资哲学，这让他成为历史上第一个进军国际投资的亿万富翁？

11. 你今天会采取什么行动，像这些万里挑一的投资大师那样去投资？

第 7 步：只管去做，尽情享受，尽情分享

1. 你的隐性资产。

（1）你有没有在思想上认识到这个真理：未来是一个非常巨大的地方。

（2）未来会充满令人兴奋的挑战。机会和问题总是会有的，但是你清楚知

道吗，这里有一波科技浪潮将要到来，将会持续创新，赋予我们每个人更大的个人能力，提升全世界整个人类的生活品质？

2. 你给自己终极礼物了吗？承诺现在就要变得富有，而不是等到未来的某一天，方法是通过欣赏和培养形成日常习惯，激发对已经拥有的东西的欣赏，以这种成功为基础不断发展。

3. 你会把预期换成欣赏吗？你承诺一生持续不断进步了吗？成长进步等同于幸福快乐。生活就是成长和给予。

4. 你清楚自己来到世上是为了什么？你的人生更高层次的目标是什么？你开始考虑你留给这个世界的遗产了吗？

5. 你决定把你钱包里的零钱用来投资，促成这个世界的巨大改变吗？如果这样的话，请现在就上网花上一分钟，挽救孩子的生命，与此同时一点儿也不影响你享受自己的人生。

6. 你是否学会了在这一刻就能让你变得富有的真理：生命的秘密就是给予。你有没有把这个真理内化于心，外化于事，具体体现到行动上？

这是一个概括性的快速检查清单，目的是让你充分利用你读过的内容，一看这些要点，就能重新回想起来读过的内容。如果有什么内容你想不起来了，给你自己一份礼物，重新再读一遍，吸收其中的精髓。记住，重复是技能之母。只有行动，才能从行动中发现你所有的力量。

所以，我亲爱的读者朋友，到这里来吧，你知道你并不孤单。你可以利用你自己的资源，也可以用我推荐给你的众多相关支持性资源。但是不管你做什么，一定要确定你采取行动了，一定要确定指导你投资的人是把你的最高利益放在心中，放在第一位的。你要开始做投资，先要找到一个正确的受托人。选择正确的受托人可以帮你创建投资理财计划，或者帮你完善投资理财计划。

这个清单并非一切，它只是用来触发你采取行动，保持成长，保持贯彻执行的计划。记住，知道不是力量，执行才是力量。只要每天或每周进步一点点就行，长期坚持下来，不知不觉地你通向财务自由的道路，到达目的地，你的梦想就成真了。

我期待，很快有一天能够和你相遇，面对面地沟通交流。在我们相见之前，不断提高，持续前进，精进技能，掌控游戏，激情燃烧地生活。

MONEY MASTER
THE GAME
7 Simple Steps to Financial
Freedom

致　谢

我坐起来，想要列一张表，列上所有我想表达感激的人，结果我完全不知道该怎么办。我刚刚写完一本英文版600多页的书！列个感谢名单有什么难的？但是要感谢帮助我完成本书大部分的每一个人，还是让我感觉非常艰巨的。我从哪里开始？我坐下来，这项艰巨的任务让我感觉非常像是看电影看到最后：几百个人名一个接一个地滚动出现，主要场景一幕一幕闪现，向那些超级明星致敬。我写本书和拍电影一样，也是有那么多人扮演了多种角色，才让我能够来到这个深深感到满足的时刻。

回顾写本书的4年旅程，坦白地说，其实用了30年引导我能走到这一步，我又看到一张张脸庞，感觉到那么多卓越非凡的人给我的恩惠。尽管我不能一一向他们表示感谢，但是我还是想深深地感谢那些最深刻地影响我的人生的人。

首先，感谢我的家人。当然，首先要感谢我的一生挚爱——我的妻子邦妮·珀尔，我的圣人，“我的女孩”。我妻子是我一生快乐和幸福永不中断的来源。我能找到这么好的妻子，是我最大的“善报”。我过去几十年为几千万人做过善事，也算善有善报。我妻子告诉我，她生来就是为了爱我，我所能说的就是老天爷太照顾我了，我太有福气了，能够得到这么一个善良、可爱、美丽的女人的爱。感谢我的岳父岳母，你们也是我的父母，感谢你们生了这么美丽的女儿，又培养出这么优秀的女儿。是你们赐给了我这一生最好的礼物——你们的女儿，她是我能想象得到的所有伟大的爱的来源。感谢你从小到大倾注在她身上所有的爱，感谢你们爱我如同爱你们自己的亲生儿子一样。你们这一生都在真诚地奉献，每天都在激励我前进。我的小舅子斯科蒂，你真的是我的好兄弟，你的勇气像战士一样，持续不断地专注于提高标准，确保我们能够联系到并服务于更多的人。感谢我的4个孩子，贾瑞克、乔希、乔丽、泰勒，在我人生每一个阶段都能带给我灵感、爱和提升自我的理由。我也要感谢上天赐给我这4个孩子。感谢我总是充满激情的母亲，给予我非同寻常的严格要求。还要感谢我的4个父亲，你们对我的人生都有独特的影响，你们影响了我的一生。感谢我的哥哥马库斯和姐姐塔拉，感谢我们这个由几代人组成的大家庭的每一个成员。我爱你们。

感谢罗宾斯国际研究所的核心团队，你们让我每天能很幸运地去探索，整合，持续不断地创造、检测、再检测新的看法、工具、策略路径，来改善全球各地人们的生活品质，感谢山姆·乔治，还有约格施·巴伯拉，你们真是我的好哥们儿，我在世界各地旅行讲课的时候，是你们在照看我们所有的公司，感谢我的好朋友和保护人迈克·梅里欧和“杰伊将军”加里蒂，感谢夏里、里奇、马克、布鲁克、特里以及我们所有的行政人员，你们做事以使命为驱动力，效率高且忠诚。感谢我杰出的创意团队，特别卓越的经理人和创意合伙人黛安·阿德科克，你太棒了，还有我们的凯蒂·奥斯汀，我爱你。感谢圣迭戈总部的所有工作人员，感谢罗宾斯国际研究所各个部门每天和我一起工作的同事，感谢安东尼·罗宾斯公司的所有合作伙伴。感谢你们每一个人应我们的要求持续不断地工作，帮助人们在各个方面——商业、金融、健康、情绪、时间管理、亲密关系——持续创造新的突破。我们聚到一起合作是为了改变人生。我们受到召唤去提升。我们推动财务上的、企业上的，最终是人精神上的提升。我们是促进精神信仰发生变化的因素——这是我们所有人天生想要得到的礼物。我感到非常幸运，能够和你们一起工作，对全世界各地人们的生活产生影响，让世界因为我们而有所不同！我要特别感谢我们的志愿者和服务人员，特别是我们那些长时间出差的人，是你们通过在全世界旅行，做了很多幕后工作。如果没有你们，我们的活动就无法办成，我们的整个团队都非常感谢你们的付出，也非常感谢你们的爱人的支持，你们让我们公司的业务覆盖全球。感谢约瑟夫·萨默森三世、斯科特·哈里斯、乔·威廉姆斯、迈克尔·伯内特、理查德·维罗妮卡·谭和萨利姆提供的沟通帮助，让我们能够服务全世界更多的人。

我与4个卓越人士的深厚友谊，对我的人生影响非常大。

第一个人是我的好朋友，也是好兄弟，保罗·都铎·琼斯，我要感谢你，21年多来，你一直是我的一个楷模，教我坚持寻找成功的道路，不管困难有多么大，你一定努力争取胜利！你以传奇般的交易能力闻名于世，但你还有一样东西更加伟大，就是你深沉的爱和无比的慷慨。让世界因为有你而不同，这是驱动你努力工作、努力奉献的最大动力，你每天都在这样努力。

感谢皮特·古伯，你一直是我这辈子最亲密的一个朋友，你天生具有创造力，你的创意没有极限。感谢你不断地激发我去看看哪些事情是可能做到的！感谢你给我带来所有的欢笑，你的教导，你的爱，我真幸运能和你做了好几十年的朋友。

感谢马克·贝尼奥夫，你是我在这条人生路上的好兄弟。你有非常惊人的思维，你有无法征服的雄心，你在商业上持续创新，你在慈善事业上付出巨大努力，激发我和几百万名受托人，把你在Salesforce.com设立并维持得如此成功的标准继续坚持下去。我很骄傲能跟你合作，一起改变很多人的人生。我爱你，兄弟。

感谢史蒂夫·韦恩，我很感谢你的爱，感谢你成为一个完美无缺的卓越创造者，这个世界上的任何东西都无法阻挡你！你真的是一个天才，却又如此谦卑。你总是在寻找机会为你所爱的人做些事。你展望未来，把愿景变成现实，你激发了你身边的每一个人。我和你一起度过的第一天，你就激发我更进一步。

通过我自己举办的活动和出席的活动，让我有机会遇到成千上万的人，他们打动了我的心。但是本书，从核心上看，却是50多个卓越非凡的投资理财大师的独特影响塑造出来的，他们的智慧和策略打动了我，也打动了所有阅读这些内容的人。这些大师愿意花时间接受我的访谈，分享自己一生的投资心得体会，我会永远深深地感激。感谢瑞·达利欧，你为本书送了一份大礼，提供了适用于一般投资者的全季节投资组合，这是基于你那只著名的全季节对冲基金的投资策略，凝聚了你的投资智慧和天赋。达利欧给我们的这个礼物是一个简单的投资组合，至少从历史上看，能够让投资者在长期投资理财的道路上平稳地前进。达利欧的“神秘配方”的价值根本无法衡量，但这只是体现他内心无比慷慨的一个方面而已。

感谢约翰·博格，他有64年的投资生涯，而且一直专注于只做对于投资者来说正确的事：你创造出来的指数基金，完全改变了过去的投资模式，让全世界的个人投资者都受益匪浅。感谢你给了我4个小时的访谈时间，在我有幸做过的访谈中，这次访谈最朴实、最诚实、最具洞察力。感谢布恩·皮肯斯，他是真正的美国个人英雄主义和牛仔勇气的绝对象征。感谢凯尔·巴斯，向我们展示了所有巨大的收益并不是一定要求你冒巨大的风险。感谢约翰·邓普顿爵士，过去几十年来，他的智慧一直在激励我，“最悲观的时候”给我们提供了最好的投资机会。感谢麦嘉华，他总是给我们很有创新的投资建议，而且最重要的是他总是热情洋溢地享受生活。感谢毫无畏惧的卡尔·伊坎，他的魄力、他的勇气、他的激情，不受任何拘束，挑战现状，为他的投资者创造出非凡的业绩回报。感谢玛丽·卡拉汉·厄道斯，这位摩根大通资产管理集团的首席执行官，监管着数万亿美元的资产，她是一个展现服务型领导巨大威力的杰出榜样，也给我们提供了榜样。此外，她也是一个工作生活保持平衡的典范，我们每个人都可以像她那样，要事业做得非常成功，同时和我们最重要的家人保持密切联系。

还要感谢所有成就非凡的、充满智慧的学术界和商界人士。感谢获得诺贝尔经济学奖的经济学家罗伯特·席勒和哈里·马科维茨，感谢麻省理工学院的丹·艾瑞里，感谢什洛莫·贝纳茨和理查德·塞勒，他们两人合作设计出“明天存更多”计划，让个人投资者能够绕过认知和情绪上的限制真正做到储蓄更多，而大多数人都掉入了这些陷阱无法解脱。感谢戴维·巴贝尔博士，你专注研究终身收入，你自己活生生的案例，帮助我塑造本书的很大一部分内容。感谢伯顿·麦基尔，你是美国投资界的国宝，是你最早专注于研究指数投资，为指数基金横扫投资界打下了良好的基础，你说话直截了当，在这个相当黑暗的金融世界成了一个亮点，照亮了一方天地。感谢艾丽西亚·穆勒（波士顿大学）、特丽莎·吉拉尔杜奇（新学院）、杰弗里·布朗和戴维·巴贝尔（沃顿商学院）：感谢你们和你们的学识，让我们更加了解美国退休养老金体系，你们的贡献是革命性的。感谢史蒂夫·福布斯和哈佛大学教授及美国前财政部长劳伦斯·萨默斯给了我们两个小时的激情辩论，非常精彩，非常生动，像“两个对立党派”一样展示给我们，我们是如何发展到现在这种状况的，美国需要做些什么才能够扭转局势。感谢戴维·斯文森，他是机构投资界的超级巨星，是他打开耶鲁大学捐赠基金会的大门，让我可以分享他超级有效的投资之道，但是更重要的是，他就是一个活生生的榜样，告诉我们的劳动就是我们爱的反映。他的工作就是一份礼物，他个人持续不断地专注于他能够给予什么，一直到今天还让我深深地感动。

感谢沃伦·巴菲特为我们所有个人投资者开创出一条投资之路。感谢你有话直说。我很想专门访谈你一次，交流更多时间，只是我们在《今日秀》做节目中间休息时短短的交流已经触动了我的心弦。就连人称股神的巴菲特都说，指数投资是正确的投资道路，我们就不用再为此争辩不休了。

感谢艾略特·维斯布朗特，早在这个主题确定之前，你就表示愿意接受这个挑战，你一直不断努力地工作，为富有的人提供真正透明的、没有利益冲突的建议。现在你担负重任领导一场改革运动，让普通收入阶层也能够享受到和富有的人同等的投资机会，不管他的经济能力是大是小，艾略特·维斯布朗特是我们的真正榜样，为人正直，富有勇气，发自内心地承诺只做对的事情。感谢你的合作。

感谢所有参与访谈的投资理财大师，感谢所有愿意付出时间参加我的白金合伙人理财讲座的投资理财大师，感谢这些年一直分享投资理财知识的专家，感谢那些取得巨大投资理财成就而成为我们学习榜样的投资者，你们用实际行动告诉我们一切皆有可能，你们都激励了我，你们的智慧以不同的方式反映在本书的内容里。

非常感谢我的好朋友保罗·德约里尔（此人曾经有段时间住在他的车里）。感谢NBA小牛队老板马克·库班、查尔斯·施瓦布、萨拉·布雷克里、瑞德·霍夫曼、理查德·布兰森爵士、查克·费尼、埃文·威廉姆斯、彼得·林奇、雷·钱博斯、戴维·沃克、埃迪·兰伯特、谢家华、陈庆炎、迈克尔·米尔肯、马克·赫德、米奇·卡普兰、卢卡·派杜里、哈利·丹特、罗伯特·布莱切特、迈克尔·奥希金斯、吉姆·罗杰斯、詹姆士·格兰特、埃里克·斯普劳特、迈克·诺沃格拉茨、斯坦利·德鲁肯米勒、乔治·索罗斯、罗杰·道格拉斯、多明戈·卡瓦罗、丹尼尔·克劳德、杰弗里·巴特、乔舒亚·雷默、罗素·纳皮尔、伊马德·莫斯塔克、汤姆·格纳，当然还有阿杰伊·古普塔！特别感谢亚当·戴维森，亚历克斯·布隆博格，海伦·奥林，感谢你们充满洞察力的观点，什么是不公正的，我们能做些什么来对付这个疯狂的、互相联系的、波动的金融世界，这个金融世界现在主导着我们所有人的生活。

我要向西蒙－舒斯特出版社的合作伙伴表示最深挚的感谢，他们做出了感天动地的努力，才赶得上本书令人发疯的出版时间安排。我非常坚定地要使本书按计划出版，但是本书的篇幅是呈几何级增长的，因为我访问了越来越多世界上最伟大的金融投资大腕儿，时间非常紧，篇幅很长，实在难为出版社的工作人员了。首先感谢西蒙－舒斯特出版社的总经理和发行人乔纳森·卡普，感谢他的远见，他非常支持我的想法，感谢他带领整个西蒙－舒斯特团队来帮助编辑和出版这本创纪录的“庞然大物”，我们肯定打破了很多历史纪录。非常感谢本·列侬和菲尔·巴什两位编辑，有了你们两人的帮助，我才能终于完成本书艰巨的写作任务。

感谢所有帮助我们把这本爱心的劳动成果散播到全世界的人，包括海蒂·克虏伯、珍妮弗·康纳利、简·米勒、香农·马文、苏珊娜·多纳休、拉里·休斯、马克·汤普森、马特·米勒、感谢弗兰克·伦茨和他的杰出团队，戴维·巴赫和我亲爱的朋友迪安·格拉齐奥西，此外还要感谢我所有的市场营销伙伴，包括布兰顿·伯查德、杰夫·沃克、弗兰克·克恩、乔·波兰、布雷特·拉特纳、迈克·柯尼希斯、蒂姆·菲利斯、加里·维内查克、埃本·佩根、罗素·布伦森、迪安·杰克逊、玛丽·弗里奥、克里斯·布罗根、杰伊·亚伯拉罕、杰森·宾、戴维·米尔曼·史葛、史葛·克罗索斯奇，还有其他许多人。非常感谢普拉宾·那若和克利夫·威尔逊以及所有帮助我们开发手机应用软件的合作伙伴。

感谢那些媒体界的明星大腕儿，充满爱心地传播本书相关的资讯，特别是奥普拉·温弗瑞、艾伦·德杰尼雷斯盖和奥兹博士。感谢影响之国公司里的合作伙伴，我感觉他们就像我的家人一样，日夜奋战为本书设计封面等，特别感谢卡瓦库，感谢我亲爱的兄弟詹宁斯·克里斯和鲍勃·卡鲁索。感谢加林·柯克西和西比尔·阿木提以及整个影响之国团队，不仅感谢你们对本书的投入，而且更要感谢你们帮助我们不断地磨炼提升我们的能力，让我们每过一年影响到的人的数量就能增加好几百万。我爱你们，多谢你们。

当然本书的使命就是要服务社会，不仅服务那些会读本书的人，还要服务很多被社会忘记的人。所以，我深深地感谢安东尼·罗宾斯基金会的所有工作人员，感谢我们所有的战略合作伙伴，特别感谢我们最重要的合作伙伴布瑞恩·波考培、我们 SwipeOut 工作的所有合作伙伴，消除美国饥饿组织的丹·纳斯比特，帮助我们协调这个从来没有人尝试过的办法来提供 1 亿份餐食：分配我捐赠的 5 000 万份餐食，不知疲倦地工作，以确保募集到足够多的匹配捐赠资金，让我们能够再捐赠 5 000 万份餐食。深深地感谢我的合作伙伴科迪·福斯特和他整个卓越投资顾问团队，感谢他们率先为普通大众创造出截然不同的新型收入解决方案，也感谢他们开拓性地致力于提供 1 000 万份餐食，以前从来没有人做到过。

关于科学技术和未来的这些智慧远见，我要深深地感谢我那位非常有远见的朋友彼得·戴曼迪斯和雷·库兹韦尔。我非常荣幸能够经常有时间跟这两位卓越人士在一起交流。他们给我提供了一个窗口，让我能看见未来的真实景象，在这个地球上只有极少数几个人能够想象出来，他们每一天都在努力工作让未来梦想成真。彼得·戴曼迪斯和雷·库兹韦尔看到的未来确实让我惊呆了，我非常荣幸能够跟你们合作创办奇点大学和全球学习 X 大奖。我对我们一起努力将要创造出的东西感到非常兴奋。再次感谢我在本书能够分享你们对未来的远见卓识。感谢伊斯顿·拉查佩尔充满创意地要设计出更好的产品的雄心壮志，感谢胡安·安立奎给我们展示出来，我们所说的“生命”也正在被重新设计，重新塑造，以适应新的发展机遇。

感谢我身边那些做的都是小事却有重大意义的工作人员：亲爱的萨拉、斯蒂芬、斯蒂芬妮。感谢我们斐济度假村这个大家庭的所有成员。感谢安德烈、玛丽亚、托尼帮助我们在忙碌的生活中保留一个神圣的安心之地。

最后，也最重要的，我要感谢我的核心研究团队，没有你们，我根本写不出来这些内容。

首先要感谢我的儿子乔希，他一直在金融行业工作，给我提供了很多无法用价值衡量的观点，我很高兴我们聊到半夜，一起头脑风暴，想要找出一些办法，给个人投资者带来更多的价值。我们在一起的时间带给我很多快乐和兴奋，远远超过我的想象，不仅因为我们能够一起创造，也因为我们在这个项目期间一起度过的那些美好时光。

还有4个人我要表示感谢，没有他们的帮助，本书根本写不成：詹·道斯，他有超人的能力，能一下子抓住我的想法，几乎是我一说出来他就明白了，而且保持整个结构安排合理，紧密联系，前后关联，简直是天衣无缝！你真是帮了我的大忙，我爱你。

最后要感谢玛丽安娜·富勒斯和朱迪·格利克曼对我的特别关照，愿意和我一起度过好多个不眠之夜，一起改进和编辑修改我的手稿。

感谢玛丽·巴克海特，你的奉献支撑我熬过了最筋疲力尽的时刻，让我在这个漫长又折磨人的写作过程能够继续坚持下去，创造出这本“珍宝”，我们两个知道，它在未来几十年会感动好多人。我爱你，我永远感激你。

感谢那份荣恩，在整个写作过程中一直指引着我，感谢上帝在我人生的早期阶段，就让我内心释放出来某种力量，让我从来不满足于现状，而且发疯般地执迷于一股渴望，一股驱动力，尽可能以最高的水平来服务他人。感谢那些经历，总是在提醒我不仅是大事重要，那些小事也很重要。感谢愿意购买本书的读者，感谢所有信任和购买过我的产品或者我的服务的人，感谢那些非常信任我来参加我举办的活动的人，你给了我你最宝贵的资源——你的信任、你的托付、你的时间。我和你们合作，重新掌控自己的人生；不管你的人生原来过得如何，我们一起努力把它带入你值得拥有的更高品质的生活。

感谢我人生路上所有的朋友和老师，人数太多恕我不能一一列举，有些很有名，也有些默默无闻，你们的见识、策略、榜样、爱和关心就是我的肩膀，我很荣幸能够站在你们的肩膀上，才有今天的成就。今天我要感谢你们所有人，我要继续我永不停息地追求，每一天都能让我有幸相见、相爱和服务的人更加幸福。

The Judas Factor

The JUDAS FACTOR

THE PLOT TO KILL MALCOLM X

Karl Evanzz

THUNDER'S MOUTH PRESS   NEW YORK

First edition
First printing, 1992
Published by
Thunder's Mouth Press
54 Greene Street, Suite 4S
New York, NY 10013

LIBRARY OF CONGRESS CATALOGING IN PUBLICATION DATA
Evanzz, Karl.
The Judas factor : the plot to kill Malcolm X / Karl Evanzz.—1st ed.
p. cm.
Includes index.
ISBN 1-56025-049-6 :
1. X. Malcolm, 1925-1965—Assassination. I. Title.
BP223.Z8L57334 1992
364.1'524'092—dc20 92-17947
CIP

TEXT DESIGN BY GLEN M. EDELSTEIN

Printed in the United States of America

Distributed by
Publishers Group West
4065 Hollis Street
Emeryville, CA 94608
(800) 788-3123

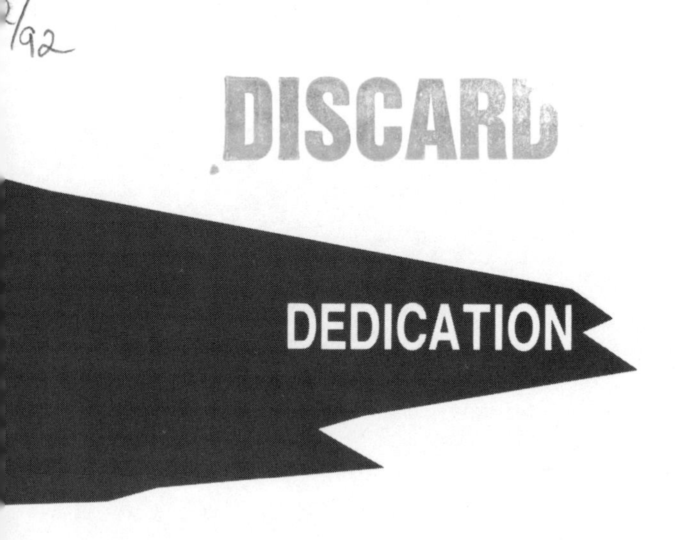

DEDICATION

THIS BOOK IS DEDICATED TO MY PARENTS, Bernice and Adolphus Anderson, and my siblings: Elise Leake-Harmon, Alphonso Robinson, and Lindell, Marilyn, Anthony, Wanda, Wannette, Sheila, and Yvette Anderson;

To my children: Aqila, Aaron, Kanaan, Arianna, and Adrian;

To Alexandra Hamilton-Evanzz, my wife, best friend, and the world's most compassionate nurse, and Deborah Teen, who helped me through one of the most difficult periods of my youth;

To Eugene N. Hamilton, Virginia David-Hamilton, and Marion Anderson.

To the architects of Affirmative Action;

To Dr. LaVert Morrow, Dean Bernard Axelrod, and the staff of Westminister College (Mo.), and to the underpaid teachers at Sumner High School in St. Louis and everywhere else in America.

Lastly, it's dedicated to the victims of oppression.

CONTENTS

ACKNOWLEDGMENTS

THE COMPLETION OF THE BOOK would have been impossible without the unwavering support and understanding of my wife and children, and Virginia Hamilton, my mother-in-law, who probably did more baby-sitting in the last seven months than in the last seventeen years. She has my eternal gratitude and love.

Special thanks also goes to Anthony Anderson, who spent most of the summer of 1981 with me in the FBI's Reading Room in Washington, combing through hundreds of thousands of pages of declassified government documents.

Speaking of FBI headquarters, the assistance of Helen Near and Linda Kloss of the FOI/PA section was enormously helpful.

My research was also enhanced by the News Research staff at the *Washington Post*. Thus, I would like to thank them all:

Cassandra Davis, Jennifer Belton, Kathy Foley, Richard Ploch, Mathelda Patterson, Hoang Thuy Vu, Robert Lyford, Maria Kwami, Pamela Smith, Kelli Sorrels, Amy Talentino, Carmen Chapin, Lynn Davis, Melody Blake, Ronlyn Dandy, Dorian Patchin, Elizabeth Eck, Michael Slevin, Robert Thomason, Alice Rabinovitz, Lyle Sinrod, Amy Wahl, Mary Lou White, Christopher Phillips, Kim Klein, John Carter, Fred Gundling, William Hifner, Margot Williams, Laurie McLaughlin, Bobbye Pratt, Anne Brewster, and Andrew Mayer.

Newsroom staffers Roger Saucier, Levi Moses, Eric St. John, Renee Leslie, David Best, and Alan Phelps also contributed to the final product, as did copy aides Gary Mock Jr., Anna Lopez, and Kate O'Reilly.

Jaehoon Ahn, a distinguished Korean magazine columnist and broadcast commentator, was immeasurably helpful to my research on Korean history.

Joseph Ritchie, an editor at the *Detroit Free Press*, gave willingly of his time to research the story of the Nation of Islam in that city. His efforts alone saved me months of research time.

Karen Stephenson of Washington and Michael Patton of Kansas City, Kansas, located court cases for me, saving me time and money as well.

Conversations with Paul Lee, a nationally recognized authority on the Nation of Islam, proved illuminating. The same is true of University of Maryland-Bowie campus Professor Zak Kondo, another acknowledged authority on the sect.

Editing and writing suggestions from Cheryl Eaves and Peter Masley were also invaluable.

Insights from reporter George Lardner Jr., who has covered the intelligence community for the *Washington Post* for years, were priceless.

Scott Armstrong, co-author of *The Brethren* and who now heads the independent National Security Archives, entertained and supported my request for a grant from the Reporters Fund for Investigative Journalism.

Expressions of confidence in this book from Nancy Brucker, Lucila Woodard and Donald E. Graham, publisher of the *Washington Post*, were sources of inspiration.

Neil Ortenberg, publisher of Thunder's Mouth Press, also warrants a special thanks for taking a chance on this project and others by black writers. Editing suggestions from Phillip Margulies, Betsy La Fond, and Barbara Elovic at Thunder's Mouth helped to mold the final product, as did the research acumen of Marian Cole.

My deepest appreciation is lastly extended to the families of Patrice Lumumba, Malcolm X, Elijah Muhammad, George Jackson, Mark Clark, Fred Hampton and the late Huey P. Newton, as well as to Ernest Anderson and St. Louis activists Rashid Hamid, Percy Greene, the Rev. Charles Koen, and *St. Louis Argus* publisher Dr. Eugene Mitchell.

Despite their flaws, they were my heroes. They provided me with the courage to quit a notorious street gang, and the inspiration to try to make a contribution to African-American culture.

Wherever they are today, I hope they will find this book a token of my appreciation.

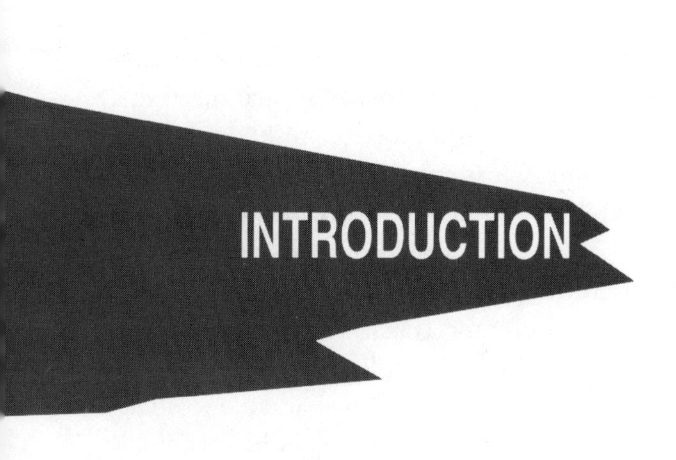

INTRODUCTION

When I left the Bureau we employed over three hundred full-time informants who reported from all over the country. Most of them were involved in crimes like hijacking, bank robbery, murder, and kidnapping. But some were members of the *Black Muslims,* the Black Panthers. . . .

—William C. Sullivan,
key FBI official who spearheaded COINTELPRO against black activists

[Congressman Walter E.] Fauntroy explained. "Dick [Gregory], we know the FBI killed Martin [Luther King Jr.]. We have the proof. . . ."

—from *Plausible Denial,*
by Mark Lane

Declassified FBI memos from the late '60s and early '70s reveal then-Director J. Edgar Hoover offered a $500 bonus to the officer who killed Black Panther leader Fred Hampton.

—*JET Magazine,*
November 5, 1980

A renewed investigation by Alabama authorities into murders during the 1960s civil rights movement had indicated that the Federal Bureau of Investigation's chief paid informant in the Ku Klux Klan might have been an agent provocateur who participated in and helped plan the incidents that the FBI hired him to monitor.

—the *New York Times,*
July 9, 1978

"I HAVE BEEN MARKED FOR DEATH within the next five days," Malcolm X told his friend James Shabazz during a private meeting on

February 16, 1965. "I have the names of five Muslims who have been chosen to kill me. I will announce them at the next meeting." Why he did not reveal them then it is impossible to know for certain; but at the time Malcolm X was conscious that he was under close FBI surveillance and thusly confided in very few people.

On Sunday, February 21, as his black 1963 Oldsmobile sedan approached the popular Audubon Ballroom in Harlem, where he was scheduled to speak at a regular meeting of the Organization of Afro-American Unity (OAAU), Malcolm X looked in his rearview mirror. He saw nothing suspicious, but still was unable to shake the sensation of being stalked. Fearful that he might be shot while driving, he parked his car about a mile and a half south of the Audubon Ballroom, got out, and walked to a bus stop.

Moments later, a car bearing New Jersey license plates pulled up to the bus stop. One of the occupants rolled down a window and summoned Malcolm X, who thought for a second that this was the hour of reckoning. But as he peered into the car he saw, to his relief, the face of a friend. Charles X Blackwell smiled at Malcolm X, then poked his head out of the window and offered him a lift.

After they arrived at the ballroom a few minutes later, Malcolm X hurriedly headed backstage. "I really shouldn't be here today," he told Leon 4X Ameer as they waited for special guest speakers to arrive. To Ameer, A. Peter Bailey, and other top aides, Malcolm X indicated that he felt something evil was in the air.

One by one, all of those invited to speak that afternoon called to cancel their engagements. The crowd grew increasingly restless. Exasperated, Malcolm X finally told Benjamin X Goodman, an aide, to get things underway. Goodman gave him an accolade, then introduced him to an anxious audience. The hall was crowded; people were lined up against the walls.

"As-Salaam Alaikum [peace be with you]," Malcolm X said as his eyes raced over the faces of the predominantly black crowd.

"Wa-Alaikum-Salaam [and peace be with you]," most of those gathered replied.

As Malcolm X spoke, one of the bodyguards standing near him

subtly signaled that he wished to be relieved from his guard post. The bodyguard, Gene X Roberts, took a position near the front entrance after another guard filled his post.

Suddenly, two young black men seated near the stage began scuffling.

"Niggah, git yo' hand outta my pocket!" one of them shouted.

"Hold it, brothers! Cool it!" Malcolm X said sympathetically. "Don't get excited. Come on, let's cool it," he urged them.

As Malcolm X extended his right hand toward the two black men, one of them pulled a German Luger out of the other's overcoat and shot Malcolm X in the chest. As he fell backward, a third man threw a smoke bomb into the air, creating pandemonium.

A fourth black man, armed with a sawed-off shotgun, rose from the third row and shot Malcolm X in the chest.

As Malcolm X fell to the floor, the fifth man and final third gunman shot him in his left leg and hand. Like an outlaw in a Western movie, the last conspirator backed toward the entrance of the ballroom, firing shot after shot at Malcolm X.

Malcolm X's body hit the stage. Blood gushed from his wounds onto the dusty stage floor.

One of Malcolm X's bodyguards, Reuben X Frances, fired three shots at the fifth assailant, hitting him once in the leg. Members of the audience shouted obscenities as they kicked and clawed the injured suspect. "Kill that son of a bitch," some shouted. "Kill 'em," others cried. The other four suspects held off the crowd with their weapons and escaped through entrances on either side of the stage.

Roberts, the bodyguard who had moved to the front of the ballroom seconds before the shooting began, ran through the crowd and jumped on stage. He knelt over the prone black nationalist and appeared to administer mouth-to-mouth resuscitation.

Betty Shabazz, Malcolm X's wife, who was a registered nurse, pulled Roberts away from her dying husband and tried to save his life. Sarah Mitchell, a young black woman, hastily loosened Malcolm X's tie and opened his shirt, revealing volcano-shaped wounds in his chest. Yuri Kuchiama, a Japanese American disciple of Malcolm X, held his head upright to prevent him from choking on blood in his throat.

Even as they attempted to revive Malcolm X, they knew there was little chance that the ardent voice of African American anger, revered by blacks but despised by most whites, would survive.

"His pulse was weak, very weak," Roberts later recalled. As Betty Shabazz and others on the stage wept in grief and dismay, a black man standing in the left corner near the stage laughed triumphantly. According to several eyewitnesses, he wore the pin of the Nation of Islam on his lapel.

Two of Malcolm X's aides, Hakim A. Jamal and Leon 4X Ameer, ordered a colleague to run across the street to the Columbia Presbyterian Medical Center to seek help. Five minutes passed; no one from the hospital arrived. Enraged, Jamal and Ameer reluctantly left their leader's side and ran over to the emergency room. Dismissing protests from the emergency room staff, they grabbed a stretcher and wheeled it over to the Audubon Ballroom. With the assistance of guards and others on the stage, they delicately lifted Malcolm X and placed him on the stretcher, but as they attempted to carry him out, uniformed police officers arrived and ordered everyone to move aside. Four policemen seized the stretcher, carried Malcolm X out of the ballroom, and hastily wheeled it to the hospital.

The entourage that had been on stage with Malcolm X that afternoon was joined in the waiting room by hundreds who had come to hear Malcolm X speak. Many prayed in silence; others pleaded loudly with God to spare Malcolm X's life.

Fifteen minutes after Malcolm X arrived at the emergency room, a hospital physician appeared in the lobby to face reporters and spectators. "The gentleman you know as Malcolm X," the doctor said dryly, "is dead."

The question raised by his supporters as he passed into martyrdom that bloody Sunday remains unsatisfactorily answered even today: who killed Malcolm X? Theories about the cause of his assassination began percolating within hours. Like the ten blind men describing the elephant, everyone with an opinion proposed a different scenario of the plot to kill Malcolm X.

The dust hasn't settled yet, but three main assassination theories remain vibrant. Each has its proponents. The facts upon which all three theories are based are presented here for the first time.

As you examine the evidence, it may help to approach the assassination from the perspective of a homicide detective, applying the three-pronged test of "motive, means, and opportunity."

To begin with, detectives look for a *motive*. Who would gain from the murder, whether emotionally, politically or financially? Then, since not everyone with reason to commit a particular murder is able or likely to do so, a search for the most probable culprit and the *means* used to commit the crime is undertaken.

A related factor is that criminals tend to duplicate their crimes, and thus a corollary of the "means" test is the search for a match in *modus operandi*. That is homicide detectives search for a pattern which fits the criminal's signature.

The final element, *opportunity*, is the question a suspect answers when he supplies detectives with an alibi. A conspiracy complicates the examination of alibis, turning it into a search for links between the actual killer or killers and confederates not present during the slaying.

With these tests in mind, these are the three main theories about the plot to kill Malcolm X:

THEORY ONE: The Black Muslims Did It.

The first and most obvious theory is that Black Muslim *mujaheddin* (the term signifies Muslim warriors engaged in a holy war) killed Malcolm X.

Everyone knew there was bad blood between Malcolm X and the Honorable Elijah Muhammad, so the media naturally assumed after the arrest of an African American assassin at the scene of the crime that Black Muslims had brought their year-old vendetta against Malcolm X to a bloody conclusion.

Certainly, if anyone had a motive to kill Malcolm X, it was the Nation of Islam. His official departure from the sect on March 8, 1964 had deeply affected Elijah Muhammad. The aged Muslim leader had taken to swallowing sedatives at bedtime, and chronic bronchitis forced him to turn over responsibility for running the Nation of Islam to his son, Herbert Muhammad, his son-in-law Raymond Sharrieff, and John Ali, national secretary of the Black Muslims.

From information in Elijah Muhammad's FBI file, it is clear that the Black Muslims would have welcomed Malcolm X's death. In one memo describing a wiretapped telephone conversation about Malcolm X, Elijah Muhammad mentioned to an assistant that it was time "to close his eyes." In another memo dated March 23, 1964, he stated that Malcolm X was a "no-good long-legged" hypocrite, and added that when you find hypocrites, you should "cut their heads off." Moreover, Black Muslim officials—notably Louis Farrakhan, Joseph X Gravitt of New York, and Jeremiah X Pugh of Atlanta—wrote a series of articles in the weeks prior to the assassination that Malcolm X was a "hypocrite," and that hypocrites "deserve to die."

The Muslims clearly also had the means and opportunity to carry out an assassination. Talmadge Hayer, the assassin trapped at the Audubon by the crowd on February 21, was a Black Muslim. So were Norman 3X Butler and Thomas 15X Johnson, two men who were subsequently arrested and charged with homicide. All three were convicted of Malcolm X's murder in 1966.

The trial, however, was riddled with irregularities. To begin with, only one of the five men who killed Malcolm X was caught at the scene. Butler and Johnson were arrested days later; alibis placing them elsewhere were dismissed by the prosecutor, who withheld legal evidence from defense attorneys. This evidence, not made public until 1970, pointed not only to the presence of undercover New York detectives in the organizations created by Malcolm X after his defection, but also to an undercover agent who was guarding Malcolm X when he was killed. This information lent credence to the next theory about Malcolm X's assassination.

THEORY TWO: The Intelligence Community Did It.

This theory was first expressed by Malcolm X's half-sister, Ella Collins, and by many of the people who stood in line at his funeral. "The white power structure did it," an anonymous black woman told television reporters. Her theory was repeated by other African Americans interviewed that day, and editorials in dozens of Third World newspapers seconded this contention.

The intelligence community certainly had a motive.

FBI Director J. Edgar Hoover feared an alliance was imminent between African American radicals led by Malcolm X, and moderates who followed Dr. Martin Luther King, Jr. In the course of tracking their budding relationship, the FBI uncovered strong links between the two men: lawyers retained by King also represented the Nation of Islam, and these same attorneys had close personal friendships with both King and Malcolm X.

The Central Intelligence Agency and United States State Department, judging from their attempts to destroy Paul Robeson in the 1950s, also had a strong motive, and declassified CIA documents reveal that the office of the Deputy Director of Plans, the division involved in the overthrow and assassination of several Asian, African and Latin American rulers, was scrutinizing Malcolm X's activities up to the hour of his assassination.

A petition Malcolm X intended to lodge with the United Nations, accusing the government of violating the human rights of African Americans, was considered so potentially damaging to American foreign policy that it was discussed with President Lyndon B. Johnson.

Declassified FBI and CIA documents also reflect the intelligence community's worries about Malcolm X's friendship with prominent African diplomats, as well as with Cuban Premier Fidel Castro and his protégé, Che Guevara.

As for means, the government had its entire national security apparatus, but especially its informants and *agents provocateur* it had planted within black nationalist organizations. The government also had a history of similar crimes; its *modus operandi* is well documented. The schism between Elijah Muhammad and Malcolm X, which the government had done its best to exacerbate, may well have provided the intelligence community the opportunity to commit this assassination and escape detection.

THEORY THREE: The Mafia/International Drug Cartel Did It.

The suggestion of Mafia involvement was initially made days after Malcolm X's assassination by James Farmer, then director of the Congress of Racial Equality (CORE). He added that international drug merchants might have wanted Malcolm X silenced. Farmer reasoned that Malcolm X was having a serious detrimental impact on drug profits in black communities throughout the United States, so drug merchants stood to gain by his assassination.

This theory began to look more plausible when the late Edward Bennett Williams, former owner of the Baltimore Orioles and Washington Redskins, and legal counsel for dozens of men with ties to the Mafia, represented Hayer on appeal in 1979. Hayer denied that Johnson and Butler were involved, and said he had been paid handsomely for murdering Malcolm X. Hayer has steadfastly refused to say who paid him.

By 1973, after a series of gruesome murders in New Jersey, it became clear that a few Black Muslims were deeply involved with the drug underworld. And in 1975, Nathaniel Muhammad, Elijah Muhammad's son, was arrested for drug distribution in the Midwest. He was convicted and served his sentence at the Federal Correctional Institution in Sandstone, Minnesota.

While some still advance this theory, Farmer has long since abandoned it.

Of the three theories, the FBI probed the first and the last. On February 25, 1965—after a three-day investigation—the FBI concluded that there were no "international implications" in the murder of Malcolm X. The FBI issued its investigative summary on the assassination as quickly as it reached the conclusion that Lee Harvey Oswald acted alone in killing President John F. Kennedy, that James Earl Ray acted alone in the assassination of Dr. Martin Luther King, Jr., and that Sirhan Sirhan acted alone in assassinating Robert F. Kennedy.

Three years after Malcolm X's murder, the truth began to surface.

In May, 1968, nationally syndicated columnist Drew Pearson revealed that the FBI had subjected Dr. Martin Luther King, Jr., who had been assassinated in Memphis a month earlier, to wiretaps and technical surveillance from as early as March, 1965, until the day of his death. In 1969, during hearings on Muhammad Ali's appeal of his conviction for draft evasion, FBI agents testified that the Bureau had the former heavyweight boxing champion under similar surveillance between mid-1962 and 1966, and that phone conversations between Ali and Elijah Muhammad were recorded during this period presumably for potential counterintelligence purposes.

Since the surveillance seemed confined to fringe groups, the extent of the government's domestic spying failed to hold the media's interest for long. That changed on September 25, 1973, when NBC television reporter Carl Stern won legal access to FBI documents stolen from a FBI documents-storage facility in Media, Pennsylvania. (The fact that ultra-secret documents were kept in a town called "Media" has resulted in a multitude of puns by journalists.) Stern filed the lawsuit after learning that the stolen documents described covert counterintelligence campaigns against left-wing groups in the United States during the 1960s.

The FBI's term for its massive operation was "COINTELPRO," an acronym for "counterintelligence program."

The subsequent declassification of government documents revealed that the FBI and CIA (in clear violation of the latter's charter to refrain from domestic operations) conducted activities against left-wing groups, right-wing groups, and even organizations regarded as politically neutral, such as the National Council of Churches. The intelligence community also targeted individuals with no particular political bent, like singer Eartha Kitt, against whom the CIA began a COINTELPRO after she offended President Lyndon B. Johnson's wife during a White House dinner.

Moreover—and most disturbing of all—the intelligence community conducted a media manipulation program wherein some print, radio, and television reporters were fed distorted, inaccurate, and sometimes wholly fabricated "information" for the sole purpose of destroying targeted individuals and groups. While it is generally true that a number of media personnel were duped into believing their sources were reliable and accurate, it is evident that some reporters willingly cooperated with the disinformation campaign in the interest of "national security."

An investigation by the second session of the 94th Congress convened between 1975-1977 and similar government-independent investigations into the depth and scope of COINTELPRO showed that, in addition to surveillance, the majority of organizations targeted by COINTELPRO, both left- and right-wing, had been infiltrated by the FBI or CIA, or both. It was also learned during congressional hearings that the four main branches of the United States military, the Internal Revenue Service, and virtually every other federal, state, and local government agency had at times conspired with the intelligence community to violate constitutionally protected rights of American citizens.

The blame for this nationwide suspension of the Bill of Rights clearly falls on those who headed the FBI and CIA, but it doesn't stop there. After all, in most instances, the intelligence community was, rightfully or wrongly, only doing what it believed the American people wanted done to preserve "national security." But in the performance of its perceived duties, the intelligence community, perhaps intoxicated by its ability to operate above the law without fear of detection, became careless and entered into unholy alliances with some of the most amoral individuals and most despicable organizations operating here and abroad.

The CIA, for example, affiliated itself with the Mafia during the Bay of Pigs fiasco, the ensuing attempt to assassinate Premier Fidel Castro of Cuba, and the assassination of Patrice Lumumba of the Congo in the early 1960s. Likewise, the FBI failed to properly supervise or discipline some of its most violence-prone "informants," as in the case of Gary Thomas Rowe, Jr., who infiltrated the Ku Klux Klan, and William M. O'Neal, Jr., who infiltrated the Black Panther Party. Rowe was working as an FBI informant in the Klan in March 1965 when a civil rights worker, Viola Liuzzo, was shot to death by men in a car in which Rowe was a passenger. He was subsequently indicted for her murder but testified under FBI protection and a grant of immunity from State and Federal prosecutors. Similarly, O'Neal was an informant who urged his colleagues in the Chicago chapter of the Black Panther Party to commit flagrant violations of law. In one case, O'Neal ordered a Black Panther leader killed after accusing him of being an FBI informant. O'Neal's FBI control agents rewarded him with money and a reduction in jail time for his drug felonies after a Panther leader, Alex Rackley, was tortured to death while O'Neal watched.

The Organization of Afro-American Unity and Muslim Mosque, Incorporated, two groups founded by Malcolm X in 1964, had been infiltrated by the FBI and by the New York Police Department's Bureau of Special Services (BOSSI).

In 1970, during the New York trial of a group of Black Panthers, a witness stunned the court by revealing that he was employed as a rookie undercover agent for BOSSI at the time of Malcolm X's assassination.

The following year, I began an informal investigation of Malcolm X's assassination. Several years later, I discovered that not only were Malcolm X's organizations tainted by the presence of undercover government agents, but that Elijah Muhammad's inner circle was also infiltrated by at least one government informant, and possibly two.

In the early 1980s, with the assistance of Anthony Anderson, I examined hundreds of thousands of pages of declassified government documents in the FBI's Reading Room in Washington. Hundreds of books about the Black Power Movement and counterintelligence programs were reviewed, as well as the memoirs and biographies of countless prominent officials who served during the Eisenhower, Kennedy, Johnson, and Nixon administrations. Nearly two hundred individuals active in the Black Power Movement were interviewed, including relatives of Muhammad and Malcolm X. Interviews with the accused assassins also were examined.

After analyzing these resources, I am convinced that Louis E. Lomax, an industrious African-American journalist who befriended Malcolm X in the late 1950s, had practically solved the riddle of his assassination twenty-five years ago. Lomax, who died in a mysterious automobile accident while shooting a film in Los Angeles about the assassination, believed that Malcolm X was betrayed by a former friend who reportedly had ties to the intelligence community.

In 1968, Lomax called the suspect "Judas."

This, then, is the story of "The Judas Factor."

—Karl Evanzz
Washington, 1992

The Judas Factor

CHAPTER 1

THE BOOK OF MALACHI

The prophet Malachi attacks the wickedness of the people, which he finds especially reprehensible in view of the fact that they are once again able to worship God as their people had before the Exile . . . The Book ends with the prediction that God will send a messenger to prepare His way.

—from "A Summary of the Books of the Bible," *The Holy Bible*[1]

If names be not correct, language is not in accordance with the truth of things.
If language be not in accordance with the truth of things, affairs cannot be carried on to success.

—Confucius, "On the Rectification of Names"[2]

"THE WHITE MAN IS THE DEVIL, the black man is God. The white man is the devil, the black man is God."

In the spring of 1948, as Malcolm Little, former hustler, thief, pimp, and drug addict, lay on his bunk in a dark prison cell, these words revolved in his mind like a stylus on a scratched record.[3]

During the two years since his incarceration in the Massachusetts State Prison at Charlestown he had raised so much hell that his fellow inmates dubbed him "Satan."[4] But Malcolm's siblings, who visited him regularly, wanted him to stop using his new nickname. The white man was the real Satan, they admonished him—no black man in his right mind would voluntarily be known by the epithet his oppressors so richly deserved.

His brother Reginald, who had joined a small black separatist sect known as the Nation of Islam, had recently begun sending letters to Malcolm in which he urged his older brother to forsake cigarettes and pork as the first step to accepting Islam.

According to Reginald, Elijah Muhammad, leader of the Nation of Islam, had been personally taught about the evil nature of the white races by the sect's founder, a mysterious man known to members variously as Wallace Fard, Wallace Fard Muhammad, Master Fard—and as "God," since Fard had also said that he was "Allah in human form," a claim members of the Nation of Islam accepted as holy writ.[5] Fard had instructed Elijah Muhammad that African Americans were the true "exiles" mentioned in the Holy Bible and that the white races would be removed from the face of the Earth as soon as 144,000 African Americans were converted to Islam. These, Fard taught, would be the Chosen Few prophesied in the Bible as well as in the Koran, the religious book of the Muslims.[6] Africans, Fard said, had bowed to the East and worshipped God in their own image before they were stolen away from the Mother Continent. Now they bowed every which way, like someone lost, and worshiped a "blond, blue-eyed, pale-skinned devil" who looked just like the slavemaster.

At the culmination of a three-year education period which ended in 1933, Master Fard appointed Elijah Muhammad as his earthly messenger and charged him with resurrecting a select group of his "mentally dead" people by returning them to their true religion, Islam, Reginald told Malcolm.

Since all members of the Nation of Islam were black, the group was called the Black Muslims by African Americans who weren't members.

While Malcolm Little was in prison practically his entire family had joined the Nation of Islam, beginning with his older brother Wilfred in the spring of 1947. His brothers Reginald and Philbert joined that summer and were soon followed by his sister Hilda.[7] The only people closely related to him who did *not* then belong were his mother, Louise Little (then hospitalized for mental illness in Michigan's State Hospital at Kalamazoo),[8] his younger brother

Robert, and his half-sister Ella. Elijah Muhammad, Malcolm learned, stayed at the home of Wilfred Little whenever he visited Detroit, the city where the first orthodox Islamic mosque opened in 1934, and where Master Fard opened the first Black Muslim mosque ("Holy Temple of Islam No. 1") in 1930.[9]

Philbert Little was the first to write letters to Malcolm between visits urging him to join the Nation of Islam, but his pleas fell on deaf ears. It wasn't until Reginald suggested to Malcolm that joining the Black Muslims might serve as his ticket out of prison that he began to listen. The more he listened and the more he read on his own about history, philosophy, and biology in the prison library, the more persuasive he found his family's new faith.

Everything bad that had happened to Malcolm, Reginald told him, was attributable to a conspiracy by the white race to destroy the nonwhite races. Elijah Muhammad—whom Reginald referred to sometimes as the "Messenger of Allah" or the "Holy Apostle" or simply "Elijah the Prophet," taught that white civilization represented Gog and Magog, the biblical race of heathens "who would unsuccessfully try to destroy the Lord's future kingdom."

After Reginald had provided him with what he considered to be satisfactory proof that Caucasians were devils in human form, Malcolm concluded that Satan was the last thing he wanted to be called, and before Thanksgiving Day of 1948, he mailed a form letter to Elijah Muhammad, seeking membership in the Nation of Islam. The letter, which would not be accepted unless its penmanship was legible and it was worded exactly as Muhammad ordered, was addressed not to Elijah Muhammad, but to "W.F. Muhammad."

Only one paragraph long, it read:

> Dear Savior Allah, Our Deliverer:
>
> I have been attending the teachings of Islam by one of your Ministers, two or three times. I believe in It, and I bear witness that there is no God but Thee, and that

> Muhammad is Thy Servant and Apostle. I desire to reclaim my Own. Please give me my Original name. My slave name is as follows:[10]

Months after Malcolm mailed his letter, he received a reply from Elijah Muhammad, accepting him into the Nation of Islam. Although he would later receive an "original name," the name he used during the waiting period was the name the world would one day remember him by: Malcolm X.

As in algebra, the "X" represented the unknown. A Black Muslim's last name was replaced with an "X" until Elijah Muhammad substituted his "slave" surname with an Arabic one. When more than one individual had the same first name, the X would be preceded by an Arabic number; which number would depend on the date of the individual's conversion.[11] If John Brown joined in May, for example, and John Black joined a month later, Brown would be called "John X" while Black would become "John 2X." In New York there were so many members named Charles that one Black Muslim was known as "Charles 67X."

By the time the first snow fell in 1948, Malcolm's behavior had changed so dramatically for the better that prison officials granted a request from his half-sister, Ella Collins, to transfer him to Norfolk Prison Colony, a facility created to conduct experimental rehabilitation programs using modern theories of penology.

For the next six months, Malcolm's brothers and sisters visited him regularly, each reinforcing the world vision emphasized by the other. They also kept him apprised of developments within the Nation of Islam. When he wrote them, Malcolm X would itemize information he had uncovered in the prison's library which he felt substantiated Elijah Muhammad's theory that white people were devils. When they visited him, he couldn't talk fast enough to impart the new evidence he had found corroborating Muhammad's views.

Initially, everyone was receptive to Malcolm's lectures. But by late 1949, Reginald, who had done so much to bring Malcolm into the fold, began arguing with him over the teachings of Elijah Muhammad. Reginald had changed his mind about Muhammad's divinity. Elijah Muhammad, he told Malcolm, was no "Messenger of Allah." He had evidence that Muhammad was a false prophet.[12] In subsequent visits, Reginald continued to speak disparagingly of Elijah Muhammad, implying that Muhammad had treated him unfairly for breaking rules which Muhammad had himself violated.

Deeply shaken, Malcolm X wrote to his brother Wilfred about Reginald's accusations. When Wilfred visited him weeks later, Malcolm discovered that Reginald had been suspended from the Black Muslims for committing adultery.[13] Wilfred and Malcolm X's other siblings said they believed Reginald was making his "wild accusations" about Elijah Muhammad only because he had been excommunicated.

The stress caused Malcolm X by his brother's plight made it almost impossible for him to sleep. He would lie on his bed in semidarkness, reading the Bible well into the night, searching for some story or parable he could cite in letters to Muhammad as grounds for forgiving Reginald.

Almost daily over the next several weeks he wrote letters to Elijah Muhammad, asking him to reinstate Reginald before the excommunication ruined his brother's mental health. Malcolm's apprehension was heightened by the fact that their mother, Louise, was in a mental hospital.

While awaiting a reply, Malcolm X experienced a mystical event.[14]

As he lay on his back one night, thinking of his brother's challenge to Muhammad's claim of divinity, he noticed a man, surrounded by an incandescent light, sitting in a chair in the cell.

"He wasn't black, and he wasn't white," Malcolm later wrote. "He was light-brown-skinned, an Asiatic cast of countenance, and he had oily black hair."

Malcolm stared at the apparition, and the mysterious man

returned his stare. Then, without either of them uttering a word, the visitation was over.[15]

In Malcolm's mind the stranger's significance was clear: he had seen—to quote the jailhouse chaplain in Camus's *The Stranger*—the "divine face." He was convinced that the mystical mirage was none other than Master Wallace Fard Muhammad.

In an effort to understand the meaning of the vision, Malcolm searched the Holy Bible for references to "Elijah the prophet." Eventually he focused on the story of Malachi, the twelfth and last prophet of the Old Testament and presumed author of the thirty-ninth book in the order of the King James Authorized Version of 1611. Malcolm studied the passage in the last verse of the last chapter of the Book of Malachi, which, Elijah Muhammad contended, prophesied his own role as Redeemer of the African American:

> Behold, I will send you Elijah the prophet before the great and terrible day of the Lord comes.[16]

Elijah Muhammad taught his followers that the "terrible day of the Lord" came in 1914 with the outbreak of World War I. Master Fard was the "Lord" mentioned in the Book of Malachi, Elijah Muhammad said, and he was Elijah the prophet.[17]

Malcolm X believed that Fard's visit to him was a sign that he had been chosen as the resurrected biblical Malachi.

Certainly, as the whole of his later career proved, Malcolm X's conversion experience was as genuine a rebirth as is to be met with this side of the supernatural. He had led a lurid life since leaving school in the eighth grade, the kind of life that makes the redemption that comes after it seem all the more dramatic.

Malcolm's father, the Reverend Earl Little, was a Baptist minister and an organizer for Marcus Garvey's UNIA (Universal Negro Improvement Association), a black separatist movement of the 1920s whose goal was to return African Americans to their ancestral homeland. Little was Garvey's chief representative in the Indiana Harbor (East Chicago) area. In 1928, the family moved to Michigan. Among Malcolm's earliest memories were the meetings of the group held in their neighbors' homes in Lansing, Michigan, the slogans "Africa for the Africans," and "Ethiopians Unite!"—and, also, of that night of November 7, 1929, when his whole family stood outside shivering in their underwear, watching their house burn down.[18] Family and friends knew that the fire was probably set by a Ku Klux Klan splinter group known as the Black Shirts. (The white hate society later changed its name to the Black Legion, after a movie of that name starring Humphrey Bogart.) Klu Klux Klan members in the Detroit area routinely harassed UNIA members, and their chief form of harassment consisted of lynching and burning the homes of black activists.[19] But police and fire marshals, many of whom belonged to the Klan (membership in the Detroit area was over 100,000) disingenuously suggested that Earl Little had set the fire himself, since he was facing eviction.[20]

When Malcolm was six Earl Little was found dying on the trolley tracks near his home, his skull crushed, his body cut nearly in half.[21] According to the police, many of whom were later exposed as members of Black Legion, Little had "fallen" on the tracks and couldn't get to his feet. He was struck by a trolley car (significantly, a later investigation of Black Legion activities revealed that many trolley car policemen were among its members). Since there was nothing to suggest that Earl Little was intoxicated or otherwise incapacitated at the time of his "accident," his wife Louise and other UNIA members believed that he had been beaten and then put in the streetcar's path. They again suspected the Black Legion.[22] The insurance company found it in its own interest to believe a third theory—that he had committed suicide.

In his autobiography Malcolm X attributed his mother's subsequent nervous breakdown at least partly to the interference of the relief workers who seemed eager to break apart what remained of the Little family. Thereafter, Malcolm was shunted through a series of foster homes and schools, including a reform school.

Finally, at age fifteen, in the summer of 1940, he went to live with his half-sister Ella in Boston. Although Ella was a strong-willed, capable woman, she proved unable to prevent Malcolm from being drawn into the exciting but corrupt night world of the Roxbury district. A job shining shoes for the customers at the Roseland Ballroom eventually led to a remarkably varied life of crime.

Malcolm spent the next four years exploring the African American underworld in Boston, Detroit, and Harlem. His first arrest occurred on November 29, 1942, when he was apprehended by Boston police for stealing a fur coat. Five months later he was arrested again, this time in Lansing, Michigan, for committing grand larceny.[23] By the end of World War II he was shuttling back and forth by train to the three cities, working odd jobs during the day and prowling the streets at night in search of someone or something to hustle. There wasn't a "mack" or madam he didn't know by name in those areas. With equal aplomb, the tall, thin, hazel-haired hustler known as "Detroit Red"[24] ran numbers (illegal lotteries) and hookers (he was a small time, or "chili" pimp). He sold marijuana to policemen and politicians and hocked stolen jewelry and fancy coats. He conducted confidence games with a sleight-of-hand a professional magician might have envied, then celebrated his fleeting fortunes by buying a small bag of cocaine.

On occasion, when he needed money desperately, Malcolm allowed the men he called "punks" or "fags" to perform fellatio on him. It was easy money, and while homosexuals in the African American community have always been treated like lepers, exploiting them as a source of income was viewed as a sign of masculinity.[25]

By the winter of 1945, Malcolm had been arrested nearly a dozen times but had miraculously avoided serving any real time in jail. On January 16, 1946, however, his luck ran out with a burglary indictment from a Boston grand jury.[26] The fact that two white girls were involved in the crime and that they might even have had sex with their African American accomplices (as every cop, lawyer, bailiff, and social worker in the case feverishly speculated) was especially shocking to the judge and resulted in an unusually harsh sentence.

In later years Malcolm X regarded this arrest as his salvation, and as fresh proof that "everything is written," for through it he found the religion that completely transformed his life.

By the spring of 1949, Malcolm X had begun signing nearly all of his letters with the name "Malachi Shabazz." The surname was derived from Fard's theory that African Americans were "descendants of the moon people" from "the tribe of Shabazz" of African antiquity.[27]

Although Malcolm continued writing Elijah Muhammad about his teachings and about reinstating his brother Reginald, Muhammad didn't reply to Malcolm's plea for Reginald's redemption until the late summer. When he did, the response was unfavorable.

"If you once believed in the truth, and now you are beginning to doubt the truth," Elijah Muhammad wrote, "you didn't believe in the truth in the first place."[28] Reginald had transgressed the laws of God and Nature, Elijah Muhammad argued forthrightly, and would therefore have to suffer the consequences.

The excommunication meant that no member of the Nation of Islam could speak, write, or associate with Reginald. Shortly after his isolation, Reginald Little suffered a nervous breakdown.[29] Although Wilfred and Malcolm's other siblings, disobeying the strict rules of isolation, secretly tried to nurse Reginald through his mental crisis, he began experiencing delusions of grandeur—he believed he was more powerful than God—and he had to be hospitalized.

It hurt Malcolm deeply to shut his younger brother out of his life but, as the weeks passed, he was able to suppress his anguish over Elijah Muhammad's punishment of Reginald, and he pressed forward with his vision of the role he imagined himself playing in the rise of the Nation of Islam.

The Norfolk Prison Colony became his first recruiting ground.

"Many of the best black minds in America are in prison," Elijah Muhammad was fond of saying. The devils, he said, could spot black people with leadership potential by observing them interact with others at school and at work. When they discovered them, the devils would always find an excuse to incarcerate them, he said.[30]

To Malcolm, this theory made perfect sense. It explained why, when he was the only black student in the class and one of the top students in the school, white teachers had discouraged him from aspiring to be a lawyer. They always gave him the advice Tuskegee Institute President Booker T. Washington had given to blacks decades earlier— to find a job where he could use his hands.

By early 1950, Malcolm X had converted half a dozen prisoners to Islam. Chief among them were his namesake, Malcolm Jarvis, and Osborne and Leroy Thaxton, all of whom Malcolm X had known from his days as a hustler.[31]

In March 1950, Malcolm X created a brouhaha at Norfolk by demanding that prison officials make special dietary arrangements for its minuscule Muslim population. He and his fellow Muslims also refused to be injected with the typhoid inoculation on the grounds that it violated the tenets of their religion. Their refusal was construed as a violation of prison regulations, so on March 23, the four were sent back to the state prison in Charlestown for insubordination.

Upon his arrival Malcolm X filed a request on behalf of the Black Muslim inmates for cells facing eastward and reiterated his demand for special dietary arrangements. When prison officials dismissed their requests, Malcolm X wrote letters to the local media in which he charged Charlestown Prison officials with violating the religious freedoms guaranteed by the Bill of Rights.

On April 21, Malcolm X's disagreement with prison officials made headlines in the local media, including the front page of the *Springfield Union*. The story reported that the four men, the "first Islam adherents" at the prison, were causing problems by demanding that prison officials accommodate their religious needs as it did those of Christian prisoners.

John J. O'Brien, the chief warden, admitted that the Muslims now had cells facing eastward, as they had demanded, but implied they'd had them in the first place and denied granting special privileges to Malcolm X and the others.[32] "They're just regular cells," O'Brien said. The reporter seemed to think this an unlikely coincidence, and an impression was created of the power of this strange new group of prison inmates.

The publicity generated by Malcolm X's demands gave him his first inkling of the way the "devil's" media could be used to advance the spread of Islam.

Although Malcolm X's protest was also written up in the *Boston Post,* the story in the *Springfield Union* carried a special significance. Of all the stories on the front page that morning, only one featured a byline. The reporter's first name was Malcolm, and his article ran next to the story on the incarcerated Black Muslims. To Malcolm X, this was no mere coincidence; it was a sign from Allah that he had been chosen for a divine mission and that he was pursuing the correct course.

The success Malcolm X experienced in embarrassing prison officials had been inspirational. Within weeks of the publicity generated by the Boston area newspapers, he sent a letter to every prominent politician he could think of, including John B. Hynes, the newly elected mayor of Boston, and Paul Andrew Deer, the rotund governor of Massachusetts.[33]

He even mailed a scathing letter to President Harry S. Truman. Dated June 29, 1950, the letter to the President stated:

> Dear President Truman,
>
> Tell [General Omar N.] Bradley to get in shape. It looks like another war. I have always been a Communist. I have tried to enlist in the Japanese Army, last war, now they will never draft or accept me in the U.S.

> Army. Everyone has always said "that nigger Malcolm is crazy," so it isn't hard to convince people that I am. . . .
>
> Malachi Shabazz[34]

Malcolm X was referring, of course, to the entry of the United States into the conflict in Korea on June 25.

By August, Malcolm X had become convinced, as a letter to a friend indicated, that Fard would soon return to America and liberate the Chosen Few, even those behind bars:

> . . . Allah is going to open the prison doors pretty soon now. . . . The country is in worse shape than you could imagine . . .
>
> He's not even the master in his own land anymore. In fact, he has no more land. Next few months we will see them driven out of all parts of the world . . . The Bible tells of it.
>
> As-Salaam Alaikum,
> Your Brother,
> Malachi Shabazz[35]

Malcolm X also continued writing to Muhammad two or three times a week. Shortly before Thanksgiving Day, 1950, he wrote a letter to the Honorable Elijah Muhammad thanking him for "raising him from the dead." He mentioned the newspaper articles and the conversion of prisoners at the Norfolk Prison Colony and Charlestown, and said he hoped to become a minister after his release from prison.

He usually signed his letters to Muhammad as "Malcolm X Little." But on this occasion he used the name "Malachi Shabazz," and explained that he had conceived the idea of using the name after his encounter with the spirit of Fard.

To Malcolm X's surprise, Elijah Muhammad was not pleased. He had already written to Malcolm X in July to chastise him for writing to newspapers without prior approval and for sending letters to politicians.[36] But Malcolm X's unilateral decision to adopt a new name was, in Elijah Muhammad's view, intolerable. To begin with, Muhammad told him, the name he had chosen was part Hebrew and part Arabic, in violation of the precepts of Islam. Secondly, he lacked authority to change his own name. Lastly, Muhammad stated, he hadn't been formally trained as a minister of Islam, and therefore lacked authority to act as one.

Malcolm X was nonplussed, since it was obvious that his activities were benefiting the Nation of Islam by generating interest in the sect. Nonetheless, the last person in the world he wanted to anger was Elijah Muhammad. In a letter dated January 9, 1951, Malcolm X apologized profusely for his transgressions.[37]

"Your experiences in dealing with a great variety of personalities," Malcolm X wrote, "has quite evidently enabled you to understand the subconscious workings of a man's mind better than the man understands himself." In seeking forgiveness, Malcolm X continued:

> I only pray that it is not too late to make amends . . . I thought I was doing right, and was sincere in all that I advocated. . . .
>
> If my present sincerity is doubted, tell me of just one time that I have not always spoken from my heart just what I felt. . . .[38]

It's easy to understand why Elijah Muhammad, called by his followers "the Messenger," opposed his well-meaning convert's use of the name "Malachi." In Hebrew, the word "Malachi" means "my messenger."[39]

In choosing the name "Malachi," Malcolm X tried to explain to Elijah Muhammad, he wasn't implying that he was "God's messenger," but rather "Elijah's messenger." At the same time, Malcolm X argued, he was trying to rid himself of the slave name "Malcolm," which he believed was of Gaelic or Scottish origin.

He might have avoided Elijah Muhammad's wrath had he adopted the biblical name "Malkam" (meaning "God is their king") from the Bible's Book of Chronicles, or "Malka" (king), which is Aramaic.[40] Instead, he took Elijah Muhammad's advice and stuck with his so-called slave name of "Malcolm."

In retrospect, it was a wise decision. Contrary to what Malcolm X believed, the name "Malcolm" is in fact of Arabic origin.

In Arabic, the word "Malcolm" means "dove."[41]

CHAPTER 2
RED SCARE

"Korea won the war against the white man with just a bowl of rice, sneakers and a gun."

—Malcolm X
December 28, 1958[1]

That cheerful eye . . . soon became red, red with rage; that voice, made all of sweet accord, changed to one of harsh and horrid discord; and that angelic face gave place to that of a demon.

—from *Narrative of the Life of Frederick Douglass, An American Slave,* by Frederick Douglass[2]

THE POLITICAL CONTENT of Malcolm X's letters to President Truman and other politicians was derived in large measure from the pronouncements of Paul Robeson, Malcolm's only living hero other than the Honorable Elijah Muhammad.

Malcolm X had been closely following Robeson's activities through the newspapers and radio. Robeson, simultaneously one of America's most renowned entertainers and most controversial activists, was a popular radio talk show guest. He frequently appeared on *Today With Mrs. Roosevelt,* a nationally syndicated program hosted by former president Franklin D. Roosevelt's widow, Eleanor.[2]

On June 28, the day before Malcolm X's letter to Truman, Robeson had addressed the left-wing Civil Rights Congress during a rally at Madison Square Garden. Protesting Truman's decision to send American fighting men to Korea, Robeson argued that it would be foolish for African Americans to fight their Asian brothers. He urged blacks to resist being drafted for the Korean conflict. Robeson said that African Americans "know that if we don't stop our armed adventures in Korea today, tomorrow it will be Africa. . . .[3] I have said it before," Robeson continued, "and say it again, that the place for the Negro people to fight for their freedom is here at home."

Robeson condemned Truman's commitment of American troops to Korea merely to support "a corrupt clique of politicians south of the 38th parallel," a reference to the arbitrary line dividing the newly decolonized nation.

The southern part of Korea had been placed under the control of Sungman Rhee, a Princeton-educated military officer whose new government was able to exist only because it was backed by the Central Intelligence Agency (CIA).[4] A member of the ad hoc "Hands Off Korea" organization, Robeson, like many American activists and most Koreans, believed that Rhee's regime was corrupt because the military dictator had been implicated in the 1949 assassination of Kim Koo, a revered nationalist who had the popular support of the Korean people at the time of his death.[5]

Malcolm X's letters also reflected his close attention to Robeson's campaign to awaken the "sleeping giant," Africa. Although Robeson opposed the black separatist philosophy of the Nation of Islam and of Marcus Garvey's UNIA—the cause in which Malcolm X's father had died—he had been an outspoken advocate of Africa's liberation since the early 1930s.[6] As president of the Council on African Affairs, Robeson had traveled around the world pushing for an end to apartheid in South Africa and to colonialism elsewhere on the vast African continent.

Despite his opposition to black separatism, Robeson often expressed an opinion publicly that Elijah Muhammad had expressed to Malcolm X and other Black Muslims privately. Unless the white man was kicked out of Africa and Asia, Robeson said, the nonwhite races would end like "decadent Westernized Negroes," bereft of their culture and subjugated to a self-inflicted form of mental slavery.[7]

Angered over Robeson's anticolonialist speeches, the State Department voided his passport on August 4, 1950. To support the revocation, State Department officials implied that Robeson had been responsible for two 1949 riots near Peekskill, New York. It also cited Robeson's international activities as a "threat to national security."[8] That same morning, FBI Director J. Edgar Hoover sent an "urgent" teletype to every FBI field office ordering agents to form a manhunt for Robeson before he tried to flee the country.[9]

One year after it forbade Paul Robeson the right to travel outside the United States, the State Department's John Foster Dulles sent Adam Clayton Powell, Jr., on a goodwill mission to Africa in 1951.[10] Powell was accompanied by his wife, the gifted composer Hazel Scott, whose virtuosity on the piano was as legendary as her beauty and wit.[11]

The purpose of Powell's trip, a State Department press spokesman said, was "to combat Communist propaganda" about the state of race relations in America.[12]

But African Americans knew from reading the newspapers—as well as from their own experience—that what the Soviet Union was telling its people and the world about American race relations was true. Several weeks before Dulles asked Powell to make the journey, a white man in North Carolina was found innocent of raping a fifteen-year-old "colored girl," even though, as the *New York Times* reported, there "was no doubt about his guilt."[13] Meanwhile, a North Carolina black youth was sentenced to two years on a chain gang "for looking at a white woman."[14]

Powell, who would one day introduce Malcolm X to the emerging post-colonial leaders of Africa, was a complex and in some ways contradictory figure. He and Malcolm X could be said to have everything and nothing in common. Both were gifted orators, both claimed Harlem as their adopted homes, and both were members of a mythical club known as the "African American Blue Vein Society,"[15]—an expression used disparagingly or boastfully to denote African Americans whose skin was so light that their veins appeared "blue" on the epidermis.

America has given preferential treatment to light-skinned African Americans both during and after slavery. Consequently, the highest positions in civil rights organizations were often filled by light-skinned African Americans—for example W.E.B. Du Bois, cofounder of the Niagara Movement in 1905, and Walter White, who was appointed executive secretary of the National Association for the Advancement of Colored People (NAACP) in 1931. (White, who, like Du Bois and Powell, was often mistaken for a Caucasian, achieved fame among African Americans early in his career by infiltrating the Ku Klux Klan.)[16] According to the teachings of the Nation of Islam, this preferential treatment led Allah, in the person of Master Fard, to come to Earth in the appearance of a mulatto. That way, Fard claimed, he could walk among both the black and white races, just as Walter White had done.[17]

In other respects, however, Powell and Malcolm X had almost nothing in common. Malcolm X's physical features were much closer than Powell's to the image belittled on the silver screen and on commercial products such as Aunt Jemima Pancake Mix, and Uncle Ben's Rice: like civil rights activist Booker T. Washington, Marcus Garvey and Robeson, Malcolm X had full lips, curly hair, and a broad nose.

And economically speaking, Malcolm X and Adam Clayton Powell, Jr., lived in different worlds. The son of a famous civil rights leader, Powell succeeded his father as pastor of Harlem's Abyssinian Baptist Church and was elected to the United States House of Representatives in 1945.[18]

Despite his privileged background and light skin, however, Powell was not indifferent to racism. He learned under his father's tutelage that the "talented tenth"—as Du Bois called economically prosperous African Americans—had a moral obligation to defend the oppressed majority of its people. Adam Clayton Powell, Sr., was in the vanguard of civil rights activists who provided financial assistance to the nine black youths from Scottsboro, Alabama, who were accused of raping two white girls in 1931.[19] Powell had also aided Ras Tafari Makonnen—who later changed his name to Haile Selassie—in 1935 after Ethiopia was invaded by Italy.[20] When Selassie visited the Abyssinian Baptist Church in 1936 to plead for help in obtaining African American fighter pilots, Powell was instrumental in recruiting them.

After Adam Clayton Powell, Jr., assumed pastorship of the church upon his father's retirement in 1937, he assumed the mantle of civil rights leader as well, and although a very different personality from his father, he was a sincere and often effective civil rights activist.

The history of African American leadership presents every imaginable mixture of accommodation and confrontation, a spectrum that runs from Booker T. Washington to Huey Newton. Powell was a hybrid of them all. Part opportunist, part altruist, he was a classic chameleon, whose loyalties could be difficult to trace. He was an able representative of Harlem, and his church became a mandatory stop for Third World leaders. He was the first person to raise the issue of discrimination against foreign diplomats, and more than any other single individual was responsible for the desegregation of the armed services during the Eisenhower Administration.

Nonetheless the fact remains that the true purpose of Powell's goodwill visit was to disseminate American propaganda to combat the truth about racial relations as portrayed in Soviet newspapers.

Fearing the damage that Powell might cause to the human rights struggles in America and Africa, Robeson devised a clever countermeasure. On December 18, 1951, just one month before Powell would return from his propaganda safari to Africa, the Civil Rights Congress (CRC) filed a petition with the United Nations written by Robeson and his friend William L. Patterson.[21] The 240-page petition, lodged pursuant to the United Nations Genocide Convention and submitted on behalf of "fifteen million black Americans" charged the United States with "genocide."[22]

At the time the petition was filed, the Civil Rights Congress was on the attorney general's list of organizations deemed "subversive and Communist-controlled."[23]

Three days later, President Truman, on behalf of the government, accepted the original manuscript of the first draft of the Emancipation Proclamation.[24] The manuscript, which was given to the president by Barney Balaban, president of the Paramount Pictures Corporation, was handed to Truman during a ceremony at the New York Avenue Presbyterian Church in Washington, D.C., where Abraham Lincoln worshipped during his complete first and aborted second term as president. In 1945, Balaban made headlines by donating one of the original manuscripts of the Bill of Rights to the Library of Congress. Balaban said the document repudiated those "who seek to enslave the minds and hearts of men everywhere. . . . Freedom or slavery have become the burning issues of our times."

To compound the ironic timing of the presentation, the Truman administration submitted a counterproposal to the UN asking it to dismiss the CRC's genocide petition. There was insufficient evidence to prove that African Americans were not accorded the same privileges as other citizens, the government's position paper argued.[25]

Patterson was visiting Paris when the CRC lodged the petition. On Christmas Eve, several State Department officials at the United States Embassy in Paris went to Patterson's hotel and demanded his passport.[26] Patterson refused to surrender the document, but that was of little concern to the State Department, since the passport was voided. To return to the United States he would have to go to the U.S. Embassy to have his passport revalidated. As there was no possibility of revalidation, Patterson found himself an American political prisoner-in-exile, just as Robeson, the other chief author of the petition, was captive in the United States.

African Americans, including the imprisoned Malcolm X, knew

they were witnessing an orchestrated effort by the government to destroy Robeson, a black man who enjoyed everything America had to offer until he began to speak his mind. As Robeson's career careened, so did his income and his physical and mental health. In 1947, when Robeson was at the peak of international popularity, his annual income was more than one hundred thousand dollars. On his tax returns for 1950, Robeson reported an income of less than three thousand dollars.[27]

However, despite the best efforts of the Truman administration to isolate Robeson, the rest of the world, particularly Africa and the Soviet Union, continued to honor him as a hero. In December 1952 he was the only American among seven recipients of the International Stalin Peace Prize.[28]

Three months later, in opposing the revalidation of Robeson's passport, the State Department argued that Robeson's speeches calling for the decolonization of Africa made him a threat to America's national security. In its brief to the United States Court of Appeals, the government contended that Robeson:

> . . . has been for years extremely active politically in behalf of independence of the colonial peoples of Africa. Though this may be a highly laudable aim, the diplomatic embarrassment that could arise from the presence abroad of such a political meddler, traveling under the protection of an American passport, is easily imaginable.[29]

It wasn't the first time the State Department and the FBI had tried to neutralize a Pan-Africanist for seeking aid for African Americans from the United Nations (nor, as Malcolm X would discover years later, would it be the last).

In fact, Robeson had borrowed the idea of lodging the petition from Earl Little's hero, Marcus Garvey, a man whose courage Robeson admired.

Like Robeson, Garvey had early on in his career concluded that the African American's plight was part of an international phenomenon: the same forces were oppressing the nonwhite people of Africa, the United States, Asia, and Latin America. In the early 1920s, he became friends with a young Vietnamese seaman named Ho Chi Minh, who regularly attended UNIA meetings during his brief stay in New York.[30]

The UNIA also attracted members throughout Africa. By 1923, there were at least ten UNIA chapters there, including among their members two men who would emerge as leaders in Africa: Jomo Kenyatta of Kenya and Kwame Nkrumah of Ghana.[31] The impact of UNIA literature, particularly *Negro World,* the organization's newspaper, was so widespread in Africa that it was banned in 1923 by white colonial rulers who considered it "subversive."[32]

FBI Director J. Edgar Hoover, who labeled Garvey "one of the most prominent negro agitators in New York," had come to a similar conclusion about *Negro World* as early as 1919. *Negro World,* Hoover said, "upheld Soviet Russian rule" and openly advocated "Bolshevism."[33]

By 1920, FBI documents show, Hoover was determined "to destroy Garvey." Three years later, he mounted a massive counterintelligence operation against Garvey and the UNIA which resulted in Garvey's conviction on mail fraud charges.[34] Leaders of the UNIA (including Earl Little, who was then president of the Omaha branch) started a letter-writing campaign to President Calvin Coolidge seeking a commutation of Garvey's sentence.[35] In November 1927, Coolidge granted their request, upon the condition that Garvey be deported immediately. Upon his release from a federal prison in Atlanta, Garvey and his wife set sail for England.[36]

In late 1928, Garvey began circulating a petition that accused the United States and the nations of Europe of violating the human rights of African Americans and other African peoples. Each regional leader of the UNIA was charged with seeking signatures supporting Garvey's petition, which he planned to submit to the League of Nations. In Detroit, responsibility for garnering signatures fell upon Earl Little, who had by that time become president of a Detroit-area branch of the UNIA.[37]

The petition resulted in a renewed campaign by Hoover against Garvey and the UNIA.

In August 1929, the UNIA began a month-long convention in New York to discuss the organization's agenda for the following year. In September, as the convention was drawing to a close, Garvey arrived in Montreal, Canada, where he gave a speech condemning the United States, and reiterated his intention to file a petition with the League of Nations.[38] Garvey was arrested for his comments and taken by soldiers to Bermuda. He was later freed.

It was a few weeks after Garvey's release from custody that someone set fire to Earl Little's home in Lansing, Michigan in November 1929.[39] On September 17, 1931, Garvey set sail for London to formally file his petition with the League of Nations;[40] eleven days later, Earl Little was discovered dying on the trolley tracks near his home.[41]

On May 29, 1951, ten days after his twenty-sixth birthday, Malcolm X became eligible for parole.[42] He went before the Massachusetts State Parole Board on the same day as his fellow Muslim Malcolm Jarvis, whom he had personally brought into the Nation of Islam. Jarvis easily won parole. Malcolm X was less fortunate.

The board's decision is not hard to understand. Although he had been a model prisoner in the months prior to the parole hearing, Malcolm X's intemperate letters to state and national political figures had returned to haunt him.

The timing of these letters made them even more inflammatory. Only five months after Malcolm X's letter to Truman, Puerto Rican nationalists, angered by Truman's July 25th decision to declare Puerto Rico an "associated free state" (meaning the tiny nation would remain an American colony), attempted to assassinate the president.

On November 1, Truman was in his suite at Blair House (across the street from the White House) when the two would-be assassins, Griselio Torresola and Oscar Collazo, stopped their car in front of the building and attempted to shoot their way inside.[43] As the Puerto Rican nationalists ran up the steps to Blair House with their guns drawn, White House guards returned fire, fatally wounding Torresola and injuring Collazo.[44] A White House guard, Leslie Coffelt, was killed, and two other guards were wounded. Truman, who was napping when the outbreak occurred, was never really in harm's way.

The FBI immediately launched an investigation to reduce the possibility of other potential enemies of the president emulating the Puerto Ricans. During the investigation, Malcolm's letter was examined. Hoover had long maintained that the Black Muslims were part of a Communist-inspired plot to overthrow the U.S. government; Malcolm X's avowal of Communism in his letter to Truman can't have done much to change the director's mind.

The FBI had been closely watching the growth of the Black Muslims since 1939, when Hoover linked the Nation of Islam with members of Japan's Black Dragon Society, a quasireligious group whose members were devoted to furthering Japan's imperial ambitions.[45] Under the guidance of seventy-year-old Satahota (one of many spellings and aliases) Takahashi, the society had developed a large following within Detroit's black community. Takahashi was able to attract blacks by promising them good jobs and beautiful homes in Hawaii after Japan's "imminent" defeat of the United States.[46] He had been deported by the U.S. Immigration Service to Japan in 1934, and on June 27, 1939, he was arrested for illegally reentering the United States and for trying to bribe the immigration officials who apprehended him.[47] The FBI had been tipped off about Takahashi's presence in the United States by a jealous former mistress, who turned him in because he had left her for twenty-four-year-old Cheaber McIntyre, a Tuskegee Institute graduate who had left her husband to live with Takahashi.[48]

On October 1, Hoover commented indirectly on the capture of Takahashi and on his influence in the black community when he addressed the graduating class of the National Police Academy. "It is known that many foreign agents roam at will in a nation which loves peace and hates war, a country which has proclaimed neutrality in a strife-torn world."[49]

On December 2, 1941—five days before the bombing of Pearl

Harbor —Assistant FBI Director Percy J. Foxworth, head of the FBI's New York bureau and Director of the Special Intelligence Service Branch, sent a long memorandum to Hoover urging that Takahashi be carefully watched upon the completion of his prison sentence in January 1942.[50] Due to poor health, Takahashi spent most of his prison term at the Medical Center for Federal Prisoners in Springfield, Missouri.

In the same memo, Foxworth advised that the Black Dragon Society "has 150,000 fanatical members, fully 50,000 of whom are active members of the Japanese army and navy. It is alleged," he added, "that this society is closely backed by the Japanese government and that members of the same may be connected with espionage and sabotage attempts in the United States in the event the United States goes to war in Japan."[51]

Acting upon this suggestion, the U.S. Attorney General's office ordered Takahashi detained until he could have a hearing before the Alien Enemy Hearing Board. On March 9, 1942, the board recommended Takahashi's custodial detention along with hundreds of thousands of Japanese Americans whose only crime was being Japanese.[52]

Having discovered in September 1940 that Elijah Muhammad was urging his followers to oppose the draft for World War II, Hoover had at that time initiated a covert counterintelligence program against the Black Muslims.[53] The program was initially spearheaded by Foxworth. Foxworth was trained in counterintelligence techniques at "Camp X" by the Office of Strategic Services (precursor to the Central Intelligence Agency).[54] On May 8, 1942, two months after the Alien Enemy Hearing Board's recommendation of custodial detention for Takahashi, Elijah Muhammad was arrested in Washington, D.C., on draft evasion charges. After posting bail in July, he fled to Chicago with no plans to return to the nation's capital for trial.[55] In September, he was apprehended by the FBI during a predawn raid on his home in Chicago.[56]

Although he initially denied knowing Takahashi, FBI agents discovered newspaper clippings in Elijah Muhammad's wallet concerning Takahashi's arrest. Faced with the "evidence," Muhammad confessed that he had conferred with Takahashi on several occasions, thereby confirming the relationship between the Nation of Islam and Takahashi's Black Dragon Society.[57]

Almost all of Elijah Muhammad's male followers were indicted on draft evasion charges, including Raymond Sharrieff, his son-in-law, and Sultan Muhammad, minister of the Holy Temple of Islam in Milwaukee. Sultan Muhammad had joined the Nation of Islam at its inception.[58] At one point, the FBI even considered seeking an indictment against Willie Muhammad, Elijah Muhammad's father. Adding insult to injury, Elijah Muhammad and his son Emmanuel were ordered to serve time in the same prison.[59]

"They should call him J. Edgar Herod," Muhammad once said of Hoover, in a reference to Herod the Great, the king of Judea who ordered the murder of all the male babies in Bethlehem under two years old in his attempt to prevent the rise of a messiah.[60]

By 1940, the year Malcolm began his criminal career, Elijah Muhammad had more than seven thousand followers in five states.[61] Elijah left the federal prison in Milan, Michigan, about the time that Malcolm Little was entering a state prison in Charlestown, Massachusetts. When Elijah Muhammad returned to Detroit in 1946, membership in the Nation of Islam was down to 400, most of them elderly.[62] The FBI, conducting a routine check on the organization's growth in March, 1952, estimated the figure as somewhat higher, but that was because it had erroneously included "fish" in its count—"fish" was Elijah Muhammad's term for people who visited his temples after their interest was piqued by a proselytizing Black Muslim on the street. Even though WWII was over, Elijah Muhammad found that young black men were either afraid to join his sect for fear of indictment for draft evasion (the Korean War was on the horizon), or were too enamored of the large paychecks from assembly line jobs to listen to his message about the impending War of Armageddon.

Three days after the attempt on Truman's life in November 1950, the FBI again aimed its counterintelligence weapons toward the Nation of Islam. From a microphone installed inside the San Diego temple, the FBI field office there recorded several lectures by the Nation of Islam (NOI) minister in which he recommended that Black Muslims refuse to fight against their "Asiatic brothers in Korea."

On November 6, 1951, the minister, Henry K. X Mims, and other key leaders of the San Diego mosque were charged by Assistant U.S. Attorney Betty Marshall Graydon with conspiracy to violate the Selective Service Act of 1948.[63]

This explains why, in a letter to Malcolm X shortly before Thanksgiving, 1950, Elijah Muhammad had scolded him for sending the letter to Truman. He told Malcolm X that the letter had probably triggered the raid on the San Diego temple.[64] This suggestion was partially the reason for Malcolm X's long letter apologizing to Muhammad on January 9, 1951.

Several months after the raid on his San Diego temple, Muhammad's New York temple found itself embroiled in a separate battle with the FBI. On February 23, a delegation of sixty Black Muslims from Harlem was passing through Maryland on a Baltimore & Ohio train bound for Chicago, where they planned to attend the annual Saviour's Day Convention, an event held to commemorate the birthday of Master Fard.[65] Trouble began with a telephone call from the FBI field office in Washington, D.C., claiming that an anonymous source had advised the Bureau that the Black Muslims were robbing white passengers aboard the train.[66]

Joined by railroad police, several Montgomery County, Maryland, police officers ordered railroad inspector James F. McAuliffe to halt the train at Silver Spring, the county's downtown district. Upon boarding the train, police were told a somewhat different story. This time it was said that the Black Muslims had started a disturbance after two women followers accused a waiter of overcharging them for pillows (such overcharges were so common they were referred to by African Americans as the "black tax"). The waiter, Odious G. Foust, said that two men assaulted him when he denied the overcharge allegations, and that he had then left the private car occupied by the Muslims and had called the police.

When police told Joseph X Garner, the fifty-eight-year-old leader of the New York delegation, that he and five other Black Muslims were under arrest, Garner resisted, arguing that Foust had called them not because he was assaulted, but because they had refused to pay the overcharge. Black Muslims locked themselves in their train car, and one of the policemen summoned reinforcements. Within minutes, thirty more police officers were on the scene. When the ordeal ended a short time later, three policemen had to be treated for minor injuries at a local hospital, and Garner and five other Black Muslims were taken into custody and charged with inciting a riot. They were held without bond and a hearing set for March 6.[67]

His imprisonment shielded Malcolm X from the unpleasant news of the FBI's war against Elijah Muhammad. The radio in his cell, however, kept him fully apprised of the clandestine operations against his other hero, Paul Robeson.[68]

His letters to friends echoed Robeson's arguments against apartheid and American military adventurism.

"All over the World," Malcolm X wrote, "the Dark Peoples know that the devil's time is up, and these Dark Peoples want to sweep down like a huge Tidal Wave and wash the devils from this planet. Allah Himself is holding them back, but only long enough to let all of us hear the Truth that His Messenger is Teaching."[69]

On the morning of August 7, 1952, Malcolm X left his cell for the last time.[70]

When he arrived in Detroit the next day to live with his brother Wilfred (as a condition of his parole), he discovered quickly that the Nation of Islam, like the black community at large, was in a shambles.[71]

CHAPTER 3

THE MESSENGER'S MESSENGER

I would go back to darkness and to peace,
But the great western world holds me in fee,
And I may never hope for full release,
While to its alien gods I bend my knee.
—from "Outcast,"
by Claude McKay,
Harlem Renaissance poet[1]

"Oh, my Lord, I am not eloquent, either heretofore or since thou hast spoken to thy servant; but I am slow of speech and of tongue. . . . Oh, my Lord, send, I pray, some other person."
—Exodus 4:10-14[2]

THOUGH THE HONORABLE ELIJAH MUHAMMAD had left school in the fourth grade, he had educated himself by studying the Bible with the dedication of a divinity student, and he was a genius when it came to understanding the psychology of the African American. With the aid of this knowledge he succeeded in rehabilitating alcoholics and drug addicts among his people where a dozen clinical programs had failed. Many of his followers had dropped out of high school due to lack of interest, but recognizing what school administrators had overlooked—that everything the schools taught was calculated to demonstrate the alleged superiority of white people—Muhammad was able to spark his followers' interest in learning. African Americans wanted to know about their own history as well as the history of Western Civilization, and Elijah Muhammad filled that need. He was the first person to expose them to the writings of Carter G. Woodson and J.A. Rogers, two historians whose books documented the glorious past and present of African Americans. Finally, he reinstilled in them a desire to work, a desire dampened by the Great Depression and the welfare checks that followed.

Elijah Muhammad knew what to say to African Americans to arouse their interest, but he didn't know *how* to say it. Like Moses, he was "slow of speech and of tongue." His phrases were dry. He spoke in a low voice. During his lectures he often groped for the right words, and all too frequently he failed to find them. A small, frail, light-skinned man (FBI agents studying him thought, at one time, that he was Japanese), Muhammad's physical appearance was unimpressive.

Elijah Muhammad's low-key personality and lackluster oratorical skills were among the chief reasons other ministers selected by Master Fard—including Kallat Muhammad, Elijah Muhammad's younger brother—contested Muhammad's claim in 1933 that the Nation of Islam's founder had personally selected him as heir to the throne. It was hard to believe, they argued, that Master Fard would have placed the future of African Americans in the palms of such a poor public speaker.[3]

Kallatt Muhammad quit the Nation of Islam in 1935 to form a rival sect in Chicago. His defection was followed by Augustus Muhammad, Elijah's chief assistant in Chicago, who formed a sect in Detroit called the "Development of Our Own."[4]

When both Kallatt and Augustus Muhammad died shortly after the schism, Elijah Muhammad argued that they had been punished by Allah for the "hypocritical act" of challenging his divine leadership. Of their fates, Muhammad wrote:

> The grief of the hypocrites is such that even the victim is not able to say his prayers. In the first place, God has closed the door and does not hear the prayers of the

> hypocrites when He sends chastisement upon them. . . . We actually witnessed this type of chastisement that fell upon those hypocrites in 1935. One of the hypocrites was my own brother, and another was a minister by the name of Augustus Muhammad, my top assistant at that time in the Chicago Mosque No. 2.[5]

The fact remained, however, that Elijah Muhammad lacked sufficient skills as a speaker to attract new followers.

Shortly after meeting Malcolm X in person, Muhammad rediscovered the oratorical gift he claimed to have lost in prison. The only problem was that he found it in the possession of Malcolm X. With nothing but time on his hands, Malcolm X had spent the last two years of his incarceration reading books on classical literature, philosophy, psychology, and history. He had been aided by some of the best minds in the nation, students at Harvard who taught classes at the Norfolk Prison Colony during his stay.[6]

And thanks to radio, he had had constant access to the voice of his hero, Paul Robeson.[7] By studying the timing, delivery, and use of animal and mythological imagery in Robeson's speeches, Malcolm X developed a speaking style that every minister in the Nation of Islam would eventually emulate.

No doubt some of his oratorical skills came to him naturally, and it may be that he had inherited these talents from his Baptist minister father.[8] But, as anyone who has heard Robeson and Malcolm X speak will attest, an equal part of his speaking ability clearly derived from the close attention he had paid to Robeson's delivery techniques. There were striking parallels in the cadence, structure, and even the sounds of their voices.[9]

Malcolm X became a frequent dinner guest at Elijah Muhammad's new home in Chicago during the winter of 1952. The fifty-five-year-old leader of the Black Muslims soon recognized that Malcolm Little could become to him what Aaron was for Moses: his messenger. Others realized it, too, particularly Lemuel Hassan, minister of the Detroit mosque. With Elijah Muhammad's approval, Hassan permitted Malcolm X to become a "student minister" that November.

Burning with a desire to impress Muhammad, Malcolm X would leave his day job at the furniture store supervised by his brother Wilfred, then spend the next several hours in destitute African American sections of the city "fishing" for young recruits. When Muhammad visited the Detroit temple in late December, Hassan presented him with an unforgettable Christmas gift from Malcolm X: over one hundred new members of the Nation of Islam.

The Honorable Elijah Muhammad was obviously impressed. During the annual Saviour's Day convention in Chicago on February 26, 1953, he told his followers that he had "big plans" for both Malcolm X and the Black Muslims.

To help him execute his plans, Muhammad appointed Ernest T. 2X McGhee, a member of the small temple in Harlem, as national secretary to the Nation of Islam.[10] McGhee, who joined the Black Muslims in 1950, was an uncharacteristic follower for several reasons. To begin with, he was one of the few who had obtained a college degree, and probably the only one with a distinguished career. A former professional musician, McGhee once played in the bands of such luminaries as Duke Ellington, Charlie Parker, and Count Basie, as well as with numerous top-billed jazz ensembles in the New York area. Moreover, McGhee gave Muhammad a tangential link to orthodox Islam, as he spoke fluent Arabic and was well known by the Arab-American communities in Harlem and Detroit.

At the convention, Muhammad announced that he had attracted enough young men willing to serve him so that he could now fulfill the mission appointed him by Allah. Comparing his mission to that of Jesus Christ, Muhammad said he intended to spread Islam throughout the country to "raise the deaf, dumb, and blind Negro" from mental death, as Christ had raised Lazarus.

Alarmed by the rapid growth of the sect, the FBI began devising counterintelligence schemes to cut a hole into Muhammad's fishing net.

In mid-January, 1953, Hoover received word from the FBI's field office in Chicago that Malcolm X, the Black Muslim who had sent the letter of effrontery to Truman, was responsible for the rapid growth of the sect. Something had to be done to stop him, Chicago suggested.

A few days later, Hoover requested authorization from the United States Attorney General's office to execute an investigation of Muhammad, Malcolm X, and other "key members" of the Nation of Islam.[11] The purpose of the probe, Hoover wrote, was to determine whether they could be "prosecuted for violations of the Smith Act," an act of Congress passed during World War II making it a federal offense to advocate or belong to any group which advocated the violent overthrow of the government. The FBI had already installed electronic bugging devices in the Chicago and Detroit temples, and later made verbatim transcripts of some of the speeches by Muhammad's ministers. Copies of several transcriptions were attached to Hoover's letter.

On February 9, an attorney in the Justice Department's Criminal Division informed Hoover that the evidence he had submitted was "insufficient to establish any violations" of the Smith Act.[12] To placate the temperamental FBI director, the lawyer added that Hoover should continue to furnish investigative reports "with a view towards possible future prosecution" under the act.[13]

Less than thirty days after Hoover made the request, the Chicago field office sent a memorandum to Detroit apprising it that Malcolm X could be vulnerable to prosecution for failing to register for the military draft as required by the Selective Service Act of 1948.[14] In a similar memorandum to Hoover, the author suggested to Hoover that a check of Malcolm X's military record might be profitable from a counterintelligence standpoint. Hoover wholeheartedly agreed.[15]

The FBI's Detroit division discovered in April that Malcolm X had failed to register with any of the local draft boards since his release from prison. Only days after Malcolm X's twenty-third birthday, a Detroit FBI agent paid a visit to the Gar Wood Industries factory, where he was employed as a grinder. He waited in an office while Malcolm X's supervisor went to get him.[16]

"I'm from the FBI," the agent said, flipping open a small wallet to expose his credentials. "You've failed to register with Local Board 102 in Plymouth or with Local Board 94," he warned.

Malcolm X feigned ignorance. "I just got out of prison," he said. "I didn't know you took anybody with prison records."

One of the first axioms young lawyers learn is that ignorance of the law is no defense. If it were, a murderer could defend himself from prosecution by claiming his ignorance of laws proscribing homicide. Nonetheless, the FBI agent apparently accepted Malcolm X's story, merely telling him to register immediately. With his supervisor's permission, Malcolm X left work early that day. He raced to the Local Board 102 and wrote on the forms that he was a "conscientious objector." His faith, Islam, precluded him from fighting in wars of the white people, by the white people, and for the white people. After delivering his standard stump speech on the evils of the white races, Malcolm X was dismissed, but advised that a final decision on his draft status would be mailed to him.

Several weeks later, he was categorized in "Class 5-A," meaning that there weren't any conceivable circumstances under which the military would ever have use for his services.[17] In excusing Malcolm X, the board's report stated that he had been "found mentally disqualified for military service" due to "an asocial personality with paranoid trends (prepsychotic paranoid schizophrenia)."[18] The Selective Service System had made a similar ruling regarding Malcolm X in 1943, when it tried to draft him for battle in World War II. In finding Malcolm X unsuitable for military service, the board ruled on October 25 that he was "mentally disqualified for military service for the following reasons: psychopathic, personality inadequate, sexual perversion; psychiatric rejection."[19] The evidence of Malcolm Little's "sexual perversion" was his admission that he had pimped white women. On December 4, 1944, the draft board designated Malcolm X as "Class 4-F."[20] (Coincidentally, the draft board had used similar language to describe Elijah Muhammad in 1942, but indicted him nonetheless.)[21]

Freed from fear of military service, Malcolm X cleared everything from his mind except his vision of converting hundreds of thousands of African Americans to Islam.

After witnessing the miraculous transformation of the Detroit temple from a lethargic Bible School class into a youthful, energetic corps of soldiers, Elijah Muhammad quickly promoted Malcolm X to the rank of assistant minister of the Detroit temple in June, 1953. Within another six months, after Malcolm X expanded Detroit's membership by another 200, the Messenger asked him to return to Boston to establish a temple there.[22] Malcolm X recommended to the Messenger that his brother Wilfred be appointed as the person to replace him as assistant minister, a request which was granted.

Back in Boston, Malcolm X sought out his old friends from his days as a hustler, as well as those he'd met behind bars. In a matter of months, he had converted enough followers to open a new temple. Among those attracted to the Boston temple was a popular African American calypso singer named Louis Walcott.[23] Known as "The Charmer," Walcott was blessed with an enchanting voice and was so handsome that area club owners were never sure if the young women who packed their establishments whenever Walcott was on the bill had come to hear him sing or just to bask in his presence. Walcott was also a gifted violinist, whose talent had earned him a spot on *Ted Mack's Amateur Hour*, a popular nationally televised talent show.

When he joined the Nation of Islam, Walcott dropped his last name and became "Louis X." Later he changed his name to Louis Farrakhan.

New temples continued to sprout wherever Malcolm X traveled. By mid-1954 there were six new temples. Temple No. 14, in Hartford, was established in late 1954.

Meanwhile, his activities had not passed unnoticed by the FBI. On June 8, 1954—one year and several days after Malcolm X's appointment as Detroit's assistant minister—the Bureau placed Malcolm X on its "COMSAB" and "DETCOM" lists.[24]

"COMSAB" stood for "Communist Sabotage." Essentially, it was a list of every American considered a threat to national security in the event of a war. Individuals on the list were also listed in the FBI's "Security Index."[25] Listed on COMSAB were individuals the FBI viewed as having a potential for sabotage "either because of their training or because of their position relative to vital or strategic installations or industry."

Since Malcolm X had no training within the definition of the term, it's a mystery as to why the FBI felt this was necessary.

"DETCOM" was an abbreviation for "Detention of Communists." This list included every American whose arrest was to be given high priority in the event of a war or national emergency (Japanese Americans were placed in custodial detention during World War II under a similar provision). Under the provisions of the 1950 Internal Security Act, six camps were operational when Malcolm X was placed on the list, which also included Gus Hall, general secretary of the Communist Party USA. The camps were located at Avon Park, Florida; Allenwood, Pennsylvania; El Reno, Oklahoma; Tule Lake, California; and Wickenberg and Florence, Arizona.[26]

Three months after adding Malcolm X to the "COMSAB" and "DETCOM" indices, the FBI placed him on a "Communist Index Card (CIC)," an index containing the names of all actual members of the Communist Party USA as well as "Communist sympathizers."

Although the FBI had installed microphones in most of Elijah Muhammad's older temples, the Nation of Islam was growing too fast for its surveillance methods to keep up, so the FBI decided it was time to develop a high-level informant within the Nation of Islam. It wanted someone who was close to Elijah Muhammad.[27]

The FBI wanted Malcolm X to be its "Judas Factor."

On the morning of January 10, 1955, two agents approached Malcolm X at his home on Humphrey Street in Queens, New York (at the time, he was preparing to go to Atlanta to open a temple there). They weren't asking much, the FBI agents told Malcolm X, just the locations of all temples, the names of every official, and the complete list of each temple's members.[28] Since Malcolm X considered them devils, he suggested that they go back to hell.

The agents were obviously displeased. In a memo to FBI headquarters, they wrote that the "subject" was most "uncooperative."[29]

CHAPTER 4

JACOB'S LADDER

The findings suggest that while there were primitive forms of *Homo sapiens* . . . fully modern humans arose in only one small population in one place. . . .The genetic evidence . . . also implies that all of today's racial differences evolved after descendants of Eve . . . migrated out of Africa into Eurasia. The differences arose after various populations . . . could no longer interbreed.

—the *Washington Post,*
January 13, 1987[1]

Heading north from Peshawar there are interesting archaeological sites from the Gandhara period at . . . Shahbaz Ghari near Mardan. . . .

—from *West Asia On a Shoestring,*
by Tony Wheeler[2]

No heaven was in the sky, Mr. Fard taught, and no hell was in the ground. Instead, both heaven and hell were conditions in which people lived right here on this planet Earth.

—*Autobiography of Malcolm X*[3]

Malcolm X was a gifted orator, to be sure, but he had something more to offer the "fish" he lured into the temples than the melodic sound of his voice. The Holy Temple of Islam represented an alternative to the storefront churches on every other corner in the ghetto, where the ministers all seemed to have received their divinity degrees from "Howlin' Wolf Seminary."

A religious service at the Holy Temple of Islam was, in a word, dignified. In contrast to the typical black church, there was no minister wiping sweat from his brow and spittle from his mouth after getting all worked up, as St. Louis Muslim Minister

Abraham X used to say, "about some story in the Bible he didn't understand anyway."[4] In the Holy Temple of Islam, you would never, ever see a black woman in too much makeup running up and down the aisles speaking in tongues one minute and reapplying her mascara the next. You wouldn't see fear on the faces of little children who wondered whether the minister or the women, or both, might lose control and harm themselves or someone else. It wasn't an uncommon sight, in some black churches, for a worshipper to fall to the floor and tremble as though suffering an epileptic seizure.

There were more sedate houses of worship in the ghetto, but these were attended almost exclusively by middle class African Americans, a small group who made economically disadvantaged blacks feel unwelcome. Excluded by these middle class religious institutions, poor African Americans had one other option in the area of Christianity if they wanted to expose their children to a quiet, orderly religious service: the Catholic Church. Until the riots of the late 1960s, there were scores of Catholic churches in the ghetto, most of them adjacent to Catholic schools. Catholic churches offered the same "high-class" religious services experienced at middle-class churches. The rub was that all the preachers were white men. The last thing a poor black woman or man wanted to do, after toiling five or six days a week for a white man called "Boss," was to go to church on the day of rest and call a white man "Father."

The Holy Temple of Islam also offered the philosophy of Master Fard, the founder of the Nation of Islam who had taught Elijah Muhammad for three years before permanently parting with the sect. Although Muhammad's formal education had ended in the fourth grade, Fard gave him a list of 106 books, including the Bible and the Koran, which provided him with knowledge of things that even the graduates of Ivy League schools know little about,[5] knowledge relating to the origins of ancient Islam, freemasonry, the Kaballah, numerology, basic astrology and astronomy, psychology, and African and Asian history. From these sources, Master Fard had devised the doctrines, mythology, and eschatology of the Nation of Islam.

According to Fard, the "so-called Negro" was the direct descendant of the original "Asiatic Black Man" who inhabited Earth when Africa and Asia were a single land mass. During this period, they belonged to the powerful Tribe of Shabazz (spelled "Shahbaz" in Asian and African countries today.)[6]

Members of the Tribe of Shabazz possessed a more highly developed intelligence than anyone alive today. They had seven senses, each representing one of the seven names of God[7]. The sixth sense was telepathy (a Shabazz tribalist could contact another tribalist without the benefit of modern gadgets like telephones); the seventh was psychokinesis, or the ability to affect objects and people at great distances by means other than known physical forces.

This idyllic situation was brought to an end by a "big-head scientist named Yakub" about 6,000 years ago.[8] Yakub, whose skin was as black as coal, was a child prodigy born near the holy city of Mecca among a class of people who were dissatisfied with the status quo. At the age of eighteen, Yakub began preaching a new version of Islam. He convinced his followers that he was the return of the Mahdi, and that his mission was to create a new race of people who would be so evil that it would do anything to destroy the current power structure.

Yakub had taken a wife, a woman who was a shade lighter-skinned than he, and she had given him two children, one with Yakub's own black complexion, the other brown. As the children grew older, he observed that the brown child posed more disciplinary problems than the black child. The brown child told "little white lies," but the black child didn't. The brown child would lay claim to the black child's possessions, whereas the black child never claimed anything that wasn't rightfully his. Yakub hypothesized that the less melanin a man had, the greater his propensity to do evil. If he could produce a child who was his racial antithesis, Yakub concluded, he would have the ultimately wicked man, a "master of deceit."

Yakub's followers, exiled with him to the island of Patmos, agreed to become human guinea pigs in his experiment. By his 600th year (like Methuselah, Yakub enjoyed a Biblical lifespan), Yakub had created by means of selective breeding, the brown/red, yellow, and white races, incidentally damaging man's pineal gland, which had been the source of his extra senses.

Yakub sent the new race of white "devils" back to the Motherland, where they caused so much turmoil that the Original People began fighting among themselves; the devils eventually persuaded the rulers to permit them to restore the rule of law, and the devils, Fard said, have been ruling the Asiatic black man ever since.

Yakub, said Fard, is called "Jacob" in the English version of the Bible. When Jacob, which in Arabic is spelled "Yakub," stole the birthright of his brother Esau, that was a parable for the white race who stole the history—or birthright—of the Asiatic black man.[9] When the Bible talks about Jacob fathering the twelve tribes of Israel, that is a hidden reference to Yakub's creation of the races of mankind. However, the story of Yakub was altered in 1611 when King James hired the most brilliant writers in Europe, including William Shakespeare, Francis Bacon, and Christopher Marlowe, to rewrite the Bible.[10]

For the African Americans in attendance, most of whom had received a poor education, these were powerful arguments, and the story itself, which Malcolm X introduces in his autobiography as "the demonology every religion has," was compelling precisely because it reversed everything a white-dominated society had taught them.

Elijah Muhammad's claim of a white conspiracy to keep the African Americans enslaved made perfect sense to the hundreds of young black men and women who applied for employment in factories in their community, only to be told that the company did not hire blacks. It made perfect sense to the bright, talented African Americans who applied to colleges and universities, only to be rejected because the schools did not accept blacks. It made perfect sense even to the handful of middle-class African Americans who were refused a mortgage for a home in white neighborhoods because real estate agents felt their presence would hurt property values.

White America had created the perfect climate for someone who could stand the nation's Judeo-Christian foundation on its head.

But the myth of Yakub wasn't the only weapon in Fard's arsenal. He also targeted Jesus Christ: Christ didn't die on the cross, according to Fard, but was merely in a chemically induced coma when the Roman soldiers removed him from the cross and handed him to his mother.[11] He only appeared to arise from "death" three days later. Jesus later left Africa and traveled to Asia. He died in Kashmir, Pakistan in his seventies after fathering many children.

Those who doubted this theory were told to visit Kashmir and ask to be taken to the Shrine of the Prophet Yuz Asaph.[12] In Hebrew, "Yuz Asaph" means "Jesus, the Gatherer."[13]

Though this theory was shocking to the average African American raised in the Christian tradition, it was comforting to know that the Messiah had not suffered the fate the Romans intended for him. More significantly, African Americans who heard and believed Fard's theory about Christ were forced to change their views on suffering and redemption, and forced to change the way they looked at their own plight.

The immediate effect of Fard's version of Jesus' life was to counteract the fatalism African Americans had imbibed with Christianity—to remove the central symbol of the virtue of suffering and the postponement of reward for the afterlife. Christianity taught that God let Jesus die on the cross, just as God stood by while African Americans endured four hundred years of slavery in the

West. The biblical rendering of the plight of Christ made their own suffering seem a part of the natural order of things. Fard's interpretation did not.

For the first time, knowing that Christ had lived to enjoy a wife and children and a ripe old age, African Americans exposed to the teachings of Fard felt a renewed sense of hope for an end to their own suffering. Like Jesus, who had survived his ordeal to ultimately enjoy the kingdom of heaven on Earth, they too wanted salvation *before* death.

To these stories was added a conspiratorial world view which also rang true to the experience of the audience. How had all this knowledge been hidden from African Americans for so many generations? The Greeks, early descendants of Yakub's manmade race of devils, invaded ancient Africa, turned the black face of God to white,[14] raided the University of Timbuktu, stole the books, and then replaced the African names with European names. They called Seth, who represents the white devil races in ancient Egyptology, Satan. Similarly, they changed the name of Horus to Jesus, and called Atem or Atum, the first man created by God, Adam.[15] Moses, the Black Muslims were taught, didn't get the Ten Commandments from God while standing on some mountain in the thundering rain. He had them drilled into his brain when he was a college student in Egypt, then later condensed them from the "Negative Confessions" in the Egyptian *Book of the Dead*.[16]

Africa's great philosophers were unknown to history because Greek philosophers like Herodotus, Aristotle, Socrates and Plato had translated the ancient African textbooks and claimed the works as original thought. The names of Africa's ancient philosophers were buried in the sands of Egypt by the Greeks after they invaded Africa.

History was replete with examples of how the devils had used what Fard called "tricknology" to steal the Asiatic black man's history, claim it as his own, then used physical torture against the original Tribe of Shabazz to make it believe its own culture was inferior and unproductive. Something which doesn't produce is dead, Black Muslims learned. Since the African Americans didn't own the means of production, they were as good as dead, Fard said.

That's why, Fard said, the African American was called the "Negro." The white devils had conspired to keep the Asiatic black man deaf, dumb, and blind. "Negro," Fard claimed, was a clever way of saying the African American is "dead." The term "Negro," Fard instructed Muhammad, was actually derived from the Greek word "necro," meaning "dead." Thus, when the Greek devil took slaves from Africa, he stripped the African slaves of their cultures, their languages, and their religion, and claimed these things as his own. To symbolize his triumph, the devil named his zombielike creature the "Negro" because he was as close as a man could come to being dead without being buried.

According to Fard, the first time devils were asked why they chose to call the African American "Negro," they said it was because he was named in honor of the Niger River.[17]

"You don't name people after rivers," the Honorable Elijah Muhammad taught Malcolm X and his other followers. "You name people after the land from which they came. Where is the country called 'Negro'?"

Then, Muhammad argued, the Caucasians contended that the term "Negro" was a Spanish word for "black." That was true, but the African American didn't come to America from Spain or Latin America so the term was inappropriate.

It's impossible to completely convey what African Americans felt when they visited the Holy Temple of Islam. But to get an idea, imagine the emotions of a poor and poorly educated black woman who has just entered the temple.[18] As she enters with her husband, he's led through a door on the left side of the temple, and she through a door on the right. After being searched for weapons, she is led into a whistle-clean room where men are seated on the left, and women on the right. She is seated behind five rows of black women dressed in spotless white, full-length dresses. Their hair is covered with a matching white headdress. Her husband, still wearing his green janitor's uniform, is seated behind seven rows of black men, all of them wearing Brooks Brothers suits, white shirts, and dark-colored bowties. Their hair is close-cropped, their nails clean, their shoes freshly polished.

Everyone is courteous to a fault, even the children, who are dressed like their parents and sitting quietly behind them. This is a special house of worship; the walls are not hung with portraits of white people with glowing human hearts sticking out of their chests, or with halos above their heads. The only crosses in the room are the crossbeam holding up the building, and the cross represented in a picture on a blackboard behind the pulpit.

A faceless black youth who has been hanged dangles from a tree under the cross.

While the congregation awaits the start of services, a student minister enters the room and begins lecturing. He says that the black youth represents all black people who have been killed without justification by white people, but he also represents an eighteen-year-old boyhood friend of Elijah Muhammad's who was lynched by the Ku Klux Klan one afternoon while Muhammad, the youth and others were returning from school.[19]

As a result of the traumatic experience, Elijah Muhammad never returned to school, the student minister says.

There are two statements on the blackboard above the cross. The first says that "Christianity equals Slavery, Suffering and Death." The second states: "Islam equals Freedom, Justice and Equality."

Written on the blackboard below the cross is the question: "Which One Shall Survive the War of Armageddon?"

Momentarily, the Muslim minister appears. Like the other Muslim men, he's well dressed, clean-shaven, and his skin is so smooth and healthy-looking that it seems to glow. The minister's name is

Malcolm X, and these are excerpts from his sermons taped by the FBI in 1957 and 1958:

> Islam poses a challenge and a threat. Thousands of so-called Negroes are beginning for the first time to think for themselves, and are turning daily away from the segregated Christian church, and rejoining the ranks of our darker brothers and sisters of the East, whose ancestral faith is the age-old religion of Islam, the true religion of our foreparents.
>
> —July 18, 1957[20]

> . . . Then the slavemaster taught us to call ourselves "Negroes," telling us that this was so because he had brought us from along the banks of the Niger River.
>
> Messenger Muhammad asks us today: "Since when does one get one's nationality from a river?"
>
> This same wicked slavemaster taught us that "Negro" means "black" in Spanish. Messenger Muhammad again asks us: "Why, then, don't all of the dark, Spanish-speaking people of Spain, South and Central America, accept Negro as their nationality, too?"
>
> —July 25, 1957[21]

> Messenger Muhammad teaches us that the Bible in its original form was a book of prophecy. Each story painted a prophetic picture of the last days—the end of time—of this wicked white race—the devil. Messenger Muhammad teaches us that the so-called Negroes play a major role in the fulfillment of this prophecy. . . .
>
> —October 3, 1957[22]

The Holy Temple of Islam was the only place in America where a black man or woman entered feeling anger and pity for black people, and exited two hours later feeling anger and pity for "racially inferior" whites.[23]

This world view was the key to the skyrocketing growth of the Black Muslims, and was also one of the key reasons why Hoover feared Malcolm X. For the first time since the rise of Marcus Garvey, there was a black man capable of uniting large numbers of African Americans who rejected everything America represented.

CHAPTER 5

THE AGE OF AFROCENTRISM

We have said that the colonial context is characterized by the dichotomy which it imposes upon the whole people. Decolonization unifies that people by the radical decision to remove from it its heterogeneity, and by unifying it on a national, sometimes a racial, basis.

—from *The Wretched of the Earth,*
by Frantz Fanon[1]

Two new devices for political organization and rule over foreign peoples were discovered during the first decades of imperialism. One was race as a principle of the body politic, and the other bureaucracy as a principle of foreign domination.

—from *Imperialism,*
by Hannah Arendt[2]

It may be said of them [the Dutch] as of the Spaniards, that the Sun never sets upon their Dominions.

—from *New Survey of the West Indies,*
by Thomas Gage[3]

"No whites or pigs allowed."

On April 15, 1955, as the sun set in Indonesia, a former Dutch colony, the black-, brown-, red-, and yellow-skinned men from African and Asiatic nations who had gathered in Bandung for the first African-Asian conference felt confident that with tomorrow's sunrise a new age would dawn. They had come together to celebrate the impending death of colonialism and its corollary, white supremacy, and had dramatized their newfound racial pride by banning representatives of the powerful white nations from joining their assembly. The Bandung Conference heralded the Age of

Afrocentrism. It was a harbinger of the racial revolutions just over the horizon in countless colonized countries of the Third World.

True, there were no signs above water fountains like the "Coloreds Only" placards then as prevalent in the American South as they were in South Africa, or anything as brutal as the "No Jews or Dogs Allowed" billboards welcoming white tourists to Ku Klux Klan territory in Indiana. Nor were there displays of the relatively refined racism practiced by Northerners, such as those on Jones Beach in New York asking "undesirable, uncooperative, disorderly and even lawless minorities" to stay away.[4]

But the feelings of the delegates about their white former colonizers were clear from the absence of white men (with the exception of Tito of Yugoslavia) at the conference, as well as the proscription of pork, since most of the delegates were Muslims.

Malcolm X's speeches about the significance of the Bandung Conference typified his use of current events to show Black Muslims how they fit into the global picture. At a meeting in March, 1955, he declared that "the so-called Negro has been enslaved" since 1545, when John Hawkins brought slaves to America.[5] Elijah Muhammad, Malcolm X said, had long ago predicted that 400 years of enslavement of African Americans would end in 1955. The Bandung Conference proved Muhammad's gift of prophecy and fulfilled the biblical prophecy that the Chosen People would remain in the Pharaoh's land for four hundred years.[6] President Dwight D. Eisenhower, Malcolm X said, was "today's modern Pharaoh," and African Americans were the chosen people.

And he cited the defeat of France in Vietnam as evidence of the fulfillment of Muhammad's prophecy:

> This is the last year of the white devil's rule. . . . The Mau Mau are pushing the English devils out of Africa. . . . The French devils are being run out of Indochina by the Asiatic races. . . .[7]

The invitation to the Bandung Conference was not extended across the Atlantic Ocean to the African American or Native American, many of whom perceived black ghettos and Indian reservations as colonized zones. In retrospect, however, this oversight was inconsequential. The gathering in Bandung turned out to be one of those cases, frequent in history, in which unscheduled events overshadow planned ones.

For even as the Bandung Conference was in the embryonic stages, Adam Clayton Powell, Jr., the flamboyant but brilliant black United States congressman from Harlem, was exploring the possibility of attending. Like Malcolm X, Adam Clayton Powell, Jr., immediately recognized the importance of the conference. "It will mark the first time in history that the world's nonwhite peoples have held such a gathering," Powell told reporters in Washington, D.C., "and it could be the most important of this century."[8]

For months, through the media and his contacts at the State Department and the White House, especially Maxwell Rabb, a White House aide, Powell followed developments relating to the conference. On March 7 he had contacted Thruston B. Morton, assistant secretary of the State Department, and requested permission to attend the conference as an official U.S. observer.[9] Morton, viewing Powell as a small-time politician seeking an expense-free vacation, advised him that neither President Eisenhower, nor Secretary of State John Foster Dulles saw a need to send an official observer to Bandung. (There was at least one unofficial observer: at the request of John Foster Dulles' brother, CIA Director Allen Dulles, a young African American journalist named Carl T. Rowan covered the conference.)[10] If Powell really wanted to travel, Morton suggested, the State Department would send him on "one or two paid red carpet missions anywhere."[11]

Angered by Morton's insinuations, Powell retorted that he "could not be bought" and would attend the Bandung Conference with or without State Department approval.[12] "Very well," came

Morton's reply. "But do us a favor and stay away from the American Embassy."[13] Nevertheless Powell told reporters that "a lot of top people in the Eisenhower administration want me to go."[14]

Powell performed brilliantly on behalf of the United States in Bandung. Journalists from *Pravda,* the Soviet Union's leading newspaper, tried to solicit damaging information from him about the state of race relations in America. They surrounded Powell outside his hotel, and asked him to "say something progressive" about the plight of African Americans.[15]

What they got, instead, was an oratorical equivalent of the "Star Spangled Banner." Social conditions were rapidly improving for his people, Powell assured them. "There are still a few race baiters," Powell argued, but their number "is fast dwindling."[16]

"Unconvincing," a journalist from *Pravda* retorted.

"What about the South?" a journalist from West Germany inquired.

"A Negro has been elected to a citywide office in Atlanta," Powell replied. "Negroes are in office in Richmond and Norfolk," he added.

"I read in a book," a Ceylonese journalist said, "that Negroes with mixed blood cannot adjust themselves to either Negro or white society in the United States."

"Not true," said Powell.

An Indonesian journalist wondered aloud whether Powell was even black. "You look very light-skinned for a Negro," the journalist told Powell.[17]

"Yes, I am," Powell replied. "But my grandfather was a slave."

On the whole, the United States couldn't have asked for a better mouthpiece. Half of Powell's assertions were essentially true, while the other half revealed the American tendency to prevaricate when it comes to facing its racial problems.

Powell wasn't the only person the State Department tried to dissuade from going to Bandung.

John Foster Dulles was determined to sabotage the conference. He was angered by the ban on U.S. participation and especially by the fact that one of the key organizers of the summit was Premier Zhou En-lai of China.[18] Since 1952, the United States and China had been exchanging hostile rhetoric over the issue of the status of the islands of Formosa, Quemoy, and Matsu. The CIA, which backed the nationalist government of Chiang Kai-shek, had been trying to overthrow Mao Zedong's communist government by training and spearheading Chinese Nationalist commando raids on mainland China, to no avail. Dulles, still licking his wounds over the CIA's failed attempts, accused China of colonizing the islands, a charge Peking denied.

Initially, John Foster Dulles contacted Egyptian President Gamal Abdel Nasser and urged him to withdraw his support. He also solicited the support of Indonesian President Achmad Sukarno and Prime Minister Jawaharlal Nehru of India.[19] Had he succeeded, the only other key organizer of the conference, Zhou En-lai, probably would have decided against going, and the conference might consequently have been canceled. But Nasser, still fuming over the United States's role in creating the state of Israel in 1948, was in no mood to heed Dulles' plea.[20] Sukarno, too, found Dulles unpersuasive.

Powell, in linking the Bandung conference's concern with the human rights of dark-skinned people with the African Americans' struggle for civil rights, gave the best explanation for his conferee's decision to pursue a policy of nonalignment. "Civil rights is the most important issue in this country," he told a reporter for the *New York Times*, "and the key to our winning the world.[21]. . . . Nehru and Nasser and U Nu," Powell correctly surmised, "don't give a damn about natural gas or rigid price controls."

On the opening day of the conference, Sukarno, over Nehru's objections, railed against colonialism and called for an end to all nuclear experiments. "The 150 million people of Asia and Africa can demonstrate to the minority of the world which lives on other continents," Sukarno said in reference to America and the Soviet Union, "that we, the majority, are for peace, and that whatever strength we have will always be thrown onto the side of peace."[22]

During his speech on opening day, Zhou En-lai expressed his concerns about what he rightly believed was a CIA attempt to derail the conference. Two days before Zhou left Peking, a plane he was scheduled to be on crashed, killing some Chinese delegates to the conference. Zhou said the plane had been sabotaged.

"Our conference is disliked by some people," Zhou told those assembled. "They are trying by all means to sabotage it."[23] Zhou could offer no proof to substantiate the allegations, however, and Powell dismissed Zhou's charge as scurrilous. "Anyone who says the United States wants to sabotage this conference is a liar," Powell said. "I believe the real saboteurs are those who sow seeds of distrust through propaganda and lies."[24]

What neither Powell nor Zhou knew, however, was that the CIA had paid a waiter to sabotage the conference by putting poison in Zhou's food.[25]

In making the sabotage charge, Zhou was expressing the feelings of other delegates to the conference who believed that recent assassinations and overthrows of Third World leaders were engineered by the CIA or Russia's Komitet Gosudarstvennoy Bezopasnosti (KGB), as part of a covert war to replace ousted colonial powers.

In fact, besides protecting delegates at Bandung from intimidation by the United States or Soviet Union, the ban on whites was intended to allow open discussion of the growing problem of assassinations and the toppling of Third World leaders by powerful Western nations. This belief was grounded in recent events in Colombia, Costa Rica, Korea, Iran and Guatemala.

In April 1948, before the beginning of Truman's second term, a revolution was brewing in Bogota, Colombia. On April 9, while the Inter-American Conference was underway and, at the same time, CIA officers were swarming about, Jorge Eliecer Gaitan, a popular leader, was assassinated.[26] Although the CIA had maintained that it played no role in Gaitan's assassination, doubts persist, particularly in light of its role in undermining other Third

World countries during the remainder of the Truman administration and beyond.

During Japanese colonial rule of Korea, which began in 1910, three Korean independence movements were cultivated abroad. Because the Asian nation's location was considered strategically important to China, the Soviet Union, and the United States, the government in each of those countries sought during World War II to cultivate individuals it believed could lead Korea following the defeat of Japan. China harbored Kim Koo, a populist regarded by his fellow countrymen as Korea's savior. The Soviet Union banked its hopes on Kim Il Sung, a charismatic speaker and soldier in the Red Army. The United States developed plans to install Sungman Rhee, a Princeton University graduate with ties to the Office of Strategic Services (OSS,)[27] which evolved into the CIA after an infusion of personnel from Nazi Germany, such as Third Reich Chief of Intelligence Reinhard Gehlen, handed over to American officials following the defeat of Germany.[28]

After World War II ended and Japan was ejected from Korea, U.S. President Franklin D. Roosevelt and Joseph Stalin of the Soviet Union reached an agreement at the Yalta Conference in February 1945, under which Korea would be governed by a joint trusteeship.[29] The United States would govern the southern half of the nation, while North Korea would be under the Soviet Union's control.

Enter Kim Koo. Kim, who had lived in Shanghai during the war, returned to Korea after the Japanese occupation ended. He opposed the joint trusteeship, fearing it would lead to a permanent division of his homeland.[30] Kim became a folk hero to Koreans, but a fly in the ointment to the United States and the Soviet Union. Kim's fears became reality when General John R. Hodge, Commander of the U.S. Occupation Forces, held a rigged election in which Kim and Rhee became leaders of South Korea. In the interim, the Soviet Union installed Kim Il Sung in newly independent North Korea.[31] Rhee opposed the power-sharing plan in the

South, particularly since Kim Koo was pressing forward with plans to reunite Korea.

In June 1949, General Kim Chang-Yong, Rhee's close advisor and Chief of Korea's Counter-Intelligence Corps (CIC)—founded by and patterned after the CIA—conspired with American intelligence officers and a young lieutenant to assassinate Kim Koo.[32] On June 26, 1949, while the seventy-three-year-old Kim was resting in his second-floor bedroom, Lieutenant Ahn Do Hi walked past three policemen standing guard outside, entered the house, proceeded to Kim's bedroom, and shot him to death.[33]

Mao Zedong and Zhou En-lai, who had harbored Kim for more than twenty years, were certain that the assassination had been ordered by Rhee's American adviser, who also served as Rhee's anti-espionage chief. Although there was evidence that the American was a CIA officer (the OSS became the CIA in 1947), no one was able to prove it, and Ahn wasn't talking. Shortly after the assassination, Ahn's family was spirited out of Korea and brought to America. The Ahn family's departure only served to heighten speculation that Kim's assassination was engineered by the CIA. Ahn tried to join his family in America, but was prevented by forces loyal to Kim. Today, June 26 is a national day of mourning in Korea.[34]

In Iran, the evidence of CIA involvement in the 1953 overthrow of the government of Mohammed Mossadeq was more clear-cut.

The issue that pulled the United States into the domestic politics of Iran was oil; one of the first measures Mossadeq took upon becoming Premier of Iran in 1953 was the nationalization of oil refineries owned by Great Britain.

England immediately withdrew its technicians from the refineries, which led Iran to the brink of economic disaster, but the loss of oil revenue also threatened the British economy. The British government then sought assistance from the United States to overthrow Mossadeq, who had in the meantime become virtually bedridden.[35] In exchange for American assistance, the British said, it would form a joint cooperative agreement.

American military and intelligence officers met secretly in Switzerland to discuss how to proceed with plans to oust Mossadeq and replace his leadership with two pro-Western Iranians—Shah Mohammad Reza Pahlavi and General Fazollah Zahedi. The American in charge of orchestrating the coup was the CIA's Kermit (Kim) Roosevelt, a seventh cousin of President Franklin D. Roosevelt. Roosevelt was assigned the case by CIA Director Allen Dulles.[36] He enlisted the aid of Brigadier General H. Norman Schwarzkopf, Sr. (father of General H. Norman Schwarzkopf, Jr., who commanded American troops in the same part of the world during the Gulf War in 1991). A close friend of Zahedi's and the Shah, Schwarzkopf had achieved notoriety for his mismanaged investigation of the Lindbergh baby kidnapping case in 1932.[37] The third key American player was Loy W. Henderson, a high ranking state department official.[38]

On August 13, 1953, the Shah dismissed Mossadeq and replaced him with Zahedi. Rioters supporting the ailing Mossadeq took to the streets, forcing the Shah to flee the country temporarily and forcing Zahedi into hiding. But the CIA countered Mossadeq's forces by hiring ruffians to roam through the streets shouting pro-Shah slogans. As the counterdemonstration grew, Henderson negotiated with Mossadeq as the old man lay in bed.[39] By the end of the month, Mossadeq resigned, and the Shah and Zahedi returned to power.

In the aftermath of the successful coup, Kermit Roosevelt was promoted to CIA Assistant Director for Plans.

The CIA moved into Costa Rica in 1954 with the intention of toppling the government of Jose "Pepe" Figueres. Their plans were scuttled in March, however, after newspaper reports revealed that a "CIA man was caught red-handed" in tapping the Latin leader's telephone.[40] The CIA had also played a pivotal role in the assassination of Jacobo Arbenz Guzman, the populist president of Guatemala. Arbenz rendered himself a threat to America's "national security" by seizing 400,000 acres of land owned by the United Fruit Company, in February, 1953.[41] The seizure left the

American conglomerate with 150,000 acres. The company saw no reason to allow Arbenz to waste the balance on the peasants among whom he had promised to divide the land. The CIA agreed: Arbenz had to go.

Frank Wisner, the CIA's Deputy Director for Plans, was appointed head of the covert war against Arbenz. When an attempt to bribe him to resign from government failed, the CIA began a covert psychological war against Arbenz. Using shortwave radios to broadcast antigovernment propaganda, and small bands of soldiers in neighboring Nicaragua and Honduras, the CIA created an illusory insurrection. Gradually, Arbenz became convinced that he was "losing the war." On June 27, 1954, he resigned, and United Fruit got back the 400,000 acres of land it had no right to in the first place. Arbenz subsequently fled the country along with his top advisors, one of whom was a young economic advisor named Ernesto "Che" Guevara.[42]

The next assassination target was Jose Antonio Remon, President of Panama. To President Eisenhower's displeasure, Remon apparently had raised last-minute roadblocks to ratifying the recently negotiated Canal Zone treaty.[43] The White House decided that the treaty would go forward, with or without Remon. To this end, according to CIA agent Marion Cooper, Vice President Richard M. Nixon met with a group of Panamanians in Honduras on January 1, 1955.[44] The group included the men hired to assassinate Remon.

On the evening of January 2, Remon and a bodyguard were gunned down in a hail of machine-gun fire while attending a horse race at the Juan Franco Race Track. Several other bodyguards were seriously injured.[45]

On January 15, Ruben Miro, one of Remon's assassins, confessed his role and implicated President Jose Ramon Guizado, who replaced Remon as president after the assassination, but he did not mention America's role.[46] Guizado was impeached, dismissed and arrested within hours of Miro's confession, and replaced by Ricardo Arias Espinoza.[47]

The final target of the Directorate for Plans—also called "Clandestine Services," the CIA's "dirty tricks" department—was ninety miles off the Florida coast.

In December 1955, the CIA targeted a band of revolutionaries spotted in December in Cuba's Sierra Maestra mountains. There were concerns that the revolutionaries, led by Fidel Castro and Ernesto "Che" Guevara, might try to overthrow the government of dictator Fulgencio Batista, an American puppet for more than twenty years.[48] But CIA-backed rebels were outmatched by Castro's group. It was the first indication that Third World leaders were getting wise to the *modus operandi* of the "dirty tricks" department.

In the wake of the Bandung Conference, Adam Clayton Powell, Jr., was, at least in the eyes of Arabs and Africans, the most important black man in America. He was praised as a hero by his fellow congressmen, and even the State Department agreed that he had represented the interests of the United States as well as any American could.

In his column on May 29, 1955, Drew Pearson poked fun at the shortsightedness of the State Department in trying to sabotage Powell's plan to go to Bandung. "Powell," Pearson noted, "had greatly enhanced his prestige at the Bandung conference, where he electrified Afro-Asian delegates with his defense of United States racial relations."[49]

Whatever good Powell had accomplished for the perception of race relations in America during the first Afro-Asian conference was quickly undone three months later, however. On August 28, a fifteen-year-old black youth from Chicago was brutally murdered in Sumner County, Mississippi by two white men for allegedly "insulting" a white woman.[50] Emmett Louis Till, who was visiting with relatives, was kidnapped from his uncle's home after the wife of one of the white men accused him of whistling at her in a country store. After the boy was kidnapped, he was brutally bludgeoned by his attackers, then shot point-blank in the head. The slayers tried to conceal their crime by dumping Till's body in the nearby Tallahatchie River. He was found four days after the crime.

On September 23, after a two-week trial, the two white men charged with Till's murder were acquitted of all charges.

The reaction, both national and international, was immediate. Roy Wilkins, who had only recently become executive secretary of the NAACP, called it "a shameful verdict,"[51] and Wilkins predicted that a "wave of anger" among blacks would have repercussions during the next presidential election, since the Eisenhower administration was dragging its feet on a proposed antilynching bill. On September 26, ten thousand people in Harlem filled the streets to protest the verdict.[52]

Ironically, one of the leaders of the protest was the Reverend David N. Licorish, Powell's associate pastor of the Abyssinian Baptist Church. Licorish urged the protesters to organize a march on Washington, but Wilkins countered that local political action would be more effective.

Several days after the rally, Powell wrote a letter to Hoover, asking him to order the FBI to investigate Till's lynching. Hoover told Powell that he should address his concerns to the Justice Department first.[53]

The correspondence reflected Hoover's propensity to view federal civil rights legislation narrowly whenever he desired, but it also revealed his ignorance of the international ramifications of the acquittal of the conspirators. *Le Monde*, the highest-circulation newspaper in France, assailed the verdict as "a demonstration of continuing racism in the United States." A survey taken by the American Jewish Committee a month later revealed that the response abroad to the verdict in the Till lynching was overwhelmingly negative. The survey, conducted in Europe and North Africa, showed that America's handling of the case met disapproval from Communists and non-Communists alike, and from conservatives as well as liberals.[54]

Malcolm X, predictably, said the verdict was just the latest confirmation that blacks could not expect justice from the American government. "They want you to go to Korea and other parts of the world to fight someone who has done nothing to you," Malcolm X said during a Muslim meeting, "while refusing to do anything against the one right here at home who has lynched, raped, and robbed you."[55]

Another rally in Harlem protesting the verdict was held on October 11. This time, Powell represented his church. "No crisis facing America," he told 20,000 unionists gathered in New York's garment district, "is more serious than the crisis of racism."[56]

Till's murder was the first reported lynching since 1952, but his was but the first in a series of lynchings in Mississippi in 1955. The White Citizens Council, angered by the voter registration drive being conducted in the South, was believed to be responsible, since the victims were voting rights activists. Two of them—the Reverend George Lee and Gus Courts—had launched a voting drive in Humphreys County. On November 25, a group of white men tried to assassinate Courts. Lee and another victim, Lamar Smith (both NAACP organizers), were found dead.[57] On December 3, the fourth and last known lynching victim of 1955, Clinton Melton, was slain in Tallahatchie County, where Till had also perished. A young white man, Elmer Kimbell, was indicted for this crime and later acquitted.[58]

Powell, whose activities had been monitored by the FBI since the early 1940s, bitterly denounced the bureau's foot-dragging in investigating the series of lynchings. The FBI's New York field office dismissed his allegations by noting that Powell "has been affiliated with numerous[Communist] front organizations, some of which have been cited by the Attorney General."[59]

Anger among African Americans over the verdict had just begun to subside when, in December, an event occurred which became a milestone in the history of the civil rights movement. Rosa Parks, a black domestic worker, refused to give her bus seat to a healthy white man on December 1 in Montgomery, Alabama. Her arrest, noted one activist, was "the last straw." Parks had not set out to start a revolution; all she wanted to do was rest her tired feet and perhaps take a quick nap as the bus took her home. But her refusal gave birth to a new defiance among blacks, and to the civil rights career of a twenty-seven-year-old black clergyman named Martin Luther King, Jr.[60]

The morning after her arrest, Montgomery's black community organized a boycott of the busing service. King, with the Reverend Ralph David Abernathy, formed the Montgomery Improvement Association (MIA) to coordinate the boycott's strategies. After a meeting in the basement of the Dexter Avenue Baptist Church with seventy local black community representatives, King and the MIA drafted a letter to be passed out as a leaflet and disseminated throughout Montgomery.

Over the weekend, the media helped spread news of the impending boycott. When Monday morning came, so did the buses and the lines of riders waiting to board. The lines that morning, however, were noticeably different; there were no black faces in the crowd. Some African Americans formed car pools to get to work, while hundreds exulted in walking that morning. The loss of income to the city was traumatic, since blacks comprised seventy five percent of the system's clientele.[61]

City officials immediately filed a lawsuit against King and the MIA, a suit which, in essence, asked the Court to make black people ride the bus. Eventually, Parks and other black passengers were extended the privilege of sitting wherever they pleased on Montgomery's buses, but most white riders still refused to sit alongside black passengers.

On January 30, 1956, while the lawsuit was progressing through the local court system, King's home was bombed, and the home of E.D. Dixon, another local civil rights activist, was bombed the next night.[62]

Powell, like other prominent civil rights activists, threw his support behind Dr. King and the bus boycott. In addition to sending letters to President Eisenhower requesting federal intervention in Montgomery, he also issued a call for a one-hour national work stoppage in retaliation for the lawsuit and the bombings.[63]

Within weeks after the Bandung conference Malcolm X started dropping by Powell's Abyssinian Baptist Church on Sunday mornings near the end of the services, introducing himself to the parishioners. As Powell stood in the doorway to shake hands with the departing congregation, Malcolm X would engage him in conversation.[64] His main interest in Powell's friendship appeared grounded upon a desire to increase the Nation of Islam's recognition among Islamic nations, but Powell's role in Montgomery, Bandung, and the Till lynching had deeply impressed Malcolm X; here, it seemed, was an exception to the rule that economically prosperous blacks were indifferent to their destitute brethren.

Gradually, Powell and Malcolm X became good friends, and their friendship marked the beginning of the Nation of Islam's journey into the world of international politics. But it may also have been the impetus for a federal tax probe of Powell one year later.

CHAPTER 6

COINTELPRO

COINTELPRO is the FBI acronym for a series of covert programs directed against domestic groups. . . . The unexpressed major premise of the programs was that a law enforcement agency has the duty to do whatever is necessary to combat perceived threats to the existing social and political order.

—from Book III
Church Committee Report[1]

We hold that our Negro brothers in the United States are one with the Indonesians in the emerging forces of this planet, and together we will build the world anew as President Sukarno has predicted and urged.

—Indonesian UN official,
quoted in *Muhammad Speaks*[2]

"How do I know the attack on me wasn't staged to make me trust you?"

—from the movie, *Gorky Park*

On May 1, 1955, three weeks before his thirtieth birthday, Malcolm X was back in Lansing, Michigan. There in the city where his father once headed the local chapter of Garvey's Universal Negro Improvement Association, Malcolm X officially opened Muhammad's Temple of Islam No. 16.[4] In preparation for the ceremony, held at the Syrian Temple, he and several Black Muslims visited local black churches that morning to pass out handbills inviting worshipers to attend the temple at two o'clock in the afternoon.[5]

Although there was a respectable turnout for the meeting, at least one woman was unimpressed. Incensed because Malcolm X had spoken unkindly about white people, she called the Lansing Police Department to advise them of Malcolm X's activities. A copy of the woman's complaint was duly delivered to the local office of the FBI.[6]

After two weeks in Lansing, Malcolm X quickly moved on to Joliet, Illinois, then Cleveland and Dayton, Ohio, and from there to Camden, Paterson, and Jersey City, New Jersey.[7] At each stop he opened a new temple. By the end of the year, Malcolm X had established more than twenty-seven temples, up from the barely functional seven temples existing when he left prison three years earlier.

Not only was membership expanding; its quality was improving noticeably. For the first time in the twenty-five-year history of the Nation of Islam, the sect was attracting followers who reflected the demographics of the African American community—scores of college students, teachers, policemen and firemen, and skilled laborers needed by the Nation of Islam. These new, better-educated converts, Malcolm X hoped, could educate and help find employment for the hundreds of former prisoners and high school dropouts groping for a way out of poverty.

Malcolm X's appeal to middle-class blacks and the skyrocketing development of new temples alarmed FBI agents assigned to the "COINTELPRO/Racial Matters," and on New Year's Eve, 1956, Hoover requested permission from the Justice Department for increased "technical surveillance" (wiretapping) of the sect. Copies of the request were sent to the State Department and the CIA.

In making the request, Hoover wrote:

> Members fanatically follow the teachings of Allah as interpreted by Muhammad; they disavow allegiance to the United States; and they are taught they need not obey the laws of the United States. . . . It is believed that a technical surveillance . . .will furnish not only data concerning the fanatical and violent nature of the organization, but also data regarding the current plans of

> the NOI to expand its activities throughout the United States.[8]

Hoover must have known that the "violent nature" of the Nation of Islam was a product of his own imagination, but it helped justify a wiretap. On New Year's Day, 1957, U.S. Attorney General Herbert Brownell granted Hoover's request.[9] By February 14, Hoover had forwarded copies of the FBI's dossiers on the sect and its leaders to the following divisions of the intelligence community: the State Department's Bureau of Intelligence and Research, the Central Intelligence Agency (CIA), the U.S. Secret Service, the Office of Naval Intelligence (ONI), and the Office of Special Investigations of the U.S. Air Force (OSI).[10]

Malcolm X was keenly aware of the FBI's unfriendly interest in the Nation of Islam. As early as July, 1955, he cautioned new members that the FBI was conducting a harassment campaign against the Nation of Islam, but urged them not to be intimidated. "Don't talk to government agents about Islam," he advised members of the Philadelphia temple.[11] "Tell them that Islam is a religion of peace," Malcolm X added, but beyond that, "don't discuss the Nation of Islam's business."

The business of the Nation of Islam gradually became linked with the political affairs of Islamic nations throughout the world. In June, 1956, Malcolm X's friendship with Powell led to his first significant contact with leaders of these nations, contacts that would ultimately enable Malcolm X to eclipse the congressman in his role as liaison between African Americans and the leaders of the Third World.

Achmad Sukarno, the Indonesian president with whom Powell had developed a cordial relationship during the Afro-Asian conference in Bandung, made his first visit to America on May 17. The week after he arrived, Powell invited Sukarno to visit the Abyssinian Baptist Church during his planned New York stop.[12]

Sukarno accepted, and by the last week in May his impending visit to Harlem was the talk of the town.

The talk had its drawbacks. During his visit to the White House on May 17, Sukarno, already portrayed in the American media as a Communist and enemy of the United States, delivered a scathing denunciation of American foreign policy toward Asia,[13] and Powell's connection with him may have been one motivation for the threatening letter the congressman received on June 8. "Don't be surprised if you receive a bomb in your mail," stated the letter. Powell sent it to the Justice Department, which handed it over to the Civil Rights Division for investigation.[14]

In a speech delivered before Sukarno and the congregation at the Abyssinian Baptist Church, Malcolm X (probably invited because, like Sukarno, he was a Muslim) praised the Indonesian's leadership of "the eighty million Muslims in Indonesia. We here in America," Malcolm X said, "were of the Muslim world before being brought into slavery, and today with the entire dark world awakening, our Muslim brothers in the East have a great interest in our welfare."[15]

The CIA's views on Sukarno were in sharp contrast to Malcolm X's. Near the end of 1956, after Sukarno had on July 28 accepted the Order of Lenin during a ceremony in Jakarta, Frank Wisner, the CIA's Deputy Director for Plans, decided it was time to put "Sukarno's feet to the fire."[16] The CIA had been trying even before the conference in Bandung to topple Sukarno's government, so its latest efforts were merely an intensification of an ongoing campaign.

From the profile of Sukarno compiled by the CIA through the Personality Assessment System (PAS), it was discovered that the Indonesian had "a weakness for blondes."[17] This assessment was confirmed when Sukarno made a trip to Hollywood on May 31 to meet an actress he was known to find attractive. Her name was Marilyn Monroe.[18] Monroe attended a diplomats' party in his honor that night at the Beverly Hills Hotel. "They kept disappearing to the edges of the party," the director of *Bus Stop,*

Monroe's latest movie, recalled. "The atmosphere was all S-E-X."[19] The CIA initially considered recruiting Monroe as an agent, since she seemed interested in a tryst with Sukarno, but the idea was abandoned. A year later, however, the CIA decided to *simulate* an affair between Sukarno and Monroe by hiring actors. A film was produced purporting to show Sukarno being intimate with a blonde while visiting the Soviet Union.[20] Robert A. Maheu, a former FBI agent who subsequently played a key role in assassination plots against Patrice Lumumba of the Congo and Fidel Castro of Cuba, was in charge of the film project.[21]

Meanwhile, Powell too became a victim of the intelligence community's covert wars. The State Department had not forgiven Powell for attending the conference in Bandung. On May 7, 1956, a scandal involving alleged payroll kickbacks engulfed Powell's congressional office.[22] Although Powell was ultimately acquitted, the indictment became a kind of political extortion, leading Powell, who had been a harsh critic of the Eisenhower administration, to secretly write a letter to Vice President Richard M. Nixon advising him that the was "ready and willing" to campaign for Eisenhower.[23] At the time, according to preelection surveys, less than 30 percent of black voters favored the Eisenhower/Nixon ticket. The Republicans needed a prominent African American in their corner to increase this figure, and Powell seemed as likely a candidate as any. In October, in a move that shocked and appalled his supporters, Powell publicly endorsed Eisenhower's bid for a second term for President.

Malcolm X, too, found the Black Muslims facing several crises involving unsought conflicts with the government.

On February 22, 1957, for example, Black Muslims in Pensacola, Florida, encountered trouble with local police while conducting religious services at the recently opened Pensacola mosque.[24] When police interrupted the service, the police chief tried to arrest George Roy X White, acting minister of the mosque. White beat up the police chief during the scuffle, but was eventually subdued and taken into custody along with a few dozen Black

Muslims. Reached by White at Elijah Muhammad's home in Chicago, Malcolm X immediately flew to Pensacola, hired an attorney, and posted bail for the group.[25]

In Harlem fourteen months later, another skirmish between Black Muslims and police transpired, during which a member of the Harlem temple was viciously beaten.

On April 14, 1957, Johnson X Hinton and another Black Muslim were minding their own business when they witnessed two white policemen beating Reece V. Poe, a young black man, with their nightsticks. "You're not in Alabama," Hinton protested, and demanded that they stop.[26]

They complied, but only to change the target of their attack from Poe to Hinton. It took hundreds of stitches to put Hinton's scalp back together, and there wasn't an area on his body that wasn't bruised.

News of the attack on Hinton traveled through Harlem fast. Within minutes, over two thousand Harlemites were in the streets demanding retribution.

Panicking, police started placing phone calls to every black man they could think of who could possibly restore calm. James Hicks, editor of the New York *Amsterdam News*, was summoned as a mediator, but the crowd wanted justice, not mediation. As tempers flared, New York Inspector William McGowan and several other top police department officials implored Hicks to get Malcolm X.[27] Hicks found Malcolm X and his new confidante, John Ali, in the crowd—which was now approaching 3,000—gathered at Seventh Avenue and 123rd Street. Malcolm X made it clear that there was nothing to negotiate; Johnson had been unjustly brutalized, the police were responsible, and they were denying him medical attention by holding him in the 28th Precinct.

McGowan had been unaware of the extent of Hinton's injuries until Malcolm X mentioned hospitalization. When he returned to the precinct with Malcolm X and John Ali, he knew immediately that the police department had an unwinnable torts lawsuit on its hands. He asked Malcolm X if he would disperse the crowd if

Hinton was taken forthwith to Harlem Hospital. "I'll do that," Malcolm X agreed.

Moments later, Malcolm X was back in the midst of the angry crowd. Saying nothing, he waved his hand as a signal for Black Muslims to disperse the crowd. In seconds, or so it seemed, the streets were clear.

"No man should have that much power," McGowan said, fuming.[28]

After Hinton arrived at the hospital, Malcolm X sent a photographer over to take pictures of his injuries. In the weeks that followed, enlargements of the photographs were shown during temple meetings and were circulated throughout Harlem. The same photographs were used later during the trial that ensued when Elijah Muhammad hired lawyers to file a $1 million lawsuit against New York City and its police department.[29] When the matter was finally resolved, Hinton and his lawyers received $70,000 in compensation.[30]

Within months, the Hinton incident was overshadowed by Malcolm X's campaign to spread Islam. He was on the road again by May, opening temples in Pittsburgh, Buffalo, Richmond, and several in California. But the people of Harlem did not forget. He had challenged the authority of the New York Police Department and survived without a scratch, and he was now a folk hero.

In July, the owner of an African–American-owned newspaper had become sufficiently enamored of the Nation of Islam to grant Malcolm X space for a weekly column. Under the title, "God's Angry Men," the first installment ran in the *Los Angeles Herald-Dispatch* on July 18, 1957.[31] For the first time, Malcolm X was able to deliver Elijah Muhammad's message to thousands of listeners in the comfort of their homes instead of thirty or forty sitting on uncomfortable folding chairs in poorly ventilated, small, unfamiliar surroundings. Membership in Los Angeles soared after the initiation of the column, and several new temples were opened.

But the breakneck pace at which Malcolm X was living appears to have caught up with him late in 1957. On October 30, he was hospitalized in New York after suffering what he believed was a heart attack. During his hospitalization, he told his family that he had been experiencing palpitations in recent months.[32] He never revealed the actual diagnosis to his family, but did tell them that doctors advised him to rest for several weeks and to eat more frequently.

He scrupulously observed the Muslim practice of eating only one meal a day, according to his brother Wilfred X, and never took a day off to rest. The palpitations, Wilfred X believes, may simply have been a combination of stress, exhaustion, and a cold.[33]

Other explanations are possible, however. The heart attack episode was the first of several strange events affecting Malcolm X after he and John Ali became friends. Another incident occurred in May, 1958, five months after Malcolm X got married.

For about a year, Malcolm X had been keeping an amorous eye on Betty Jean X Sanders, who joined the Harlem mosque in 1956. A graduate of Tuskegee Institute, Sanders started attending the Harlem mosque while studying nursing at a school in New York.[34] Her initial reaction mirrored that of nearly everyone else who was asked to describe the experience. "This was the first time I heard the word *racism* used," Sanders remembers. "I began to see why people did certain things," she said. "I began to see myself from a different perspective."[35]

By mid-1957 she was teaching female members of the mosque hygiene and basic medicine. Malcolm X took Sanders on several chaperoned dates in late 1957. In December, he told Elijah Muhammad that he was considering getting married, and mentioned that Sanders was the apple of his eye. Elijah Muhammad, who had encouraged Malcolm X to stay single, surprised Malcolm X by expressing elation over Malcolm X's decision. But Sanders' adoptive parents weren't pleased at all about her joining the Nation of Islam. They warned her that they would stop financing her education unless she quit the sect.[36]

When Malcolm X told Elijah Muhammad about their reaction, the Messenger told him not to worry. He told Malcolm X that he would gladly offer Sanders a job as one of his personal secretaries.[37] Six months earlier an unmarried secretary of Elijah Muhammad who was found to be pregnant had been given a "trial" and dismissed. Possibly even then Malcolm X had some inkling of the unfairness of that trial; at any rate he did not take the Messenger up on his offer, and on January 12 Malcolm X suddenly asked Betty Sanders to marry him.

Her adoptive parents said she would be marrying beneath her station in life; nevertheless, on January 14, she married Malcolm X. After a brief honeymoon, the newlyweds returned to Queens and settled into a house comprising two small apartments, the second of which was occupied by John and Minnie Ali.

On May 16 two New York City detectives[38] and a federal postal inspector went to the apartment seeking a individual named "Margaret Dorsey."[39] The detectives, who hadn't bothered to get a search warrant, grew hostile when Malcolm X demanded that they present one or leave, and fired several shots into the apartment. Though no one was injured, the incident rattled Malcolm X. Betty was four months pregnant with their first child.

Word of the attack spread quickly. Within minutes, Black Muslims pounced upon the detectives and gave them a severe beating.

Malcolm X, John Ali, Minnie Ali, and Betty were taken into custody for resisting arrest and on other charges. They pled not guilty and subsequently filed a $24 million claim (settled out of court in 1958) against the city, its police department, and the U.S. Postal Service.[40]

Two days after the raid, Malcolm X suffered another emotional setback, the death of Marie Muhammad, Elijah Muhammad's mother—the person who told the Messenger when he was only nine years old that God had a special mission for him. On May 21, Marie Muhammad was given what some called the largest funeral ceremony since the death of Chicago philanthropist Julius Rosenwald.[41]

One month after Malcolm X married, the FBI launched a new counterintelligence campaign to discredit the Nation of Islam.

Elijah Muhammad had sent a letter to the Working Muslim Mission in Surrey, England, inviting it to send a delegate to the annual Saviour's Day Convention on February 26. A copy of the letter was reprinted in the February issue of the *Islamic Review,* published by a committee at the Islamic Center, one of the most resplendent buildings in Washington, D.C. Within days of publication, the FBI sent its dossier on Wallace Fard to the publisher, along with detailed information on the criminal records of Fard, Muhammad, and Malcolm X.[42] Copies of "The Supreme Wisdom," the booklet containing the basic tenets of the Nation of Islam's faith, were also forwarded.

In the March issue of *Islamic Review,* the publisher apologized for printing Elijah Muhammad's letter, and denounced the Nation of Islam as a "caricature of Islam."

The denunciation of 1958 had no effect on Muhammad's relationship with prominent Islamic leaders, who recognized that the Nation of Islam was their only link with the American public. When King Ibn Abdullah Saud of Saudi Arabia visited New York in January 1957, he specifically asked Malcolm X to have lunch with him at the Waldorf Astoria Hotel.[43] Since Saud was on the CIA's payroll at the time, it's difficult to say what his motivation might have been.[44]

On July 26, 1958, Malcolm X, Congressman Adam Clayton Powell, Jr., and Manhattan Borough President Hulan E. Jack were part of a coalition of civic groups that sponsored a reception in honor of Kwame Nkrumah, the Prime Minister of Ghana.[45]

Nkrumah, who was in the United States to seek aid from the Eisenhower administration, was quite familiar with black nationalist organizations in New York and Pennsylvania. In the early 1930s, when he was a starving student, he had joined the religious sect headed by Father Divine, a controversial leader who was born into the Gullah tribe off the coast of Georgia and who claimed that he was the reincarnation of God.

Nkrumah first encountered the Nation of Islam while selling fish in Harlem during the summer of 1936 and again in Philadelphia that winter, when he began his graduate studies at Lincoln University (one of his classmates was Thurgood Marshall, who later became the first African American to serve on the United States Supreme Court).[46]

An early admirer of Marcus Garvey, Nkrumah purchased the Garvey-owned Black Star Line shipping business shortly after assuming office.[47]

Nkrumah had visions of a United States of Africa. Toward this end, he formed the Conference of Independent African States in April 1958.[48]

In March, 1957, Nkrumah invited Dr. Martin Luther King, Jr., to Ghana's independence celebration. Although neither Malcolm X nor Powell was officially invited—the former was too controversial and the latter was sinking in very hot legal waters—Powell ended up going as part of King's entourage.[49]

Perhaps the most amusing aspect of the celebration was the speech delivered by Vice President Richard M. Nixon. In presenting a 2,000-volume library to Nkrumah at the Government State House, Nixon tried to flatter his African host by stating:

> Here in Ghana we had as good an example of a colonial policy at its best as the world can see. When we see colonialism operating in this fashion, it is a force which most objective people in the world will say is a force for good rather than evil.[50]

Nkrumah had a wholly different view, of course, and he let Nixon know that "benevolent colonialism" was an oxymoron. "We are no more slaves," he told a crowd of 50,000. "Move about with your chest out."[51]

Malcolm X and Nkrumah met again on August 17, 1958, a meeting duly noted by the State Department and the CIA.[52] Days after this second encounter, the CIA asked Hoover for any information the FBI had on the Nation of Islam's membership. Hoover responded with a twenty-two page list showing the location of every mosque run by the Nation of Islam, including chapters in prisons. The list also included the names of the top five to ten leaders of each mosque. The FBI, which obtained the list in November, 1957, had apparently received it from one of its informants in the Nation of Islam, since agents noted that the list had come from a "reliable source" in the Philadelphia mosque.[53]

On November 19, 1958, the New York field office noted that surveillance of Malcolm X should be intensified because he "may aspire to replace Elijah Muhammad as NOI leader."[54]

The Nation of Islam was thrust into the national limelight on June 13, 1959, when two young reporters, Mike Wallace and Louis E. Lomax, presented a controversial television series focusing on the sect.[55] Titled "The Hate That Hate Produced," the series, to the chagrin of Elijah Muhammad, presented news clip after news clip of Malcolm X berating Caucasians as "devils."

At the time of the presentation, Wallace was unaware that Lomax and Malcolm X had already become good friends.[56]

The show alarmed New Yorkers, and was rebroadcast in full or in part in many regions of the country. Instead of having a negative impact, however, it triggered exponential growth of the Nation of Islam and even ignited the interest of Arab and African nations in the sect. Within three weeks of the broadcast, the Los Angeles mosque inducted 500 new members. Similar figures were reported in other large urban areas.

On July 17, the day the last installment of the series ran, at least 13,000 African, Arab, East Indian, and African Americans attended a bazaar in Harlem sponsored by the Nation of Islam and various civic groups. The dinner's organizers, who sold tickets bearing the title, "United Front of Black Men," included prominent New York local and state-level politicians, including Manhattan Borough President Hulan E. Jack and State Senator James Watson.[57] Among those who attended were Princess Shanyii Zeffii Tau, Executive Director of Radio Free Africa, Egyptian embassy attaché A.Z. Borai and Ishaq Qutub, vice president of the Arab Students Association of the United States.[58]

The most important guest that evening, at least in terms of Malcolm X's development as an internationally recognized revolutionary, was Mahmoud Boutiba, a close ally of Ahmed Ben Bella, leader of the Algerian Front of National Liberation (FLN).[59] Boutiba was regarded by the American intelligence community as an expert in propaganda, so he was kept under close surveillance.

While reaction to the Mike Wallace/Louis Lomax series was still reverberating throughout the country, Malcolm X made final preparations for his first trip to Africa and the Middle East.

Elijah Muhammad had planned to join him on the trip, but the FBI and the State Department used every legal maneuver imaginable to prevent approval of his passport, as well as one for his daughter, Lottie, and three of his sons, Herbert, Wallace, and Akbar. Akbar and Wallace had already been accepted as students at the University of El-Azhar in Cairo. The passport issue remained unresolved for months. William R. Ming, Jr., a prominent Chicago lawyer who served as counsel to the Nation of Islam, had to seek help from Illinois Senators Paul Douglas and Everett Dirksen before the passport was finally issued.[60]

Malcolm X's trip, which was closely monitored by the intelligence community, began on July 5. During the tour, he visited the United Arab Republic, Saudi Arabia, Sudan, Lebanon, Turkey, Iran, Ghana, and other African and Arab nations.

On July 13, Malcolm X's appointment to have lunch with Nasser at the Egyptian leader's home was canceled. While the reason for the cancellation remains a mystery, indications are that the intelligence community was again running interference. Nor did Malcolm X enter the holy city of Mecca during his stay in Saudi Arabia. In explaining why he hadn't made the *hajj*, Malcolm X told Black Muslims upon his return to the United States that he "became very ill" and was unable to make the pilgrimage made annually by orthodox Muslims.[61] He also said it would have been inappropriate for him to make the *hajj* before the Messenger, who was still preparing for his trip when Malcolm X returned.

In early August, when the FBI realized that it would probably lose the passport battle against Elijah Muhammad, agents devised a counterintelligence operation to prevent him from making the *hajj*. Inspector James F. Bland, a high-level FBI official, requested Assistant FBI Director Alan H. Belmont's approval of a disparaging anonymous letter to African leaders the Messenger planned to visit, as well as to the media in those countries. Dated August 7, 1959, the proposed letter stated:

> As the great silver plane circled over the blazing sand of Saudi Arabia, it was viewed by a lowly camel driver and his son, Karim. "Tell me, Papa Abdul, what is that great bird hovering there in the sky?" "Son, that is no bird; it's an airplane bringing Elijah Poole—oops, I mean Elijah Muhammad—to Mecca." "Papa Abdul, how do you know such worldly things about our visitors?" "Why, son, it's no secret in Saudi Arabia who Poole is and how he's distorted the Moslem faith. He and his uninformed followers are the subject of every bull session at every camel stop on this desert." "Tell me, Pop, who is this man Poole?"
>
> "Well, Karim, all I know about him is what I read in the latest issue of 'Camel Tracks'—you know, the magazine like the one we get from the oil company with all the pictures—that he is a Negro American who was born in Sandersville, Georgia, some 60 odd years ago. He hasn't done a day's work since about 1930 when he started spoofing the Negroes in Detroit, Michigan, with his own butchered version of our beloved Moslem faith. We true Moslems have all been alerted to stay away from him and his kind. He teaches hate and deceit for the purpose of extracting millions from his gullible followers for his own personal glorification, whereas the

> true Moslem believes in love and respect for all mankind."[62]

In the final paragraph of the proposed anonymous missive, Bland ridiculed Elijah Muhammad by suggesting that he arrived in Africa on "Ezekiel's Wheel," an allusion to a Bible story central to the eschatology of the Nation of Islam. "This guy Poole preaches that such a 'wheel' is in outer space and is loaded with bombs," the fictional Abdul tells young Karim. "When he gives the word," Abdul says, "the 'wheel' will drop its bombs and destroy all Americans except his followers."

"Papa, is this man crazy?" Karim asks.

"Well, son," Abdul replies, "it's hard to say, but he will surely be crazy if he thinks he will get the red carpet treatment from any true Moslem!"

Bland received approval to disseminate the letter on August 20, thirty days before Muhammad was scheduled to arrive in Africa.[63] While its overall impact can't be determined, it was at least partially successful, since Elijah Muhammad was barred from entering Mecca during his journey.

The television series and the trip to Africa generated reactions from others besides the intelligence community. On August 29, Elijah Muhammad received a two-page letter from Jesse B. Stoner, Imperial Wizard of the Ku Klux Klan.[64] "If I can put you out of business," Stoner wrote, "the Ku Klux Klan will once again become supreme throughout the North because the other niggers are easier to handle than you Muslims. . . . If you will dissolve your temples of Islam and publicly say that the great White Race is a superior race and that all niggers should stay in their place," Stone wrote on the second page, "the Klan can proceed to take over the Country—in a legal way, of course. . . . Once you Muslims stop resisting the Ku Klux Klan," Stoner concluded, "the other niggers won't even try to stop us."

Elijah Muhammad sent a copy of the letter to Hoover, and

another copy to an editor at the New York *Amsterdam News*, which reproduced both pages.[65]

On December 12, another threat was issued against Elijah Muhammad, this time from another anonymous source. Addressed to Malcolm X, the letter stated that Malcolm X and Elijah Muhammad would be killed unless Malcolm X took $50,000 to the Theresa Hotel and left it in a designated location within twenty-four hours.[66] "Murder is not new to us," the anonymous author wrote. "We could have killed Elijah Muhammad in Boston when he got off the plane [several days earlier]."

The writer also warned that if Elijah Muhammad kept an appointment to speak in Newark on December 14, "it will be his last time."

Muhammad did keep his appointment on December 14, and something did happen to him that day, but not what the letter predicted. Due to publicity generated by a news story about the threat in the New York edition of the *Pittsburgh Courier,* in conjunction with reports about Stoner's threatening letters, Elijah Muhammad was greeted by hundreds of curious spectators when he arrived in Newark.

Moreover, nearly fifty stood up when the audience was asked whether anyone was interested in joining the Nation of Islam.[67]

CHAPTER 7

CASTRO COMES TO HARLEM

Col. Batista, the head of the army, has been able to consolidate his position . . . so that any attempts for a new *coup d'etat* will undoubtedly be successfully suppressed. . . .A sugar conference will be held in Washington this week and a new attempt will be made to bring about a stabilization of the sugar production.

—the *Washington Star,*
January 7, 1934[1]

The Cuban American Sugar Co. reported net income of $745,513, equal to 99 cents a share. . . . The company attributed the decline to lower sugar prices and increased operating costs resulting mainly from conditions in Cuba.

—the *Washington Post,*
December 19, 1959[2]

WITH HELP FROM THE 26TH OF JULY MOVEMENT and Ernesto "Che" Guevara, Castro overthrew the regime of dictator Fulgencio Batista on January 1, 1959. In the months following the revolution, Castro nationalized Cuban industries, thereby confiscating foreign-owned properties, and took control of the island's gambling casinos from the Mafia.

In March 1960, according to former CIA agent David Atlee Phillips, the CIA decided to neutralize Castro,[3] who thus became one of three Third World leaders the administration of President Eisenhower and Vice President Richard M. Nixon are alleged to have authorized the Central Intelligence Agency to overthrow or assassinate in August 1960 (the others were Patrice Lumumba of the Congo, and Rafael Trujillo of the Dominican Republic).[4]

While the reason for wanting Castro dead was couched in terms of theoretical "falling dominoes," the history of America's exploitation of sugar cane workers in Cuba suggests that the true source of the animus was falling sugar prices.

The operation was scheduled for late November or December, Phillips was advised, and would involve a replay of the "Guatemala scenario," a reference to the CIA's overthrow of Jacobo Arbenz Guzman in 1954.[5] In August 1960, Robert A. Maheu was asked to contact John Roselli, a leading Mafia figure with gambling interests in Las Vegas and Cuba, to see whether he would participate in the plot. Roselli was asked to recruit Cubans exiled in Florida to perform the assassination.[6]

The plot was hardly off the ground when, on September 4, KGB agents based in Cuba intercepted a cable to the CIA base there. The cable, a blueprint on "how to work for the overthrow of Fidel Castro's" government,[7] was widely disseminated in Latin America as a warning to other governments experiencing disruptions. Predictably, the State Department, through press spokesman Francis Tully, Jr., denounced it as a forgery.[8]

On September 14, Roselli and Maheu met with a CIA official at the Plaza Hotel in New York to discuss assassinating Castro before he arrived at induction ceremonies at the United Nations.[9] Among the ideas broached were slipping a drug into his drink to make him sound incoherent or insane, infecting his hair with a chemical that would make his facial hair fall off, and poisoning him.[10] In the meantime, other petty ploys meant to embarrass Castro were implemented. A plane carrying Major Juan Almeida, the Afro-Cuban whom Castro appointed head of the Cuban Army, was seized at the New York Airport at Idlewild, on the grounds that it belonged to the Batista regime (Castro's government had not yet been recognized by the United States). The plane was handed over to temporary receivership.[11] Then, when Castro arrived in New York, he was ordered to make a cash deposit of $10,000 to the Shelburne Hotel, where he planned to stay during his visit.[12] The hotel owner claimed the payment was a guaranty against damage, but delegates from other nations had not been required to make such deposits. Castro refused to pay and threatened to sleep on the street if necessary.

Embarrassed by what he viewed as America's shoddy treatment of the Cuban leader, Love B. Woods, the African American owner of the Theresa Hotel in Harlem, offered rooms to Castro and his entourage.[13] The hotel owner's motives weren't completely altruistic; he charged the Cubans $21 a day, twice the going rate, for the forty rooms they rented. Nonetheless, Castro immediately accepted the offer.

When the Cubans arrived, they were greeted by a crowd of roughly 300 Harlemites. Some were members of the recently formed Fair Play for Cuba Committee (FPCC), while others were part of a coalition protesting America's refusal to grant a visa to Patrice Lumumba of the Congo.[14] On their first night at the Theresa, Almeida and Cuban army captain Nunez Jimenez took a walk through Harlem, and in the process, attracted a crowd of nearly 1,000.

Almeida was already well known among Harlem's black and Latino residents. In July, 1960, he hosted an American delegation to Cuba which included Robert F. Williams, an NAACP official (and later head of the Revolutionary Action Movement, or RAM). Williams was publisher of *The Crusader,* a small newspaper aimed at African American readers.[15] Richard Gibson, a former news writer for CBS and founder of the New York chapter of the FPCC, also made the trip. Travel arrangements for some of the tourists were provided by a company partly owned by former heavyweight boxing champion Joe Louis.[16] The next morning, Castro extended an invitation to Williams and other NAACP officials for a private conference on September 20. Later that morning, Castro went to the United Nations, at which time Cuba and thirteen newly independent African nations were officially admitted to the world body. Africans had already come to the realization that despite their growing presence in the United Nations, their voices did not carry beyond the borders of New York City. For the most part, their activities were ignored by the media, and so they turned to African American leaders in Harlem for support. Four men—Manhattan Borough President Hulan Jack, James Lawson, the Reverend Adam Clayton Powell, Jr., and Malcolm X—soon found themselves inundated with invitations to attend official embassy functions sponsored by Africans.

One of the first manifestations of the new relationship was the April 16 anti-apartheid rally held in front of the Theresa Hotel. The keynote speaker at the rally, which attracted about 400, was Kenneth Kaunda, president of the Zambian African National Congress of Northern Rhodesia. Speakers representing Liberia, Kenya, and the United Arab Republic also addressed the gathering.[17] Because of its abhorrent racial policies, Kaunda warned, "the Union of South Africa will ultimately fail. Freedom Africa," Kaunda shouted to the Harlemites, who replied, "Now, now, now!"

At 1:30 p.m. on September 26, the CIA's headquarters in Langley, Virginia, was notified that Malcolm X, in his capacity as a member of the Welcoming Committee of the 28th Precinct Community Council, was sponsoring "a large reception for Castro" on October 2.[18] A high-level government official, the CIA memo said, "had indicated a desire to discourage or prevent if at all possible such a reception from taking place as outlined above."

The attempt to sabotage the meeting failed, however, and the October 2 reception at the Theresa Hotel proceeded smoothly. Castro, in fact, was so impressed by Malcolm X that he asked to meet with him on September 20. At half past midnight, to the chagrin of the State Department and the CIA, Malcolm X and several Black Muslims went to Castro's hotel room to discuss revolution with Almeida and the Cuban leader.[19] The meeting lasted for thirty minutes. After Malcolm X had emerged from it, he was asked by bleary-eyed reporters what memorable comments Castro had made. "Premier Castro told me," Malcolm X said smiling, "that he felt at home for the first time since his arrival in this country last Sunday afternoon."[20]

A reporter asked Malcolm X what he thought of Castro personally. "Any man who represents such a small country but who would stand up and challenge a country as large as the United States on behalf of his people must be sincere." Castro was well aware of the Nation's of Islam's activities, Malcolm X said, and had told him that Elijah Muhammad had "quite a following in Central and South America."

"Wasn't this meeting prearranged?" a reporter asked.

"No," Malcolm X replied. "The Nation of Islam is not in alliance with Mr. Castro or with any foreign powers on earth. The Nation of Islam is allied with Allah, in whom we believe. Hence, we cannot be affiliated with Communism since it's atheistic."

On September 21, the FBI visited Malcolm X at the Harlem mosque to discuss what he and Castro had really talked about, but as usual, they learned nothing.[21]

The CIA also made note of the visit, but its information came primarily from newspaper clippings and a cursory investigation. On September 21, a CIA agent noted that while no action was necessary as a consequence of Malcolm X's meeting with Castro, "it is felt the above information indicating a direct connection between the Moslem Cult of Islam and Castro is of particular interest."[22]

The extemporaneous conference with Castro had certainly been a high point of the year for Malcolm X, but it was by no means the only one. On September 23, he and John Ali led a contingent of Black Muslims to Idlewild Airport to greet Gamal Abdel Nasser, president of United Arab Republic.[23] On September 30, John Ali and Malcolm X met again with Kenneth Kaunda. They also welcomed Sékou Touré of Guinea upon his arrival in New York.[24]

In October, Ghanaian Prime Minister Nkrumah returned to Harlem. After meeting with Nasser, Nehru, and Sukarno during the morning session of the UN Assembly on October 5, Nkrumah addressed a crowd of 1,000 gathered in front of the Theresa Hotel. "Welcome Nkrumah!" some of the signs read. Other placards, prepared in advance, read "Welcome Lumumba!" though he had just been placed under house arrest in the Congo.[25]

At the rally, Nkrumah, who envisioned himself as an African Abraham Lincoln, made a dramatic announcement which proved to had a profound impact upon Malcolm X, who also addressed the rally. "The 20 million Americans of African ancestry," Nkrumah told the gathering, "constitute the strongest link between the people of North America and the people of Africa.[26] I am informed," he added to the delight of the African Americans in the crowd, "that black American leaders are beginning to grasp the tremendous advantage that is conferred on the United States by their presence in this country."

The Ghanian president was accompanied by his friend, Alex Quaison-Sackey, whom he personally introduced to Malcolm X. Like Nkrumah, Quaison-Sackey soon developed a close friendship with the Black Muslim leader.

Although both Malcolm X and Hulan Jack denounced America's poor treatment of Africans living here, no speech that day was more eloquent than the one delivered by Adam Clayton Powell, Jr., who lambasted the State Department for pretending that Africans were not a force to be reckoned with in the UN General Assembly. "I attended four receptions given by African delegations last week," Powell said, "and the only representative of the American government there was myself."[27] He warned that the United States would "be in trouble" if it continued this policy. "America without Africa is going to be a second-class power."

Powell also complained bitterly about the blatant discrimination Africans were encountering, particularly in Washington, from hotels, restaurants, and real estate agents.

From the wiretap on Elijah Muhammad's telephone the FBI discovered that the Messenger was furious about Malcolm X's meeting with Castro on September 20.[28] Muhammad, it seemed, was afraid the American government would try to link the Nation of Islam with Communism and use this as an excuse to decimate the sect as it had done in 1942.

On October 31, the Internal Revenue Service's Intelligence Division in Chicago notified the Bureau that it might be possible to indict Elijah Muhammad for "alleged evasion of income taxes for the years 1954 through 1958."[29] The counterintelligence proposal was abandoned, however, after Chauncey Eskridge, a prominent civil rights activist who also served as legal counsel to Dr. Martin Luther King, Jr., produced records revealing that Elijah Muhammad had a net loss on businesses in his name for those years.[30]

The FBI also leaked a scandalous story about the Nation of Islam that was riddled with misinformation, using friendly sources at the New York *Journal American* (the paper was part of the media conglomerate owned by William Randolph Hearst, Jr., a close friend of FBI Director J. Edgar Hoover). The story, which ran on September 25, claimed that "Malcolm X and his Chicago headquarters" had been linked by the intelligence community in "international intrigue" with Nasser, Castro, and Nikita Khrushchev of the Soviet Union in a "plot to win the minds of America's 20 million Negroes to use them in winning the allegiance of the newly independent dark-skinned nations in Africa."[31]

Three days later, Malcolm X resigned from the Welcoming Committee of the 28th Precinct Community Council, to which he had been appointed for helping disperse the crowd during the Johnson Hinton incident.[33] In his letter to James L. Hicks, chairman of the council, Malcolm X said he was resigning because the council, the police department, and the Hearst-owned newspaper had "failed to refute what you know are lies in the daily press."

"I was assigned to a Welcoming Committee, which was designed to welcome visiting heads of state to Harlem during the General Assembly sessions of the United Nations," Malcolm X wrote. "Everyone on the 28th Precinct Community Council," he stated, "knows that it was in my capacity on the Welcoming Committee that I discouraged the crowds at the Theresa from booing Dr. Castro (the Cuban head of State) and that it was in this capacity that I was able to get two Negro reporters into Dr. Castro's suite."

On October 22, another report critical of Malcolm X's meeting with Castro, Nasser, and other prominent African Muslims surfaced in the New York *Amsterdam News*.[34] According to the story, "two top representatives of the World Federation of Islamic Missions" criticized the Black Muslims for distorting Islam. The reporter identified the representatives as Maulana Muhammad F. Ansari, President of the Federation, and Dr. Mahmoud Yousse Shawarbi of Cairo, who served in New York as a member of the Supreme Council of Islamic Affairs.

The story, to the deep embarrassment of the newspaper, was based upon misinformation. In fact, Shawarbi, who served as an advisor to the Yemen delegation to the UN, had appeared with Malcolm X on the Nation of Islam's radio program, which was carried in over eighty cities nationwide by mid-1960. Although the show was titled, "Mr. Muhammad Speaks," the person usually doing the speaking was Malcolm X.

On November 5, Dr. Shawarbi accompanied Malcolm X to New York's Rockland Palace, where the Harlem mosque was sponsoring an Afro-Asian bazaar. The bazaar drew 2,500 people, many of them African, Asian, and East Indian UN officials.[35] "I have never denounced anyone," Dr. Shawarbi told the audience. "We are Muslims and Muslims do not denounce each other. And I thank God that once a week the teaching of our faith can be heard on the air in this area."

When Powell criticized the treatment of Africans and Asians during Nkrumah's visit, he wasn't just engaging in idle rhetoric to impress Nkrumah; his speech accurately reflected a pattern of American behavior that was leading Africans to seek a bond with African Americans on the basis of a common enemy: white racism.

Months before Nkrumah's visit, the New Rochelle, New York home of Alex Quaison-Sackey, his best friend and top aide in America, had been vandalized. Quaison-Sackey was head of the Ghanaian delegation to the United Nations.[36] On April 4, Quaison-Sackey had received a letter at his home addressed to "Dear Head Nigger."[37] Signed by "Count August W. von

Hohenzollern-Haushofer, a white American for a white South Africa," the author denounced Quaison-Sackey's efforts to have UN sanctions imposed against South Africa because of its apartheid policies. "Negroes are not wanted in the United States," the letter stated.

African diplomats who came to America expecting open arms received a rude awakening. Nearly all of them were shocked to find the nation's capitol, though predominantly African American, firmly in the grip of Jim Crow.

Two weeks after Nkrumah's visit, African students echoed Powell's complaints during a luncheon at the Vassar Club in Washington.[38] Okon Idem, a Nigerian attending graduate school at Howard University, told the gathering that "racial discrimination in this country is a very sore spot" with Africans. "Unless you can do something about this," Idem advised the Americans at the luncheon, "it is going to be very difficult to have friendships with Africans and Asians."

Grace Wagema, a Kenyan who also attended Howard University, surprised luncheon guests when she told them that racial discrimination was already hurting America's image in Africa. When African students returned to their countries, Wagema said, many did so with very hostile attitudes toward America. "Racial discrimination happened to me when I came here," Wagema said, "and makes students go back very much biased against the United States."

Most representatives from Latin America, Africa, and Asia, found it next to impossible to get housing in the Washington area. The magnitude of the problem was first pointed out in August, 1960, in a series of articles in the *Washington Post*. The articles chronicled the frustration of an African who had to leave his wife in New York for more than three months because no one in Washington's white communities near the African embassies would rent to him,[39] that of another African whose children were barred from entering Glen Echo Amusement Park in Maryland, and still another who felt compelled to move from a predominantly white neighborhood after weeks of anonymous threatening telephone calls.

Carl T. Rowan, then Deputy Assistant Secretary of State for Public Affairs, requested the newly sworn President John F. Kennedy to take actions to end the humiliation Africans were experiencing.[40] "Americans who humiliate African diplomats by subjecting them to racial discrimination betray their nation," Rowan said. The same applied to white Americans who treated black Americans in a like vein. "Those whose minds are so small that they humiliate and discriminate against others whose flesh and blood also is of America are equally guilty of treason."

Rowan's comments spoke of racism in general, but he was painfully aware that one of the reasons Ralph Bunche, winner of the 1950 Nobel Peace Prize for his role in helping establish the modern state of Israel, refused to live in Washington was because of Jim Crow laws.[41] Bunche, who was in the Congo when the housing brouhaha developed, had declined the post of Assistant Secretary of State for African and Near Eastern Affairs because he wanted to protect his family from Washington's blatant discrimination. "Frankly," Bunche told reporters, "there's too much Jim Crow in Washington for me. I wouldn't take my kids back there."

The government's responses to Rowan's plea for understanding were superficial. Four days after Rowan's plea, the State Department created the "New Nations Division" to resolve conflicts between Africans and Washington's white community.[42] Pedro Sanjuan, assistant to the State Department's Chief of Protocol, announced that he would work with the Washington Real Estate Board, the African American Institute, and various private groups to resolve the discrimination issue. More than a year later, it became clear that there was no appreciable difference in the manner in which Third World dignitaries were treated.

On April 12, 1962, Angier Biddle Duke, the State Department's Chief of Protocol, stated what Africans had by now come to understand. "Even when we are successful in placing African diplomats in adequate housing, these diplomats need only look about to see that they are being singled out and that an American Negro, otherwise every bit as qualified, cannot move into the same building where the diplomats have been placed," Duke said.

"It is not only his own housing problem that concerns the African diplomat," he added. "It is, instead, the housing problem of those of African descent, whose roots in this country trace back well over a century, but who still are not able to find a decent place to live."

The problem of racial discrimination was most pronounced in nearby Maryland on the notorious Route 40, which was the most convenient way to travel between Washington and New York.[43] Most African, Asian, and Latin American embassy officials were routinely refused service at restaurants along the highway, or even the opportunity to use restrooms at gasoline service stations. On May 9, Pedro Sanjuan asked Maryland Governor J. Millard Tawes to investigate racial discrimination on Route 40, explaining to the governor that policies of business establishments were having an adverse affect on American foreign policy. But Sanjuan made the request only after Eswakema Oton, the press officer for Nigeria's New York Consulate, complained to the State Department that two hotels along Route 40 in Baltimore refused him service because of his skin color.[44]

It was this steady, consistent treatment which caused most Africans to become disillusioned with the United States. For the first time, they began to understand why African Americans had made so little economic progress in a century after the abolition of slavery.

In February 1963, Sanjuan conducted a random survey to determine whether the State Department's New Nation division was having an impact on the housing discrimination problem. To his chagrin, he discovered that it had not. A State Department study, Sanjuan said, revealed that it took diplomats from nonwhite nations more than six months to find housing. Of forty-eight diplomats queried, all reported that they had encountered discrimination at least once.

"When they meet color prejudice in the nation's capital," Sanjuan said, "it often remains as a lasting impression of the United States.[45] . . . After all," he added, "their job is basically to find out what the United States is about."

While the CIA was plotting with the Mafia to neutralize emerging Third World leaders, the FBI was making plans to neutralize another Black Muslim leader, the man it believed would rule the Nation of Islam upon the death of Elijah Muhammad. Black Muslims were told that Wallace Delaney Muhammad, Elijah Muhammad's son, born in 1933 and named in honor of the sect's founder, would inherit the Nation of Islam.[46]

On August 13, 1957, Wallace Muhammad was indicted by a federal grand jury in Chicago for failing to comply with provisions of the Selective Service Act.[47] Five months before the indictment, the government had agreed to allow Wallace Muhammad, a conscientious objector, to serve his time in the military at Elgin State Hospital in Illinois. Wallace Muhammad refused the offer on the grounds that he was a religious minister and that military service would take him from his "duties to Allah."[48] He was arrested on September 9 and released on $1,000 bond.

The Messenger hired William R. Ming, Jr., a Chicago attorney and prominent NAACP officer, to represent his son. On May 20, 1958, he was convicted, but the conviction was overturned on September 11, and a new trial was ordered.

Concerned about the snafu in its counterintelligence operation against Wallace Muhammad, the FBI's Chicago field office contacted United States Attorney Burton M. Bergstrom, the prosecutor, to determine the basis of the new trial order.[49] Bergstrom told him that it was based on a "procedural error on the part of Mohammed's [sic] local board in the method of ordering Mohammed [sic] to report for civilian employment." The error was that the wrong government official had signed the order.

A new indictment was returned against Wallace Muhammad on

January 29, 1959. On March 23, 1960, Wallace Muhammad was again found guilty. On April 28, he received a three-year sentence. The appeal bond was set at $5,000.[50] Ming took the case all the way to the United States Supreme Court, but on November 20, 1961, the case was rejected by the high court. Ten days before the U.S. Supreme Court issued its decision, Wallace Muhammad was sent to the Federal Correctional Institution at Sandstone, Minnesota, to finish serving his sentence.

As if his legal setbacks weren't enough, Wallace Muhammad's wife was awarded a divorce decree on September 16 and he was ordered to pay $25 a week for the support of his twenty-month-old daughter.[51] By the time Wallace Muhammad entered prison, Elijah Muhammad had incurred legal fees in excess of $20,000.

The legal expenses relating to his son weren't the only drain on the Nation of Islam's resources. Muhammad was also paying for a number of lawsuits that had been filed around the nation by Black Muslim inmates seeking the right to have ministers from the Nation of Islam conduct services in prison.

Despite a few setbacks, mostly generated by the media, 1960 was productive both politically and personally for Malcolm X. Although his maiden voyage into publishing ended with the shutdown of *The Messenger* magazine in 1959, *Muhammad Speaks*, the newest journalistic venture, was faring far better.[52] Syndicated columnist Louis Lomax helped Malcolm X gather news and do layout for the first issues, and a young scholar named C. Eric Lincoln corrected galley proofs.[53] Both Lomax and Lincoln were working on books about the Nation of Islam at the time. Impressed by the end product, Elijah Muhammad was receptive to Malcolm's suggestion that he offer Lomax and a young author named James Baldwin high salaries as editors for *Muhammad Speaks*, but both declined, Baldwin after spending hours consulting with the Messenger in the latter's Chicago home.[54]

Malcolm X's personal life was prospering as well; on December

25, Betty Shabazz gave birth to her and Malcolm's second child, Qubilah.[55]

Malcolm's success had a special meaning for the FBI, which had learned from informants and telephone wiretaps that dissension was brewing within the Nation of Islam, particularly after Wallace Muhammad's draft indictment.

The first hints of trouble had been detected by the FBI's Philadelphia office as early as 1958, after it learned of comments made by Boston minister Louis X Farrakhan in August of that year, when he expressed a concern that had been on the minds of Nation of Islam officials for months. At the time, Elijah Muhammad was seriously ill. His bronchial disorder had become so severe that he spent hours each day hooked up to an oxygen tank. Louis X had gone to the offices of the *Pittsburgh Courier,* an African American newspaper giving extensive coverage to Black Muslim events, at which time he engaged in a conversation with one of the editors.[56] "When is Malcolm X taking over for the old man?" the editor asked jovially.

The question apparently caught Louis X off guard, as he launched into a tirade against the newspaper's coverage. The paper, Louis X Farrakhan said, reported on Malcolm X's speeches and public appearances, but never gave "the Honorable Elijah Muhammad top billing." If Malcolm X was weak, Louis X told him, he might "try to take control" of the Nation of Islam, but he said he doubted the thought had entered Malcolm X's mind.[57]

In the year and a half after the conversation, Louis X had done quite well for himself. The talk of the Nation of Islam in April 1960 was the independent production of his recording, whose title, "The White Man's Heaven is the Black Man's Hell,"[58] boiled the gospel of Elijah Muhammad down to nine words. The record's irresistible beat might have catapulted it into "Billboard's Top 100" had it not been for the lyrics; even so it sold well in the African American community, and by late 1960 the Nation of Islam had sold in excess of 10,000 copies.[59]

The record proved what others had told Louis X a thousand times—if he abandoned the Nation of Islam, he could become as big a star as Sam Cooke or Wilson Pickett. But Louis X had other plans. While he was still enjoying the success of his first record, he also produced a play, again with a Black Muslim theme. Entitled *Orgena* ("A Negro," spelled backwards), Louis X's play, which dealt with God's final judgment of white people and usually featured its author in the starring role, drew large crowds of African Americans.[60]

Nevertheless, no other member of the NOI, including Louis X, had had quite the meteoric rise Malcolm X had enjoyed, and as Louis X's touchy answer to the *Pittsburgh Courier* reporter's question suggested, many ministers within the sect had become jealous of Malcolm X's growing influence and popularity. They accused him of nepotism and cronyism. Malcolm X's choices in appointments lent support to this accusation. Since Wallace Muhammad, the heir apparent, lacked Malcolm X's wit and charisma and was generally regarded as an uninteresting speaker, and the other sons weren't much better as speakers, Malcolm X had awarded ministerial positions to Leroy and Osborne Thaxton, two men he had converted in prison, and he offered Malcolm Jarvis, a third prison convert, an opportunity to find fame and fortune in the Nation of Islam (a personality conflict with Elijah Muhammad put a stop to Jarvis's ascent).[61] Malcolm X also appointed his brothers Philbert, Wilfred, and Reginald (who had been reinstated) to ministerships. Wilfred served at Detroit's Mosque No. 1, one of the largest in the nation.

Keenly aware of the jealousy, Malcolm X tried to put a damper on it by inserting references to the infallibility of Elijah Muhammad into his public speeches. At the Saviour's Day Convention on February 26, 1959, for instance, he told the crowd of thousands that "if anything should happen to the Messenger, the program would be stopped because Allah appointed the Honorable Elijah Muhammad only to do the job he is doing."[62]

In February 1961, after discovering through wiretaps and an FBI informant in Elijah Muhammad's inner circle that Malcolm X would inherit leadership of the Black Muslims if Muhammad didn't survive his latest health crisis, Hoover devised a plan to cause a rift between Muhammad and Malcolm X.

CHAPTER 8

LAMENT FOR LUMUMBA

Sen. Frank Church (D-Idaho) said he hoped "it will be possible to establish a legitimate government in the Congo without including Lumumba."

—the *Washington Post*,
Feb. 7, 1961[1]

. . . [T]here is enough countervailing testimony . . . to preclude the Committee from making a finding that the President intended an assassination effort against Lumumba.

—Alleged Assassination Plots
Against Foreign Leaders
Church Committee Report, 1975[2]

Today, anyone can read published official American sources which show, right to the day and the hour, how Washington planned to . . . exterminate the head of the legitimate Congolese government.

—from *Memoirs*,
by Andrei Gromyko[3]

EVEN MASSACHUSETTS SENATOR JOHN F. KENNEDY, the Democratic Party's candidate for president, saw the frailties of the nation's approach to Africa. During a speech on September 21, 1960, he lambasted the Eisenhower administration for failing to "grasp the immensity of the African challenge." He noted that the Soviet Union was investing millions in educational programs for African students, while America spent pennies. "Fewer than 1,500 students from Africa, excluding the United Arab Republic, were studying here in 1959-60," Kennedy told a State Department audience in Washington.[4] "The Soviet Union is opening a new university in Moscow with a planned capacity of 3,000 to 4,000 students, solely for students from the underdeveloped areas."

Following his defeat of Nixon in November 1960, Kennedy was briefed about Eisenhower's foreign policy, but was apparently never told of the three assassination plots underway. These were the latest initiatives in a policy of "when in doubt, wipe them out," that had begun as early as the administration of President Harry S. Truman—a policy which reveals a succession of presidential administrations less concerned with national security or the "domino theory" of Communism than to protect the industrial interests of large American corporations on the geopolitical game board.

The quick-fix philosophy behind America's willingness to use what the CIA called "executive action" against foreign leaders, took a bizarre and sinister turn in 1960.[5] That year marked a new era in American foreign policy. For the first time, official representatives of the American government entered into an unholy alliance with La Cosa Nostra—the Mafia—to assist the CIA in assassinating foreign leaders.[6]

The assassination of at least three foreign leaders was approved during the last months of the Eisenhower/Nixon administration: Fidel Castro of Cuba, Rafael Trujillo of Dominican Republic, and Patrice Lumumba of the Congo.

While some of the plots against Castro were farfetched enough to be comical, the means the CIA devised to "liquidate" Lumumba—the African leader Malcolm X idolized—were exceptionally brutal. In January of 1960 the Belgian government held the Congo's first democratic election. Lumumba's party—assisted by the fact that Lumumba, long an outspoken critic of the Belgian colonial regime, represented the largest of the Congo's six provinces—won the plurality of votes. Rival candidates from other provinces later took part in the plot against Lumumba—especially Moise Tshombe, a Belgian puppet and leader of the CONAKAT (Confederation of the Association of Tribes of Katanga) political party, who inherited a string of businesses from his father, the Congo's "first franc millionaire."[7]

Tshombe declared Katanga Province's independence from the rest of the Congo in January, 1960. His resentment of Lumumba made him a prime candidate for the CIA's cabal to divide and conquer the Congo to protect American financial interests.

As Andrei Gromyko said in his memoirs, the assassination plot against Lumumba can be traced in public documents from the day it was authorized at a National Security Council meeting in 1960 to the attempt by Congress in 1975 to cover up the CIA's role.

The 1975 Select Committee to Study Governmental Operations With Respect to Intelligence Activities, headed by Senator Frank Church, must have known that Moise Tshombe had confessed in 1964 to his role in Lumumba's death, since several foreign newspapers had printed the confession. The Church Committee knew that if it cited Tshombe's confession, the CIA's role in Lumumba's assassination would have been established beyond any doubt.

This chronology of events will explain why.

The Congo, then a nation of 14 million, received its independence from Belgium on June 30, 1960, and Patrice Lumumba, its elected leader, was coming to the United States to make a request for economic aid. That morning, a State Department-CIA team was quickly organized to oversee American interests in the vast new nation. The chief American players were Clare Timberlake, who was appointed ambassador, and Richard Bissell, Deputy Director of Plans—the "dirty tricks" division.[8] That same day, a number of other important appointments to the State Department/CIA team were made.

Lawrence R. Devlin, a career CIA officer, was appointed Station Chief, first in Leopoldville, then in Elisabethville, capital of the Katanga Province.[9] Frank C. Carlucci, III, was appointed consul and second-secretary of the U.S. Embassy in Stanleyville. He was also designated a "political officer," and was immediately reassigned to the U.S. Embassy in Elisabethville.[10] Carlucci was enrolled in an intensified French language class at the Foreign Service Institute (FSI) when he was summoned to serve in the Congo. According to recent books on the CIA, FSI is a "cover group" for the CIA.[11] French was then the official language of the Congo, and most CIA agents, though not all, were classified as "political officers" in American embassies abroad.

On July 6, Tshombe held a meeting with Lumumba and Joseph Kasavubu, the newly elected president of the Congo's Parliament, to discuss a possible truce in fighting between forces loyal to Lumumba and Tshombe's army in Katanga, led by a ruthless Belgian colonel named Guy Weber. So many atrocities had been committed during the battles that the State Department directed all Americans to leave the war-torn nation.

In mid-July, Andrei Gromyko, Foreign Minister of the Soviet Union, startled the United States by charging that Timberlake and Ralph Bunche were part of a conspiracy to overthrow Lumumba.[12]

Bunche, a former OSS officer, was in the Congo to supervise the evacuation of 2,000 Americans, as well as to supervise UN forces.[13] But Gromyko's statement accused Timberlake and Bunche of conspiring to overthrow Lumumba "under the flag of the United Nations." It suggested that the United States was trying to oust Lumumba as the legitimate representative of the Congo before Lumumba's impending trip to America.

The statement, which ran under a banner headline in *Izvestia*, the Soviet Union's government-run newspaper, accused America of continuing to "march along the road of aggression and provocation."[14] The State Department, as usual, dismissed Gromyko's charges as Soviet propaganda.

In fact, America's relationship with Lumumba seemed to have gotten off to a good start. Shortly before arriving in the United States on July 25, Lumumba had granted a fifty-year contract to the Congo International Management Corporation, which was actually an American-owned company headed by L. Edgar Detwiler.[15] Under the terms of the agreement, Detwiler's company was granted the exclusive right to exploit the Congo's mineral and hydroelectric resources. The American bid was accepted over those of five other nations, including the Soviet Union, which considered its failed bid a significant setback.[16] According to Detwiler, one of the reasons Lumumba chose the American company was to show "that he was not anti-white, anti-capitalistic or pro-communistic." The Eisenhower administration also was comforted by the fact that Lumumba hadn't expelled the Rockefeller or Morgan families, who controlled the Congo's economy by virtue of their joint monopoly of the banking system.[17]

But Eisenhower quickly reassessed his opinion of Lumumba on July 26, when Lumumba, under pressure from other African nations, nullified the agreement giving Detwiler *carte blanche* over his nation's critical resources. Following the revocation of the Detwiler contract, Eisenhower apparently concluded American control of the Congo Central Bank could evaporate as quickly as the Detwiler contract. After Lumumba left the White House the next day, Ambassador Timberlake, Eisenhower, Nixon, and others who had attended the meeting with the bespectacled black nationalist concluded that Lumumba could not be trusted. During a National Security Council meeting shortly after Lumumba's visit, President Eisenhower indicated that it would be in America's best interest to remove Lumumba from power.

When he testified before the Church Committee in 1975, the former Undersecretary of State Douglas Dillon recalled that after Lumumba's visit, the consensus of the National Security Council was that Lumumba would be a "very difficult, if not impossible, person to deal with."[18] He was considered, Dillon added, "dangerous to the peace and safety of the world," so Eisenhower suggested that "we will have to do whatever is necessary to get rid of him."[19]

Lumumba's trouble with the United States began in earnest on August 8, the day that he and Premier Kwame Nkrumah of Ghana signed an agreement they regarded as another step toward the creation of the United States of Africa.[20] A year earlier on May 3,

Nkrumah had signed an agreement with Premier Sékou Touré of Guinea asking their respective parliaments to ratify a similar agreement. On June 24, 1959, Nkrumah was informed by his Russian advisors that a "certain foreign government" had secretly offered $218 million to an opposition group if they toppled him.[21]

On August 18, 1960, Devlin, who had observed a marked increase in Soviet activity and military equipment in the Congo in recent weeks, sent an ominous cable back to CIA headquarters in Langley, Virginia. "Whether or not Lumumba [is] actually Commie or just playing Commie game to assist his solidifying power," the Devlin cable stated, "anti-West forces rapidly increasing power [in] Congo and there may be little time left in which [to] take action to avoid another Cuba."[22]

In the embarrassing aftermath of the Cuban Revolution, which the CIA had failed to suppress, the mere mention of "another Cuba" could be used to justify almost anything, and several hours after receiving Devlin's warning, Bronson Tweedy, chief of the African Division of the CIA's clandestine services, wired back that he was seeking State Department approval of measures to remove Lumumba from power.

The next day, August 19, Devlin received permission from Richard Bissell to oust Lumumba's government.

Several days later, the idea of assassinating Lumumba was discussed among the key leaders of the Congo's six provinces: Moise Tshombe and Godefroid Munongo of Katanga, and Joseph Kasavubu, Joseph Ileo, and Cyrille Adoula.

When Kasavubu, who was president of the Congo, expressed reservations about the plot, the National Security Council (NSC) held a meeting on August 25 to discuss other possible strategies. On August 26, the NSC approved a CIA plan to bribe a young army officer named Joseph Mobutu into joining the conspiracy. The CIA promised to prop up a new government led by Mobutu in exchange for his cooperation.[23]

On September 4, Russian KGB agents intercepted a CIA cable from Dillon to Timberlake discussing a plot to overthrow Lumumba.[24] The cable cautioned Timberlake to be careful in his dealings with Tshombe and the other conspirators. It also advised him to be discreet about contacts with Tshombe, who, the cable said, was being groomed to replace Lumumba.

Tshombe and his five co-conspirators were extracting exorbitant sums of the money from America in exchange for their cooperation. "God only knows what these blacks are likely to do," the cable said. In reference to the money being paid Tshombe and the others, the cable stated derisively: "It would be difficult to find more mercenary creatures in the whole world."[25]

A Soviet Embassy official in Ghana immediately gave a copy of the cable to Kwame Nkrumah, who was advising Lumumba on how to consolidate his government. When Lumumba notified the American Embassy about the cable, the State Department told the media that the cable "was a forgery" concocted by the Soviet Union.

"The Communist bloc seems to be quite willing to undermine and destroy the destiny of free Africa to gain for the Kremlin an advantage in its drive for world domination," State Department press officer Francis Tully, Jr., told reporters in Washington on September 10.[26] Tully called the cable an "extremely crude" fabrication.

On September 5, a matter of days after Nkrumah received the so-called fabricated document, Mobutu, who had formerly worked in Lumumba's office and who knew him well, seized power by a military coup.[27]At the suggestion of the CIA, the Congolese Parliament was shut down to prevent it from reinstating Lumumba as the legitimate head of government. Lumumba, who was placed under house arrest, requested help from the United Nations.[28] His appeal was useless, however, because Dag Hammarskjold, Secretary-General of the UN, was apparently fully apprised of the CIA's plans.

In an attempt to regain power, Lumumba wrote a letter to Nkrumah on September 9 advising him that he intended to expel Kasavubu from Parliament and UN forces from the Congo because they only seemed to be in the Congo to bolster Tshombe's regime (most of the UN forces were stationed everywhere except in Katanga Province, where they logically should have been).[29] But Nkrumah, in a reply dated September 12, advised him against making the move until he had worked out his differences with Tshombe. "Do not force Kasavubu out now," Nkrumah wrote. "It will bring too much trouble in Leopoldville when you want calm there now. . . . You must not push the United Nations out until you have consolidated your position."[30]

On September 14, Lumumba asked Hammarskjold to help him get a passport so he could attend the opening meeting of the UN.

The day after the coup, Devlin reported to CIA headquarters that he was serving as an advisor to the Congolese clique who had agreed to Lumumba's assassination.[31] Forces loyal to Lumumba launched retaliatory raids against Mobutu's regime in the interim, and Devlin feared that the Soviet Union would enter the scenario at any moment.

To complicate matters, Lumumba requested a visa for a return visit to the United States on September 20. He wanted to attend the opening session of the UN, during which the independence of the Congo and twelve other new nations would be acknowledged. Despite being under house arrest, he was still recognized by most members of the Congo's Parliament and by the people in the street as the Congo's only democratically elected ruler. Thus it was telling when the State Department rejected his request on the grounds that he was no longer the recognized leader of the Congo.

In Harlem a few days later, the Cultural Association for Women of African Heritage (CAWAH), headed by jazz vocalist Abbey Lincoln and a budding writer named Maya Angelou, organized a march to protest America's refusal to grant Lumumba permission to enter as the official representative of the Congo. The protest was a noble gesture, but the press made little mention of it, and besides, there was no way that the American government was going to change its mind.[32]

It was planning a reception of another sort for Lumumba.

On September 26, Sidney Gottlieb, a CIA scientist in charge of the agency's futuristic "MK/ULTRA" program, sent "toxic biological materials and accessories for use" in the assassination of Lumumba.[33] MK/ULTRA was a CIA-financed project designed to create drugs useful for "mind control" experiments and for developing biological toxins for covert operations. Its scientists used LSD (lysergic acid diethylamide) and other drugs on human guinea pigs in an attempt to create "the Manchurian Candidate" (an assassin whose mind could be controlled through hypnosis, drugs, and other techniques, as described in the spy novel of that name).[34]

In the meantime, Mobutu moved to consolidate his power by arresting anyone even remotely linked to Lumumba.

First, he demanded that the UN order all UN troops evacuated from Ghana and Sudan. Then, on October 5, while Nkrumah was meeting in Harlem with Malcolm X, Powell, and other prominent New York activists, Mobutu placed Louis Lumumba, Patrice Lumumba's brother, under house arrest. Hours later that same day, Jean Jacques Finant, another popular supporter of Lumumba, also was placed under house arrest.[35]

After several assassination attempts against Lumumba failed—one involved putting poison in toothpaste for Lumumba's use—the CIA turned to the Mafia for assistance.[36] Robert Maheu, a former FBI agent doing "contract work" for the CIA, arranged for the agency to hire European Mafiosi and Belgian mercenaries recommended by Guy Weber to assassinate Lumumba. This strategy was the result of CIA decision to "completely conceal the American role" in the operation.[37]

Initially, the mercenaries planned to kidnap Lumumba, but they abandoned the plan upon realizing that he was heavily guarded by sympathetic Congolese troops and UN forces.

On November 20, 1960, Loy W. Henderson, a high-ranking State Department official, arrived in the Congo to go over final assassination plans with the Congolese conspirators and the mercenaries.[38]

"The best thing about Loy Henderson," President Truman said

in 1957, "is that those fellows in the Kremlin wish he had never been born."[39] Henderson had helped orchestrate the destabilization of the government in Greece in 1952, and was instrumental in the CIA's "Operation Ajax" plot against Mossadeq of Iran in 1954.

The plan encountered difficulties when, en route to Tshombe's residence, one of the cars in the caravan was involved in a fatal accident.[40] The lead car, in which Carlucci was a passenger, was attacked by Lumumba supporters as it headed toward Katanga. The driver, a CIA officer named Clyde St. Lawrence, struck one of the protesters and killed him.

As St. Lawrence attempted to drive around the body of his victim, other protesters swarmed around the caravan and began beating the CIA and State Department officials. Carlucci, stabbed in the back of his neck and on his left shoulder, lost a considerable amount of blood. He was immediately driven to the United Nations Hospital by Alison Palmer, another member of the State Department/CIA team.[41]

On the same day that Henderson arrived, renowned jazz trumpeter Louis Armstrong entered the scenario. Armstrong, designated an American Goodwill Ambassador by Eisenhower in 1959, was accused by the Egyptian press in November of that year of "being a member of an Israeli espionage network."[42] Five days after Egyptians made the charge, Armstrong was banned from Lebanon for the same reason. The Egyptian media cited reports from Lebanese intelligence officials as the basis for the allegations against Armstrong.

Joe Glaser, Armstrong's agent, wisely labeled the reports as "so ridiculous it's really funny."[43]

The State Department requested Armstrong to make Leopoldville the last stop of his eight-week-long overseas tour.

What Armstrong may have realized later, but certainly did not at the time, was that the Eisenhower administration was using him as a Trojan Horse; the main purpose of his visit was to conceal Henderson's presence. In addition, Armstrong was used as a distraction. The international star was a demi-god in the Congo. The Congolese were so stunned by his unexpected arrival that many of them temporarily forgot about Lumumba's plight, which is exactly what the State Department anticipated.

While Henderson was conferring with Tshombe, Armstrong was hoisted on a chair and paraded around the city like a king.

Shortly after October 17, CIA Director Dulles asked Michael Mulroney, Deputy Chief of the Directorate of Plans, to go to the Congo to oversee the assassination. Richard Bissell, Dulles said, wanted Mulroney to perform the actual execution of Lumumba.[44] Mulroney, however, was a devout Catholic, and he told Richard Helms, Chief of Operations in DDP, that he could not do so in good conscience.

Subsequently, Mulroney ended up going, but only after William Harvey, his supervisor, agreed that Mulroney's role would be a limited one. All he had to do was ensure that Lumumba was captured.

Harvey was the CIA's chief contact with the Mafia. He was also executive director of the "executive action" project designed to manage assassinations of foreign leaders.[45]

On November 3, Mulroney arrived in the Congo. Eleven days later, a plan was finalized to lure Lumumba to Stanleyville. In a cable to CIA headquarters dated November 14, Devlin wrote that Lumumba's "escape" had been arranged. Addressed to Bronson Tweedy, the cable read in part:

> Political followers in Stanleyville desire that he [Lumumba] break out of his confinement and proceed to that city by car to engage in political activity. . . .
>
> Decision on breakout will probably be made shortly. Station expects to be advised by [CIA agent] of decision was [sic] made. . . .
>
> Station has several possible assets to use in event of breakout and studying several plans of action.[46]

Shortly before Thanksgiving, Lumumba was informed by a UN representative that his young daughter was on her deathbed.[47] On the night of November 27, the Congolese revolutionary noticed that the house wasn't as heavily guarded as the night before. Desperate to see his "dying" daughter, Lumumba decided to "escape." He headed for Stanleyville, one of his strongholds before house arrest. Mobutu's forces had no trouble capturing him, since they knew he was coming, along with two of his top aides, Joseph Okito and Maurice Mpolo.

On November 28, Henderson held another meeting with Tshombe, Munongo, Adoula, Kasavubu, and several other Congolese politicians in Elisabethville.[48] According to Tshombe, "the question of Lumumba's liquidation" was finalized at this meeting.

The conference was also attended by a Belgian mercenary known as "Colonel Huyghe." His CIA code name was "QJ/WIN." A career criminal, Huyghe had joined the "ZR/RIFLE" project years earlier. Huyghe hired three more mercenaries to help him execute Lumumba: William R. Brown of Great Britain, Belgian Colonel Julien Gat (Gat's CIA code name was "WI/ROGUE," an indicator of his notorious criminal background),[49] and one "Captain Ruys." All but Brown were serving under Guy Weber in Katanga.

On January 11, William Harvey, Mulroney's supervisor in the "dirty tricks" department, sent a memo to the CIA's accounting department requesting it to arrange payment to QJ/WIN. "QJ/WIN was sent on this trip for a specific, highly sensitive operational purpose which has been completed," Harvey's memo stated.[50]

On January 17, Lumumba and his two aides were en route by plane to a prison in Bakwanga, the capital city of one of the Congo's six provinces, when the assassination plan hit a snag. UN forces were at the improvised airport, so the plane carrying the prisoners couldn't land without unraveling the conspiracy. The flight was redirected to Elisabethville in Katanga, the province controlled by Tshombe and Kasavubu, who were on a plane with the British and Belgian mercenaries.[51]

During the flight, Lumumba was ruthlessly beaten by the mercenaries. Chemicals supplied by CIA scientist Gottlieb were applied to his face, making his facial hair fall off.

After the plane landed in Elisabethville, Lumumba and his aides were taken to a safe house. While Lumumba's hands were still tied behind his back, Munongo plunged a bayonet into Lumumba's chest.[52] Lumumba begged them to spare his life, which angered Huyghe.

"Pray, you bastard!" Huyghe shouted. "You had no pity on women or children or nuns of your own faith, so pray!"

Huyghe put the barrel of his gun against Lumumba's head and blew his brains out. Lumumba's two aides were also shot dead.[53] After Lumumba was killed, Devlin placed the fallen leader's body in the trunk of his vehicle.[54] The body was dumped into a vat of acid supplied by the CIA.[55]

Two days later, the CIA station in Katanga sent a cable to CIA headquarters in Langley which stated:

> THANKS FOR PATRICE. IF WE HAD KNOWN HE WAS COMING WE WOULD HAVE BAKED A SNAKE.[56]

In early April, Brown, one of the mercenaries, was captured by UN forces, at which time he tried to bargain for his freedom by confessing his role in the assassination of Lumumba.[57] Based upon Brown's confession, Tshombe was placed under house arrest on April 26, pending a UN investigation.

The UN commission, which issued its findings in November the same year, concluded that Lumumba's body would never be found. Three weeks after Lumumba's death, CIA agents in the Congo cabled the Langley headquarters to notify Dulles that Lumumba had been "liquidated." The February 10 cable from the

CIA officer involved in the plot stated: "Lumumba's fate is best kept secret in Katanga."[58]

The assassination of Lumumba wasn't confirmed in the international press until a month later, on February 16, when the *New York Times* reported that *Tanyug*, the official Yugoslavian press agency, had run an article claiming that Belgian mercenaries played a role in Lumumba's assassination.[59] On February 13, shortly before the story broke, Tshombe told reporters at his home in Katanga that he had notified the UN that he would refuse to deal with any commission investigating Lumumba's assassination.[60]

The reports confirming the murder evoked worldwide riots against symbols of the United States, France, Great Britain, and Belgium. Embassies were sacked in Egypt, Poland, France, Great Britain, Ghana, Iran, India, Moscow—practically everywhere. African Americans threw eggs at Belgian Embassy officials in Washington, and Nigerian students in Chicago staged a demonstration at the Belgian Consulate.[61]

But the strongest outcry against Lumumba's brutal murder affected the United Nations, where a violent demonstration occurred on February 14 amid rumors that Lumumba was dead. During a Security Council meeting that morning, about sixty demonstrators, most of them American black nationalists, burst into the room.[62] Holding placards reading "Congo, Yes! Yankee, No!" the activists demanded the resignation of Secretary General Dag Hammarskjold for failing to protect Lumumba as the slain leader had requested.

Among the leaders of the protest, which quickly turned violent, were James Lawson, president of the United African Nationalist Movement, Daniel Watts, president of the Liberation Committee for Africa, and Richard Gibson, president of the New York chapter of the Fair Play for Cuba Committee (FPCC).[63]

Another group of activists led a large crowd of demonstrators outside the United Nations Plaza. The group included Paul Robeson, Jr., Benjamin A. Davis of the Communist Party, USA, and Mustafa Bashir of the Muslim Brotherhood (a Harlem-based orthodox Islamic sect not, at least technically, restricted to blacks).

One of the signs read "Murder Inc.: Hammarskjold, Ralph Bunche, Kasavubu, Tshombe, Mobutu."[64]

The scene inside the Security Council turned violent when police tried to expel the demonstrators, whom U.S. representative Adlai Stevenson described as Communists. No one was killed, fortunately, although there were a number of minor injuries.

Ralph Bunche, the Undersecretary General of the U.N., who was a featured speaker at the annual NAACP convention in the week following the demonstration, denounced the activists as misguided misfits, a comment which brought a sharp reaction from prize-winning playwright Lorraine Hansberry. "As so many of us were shocked and outraged," Hansberry wrote in a letter to the *New York Times,* "at reports of Dr. Ralph Bunche's 'apologies' for the demonstrators, we were also curious as to his *mandate* from our people to do so. . . . In the face of it, and apparently, on as much authority, I hasten to publicly apologize to Mme. Pauline Lumumba and the Congolese people for our Dr. Bunche."[65]

On February 25, the same groups who sponsored the UN demonstrations held a mock funeral for Lumumba in front of the National Memorial African Bookstore in Harlem, run by Louis Micheux, an elderly Pan-Africanist and a close friend of Malcolm X.[66] Since Black Muslims were forbidden to engage in demonstrations which didn't involve offenses against the Nation of Islam, Malcolm X was in Chicago with thousands of other Black Muslims at the annual Saviour's Day Convention.

On September 14, 1961, Secretary of State Dean Rusk called Dag Hammarskjold, who had returned to the Congo, to complain that President Kennedy was upset that UN troops had been used to quell a recent outbreak under Cyrille Adoula's control and those fighting to preserve "free Kantanga," which Tshombe insisted was independent of the Congo.[67]

Hammarskjold, his reputation facing ruination by a UN probe

of the assassination of Lumumba, became furious and accused Rusk of essentially asking him to use UN forces against another Congolese leader.

Three days later, while trying to arrange a cease-fire along Katanga's borders, Hammarskjold was killed in a mysterious plane crash.[68] It is now believed that gunfire from mercenaries caused the crash.[69]

On February 2, 1962, CIA puppet Cyrille Adoula came to America to request more military aid for defeating the secession of Katanga Province, which was still protected by Belgian mercenaries on Tshombe's payroll. "Our victory over the mercenaries," he said with a straight face, "will be a victory of all civilization over barbarism."

When he went to the White House for dinner with President Kennedy on February 5, 1962, Adoula became upset upon discovering that the man he credited with bringing him to power wasn't invited. In fluent French, he asked, "C'est Carlucci? C'est Carlucci?"

"Who is Carlucci?" Kennedy inquired of Secretary of State Dean Rusk.[70]

Kennedy hadn't been informed that Carlucci had been ordered to leave Stanleyville four months after the assassination of Lumumba. Antoine Gizenga, a strong Lumumba supporter, demanded his expulsion on the grounds that Carlucci was an "undesirable" who had conducted "subversive activities while in Stanleyville."[71] The United States told Gizenga that his secessionist government lacked authority to expel him, and Carlucci remained in Stanleyville until June 11, 1961. That morning, he was arrested and flown to Leopoldville, and subsequently returned to America.[72] An hour after Kennedy demanded White House aides find Carlucci, he was sitting next to Adoula, the man who helped plot Lumumba's assassination, and Kennedy, whose own assassination was eighteen months away.[73]

Carlucci, who received a number of commendations for his

work in the Congo, was appointed assistant director of the CIA during the Carter administration.

The only American newspaper to print the full story of Lumumba's assassination as described in Moise Tshombe's confession wasn't the *Washington Post* or the *New York Times,* but *Muhammad Speaks,* in a three-part series which ran late February and early March 1964.

By early 1964, *Muhammad Speaks* had surpassed Marcus Garvey's defunct *Negro World* as the most important publication ever produced in the West by people of African descent.

Just as *Negro World,* the publication for which Malcolm X's father wrote, familiarized young revolutionaries—among them Jomo Kenyatta of Kenya, Kwame Nkrumah of Ghana, and Ho Chi Minh of Vietnam—with a basic understanding of the crucial role of the media in liberation struggles, *Muhammad Speaks* became their vehicle for exposing and counterattacking the American government's attempts to dominate and direct the courses of their infant nations.

Nkrumah, for example, became a frequent guest columnist for *Muhammad Speaks* in 1963, as did Achmad Sukarno of Indonesia. Photographs showing boxing champion Muhammad Ali returning Gamal Abdel Nasser's smile as the two met in Cairo were reprinted several times.[74]

Three-to-eight-page spreads ran on a newly independent African or Asian nation in nearly every issue, among them Norodom Sihanouk of Cambodia, Professor Le Thanh Nghi, and Premier Pham Van Dong of Vietnam. These perspectives were uniformly at variance with what the establishment media reported.[75] Charles P. Howard, a lawyer and free-lance journalist, frequently conducted interviews of current and emerging Third World leaders in his capacity as the UN correspondent for the newspaper. By 1963, William E.B. Du Bois had fallen into the abyss of the memories of most African Americans. It was *Muhammad Speaks* that introduced him to a new generation of blacks by highlighting his work as editor-in-chief of Ghana's *Encyclopedia Africana.*[76] In one of the last photographs taken of the veteran civil rights activist, *Muhammad Speaks* showed Ben Bella of Algeria presenting a gift to Du Bois at the latter's home.[77]

On November 22, 1963, *Muhammad Speaks* became the only publication in America to reprint China's Chairman Mao Zedong's letter of encouragement to CORE Director James Farmer, who was in a Louisiana jail on charges stemming from his efforts to end segregation there. "I ask the workers, peasants, revolutionary intellectuals, sensitive bourgeoisie elements and other sensitive persons of all colors of all the world — black, white, yellow, brown — to unite against the racial discrimination of U.S. imperialism and to support the Negro Americans in their fight against racial discrimination," Mao wrote.[78] "I am profoundly convinced that, counting on the support of 90 percent of the population of the world, the just fight of the Negro Americans will be crowned with victory. Both colonialist and imperialist systems, which flowered with slavery and slave traffic, also will disappear with the emancipation of the Negro people."

The newspaper, circulated nationally and internationally, also printed gruesome photographs of the atrocities being inflicted upon black South Africans by Belgian mercenaries, and on the Vietnamese people by American soldiers. One unforgettable photograph showed U.S. soldiers kicking a Vietnamese youth in his head as he struggled to climb out of a muddy ditch. Other pictures revealed mass graves of slaughtered Vietnamese women and children.[79] *Muhammad Speaks* also ran feature articles on Ho Chi Minh of North Vietnam, and Kim Il Sung of North Korea, both of whom had been targeted for assassination any number of times by the CIA's "dirty tricks" division. In late February, 1964, *Muhammad Speaks* played a pivotal role in exposing Moise Tshombe's direct participation in the assassination of Lumumba. Quoting from Tshombe's confession to *Pourquois Pas,* a newspaper published in Brussels, *Muhammad Speaks* reported the following in the March 13 installment of the Lumumba series:

> The mutilated and mangled body of deposed Congo Prime Minister Patrice Lumumba was dropped into a vat of concentrated acid so that he would "disappear forever."
>
> The "acid bath" was ordered by Puppet Premier Cyrille Adoula to thwart an investigation of the slaying by the United Nations after anti-Lumumba forces had been paid at least $600,000 by the Belgian government to get rid of Lumumba.
>
> These grisly and damaging charges are the latest assertions of millionaire Moise Tshombe, former president of Katanga Province and the man who worked hand-in-hand with the Belgians in a monstrous get-rich-quick plot for himself and Belgian industrialists with the Congo as a pawn.[80]

The series of articles couldn't have come at a worse time for the State Department and the CIA, because the Johnson administration was backing Tshombe as the new leader of the Congo after another CIA-backed regime collapsed. When the National Security Council approved the assassination of Patrice Lumumba in August, 1960, the United States and its allies had a virtual lock on the United Nations. But by September 1961, as most media reported, the balance of power had shifted to Third World nations, most of them regarded by the CIA as Soviet "satellites," the reason being primarily that Nikita Khrushchev was bankrolling their governments, and the KGB was intercepting CIA cables dealing with plots to topple them.

While Lumumba was delivering a speech at Howard University in July 1960, during which he implored African American students to return to Africa to help the Congo and other nations,[81] Malcolm X telephoned Elijah Muhammad to advise him that Lumumba was scheduled to speak in Harlem at the Abyssinian Baptist Church. He wanted to invite Lumumba, Malcolm X said, to a special gathering of African, Arab, and Asian leaders after the visit to Powell's church. Elijah immediately approved, and so Malcolm X met Patrice Lumumba; it was, regrettably, their first and last meeting.

The CIA's surveillance of the NOI lay dormant until the early 1960s, when it was notified by the FBI that Malcolm X was making contacts with Castro's and Lumumba's representatives in New York. After receiving a teletype about Malcolm X's conversation with Elijah regarding Lumumba's 1960 visit, Hoover had forwarded a summarized copy of the telephone transcript to the State Department and the CIA.[82]

CHAPTER 9

STATE OF SIEGE

> The United States is experiencing in Mississippi what is tantamount to its own form of decolonialization. For our colonialism, sociologically speaking, has been within the U.S.A. and not abroad.
>
> —C.L. Sulzberger,
> the *New York Times*,
> October 3, 1962[1]

> While Police Chief Williams was being sworn in . . . Amnesty International was releasing a report based on a yearlong study concluding that members of the LAPD and Los Angeles County sheriff's department routinely resort to excessive force, particularly against blacks and Hispanics.
>
> —the *Washington Post*,
> June 27, 1992[2]

> Last time I was down South I walked into this restaurant, and this white waitress came up to me and said: "We don't serve colored people here." I said: "That's all right. I don't eat colored people. Bring me a whole fried chicken."
>
> —from *Nigger*,
> by Dick Gregory[3]

RONALD X STOKES was the twenty-eight-year-old secretary of Mosque No. 27, the main Black Muslim mosque in Los Angeles.[4] On April 27, 1962, Stokes, his wife, and another Muslim went to a cleaners a block away from the mosque. Stokes, who worked at the cleaners, was able to get clothes cleaned at discount and often took the suits and dresses of fellow Muslims there.

As they were leaving with their clothing, two LAPD officers approached them. One of the officers asked Stokes whether he had a license to sell clothing.[5] He told the officer that he wasn't selling the clothes and that they weren't stolen, but the officer refused to believe him and made several racial slurs.

"We didn't do anything," Stokes said angrily. "You're only doing this to us because we're Muslims."

Fearing violence, Stokes told his wife to return to the mosque, which she did.

"Stop talking with your hands," one officer demanded. He then grabbed Stokes and twisted his right arm behind his back.

When Muslims inside the mosque heard the fracas, they rushed out to assist their coreligionists. At about the same time, an armed special police officer stationed at a nearby dance hall happened by and began firing at the Black Muslims. Although Stokes was dying from a shot in the head, police handcuffed him and hit him in the head with their nightsticks.

Within ten minutes, seventy-five LAPD officers arrived at the mosque.[6] A least six more Black Muslims were shot, and a dozen more received less serious injuries. While they were lying on the ground, LAPD officers kicked them. One of the Muslims was kicked so hard in the mouth that his lower dental bridge was broken in half.[7] The Black Muslims weren't armed, but one police officer was shot in the arm by a police revolver, and six more were wounded.

Moments later, police entered the mosque. Once inside, they ordered Black Muslim males to line up against a wall. Stokes's wife and other women quietly left the mosque through a rear entrance which had been overlooked by police.

Instead of just searching the men, the police deliberately ripped their suit jackets up to the neckline. Then police ripped each man's trousers from the bottom of the inner seam to the beltloop, then snatched them off.[8] "We shot your brother outside," one police officer said while the searching them. "Aren't you going to do something about it?"[9]

After the last male was disrobed, they were ordered to march, single file, outside to waiting police cruisers.

"Run, nigger, so I can kill you," a white police officer said.

More attempts to provoke the Black Muslims ensued.

"I broke my stick on the head of one of them niggers," a Muslim later told reporters he heard one officer say.[10] In response, another white officers said: "You should have had the new kind [with a metal rod centerpiece], it wouldn't have broken." As Muslims were unloaded from one police cruiser, a white officer was overheard telling another one that he had been "looking for ten years to kill the Black Muslims."[11]

Stokes, meanwhile, had been left lying in his blood on the sidewalk. The other injured Muslims were not given medical attention for two days. Each of the arrested Muslims were placed under a $10,000 bail.

On May 1, LAPD Police Chief William H. Parker told a grand jury that unless something was done about the Black Muslims, there were "bound to be more frequent" clashes between police and members of the sect.[12]

Four days later, as 2,000 people attended Stokes's funeral, Los Angeles Mayor Samuel W. Yorty, who had been accused many times in the past of ignoring complaints by Los Angeles's minorities about police brutality, seconded Parker's assessment of the Nation of Islam. "I would like to have the Muslims dealt with," Mayor Yorty told reporters, "through the many fine leaders in our Negro community."[13]

Yorty was alluding to press reports which indicated that civil rights leaders had condemned the Nation of Islam instead of the LAPD for the incident. In fact, the murder of Stokes, which received international attention, had so repulsed moderate civil rights leaders that each had called Elijah Muhammad's home to express outrage over obvious violations of the rights of his followers, and when the media failed to retract the false reports, civil rights activists called their own press conferences to rebut them.

Roy Wilkins, Executive Secretary of the NAACP, issued a news release accusing the media of misinforming the public. "There is an incredible report circulating here that some sections of the Los Angeles Negro community here," Wilkins wrote in the letter which was reprinted in *Muhammad Speaks,* "are remaining silent because Stokes was a leader in the Muslim movement.[14] We urge our Los Angeles branch to press in all possible ways to bring the guilty police to account and to rally other groups to do likewise."

"The National office," Wilkin's letter summarized, "supports fully the protests which the Los Angeles Branch has lodged in the brutal police killing of Ronald Stokes."

Dr. H. Claude Hudson, the leader of Los Angeles chapter of the NAACP, told reporters after the funeral that the LAPD brutality had brought about "the unnecessary killing" of Stokes. "Evidence in this case shows inefficiency by the police and utter disregard for civil rights."[15]

A. Phillip Randolph, a veteran African American activist, visited the Messenger at his home in Chicago, and letters of condolence were sent to the slain Muslim's family by Dr. Martin Luther King, Jr., James Farmer of the Congress of Racial Equality (CORE), and Roy Wilkins. "CORE," Farmer said in a speech at New Bethel Baptist Church in Washington, "stands shoulder-to-shoulder with the NAACP and other human rights organizations in condemnation of such police brutality."[16]

These civil rights organizations were infuriated by the slaying of Stokes not just because of its barbarity, but because it reflected a trend of violence by whites against African American males. Only two weeks before Stokes's death, Roman Duckworth, an African American corporal in the United States Army, had been fatally shot by a white police officer in Taylorsville, Mississippi, merely for refusing to leave a bus.[17]

And on April 26, 1962, the day before the Los Angeles incident, the home of Dr. Cuthbert O. Simpkins, a forty-year-old dentist in Shreveport, Louisiana, was bombed.[18] Simpkins was president of the United Christian Conference (UCC), an affiliate of Dr. King's Southern Christian Leadership Conference (SCLC). It was the second time in three months that an attempt had been made to assassinate him. In February, a nearly completed $50,000 home

Simpkins was building in Shreveport was totally demolished by dynamite.

A month before the first attack on Simpkins, three black churches had been bombed in Birmingham, Alabama. The pastors, all black males, had been involved in SCLC voter registration drives.

Malcolm X, who had flown to Los Angeles to conduct an investigation and to deliver the eulogy for Stokes, accused police of using "Gestapo-like tactics and false propaganda" regarding events surrounding the lethal raid.[19] "Stokes was murdered in cold blood," Malcolm X told the *Los Angeles Herald-Dispatch*.

Nine days later, a coroner's jury ruled that Stokes's murder was "justifiable homicide." The next day, the same jury began an investigation to determine whether the state should begin a probe of the cult.

Many foreign leaders, including Nkrumah and Nasser, issued public statements about the Stokes incident, condemning the murder and the invasion of a house of worship.

At a symposium sponsored by *Readers Digest* at New York's Waldorf-Astoria Hotel on July 27, Malcolm X denounced Mayor Yorty for failing to take corrective action against police involved in the raid on Mosque No. 27.

"I didn't come here to be questioned by Malcolm X," Yorty said. "I regard the Black Muslim movement as a Nazi-type of movement preaching hate."[20]

"I'd rather be a Nazi than whatever Mr. Yorty is," Malcolm X retorted.

Wilkins, who also attended the symposium, agreed with Malcolm X that the LAPD had acted irresponsibly, and blamed Police Chief Parker for failing to acknowledge it.

"You've inherited what we consider a problem" in the person of Parker, Wilkins told Mayor Yorty.[21]

But the harshest criticism came from the Messenger himself. "There is no justice here for us black people," Elijah Muhammad wrote in his column in the *New Crusader* on May 12. "There is no future for us nor [sic] our children in 'civilized' America.[22] This country's police force, using the tactics of brute savages, have behind them the government to kill us—judging from the government's silence."

"I have hundreds of followers," Elijah Muhammad continued, "now in jails, state and federal penitentiaries for no other reason than that they are Muslims. Therefore it is useless to appeal for justice to the state prosecutors of the U.S.A., since no justice will be given us from them!"

Elijah Muhammad had made plans to visit Nasser during a trip the week after the Stokes's murder. He and his wife Clara were first going to Cairo to visit their son, Akbar, who was enrolled at the University of El-Azhar.[23] From the moment Clara Muhammad left New York City on May 4, until her return on October 17, her movements were closely monitored by agents from the Foreign Service, the CIA's Deputy Director of Plans, and the State Department's Bureau of Intelligence and Research, which, in turn, passed on its "intelligence" data to Hoover at FBI headquarters.[24]

As he had done in the Johnson Hinton case, Malcolm X obtained photographs showing injuries to Stokes and had them converted to posters. The photos were also published in August in a special edition of *Muhammad Speaks*.[25] For weeks, anyone who ventured in or near a Black Muslim mosque saw gruesome autopsy pictures.

At a rally in Boston, Malcolm X stood behind the enlarged photos and declared that police would really have seen some action had they harmed women during the attack. "Stokes died protecting his wife,"[26] Malcolm X said. "One of the easiest and quickest ways to die," he told the audience, was to "put your hand on a Muslim woman. . . . This applies to all so-called Negro women. If she is black, keep your hands off her."

He also issued a bitter denunciation of the behavior of the police. "The brothers' pants were cut off them by the police," Malcolm X told a crowd of 8,000 at a rally held at Detroit's Olympia Stadium.[27] "They were jabbed in the rectums to try to get them to fight so the police would have an excuse to shoot them." Then, Malcolm X said, "the mayor, the police commissioner, and the county sheriff went to Washington, D.C. to get support from President Kennedy and from Attorney General Kennedy."

For weeks after Stokes's murder, Elijah Muhammad continued his attack on the failure of the federal government, particularly the FBI and the Justice Department, to launch an investigation to determine whether police had violated the civil rights of his followers.

But on May 26, 1962, he surprised civil rights leaders by calling upon them to form a coalition with the Nation of Islam. "There could be no better step taken," the Messenger wrote in the newspaper, "to bring about an end to the free killing of our people than the uniting of the NAACP and the Muslims and all national groups that are for justice for our people.[28] I am sure," he said, "Allah will revenge the attack and killing of my followers by the lawless, brutal police force. The murder of one of my followers will always cost the U.S.A. plenty," the Messenger declared.

On June 4, a Boeing 707 airplane carrying 130 passengers crashed on takeoff from Orly Airport in Paris for New York. Within minutes of the crash, the worst involving a single aircraft in aviation history, Atlanta's mayor was notified that 124 of the plane's passengers were members of the Atlanta Art Association.[29]

Elijah Muhammad portrayed the crash as Allah's chastisement of America for the Stokes murder. "More of this will come," he said.[30]

Malcolm X had also commented on the plane crash, but surely regretted having done so, if for no other reason than that a copy of his comments were published in the June 6 edition of the *Los Angeles Herald Tribune*. During a meeting at Mosque No. 27, a tape recording of which was later given to Mayor Yorty, Malcolm X stated:

> I would like to announce a very beautiful thing that has happened. As you know, we have been praying to Allah. We have been praying that He would in some way let us know that he has the power to execute justice upon the heads of those who are responsible for the lynching of Ronald Stokes on April 27.
>
> And I got a wire from God today . . . wait, all right, well, somebody came and told me that he really had answered our prayers over in France. He dropped an airplane out of the sky with over 120 white people on it because the Muslims believe in an eye for an eye and a tooth for a tooth.[31]

Upon receiving the tape, Mayor Yorty gave copies to the local media.

On June 8, Ralph Bunche castigated Malcolm X for his comments. "I both scorn and pity white bigots," Bunche said in his address to delegates at a SCLC convention in Atlanta. "But I despise those who are black."[32]

Malcolm X's comments, Bunche said, "saddened and sickened me."

"Ralph Bunche," Malcolm X said in rebuttal, "is an international Uncle Tom. I feel sorry for him."[33]

Although Dr. King reiterated his sympathy for the Black Muslim who had been unjustly murdered, he told the convention that he too felt repulsed by Malcolm X's comments on the crash.[34] "I do not feel that hatred expressed toward whites by Malcolm X is shared by the vast majority of Negroes," King said. "While there is a great deal of legitimate discontent and righteous indignation, it had never developed into a large-scale hatred for whites."

In the meantime, the Stokes case was costing the Nation of Islam a fortune. The law firm of Miller, Malone, and Brody charged Elijah Muhammad $60,000 to handle the lawsuit against the city of Los Angeles and its police department.[35]

While the Nation of Islam was still mourning the death of Stokes, the state of Illinois stuck another thorn in the Messenger's side. On May 11, 1962, City Building Commissioner George L. Ramsey gave Elijah Muhammad fifteen days to correct building code violations at the University of Islam—which was actually a grade and high school—or else face loss of the structure.[36] A few of the violations were serious, but most were petty, suggesting that the state's order was geared more toward negative media attention than the safety of the children. Among the violations Ramsey found, for instance, was that doors "swing into classrooms instead of out of them," and that the school lacked a sprinkler system. (Few older schools had sprinkler systems in 1962.)[37] Ramsey estimated that the sprinkler system alone would cost $10,000 to $12,000.

Suspicions that Ramsey had acted arbitrarily were confirmed the next morning, when Illinois State Senator Arthur R. Gottschalk and Edward C. Eberspacher indicated their intention to seek a legislative investigation of the University of Islam.[38] "Children should not be allowed to attend a school where they can be taught hate," Gottschalk said.

Benjamin C. Willis, the Illinois Superintendent of Schools, also expressed outrage about the Nation of Islam's curriculum. He planned that the University of Islam would be dropped immediately from the list of approved private schools, and that its accreditation would probably be revoked.[39]

On May 14, John Ali announced the Messenger's intent to fight the threat to the school in court. "The criticism was aimed at making Negroes give up their right to educate their children with a true knowledge of their own heritage and history," John Ali said. He added that Elijah Muhammad would ask Willis to launch a similar investigation of Chicago's public schools and their "white supremacy teachings."[40]

Two days later, John Ali fired another salvo. He accused Ramsey of engaging in racial and religious discrimination in giving the University of Islam notice about violations while not issuing similar notices to twenty other private schools in the area with the same or similar violations.

The Black Muslims had received a report regarding the non-Muslim private schools from a civil rights organization called the Chicago Committee to Defend the Bill of Rights.[41] "We pointed out to Mr. Ramsey that we thought it unfair and discriminatory to give the press reports of so-called building code violations three days before sending such notices to our university," John Ali said. "Our graduates," he added, "are now studying in the University of Chicago, at DePaul, and in many other colleges. Some have won scholarships in national competitions. We have no drop-out, truancy, or delinquency problems."[42]

On July 31, followers of Elijah Muhammad incarcerated at the Lorton Reformatory in Lorton, Virginia, for some unknown reason became engaged in a riot aboard a prison bus headed for the District of Columbia Jail two miles from the nation's capital.[43] Then, on August 2, fifty inmates at the Lorton Youth Center caused a riot resulting in $6,000 damage. Twenty-five of the youths were identified as Black Muslims. The riot began, press reports said, after prison dieticians used pork fat in cooking vegetables served to Black Muslims.[44]

On August 15, Congressman Francis E. Walter, chairman of the House Un-American Activities Committee (HUAC), denounced the Nation of Islam before fellow House members, labeling it a "growing danger to our internal security."[45] Walter claimed that "the Black Muslim movement is made to order for Communists to take over," and announced that HUAC would begin hearings on the Nation of Islam if the House Rules Committee decided HUAC had legal authority to do so.[46]

Reached in Los Angeles, Malcolm X was asked to respond to the proposed probe. "We welcome any investigation," Malcolm X said. "We have nothing to hide."[47] He was unconcerned, Malcolm X said, since the HUAC investigation would only prove that the religion of the Nation of Islam was as legitimate as the faith of "Baptists, Methodists, and Catholics." Besides, he added, the investigation would "prove to African and Asian nations that so-called Negroes in America are deprived of religious freedom."

At least one new African leader needed no convincing. Ahmed Ben Bella, who was appointed premier of Algeria in September, arrived in New York on October 9, 1962. A meeting with Adam Clayton Powell, Jr., Malcolm X, and Dr. Martin Luther King, Jr., was included in his itinerary.[48] Like all visiting Third World dignitaries, he paid a visit to Powell's Abyssinian Baptist Church during his trip, at which time he was introduced to Malcolm X.

Malcolm X was already quite familiar with Mahmoud Boutiba, one of Ben Bella's closest friends, as they had met four years earlier during an Afro-Asian bazaar and had maintained a cordial relationship.[49] Ben Bella, who spoke only French and Arabic, communicated through an interpreter. He likened America's discrimination against African Americans and Black Muslims to French oppression of Muslims in Algeria before the revolution which brought him to power.

Politically, Ben Bella was a hybrid of King and Malcolm X. As a young sergeant-major in the French Army, he believed the French occupation would eventually end and that Algeria would receive its independence without a bloody revolution. But in May 1945, after the French Army massacred hundreds of Algerian nationalists in eastern Algeria, the devout Muslim became convinced that "armed rebellion was the only solution for Algeria." He joined a banned Algerian nationalist movement called the Algerian People's Party.[50] Two years later, he robbed a post office in Oran, Algeria, to finance a new revolutionary organization. In 1954, he renamed the organization the Algerian Front of National Liberation (or FLN). He narrowly escaped assassination by French agents that year, but was finally captured on October 22, 1956.[51]

From 1956 until March 1962, he was confined to a French-run prison in his homeland. Six months after his release, he was named first premier of the newly independent Republic of Algeria. On October 9, 1962, Ben Bella addressed the UN General Assembly following Algeria's induction ceremony. He left for Cuba the next day, then returned to the United States on October 11.

A few days after his meeting with Malcolm X and Powell, Ben

Bella invited Dr. King to his suite at the Barclay Hotel to discuss the "civil rights revolution" with him. The meeting lasted an hour.[52] During the discussion, Ben Bella told King that there was a "direct relationship" between the "injustices of colonialism and the injustices of segregation."

At a press conference afterward, King emerged sounding more like Malcolm X than the civil rights leader reporters knew. Ben Bella, King said, had convinced him that the struggle for integration in America was "part of a larger worldwide struggle to gain human freedom and dignity."

Through an interpreter, Ben Bella told reporters that the United States could lose its "moral and political voice" unless it took measures to end religious and racial discrimination against African Americans.[53]

In the meantime, Congressman L. Mendel Rivers introduced a resolution requesting permission to conduct an investigation into the Nation of Islam. Rivers contended that the probe was needed because U.S. District Court Judge Burnita S. Matthews had recently ruled that the Nation of Islam was a legitimate religion, and he had evidence that it was not.[54] The investigation, Rivers told reporters during another press conference on August 14, "would open up the unsavory history of the Black Muslims for all America to see. We know that the organization is dedicated on a national level to violence, bloody deeds, hatred, and death."

Rivers accused Elijah Muhammad of instructing his followers in the use of "judo, knives, and blackjacks." He also blamed a recent visit by a Muslim minister to Lorton for the riot. "After a minister paid them a visit," Rivers told reporters, "all hell broke loose. I don't think it is a religion but a militant organization."

On August 28, the House Rules Committee formally recommended that the probe of the Nation of Islam go forward. A resolution to this effect was passed on September 6.[55] Subpoenas were subsequently issued to Elijah Muhammad, Malcolm X, and other high-level Black Muslims demanding that they appear before HUAC.

On September 10, the Chicago Committee to Defend the Bill of Rights sent a letter to members of HUAC and other congressmen in which it argued that the pending probe of the Nation of Islam was "clearly lacking in legitimate legislative purpose."[56] In view of the "countless acts of police brutality and mob violence against peaceful civil rights demonstrations," the letter stated, the investigation of the Nation of Islam "can only serve to make the House of Representatives ridiculous in the eyes of citizens of this country and the world."

What Rivers and HUAC Chairman Walter failed to reveal to their fellow committee members was that the ulterior purpose of the probe involved the FBI and a COINTELPRO operation aimed at making "Elijah Muhammad look ridiculous."[57]

On November 5, Elijah Muhammad, whom the FBI discovered had been deeply disturbed by the imminent HUAC probe, received more bad news. That morning, the U.S. Supreme Court refused to hear the appeal of Black Muslims convicted on March 5, 1961, after police raided the mosque in Monroe, Louisiana.[58] During that incident, police and Black Muslims had become engaged in a battle after several white police officers attempted to enter the mosque carrying weapons. When Minister Troy X and others tried to stop them, a fight ensued. Seven Black Muslims were arrested and later charged with aggravated assault. Their convictions and six-year prison sentences had been upheld by the Louisiana Supreme Court, and a subsequent appeal to the nation's highest court was unsuccessful.

The incessant legal and physical skirmishes, the FBI learned, were taking a tremendous toll on Elijah Muhammad's health. After the HUAC probe was approved, he ordered Malcolm X to cancel all college campus appearances since these debates, which Malcolm X had been engaging in since late 1960, gained the Nation of Islam "no new converts," the Messenger said.[59]

Malcolm was committed to debates at approximately forty colleges in October alone. Nevertheless, he canceled, telling school officials in at least one instance that he had "throat problems."[60]

Adding to the Messenger's problems was the "nuisance" legal action filed against him on June 6, 1962 by the leader of a tiny orthodox Islamic sect. In the lawsuit, lodged in a United States District Court in Pennsylvania, Alhajji Talib Ahmad Dawud, a West Indian married to jazz singer Dakota Staton, asked the Court to enjoin Elijah Muhammad from teaching Islam on the grounds that he was distorting the religion's precepts.[61] Staton contended that the unfavorable publicity surrounding the Nation of Islam was preventing her from obtaining bookings in jazz clubs because owners assumed she was a Black Muslim. The suit was eventually dismissed.

The day after the U.S. Supreme Court decision in the Louisiana case, Elijah Muhammad fell gravely ill. On November 16, he returned to his home in Phoenix, this time with plans to remain there permanently.[62]

A few days later, Hoover received a memorandum from the New York field office regarding Elijah Muhammad's health and the problem it could pose for the COINTELPRO to take control of the Nation of Islam. In describing Malcolm X, the agent wrote:

> Subject is the controlling force behind the NOI since Elijah Muhammad has made his "pile" and is now living in Arizona. Subject is a smart, capable opportunist who is politically conscious and is no more interested in separate Negro states than "the man in the moon." Subject plans, when the organization grows, to be in a position to obtain any political job he demands.[63]

Three months later, the FBI learned that it wasn't the only one worried about Malcolm X's possible inheritance of the largest, fastest growing organization in America. A fire fueled by jealousy was burning in the Nation of Islam; all the FBI had to do, the Chicago field office told Hoover, was fan the flames.

CHAPTER 10

EXPOSING FARD

The problem with telling a lie is that you've got to tell another lie to conceal the first one, and another to hide the last.

—Minister Abraham X,
Nation of Islam,
St. Louis Mosque[1]

Every son of Islam must gain a victory from a devil. Four victories, and the son will attain his reward.

—from *Secret Ritual*,
by Wallace D. Fard[2]

"WHITE MAN IS GOD FOR CULT OF ISLAM."

This banner headline, over a story in the August 15, 1959 issue of the *New Crusader*, a Chicago-based African American newspaper, signaled the start of the FBI's second major counterintelligence offensive aimed at destroying the Nation of Islam.[3] (As stated earlier, the first campaign ended successfully in 1942, after the FBI hired black police officers as "temporary" FBI agents assigned to infiltrate the Nation of Islam.)

The article's author, Mohd Yakub Khan (an orthodox Muslim of Pakistani origin—the fact that his middle name is that of the villain of NOI demonology appears to be a coincidence) had gotten his information from a selection of the FBI's file on Wallace Fard, which it released in response to the surge in the NOI membership that had followed the television broadcast "The Hate That Hate Produced." The information the FBI provided to the *New Crusader* was incomplete but accurate; however, fortunately for Elijah Muhammad, as it turned out, the author misread the file on a number of crucial points. The article claimed, for example, that Elijah Muhammad and Wallace Dodd Fard had concocted the idea for the Nation of Islam when both were incarcerated in a federal prison in Milan, Michigan in 1943.[4] It also claimed that Fard was Turkish and had been a "Nazi agent" during World War II.

In fact, the sect was founded in Detroit during the economic drought occasioned by the Wall Street stock market crash of 1929. Promising food, prosperity, and happiness to anyone who followed him, Wallace Fard Muhammad, the sect's founder, was able to attract hundreds to his meetings during any given week. The cult grew so rapidly that by 1934 there were nearly 7,000 members scattered across five states.[5]

Black Muslims were taught that Fard was a member of a rich, royal Arabian family who lived in Mecca. He had come from the East, he told them, to return America's former slaves, whom he called his "long lost uncles," first to Islam, then back to Africa.[6] Like Father Divine of New York, Noble Drew Ali of Chicago, and Bishop Sweet Daddy Grace of Washington, D.C., Wallace Fard Muhammad told his followers that he was God in human form.

Posing as a silk peddler in 1930, Ford began knocking on the doors of African Americans and West Indians who lived the Detroit ghetto known as Paradise Valley. Most of them were among the many African Americans who left farms in the South during the 1920s to seek well-paying factory jobs, only to be stranded, in the thirties, by the receding tide of the Great Depression. These struggling new urbanites, lacking both formal education and "street smarts," made a receptive, unquestioning audience for Fard's unusual ministry.

Always introducing himself as Wallace Fard Muhammad, Fard was a sight to behold. His hair was straight and blacker than oil.

His skin was swarthy; many African Americans mistook him for a Latino or an Arab, as Detroit had America's largest Arab American community in the early 1930s. His eyes, one woman recalled, were an unusual color. They looked "maroon," she said.[7] He wore expensive looking robes and usually either a maroon fez or a turban.

Selling silks seemed to be his ploy for recruiting new followers. As he sold his wares from door to door, he inquired about the individual's dietary habits. "Do you eat pork?" he would ask.[8] The answer was invariably yes; pork had become a staple of the African American's diet during slavery.

"Don't ever eat pork again," Fard replied hauntingly. He promised the potential convert that if she would invite him over for dinner, he would show her what to eat to live a long, healthy life. Within six months, Fard had persuaded more than 500 African Americans to follow him.

One of his first converts was a man named Elijah Poole.

Born on October 7, 1897 Poole lived in Sandersville, Georgia, until he was three years old.[9] His father, Willie Poole, Sr., a Baptist minister, had been born in August, 1866, the same year that Congress passed the first monumental civil rights legislation and the Fourteenth Amendment to the United States Constitution. His mother, Marie Quartus, was born in Cordele, Georgia, in 1871.[10] In 1899, the family moved back to Cordele, where Elijah began school. One afternoon before the winter break of 1907, while ten-year-old Elijah was walking back from school with a group of friends, an eighteen-year-old youth in the group decided to take a shortcut home. When the boy failed to return home by dusk, his father went to Elijah's home and asked Willie Poole, Sr. whether he and his sons could help search for his son. In the woods surrounding the shortcut the boy had taken, they encountered the nightmare they had both dreaded. The boy dangled from a noose. His clothes had been ripped from his body, his face beaten so badly that it resembled a grotesque bloody mask.[11] His neck seemed to stretch like rubber and his body swung slowly in the autumn wind.

It was a scene young Elijah would never forget, one that would take on special significance when he became a minister like his father. "I cried all the way home," Elijah Muhammad said in recalling the painful memory.[12]

By 1914, Willie and Marie Poole had fourteen children: Sam, Charles, Willie Jr., Tommie, Kallat, Johnnie, James, John Herbert, Jarmine, Hattie, Lula, Annie, Emma and, of course, Elijah.[13]

Elijah took a job in 1914 at the sawmill where his father and some of his brothers worked. Five years later, he married Clara Evans of Cordele. From 1919 through 1923, Elijah remained at the sawmill, even though he hated it. With children to feed, he couldn't afford to be out of work. Their first child, Emmanuel, was born on February 3, 1921, and a daughter, Ethel, was born the following year on October 24. Nevertheless, Elijah abruptly quit his job in early 1923 after a white foreman persisted in calling him a "dumb, lazy nigger" and similar perjoratives.[14]

Fearing that he would either kill or be killed, Elijah moved his family to Detroit in 1923, where he found employment on the assembly line at the American Nut Company. From late 1924 through early 1925 he worked at the American Copper and Brass Company in Detroit, then quit in July for a better paying job on the assembly line at the Chevrolet Axle Company.

At the end of 1926, Elijah was laid off for reasons which were never made clear.[15] It is possible, however, that he was terminated because of his political activities. Elijah had discovered Garvey's Universal Negro Improvement Association and is believed to have joined the Detroit branch.[16] For the next three years he worked at odd jobs.

When Fard arrived at Poole's home one day during the winter of 1930, Poole was deeply down on his luck,[17] and had resorted to drowning his sorrows in bootleg liquor. Poole didn't just drink; he drank heavily. "I had become such a drunk," Poole told his children years later, "that my own wife was ashamed of me.[18] At times she would have to go out and bring me in off the streets, holding me up on her shoulder."

It was during this ebb in his life that Poole met the mysterious merchant from Mecca. One night after dinner at the Poole home, Fard told the man of the house that he wanted to share a secret with him. "You know me as Wallace Fard," the peddler said in a hushed tone, "but in truth I am Allah, the Mahdi whom everyone expected to come two thousand years after Christ, who was crucified at Jerusalem."[19] By the time Fard left the Poole home that evening, he had converted Elijah Poole, the man who would become one of his chief assistants.

Fard charged new members ten dollars for an Arabic name to replace the surnames their families had borne since slavery. After Poole paid the fee, his surname was changed to Karriem.[20] With the money his followers paid him for Arabic names, Fard opened a mosque in Detroit under the title of "Temple of Islam," bought himself a new car, and lived very, very well at a Detroit hotel. Elijah Karriem assumed leadership of the Detroit mosque in 1931 while Fard traveled about the country opening new chapters. In late 1931, Elijah Karriem adopted a new name, Ghulam Ali.[21]

Fard, who taught his followers that Allah would automatically accept the soul of any nonwhite who murdered four Christians or Caucasians,[22] became *persona non grata* in Detroit after a trial stemming from one of the most bizarre homicides in American history.

On November 20, 1932, police discovered that a member of the Allah Temple of Islam had murdered one of his boarders on a makeshift altar in the living room of his home.[23] Shortly before noon, as his children and eight Black Muslim witnesses watched, Robert Karriem (like Elijah Karriem, he had received his name from Fard) ordered James Smith to lie on the altar, which was nothing more than a heavy oak table covered by a white sheet. Smith lay down, but suddenly had a change of mind. When he tried to get up, Robert Karriem pulled part of a car's axle from beneath the sheet and struck Smith in the head, rendering him unconscious. As blood flowed from Smith's wound, Robert Karriem's children yelled and screamed in horror. He ordered his wife to quiet them down. At exactly twelve o'clock noon, Robert Karriem drove a butcher's knife through the heart of James Smith, a Christian, in an attempt to gain a "victory" against infidels for his "gods." Frightened by the screaming, Robert Karriem's neighbors summoned police.

Upon the interrogation of Robert Karriem, police discovered that his "gods" were in fact men. Robert Karriem identified them as Master Wallace Fard Muhammad and Ghulam Ali. Karriem, who told police his "slave name" was Robert Harris, also confessed that he intended to kill three more people in order to "go to heaven."[24] His other three prospective victims, Robert Karriem said, were Gladys Smith (no relation to the sacrificial victim), a twenty-one-year-old welfare worker who had recently terminated his welfare benefits, and two Detroit lower court judges, the Honorable Edward J. Jeffries and Arthur E. Gordon.[25]

During the examination of Robert Karriem's home, police found a booklet near the altar. It was entitled *Secret Ritual of the Nation of Islam,* and the author was "Master Wallace Fard Muhammad."[26]

The next day, news of the sacrificial murder made front page headlines in the *Detroit Free Press* and the *Detroit News*.[27] Detroit detectives Oscar Berry and Charles Snyder lead a posse of policemen to the Temple of Islam, located above a clothing store on Hastings Street. They approached a short, thin, olive-skinned man at the lectern as he addressed approximately one hundred African American, Filipino, and West Indian males.

"Are you Ghulam Ali?" Berry inquired.[28]

"Yes," the man replied.

Berry then asked Ali if Robert Karriem was one of his followers. "Yes, Brother Karriem is one of my students," Ali said.

"Then you're under arrest," Berry said. Ali was handcuffed and taken into custody. As Ali was being handcuffed, Snyder removed a pamphlet from the podium. It was a copy of "Secret Ritual of the Nation of Islam," the same booklet found in Karriem's home.[29]

Several days later, Fard was observed leaving his hotel room at

One West Jefferson Avenue, near the Hastings Street temple, and placed under arrest. He identified himself as "God of the temple people" and "Chief of the Voodoos," the arresting officers claimed. He also freely admitted, they said, that Karriem and Ali were his followers, but denied any knowledge or approval of sacrificial killings. "They apparently misunderstood my teachings," Fard said assuredly. "Human sacrifice is not tolerated under Islam."[30]

But Fard's explanation was unconvincing; it belied what he had written in the manuals found in the possession of Karriem and Ali.

Fard's denial of his own teachings raised doubts in Ali's mind about Fard's integrity. Their relationship decayed after Fard's arrest.

Fard was taken into custody and placed in a room especially designed for dangerous criminals on the psychopathic ward at Detroit's Receiving Hospital. Ali and Karriem were also detained on the ward.[31]

During a probe of Fard's hotel room, detectives discovered hundreds of letters from new members of the cult. Nearly every letter was identical in form and content. The writer asked Fard to substitute his "slave name" with an Arabic one and enclosed money to cover the expense of doing so. Files removed from Fard's room indicated that he routinely changed the surnames of his followers, upon payment, to names such as Ben, Bey, Muhammad, Karriem, Pasha, and Ali.[32]

A week later, during a court hearing to determine their sanity, Ali and Fard were given an ultimatum: disband the Temple of Islam or face charges of accessory to homicide. Ali agreed to remain in Detroit to oversee the dismantling of the cult. Detectives Berry and Snyder escorted Fard to the train station, placed him on a train bound for Chicago, and ordered him never to return to Detroit.[33]

On May 25, 1933, Fard found himself in trouble with the law again. According to the police report, Fard had returned to Detroit and was living at the Fraymore Hotel in Paradise Valley. When he was taken into custody, he gave his occupation, the reporting officer claimed, as "Chief of the Voodoos."[34] He was arrested for disorderly conduct and again ordered to leave the city for good.

Fard fled to Chicago, where he was arrested in September for disorderly conduct, then released on his personal recognizance. In December 1933, during a FBI investigation of a cult called the Society for the Development of Our Own (SDOO), the FBI's Detroit bureau discovered that Ali and the "dissolved" Temple of Islam had become involved with Satahota Takahashi, a member of the Black Dragon Society of Japan, who founded SDOO.[35]

Begun in 1901 in Japan by a Buddhist monk named Uchida Ryohei, the Black Dragon Society was a group dedicated to furthering Japanese imperial ambitions.[36] While not an arm of the Japanese government, it had many friends in the Japanese government and armed forces, and was instrumental in Japan's invasion of Korea in 1910, and the subsequent seizure of Manchuria.

To assist the society's aims, Takahashi entered the United States from Canada in 1930. He lived briefly in Tacoma, then for a short while in Seattle, and finally settled in Paradise Valley, near Detroit.[37] With access to seemingly limitless funds, the source of which sparked an FBI investigation, Takahashi was able to attract over five thousand followers to the SDOO by early 1932, most of them African Americans, West Indians, East Indians, or Filipinos.[38]

Takahashi's influence upon the Nation of Islam was unmistakable. He was a frequent guest at the Nation of Islam's temples in Detroit and Chicago, and soon Ali, who was now using the name Elijah Muhammad, was peppering his speeches with pro-Japanese sentiments. "The Japanese will slaughter the white man," the Messenger said during a speech in 1933, a copy of which was later obtained by the FBI.[39] "It is Japan's duty to save you," he said in another lecture that year. "Our brothers in the East [the Japanese] did not know that we [the blacks] were here until sixty years ago," he added. "After finding out we were here using the names of the devil," Elijah Muhammad said, "they at once went back and told the Asiatic nation. Then they knew where the lost brother was. Now they are only waiting on the word of the Prophet [Fard]. The Japanese Army and Navy are already strong enough to destroy this devil."

Takahashi's influence wasn't the sole reason Elijah Muhammad supported Japan's escalating conflict with the United States. As the Messenger viewed it, they had a common enemy: white people.

Hoover, upon discovering Takahashi's power base in Paradise Valley, decided to destroy the SDOO and the Nation of Islam first.

After Takahashi's arrest, Ali fled to Chicago before he could be apprehended. In 1934, Detroit police learned that Fard and Elijah Muhammad had not only returned to the city, but had reorganized the Holy Temple of Islam.[40] The cult had nearly 1,000 followers in Detroit alone, and thousands more in Chicago, Los Angeles, and several other large cities.

Bored by Fard's antics, police this time used a little physical persuasion to entice Fard, as they said in police parlance at the time, "to quit the city." It was the last time he was ever seen by most Black Muslims.

The August 15, 1959 story in the *New Crusader* portrayed Fard as a conman and career criminal. His first arrest, the story stated, had come on November 17, 1918 in Los Angeles, when he was taken into custody for committing assault with a deadly weapon. This much was true, which cannot be said of the most alarming aspect of the story, at least to Black Muslims—the allegation that Fard was himself a Caucasian, a member of the racial group he wanted eliminated from the face of the earth.

According to the story's lead:

> Elijah Muhammad, so-called "Messenger" of the explosive religious cult that operates under the name of Temple of Islam with headquarters at 5335 S. Greenwood Ave., teaches his 70,000 odd Negro followers scattered across the U.S. that a white man, called

> "Master W.D. Fard Muhammad," who was a Turkish-born Nazi agent worked [sic] for Hitler in World War II, is their God! Charged by the FBI . . . [41]

The revelations took Elijah Muhammad by surprise. Fortunately for him, the story in the *New Crusader* was riddled with demonstrable errors and obvious contradictions. In one paragraph, it claimed that Elijah Muhammad had met Fard in 1934; then in another, it had the two men meeting for the first time in prison in 1943. It also elevated Satahota Takahashi, founder of the Society for the Development of Our Own, to "director of Japanese espionage in the United States." This was very far from the truth, although there was substantive evidence to indicate Takahashi received help from several Japanese consulates in the East and in Los Angeles.

The errors allowed Elijah Muhammad to discredit the article and the newspaper. In his August 20, 1959, newspaper column for the *Los Angeles Herald Dispatch,* Muhammad accused the African American media of being dupes of "their white God" who "wrote false charges" against him.[42] They "carefully picked out all the false and evil things said, and wrote against me and my followers," Muhammad stated. He accused *Time* magazine and *U.S. News & World Report,* which ran articles about the Fard allegations, of working in conjunction with the Ku Klux Klan "to keep Negroes down."

Malcolm X, in isolating the errors, also denounced the story. "No white man in America who knows his own history," Malcolm X said during a rally at New York's Rockland Palace on August 16, "should ever charge anyone with teaching race hate or racial supremacy."[43] Many African-American-owned newspapers, he added, "have never written anything about the Honorable Elijah Muhammad's good works. But as *Time* magazine attacked him, many of these same papers, instead of checking with the Muslims to see if the charges were true or not, were satisfied to reprint and parrot the exact false charges of the white man."

J. Edgar Hoover had been aware of Fard and his activities since 1931, one year after the Nation of Islam was established in Detroit. That September, Hoover received a letter from President Herbert Hoover requesting the thirty-one-year-old director of the Justice Department's Bureau of Investigation (precursor to the FBI) to investigate a Chicago cult called the Moorish Science Temple of America (MSTA).[44]

President Hoover made the request after receiving an invitation, from the Grand Sheik of the Chicago branch of the Moors, to address the annual gathering of the sect. Since the president had never heard of the group, he asked J. Edgar Hoover to determine whether the group was politically worthy of presidential attention, or just another bunch of crackpots.

Hoover deliberately misled the president by telling him that the sect had only one active member, the black barber who extended the invitation.

He knew full well that the Moorish Science Temple of America had over 50,000 followers, with branches in nearly thirty cities. He apparently lied to prevent the president from addressing the group.[45]

Incidental to the bureau's background checks on the MSTA, the FBI's Chicago and Detroit bureaus learned from welfare workers that MSTA splinter groups had developed, and that one of them was known as the "Holy Temple of Islam." The Holy Temple of Islam differed from the Moorish Science Temple of America, FBI investigators learned, in that the former openly preached that white people were devils, and that it practiced a form of "voodoo."

J. Edgar Hoover, after advising the president against accepting the invitation, terminated his investigation. But during the Thanksgiving holidays a year later, Hoover reopened the investigation of what the FBI called the "Allah Temple of Islam." The reason for the new probe was, of course, the sacrificial murder of James Smith by Robert Karriem.

In late 1957, after receiving reports alerting him to the explosion in the Nation of Islam's membership, the FBI's Chicago field office requested that Hoover renew the FBI's investigation of Fard.[46] "For the information of the Honolulu, Portland and Washington Field Offices," the Chicago Special-Agent-in-Charge (SAC) wrote in a memo to Hoover on October 3, "as a result of a recent inspection of the Chicago Office, it was suggested that a concerted effort be made to determine the whereabouts of W.D. Fard, reportedly the founder of the Nation of Islam (NOI)."

During the investigation, the FBI discovered that Master Wallace Fard Muhammad was actually Wallace Dodd Ford, a Californian with an extensive criminal record.[47] The FBI's attempt to chronicle Fard's background struck pay dirt on January 17, 1958, when it interviewed a woman who was Fard's common law wife in the late 1920s.

Hazel Ford Osborne Evelsizer, discovered by the FBI's Los Angeles field office, was a godsend. Using information from interviews with her, the bureau was able to track Fard's years in America as far back as 1919 and, in so doing, to demystify him. According to Osborne, whose maiden name was Hazel Barton, she had met a man named Wallace Dodd Ford in Los Angeles in 1919. Ford, whom she learned had come from Oregon around the beginning of World War I, was operating a small cafe on South Flower Street when they first met.

Initially, she thought Ford was a "very dark-complected Mexican." Later, as they began dating, she learned that his ancestry was more exotic.[48] Ford, as the FBI later learned, was born in 1891 in Hawaii on February 25. This was significant, since Black Muslims commemorate Saviour's Day on February 26. His father was Zared Ford, a Britain who had settled in New Zealand.[49] His mother, Beatrice Ford, was a Maori, a member of the very dark-skinned tribe of Polynesian origin who in the early 1900s comprised more than ninety-five percent of the population of New Zealand.

He was semiliterate, Evelsizer (then Barton) said, and she frequently wrote letters for him to his parents in New Zealand. On one occasion, while snooping through his dresser drawers, she found a letter addressed to Fred Dodd. She knew, she said, from reading the letter that "Fred Dodd and Wallace Ford were identical."

When they first met, Evelsizer said, Ford was living with another woman by whom he had fathered a child, a boy. After Evelsizer began dating him, Ford asked his wife for a divorce, but she refused. Furious, Ford finally left her and the boy and moved in with Evelsizer.[50] Ford and Evelsizer began living together from 1920, and she bore him a son. In 1926, Ford and Edward Donaldson, one of his Chinese cohorts, were arrested for conspiring to illegally sell a pint of bootleg to a police office, in violation of the Prohibition Act. Ford paid a forty-dollar fine, but before his court appearance on the bootleg charge, Ford was arrested for illegally selling heroin, in violation of the California State Poison Act.[51]

Following his conviction, Ford was sent to San Quentin, where he remained until May 27, 1929. Within a week of his release, Ford left Los Angeles and moved to the predominantly African-American section of Chicago. He found a job there selling medical supplies.

Although Ford had severed their relationship, Evelsizer said that they corresponded from the time he left Los Angeles until 1932 (which coincided with Fard's arrest in Detroit). She mailed her letters to him, she said, in care of "General Delivery" in either Chicago or Detroit, which also happened to be the locations of the two most active temples of the Nation of Islam.[52] Ford never complied with her requests for regularly scheduled child support, although he sent her "considerable amounts of money from time to time."

Evelsizer recalled that when last she saw Ford, in 1932, he was driving a 1929 Model A Ford coupe with California license plates. She said he had white silk sheets over the seats of the car, and when she asked about them, he told her that she could have them. He wouldn't be needing them anymore, he said, because he was returning to his parents in New Zealand.[53]

Perhaps most notably, Ford mentioned to Evelsizer that he now ate only one meal a day, the standard Black Muslim practice, and told her that "this was his new way of life."

With the information from Evelsizer in hand, the FBI's Los Angeles field office contacted the Detroit FBI office and requested that it interview Erdman D. Beynon, who had written a study of the Nation of Islam in 1937.[54] After tracking down Beynon's relatives, FBI agents learned that he had died some time ago, but that his daughter, Marion Kieber, who had gone along with him on his journeys into darkest African America, was familiar with the Nation of Islam.

On February 11, 1958, FBI agents showed Kieber two mug shots of Ford, one taken upon his arrest in California in 1926, the other taken in Detroit in 1933.[55] She had vivid memories of Fard—indeed, few ever forgot his striking appearance—and she said both photographs closely resembled the man she had known by that name. When agents showed her the portrait of Fard, she said "there was no doubt" in her mind that Ford and Fard were the same man.[56]

After spending the next two months hunting Fard without success, the Chicago field office (which coordinated the COINTELPRO) notified Hoover that it was abandoning its efforts.

The investigation into Fard's identity remained dormant until September, 1962, when the House Un-American Activities Committee (HUAC) decided to hold hearings on the alleged subversive activities of the Nation of Islam. Congressman Francis Walter, chairman of HUAC, asked Hoover for the FBI's files on the Nation of Islam, particularly anything it had on Fard.[57]

After receiving the startling information on Fard, notably the fact that his father was a Caucasian, Walter and Congressman L. Mendel Rivers concluded that HUAC could successfully "disrupt and curb the growth of the NOI" if the information on Fard was released to the media at an opportune time.

In February, 1963, the Chicago field office learned from wiretaps and its informant inside the NOI that Elijah Muhammad was still too ill to address his followers at the upcoming annual Saviour's Day Convention. The informant advised the FBI that Malcolm X would speak on Muhammad's behalf. On February 19, Hoover sent a memo to the Chicago field office which stated that now was the time to use the dossier on Fard to neutralize the NOI.[58]

If they leaked the dossier to his friends in the media, Hoover wrote, the "impact on Elijah Muhammad and his followers would be tremendous and [the story] could well serve to make Muhammad appear ridiculous."[59]

Before releasing the story, a final attempt was made to track Donaldson, the Chinese gentleman arrested with Fard in 1926. In May, after three long months of tracking Donaldson, the search was abandoned.

In the meantime, Malcolm X's prominence in the national media had risen sharply, so much so that he now overshadowed Elijah Muhammad. By July, Hoover had firm evidence that Malcolm X's popularity had precipitated intense jealousy on the part of Muhammad's sons Herbert and Wallace.[60] Hoover decided that it was time to take advantage of the rivalry, and by doing so, to force Malcolm X out of the Nation of Islam.

The FBI's dossier on Fard was mailed to several large newspapers on Independence Day, 1963. On July 28, the story broke in the *Los Angeles Evening Herald-Examiner* (a Hearst newspaper) under the headline: "Black Muslim Founder Exposed As A White."[61] Two days later, Hoover received a memo from Chicago advising him that the story had had the desired impact on Elijah Muhammad. According to the memo, Muhammad "was quite riled up about the story"[62] and had ordered John Ali, national secretary of the NOI, to hire a good lawyer who is "one hundred percent for us" to sue the *Herald-Examiner*.[63]

Ali contacted William R. Ming, Jr., a prominent Chicago lawyer, whose interviews with Muhammad were recorded by the FBI. It was clear to the FBI from the taped telephone conversations that Muhammad was being evasive in his answers to Ming.[64] To make matters worse, on August 8, 1963, Hazel Evelsizer and one of Fard's relatives wrote Elijah Muhammad a long letter, and included supporting documentation, in which they asked for a $100,000 reward which the Messenger had been rash enough to offer in a front page story in *Muhammad Speaks*. He had challenged the Hearst Corporation or anyone else to prove that Wallace Dodd Ford and Wallace Fard were the same person.[65] Elijah Muhammad refused to pay up, arguing that "police and San Quentin Prison records dating back to the early 1920s had been altered." He also contended that "fingerprints identifying Fard as Dodd had been doctored."[66]

The FBI knew that Elijah Muhammad never had any intention of paying the reward; he had never even placed the money in escrow.

In the summer of 1963, Malcolm X knew none of this information about Fard. He believed, like nearly every other Muslim, a completely different version of Fard's three years with the Nation of Islam: that Fard had chosen Elijah Muhammad to be his "messenger," or Holy Apostle on earth; and that Fard had returned to Mecca in 1934. He remained convinced that the apparition he saw in his prison cell was a manifestation of Fard, and since he knew nothing about the 1932 press reports of Fard's activities in Detroit, he dismissed the Hearst story as more government disinformation.

Malcolm X was in the nation's capital when the story appeared. After conferring by telephone with Muhammad about the article, Malcolm X told reporters that President John F. Kennedy's administration had "planted the story to enhance the image of the so-called Negro civil rights leaders" who were scheduled to lead the March on Washington on August 28. "The source of this slander is the government itself," he declared.[67]

CHAPTER 11

BIRMINGHAM TO BOTSWANA

> It is well known that the black race is the most oppressed and exploited of the human family. . . . What everyone does not perhaps know, is that after sixty-five years of so-called emancipation, American Negroes still endure atrocious moral and material sufferings, of which the most cruel and horrible is the custom of lynching. . . .
>
> —Ho Chi Minh, 1924,
> writing from Harlem[1]

> During the questioning of Richard Helms, the former Director of the CIA, the issue of Oswald's "201" or CIA personnel file came up. Helms stated that the file was a "dummy file" and not actually a CIA employee file. . . . No one ever asked Helms why of all the people on earth the CIA would carry a personnel file on a "nobody" like Oswald.
>
> —from *High Treason,*
> by Robert J. Groden and
> Harrison E. Livingstone[2]

> The parallel between Mr. Muhammad's dialectical analysis of the march of Black Nationalism and the chaotic events of Russia in the months of 1917 preceding the Bolshevik's October Revolution was strikingly manifest throughout the conversation.
>
> —the *New York Times,*
> June 17, 1963[3]

RESPONDING—THEY CLAIMED—to an anonymous telephone call about a man carrying a gun, on January 6, 1963, two police officers tried to enter the Nation of Islam's mosque in Rochester, New York, located on the second floor of a building housing Buddy's Casino, a small tavern.[4]

The officers, with their guns drawn, acccompanied by a barking police dog, entered the mosque, although they found neither a disturbance nor a gun wielder, and arrested two Muslims who tried to prevent them from entering the mosque. Two days later, eleven more members of the mosque were arrested on third-degree assault and riot charges stemming the January 6 incident. On January 9, the New York State Commission on Human Rights refused to hear Malcolm X's complaint that the rights of Black Muslims were violated during the raid.

On January 13, Black Muslims were listening to a lecture in the same mosque when it was suddenly invaded by members of the Rochester Fire Department, who claimed to have received an anonymous phone call about a fire inside the building.[5] The Black Muslims refused them access; the owner of Buddy's Casino gave them a quick tour of the building to assure the firemen that there was no fire. Fearing more arrests, the minister adjourned the meeting.

The Nation of Islam's trouble in Rochester had hardly subsided when a more violent incident occurred in San Quentin, California, where at least seventy prisoners were Black Muslims.[6] On February 14, a Black Muslim inmate was shot to death during a melee between black and white convicts. The fight erupted while Black Muslims attempted to conduct a religious service, which was in violation of prison policy.

Disturbed by what he viewed as an emerging pattern of harassment, Malcolm X sent a telegram to U.S. Attorney General Robert F. Kennedy on February 16. The long message told that a Muslim minister and 12 other innocent Negroes were arrested on February 8, 1963 in Rochester, New York, and charged with third degree assault and inciting to riot. Malcolm X then demanded an immediate investigation into the criminal use of political power in Rochester to suppress the civil rights of the Negro Community, particularly Black Muslims.[7]

The president's brother, unfortunately, was not the embodiment of democratic idealism. Like Hoover and Joseph McCarthy, Robert F. Kennedy saw "reds" or Communists everywhere. A former member of HUAC, Robert Kennedy had secretly condoned Hoover's wanton wiretapping of Dr. King, Malcolm X, and Elijah Muhammad, and admitted to television reporters that the Nation of Islam was under extensive surveillance. When asked by reporters in late 1961 how widespread government surveillance of Nation of Islam was, the U.S. Attorney General replied:

> Well, I would say generally throughout the country—because of the announcements of some of their leaders . . . it's a matter that we are watching, uh, for any, uh, violations of the law, uh, the federal law . . . it's a matter that is presently being watched by the Department of Justice.[8]

Kennedy referred the Rochester matter to Burke Marshall, Assistant Attorney General in the Justice Department's Civil Rights Division. In March, the matter was closed, the FBI having reported to Marshall that Black Muslims who were witnesses to the fracas were refusing to cooperate upon the advice of their legal counsel.[9]

Considering Hoover's stand on civil rights in general, the FBI's lack of interest in pursuing violations of the civil rights of Black Muslims is hardly surprising, but Malcolm X's outspoken attacks on the Bureau cannot have done much to change his mind. Hoover is known to have been incredibly thin-skinned, as well as a racist and a misogynist. He refused to hire Jews, women, and African Americans as agents. In fact, one of Hoover's initial actions upon being sworn in as FBI director in 1924 was the firing of Alaska Davidson, then the Bureau's first and only female agent.[10] Though he made Samuel Noisette, the African American who was his personal doorman and messenger, a "special" FBI agent in 1957, he also maintained a file on Carrie Robinson-Bey, Noisette's sister, after receiving reports from the New York field office that she was a member of the New York mosque of the Moorish Science Temple of America (MSTA).[11]

On February 3, Malcolm X was the guest on a WMAL-TV show entitled "Black Muslims." "The FBI," Malcolm X said during the interview, "spends twenty-four hours a day infiltrating or trying to infiltrate Muslims.[12] After we hold our religious services, they go from door to door and ask questions of persons who come to the meetings to try and harass them and frighten them."

During the uninterrupted monologue, Malcolm X added:

> The FBI really goes way beyond the call of its duty in the religious suppression of the Muslims in this country. We have many occasions where they have tried to threaten and frighten Negroes from becoming Muslims, but it doesn't work.
>
> Today, they have a new Negro on the scene and the more harassment and threats the FBI or the police or anyone else gives toward Islam or toward the Negro, it only makes us grow that much faster.[13]

The agent from FBI headquarters who monitored the program advised Hoover that he had contacted the station to see why it had given Malcolm X free advertising for new recruits. A represenative replied, in an obvious effort to placate him, that the show was intended to present Malcolm X and the Black Muslims in a "bad light."[14]

If this was the station's intent, it failed miserably, as the agent noted in his memo to Hoover.

> The program did not put Malcom [sic] X or the 'Black Muslims' in a 'bad light,'" the agent wrote. "The 'answers' given by Malcom [sic] X were not questioned. He was allowed to expound the NOI program in such a way that he created an interest in the NOI. This is another example of the effect of publicity concerning the NOI. While it is intended to have an adverse affect, it created an interest in the organization which was out of proportion to its importance.

Three weeks later in Chicago, Malcolm X reiterated his view that the failure of the movement led by Dr. King was the greatest asset the Black Muslims had, since white violence against King and his supporters was rapidly obliterating the African American's faith in integration.

Elijah Muhammad was originally scheduled to address the annual Saviour's Day Convention, but became seriously ill days before. He delegated responsibility for running the convention to Malcolm X, who also was assigned to deliver the keynote address. "You are wasting your time begging for integration and civil rights," Malcolm X told a crowd of four thousand huddled in the Coliseum.[15] "If the white man wanted to integrate, we'd have been integrated a long time ago."

To counter such negative publicity, the FBI continued to gather damaging evidence against Elijah Muhammad.

On March 23, the FBI's Phoenix field office sent Hoover a verbatim transcript of a wiretapped telephone conversation between the Messenger and William R. Ming, Jr.[16] Ming and his law partner, Chauncey Eskridge, handled Elijah Muhammad's personal tax matters as well as federal tax strategies for the sect.

During the conversation, Elijah Muhammad admitted to Ming that he was not paying the full amount of taxes due to the federal government, as this exchange reveals:

> ELIJAH: Well, the devil has never bothered me or the laborers yet . . . I mean, he probably knows in certain places that he could attack us, especially on this tax, but . . . People will start thinking he is just trying to break us up. . . . But he probably knows about how things are being run because he always has stool pigeons among us who keep him well informed. . . .
>
> MING: I just wanted to mention a few points where we were vulnerable and where there might be a

> reason for attack so you would know about them.[17]

An earlier attempt to indict Elijah Muhammad on income tax evasion charges failed for insufficient evidence, and the FBI had been closely monitoring the Messenger's telephone calls with his attorneys ever since.[18]

Malcolm X continued his attacks on Dr. King's movement in numerous speeches over the next several weeks, but his most bitter denunciation came after several small children were injured in a civil rights protest in Birmingham on May 3.

The children were injured after adults tried to defend themselves against powerful water hoses, police dogs, and police officers wielding nightsticks.

"Real men don't put their children on the firing line. . . . The lesson of Birmingham," Malcolm X said at a meeting at the Black Muslim mosque in Washington on May 10, "is that the Negroes have lost their fear of the white man's reprisals and will react today with violence if provoked."[19]

He also criticized white liberals who advocated integration but didn't practice what they preached. "The northern liberals," he said, "publicly advocate desegregation but flee to the suburbs when the Negroes approach. Washington was desegregated. What happened? The whites fled to the suburbs."

Malcolm X returned to Harlem on May 13 to attend, of all things, an antisegregation rally outside the Theresa Hotel. Civil rights leaders, Malcolm X said, had "closed their eyes to what's going on here in New York and in California," referring to the Stokes case.[20] "I don't condone what's going on in Birmingham," he said, "but we have segregation here." During that same rally Alfred D. King, Dr. King's younger brother, was the last speaker to address the throng of three thousand. "Nonviolence," he said, "is the most effective way to achieve our goals." But A.D. King had failed to adjust his speech for his audience, and, consequently, was booed. (Ironically, the home of A.D. King and a hotel where Dr.

King was visiting were bombed shortly after the former's visit to Harlem.) "We want Malcolm, we want Malcolm," the audience cheered.

As Dr. King's brother was leaving the stage, a scuffle ensued. Benjamin Holman, an African American reporter who had infiltrated the Nation of Islam to compile an investigative series of reports for the *Chicago Daily News,* was attacked by about six Black Muslims.[21] His attackers said they were beating him for betraying them. Holman, bleeding from the head, ran to the Theresa Hotel's lobby. He was instantly taken to a nearby hospital for treatment.

Malcolm X returned to Washington after the rally, where he continued his attacks upon the FBI and the Kennedy administration. Before an audience of 400 in the studio at WUST-AM radio on May 12, he rebuked the president for failing to take action to protect civil rights activists who were being brutalized in Birmingham.[22] The only difference between President Kennedy and Alabama Govenor George C. Wallace, Malcolm X said, was that one was a wolf and the other was a fox. "Neither one loves you," Malcolm X told the audience. "The only difference is that the fox will eat you with a smile instead of a scowl." The weekend bombing in Birmingham, he added, was proof that King's "turn-the-other-cheek policy" was unworkable, and that African Americans should therefore "stay away from the white man. But if he turns his dogs on your babies, your women, and your children, then you ought to kill the dogs, whether they've got four legs or two."[23]

The same day, President John F. Kennedy told reporters that he was deeply concerned about "growing extremism" among African Americans, citing the Nation of Islam and Malcolm X's comments as examples.[24] During a meeting with Alabama newspaper editors on May 13, both the president and Robert Kennedy agreed that the Black Muslims might pose a threat to national security if the nonviolent attempts to end desegregation remained stifled by white violence.

Although the president didn't explain why he believed the Nation of Islam under Malcolm X's fiery leadership could ultimately replace Dr. King as the foremost representative of African Americans, he apparently had based his assessment on a troubling report from the CIA. That morning, the CIA had observed Egypt's foreign minister leaving the residence of President Gamal Abdel Nasser for the Afro-Asian Conference in Addis Ababa, Ethiopia. This, in and of itself, wasn't unusual. What was extraordinary, the CIA observed, was that only one American had been invited to the conference of foreign ministers from thirty Third World nations.

The American was, to the horror of the intelligence community, Akbar Muhammad, Elijah Muhammad's youngest son and a student at the University of El-Azhar in Cairo.[25]

During a speech on May 16 in Washington, Malcolm X dismissed the "extremist" label the Kennedy brothers pinned on him and the Nation of Islam. "We are not interested in changing the white man's image of the black man," he told reporters after meeting with Congresswoman Edith Green, who chaired the House Subcommittee on Education and Labor, to discuss how the Nation of Islam combated juvenile delinquency.[26]

Malcolm X accused President Kennedy of trying to blame advocates of racial separatism for the failures of integrationists. "President Kennedy did not send troops to Alabama when dogs were biting black babies," Malcolm X said sternly. "He waited three weeks until the situation exploded," he added alluding both to the violent reaction of those attacked and the bombing of the Reverend Shuttlesworth's home. "In his talk with Alabama editors," Malcolm X said, "Kennedy did not urge that Negroes be treated right because it is the right thing to do. Instead, he said that if the Negroes aren't well treated, the Muslims would become a threat. Instead of attacking the Ku Klux Klan and the White Citizens Committees," Malcolm X concluded, "Kennedy attacked Islam. We don't want to mix with whites, and he therefore attacked us as extremists."

In the meantime, the Kennedy administration received a dismal report from the CIA regarding the Afro-Asian conference. The report made it clear that America's violent reaction to nonviolent protests in Birmingham was causing incalculable damage to America's image abroad. African and Asian diplomats besieged reporters, always asking the same question: "What's the latest from Birmingham?"

On May 18, Nigeria's foreign minister, during a speech to the delegates, proferred a resolution denouncing racial discrimination in America, which he compared to racial discrimination in South Africa. The resolution wasn't voted upon, because Haile Selassie had ordered Ketema Yifru, the conference chairman, to keep "non-African issues" off the official agenda.[27] Nevertheless, newspaper editorials re-emphasized the Nigerians' perspective both before and during the conference. One of the most scathing attacks on American foreign policy ran in the *Ethiopian Herald,* which stated:

> The United States is campaigning on a free world slogan and is condemning the racist government of South Africa while practicing its own version of apartheid. What happened in Birmingham last week shows the United States in its true light.
>
> To be black is still a crime, and the Government's half-hearted willingness is a kind of mock and sort of opium that may soothe colored Americans and disillusion world opinion. . . . The United States version of "civilized apartheid" must be fought.[28]

Moreover, Prime Minister Milton Obote of Uganda sent to President Kennedy a letter in which he deplored the "inhuman treatment" of African Americans. To the certain embarassment of the State Department, Obote gave a copy of the letter to reporters covering the summit.[29]

The implications of a Black Muslim's presence at the conference and the bitter denunciations of America perturbed Secretary of State Dean Rusk, as he made readily apparent during an appearance before a Senate Committee several weeks later. There was a real possibility, Rusk noted, that a petition similar to the one proposed by Nigeria's foreign minister could come before the United Nations at some point.

On July 10, Rusk briefed a panel headed by Senator Strom Thurmond of the Senate Commerce Committee.[30] "The Communists clearly regard racial discrimination in the United States as one of their most valuable assets," Rusk testified.[31] "As matters stand, racial discrimination here at home has important effects on our foreign relations."

Rusk also highlighted the damaging impact upon foreign relations occasioned by whites who treated African Americans and African diplomats with the same disdain:

> I now turn to a special concern of the Department of State: the treatment of nonwhite diplomats and visitors to the United States. We cannot expect the friendship and respect of nonwhite nations if we humiliate their represenatives by denying them, say, service in a highway restaurant or city cafe.
>
> Yet within the last two years, scores of incidents of racial discrimination involving foreign diplomats accredited to this country have come to the attention of the Department of State. These incidents have occurred in all sections of the United States. . . . [32]

Rusk also noted that events like the Birmingham bombing not only created anti-American hostilities abroad, but enhanced the identification of Third World nations with civil rights leaders—even, he implied, "extremist" leaders like Malcolm X.

Three days after Rusk testified, Akbar Muhammad told a crowd of one thousand Harlemites about his recent attendance at the Afro-Asian conference.[33] He emphasized that it was critical for African American organizations to iron out their differences and form a single union, as the African and Asian nations promised to do among themselves during the conference.

Meanwhile, government hostility toward Black Muslims was mounting. Prison officials seemed to be deliberately harrassing them nationwide, as was reflected in the growing number of legal petitions filed by Black Muslim inmates. By June, there were more than 200 such petitions and appeals by Black Muslims pending in federal courts in the Washington area alone. Most of the suits were based on the refusal of prison officials to permit Muslim ministers the right to conduct religious services in the prison chapel.[34]

On June 28, for instance, Donald Clemmer, Director of the District of Columbia's Corrections Department, refused to permit Malcolm X to conduct an Islamic service at the Lorton Reformatory.[35] When the American Civil Liberties Union requested an explanation of the denial, Clemmer declined to offer one, and also refused to indicate what procedures were used to determine who was and was not a "qualified" minister. The ACLU observed that other Black Muslim ministers had conducted services at the facility on many occasions, and it accused Clemmer of acting arbitrarily.

Meanwhile, Hoover's leak of the file on Wallace Fard Muhammad in late July was paying off. In the first week following the leak, hundreds of letters from Muslims and supporters of the Nation of Islam poured into the mailroom at the Washington headquarters of the Federal Bureau of Investigation.

"In regard to an article appearing in the *Herald Examiner* newspaper here in California! [sic]" one perturbed author wrote, "Title [sic] Black Muslim Founder Exposed as a White. How true is this?"[36] Frances Morales, a Latino member of the Nation of Islam, made a similar inquiry. "Could you give me a return answer on this article I am enclosing. It upsets me immensely. Is this article true in any form, shape, or fashion?"

From the wiretap on Malcolm X's telephone, the FBI learned that the Messenger's handling of the whole incident had deeply shaken Malcolm X's faith in his leader.[37] For even as the Messenger was denying publicly that there was any connection between Wallace Dodd Ford and Master Fard, Malcolm X and other high-ranking officials in Elijah Muhammad's inner circle privately shared a damning secret: that the Messenger, when attempting to conceal his travels, frequently made airline reservations under the surname of "Dodd."[38] For those who had wondered why, the answer to the riddle was surely painful.

When Elijah Muhammad refused to pay Hazel Evelsizer, Fard's widow, the $100,000 he had offered to anyone who could prove the allegations, some Muslims wondered whether he had lied about the man Black Muslims believed was Allah in human form.

In his days as "Detroit Red," before the words of the Messenger had changed his life forever, Malcolm X had been the perpetrator of many a confidence game. Now the evidence was mounting that he himself had been the victim of an elaborate scam.

On August 29, 1963, Hoover sent a memo to the Chicago field office congratulating it on the successful execution of the COINTELPRO against the NOI.[39]

The day before, Malcolm X had watched from the sidelines as Dr. Martin Luther King, Jr., leader of the SCLC, addressed more than 200,000 Americans at the Lincoln Memorial in Washington, D.C. The March on Washington, though Malcolm X ridiculed it as the "Farce on Washington," was a setback for the Nation of Islam's reputation in the Third World.

For a while, the international spotlight skipped over the Black Muslims and shone on King. "Sympathy" marches sprung up from Cairo to Korea, Accra and Algiers, and in Bonn and all over Great Britain.[40]

In general, the publicity was favorable to the United States; the March was a sign of progress. Thus the same news agencies who had lambasted the United States in May over the Birmingham bombings were now singing its praises. "Voice of the Afro-American cries out loud for freedom in America, champion of the free world," the *Ghanaian Times* editorial stated. Ahmed Ben Bella agreed. "This march began, in fact, several decades ago in order to obtain total abolition of segregation in every area," Ben Bella told reporters for the *Revolution Africaine* newspaper. "Several years ago, the American Negroes were still alone, oppressed and fighting a more or less general hostility," he said. "Today, we would like to salute, along with the freedom march, the effort undertaken by the American government in the direction of racial integration."[41]

But the glory that was the March on Washington went up in flames with the smoke of the bomb that took the lives of four little black girls in the Sixteenth Street Baptist Church in Birmingham on the morning of September 5.[42] No event in modern civil rights history had appalled the world more than that massive blast of dynamite. As news of the attack spread through Birmingham's black barrio, people turned to the streets seeking revenge. Although police claimed that all shots were fired above the crowd's heads, a black youth was struck in the back with a shotgun blast that killed him in an instant. Another young black man was killed by angry whites a few hours later.

Gary Thomas Rowe, Jr., a high-level FBI informant paid to infiltrate the local chapter of the Ku Klux Klan, had called FBI headquarters at least an hour before the blast to advise the Bureau what was about to occur.[43] (Rowe, who had a checkered criminal career, had on one occasion admitted to killing a black man. He also had participated in beating civil rights workers while Birmingham police stood by laughing.)

The children's deaths caused the greatest crisis yet in the short history of King's leadership of the Southern Christian Leadership Conference. The Brooklyn branch of the Congress of Racial Equality (CORE) sent King a telegram in the wake of the bombing urging him to abandon the philosophy of nonviolence. It was time, the CORE message stated, to "unshackle the hands of Negroes in Birmingham" and allow them "to defend themselves and their children."[44] At a meeting at Town Hall in New York days after the bombing, authors John O. Killens and James Baldwin made a similar plea to King, advising him that Mahatma Gandhi's philosophy was unworkable when white Americans acted like "Nazis. I can no longer be asked to love those who killed and persecuted Negroes," Killens said during the rally protesting the murders.[45]

African and Asian leaders also questioned the feasibility of non-violence in the face of such barbaric violence by whites. On October 12, Tom Mboya of Kenya condemned the Kennedy administration for "taking a too cautious" approach to America's racial problems. "This is an issue," Mboya said angrily, "on which no compromise can possibly be explained.[46] Negro freedom is part of our freedom struggle to give dignity to the colored man wherever he may be." Melie Ajuluchuku, director of the *Nigerian National Press,* suggested in an interview with *Muhammad Speaks* that perhaps it was time for Africans to join the civil rights movement. After all, he said, his countrymen "regard the Negroes of America as our brothers and sisters. . . .[47] Our view in Nigeria as in all Africa, is that this movement should be supported without compromise."

Telegrams expressing outrage over the bombing were sent to *Muhammad Speaks* from all over Africa and Asia, including one from Ben Bella of Algeria, Achmad Sukarno of Indonesia, and Ho Chi Minh of Vietnam.

In an address before six hundred delegates at the gathering of the Southern Christian Leadership Conference in Richmond, Virginia, King said on September 24 that the nonviolence struggle had received a "serious blow" due to the bombings.[48] "It is more difficult now," King said, "to get over to the Negro community the need for nonviolence." But "those who call for retaliatory measures," King cautioned, "do not represent the Negro masses and their leaders."

Third World leaders refocused upon the Nation of Islam as the salvation of the African Americans, and the intelligence community began paying particularly close attention to Malcolm X's activities at the United Nations, where he was a frequent visitor, as well as to his meetings with other "radicals" in Harlem. It feared that if he assumed control of the Nation of Islam, the sect would become more politically active and thereby pose a threat to national security.

Agents therefore monitored his contacts with Clifton DeBerry, Malcolm X's close friend and a popular Harlem activist who was a high-level official of the Socialist Workers Party (SWP).[49] The FBI's New York field office noted that DeBerry had given a speech on September 6 pointing to the new direction in which Malcolm X was leading the Nation of Islam.

On November 15, the FBI's New York field office reported to Hoover that during the last five months Malcolm X had held numerous meetings with authors John O. Killens and James Baldwin and African members of the United Nations.[50] Two of the United Nations officials, the report said, had been identified as Dr. Frank Karefa-Smart of the Sierra Leone Mission to the UN, and S.O. Adebo of Nigeria.[51] Another African, Pio Da Gama Pinto, a prominent leader of the Mau Mau in Kenya, also had been observed with Malcolm X.[52]

President Kennedy was assassinated in Dallas on November 22, four months after the March on Washington. On November 17, 1963, five days before the assassination, the FBI had received a warning from one of its high-level informants in a right-wing group that the President was going to be killed in Dallas. Again, the FBI did nothing to prevent the crime. Coincidentally, perhaps, Hoover was in Dallas on the day of the assassination.[53]

While most Americans were mourning, the Black Muslims clearly were not. During a Black Muslim rally at the Manhattan Center in New York on December 1, Malcolm X castigated the late president for "twiddling his thumbs" while Patrice Lumumba of the Congo, the Diem brothers of South Vietnam, and four little girls in Birmingham were murdered.[54] "Being an old farm boy myself," Malcolm X said, "chickens coming home to roost never did make me sad; they've always made me glad."

The crowd, mostly Black Muslims, laughed loudly and applauded.

The next day, John Ali, the national secretary for the Nation of

Islam, announced that Elijah Muhammad had suspended Malcolm X from the Nation of Islam for ninety days for his remarks.

"Minister Malcolm Shabazz, addressing a public meeting at Manhattan Center in New York City on Sunday, December 1," John Ali told reporters, "did not speak for the Muslims when he made comments about the death of the president, John F. Kennedy. He was speaking for himself and not Muslims in general, and Minister Malcolm has been suspended from public speaking for the time being."[55]

CHAPTER 12

COVERT ACTION

Covert action is activity which is meant to further the sponsoring nation's foreign policy objectives, and to be concealed in order to permit that nation to plausibly deny responsibility.

—Church Committee Report,
Book II[1]

On December 23, 1963, a nine-hour conference was held at FBI headquarters to discuss Martin Luther King. . . .

A prepared list of twenty-one proposals was presented and discussed. The proposals raised the possibility of [using] "colored" agents. . . .

—Church Committee Report,
Book III[2]

[Malcolm X] Little is probably the most dynamic and forceful Nation of Islam (NOI) spokesman in the movement . . . . The attached memorandum, which is worded in the most general terms, could possibly widen the rift between Muhammad and Little and possibly result in Little's expulsion from the NOI.

—FBI memo from Chicago
SAC to FBI headquarters,
February 13, 1964[3]

THE SUSPENSION OF MALCOLM X for commenting publicly on President Kennedy's assassination took almost everyone in the Nation of Islam by surprise. After all, the Muslims were taught that the War of Armageddon—described by Muhammad as the final world war between the white and nonwhite races—had begun in 1914. African Americans, the true Chosen People, had endured four hundred years of bondage. Allah, the Messenger said, would soon show signs foretelling the end of white civilization; surely the assassination of the president was such a sign.

In the months before the Kennedy assassination, Muslim ministers had preached that America would pay a high penalty for the bombing of a Birmingham church in which four little girls perished, for the brutal murder of Medgar Evers, and for the CIA's orchestration of the assassinations of Patrice Lumumba, the Diem brothers of Vietnam, and other Third World rulers.

"There was not a tear shed at the news [of Kennedy's assassination]," Malcolm X's cousin, Hakim Jamal, recalled. "My telephone rang all that day.[4] Muslims were calling Muslims all over the city [of Boston]; most were laughing. Each call began the same way: 'Someone shot that devil Kennedy. Did you see it on television? All praise is due to Allah. The Messenger said this would happen.' . . . . We all looked at it as though it was a sign from God that the devil's day was rapidly coming to an end."

Black Muslims across the nation celebrated Kennedy's assassination in the same way that slaves greeted news of the Emancipation Proclamation. At the Lorton Reformatory in northern Virginia, for example, Muslim inmates' evident rapture at what they considered the fulfillment of prophecy enraged some grieving inmates, black and white, who threatened to harm Black Muslims during dinner;[5] jail administrators feared a riot and ordered the Muslims confined to their cells.

Black Muslims weren't the only African Americans expressing mixed feelings about the assassination; even Dr. Martin Luther King, Jr. had privately revealed ambivalent feelings about it. The FBI, which had installed an electronic listening device in King's room at the Willard Hotel in Washington, D.C., taped a conversation between King and a woman in which King made light of Kennedy's love life.[6]

The Muslims, of course, weren't cognizant of that private conversation, but they were aware of the mixed emotions which produced it, and they knew where they stood. The questions Muslims were asking themselves, then, was why Elijah Muhammad had silenced his most gifted representative for airing publicly what every Muslim felt, and why November 22 wasn't declared (to turn a phrase) as "a day that would live in glory."

Muhammad himself had been on the phone most of the day savoring the news of Kennedy's assassination. In conversations taped on November 23 by the FBI, Muhammad, when asked by the national director of the University of Islam whether schools should be closed in deference to the president's assassination, the Messenger said "No.[7] This isn't a day of mourning for Muslims. That devil's death doesn't concern us; it's time for the Christians to mourn, not the Muslims."

Later that day, however, the Messenger changed his mind. After conferring with his top advisers, he decided that it would be better, from a public relations viewpoint, to pretend to mourn President Kennedy's death. He instructed John Ali, the advisor in charge of *Muhammad Speaks,* to put President Kennedy's photo on the cover of the next issue under a headline suggesting that with the rest of America the Nation of Islam "shared the shock" of Kennedy's assassination. "After all," Muhammad said, laughing, "he wasn't so bad for a devil."[8]

But it is possible that Muhammad's decision to silence Malcolm X wasn't based solely upon his attempt to fend off public hostility against the Nation of Islam; his overriding motivation may have been to prevent the FBI from destroying his sect as it had done in 1942.

Malcolm X had appeared at numerous rallies in Harlem with members of the Fair Play for Cuba Committee, the group to which Lee Harvey Oswald, the accused assassin of President Kennedy, had been linked. The Messenger also knew that the intelligence community was unhappy with the outcome of the HUAC probe of the Nation of Islam, and he realized that it was undoubtedly angry about Malcolm X's role in securing housing for Fidel Castro back in 1960, which he had opposed. He had warned Malcolm X that his meeting with Castro could come back to haunt the Nation of Islam.[9]

In fact, the FBI included in its dossier on Malcolm X "evidence" that he was a member of the Fair Play for Cuba Committee. As early as 1961, when the CIA was building what author Jay Epstein calls the "legend" on Oswald, the FBI had erroneously included Malcolm X in its index of members of the FPCC.[10]

Malcolm X's name appeared in the index only because he had been placed on the list of subscribers to a newspaper printed by the FPCC.

A document sent to the FBI's field offices in Chicago and New York included a compilation of "names and addresses of individuals in New York City who currently are on the mailing list of the FPCC, Room 322, 799 Broadway. . . ."

It noted that:

> Among the names furnished was that of:
>
> Malcolm X
> c/o Temple #7 Restaurant
> 113 Lenox Avenue
> C-62
>
> . . . . code letters "C-62" indicated an FPCC member whose membership comes up for renewal in the third quarter of 1962.[11]

The code meant nothing of the sort, of course, and the FBI knew it. What the code actually meant was that the individual's subscription to the paper—not membership in FPCC—expired in the third quarter of 1962.

Malcolm X was a voracious reader. He read every so-called "alternative" publication he could get his hands on, even the newsletter of the White Citizens Council and the tabloid circulated by the John Birch Society. He regarded these publications as barometers of what his "enemies" were thinking and telling their members.

In any event, immediately after the assassination, Elijah Muhammad ordered his secretaries to call each Nation of Islam mosque and advise his ministers to refrain from commenting on the assassination. Without explaining why he had issued the decree, Muhammad emphasized that no comments of any sort were to be made to the media.

Since Malcolm X was the national spokesman for the Nation of Islam, it was apparent that the order was mainly intended for him.

Malcolm X was unaware of Muhammad's motive for issuing the decree, and he couldn't see why Muhammad was turning his back on a rare opportunity to increase the Nation of Islam's membership by portraying it as a fulfillment of prophecy; he concluded that Muhammad had silenced him as part of a plan to undermine his power in the Nation of Islam, and turn over his authority to a committee headed by his son Herbert, his son-in-law Raymond Sharrieff, and his key top advisor, John Ali.

He also believed that he had been suspended by the Messenger as a warning to drop his investigation into rumors that Elijah Muhammad had committed adultery.

The FBI had learned from wiretaps on Elijah Muhammad's home telephone that Elijah Muhammad had fathered illegitimate children by several of his former secretaries, including two who had been given rigged "trials" for their sinful behavior, with Elijah Muhammad as judge. Muhammad ruled that "they didn't know" who the fathers of their children were, suggesting promiscuity, a violation of Islamic law, and the secretaries had been expelled from the Nation of Islam. Armed with this information, FBI agents had spread rumors about it by the unusually direct method of buttonholing Nation of Islam members and asking them if they were aware that Elijah Muhammad was the father of several illegitimate children by his secretaries.

At the time of Malcolm X's suspension, Wallace Muhammad had been conferring with Malcolm X about the rumors. What neither Malcolm X nor Wallace Muhammad knew was that the Messenger was well informed about the status of their supposedly secret probe into his sexual misconduct. In fact, when the Messenger called the Chicago mosque to dictate his instructions about the cover of *Muhammad Speaks,* one of his advisors asked Muhammad if he had gotten "any more complaints from Philadelphia." Since Wallace Muhammad was the minister of Mosque No. 12 in Philadelphia, it was understood that the caller was referring to Wallace's investigation.[12] The advisor informed Muhammad that rumors about the adultery allegations were spreading like wildfire. "Malcolm X," the advisor told Muhammad, "had recently asked Captain Joseph" if he was aware of the rumors. He also told Muhammad another rumor had surfaced. According to the scuttlebutt, Clara Muhammad intended to separate from the Messenger by moving to Washington.[13]

On January 2, Elijah Muhammad called Malcolm X to give him a tongue-lashing for probing into his personal life. "I only brought the matter up," Malcolm X said, "because I understood from your response to the letter I sent you that it was okay."[14]

"I didn't say anything in that letter to give you that impression," Elijah Muhammad retorted. "How could you take this poison and pour it all over my people?" he asked angrily. "I knew all along that you had some sly scheme or shrewd plan to undermine me, but it won't work, sir, not this time."

"Messenger," Malcolm X said nervously, "I'd rather be dead than say anything against you."

"Then why are you checking into my personal affairs?"

Malcolm X told the Messenger that he began investigating the adultery charges only after FBI agents in Boston interrogated one of the Messenger's former secretaries who had recently given birth out of wedlock. The FBI agent had repeatedly asked the secretary if Elijah Muhammad was the child's father, Malcolm X said. "I told Brother Louis [Louis X Farrakhan] that it would be a good idea if we told some of our top people about all these rumors so that if they heard about the charges from somewhere else, they would be in a more receptive spirit" to explain the pregnancies in Biblical terms, and as acceptable under Islamic law, Malcolm X said. "I also mentioned to Captain Joseph that I was going to write you for instructions on how to deal with the matter."

"I don't need you to protect me," Elijah Muhammad shot back. "I don't need you meddling in family matters. I know Wallace is the one spreading these lies. I've warned him about going to you with our troubles . . . you're an outsider."

In all the years that he had known Elijah Muhammad, Malcolm X had never considered for a second that the Messenger regarded him as anything but his son. (The Messenger habitually called Malcolm X his son, and Mother Marie Muhammad had always addressed Malcolm X as "my son.") If the Messenger was trying to hurt him by calling him an "outsider," he had succeeded; he could tell that Malcolm X was crying.

"And I'm getting sick and tired of reading stories about how you rule the roost in my family," Muhammad said.

There was silence on Malcolm's end; he'd never heard the Messenger so angry with him.

"All this mess started when Wallace got out of prison," Muhammad said. "You should have put out this fire Wallace started when he first mentioned it to you in Chicago!"

"I was going to mention it to you the last time we were together in Chicago," Malcolm X said meekly, "but I had something else on my mind and the things that Wallace told me simply escaped my mind. I realize now," Malcolm X added, "that I should have brought this to your attention immediately."

Malcolm X explained that Wallace first told him about the adultery allegations after the 1963 Saviour's Day Convention. The allegations hurt him so deeply, he said, that he simply didn't want to tell the Messenger. "I've lost so much of my drive since I listened to Wallace," Malcolm X said. "He told me that you had no interest in correcting anything or even making progress for our people. I was caught so off guard that I believed him," he confessed.

Now that the matter was out in the air, Malcolm X said, "I feel better than I have all year."

But the Messenger wasn't really listening. He continued to rail against Wallace, the presumed heir apparent. "I spent $20,000 on lawyers and tried for four years to keep that boy out of prison,"

Muhammad said. "But you know, Allah is punishing Wallace right now; it looks as if he's losing his mind."

How else, the Messenger implied, could one explain a son's obsession in undermining his own father?

"I've already announced in Philadelphia that Wallace is suspended from teaching," Muhammad said.

After a short pause to catch his breath, Muhammad continued his tirade against Malcolm X. He recounted how he had helped Malcolm X get out of prison early by reforming him, and he mentioned the $1,000 monthly salary he paid him.

Then the Messenger dropped a bomb on his national spokesman.

"I'm suspending you for an indefinite time," Elijah Muhammad told him.

Malcolm X's voice quivered as he begged the Messenger to forgive him.

"I'm going to be watching you to see if you become stronger," Elijah Muhammad said, "strong enough to resist this poison Wallace is pouring over my people."

The Messenger slammed down the phone.

As a top aide congratulated the Messenger on his Oscar-worthy performance in bringing Malcolm X to his knees, the truth of the matter was that all of them—Malcolm X, Wallace, the aide, the Messenger's wife and, of course, Muhammad—knew that all the charges were true.[15]

Less than twenty-four hours after humiliating Malcolm X, Muhammad was on the telephone having a lighthearted discussion of his wife's reaction to his denial of fathering children by his teenage secretaries. "She asked me if I bought maternity clothes for my secretary," Muhammad told one of his advisors.[16] "I told her that I had, but that didn't prove anything," he said. "These young girls get fanciful ideas, you know."

He and the advisor laughed.

"If people want to know why I'm here in Phoenix and Clara's in

Chicago," the Messenger said, "tell them that my doctors want me to stay out here for health reasons, and that if Clara were here, there wouldn't be anybody in Chicago to run things. . . . Call Wallace in Philadelphia," Muhammad instructed the aide, "and tell him that Malcolm is blaming him" for the public revelation of the adultery charges.[17] "I want Wallace to know that Malcolm is blaming the whole thing on him."

Although the Messenger knew this wasn't completely true, he was hoping that the information would frighten Wallace Muhammad badly enough to sever the bond between his son and his suspended national spokesman. On January 4, Elijah Muhammad called the Newark mosque and told the minister to spread the word that Malcolm X was suspended indefinitely. "When you call the little brother in Boston [referring to Louis X Farrakhan], make it clear that Malcolm X is in very deep trouble."[18]

Muhammad knew that Louis X worshiped Malcolm X. But he also knew that Louis X was ambitious, and that with Malcolm X out of the way, Louis X had to know that the odds were very good that he would replace Malcolm X as the national spokesman for the Nation of Islam. Given those odds, Muhammad figured that Louis X would turn his back on his mentor.

On January 7, 1964, the FBI taped a conversation involving Elijah Muhammad which should have—but didn't—resulted in his arrest. The Messenger made a veiled reference to killing Malcolm X.[19] "It's time to close his eyes," Elijah Muhammad said.

When the Chicago bureau of the FBI received transcriptions of the tapes chronicling its successful COINTELPRO against Malcolm X and Elijah Muhammad, it sent a boastful memorandum to Hoover at FBI headquarters.

However, a simultaneous FBI COINTELPRO—one aimed at destroying the credibility of Dr. Martin Luther King, Jr.—was proving much less effective. On December 29, 1963, the Associated Press (AP) reported that *Time* magazine had chosen Dr. King as "Man of the Year." When the wirecopy was handed to Hoover, he expressed his distaste by scribbling across the top of it: "They had to dig deep in the garbage to come up with this one!"[20]

The FBI had not admitted defeat, however; later in January, the FBI's Washington, D.C. field office concealed a microphone in Dr. King's room at the Willard Hotel there, hoping to find something to discredit the civil rights leader.[21] On January 8, 1964, as Assistant Director William C. Sullivan sat in his office at FBI headquarters listening to a composite tape of Dr. King's extramarital peccadilloes, he felt confident that he now had the means to blackmail Dr. King into quitting the civil rights struggle. As part of the counterintelligence operation to "neutralize" Dr. King, the FBI mailed the tape to King's home with a sinister note.

"There is only one thing to do," the note stated, clearly suggesting that Dr. King should commit suicide before the tape "fell" into the hands of the media.[22]

As a backup plan, Hoover ordered the Internal Revenue Service to audit Dr. King's taxes to determine if he could be indicted for tax evasion.[23]

Sullivan also circulated a memo among top FBI officials urging their support for a COINTELPRO in which the FBI would handpick a "new national Negro leader" to replace Dr. King once he was neutralized.[24] The overall strategy, Sullivan wrote, was to destroy simultaneously Dr. King, Malcolm X, and Elijah Muhammad. Thus, Sullivan wrote:

> . . . When this is done, and it can and will be done, obviously much confusion will reign, particularly among the Negro people. . . . The Negroes will be left without a national leader of sufficiently compelling personality to steer them in the proper direction. . . .[25]

Sullivan recommended that Samuel R. Pierce, Jr., a highly respected African American corporate lawyer practicing in New York, be groomed to replace Dr. King. Hoover and Clyde Tolson took Sullivan's suggestion under advisement.[26]

A month passed. Malcolm X was still unaware of the actual nature and cause of his suspension, but he concluded, reluctantly, that Muhammad had no intention of ever reinstating him. To brace himself for life after the Nation of Islam, Malcolm X devoted himself to working on a proposed United Nations' petition accusing the United States of violating the human rights of African Americans.

Around noon on January 14, he went to the apartment of Dr. Frank P. Karefa-Smart, the African emissary, and picked him up, then drove to the United Nations' headquarters.[27] The Subcommission on the Prevention of Discrimination and Protection of Minorities was scheduled to begin its second day of hearings on a proposed treaty banning all forms of racial discrimination.[28]

Both Malcolm X and Dr. Karefa-Smart thought it was ironic that the proposal was submitted to the UN committee by Morris B. Abrams, the only American representative on the fourteen-member panel, since as Malcolm X later told writer Louis Lomax, the United States was the only developed nation that had never signed the United Nations Covenant on Human Rights.

As they sat listening to the proceedings, Malcolm X smiled and told Dr. Karefa-Smart that he couldn't wait "to see Abrams' reaction when I submit my petition." They laughed quietly.

Around two o'clock, Malcolm X drove Dr. Karefa-Smart back to his apartment.

Malcolm X left the apartment an hour later, then drove to the International Hotel at JFK Airport to meet Alex Haley, a young African American writer to whom he was relating the story of his life. Upon entering the hotel lobby, Malcolm X overheard a radio broadcast that the FBI and Rochester, New York, police were investigating charges that a group of "Black Muslims" planned to assassinate President Johnson.[29]

"Malcolm X, the suspended leader of the New York Black Muslims, is reportedly being sought for questioning," the broadcast concluded.

First, the media had deliberately distorted his comments on the assassination of President Kennedy. Now, apparently, the intelligence community was manipulating the media in an attempt to frame him for conspiracy to murder the new president. Malcolm X hurried over to the check-in desk and called Haley.

"Have you heard the latest news?" Malcolm X asked Haley.

"Yes," Haley said nervously. "What's going on?"

"I don't know," Malcolm X replied. "I'm downstairs in the lobby, but I obviously have a few phone calls to make, so I may have to cancel our appointment."

"I understand," Haley replied. "Is there anything I can do?"

"Well, let me look into this," Malcolm X said. "I'll call you back when I know what this is all about."[30]

Malcolm X hung up, and quickly telephoned the police in Rochester. The police sergeant he spoke with assured Malcolm X that the media had erred in suggesting that he was wanted for questioning as a suspect in the conspiracy, but that the remainder of the report was correct. Somewhat relieved, Malcolm X advised the sergeant that he knew nothing about any conspiracy, but that he would gladly make himself available for questioning after his appointment with Haley.

After the sergeant agreed to the arrangement, Malcolm X hung up, then called Haley back to tell him that he was on his way upstairs. He entered the elevator in the lobby, contemplating his next move.

Although he admired Haley and had even grown to trust him somewhat, Malcolm X didn't feel comfortable enough to discuss the Johnson assassination rumor with him. No matter how Haley phrased his questions that evening, he could only get cryptic responses to his queries. The interview, which started shortly after seven, didn't end until two o'clock in the morning. Malcolm X had spent most of that time jotting down his thoughts on the large pile of napkins Haley had placed on the cocktail table.[31]

Sometimes he would deliberately leave the notated napkins on the table to provide Haley with an intellectual tease; tonight, he stuffed all the napkins he had written on into one of his suit coat pockets.[32] After exchanging farewells with Haley, Malcolm X departed and headed home.

He once told Ameer that whenever he left Haley's interview sessions, he replayed the interview in his mind to figure out whether he had confided something that he shouldn't have, as he was certain that Haley's hotel suites were bugged by the FBI.

Haley checked out of his suite at eleven o'clock the next morning. Malcolm X would not meet with Haley again until a month later. For Malcolm X, the interim signaled the beginning of the most crucial period in his life since leaving prison.

The report of the alleged assassination attempt was broadcast and published nationwide. For Muhammad, the meaning of the report was readily apparent. He knew that the allegations were a fabrication, but he also realized the underlying message: if the FBI leaked a story linking Malcolm X with Lee Harvey Oswald and the Fair Play for Cuba Committee, Muhammad would again find himself in Washington facing the microphones of the House Un-American Activities Committee. Another HUAC probe could land both him and Malcolm X back in prison. Muhammad blamed his short stay in prison for his current health problems; he would do anything to avoid going back. There was no way he could permit Malcolm X to return to the Nation of Islam.

Malcolm X knew that he needed a prominent ally to help him launch a new organization once his permanent suspension became public. It so happened that Cassius Clay, scheduled to fight Sonny Liston for the heavyweight championship of the world, was a good friend of Malcolm X, one of the few people Malcolm X ever invited to his home. Though the general public was as yet unaware of it, Cassius Clay had long been a member of the Nation of Islam. He had first encountered the sect during his trip to the Golden Gloves tournament in Chicago in 1959 when he was seventeen years old,[33] and Miami minister Ishmael Sabakhan had converted him in 1960. He had known and admired Malcolm X since meeting him in Detroit in 1961.

On the morning of January 15, Malcolm X decided to call Cassius Clay at his training camp in Miami, where the young boxer was preparing for his heavyweight boxing title bout. Despite Malcolm X's suspension, Clay still worshiped him, telling him repeatedly that he looked forward to his reinstatement, and he had invited Malcolm X and his family to visit him at the training camp.

But as Malcolm X reached for the telephone, it rang. The caller identified himself as Joseph K. Ponder, a FBI agent with the Buffalo field office. He wanted to talk to Malcolm X regarding his whereabouts last evening, he said.[34] Malcolm X gave Ponder a brief sketch of his itinerary of yesterday and assured him that he knew nothing about any alleged plot to assassinate President Johnson.

He thought it odd that Ponder asked only two or three questions about the alleged assassination attempt, but repeatedly asked about the activities of the Nation of Islam, particularly its current pecking order. Ponder also seemed deeply interested in the subject of Malcolm X's suspension, his present feelings about Muhammad, and how he was surviving financially. Malcolm X informed Ponder that he was not at liberty to discuss anything other than the alleged assassination plot.

"Do you have any objections to being contacted in the near future concerning these allegations?" Ponder asked.

"No, not really," Malcolm X replied. "But unless you have some reason why I shouldn't, I plan to leave town in a day or two on business matters."

Ponder voiced no objections, and hung up.

The telephone rang again. This time it was a reporter from the *New York Times* who wanted to discuss the alleged assassination attempt on Johnson.

"The whole idea is ridiculous!" Malcolm said. For the next hour, reporters from all over the country called his home, asking the same questions.[35]

Finally, the telephone fell silent. Malcolm X called Cassius Clay and told him that he and his family would accept Clay's invitation to visit him in Miami. They would arrive on an Eastern Airlines flight the next morning, Malcolm X said.

"That's the best news I've heard all day!" Clay said. "Me and Brother Archie will pick you up."

After they hung up, the FBI's New York field office, which had monitored the conversation, contacted the Miami field office and instructed it to put a tail on a "1963 Chrysler with Florida license 1E-16521." Miami was further advised to make certain that an agent followed the car to the Miami International Airport on January 16.[36] The Miami SAC ran a tracer on the vehicle that revealed it was registered to Clay's trainer, Archie Robinson.

Early the next morning, Clay embraced Malcolm X and Betty on the airport's runway. He lifted their three little girls, cradled them in his huge arms, and carried them to the car.[37]

On the way to the hotel, Malcolm X asked Robinson to stop near a corner where Black Muslims were selling *Muhammad Speaks*. He turned the pages quickly. There wasn't a single word or photograph of him, and no mention of Clay's upcoming bout with Sonny Liston, though Black Muslims were told in sermon after sermon that the fight was a battle between a "reawakened Asiatic Black man" and a "Negro" who was still asleep, "like a bear in hibernation."

Muhammad Speaks may have feigned indifference about the fight, but inside the Chicago home of Elijah Muhammad, excitement filled the air.

Even Muhammad was praying for Clay to win. Rank-and-file Black Muslims around the country were suddenly requesting leaves of absence to visit dying grandmothers and long lost cousins in Miami between February 24 and February 26. February 26 was also a religious holiday for the Black Muslims. It was the date of Wallace Fard Muhammad's birth, and the date the annual Black Muslim Savior's Day Convention started. Many Muslims had surreptitiously purchased tickets for the fight, notwithstanding Muhammad's "absolute" prohibition against Muslim "participation in games of sport and play," as he called everything from listening to music (except Islamic-inspired music), to dancing, playing billiards, watching any sports event or entertainment on television or at the movies.

As it is with all rules, there were exceptions. An individual who had already gained prominence in entertainment or sports could continue to pursue his endeavor with Muhammad's approval. His approval also meant, of course, that the celebrity would have to turn over a significant portion of his "evil" earnings to the Chicago coffers of Muhammad. Thus, Muhammad permitted Yussef Hazziez—known internationally as soul singer Joe Tex—to continue his entertainment career.[38] Jazz music also fell under an exception to the rules, since many Muslims were rising stars in the field. Chief among them was a St. Louis band known as the Quartet Tres Bien, at least three of whom were members of the Nation of Islam. Jazz pianist Ahmad Jamal was also a member; he was a popular draw for the Shabazz Restaurant in Chicago. (Years later, members of a popular band called Kool and the Gang would receive an exemption.)[39]

What no one outside a small circle of Nation of Islam officials knew on January 16, when Clay picked up Malcolm X and his family, was that Clay also was a member of the Nation of Islam.

The fact that it was a still a secret to the world at large is itself something of a mystery, since the irrepressible Clay, dubbed the "Louisville Lip" by boxing promoters, told anyone who would listen to him that he had only four living heroes: former heavyweight boxing champion Sugar Ray Robinson, soul singer Sam Cooke, the Honorable Elijah Muhammad, and of course, Minister Malcolm X. Once the invitation had been accepted, he told everyone that he had given Malcolm X the round-trip, all-expenses-paid vacation to Miami as a sixth anniversary present to Malcolm X and his wife Betty. The airplane tickets were dated January 14, the date Malcolm X got married.[40]

Malcolm X 's acceptance of the free vacation provided Clay with a double bonus. Not only would Malcolm X, whom Clay treasured as his primary spiritual advisor, be at training camp to help ease Clay's prefight anxieties; he also would be around to help Clay celebrate his 22nd birthday on January 17.

Clay had come to believe there was special significance to his having been born in 1942, the year Muhammad went to prison on draft evasion charges. Malcolm X had convinced Clay that this was no coincidence, but a sure sign from God that he would serve a special role in African American history. He reminded Clay that he, too, had been born at a special time in black history, shortly after Marcus Garvey was deported in 1925, and his parents had been leading Garveyites in the Detroit/Lansing area.

As Malcolm X and Clay were weighing the import of a victory over Liston, the FBI was preparing COINTELPRO measures against Clay, in the unlikely event that the oddsmakers (who were backing Liston by a long margin) were wrong.

On January 21, after receiving a report from an informant inside the Harlem mosque, Sullivan felt that he had adequate confirmation of his suspicions about Clay's membership in the Nation of Islam.[41] According to the informant, Clay, the guest speaker at a Muslim rally in New York, had wholeheartedly endorsed the Muslim program without actually admitting he was a member. Sullivan therefore ordered Clay's name added to the list of targets in the Nation of Islam who would have to be neutralized. Before Clay left the Muslim rally that evening, the FBI contacted the New York media and advised them of Clay's presence.[42]

Three days later, Clay underwent a preinduction examination for the April draft into the United States Army.[43]

As he relaxed in Miami, Malcolm X wondered why Muhammad hadn't punished Clay with suspension for associating with him. Under the Nation of Islam's laws, Muslims were forbidden to associate with suspended Muslims, yet Muhammad hadn't said a word to Clay about a possible suspension of Clay. Why? What made Clay's violation of the code of conduct any different from Malcolm X's brother Reginald, who suffered a nervous breakdown because Muslims—including Malcolm X—refused to speak or associate with him during his suspension? Perhaps it was because Muhammad realized that separating Clay from Malcolm X before the fight would have been so psychologically devastating to Clay that he probably would lose the fight, and with it, millions of dollars that he would otherwise share with Muhammad.

As the Chrysler left the hotel and headed for Clay's training camp, Malcolm X and Clay discussed again the significance of a victory over Sonny Liston. If he won the fight, they realized, Clay would overnight become the only man in the Black Muslims with the potential to attract as many converts as Malcolm X had. But what if he lost? That possibility explained the blackout on Clay in *Muhammad Speaks*. If Liston defeated Clay, the Nation of Islam wouldn't suffer any embarrassment, since the public had no idea that he was a Muslim.

The next morning, Malcolm X read a short article in the *New York Times* about the alleged assassination plot against President Johnson. The article said Ponder had determined that an unemployed handyman had "knowingly filed a false report" with the FBI about the alleged plot. Datelined January 16, the story stated further that the FBI arrived at its conclusion less than twenty-four hours after it was filed Tuesday night, January 14.[44]

According to the *Times*, the handyman claimed that he made the false report "to test the investigative ability of those agencies of the United States government whose responsibility it is to protect the president."[45] Malcolm X knew enough about poor black men to realize that few ever spoke so eloquently.

CHAPTER 13

RUMORS

> In the 1960s the focus shifted to black and student elements. Generally, investigation began with coverage of a group's national headquarters and its top leaders but was gradually expanded to include its various chapters and affiliates and, eventually, virtually the entire membership.
>
> —Richard Cotter,
> veteran FBI agent[1]

> Dick Gregory had told me before that he felt Malcolm X had the potential to be the most impressive and powerful leader in the United States in the Black community. And I agree with that assessment.
>
> —Pierre Berton, host
> of *The Pierre Berton Show,*
> Toronto, Canada[2]

> Media Manipulation.—The FBI has attempted covertly to influence the public's perception of persons and organizations by disseminating derogatory information to the press, either anonymously or through "friendly" news contacts. The impact of these articles is generally difficult to measure, although in some cases there are fairly direct connections to injury to the target.
>
> —Church Committee Report
> Book II[3]

ON JANUARY 19, 1964, Malcolm X placed his wife and daughters on an Eastern Air Lines flight back to New York. He and Clay returned to New York together two days later.[4]

Upon their arrival, they went to Malcolm X's home to rehearse a speech he had written that Clay was to deliver that evening. Clay was the guest of honor and main speaker at a dinner at the Rockland Palace at 8th Avenue and 155th Street sponsored by the Fruit of Islam and the Muslim Girls Training Unit.[5]

Clay asked Malcolm X to join him, but he declined, claiming to have a prior engagement. What Malcolm X didn't convey to Clay, out of fear of unsettling him, was that he had received a call from a Harlem mosque official advising him that, in view of his suspension, his presence was neither needed nor desired.

As Clay entered Rockland Palace that evening, an FBI informant went to a telephone booth nearby to call his control agent. The agent, in turn, made anonymous calls to AP and UPI wire news services, as well as the *New York Times* and *Sports Illustrated*. When the rally adjourned two hours later, Clay was surrounded by reporters with cameras, tape recorders, and stenographic pads.[6]

"Is it true that you are a Black Muslim?" they asked. Clay, surrounded by bodyguards, ignored their questions and walked briskly toward the awaiting limousine.

Clay may have felt that he was the only professional athlete suffering harassment because of his personal religious or political belief, but he wasn't. The FBI was also monitoring a prominent football player for possible ties to the Nation of Islam. It had received information that Cleveland Browns' football star Jim Brown had also begun associating with members of the Black Muslims. Moreover, Brown had begun making statements to friends, and later, to the press, which suggested he, too, was a member of the sect. "Does the white man realize that the Black Muslim's basic attitude is shared by almost ninety-nine percent of the Negro population?" Brown asked a reporter during a *Look* magazine interview.[7] The FBI further discovered, to its dismay, that many African American college students were frequenting Muhammad's mosques. If Jim Brown joined the Nation of Islam and it became public, or if Clay defeated Sonny Liston for the heavyweight boxing championship, the Bureau knew that this would result in even greater growth of the Black Muslims.

Given these considerations, Hoover decided that the FBI would have to increase its counterintelligence operations against the Nation of Islam. On January 31, he sent a memo to Assistant Attorney General J. Walter Yeagley in which he requested an opinion on the possibility of prosecuting Elijah Muhammad, Malcolm X, and other prominent NOI leaders.[8] Specifically, he asked Yeagley whether the activities of the NOI, which he enumerated, "come within the criteria of Executive Order 10450 or whether its activities are in violation of any other Federal statute?"

Hoover wasn't pleased with the response. In summarizing his refusal to launch an exploratory Justice Department investigation based on Hoover's request, Yeagley told Hoover that:

> Evidence is needed to show the specific acts taken by particular individual leaders in advocating or approving acts of violence; not that "heads will roll in the streets," which could be merely a prediction, but rather a specific plan of action, direction or urging has been made to bring about such an event.[9]

To placate Hoover, Yeagley advised the FBI director to continue to furnish the results of its investigation of the NOI to the Justice Department.

Although Hoover had encountered a roadblock to initiating federal prosecution of NOI leaders, Malcolm X still wasn't out of the woods. News of the alleged assassination plot against President Johnson had reached Elijah Muhammad while Malcolm X was in Florida visiting Cassius Clay. Muhammad had NOI investigators examine the allegations, but when the results proved negative, he consulted with his top advisors for their analysis. They agreed that it was a hoax designed to embarrass the Nation of Islam.

Malcolm X had considered the matter of the Johnson assassination plot closed when, to his astonishment, two FBI agents appeared at his home on February 4 with more questions.[10] Malcolm X informed them that he didn't know anyone by the name of Phillip A. Booker, Jr. (the handyman who allegedly made the charges), nor did he believe Booker was a member of the NOI. He also advised them that he had no knowledge of any plot to kill the president, let alone one involving Black Muslims.

Since the agents knew as much, they spent more than forty-five minutes interrogating him about the inner workings of the Nation of Islam. They learned nothing more than what had already appeared in the papers. Malcolm X saw to this by delivering one of his canned sermons. The ploy to rattle Malcolm X having failed, the agents took notes on his lecture, then departed.

In the meantime, Malcolm X retained Gladys Towles Root, the flamboyant but shrewd Los Angeles attorney, to file paternity suits on behalf of Elijah Muhammad's two former secretaries, Lucille X Rosary and Evelyn X Williams, who had each borne children fathered by Muhammad and were then excommunicated.[11]

In the privacy of Muslim mosques in Chicago, rumors were rampant regarding Muhammad's fathering the children. Muslims were told by their ministers that the rumors were lies created by Malcolm X. But even if the rumors were true, the ministers preached, it was of no significance, since Islamic law permitted a man more than one wife if he had the resources to provide for them. In the Nation of Islam outside Chicago, however, particularly in *Muhammad Speaks,* ministers were accusing Malcolm X of spreading vicious lies about Muhammad. Rather than quell the fire, these rebuttals only served to spread the allegations of impropriety.

As the rumors became the talk of the Nation of Islam, Malcolm X discovered that tales about him losing his mind also had proliferated. Malcolm X told Ameer that he believed Captain Joseph of the Harlem mosque was the source.

Malcolm X and Captain Joseph always had a tentative working relationship at best. In 1956, he had severely reprimanded Captain Joseph, with Muhammad's approval, for failing to report a rumor begun by a member of the Harlem mosque accusing Malcolm X of impregnating an unmarried juvenile. The young girl was transferred to the Harlem mosque after working for a brief period as the personal secretary of Elijah Muhammad.[12] Malcolm X also told Ameer that he had never forgotten the incident, and that the relationship between him and Captain Joseph had deteriorated from that point on. In fact, Malcolm X said, he had contacted the girl only recently about the incident. She confessed that Elijah Muhammad was the father of her child, but she was afraid to file a paternity suit for fear of reprisals.

Nonetheless, Malcolm X understood enough about the Nation of Islam to know that Captain Joseph would never start such dangerous rumors without authorization from Chicago officials. He suspected John Ali was the source of the lies regarding his mental stability, if only because Ali was always in the center of every misunderstanding or dispute he had with Elijah Muhammad since 1960. At his suggestion, Malcolm X told Ameer, Muhammad had removed Ernest T. 2X McGhee as national secretary and replaced him with Ali, who was then a member of the Philadelphia mosque.[13] It was one of the few major decisions he had made as Muhammad's chief advisor that he regretted, Malcolm X said.

Although Malcolm X had been praying that through some miracle, he might return to the Nation of Islam, any possibility of that happening ended in mid-February with an explosion of media coverage of the rift in the sect's leadership. The stories were based on an FBI "news story" drafted on February 10 by the FBI's Chicago field office, regarding the relationship between Malcolm X and the ailing NOI leader. Equipped with its own headline, the FBI story read in part:

> The Rift Widens Between Elijah Muhammad and his Principal Lieutenant Malcolm X Little
>
> The rift between Elijah Muhammad, self-proclaimed Messenger of Allah and leader of the fanatical Black Muslim hate group, and his erstwhile Lieutenant Malcolm X Little, appears to be widening. . . .
>
> It is no secret that Little would not hesitate one moment to take over the leadership of the Nation of

> Islam (NOI) and incidentally begin living in the regal style which Muhammad enjoys. While Muhammad may be getting older, he is far from ready to hand over the reins of the NOI and all the affluent service benefits that go with it to Little.
>
> Muhammad is reportedly fuming at the temerity Little had exhibited in questioning the "Messenger's" judgment and it would not surprise anyone at all familiar with the works of the NOI to see Little summarily expelled from this organization if he continues to buck the orders and wishes of Elijah Muhammad.[14]

The draft was forwarded to Assistant FBI Director Cartha DeLoach on February 13 "for his consideration," and on February 21, the "tip" was mailed to major newspapers, prominent gossip columnists, and radio and television stations in Chicago and New York. It also was sent to every black-owned newspaper in the United States.

Four days before the phony news story was mailed, Malcolm X had written a letter to Elijah Muhammad requesting reinstatement before the annual Saviour's Day Convention on February 26. On the afternoon of February 21, Malcolm X received a telephone call from Elijah Muhammad's personal secretary advising him that his suspension would not be lifted before the ninety-day period had run, because, she said, Elijah Muhammad had determined that he had "continued to rebel."[15] Although Malcolm X requested a hearing to refute the charges of rebellion, his request was denied.

Crestfallen, Malcolm X returned to Miami on February 23, and was greeted at the airport by Clay, Captain Clarence W. X Gill (Clay's personal bodyguard and captain of the Boston mosque's Fruit of Islam division), and Archie Robinson.[16]

Clay cut to the chase. "Any word from Chicago?" he asked.

"Nothing positive," Malcolm X replied. He tried to sound cheerful despite the political quandary in which he found himself mysteriously immersed. Captain Gill summoned a cab and ordered the driver to take the bags to the Hampton House Villas, the popular African American-owned hotel where prominent blacks lodged while visiting Miami.

As they approached the entrance to Clay's cabin, a reporter for the *Miami Herald* approached them. He asked Clay why he wasn't as boisterous tonight as he had been in recent weeks.

Before Clay could reply, Malcolm X said, "If you think Cassius Clay was loud, wait until I start talking on the first of March!"[17]

By February 25, the day of the big fight, Clay's mood was extremely erratic. One minute he seemed uncontrollably confident, and the next, paralyzed by melancholy. At the weigh-in Clay yelled to reporters, "I am the greatest, the prettiest that ever was!" But seconds later, when Liston approached the scale for his weigh-in, the unmistakable look of fear was in Clay's eyes. "Clay's scared to death," the boxing commission physician told reporters after the weigh-in ceremony. "His heart was beating extremely fast and his palms were sweaty."[18]

The contender seemed equally excitable moments before the fight. "So strikingly odd was his behavior," one prominent sportswriter noted, "that later reporters waited at his dressing room door to see if he would actually emerge."[19]

Clay's uneasiness, his trainers recalled later, was due in part to the absence of his spiritual advisor, Malcolm X. Clay had relied on Malcolm X's promise to come to the dressing room before the fight. He wasn't there yet, and the decisive moment was rapidly approaching. He was nearly frantic from watching the clock.

"I thought if I lose," Clay said later, "all the people in my religion lose, all black people lose."[20]

To his relief, Malcolm X finally arrived. After saying a special prayer with Clay and Clay's younger brother, Rudolph Arnette "Valentino" Clay, Malcolm X delivered a short pep talk.

"This fight is the truth," Malcolm X said. "It is the Cross and the Crescent in a prize ring, for the first time! I know you're going to beat that big ugly bear because I'm in the lucky seat tonight."[21] The three of them embraced, then Malcolm X headed for his seat in the auditorium. As he walked down the aisle to his seat, he stopped to chat with Sam Cooke, the internationally popular soul singer. (Cooke and Malcolm X had become good friends by virtue of Cooke's efforts to help Clay launch a singing career.)

Malcolm X said he was in the "lucky seat" because his seat number was seven, one of three numbers (the others were twelve and twenty-one, which is twelve transposed) that Elijah Muhammad taught were the Asiatic Black Man's lucky numbers.[22] Later, as he waited for the fight to begin, Malcolm X told his daughters that the number on his seat was "Allah's message confirming to me that Cassius Clay was going to win."

The seat number wasn't the sole source of Malcolm X's confidence in Clay. Malcolm X also said that the date of the fight itself was the "first sign from Allah" that Clay would win. The fight was on the 25th, a number which, when added as single digits, also equaled seven.

The third sign, Malcolm X said, was the fact that the fight was taking place on the day before the annual Saviour's Day Convention would open in Chicago. This year's would be the thirty-fourth (again, the numerological equivalent of seven) anniversary of Fard's arrival in the West from Mecca (so Black Muslims thought) in 1930.

Most of the others in the auditorium, using less arcane methods, had arrived at a very different prediction of the fight's outcome. Bookies from England to New England set the odds against Clay at eight to one. Author Norman Mailer, in explaining why he believed Clay would lose, recounted how nervous Clay had been during the weigh-in. "Hell, he's close to dementia now," Mailer said.[23]

Clay's trainer Angelo Dundee, who was in the auditorium when Malcolm X visited Clay's dressing room, nearly had a heart attack when he spotted Malcolm X sitting in the area reserved for Clay's special guests. "Oh, my God!" Dundee cried. He raced to Clay's dressing room and asked him whether he was aware of Malcolm X's presence.

"Yeah," Clay said, "I'm aware of it."

"Then he has to go," Dundee said. "We've got to get him out of here!"

But Clay said that was out of the question. Even when William McDonald, the promoter of the fight, threatened to cancel it unless Malcolm X left, Clay was steadfast. It didn't take a genius to figure out that a riot would erupt if the fight were suddenly canceled. Dundee and McDonald quickly dropped the matter.[24]

At last, the heavyweight fight was underway. In the first round, it looked like Sonny "the Bear" Liston would retain his title, because Clay spent most of the round running from him. The odds-makers began drooling in the second round after Liston penned Clay against the ropes and hit him with a left hook that left him dazed.[25] But in the third round, Clay pummeled Liston. He opened a gash under Liston's right eye early in the round and a bigger cut under Liston's left eye near its finale.

Suddenly, near the end of the fourth round, Clay was in trouble.

"I can't see!" Clay yelled. "My eyes! Cut the gloves off!"

A substance on Liston's gloves had gotten into Clay's eyes. It stung so intensely that Clay suffered momentary blindness.

The arena fell silent. Everyone wondered whether Clay would come out of his corner for Round Five. Angelo Dundee saw referee Barney Felix coming toward Clay's corner and feared he was going to stop the fight. Although Clay was unable to see clearly, Dundee helped Clay stand up, then pointed him toward center ring as the bell for Round Five sounded.

Roughly one minute into the round, Clay regained his vision and fought well enough to survive the round. By the end of the next round, the bookmakers who had wagered their life's earnings on Liston were looking for their rosaries. In the seventh round, Clay delivered what some sportswriters called the "mystery punch." Although many felt that the punch barely touched the champion, Liston fell to the mat. When he didn't get up by the count, Clay was declared the new heavyweight champion of the world by a technical knockout (TKO). "I am the greatest! I am the greatest!" Clay hollered as he was carried around the ring on the shoulders of his trainers and others in his corner. While Clay exhibited his modesty, the small-time hustlers, big-time gamblers, and the merely curious grumbled about the fight having been fixed.

Fixed or not, Clay had been declared champion; it was time to celebrate. Following the obligatory post-fight press conferences, Clay and his entourage converged on Malcolm X's hotel room. Malcolm X called Alex Haley at his home in Rome, New York to give him the good news.

While he was on the telephone, Clay and Jim Brown spoke privately in one of the bedrooms. During their talk, Clay told Brown that he had already made his decision regarding whom he intended to follow, and it wasn't Malcolm X.[26]

Around two o'clock the next morning, the festivities ended. Malcolm X woke up the exhausted Clay, who had collapsed on the hotel bed, and urged him to go to his own suite to get a restful sleep. A few minutes later, Clay left.

By mid-afternoon on February 26, Malcolm X received the answers to some of his questions about his future in the NOI from the *New York Times* and the *Chicago Sun Times,* purchased at a local newsstand. M. S. Handler, a *Times* reporter who had written extensively about Malcolm X and the Nation of Islam in recent years, obviously was one of the reporters who received a copy of the FBI's bogus "news story" dated February 10. Handler, whose story reflected the key elements of the FBI story, wrote that a "struggle for power" had developed between Malcolm X and Elijah Muhammad and that Muhammad's advisors were trying to oust Malcolm X from the sect for fear that he would eventually inherit the ailing leader's "vast black kingdom."[27]

Handler also wrote that Clay was definitely a member of the Nation of Islam, something no one knew for sure except high-level Black Muslims officials and the FBI. The FBI had learned about Clay's membership from its informants in the NOI. It received verification through wiretaps and hidden listening devices planted in the Muhammads' homes in Chicago and Phoenix.

When Malcolm X turned to Irv Kupcinet's column in the

Chicago newspaper, he found a nearly identical story. "Insiders," Kupcinet wrote, "are predicting a split in the Black Muslims. Malcolm X, ousted as No. 2 man in the organization, may form a splinter group to oppose Elijah Muhammad."[28]

In the next morning's edition of the *New York Times,* Handler, who had flown to Chicago to cover the annual Saviour's Day Convention, repeated the main themes of his first story about the split. A "battle for power is believed being waged between Malcolm X and the leaders of the Chicago headquarters who surround Muhammad," Handler wrote, without naming a single source to support the allegations.[29]

Although other media, apparently fearing libel charges, refused to repeat Handler's allegation that Clay was a Black Muslim, any doubt about his membership was dispelled later that day when Clay held a formal press conference. With Malcolm X at his side, photographers and cameramen recorded the event as Clay made a dramatic announcement. "It is true that I am a follower of the Honorable Elijah Muhammad," Clay told his stunned audience.[30] "They call it the Black Muslims," the twenty-two-year-old boxing champion said, "but this is a press word. It is not a legitimate name. Islam is a religion and there are 750 million people all over the world who believe in it. I am one of them."

The FBI wasn't perturbed by Clay's admission, but it was trying to adjust to Clay's defeat of Sonny Liston. The very next day, after Clay's victory, the FBI contacted officials at the Pentagon and ordered them to expedite procedures to draft Clay into the United States Army. On February 27, J. Allen Sherman, chairman of the Louisville draft board, announced at a press conference that Clay probably would be drafted in April or shortly thereafter.[31]

As telegrams poured into Elijah Muhammad's Chicago home from Muslim leaders around the world, members of the Nation of Islam celebrated Clay's announcement as the second significant sign from Allah that the devil's reign was over. On February 26, the first night of the annual Saviour's Day Convention, Elijah Muhammad informed the euphoric crowd of thousands gathered in Chicago that he had asked Clay to accept the name "Muhammad Ali." The Messenger asked Clay's brother Rudolph to accept the name "Rahaman Ali," which he did immediately.[32]

He reminded Black Muslims that Muhammad Ali was a special name in Islam, and that in 1932 he had been given the name by Master Wallace Fard Muhammad.[33]

Initially, Clay declined the Arabic name. He told Muhammad over the phone that he would rather be known as "Cassius X Clay." Many Muslims, Clay told him, had waited more than ten years for Elijah Muhammad to give them "original" names to replace their "slave" names. Muhammad, who said he would accept Clay's request for now, knew Clay was doing nothing more than paraphrasing Malcolm X when he explained his reasons for declining the name. He advised Clay that an Arabic name would be a better vehicle for furthering the cause of Islam, now that he was an international representative of the faith. To sweeten his offer, the Messenger implied that Clay stood a good chance of becoming a Muslim minister once he accepted the Arabic name.

Clay tentatively agreed with his analysis, but asked Muhammad for a few days to mull it over.

On March 3, Clay called a press conference to announce that he was pursuing a second career: music. With Malcolm X standing nearby, Clay proudly told reporters that the William Morris Agency had arranged for him to cut a record single for Columbia Records.[34]

"You mean you're putting your poems to music?" a reporter asked, laughing. It was difficult for anyone to imagine a voice as hoarse-sounding as Clay's singing a love song.

"No, the song was written by my friend Sam Cooke," Clay said, beaming with pride. "He's the greatest, too."

While Clay was thinking of making music, the Department of Defense was busy devising measures to make him a private in the U.S. Army. It ordered U.S. Army officials to transmit its files on Clay, a move considered highly unusual.[35]

Elijah Muhammad, who resented Clay's adoration of Malcolm

X, was furious at Malcolm X for counseling Clay to reject his offer of a new name. He believed Malcolm X was attempting to coax the boxer into following him when, as the newspapers suggested, he started a splinter group to challenge the Nation of Islam.

On March 5, Elijah Muhammad began to extract his revenge against Malcolm X. That morning, Malcolm X received a letter from Elijah Muhammad advising him that he had not "shown sufficient desire" to be "rehabilitated."

"This is to advise you that your suspension," the letter stated, "is therefore indefinite."[36]

Although Malcolm X had considered the possibility that Muhammad might expel him, he didn't believe it was probable, especially now that Clay was the champion. Surely expelling him now was too big a gamble. Most people who had joined the Nation of Islam since 1955 had been attracted to it by his oratorical genius; new followers would be lured by Clay. Without him or Clay in the sect, Muhammad would be ruined. By expelling him despite these considerations, Malcolm X must have reasoned, Muhammad was signaling Malcolm X that he was willing to risk everything in an intellectual fight whose jackpot wasn't a trophy or a garish belt, but the loyalty of a young, poorly educated pugilist.

If the contest for Clay's loyalty were a prize fight, Malcolm X was the clear winner in the first round, as he and Clay had already arranged to spend the week together touring New York City. But suddenly, Malcolm X discovered another opponent in the ring vying for Clay's loyalty. At an afternoon press conference, a U.S. Army spokesman announced during a press conference that Clay's predraft examinations would be "expedited."[37]

At seven o'clock the next morning, Malcolm X drove to Clay's hotel and picked him up. As Malcolm X drove, he recounted stories of all the clever ways that men, including himself, had devised to avoid induction into the military.

A short while later they arrived at the United Nations and went to the office of Chief S.O. Adebo, the Nigerian representative to the UN,[38] who had invited them to brunch to celebrate Clay's victory, and to discuss the possibility of Clay visiting Nigeria in the near future.

As Clay and Malcolm X left the UN, a *New York Times* reporter approached them and asked Clay what name he was using nowadays. "My name is Cassius X Clay," he said. "X is what the slavemasters used to be called."

Malcolm X, realizing that Clay had just made a serious error about the teachings of Elijah Muhammad on the justification for substituting "X" for the last name, nudged Clay as a hint to shut up.

"Will the X replace your middle name?" the reporter asked teasingly.

Clay, who seemed baffled by the question, solicited Malcolm X's advice.

"This isn't the time to answer that question," Clay replied after the brief consultation. "It will come out in time."

As the reporter jotted down Clay's words in a notebook, Clay and Malcolm X headed for the parking lot. Malcolm X drove to Clay's hotel and dropped him off.[39]

On the way back home, Malcolm X saw Clifton DeBerry coming out of the headquarters of the Socialist Workers Party. Earlier that day, DeBerry, whom Malcolm X regarded as a close friend, had announced that he intended to run against Democrat Lyndon B. Johnson and Republican Barry Goldwater for the presidency of the United States.[40] Malcolm X congratulated him, and they briefly discussed the status of the African American struggle for human rights.

Later that evening, Leon 4X Ameer, Clay's press secretary, called Malcolm X at his home. On February 26, Ameer said, the first night of the annual Saviour's Day Convention, he was sitting in a front row on stage when Captain Joseph, Malcolm X's former chief assistant at the Harlem temple, sat next to him.[41]

Joseph X told Ameer that Malcolm X, like his brother Reginald, apparently had lost his mind. To buttress his allegations, Joseph reminded Ameer that Malcolm's mother had "gone crazy" years earlier. "It runs in their family," Captain Joseph said.

"If he wants to go crazy, that's his business," Ameer recalled Joseph telling him. "But," Joseph told Ameer, "the buck stops when Malcolm X starts telling people he intends to kill the Honorable Elijah Muhammad."[42]

Ameer told Joseph that he hadn't heard anything about Malcolm X threatening to kill Muhammad. He asked Joseph how he knew Malcolm X had said such a thing. "My information comes straight from Chicago," Joseph told Ameer, meaning that he had received it from someone in Muhammad's inner circle, or even from Muhammad himself.[43] "Malcolm has to be taken down first," Joseph said coldly.

Malcolm X was stunned.

Ameer told Malcolm X that Captain Joseph and Clarence X, Clay's bodyguard, had advised him that a monetary reward would be given to the man who killed Malcolm X.

They then asked Ameer if he knew where they could obtain a silencer.[44]

CHAPTER 14

GOOD GUYS WEAR WHITE

Black agents were sent to infiltrate us. But the white man's "secret" spy often proved, first of all, a black man. I can't say *all* of them, of course, there's no way to know—but some of them, after joining us, and hearing, seeing and feeling the truth for every black man, revealed their roles to us. Some resigned from the white man's agencies and came to work in the Nation of Islam.

—from *The Autobiography of Malcolm X*[1]

If Herbert Muhammad could be removed as successor to the leadership of the NOI [Nation of Islam], it would place our top-level NOI informants in a better position to neutralize the extremist cult.

—FBI memo dated May 7, 1968[2]

It was during this period that Malcolm X exploded, "We had the best organization black men ever had. Niggers ruined it!" And—for Malcolm, that is—the "nigger" was John Ali.

—from *To Kill a Black Man,* by Louis E. Lomax[3]

On October 30, 1963, the Special Agent in Charge (SAC) of the FBI's New York office sent a memo to FBI headquarters advising Hoover that a book by Louis Lomax had just been published. The book, which the agent said was titled *When the Word Is Given: A Report on Elijah Muhammad, Malcolm X and the Black Muslim World,* was basically a study of the rise of the Nation of Islam and the path it was likely to take in the near future. Its publication was of utmost concern to the bureau because it jeopardized the anonymity of a high-level informant, inside the Nation of Islam's

Chicago headquarters, whom the FBI was positioning to take control of the sect upon Elijah Muhammad's death.[4]

On March 20, 1964, twelve days after Malcolm X officially broke with the Black Muslims, Sullivan, who was in charge of the high-level FBI informant, received an "airtel" from the Seattle field office, advising him that the following passage appeared in Lomax's book:[5]

> It is now clear that Elijah has delegated to Chicago responsibility for turning out the movement's publications and over-all policy statements. It is equally clear that the finances and other administrative chores of the movement are carried out in Chicago . . . This decision by Muhammad was made possible because John X [Ali], a former FBI agent and perhaps the best administrative mind in the movement, was shifted from New York to Chicago.[6]

The FBI's reacted to the passage with a rapid flurry of memorandums. In a second memo to Sullivan, a FBI official wrote:

> It is felt that the Seattle Office should be advised concerning the true status of [John X Ali] Simmons and his alleged connection with the Bureau and that the New York Office should be instructed to contact Lomax to advise him concerning the inaccurate statement contained in this book regarding Simmons and that he be instructed to have this statement removed from any future printings of the book.[7]

Under "RECOMMENDATIONS," to Hoover, the memo again suggested that the New York field office be advised to "contact Lomax regarding the incorrect statement in his book."

"OK," Hoover wrote on the memo, which was illuminating for a number of reasons.[8]

First, it indicated that someone in the FBI's Seattle field office had been one of Louis Lomax's sources about John Ali, whose

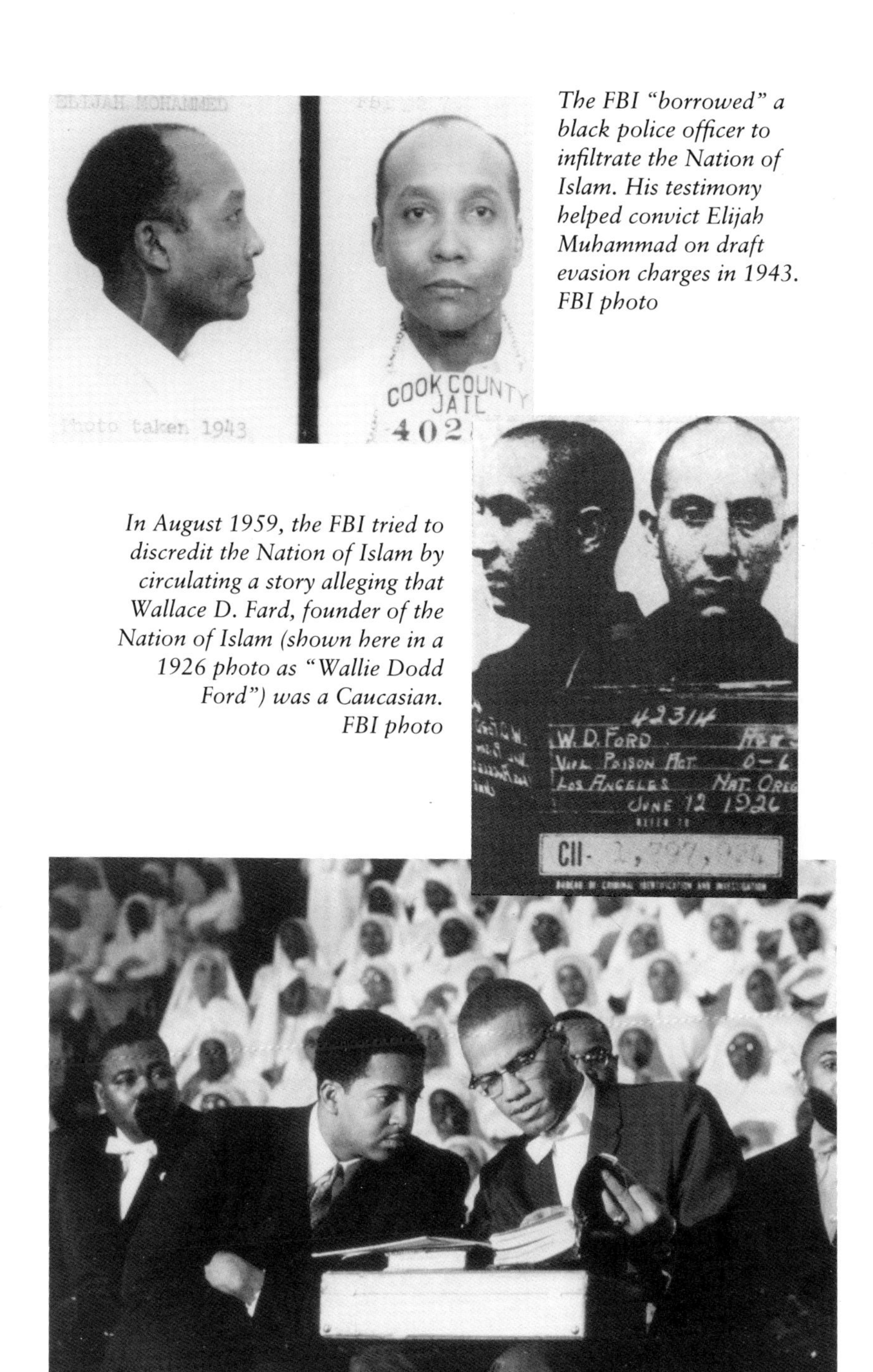

The FBI "borrowed" a black police officer to infiltrate the Nation of Islam. His testimony helped convict Elijah Muhammad on draft evasion charges in 1943. FBI photo

In August 1959, the FBI tried to discredit the Nation of Islam by circulating a story alleging that Wallace D. Fard, founder of the Nation of Islam (shown here in a 1926 photo as "Wallie Dodd Ford") was a Caucasian. FBI photo

Malcolm X and Wallace Muhammad confer during 1961 Black Muslim convention. Seated behind them is James 3X Shabazz (who later became a sworn enemy of Malcolm X).
Photo courtesy of Library of Congress/USN&WR Collection

American Nazi Party leader George Lincoln Rockwell (left) and John Patler, his top aide, listen as Malcolm X addresses Black Muslims at Black Muslim rally in Washington in 1961. Patler was eventually convicted for Rockwell's murder. Photo courtesy of Library of Congress/USN&WR Collection

President Eisenhower and Prime Minister Kwame Nkrumah of Ghana meet in 1958. Nkrumah supported Malcolm X's UN petition and offered him a government post following his break with the Nation of Islam. Nkrumah was later overthrown by CIA-backed rebels.
UPI/Bettmann

Patrice Lumumba (center) and two of his top aides. In January 1961 Lumumba was tortured and then assassinated while Congolese politicians on the CIA's payroll watched.
AP/Wide World Photos

Cuba's Fidel Castro and Ernesto "Che" Guevara. Both men would later become targets of multiple CIA-led assassination attempts.
UPI/Bettmann

FBI Director J. Edgar Hoover with President John F. Kennedy and U.S. Attorney General Robert F. Kennedy. Hoover was secretly gathering dirt on the Kennedy brothers.
UPI/Bettmann

Jazz great Louis Armstrong visits the Congo in 1960. Meanwhile, Loy Henderson, a high-level State Department official, met with Moise Tshumbe to discuss the assassination of Patrice Lumumba.
UPI/Bettmann

(above) Malcolm X addresses Harlem residents on a warm summer day in 1963. FBI Director Hoover said that Malcolm X had to be "neutralized" because he had the potential to become a "Black Messiah."
AP/Wide World Photos

(right) Malcolm X holds up a copy of "Muhammad Speaks" showing Wallace Muhammad, Elijah Muhammad's son, standing before the Great Pyramids of Egypt.
AP/Wide World Photos

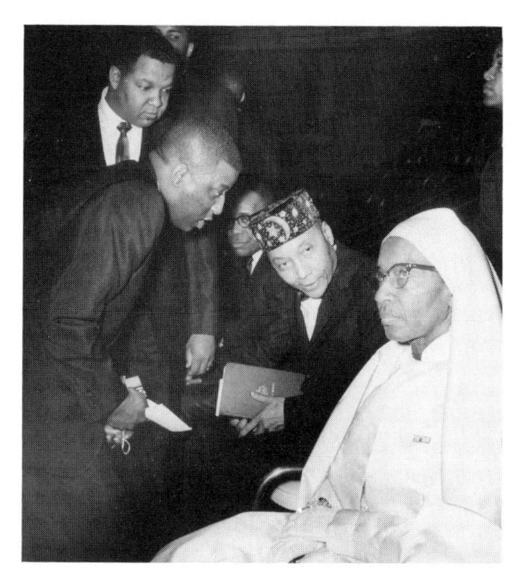

John Ali confers with Elijah Muhammad, who sits beside his wife, Clara. Even the FBI knew that their marriage was in a shambles.
AP/Wide World Photos

Raymond Sharrieff, Elijah Muhammad's son-in-law, was one of several high-level Black Muslims targeted by the FBI.
AP/Wide World Photos

Malcolm X greets (l. to r.) U.S. Congressman Adam Clayton Powell, Milton Galamison, and Jesse Gray during a civil rights rally in 1963. At the time Powell was also a COINTELPRO target.
AP/Wide World Photos

Malcolm X the statesman (left)In June 1964 meets with Abdul Reahman Babu, then minister of state in the United Republic of Tanganyika and Zanzibar, in Dar Es Salaam. On the same day, he met with Saudi Arabia's King Faisal (right). both photos: AP/Wide World Photos

On March 27, 1964, Malcolm X and Dr. Martin Luther King met for the first time. Three months later, they began discussing the possibility of forming a coalition. AP/Wide World Photos

Elijah Muhammad meets with Dr. King in Chicago. Dr. King told newsmen that he expected to discuss his nonviolent civil rights movement with Muhammad.
UPI/Bettmann

Malcolm X inspects damage done by three fire bombs thrown at his home in Queens, one week before his assassination. AP/Wide World Photos

New York City police carry the body of Malcolm X to the Columbia Presbyterian Medical Center in Harlem. UPI/Bettmann

February 21, 1965—Malcolm X lies mortally wounded on the stage of the Audubon Ballroom in Harlem.
AP/Wide World Photos

Betty Shabazz (right) goes to the Bellevue Hospital morgue to identify the body of her husband. At the murder scene, she removed a blood-stained note from his pocket listing the five Black Muslims he said had been assigned to assassinate him. UPI/Bettmann photo

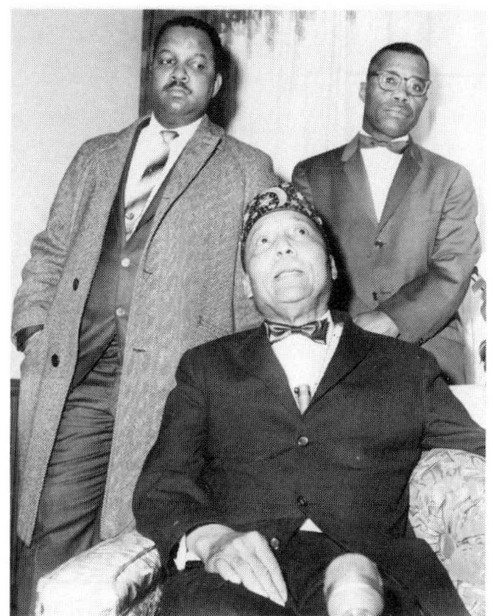

Elijah Muhammad holds a press conference in his home the day after Malcolm X is murdered. Note that in the first two photos, only these three men are present. The fourth man in the third photo is John Ali, national secretary for the Nation of Islam. According to the prosecutor of Malcolm X's assassins, John Ali did not leave New York until several hours after the assassination. This would account for his tardy arrival at the press conference, in which Elijah Muhammad denied any knowledge of or involvement in Malcolm X's death.
AP/Wide World Photos (top left and right)
UPI/Bettmann (bottom)

(above) Elijah Muhammad is surrounded by bodyguards as he addresses the NOI Saviour's Day convention, several days after the assassination of Malcolm X. Louis Farrakhan is shown in the background.
UPI/Bettmann

(right) In 1970, while shooting a film alleging FBI and CIA involvement in the assassination of Malcolm X, Louis Lomax (in striped shirt) died after a mysterious auto accident.
AP/Wide World Photos

George Lincoln Rockwell, American Nazi Party leader, was shot and killed in August 1967. Like Malcolm X, Rockwell was a key COINTELPRO target who was supposedly killed by an associate.
UPI/Bettmann

The Audubon Ballroom in 1992.
Photo by Ed Hedemann

name was John Simmons when he joined the Nation of Islam in 1957.[9] Secondly, the memo wanted Lomax apprised of Ali's "true status" with the FBI, clearly conveying that there was indeed a relationship. Lastly, the memo didn't refer to the allegation as a lie or fabrication, or any other word indicating that it was totally untrue. Rather, it only stated that the allegation that he was a FBI agent was "inaccurate" or "incorrect," suggesting, again, that it was at least partially accurate or partially correct.

Hoover had few black *agents*, but scores of African American FBI *informants*. Was the writer trying to suggest, then, that Ali's status with the FBI was that of an informant instead of full-fledged agent?

A follow-up memo dated March 24 from Hoover to the New York and Seattle FBI field offices is instructive on this issue:

> New York should contact Lomax unless files of that office indicate that such contact should not be made for the purpose of pointing out to him that the statement as contained in his book is inaccurate. New York should also advise Lomax that this inaccurate misleading statement should be removed from any future printings of the book.[10]

Again, not once is the statement regarding Lomax's allegation described as a fabrication, falsehood, or an outright lie, and the memo conveys the sense that the charge was at least partially true.

According to Louis E. Lomax, his sources told him that Ali worked for the FBI before joining the Nation of Islam. While Lomax never revealed who his sources were, he is known to have developed a number of sources within the FBI. He also shared a close friendship with the publisher of the *New Crusader,* Balm Leavell, who was one of the first individuals outside of government to discover that high-level officials in the Nation of Islam were FBI agents or informants.[11]

In March, 1962, Leavell called Elijah Muhammad at his residence in Phoenix and advised him that he had information from reliable sources that at least five Black Muslim ministers or assistant ministers were "working for the government" and "plotting to get" Muhammad.[12] Although he refused to divulge the source of his information, his widow, Dorothy Leavell, suggests that it probably came from directly from Jimmy Hoffa or someone working for him.

"Balm and Hoffa were very close friends," she noted.[13]

Hoffa had numerous sources in the FBI who were also on the Mafia's payroll; someone in the bureau might have tipped him off as a favor to Leavell, who, like Hoffa, was under constant FBI harassment.[14] FBI agents visited Leavell's office as frequently as they followed Hoffa, particularly after the Bureau learned that Leavell was publishing a column written by Elijah Muhammad.[15]

Leavell's allegations about Black Muslim ministers stunned Muhammad, yet nothing was done to discover their identities. Muhammad knew that without names, the probe would have resulted in a witch hunt and cause unnecessary dissension and paranoia. One person Leavell did share the information with, however, was Louis Lomax, who was working on his first book about the Nation of Islam. The FBI started monitoring Lomax's activities in February, 1956, after he mailed a letter to Hoover on January 30 regarding its failure to investigate vigorously the lynchings of Emmett Till and Lamar Smith.[16] In the letter, Lomax had accused the FBI of failing to proceed "in good faith" in the investigations. He added that he intended to do a comprehensive story on the FBI's responses in civil rights violation cases for publication in black newspapers.[17]

Lomax, who had little interest in the Nation of Islam initially (he was preoccupied with the rise of Dr. Martin Luther King, Jr., and the civil rights revolution in the South), thought nothing of the allegations about Ali's FBI background at the time, since it really wasn't that unusual. After all, a number of policemen had been assigned to infiltrate the Nation of Islam, only to reveal their roles to Malcolm X following their conversion. In that context, Ali's past seemed of little moment.

The failure of John Ali to take legal action against Lomax suggests two things: that both Ali and the FBI knew a lawsuit would fail, and that the memo recommending the publisher modify the allegation was a ruse to get it to retract it entirely. The statement, interestingly enough, remained in subsequent editions of the book, and was reiterated in another book by Lomax years later.

The existence of an informant at Ali's level would explain how the FBI obtained a list giving the location of every Black Muslim mosque in the country, including the names of every official at each mosque. The list, copies of which the FBI gave to the CIA before Malcolm X's first visit to Africa, came from the Philadelphia mosque, of which Ali was a member at the time.[18]

Known to observers as a man who never smiled, Ali seems to have had a provocative personality. When questioned about his lavish lifestyle by an African-American-owned newspaper in 1964, Ali said Elijah Muhammad provided the funds for his new car and home, his expensive hand-tailored suits, and "other things."[19]

One suit in particular raised eyebrows, especially among the conservatively dressed congressmen who sat on the House Un-American Activities Committee (HUAC) in June, 1962, when Elijah Muhammad was summoned to testify regarding the political beliefs of the Nation of Islam.[20] Elijah Muhammad's dress code dictated that adult male members of the Nation of Islam wear dark suits at all times. The only exception was made for official chauffeurs, who were permitted to wear white suits when driving Mr. Muhammad.[21] Ali was not serving in that capacity when he appeared in Washington with the Messenger to face the congressional committee, yet he wore a white suit which seemed as out of place as a giant sunflower in a pumpkin patch. It is possible that the color of the suit could have been some sort of signal to the committee.

There were other aspects of Ali's behavior that Black Muslims, particularly Malcolm X, found troubling. In the summer of 1963 Ali tried to force New Jersey Black Muslims visiting the Harlem mosque to pay what amounted to an entrance fee. As Ulysses X

Harrell, minister of the Jersey City mosque, attempted to enter, Ali stopped him and demanded that he put money in the collection window. When Ulysses X explained that he had contributed in Jersey City already, Ali became indignant.

"Go to the window, brother," Ali said harshly, "and make your contribution!"[22]

Stunned, Ulysses X complied, assuming this was some bizarre custom unique to Harlem's mosque.

After entering, Ulysses X complained to Malcolm X that Ali had demanded money from him in an unbecoming manner. Malcolm X was outraged. When he asked Ali to explain his behavior, Ali said he was "just trying something new."[23]

As Malcolm X stared at him in disgust, Ali returned the money.

Ulysses X wasn't the only Black Muslim who believed that policies Ali had enacted since moving to Chicago to assume responsibilities as chief financial officer were damaging the Nation of Islam. In fact, the whole nature of the Nation of Islam had changed since 1958, when Ali replaced Ernest T. 2X McGhee as national secretary.[24]

On November 25, 1958, John Ali arrived at the Harlem mosque with an anonymous letter addressed to Malcolm X. The letter, dated November 24, stated that unless $50,000 was dropped on the corner of 125th Street and 8th Avenue on November 27, Elijah Muhammad would be killed the next time he came to Harlem.[25]

Accompanied by Joseph X Gravitt, John Ali took the letter to the police on November 26. The problem was, it had no return address, wasn't signed, and bore no postage, so it was impossible to determine its origins.[26]

In early 1961, Ali began sending out form letters to the head of every mosque; each letter concerned sending money to the Chicago headquarters. On January 11, the terse letter stated, in part:

> Your monthly report last month was very disappointing! According to the number of believers who are

> attending your Mosque, their response towards the Central Point should have been much greater than that which was reported. . . . A falling short indicates something is wrong somewhere within your Mosque.[27]

A similar letter followed on January 24:

> Remember, we are striving at each of Muhammad's Mosques to encourage the believers and others to make the Saviour's Day Effort of $125.00 by January 31.[28]

And again on February 11:

> . . . The Central Point of $2.50 weekly by each believer is committed to National Debt of our Nation. It is very important that this one be kept up as it makes possible the paying of bills.[29]

Furthermore, some of the notices from Ali's desk didn't give Black Muslims much time to save the money. On July 1, 1960, for example, each member was advised that he had until July 30 to contribute thirty dollars to a fund designed "to aid the Messenger in meeting the cost of his radio broadcasts of divine truth to the people."[30] This fee was in addition to the forty dollar minimum monthly bill each Muslim had to pay promptly.

The severity of the strain was illustrated by the case of Aubrey Barnette, a member of the Boston mosque and the father of five children. When he joined the Nation in 1962, two years after Ali became national secretary, Barnette was working for the U.S. Postal Service. Soon the demands on Barnette's time forced him to forego overtime hours, and his income dropped from $7,200 to $5,200 in the first year.[31] Since he had to tithe $1,000 yearly to the Boston mosque, Barnette had to sell his 1959 Chevrolet to make the payment for 1962. His wife, Ruth, like all Black Muslim females, was required to purchase special clothing from a store in

Chicago owned by one of Elijah Muhammad's daughters. The store would only sell these dresses in sets of three—at a cost of two hundred dollars.[32]

Louis X, after learning that Barnette had a college degree, appointed him secretary of the Boston mosque only weeks after he joined. Despite his busy assignment, Barnette was still required to function, as were most male members, as a glorified paper boy peddling *Muhammad Speaks*. "When I first came into the mosque," Barnette said, "the paper cost fifteen cents, and each member was required to take 200 copies and pay for them whether or not he sold them."[33] Few succeeded in meeting the quota, Barnette said. "When I visited fellow Muslims who I knew were struggling just to put food on the table, I was often distressed to find unsold newspapers stacked in their closets and in their cellars and in the trunks of their cars."

To someone who lives in Scarsdale or Beverly Hills, these fees probably seem piddling. But for the followers of Elijah Muhammad who survived in ghastly housing projects like Pruitt-Igoe in St. Louis or Cabrini-Green on Chicago's South Side, the aggregate of these expenses was enormous.

After male members rebelled against the policy in the fall of 1962, Elijah Muhammad, Jr. came to Boston to threaten "recalcitrants." "In the old days," he warned them, "recalcitrant brothers were killed. And the Messenger fulfills all."[34]

The threat, however, was for naught. Dozens quit the Boston mosque, some from fear that harm would become them after the threat, others merely to stave off bankruptcy caused by mounting contributions to the Nation of Islam.

It wasn't just Ali's financial directives that were destroying the Nation of Islam; his public behavior was equally oppressive and overbearing. As early as 1961, before Elijah Muhammad banned Caucasians from attending the Nation of Islam's functions, Ali had drawn unfavorable media attention. At a rally in Chicago on February 26, for example, Ali made pronouncements that many Muslims, including Malcolm X, believed contributed to the negative image of the sect. As a crowd of 7,000 sat quietly in the International Amphitheater waiting for Elijah Muhammad to speak, Ali grabbed the microphone and began berating white reporters.[35] "I'd like you to know," Ali's voice boomed, "that the seats you are sitting in cost $750. . . . We had to pay the white man $2,500 for the hall, and he made us pay for it the day he agreed to rent it," Ali lectured. "Let's go into our pockets, newspaper and television men, too," he yelled.

As Black Muslims made their way through the crowd with a pasteboard collection bucket Ali ordered them to make sure that reporters contributed. "Pass it back to them reporters," Ali said. "They come to hear, but they don't contribute."

The performance was uncouth, to put it mildly. Embarrassed media representatives, not wanting to bring any more unnecessary attention to themselves, deposited donations into the collection plates. An hour later, after Elijah Muhammad addressed the gathering, Ali summoned the microphone again. "We have not taken up enough to make expenses," he bellowed. Once again he asked the crowd to make more contributions. As the long day of speechifying drew to a close, Ali again addressed the reporters angrily. Pointing to television cameramen, John shouted: "You see, they're using electricity we paid for. . . . You have been exploiting us long enough!" he shouted.

Malcolm X, not wanting to be outdone by his competition for Elijah Muhammad's attention, joined the unbecoming attack on the media. "Dig down into your socks," he said.

Not only were these antics bound to alienate the media, they were disastrous for the image of prosperity that Elijah Muhammad had tried to paint.

No one questioned John Ali's motives when he supported a proposal in early 1960 to seek an alliance with the Ku Klux Klan for the purchase of land in the South. On November 17, 1960, Malcolm X flew to Atlanta to work out the sale. The meeting was held at the home of Jeremiah X Pugh, minister of the Atlanta mosque,[36] and the purchase was arranged through Slater Hunter King, a real estate agent who happened to be a distant cousin of Dr. Martin Luther King, Jr.[37]

And it was Ali who arranged for American Nazi Party leader George Lincoln Rockwell to address the crowd attending the 1962 annual Saviour's Day Convention at Chicago's International Amphitheater.[38] Rockwell, whose headquarters were in Arlington, Virginia, had attended scores of Black Muslim functions before. This occasion marked the first time he was actually invited to speak. The neo-Nazi was roundly booed when he approached the podium, and visitors started leaving.[39]

Suddenly, John Ali grabbed the microphone. "I am asking you," he told the audience, "to be grown up enough to give the man a chance to speak. No one is forcing you," he said, "to accept what Mr. Rockwell has to say. All I am saying is that the man should have equal rights to speak."[40]

Muslims in the crowd quieted, but dozens of visitors headed for the exit as Rockwell began his lecture.

"Elijah Muhammad has done some wonderful things for the so-called Negro," the Virginian declared with a straight face. "Elijah Muhammad is to the so-called Negro what Adolph Hitler was to the German people," Rockwell said. "He is the most powerful black man in the country. Heil Hitler!"[41]

Finally, and perhaps coincidentally, it was shortly after John Ali became national secretary of the sect in 1960 that the Nation of Islam began receiving contributions from Texas multimillionaire H.L. Hunt.

Ali's handling of the Nation of Islam's purse strings ultimately led to his dismissal from the position in 1970. (He was reinstated two years later.) The official reason given was that Elijah Muhammad decided that he needed someone "more competent" in the position. But Muhammad's decision came only days after heavyweight boxer Muhammad Ali accused Main Bout Inc., a corporation owned in part by John Ali, of "mishandling" his money.[42]

John Ali's personal life was tumultuous as well. On October 25, five days before Lomax's book was published, he filed suit for divorce from Minnie Ali. They had been married since 1956, and had four children.[43] According to John Ali's lawsuit, his wife deserted him on September 14, 1962, taking their four children with her. As part of the suit, John Ali agreed that his wife would retain custody of the children, and that he would pay her $100 a week in child support but no alimony.[44] The divorce was finalized on November 6, 1962. Ali remarried, but that marriage, too, ended in divorce court, and he married a third time.[45]

Shortly after Lomax's book was published, the author encountered John Ali. John Ali didn't mince words. He asked Lomax why he had written about the FBI connection, to which Lomax replied that that's what reliable sources had told him.[46]

On May 23, 1963, Lomax debated Malcolm X at the Chicago Civic Opera House. The moderator was Irving "Irv" Kupcinet, a popular radio and television personality. As they were talking in a dressing room backstage before the program got under way, Malcolm X told Lomax to expect Black Muslims in the audience. Lomax asked Malcolm X why his enemies would come to watch him debate, to which Malcolm X replied: "Because they are out to kill me."

When he and Malcolm X went on stage a few minutes later and Lomax saw John Ali among a large contingent of Black Muslims in the audience, he knew whom Malcolm X meant by "they."[47]

After Malcolm X was attacked by four Black Muslims on July 4, at least one African American-owned newspaper questioned John Ali's loyalties. A reporter from the *Chicago Defender,* whose editor shared a warm friendship with Malcolm X and Elijah Muhammad, questioned the national secretary about his resume, particularly Lomax's allegation that he was a former FBI agent.[48]

In an interview on July 7, 1964, Ali told a reporter for the *Chicago Defender* that his career in the government had been limited to a job as a budget clerk, a messenger, and a "track man for the Navy Department."[49]

Time would prove that, as the reporter suspected, this may have been only part of his resume.

CHAPTER 15

A HOUSE DIVIDED

[A]n agent who performs as a plant in our time must have more in his favor than acting ability. With our modern methods of security checking, he is in danger of failure if there is any record of his ever having been something other than what he represents himself to be. The only way to disguise a man today so that he will be acceptable in hostile circles for any length of time is to make him over entirely.

—from *The Craft of Intelligence*,
by CIA Director Allen Dulles[1]

As early as 1963 the FBI Manual had authorized requests for CIA investigations of Americans abroad for internal security purposes. . . . It was through these procedures that the FBI secured the assistance of the CIA in the investigation of antiwar activists and black militant leaders who traveled overseas.

—Book III,
Church Committee Report[2]

ON MARCH 7, 1964, Malcolm X called his old friend Louis Lomax, and asked him to meet that afternoon. Over lunch, Malcolm confirmed reports in the New York *Amsterdam News* about the schism in the Nation of Islam. "The rumors are true," Malcolm X said. "Somebody in the Chicago office is out to get me."

"Who is it?" Lomax asked anxiously, suspecting he already knew the answer.

"It's John!"[3]

Lomax was shocked, even though he had cautioned Malcolm X about John Ali more than a year ago. Now he urged Malcolm X to notify the New York Police Department and the FBI about the threats in the event that something should happen to him. As they parted, Malcolm X promised to give Lomax's suggestion some thought.[4]

The next morning, March 8, Malcolm X telephoned Leon 4X Ameer and advised him that he had formulated a strategy to deal with his suspension. He told Ameer to make arrangements for a press conference at two o'clock in the lobby of the Theresa Hotel. Ameer complied as soon as he hung up, and by one-thirty, reporters from every major media outlet with bureaus in New York had assembled before the podium in the Carver Ballroom at the Theresa.[5]

Malcolm X entered the ballroom promptly at two, surrounded by eight bodyguards, all of them former Muslims who had defected upon learning of Malcolm X's expulsion from the NOI. The guards took their positions near the podium as Malcolm X adjusted the microphones attached to it. Reading a statement the FBI's Chicago field office had anticipated since it leaked the bogus news story nearly a month ago, Malcolm said in part:

> There has been talk of a split between me and the Honorable Elijah Muhammad. After 90 days of complete silence, I would like to make my position crystal clear. . . .
>
> I am and always will be a Muslim. . . . Internal differences within the Nation of Islam forced me out of it. I did not leave of my own free will. But now that it has happened, I intend to make the most of it. . . .
>
> I am going to organize and head a new mosque in New York City, known as the Muslim Mosque, Incorporated. . . .
>
> Our political philosophy will be Black Nationalism, our economic and social philosophy will be Black Nationalism. Our cultural emphasis will be Black Nationalism. . . .[6]

Malcolm X, as always, appeared self-assured and assertive as he addressed the throng of mostly Caucasian journalists. What no one knew except Muhammad's inner circle and the FBI, which had monitored a series of telephone calls Malcolm X had made to Muhammad in recent weeks, was that Malcolm X had begged Muhammad to reinstate him.

Wallace Muhammad had given Malcolm X a tape recording naming secretaries Muhammad had impregnated and the number of children he had fathered by each. Wallace, Malcolm X told Ameer, had made the tape because he feared something might happen to him as a result of his discovery of his father's transgressions, and he wanted there to be a record in the event he died unexpectedly.[7]

When Malcolm X first mentioned Wallace Muhammad's allegations to the Messenger, Elijah Muhammad promised he would investigate the charges. He even implied that he would kill Wallace himself if Malcolm X's charges—that Wallace had accused Muhammad of adultery— proved true.

Perhaps Muhammad meant it, because days after Muhammad launched the probe of Wallace, Clara Muhammad overheard someone who worked in their home say that the Messenger intended to have Wallace killed if Malcolm X's allegations regarding the secretaries became public knowledge.

She was outraged. "I know the truth!" she yelled at her husband, and said she couldn't believe that he would sacrifice his own flesh and blood merely to cover up his adultery. "If anyone lays a finger on Wallace," Clara Muhammad told the Messenger, "I'll hold you directly responsible."[8] Within hours, Muhammad vacated the probe of Wallace.

When Malcolm X called the Messenger on February 25, Elijah Muhammad claimed that Wallace denied giving Malcolm X a tape. Instead, according to Muhammad, Wallace argued that Malcolm X was the one who raised the issue of adultery. The allegations about the tape were a shabby attempt at blackmail, Muhammad shouted.[9]

When he hung up on Malcolm X, Muhammad felt certain that his suspended national spokesman's mind would collapse under the strain the dispute was causing him, especially when his ninety day suspension was changed to an indefinite one. Elijah Muhammad's advisors agreed.

But when he heard the radio broadcast on March 8 about Malcolm X's decision to start a splinter group, Muhammad realized too late that he had seriously underestimated his former disciple. The Messenger was at his home in Phoenix, once again battling a severe asthmatic attack. "I never dreamed this man would leave me," one Muslim recalls the Messenger saying as he continued to cough and wheeze. He bent over in agony. The more his aides tried to calm him, the more hysterical the Messenger became. "The Messenger cried like a baby the whole day," a former Muslim said. "We had to give him something to make him sleep."[10]

At the March 8 press conference, Malcolm X opened up the floor for questions after concluding his announcement. A reporter asked what his intentions were concerning leaders of the civil rights movement, and his impression of the proposed Civil Rights Act of 1964.

Malcolm X replied that he intended to expand the civil rights struggle into one for human rights. "The white power structure is hopeful that the civil rights leaders will channel the demands and bitterness of Negroes into a token, painless compromise," Malcolm X said forcefully. "They are sadly mistaken. White leaders don't realize the extent to which the civil rights leaders have deceived them about the true feelings of Negroes."[11]

He warned that unless the nation's "white leaders" began to listen to those, like himself, who "truly articulated the needs and frustrations" of most African Americans, 1964 would prove to be "one of the most violent years in the history of America. 1964 will be marked by a long, hot summer."

No, Malcolm X said, he was not looking forward to rioting by economically frustrated blacks trapped in the ghetto. Rather, he said, his message was intended as a warning to "Congress of the need for immediate economic attention to Negroes."[12]

When the synopsis of the press conference reached the FBI's

Chicago field office, the architects of the counterintelligence operation that caused Malcolm X's ouster surely realized the magnitude of their miscalculation. Like the Messenger, the FBI had expected Malcolm X's ouster to destroy him. The FBI had reasoned that Malcolm X would never work with Dr. King and other civil rights leaders.

"I am prepared," Malcolm X said, "to cooperate in local civil rights actions, and actions in the South and elsewhere, and shall do so because every campaign for specific objectives can only heighten the political consciousness of Negroes and intensify their identification against white society."

Instead of becoming less vocal on "racial matters" (as the FBI referred to both the civil rights movement and the counterintelligence campaign against civil rights activists), Malcolm X had taken a position likely to give him more influence on it.

As the press scrambled to get reactions from black intellectuals regarding the impact of Malcolm X's newfound philosophy and organizations, the views published on the question caused deep concern at FBI headquarters. The *New York Times,* for example, contacted professor C. Eric Lincoln of Clark College in Atlanta for his reaction to Malcolm X's entry into the civil rights movement.[13] "Many blacks," Dr. Lincoln told the reporter, "who did not formally belong to the civil rights movement would probably become active as a result of the split." Explaining his conclusion, Dr. Lincoln argued that there were "an increasing number of Negroes who feel that nonviolence has run its course, and they are disillusioned."

Louis Lomax expressed similar observations.[14] "Malcolm X articulates for the majority of Negroes," Lomax said on the "Bob Kennedy Show" in Boston when the question of Malcolm X's new movement was raised. "He is much more of a threat to the white power structure now that he has become an activist," Lomax continued. "There is no question that now Malcolm X will be more readily acceptable as a leader in the civil rights movement."[15]

While the media pundits estimated the impact of the suddenly more palatable Malcolm X, William C. Sullivan was busy on the telephone with the directors of the New York Police Department's Bureau of Special Services (called BOSSI— pronounced "bossy"— by the intelligence community). BOSSI, an ultrasecret unit of the New York Police Department, was created in 1940 by Percy E. ("Sam") Foxworth, then head of the FBI's New York bureau. As part of a campaign to destroy the effectiveness of Japanese espionage agents working among black organizations (including the Nation of Islam), Foxworth requested the Office of Strategic Services (OSS) to permit him and other FBI agents to visit Camp X for counterintelligence training. The initial program was so successful—it was the program that eventually led to the arrest and imprisonment of Elijah Muhammad in 1942—that it became an ongoing endeavor.[16]

A few days after Malcolm X's press conference, Sullivan contacted the directors of BOSSI and asked them to recruit several African Americans to infiltrate Malcolm X's new organization. Among the directors at the time were two men who later would play key roles in the scandal that led to Richard Nixon's resignation: Anthony Ulasewicz, the infamous bagman of Watergate, and Nixon advisor John J. Caulfield.[17]

Ulasewicz was all too happy to comply with Sullivan's request. Malcolm X had been a thorn in the New York Police Department's side for more than a decade. He told Sullivan that he would have officers ready to infiltrate Malcolm X's new organizations within thirty days.

While Sullivan was coordinating the domestic counterintelligence program against Malcolm X with BOSSI, the CIA initiated a similar program to determine the extent of Malcolm X's influence with Third World leaders.[18] "What do we have on Malcolm X?" a CIA official wrote in an interoffice memo dated March 10. The request for information had come from the U.S. State Department. The official ordered a clerk to run a thorough check in the CIA's database to determine which Third World countries seemed receptive to Malcolm X. The State Department, the official wrote, was "especially interested in any financial backing" of Malcolm X by foreign governments.[19] (Linking Malcolm X to foreign money could justify the State Department in classifying Malcolm X a "foreign agent," subject to counterintelligence operations the CIA used against other foreign agents.)

CIA agents assigned to the Malcolm X case began exchanging information with the FBI daily in an attempt to pin down every detail of an impending visit to Africa by Malcolm X and Muhammad Ali.

Daily transcripts from telephone calls monitored by the FBI and copies of field reports from FBI informants were shared with the CIA. Moreover, officers in the U.S. Foreign Service officers were assigned to monitor the activities of the two prominent Black Muslims once their African journey began.

On March 9, less than twenty-four hours after the press conference, Malcolm X received a telephone call from an aide to Herbert Muhammad, one of the Messenger's sons. The aide informed Malcolm X that Herbert was Ali's new manager, and that Ali had decided to forego plans to travel to Africa with him.[20]

Malcolm X was dumbstruck. Only six days earlier, during a visit to the UN with Malcolm X, Ali had excitedly told reporters that his "companion on my world tour will be Minister Malcolm X."[21] The conversation with Herbert Muhammad's aide caught Malcolm X off guard because Ali hadn't given any indication that he intended to sever their bond.

Malcolm X wanted to talk to Ali personally, but when he called the heavyweight champion at his hotel he was advised that Ali wasn't there. He called eight times that day, but Ali never accepted the calls.

Malcolm X received confirmation of Ali's decision to postpone their trip by reading the March 10 edition of the New York *Amsterdam News*. In an interview, Clay announced that he still intended to travel to Africa soon, but contrary to his earlier statements, he said, "I will not be traveling with Malcolm X."[22] The former Cassius Clay, who had finally accepted the name Muhammad Ali, began making derogatory comments about Malcolm X in Muslim meetings and during interviews with the media. Whether out of fear for his life and safety, or simply to show his dedication to Elijah Muhammad, Ali used every opportunity which presented itself to cast aspersions at Malcolm X. During an interview in Miami, the journalist George Plimpton asked Ali to describe his relationship with Malcolm X now that his mentor was out of the Black Muslims. "Man, you just don't buck Mr. Muhammad," Ali said. "Nobody bucks Mr. Muhammad." Ali made similar statements to Alex Haley during an interview for *Playboy* magazine.[23]

Several days after the Ali interview, Haley met Malcolm X again to resume work on the latter's autobiography. He mentioned some of the negative things Ali said during the *Playboy* session. As Haley recalls, Malcolm X was crushed. He tried to hide it, but the hurt he experienced was clear from the look in his eyes and in the melancholy manner Malcolm X reacted to Haley's information. "I felt like a big brother to him," Malcolm X said sadly. "I'm not against him now," he added. "He's a fine young man. Smart. He just let himself be used, led astray."[24]

Without Ali in his corner, Malcolm X grew justifiably afraid of what might happen to him. Ali's loyalty had been Malcolm X's trump card, as long as they remained close, Elijah Muhammad wouldn't dream of attacking him, Malcolm X knew, for fear of alienating the heavyweight boxing champion.

Elijah Muhammad seemed near death at his home in Phoenix when Malcolm X learned of Ali's repudiation of their friendship. He was so heavily sedated that he literally had no idea what was happening to the sect he helped create thirty years ago. Now that Malcolm X was out of the picture, Herbert Muhammad and Raymond Sharrieff, national director of the Fruit of Islam, were running the sect from Chicago, while national secretary John Ali conducted business for the Messenger from Muhammad's home office in Phoenix. In New York, operations were headed by Captain Joseph, whom Malcolm X believed was the chief overseer of the initial plot to destroy him.[25]

Malcolm X decided that his only recourse was to speak directly to Muhammad, but there was a problem. All three men seemed jealous of Malcolm X; they would not permit access to the Messenger. Their communications blockade left Malcolm X with only one choice: to contact Muhammad through the media. On March 12, Malcolm X called his second major press conference since his ouster. During the conference, held at the Park Sheraton Hotel in New York City, he handed out copies of a telegram he'd sent to Muhammad. The telegram read in part:

> Despite what has been in the press, I have never spoken one word of criticism to them about your family. . . .
>
> You are still my leader and teacher, even though those around you won't let me be one of your followers or helpers. . . .
>
> The National officials there at the Chicago headquarters know that I never left the Nation of Islam of my own free will. It was they who conspired with Captain Joseph here in New York to pressure me out of the Nation. In order to save National officials and Captain Joseph from the disgrace of having to explain the real reason for forcing me out, I announced through the press that it was my own decision to leave.[26]

In closing, Malcolm X tried to diminish the hostility of vengeful Muslims who blamed him personally for the Messenger's abrupt, debilitating change in health. "The tears you shed in Arizona," Malcolm X wrote, "gave the impression that you also are of the opinion that I left of my own free will, so I am giving a copy of this wire to the press."[27]

At the conclusion of the press conference, Malcolm X and Ameer proceeded to a restaurant in the lobby of the Theresa for quick cup of coffee. As they talked, several Black Muslims stopped by to greet Malcolm X and express their interest in joining his new organizations. By late evening, at least fifty Black Muslims from the Harlem mosque had contacted Malcolm X and announced their intent to join him.[28]

Muslims around the nation, particularly in Chicago, where rumors of the Messenger's moral transgressions were rampant, were abandoning the Nation of Islam. In Boston, for example, more than 200 of the 500 registered members of Muslim Mosque No. 11 quit to join Malcolm X's Muslim Mosque in the week following Malcolm X's departure. And in Detroit, considered one of Elijah Muhammad's strongholds, at least 150 Muslims quit Mosque No. 1 in anticipation of following Malcolm X.[29] Although Black Muslim mosques in the Midwest (except for Chicago) reported few defections, the West Coast mosques were duplicating the pattern of those in the East.

Many of those who decided to renounce the Messenger occupied positions of leadership. Besides Leon 4X Ameer of Boston, James Shabazz, the powerful lieutenant of the Fruit of Islam in the Harlem mosque, also pledged his support of Malcolm X. Ameer and Shabazz soon were joined by Benjamin X Goodman and Thomas 13X Wallace of Harlem and scores of other high-level officials from mosques in Los Angeles, Washington, D.C., and Pennsylvania.[30]

While Malcolm X clearly wanted Black Muslims unhappy with Elijah Muhammad's leadership to follow him, he feared that if too many defected, the antagonism between his followers and Muhammad's could turn into a cold war, if not outright violence.

His instincts were correct. In a move that clearly showed how desperate Elijah Muhammad had become in his bid to break Malcolm X mentally, on March 10 the Messenger instructed one of his attorneys to draw up a letter ordering Malcolm X to vacate the home he was living in.[31] Malcolm X, surely to his great regret now, had taken a vow of poverty when the Messenger made him an assistant minister in 1952. While he received a salary, his only major personal property was his car. The home in Queens he lived in was legally the property of the Nation of Islam's Harlem Mosque, the Messenger's letter said, and was registered as such with the Recorder of Deeds of New York City.

Malcolm X refused to honor the Messenger's demand. After all, Muhammad had told him the home was his, notwithstanding his vow. In his response to the letter, Malcolm X told the Messenger to send any further communications in the matter to Percy Sutton, a close friend who handled most of Malcolm X's legal affairs.[32]

Around the middle of March, rumors began circulating in Harlem that a major defection from the Nation of Islam was in the offing. According to the rumors, Wallace Delaney Muhammad, the Messenger's heir apparent, and Akbar Muhammad, the Messenger's youngest son, intended to denounce their father in public for adultery and to announce their intentions to follow Malcolm X.[33] If the rumors proved true, everyone in the Black Muslims knew, the impact on the ailing Messenger could be fatal. Muhammad regarded Wallace and Akbar as his brightest children. They were the only ones who received their college education in Africa, both having attended the University of El-Azhar in Cairo, Egypt.[34] Both were fluent in Arabic and had close ties to Arab and African leaders. During their matriculation, they met and had become friends with such luminaries as President Gamal Abdel Nasser of Egypt, and Premier Kwame Nkrumah of Ghana. The Messenger, in fact, had been waiting for them to finish their education so he could use their contacts in the Arab world to expand his commercial endeavors into Africa.

Though he tried to blame Malcolm X for the rumors about his sons turning against him, Elijah Muhammad knew full well that he alone was responsible for any anger they felt toward him. Besides, the Messenger had known since Wallace's release from prison that the son Wallace Fard had called a holy child, destined to lead the Nation of Islam, was disillusioned with the perverted version of Islam his father espoused.[35] Wallace had spent too much time with people in the Middle East during his college years to believe his father's teachings about white people being devils.

But the primary source of Wallace Muhammad's disillusionment with the Messenger lay closer to home. After he was released from prison, Wallace thought it odd that nearly every secretary the Messenger hired was a teenager. Almost all of them became pregnant after working for his father for a few months, yet none of them was married. Equally troubling to Wallace was the knowledge that Muhammad, while denying paternity, was providing generous financial support to the young secretaries.

Even more disturbing was the terrible way he treated his wife Clara, who was well aware of her husband's adultery. At one point, while Akbar was still attending school in Cairo, she had discussed the possibility of leaving Muhammad and moving to Egypt.[36] Akbar had never forgotten that painful episode. When he returned to America in 1963, he made no secret of the fact that he was ashamed of the manner in which his father conducted himself. Muhammad, Akbar told Louis Lomax, had "betrayed Islam" in his search for power.[37]

About the only good news for the Messenger in the weeks following the loss of Malcolm X came from, of all places, the federal government. Citing reliable sources, on March 18 the *Washington Post* reported on its front page that Muhammad Ali had failed his second predraft mental aptitude test.[38] On March 20, the Department of the Army confirmed the story. Muhammad Ali, when asked for his reaction to his rejection for military service, quipped: "I didn't say I am the smartest. I said I am the greatest."[39]

The next day, in what at first seemed like a publicity stunt or maybe even just a very bad joke, former heavyweight boxing champion Floyd Patterson, who was defeated twice in the first round by Sonny Liston, announced in a New York press conference that he would fight Muhammad Ali for free, just "to get the title away from the Black Muslims."[40]

At a Washington press conference an hour or so after Patterson's announcement, Senator Philip Hart, a member of the Senate Antitrust and Monopoly Subcommittee, told the media that on

March 24 he would open a congressional investigation into the legality of the contracts governing Clay's bout with Liston.[41]

While the probe seemed legitimate on its face, since there was incontrovertible proof that the Mafia had widespread influence in professional boxing and earlier testimony revealed that Liston's trainers were tied to the Mafia, the fact that Hart had decided to launch the probe in the aftermath of Clay's evasion of the draft left the impression that the government was trying to invalidate the Clay/Liston contracts in an attempt to strip Clay of his title.[42]

It was during this period that Elijah Muhammad's aides noticed that he became "emotionally affected" whenever anyone mentioned Malcolm X's name in his presence.[43]

CHAPTER 16

THE CHICAGO CONNECTION

The neutralization program continued until Dr. King's death.
—Book II,
Church Committee Report[1]

"The phrase 'neutralize' means to kill."
—Sen. Daniel P. Moynihan,
ABC-TV, October 18, 1984[2]

One November 11, 1962, approval was given for a high level counterintelligence program against the NOI by Hoover, entitled "Nation of Islam, IS-NOI." This program was initiated by Chicago and resulted in a nationwide counterintelligence program which showed fallacies and weaknesses of the NOI to the public. It was conducted on an extremely high level and avoided name calling, mud slinging, etc. This program continues . . . .
—FBI Memorandum
November 27, 1968[3]

By March 25, 1964, John Ali could see the debilitating effects of Malcolm X's forced departure on the NOI's financial health and on its morale. Both were at an all-time low. In some mosques, the weekly income had dropped by more than $500, a direct reflection of the exodus of members toward Malcolm's new organizations and the sharp decline in new membership applications. Many of those who left also removed their children from the University of Islam.[4] Beatings were inflicted upon many defectors in an effort to get them to return, but the Fruit of Islam's leader Raymond Sharrieff discovered that even this punishment was ineffective.

A case in point was Aubrey Barnette of Boston's Mosque No. 11, one of the rare college graduates in the cult. Barnette had enrolled his children in the University of Islam when he joined the Nation of Islam in 1960. Within a year he was elevated to the rank of secretary of the mosque. He joined the Nation of Islam after hearing Malcolm X speak, and after Malcolm X was suspended, Barnette's allegiance to him remained intact.[5]

When he told Louis X, minister of Mosque Number Eleven, of his decision to defect and to testify if required to what he knew about an attempt on Malcolm X's life, Louis X Farrakhan castigated him for being a "bourgeois Negro."[6] Months later, Barnette was hospitalized after he was assaulted by Clarence W. X Gill, Clay's chief bodyguard, and three other karate-trained NOI enforcers.[7]

Malcolm X welcomed the support of defectors like Barnette, but there were others whose support he would have preferred to do without. On March 26, six of the latter, all of whom had recently joined Muslim Mosque Inc., marched into the Mosque No. 7 and told the attending minister that, effective immediately, he would take instructions only from Malcolm X.[8]

When word of the threat reached Elijah Muhammad in Chicago, the ailing millionaire ordered his advisors to get Philbert X, Malcolm's younger brother, to Chicago right away.

At nine A.M. on March 26, Philbert X Little was escorted to the dining room of Muhammad's home. John Ali, James Shabazz, and Raymond Sharrieff stood as Philbert took a seat near Muhammad. An hour or so later, one of Muhammad's secretaries called Chicago newspaper, radio, and television outlets to inform them that Malcolm X's brother would be holding a very important press conference at the Shabazz Restaurant at 600 71st Street in two hours.[9]

At noon, as photographers' camera lights flashed and television cameras rolled, Philbert X read the press statement like a prosecutor reading an indictment to a jury. "Because I, Philbert X, a minister of Islam in Lansing, Grand Rapids, Flint, and Muskegan, Michigan, love Islam, our teacher, the Honorable Elijah Muhammad, and all his followers, I think someone should say something or speak out against the acts of my blood brother, Malcolm," he began.[10]

Minister Philbert X explained how he had converted Malcolm X to Islam more than ten years earlier and how the Messenger of Allah had raised Malcolm X "from nothing to a place of honor. . . . Now," he continued reading from the prepared statement, "I see my brother pursue a dangerous course which parallels that of the precedents set by Judas, Brutus, Benedict Arnold, and others who betrayed the fiduciary relationship between them and their leaders."

The speech, which Philbert delivered in a monotonous pitch, then took an ominous turn:

> I see where the reckless efforts of my brother Malcolm will cause many of our unsuspecting people who listen and follow him unnecessary loss of blood and life. . . .
>
> I am aware of the great mental illness which beset, unfortunately, many in America and which beset my mother whom I love and one of my brothers, and which may now have taken another victim . . . my brother Malcolm.[11]

In his conclusion, Philbert accused Malcolm X of trying to smear Elijah Muhammad's name by using women "who have been dismissed from our group" because "they were weak and went contrary to Islam."

The local media spotlighted the sensational story the following morning at the top of news broadcasts and on the front pages. "Brother Bitterly Condemns Malcolm X," the headline read in the *Chicago Sun-Times*. "Hit Malcolm X as Judas," read another.[12]

Malcolm X was unaware of his brother's denunciation of him until the day after the press conference, and wasn't confronted about Philbert's statements until several days later.

While Philbert was repudiating him and belittling his own

mother and siblings in Chicago, Malcolm was in the visitor's gallery in the Senate building in Washington, D.C., listening to the heated debate on the proposed Civil Rights Act of 1964. When he returned to the gallery on March 27, he saw three rows in front of him the man he publicly ridiculed but privately admired: Dr. Martin Luther King, Jr. The two men, who together symbolized the political conscience of Black America, acknowledged each other by simply nodding with a smile.[13]

Afterward, as Dr. King, the Reverend Ralph Abernathy, and their entourage walked down the steps from the gallery, they noticed Malcolm X was only a few feet in front of them. King had been tremendously impressed by Malcolm X's recent public statements urging African Americans to vote; the statements implied that Malcolm X believed that democracy could work to the advantage of America's disenfranchised minorities.

But the SCLC president was probably dismayed by the proviso Malcolm X added to his endorsement of voting, which was that African Americans should combat violence with violence when necessary for self-defense.

The crowd came to a standstill at the bottom of the stairs, and Dr. King and Malcolm X were suddenly standing side-by-side. An Associated Press reporter, stunned by the sight of America's two foremost black activists conversing—in public no less—asked them if they'd agree to a brief interview. Both readily complied.

The reporter asked them whether they had reached any agreements in principle on the direction the civil rights movement should take, and whether Malcolm X considered the Civil Rights Bill important.

"I'm here to remind the white man of the alternative to Dr. King," Malcolm X said, flashing his trademark Cheshire cat grin.[14] "If the white man rejects the proposed Civil Rights Bill which Dr. King supports, members of the doctor's organization—and hopefully Dr. King himself—will hopefully coalesce with the Muslim Mosque, Incorporated, in order to effect an end to the racial, social, and economic oppression of the black man here in America."[15]

"How long do you expect the debate to continue?" the reporter asked, facing Dr. King.

"A month would be long enough," King answered sternly. "A creative direct action program will start if they are still talking about the bill after the first week in May."

What would happen, the reporter wanted to know, if the debate continued beyond that point?

"At first," King replied, "we would seek to persuade with our words—" King paused for effect, and said, "then our deeds."[16]

The words had an ominous ring, considering that Malcolm X, the man the press often referred to as the "angriest Negro in America," was standing beside the man known as America's "apostle of nonviolence."

Then, as if to remove any doubt about the import of his statement, Dr. King made a prediction. "If this bill is not passed," he warned, "our nation is in for a *dark* night of *social disruption.*"[17]

As King and Malcolm X smiled approvingly at each other, with Abernathy standing in the background, photographers captured on film a moment in African American history that FBI Director Hoover interpreted as an act of treason.

Malcolm X and King agreed that there was much they needed to discuss, but they understood that now clearly was not the time. For now, King was betting his dreams on the passage of the bill, while Malcolm X, who considered himself one of the "field Negroes" who always envisioned the worst fate for whites, was banking on the bill's defeat; then African Americans would realize the onerousness of their plight. They promised nonetheless to meet again as soon as possible, then parted ways.

After leaving Capitol Hill, Malcolm X headed for Washington National Airport, where he boarded a plane for Chicago. Upon his arrival, he was greeted by a horde of reporters anxious for his words to feed their thirsty tape recorders.[18] "What's your reaction to your brother's accusations?" they asked nearly in unison. When Malcolm said he hadn't read the full text of his brother's statement, a reporter handed him a copy of a newspaper that published Philbert's speech.

"I believe my brother was forced to make these statements," Malcolm said after perusing the article. "I can tell just from reading this that he was using someone else's words. He made these statements as a result of someone applying pressure."[19]

"Do you think Elijah Muhammad forced him to make the statement?" one of them asked.

"No," Malcolm X replied, "I will not say who applied the force." He knew that accusing Muhammad would have been like fighting fire with gasoline.

But the fire destroying the house that Muhammad built was already beyond control, courtesy of COINTELPRO.

The photograph of Dr. King and Malcolm X smiling and shaking hands ran in the *Washington Post* on March 27, and aroused the attention of James Gandy, one of Hoover's key administrators in the racial matters division. In a letter to the FBI's New York field office, Gandy wrote:

> The New York office is reminded that in view of Little's current activities, publicity and national prominence, it is important that his activities be given all coverage which is practical and the Bureau kept closely advised of his statements, pertinent activities and travels throughout the country.[20]

That same day, the Domestic Operations Division of the CIA received a reply from the FBI concerning its own covert investigation of Malcolm X. Hoover, however, was in no mood to cooperate, since that would have been an admission that the FBI was incapable of neutralizing Malcolm X on its own.[21]

"The material received from the FBI," the CIA case officer wrote in his report to Helms, "as a result of our request was received and nothing of consequence was obtained which helps our current interest."[22] In an effort to get around Hoover's intractability, the CIA case officer requested files on Malcolm X from the Department of Justice and from the State Department. The sole purpose of the query, he wrote, was to "inquire whether they might have any up-to-date info on Subject other than that available from the FBI."

What the FBI had discovered, but refused to share with the CIA, was that Malcolm X was making significant inroads into the civil rights arena, a move which clearly had not been anticipated. According to a report sent to Hoover by the FBI's New York field office, Malcolm X had already formed a coalition of seventeen civil rights groups. The coalition was called "ACT."[23] Although the New York office was unable to determine what the initials or acronym represented, it learned that ACT planned a twenty-four-hour school boycott in six major cities in the U.S. if the Senate didn't end debate on the proposed federal Civil Rights Bill by May 5. This was a startling development, since it was the first time the FBI had encountered information indicating that Malcolm X and Dr. King might actually become partners in the civil rights struggle. This boycott, the New York office believed, was one aspect of what Dr. King was referring to when he mentioned that "direct action" would be taken if the bill was still being debated in "the first week of May."

Upon further investigation of the origins of ACT, the New York field office discovered that Malcolm X had begun organizing the groups during his February 14 visit to Chester, Pennsylvania, while attending a civil rights conference.[24] The date posed a problem, since the FBI earlier had claimed to have information that Malcolm X met with Black Muslims in Rochester, New York on February 14 to plot the assassination of President Johnson.

The FBI now understood why Malcolm X had labeled those allegations "ridiculous": if they tried to implicate him in the plot, Malcolm X would have had 99,000 witnesses, including Louis Lomax and the very reputable Alex Haley, both of whom had attended the conference, to establish proof that he couldn't have been in Rochester on the day in question.

The FBI's suspicions that Dr. King and Malcolm X were secretly working together were heightened after it learned that several chapters of the SCLC were members of ACT. But there was more. FBI agents monitoring the activities of Louis Lomax had recorded speeches by the writer which suggested that he was abandoning his support of Dr. King and was aiding Malcolm X's drive to bring the issue of America's violations of the human rights of African Americans before the UN.

He was even beginning to sound like Malcolm X. "Christianity is on its last legs," Lomax boldly declared during an address at a black Baptist church in Los Angeles on March 26. Unless America's leaders "initiated a crash program to bring about racial justice and equality in America," Lomax said, African Americans might resort to violence to bring change about. "This is America's last chance to redeem itself," Lomax said in reference to the proposed civil rights legislation.[25] "The world is watching to see what happens to the Negro in America!"

Two days later in Chicago, Malcolm X made a speech which strongly echoed Lomax's comments. During an appearance on "Kups," a television show hosted by Irv Kupcinet, Malcolm X stated that "democracy has had its last chance," and that if "America would not listen to its own citizens and its own courts, perhaps it would listen to the citizens of the world as personified by the UN, the world court."[26]

As Malcolm X's co-panelists, U.S. Senator Paul Douglas of Illinois and William R. Ming, Jr., listened, Malcolm X continued to explore the idea of petitioning the United Nations. "Perhaps our case should be taken up in the United Nations," he said. "The Negro will never get justice in Uncle Sam's courts. He will be forced to take Uncle Sam into the World Court."

Ming, a partner in the Chicago law firm of McCoy, Ming & Black, as well as legal counsel for Elijah Muhammad, was a veteran civil rights activist. He had been a member of the NAACP since 1937.[27] A brilliant trial lawyer, Ming had taught at Howard University Law School and at the University of Chicago in the early 1940s. In April, 1957, he became the first African American elected chairman of the American Veterans Committee.

While his appearance on the panel gave the public the impression that he disagreed with Malcolm X, the FBI knew better, because the Chicago field office had been monitoring Ming's activities for more than ten years. From wiretaps and physical surveillance, the Chicago field office knew that Ming was part of an invisible chain linking America's black power triumvirate: Malcolm X, Elijah Muhammad, and Dr. King.

Ming was one of the attorneys who in March, 1960, formed the "Committee to Defend Martin Luther King" following King's indictment in Alabama for allegedly filing false income tax reports in 1956 and 1958.[28] The committee's goal, Ming said, was to raise money to cover King's legal expenses and to help finance the SCLC's voter registration drives. As an outgrowth of his legal representation of Dr. King that year, Ming became one of his closest advisors and a personal friend.

Ming was also Elijah Muhammad's legal counsel, having represented him since 1957. Ming handled tax matters for the Nation of Islam and represented Wallace Muhammad in his attempt to avoid induction into the military.[29] With the help of the wiretap on Muhammad's home telephone, the FBI had built an extensive file on Muhammad's strategies for paying lower income taxes and smaller social security taxes, and other legal ploys which formed the basis of a subsequent COINTELPRO against Ming.[30]

The relationship between Ming and the Nation of Islam led inevitably to a relationship between Ming and Malcolm X, who was frequently called upon to oversee legal matters for the Black Muslims when Muhammad was ill.

Another link between Muhammad, Malcolm X, and Dr. King was Chauncey Eskridge, one of the witnesses Ming subpoenaed to testify on King's behalf during the Alabama income tax trial. An attorney, accountant, and former agent for the IRS,[31] Eskridge had met Ming years ago during a gathering of African American attorneys in the Chicago area, and they also had met at the Chicago residence of Elijah Muhammad. At the time of Eskridge's testimony on King's behalf, the FBI's Chicago field office, which had Eskridge under surveillance, knew from wiretaps that he had been Muhammad's lawyer for more than a year.[32] On March 23, 1959, for example, the Chicago field office intercepted a telephone call between Eskridge in Chicago and Muhammad in Detroit. From the conversation, the FBI determined that one of the Eskridge's files concerning Muhammad's income tax matters had been misplaced by a secretary at the Detroit mosque. Eskridge told Muhammad not to worry, since he had a backup copy.[33] Later that year, the FBI discovered that Eskridge had joined the law firm, which also handled Muhammad's legal affairs.

The firm's ties to the Black Muslims became public knowledge on February 22, 1960, when Eskridge filed a lawsuit on Muhammad's behalf against the Chicago Car Advertising Company (CCAC) and the Chicago Transit Authority (CTA).[34] The suit claimed discrimination because the two companies canceled a contract calling for them to display posters advertising the annual Savior's Day Convention slated for February 26 at the Chicago Coliseum. In seeking $10,000 in punitive damages, the lawsuit filed by Eskridge also accused the companies of discriminating on racial and religious grounds. (Eskridge was Muhammad Ali's attorney as well. After the boxer was targeted for induction into the military, Eskridge, with the help of a brilliant young attorney named Eleanor Holmes Norton, fought it all the way to the United States Supreme Court.)[35]

The third bridge between Muhammad, Malcolm X, and Dr. King, and which Hoover considered as evidence of an alliance among the three, was Slater Hunter King, a prominent Alabama civil rights activist who, according to a memo from Burke Marshall at the Justice Department to Hoover, was "the cousin of Dr. Martin Luther King."[36]

Slater King had good reason to hate the FBI. Near Christmas of

1961, during the round of boycotts and demonstrations Slater King led with his brother Chevene ("C.B.") King, Marion King, Slater's wife, decided to take food and clothing to demonstrators held in a jail near Albany, Georgia. Seven months pregnant, she had taken her three children along with her, holding her one-year-old in her arms. Upon her arrival at the Mitchell County Jail, Marion King was brutally assaulted by the jail's brave lawmen. She was struck in her face and knocked to the ground, at which point several of the officers kicked her.[37] She was hospitalized within hours of the attack, but no doctor could repair the damage done to her mind and body that winter; after eight months of pregnancy, Marion King went into labor. The child was stillborn.[38]

Slater King asked the FBI and Justice Department to investigate the assault, feeling certain that charges of civil rights violations would be lodged against the officers. To Slater King's horror, the FBI investigation was concluded within a week. Seven months later, the Justice Department still had not filed charges against the officers. When an FBI agent contacted Slater King in July about the attack, he understandably vented his rage at the agent. "The damn federal government didn't do anything for me then and won't now," King said. "The federal government is no damn good!"[39]

Instead of trying to prove Slater King wrong by genuinely seeking to redress the injuries that had been done to him and his family, the FBI and Robert F. Kennedy continued to focus on what it considered King's uncivilized behavior. They viewed him as un-American because he promoted economic boycotts of white merchants in Albany. They regarded him as a "Communist dupe" because he was associated with "New York Jews" who went south to stir up trouble. Lastly, they were suspicious of his relationship with Dr. King and Malcolm X.

Through its surveillance of Slater King, the FBI learned that Malcolm X had met Slater King in 1961, when the latter negotiated land purchases in the South for the Nation of Islam. The meetings occurred at the home of Jeremiah X Pugh, the Nation of Islam's minister of the Atlanta mosque and its regional representative.[40]

When Slater King was indicted for perjury in September, 1962, one of his alleged co-conspirators was an individual who belonged to the three groups that Hoover hated most: women, Jews, and Communists.

Her name was Jodi Rabinowitz.[41] Like Malcolm X, she was listed in the FBI's Security Index as a member of the Fair Play for Cuba Committee. But her biggest sin, at least in the eyes of Robert Kennedy, was that she was the daughter of Victor Rabinowitz, a prominent New York lawyer who brought forth the worst in Kennedy.[42] Ever since he joined the staff of the notorious red-baiter Senator Joseph R. McCarthy in 1953, Kennedy had been trying to build a case against the National Lawyers Guild, which Victor Rabinowitz served as vice president in the late 1950s.[43] When Fidel Castro visited New York in September, 1960, he retained Mr. Rabinowitz and Leonard B. Boudin to handle Cuba's mercantile and international financial concerns. Upon discovering this, Robert Kennedy demanded they register under the Foreign Agents Registration Act of 1938, a move the National Lawyers Guild opposed since it would have given the government *carte blanche* to rifle through their confidential files and subject them to other forms of harassment.[44] The case ended up before the United States Supreme Court in October, 1963.

After compiling summaries on the King-Malcolm X connection on March 31, Hoover, in conjunction with the CIA, initiated a new phase in the FBI's counterintelligence operations against Malcolm X and Dr. King. During a conference that day in Hoover's office, the FBI director asked Sullivan what action he recommended in the two high-priority cases. Sullivan suggested that a request be made of U.S. Attorney General Robert Kennedy, seeking permission to install a wiretap on both black leaders.[45] It was, of course, a mere formality: illegal wiretaps had been in place on King and Malcolm X for more than two years, and the wiretap on Elijah Muhammad even longer.

On April 1, 1964, in a three-page wiretap request to Kennedy for Malcolm X's telephone, Hoover wrote that he was specifically seeking "information concerning the contacts and activity of Little, and activity and growth of the Muslim Mosque, Incorporated."[46] To bolster support for his request, Hoover, who called Malcolm X the most "voluble speaker" in Black America, argued that Kennedy should approve the request rapidly since Malcolm X had recommended "the possession of firearms by members of his new organization for their self-protection."

One can surmise that Kennedy, still angry about Malcolm X's remarks following the assassination of his brother, needed little or no convincing of the need to keep Malcolm X under close surveillance.

The April 1 request for a wiretap on Dr. King's home telephone probably met with even less reluctance; Kennedy had developed a deep dislike of King. Three months after the assassination, Hoover had played a tape—based on a wiretap Robert Kennedy had approved one month before his brother's death—in which King was heard making crude comments about the slain president.[47] Within hours of receiving Hoover's request, the FBI director had Kennedy's letter of approval on his desk.

Across the Potomac River in Langley, Virginia, CIA officers working on the Malcolm X file escalated their efforts to determine which African delegates at the UN were prime movers behind this talk of filing charges against America in the United Nations.

On April 1, in response to a request from Burke Marshall, the CIA advised him that it "had nothing which would shed light on Subject's recent break-away from the Black Muslims nor anything reflecting on where he might be getting financial support."[48]

If the CIA had nothing, as its reply claimed, it wasn't for want of trying. Since 1959, when Malcolm X and Elijah first visited African nations considered hostile to the United States, the CIA had periodically examined their mail under an ultra-secret covert operation based in New York. Hoover had duplicated the mail-opening practice under a COINTELPRO conducted by the FBI.

Shortly after notifying them of Kennedy's decision, Hoover received a cable from the Atlanta office seeking permission to hold another conference in Washington, D.C., to outline counterintelligence operations against Dr. King. In acting upon the request, Sullivan ordered the Atlanta and New York field offices to first:

> . . . give the matter instant investigation and thorough analysis with a view toward suggesting new avenues of investigation and intensification in areas already being explored. Bear in mind the main goals of this matter: namely, determining the extent of the communist influence in racial matters and taking such actions as is appropriate to neutralize or completely discredit the effectiveness of Martin Luther King, Jr., as a Negro leader. . . .[49]

In compliance with Sullivan's directive, the Atlanta field office on April 14 recommended a COINTELPRO against Dr. King patterned after the one the Chicago field office had recently exploited to cause the rift between Elijah Muhammad and Malcolm X. Briefly, Atlanta advocated that high priority be given to causing a "rift" between Dr. King and Roy Wilkins, which was the same as suggesting a schism between SCLC and the NAACP, the two largest nonviolent civil rights organizations.[50]

Atlanta also suggested using bogus SCLC stationery to spread misinformation to key financial supporters of Dr. King's group, and placing pretextual phone calls to SCLC creditors to "incite immediate collection efforts." The New York field office made no recommendations.[51]

A week later, the Atlanta field office received a letter from Hoover expressing his gratitude for their "creative suggestions," while he scolded the New York field office for having the audacity to think its coverage was adequate.

At the request of the White House and the State Department, the CIA was monitoring every detail of Malcolm X's impending trip to Africa, and on May 11, the CIA's Clandestine Services Division issued an update on Malcolm X's foreign travel plans. Although most of the report is still classified, thereby shielding its scope, part of the cryptic memorandum read:

> 2. This confirms telephonic assignment to your Office on 23 April 1964 to conduct and expedite check at Passport files on the Subject. . . .
> 3. This also acknowledges the receipt of telephonic reply to this request on 27 April 1964. Your written report should be submitted no later than *22 May 1964.*[52]

On April 13, Malcolm X took his first trip to Africa and the Middle East since 1959. An old acquaintance, Dr. Mahmoud Shawarbi, Director of the Federation of Islamic Associations in the United States and Canada,[53] assisted him in getting permission to make the *hajj*. Shawarbi, who also served as the United Nations advisor to the delegation from Yemen, had first met Malcolm X several years earlier and had encountered him on a number of occasions at the UN.

Besides his pilgrimage to Mecca, Malcolm X's main goal was to secure support for his proposed UN petition. Contrary to the myths which have sprouted about the effect the *hajj* had upon him, Malcolm X made it clear in a number of interviews that while his perception of Caucasians in general had altered, he still regarded white Americans with caution because they were infected with the disease of racism. "My racial philosophy has only changed to the extent that in Mecca and Saudi Arabia I met thousands of people of different races and colors who treated me as a human being," he was quoted by M.S. Handler in a May 8 article in the *New York Times*.[54] Upon his return from Africa and the Middle East, his most dramatic announcement was about the progress he had made on his petition accusing the U.S. of violating the human rights of African Americans. At a May 22 press conference, held at the Theresa Hotel, Malcolm X announced that the petition in all likelihood would be formally drafted and submitted to the UN before the end of the year. Although he didn't state which nations were supporting his petition, he said he had received "pledges of support" from the heads of all the countries he visited. This would have included Ghana, Nigeria, Tanzania, Morocco, Egypt, Algeria, and Saudi Arabia.[55] Judging from the reaction of the intelligence community, the announcement caused grave concern, particularly in the CIA's Clandestine Services Division.

At the time, Kwame Nkrumah of Ghana, Abdul Rahman Babu of Tanzania, Ben Bella of Algeria, and Gamal Abdel Nasser all were concerned about alleged CIA plots to topple their governments.

Assuming what Malcolm X said was true, and there was no logical reason to suspect otherwise, this support explained why African diplomats, for the first time, began berating the American government for its failure to eliminate racial discrimination. On May 20, two days before Malcolm X's dramatic announcement, representatives of twenty-five African nations attended a conference in Corning, New York, sponsored by Rev. James H. Robinson of Operation Crossroads Africa.[56] A spokesman from Nigeria, one of the countries Malcolm X said backed his petition, rebuked the United States government's failure to erode racial discrimination. "If the government only knew how much damage was done [to its foreign policy], they would not continue this costly indulgence, Nigerian Minister of Labor Modupe Johnson declared. "For every penny of aid poured into Africa," Johnson added, "America continues to lose tons of goodwill because of the racial discrimination in this country.[57] Something drastic must be done before it's too late."

According to Talmadge Hayer, one of the three Black Muslims convicted in 1966 of Malcolm X's murder, the plot to kill Malcolm X was hatched within days of the conference in Corning and the May 22 deadline set by Clandestine Services. Hayer originally testified that he had acted alone, although Norman 3X Butler and Thomas 15X Johnson were also convicted, and in 1979, Hayer changed his story. According to Hayer's 1979 affidavit (he hired attorney William Kunstler in an attempt to reopen the case), he was approached by Ben X, a member of the Patterson, New Jersey mosque. Ben X, according to Hayer, requested his cooperation in a conspiracy to assassinate the Nation of Islam's most prominent defector. According to Hayer:

> It was sometime in the summer of 1964 that I was approached concerning the killing of Malcolm X. The time must have been a month or so before the Honorable Elijah Muhammad spoke in New York in [June] 1964.[58]

Since Elijah Muhammad delivered his speech in Harlem on June 28, this means that the plot to assassinate Malcolm X originated around May 22, which directly coincides with the time period that the CIA's "dirty tricks" division set as the deadline for the report. In his 1979 affidavit, Hayer said that Ben X and Leon X Davis, also a Black Muslim, asked him to get into their car as he was walking in downtown Paterson. Two more Black Muslims, identified as Willie (or William) X and Wilbur (or Kinley) X, joined the conspiracy, bringing the total number of conspirators to five. Although this contradicted Hayer's original testimony that he had acted alone, the judge refused to reopen the case for lack of new evidence, and no action was ever taken against the four men Hayer named.[59]

On May 23, presumably the day after Hayer was recruited as a potential assassin, Malcolm X flew to Chicago to debate his friend, writer Louis E. Lomax, at the Chicago Civic Opera House. "We cannot expect help from our brothers in Africa," Malcolm X said during the debate moderated by Irv Kupcinet, "as long as civil rights is an issue.[60] I propose we lift the issue of civil rights to the level of human rights by bringing it before the United Nations," he said.

Lomax was taken aback. "I hate to admit this, Malcolm," he said, "but you've become a moderate."

As the debate continued, Lomax observed John Ali, Elijah Muhammad's most trusted advisor, in the audience, surrounded by a large entourage of Black Muslim males. Fearful that the Black Muslims would try to attack him, Malcolm X left the opera house along with Lomax under heavy police protection.[61]

But there was no respite or refuge from the escalating threats on his life, as Malcolm X soon discovered. On June 8, a man called Malcolm X's home and asked to speak to him. When asked to identify himself, the caller refused. "Just give him this message," the man said. "Just tell him that he's as good as dead."[62]

Nonetheless, Malcolm X continued spreading news of the sex scandal engulfing the Nation of Islam. At a Muslim Mosque meeting on June 22, he told the audience that "Elijah Muhammad is currently crazy with anger and fear. He's going to New York City on June 28," Malcolm X said, "because Mosque No. 7 isn't making the money it used to."[63]

On June 24, Hoover issued a memorandum which appeared to reflect concern for Malcolm X's safety. "In view of recent threats" against Malcolm X, he wrote, "the Bureau has requested that local police be advised whenever subject is in their city."[64] In actuality, of course, the memo was a code for agents to track every move that Malcolm X made. After all, that was the only way possible for them to report his whereabouts to the intelligence units of local police departments.

On June 27, 1964, Clarence Jones, one of King's lawyers, called Malcolm X's office to try to arrange a meeting between the two leaders.[65] King, Jones said, was interested in supporting Malcolm X's proposed United Nations petition accusing the United States of violating the human rights of African Americans.

In doing so, Jones was pointing out what both Malcolm X and Dr. King must have realized: Malcolm X had a weak following in the Southern states, while Dr. King lacked support in the urban areas, particularly in the North. Together, they could have united almost every black person in the country in a single cause.

On June 27—the same day that Jones advised Malcolm X of King's support for his UN petition—a man pretending to be Malcolm X telephoned the Nation of Islam's mosque in Harlem and threatened to kill Elijah Muhammad if he came to New York City the next day as planned.[66]

The FBI made this a pretext to telephone Malcolm X the same day, asking him whether he heard about the threats on Elijah Muhammad's life.[67] From the questioning, it appeared that the agent was attempting to ferret a provocative statement from him, one the Bureau could turn around and leak to a friendly reporter.

But Malcolm X wasn't fooled. He stated repeatedly that he knew nothing about any threats, and said he certainly hadn't made any against Elijah Muhammad or anyone else. He even wrote Elijah Muhammad a letter that day, a copy of which he released to the press, in which he called for a halt to the hostilities.

But the next day, when Elijah Muhammad arrived in Harlem, Malcolm X threw sand in his eyes by calling a press conference to announce the formation of a new organization, the Organization of Afro-American Unity (OAAU).[68] With its headquarters located in the Theresa Hotel, Malcolm X said, the OAAU would be primarily politically aimed, whereas the Muslim Mosque, Inc. was obviously religion-oriented.

On June 30, Malcolm X went to Omaha to deliver an address at the Omaha City Auditorium Assembly Hall.[69] Before a small audience of four hundred, he criticized Elijah Muhammad's hypocritical attitude exemplified by his decision to suspend his most gifted spokesman. "If Elijah Muhammad teaches the white race is evil," Malcolm X said, "how can he condemn me for remarks made when one of them dies?"

But he aimed more caustic charges at the American government. "The United States condemned the colonial powers of European countries, but as the leader of the Free World, it is holding back 22 million people who have to beg and crawl to be recognized as human beings," Malcolm X said.[70] "We want to put this country on the world stage," he added. "Our goal now is the complete recognition and acceptance of the Negro as a human being by any means necessary."[71]

The crowd roared its approval.

If the intelligence community had become preoccupied with Malcolm X, the Nation of Islam seemed intent on emulating the Soviet practice of turning purged leaders into "unpersons," wiping them from the record. *Muhammad Speaks,* now under the control of NOI national secretary John Ali, hadn't mentioned Malcolm X since he was denounced for his statement on the Kennedy assassination, save for the reference to Philbert's Pontius Pilate-like press conference.

Rather, the limelight had shifted to John Ali, the Clay brothers, and Herbert Muhammad, who was also acting as an editor. Clyde X, minister of Mosque No. 28 in St. Louis and Boston's Louis X Farrakhan were also receiving a generous share of coverage, and for good reason: of the hundreds of ministers and assistant ministers in the NOI, Clyde X and Louis X were the only ones with oratorical abilities comparable to Malcolm X's.

In recent issues, *Muhammad Speaks* had lost its hard news edge, and degenerated into a photo album of Elijah Muhammad and the Clay brothers. Although Muhammad had wagered that Clay would not win the fight, he had now insisted that a gossip column run in *Muhammad Speaks* under the title, "From the Camp of the Champ."[72]

CHAPTER 17

THE NEW ALLIANCE

> We saw America spending vast sums where Russia spends far less and achieves far more. . . . We have been losing—not only in Asia, but everywhere. . . . Even among nations which have seemed committed to us there is a rising tide of anti-Americanism.
>
> —from *The Ugly American* (1958)[1]

> Any man who will go to bed with his [Muslim] brother's daughter and then turn and make five other women pregnant and then accuse all these women of committing adultery is a ruthless man.
>
> —Malcolm X, referring to Elijah Muhammad in phone call wiretapped by FBI, June 7, 1964[3]

THE ALLIANCE BETWEEN Martin Luther King, Jr., and Malcolm X began in earnest, the intelligence community learned from wiretaps, on June 27, 1964, three months after their first encounter in the nation's capital.

That evening Malcolm X attended the annual NAACP convention in Washington as an observer.[4] During a break, Malcolm X announced that he would formally create a new, nonsectarian organization within a few days called the Organization of Afro-American Unity (OAAU), to be patterned after the Organization of African Unity. Unlike Muslim Mosque, Inc., Malcolm X said, the OAAU would make every effort to form a coalition with Dr. King, Roy Wilkins, James Farmer, and other civil rights groups. Two of King's former allies, writer John O. Killens and historian John

Henrik Clarke, assisted Malcolm X in writing the constitution and bylaws of the OAAU.[5]

It was later that same evening that Clarence Jones placed a call to Malcolm X's office to express Dr. King's interest in getting Malcolm X's human rights petition before the United Nations.[6] The FBI's Washington field office listened in on the conversation.

Although the Fourth of July was a day away, the "fireworks" started early in Elijah Muhammad's Chicago home. The telephones rang incessantly, as radio reporters, newspaper journalists, and startled members of the Nation of Islam sought corroboration of the story that appeared in nearly every major newspaper on July 3, 1964.

Twenty-four hours earlier, Lucille Rosary and Evelyn Williams, two of Elijah's former secretaries who had borne his children, had filed paternity suits against him in Los Angeles Superior Court. Malcolm X had suggested to the editors at the New York *Amsterdam News* that they run a story regarding Elijah Muhammad's illegitimate children, but the editors, fearing a libel suit, said they wouldn't touch the subject unless there was legal action; subsequently, during their visit to Los Angeles, Malcolm X retained Gladys Towles Root on behalf of the secretaries (who had been trying for years to get consistent child support from Elijah Muhammad). According the lawsuits, Elijah Muhammad had fathered three children by the two women, and a fourth was about to be born.[7] In asking the court to order the Messenger to pay child support, the paternity actions alleged that the sixty-seven-year-old leader of the Nation of Islam had once acknowledged paternity and contributed to the children's support, but later denied them.[8] When Mrs. Root first contacted Elijah about the prospect of filing a paternity action against him, he fingered someone else as the children's father. "He tried to induce an assistant to assume responsibility for the paternity," Ms. Root told the *Chicago Tribune*, so he "could keep his spiritual image on a high plane in the eyes of his followers."[9]

On the evening of July 4, as cherry bombs boomed and sparklers glowed outside his home in New York, Malcolm X sat in his living room watching television with his daughters and their babysitter. Betty, who was expecting the birth of their fourth child any day, was in the hospital.

Around ten o'clock, Malcolm X went outside to move his car. He had parked away from house earlier that evening because he expected that Black Muslims would seek revenge for the affidavit he had given to Root indicating that he would testify about Elijah's admission of paternity. As the evening was almost over, he decided to move his car to his driveway. He asked the babysitter to stand guard at the front door. That way, if he was attacked, she could call the police.[10]

Sure enough, he was accosted by four Black Muslims the minute he stepped on the sidewalk. Armed with knives, they chased him down the street. Fortunately, Malcolm X was able to make it to his car before they caught up with him. He closed the door to his automobile and started the engine. Elijah's Muhammad's *mujaheddin* tried to force open the door, but Malcolm X was able to lock it before they succeeded. He stepped on the gas and sped away. After driving around the block, Malcolm X parked in his driveway, locked his car and ran inside. Luckily, the babysitter witnessed the attack and corroborated his story when the police interviewed him hours later.[11]

For most of the night Malcolm X, restless over the incident and worrying about Betty, paced the floors with his shotgun in his hand. He peeped out of various windows to make sure the men had not returned.

Although the police agreed to keep his home under surveillance, Malcolm X's troubles were just beginning. But so were Elijah Muhammad's. The day after the attempt on Malcolm X's life, Elijah's own grandson, Hasan Sharrieff, announced that he was quitting the Nation of Islam.[12] In an interview on July 8 with the *Chicago Daily Defender,* a black-oriented newspaper, Hasan called his grandfather "a fake and a fraud" who had squandered thousands of dollars sent to Chicago by rank-and-file members for the benefit of the so-called "Poor Fund," a trust established to aid Black Muslims experiencing economic hardships.[13]

Wallace Muhammad repudiated his father in the same edition. "They are ruthless and fanatic," Wallace said, and "they will kill you."[14] He said that his own life had been threatened since his father discovered that he was counseling discontented Black Muslims who had come to him "in shock after they find out what is really happening."

But Wallace added that many members of his father's staff were guilty of the same sins as his father. They committed adultery, drank liquor, smoked, and stole money, Wallace said, while common Muslims were beaten and excommunicated for the most minor infraction.

On July 2, FBI headquarters sent a memo to field offices in New York, Omaha, Philadelphia, and Chicago advising them that the Philadelphia office was requested to determine whether John Ali had left Philadelphia and arrived in Chicago.[15] The memo also asked the Chicago field office to remain alert for any contact between John Ali and Malcolm X. If such "contact" was made, the memo stated, the Chicago field office should alert "the Bureau and interested offices will be advised of same."

The memo also reflected just how closely the Bureau was following Malcolm X, as this passage reveals:

> For the information of the Omaha Office, Chicago will attempt to ascertain if Malcolm plans to go to that city upon leaving Chicago the morning of 7/3/64. New York should be alert for information indicating where Malcolm may go after leaving Chicago.[16]

And this passage from a July 7 memorandum:

> On July 6, 1964, subject [Malcolm X], using the name Hajj Malik El Shabazz, passport number

> C294275, purchased a one-way ticket to Cairo, Egypt, via London, England. He is scheduled to depart John F. Kennedy International Airport, New York City at 8:00 p.m, July 9, 1964, aboard Trans World Airline flight 700, due to arrive in London, England, 7:30 A.M., July 10, 1964. He was scheduled to depart London, England at 3:30 P.M., July 11, 1964, aboard United Arab Airline flight 790 to Cairo, Egypt. Subject has ticket number 0773073381 for which he paid $465.00 cash. He has no return reservation or airline bookings in Africa after he arrives in Cairo.[17]

As the bureau anticipated, John Ali arrived in Chicago, where Malcolm X was scheduled to appear on *Hotline,* a Chicago radio program hosted by Wesley South on station WVON, on July 2.[18] Malcolm X was also a scheduled guest on an ABC-TV talk show program called *Off the Cuff,* with an air date of July 5. He canceled both appointments after receiving death threats on July 2, the date the paternity suit was filed against the Messenger.

On the evening of July 9, five days after the attempt on Malcolm X's life, John Ali appeared on *Hotline.*[19] During the program, a caller asked Ali whether it was true that the Black Muslims were trying to assassinate Malcolm X.

"Malcolm X probably fears for his safety because he is the one who opposes the Honorable Elijah Muhammad," Ali replied. "The Holy Koran," he continued, "the book of the Muslims, says 'seek out the hypocrites and wherever you find them, weed them out.'"[20] Ali compared Malcolm X with Julius and Ethel Rosenberg, who received the death penalty for allegedly spying on America for the Soviet Union, and to Benedict Arnold.

"Does this mean Malcolm X can be killed or assassinated?" South asked, clearly startled by Ali's analogy.

"You'll find people who love the Honorable Elijah Muhammad," Ali said, "the same as there were people who loved President Kennedy."[21] Ominously, Ali added:

> There were people who hated Kennedy so much that they assassinated him—white people. And there were white people who loved him so much they would have killed for him.
>
> You will find the same thing true of the Honorable Elijah Muhammad . . . . I predict that anyone who opposes the Honorable Elijah Muhammad puts their life in jeopardy . . . .[22]

That same day, Ali and Raymond Sharrieff, Hasan Sharrieff's father, called a press conference in Chicago. Interestingly, it didn't deal with the allegations made by Hasan and Wallace, or clarify Ali's implication that he wanted Malcolm X assassinated.[23] Rather, it focused on the paternity lawsuits. The statement, which Ali read after passing out copies to the media, stated:

> We hereby give answer to the false charges against our leader . . . by evil saying two former secretaries, namely Evelyn Williams and Lucille Rosary, who were once sweethearts of Malcolm Little.[24]

The press conference was precipitated by an interview Williams and Rosary had given to the *Los Angeles Herald Examiner,* published in the July 10 edition. Root, a brilliant trial tactician, held the press conference in the hospital room of Ms. Rosary, who was recovering from the birth of her daughter by Elijah Muhammad. From her hospital bed, Rosary told reporters that she originally believed her relationship with Elijah would be platonic. "When he first made advances to me I was shocked."[25]

Williams, who stood next to Root during the interview, then gave an account of her own affair with Elijah.

"He told us that under the teaching of the Holy Koran, we were not committing adultery and that we were his wives," she said. She added that Elijah told them that his multiple extramarital relationships were the "will of Allah."[26]

The literally colorful Ms. Root (although her hair was blond on most occasions, sometimes it was green when she showed up for trial, possibly as a result of a dye job gone awry)[27] had made her reputation defending and often winning what lawyers call "defenseless" cases. It came as a shock to everyone in the Los Angeles legal community when, shortly after filing the paternity suit against Elijah Muhammad,[28] she was indicted for subornation of perjury and obstruction of justice. The charges stemmed from her representation of one of the men accused of kidnapping Frank Sinatra, Jr., and were dismissed (notably, after Malcolm X's assassination), but in the meantime Root was forced to put the paternity suit on a back burner. The timing of the indictment may have been coincidental, but it had the effect of allotting the FBI more time to neutralize Malcolm X before the paternity suit took its toll on Elijah Muhammad. Had the paternity suit moved along as planned, Elijah Muhammad would have been ruined, and his followers would no doubt have turned to Malcolm X's new organizations for leadership.

Malcolm X was unaware of John Ali's statements as he left the country that morning. It was his second trip that year. In all, Malcolm X spent almost half of 1964 in Africa and the Middle East.

Several African leaders, including Nkrumah, Ben Bella, and Nasser, had extended an invitation for Malcolm X to attend the second OAU conference as an official observer. Prior to his departure, he announced plans to present his proposed UN petition to the thirty-four independent nations attending the conference, and to seek their endorsement thereof.

While a resolution condemning racism in America had been passed during the first Afro-Asian Summit the previous year, the issue of presenting a complaint to the United Nations had not been raised.[29]

On July 10, another memorandum concerning Malcolm X's activities in Cairo was sent to Clandestine Services. An informant, the memo stated, had advised that Malcolm X was "transporting material dealing with the ill treatment of the Negro in the United States.[30] He intends to make such material available to the OAU in an effort to embarrass the United States."

Malcolm X was accompanied on his trip by an entourage that included Daniel Watts, president of the Liberation Committee for Africa, and Detroit attorney Milton Henry.[31] Henry, a Pan-Africanist, had tried unsuccessfully to persuade Malcolm X to run for a seat on the New York City Council in 1963. When he declined the offer, Henry tossed his own hat into the ring, and won.[32]

If the initial reaction to Malcolm X's arrival at the summit was any indication, his trip was destined for success. Wherever he went, he was treated as a head of state. Most Africans referred to him simply as the "American delegate representing American's 22,000,000 Negroes," a description which Malcolm X had conveniently provided the press.[33]

University students in Accra, Nairobi, Algiers, and elsewhere sought his autograph as though he were a star like Nat King Cole or Louis Armstrong, both of whom Africans adored. Speakers with views opposing Malcolm X's were booed and, in several cases, thrown off stage for their pro-American stance.[34]

One of the goals of the summit, Nasser declared, was to organize and lend support to roughly twenty liberation movements active in remaining colonized territories.[35] While praising the recent passage of the Civil Rights Act of 1964, Nasser also agreed with Malcolm X that the struggle for the liberation of African Americans was not yet completed.

The Egyptian leader housed Malcolm X and his entourage aboard one of his yachts, the Isis, with leaders of the other recognized liberation movements.[36]

In Cairo, on July 17, Malcolm X called a press conference to reiterate his intentions regarding the proposed UN petition. The delegates, he said, needed familiarization "with the deteriorating plight" of African Americans. "The United States government is morally incapable of protecting the lives and property of twenty-two million Afro-Americans."[37]

His message was underscored by the chain of events that had begun back in the United States only the day before. In Harlem, on July 16, an off-duty police lieutenant shot and killed fifteen year-old James Powell after the youth allegedly threatened someone with a knife.[38] Within hours of Powell's death the long hot summer that Malcolm X had predicted began in earnest: rioting erupted in Harlem and in the Bedford-Stuyvesant section of Brooklyn. Within days, civil unrest spread to Buffalo and Rochester as well as other large urban areas in New York. At least one death, that of a young white man in Rochester, was blamed on the chaos.[39] The turmoil lasted almost a week, forcing Governor Nelson Rockefeller to call out over 1,000 National Guardsmen. On July 21, reporters in Cairo asked Malcolm X to comment on the rioting.

"I am surprised that the trouble has been contained to the degree it has," he said.[40] "Until two years ago New York City used wiser methods than any other city to deal with racial problems. Now it's a case of outright scare tactics. This won't work, because the Negro is not afraid. If the tactics are not changed, this could escalate into something very, very serious."

Instead of looking for the obvious causes of the riots, which a black New York Human Rights Commission member correctly attributed to Harlem's eroding economic conditions, the state and federal government began looking for scapegoats. On July 20, President Lyndon Johnson was advised during his morning briefing that radical "black nationalist groups" had instigated the rioting.[41]

This information was based on allegations made by Reverend W. Eugene Houston, head of the civil rights committee of New York's Presbyterian Church.[42] According to Houston, the rioting was incited by Jesse Gray, head of New York's Community Council on Housing, and Reverend Nelson C. Dukes, a Baptist minister. Houston claimed that Gray had used "inflammatory language" the day the violence began by advocating "guerrilla warfare" to avenge Powell's death. Duke, Houston said, "led the mob march on the police station Saturday night, leading to widespread violence."

On July 21, President Johnson ordered the FBI to probe the causes of the riot to determine whether any federal laws were breached.[43]

Three days later, Malcolm X's office at the Theresa Hotel was entered in a predawn raid by New York BOSSI detectives.[44] BOSSI, which had several members on the staff of the OAAU, claimed to have discovered "a fully loaded Mauser rifle and 115 rounds of ammunition." On August 4, Governor Rockefeller suggested that the news media might have played an indirect role in the riots by covering the speeches of violence-prone black nationalists—like Malcolm X, he said.[45] Malcolm X was unknown, Rockefeller said, "until newspapers, magazines, television, and radio discovered that his extremism produced attention-getting stories and broadcasts." By the time the riots erupted, the governor added, "the media were treating him as a folk hero and he was being held up as the standard of behavior for the less responsible elements of the population involved."

On August 9, Dr. King arrived in New York to answer the constant stream of criticism he had been under since July 29. That morning, King, A. Philip Randolph, Whitney M. Young, Jr., and Roy Wilkins issued a plea to civil rights groups to "observe" a moratorium on all demonstrations and protest marches.[46] The plea was in response to a July 28 radio broadcast by Robert F. Williams, the former NAACP branch official wanted by the FBI, who urged African Americans to "take to the streets" and meet "violence with violence."[47] Williams' message was broadcast from Havana, where he lived as a guest of Castro, who refused to acknowledge the American government's request for William's extradition. Castro agreed with Williams that the government's charges against him were part of a frame-up.

King also met with New York Mayor Robert Wagner to discuss the causes of the riot. When Adam Clayton Powell, Jr. learned about the meeting, he was furious, since neither the mayor nor Dr.

King had invited him to attend. "No leader outside of Harlem should come into this town and tell us what to do," Powell preached to a full house at the Abyssinian Baptist Church.[48] "As Dr. Kenneth Clarke—who is not one of my friends—said to his [King's] face: 'You are being used by the white power structure to keep the Negro in his place,'" Powell said. As for King's call for a moratorium, Powell said, to the bemusement of his congregation, that he had been organizing civil rights demonstrations "before they put diapers on Martin Luther King."

The criticism certainly stung King, but it also highlighted King's seeming reluctance to accept that northern, urban blacks simply would not tolerate without fighting back the type of treatment suffered by African Americans in the South. The reason had more to do with numbers than with temperament. The urban blacks of the North lived in tall, crowded structures in all-black communities which only a few whites—mostly policemen—entered each day. The ghetto, with its numerous alleyways and abandoned buildings, was akin to brushland in Vietnam, making "guerrilla warfare" against policemen possible. Southern blacks, on the other hand, were geographically and spatially separated, affording less chance for quick assembly in instances where quick, decisive action was needed.

Around August 8, the FBI interviewed housing activist Jesse Gray about his alleged role in the riots.[49] When Gray denied involvement, the FBI agents asked him whether black nationalists such as Malcolm X and Elijah Muhammad might have been paid by "foreign agents" to incite the riots. Specifically, the agents asked if that's how Malcolm X was able to afford his current trip to Africa.

At the beginning of Malcolm X's trip to Africa in July, 1964, Benjamin H. Read, an assistant to Secretary of State Dean Rusk, had contacted the CIA's "dirty tricks" division to request "information."[50] According to the CIA's follow-up memo dated August 11, Read had learned from the Justice Department's Burke Marshall that a Harlem housing activist (obviously Jesse Gray) claimed that Malcolm X and "extremist groups" had fomented recent rioting in the United States after receiving funding from "from certain UN missions." "Specifically," the CIA memo noted, Gray named "the UAR, Ghana, Cameroon, Algeria, and surprisingly, Nigeria" as financial backers of the riots.[51]

Gray, who was himself suspected by Hoover of helping to trigger the riots, allegedly claimed that these nations had donated more than $100,000 a year for many years to black nationalist movements in America.[52] "The matter is obviously one of great political sensitivity, both internationally and domestically," the Clandestine Services agent wrote. The State Department, the CIA memo said, "considered the matter one of sufficient importance to discuss with President Johnson who, in turn, asked Mr. J. Edgar Hoover to secure any further information which he might be able to develop." The FBI investigation, the CIA memo noted, was a "complete failure."

In fact, the CIA knew the allegations were groundless. In an FBI memorandum dated July 25, a copy of which was sent to Clandestine Services, an agent specifically stated that "the informant" said he didn't mean to imply that Africans were financing Malcolm X.[53]

Since the FBI had failed "to penetrate the situation," the CIA memo stated, Marshall "may possibly go to New York himself to investigate the matter."[54] Read, the Clandestine Services agent said, wanted the CIA to penetrate Malcolm X's domestic activities and "travels in Africa" to determine "what political or financial support he may be picking up along the way. I remarked to Read that there were certain inhibitions concerning our activities with respect to the citizens of the United States."[55] Read, however, insisted that Clandestine Services act. "After all," Read said, "Malcolm X has, for all practical purposes, renounced his US citizenship."[56]

In view of Clandestine Services' proclivity to orchestrate assassinations of perceived threats to the United States, one wonders what action or "information" was actually being sought against Malcolm X.

On September 26, Hoover issued a copy of the FBI's study of the New York riots to the media. Although the FBI found "no systematic planning or organization" as the impetus for the civil disturbances, Hoover's report criticized the speeches of Malcolm X and Jesse Gray as reasons for the riots.[57] Although neither was mentioned by name, both men's activities were; hence it was quite obvious to whom he was referring. "A Negro who formerly was an organizer of the Harlem region of the Communist Party USA," Hoover's report stated, "received widespread publicity early this year through leadership of rent strikes. Three days after the shooting of July 16, this individual issued a public call for 'a hundred skilled black revolutionaries who are ready to die,'" Hoover wrote in an obvious allusion to Gray.

Another section of the report mentioned that "last March," a "widely publicized Black Nationalist movement leader" urged African Americans "to protect their lives and property" by forming rifle clubs. Malcolm X had done so on March 12.

On July 23, the day before Malcolm X was to formally present his petition to the OAU conference, he went to the Nile Hilton in Cairo for dinner with Milton Henry and others in their entourage. He was uncomfortable because he observed that two white men who had been trailing him all day were sitting nearby, watching him eat. "There was one agent especially who irritated Malcolm," Henry recalled. "We couldn't eat without him being at the next table."

Suddenly, Malcolm X turned pale, as though he was having a heart attack. Panicked, Henry summoned medical help. "He would have died if he hadn't been able to get to the hospital in a hurry," said Henry.

After Malcolm X's stomach was pumped, the contents were analyzed. The analysis, Henry said, was that someone had placed a "toxic substance" in Malcolm X's food. The doctor assured them that the possibility of the food being naturally tainted (as by botulism) was "nil."[58]

"Someone deliberately tried to poison me," Malcolm X told Henry. Henry said that an attempt was made to find the waiter, but he no longer "worked" for the Hilton. The episode was reminiscent of the CIA's plots to poison Chou En-lai at the 1955 Afro-Asian conference in Bandung, and plots to poison Fidel Castro and Patrice Lumumba in 1960.

The next day Malcolm X submitted his petition to the OAU conferees. In letters to his friends he wrote soon after that he had reached a *quid pro quo* with delegates at the OAU Summit, and delegates had passed a resolution supporting his plan.[59] In exchange for their support, all Malcolm X had to do was to try to form a coalition with Dr. King and other civil rights leaders to speak out as a single voice on issues concerning Africa.

As later revealed in M. S. Handler's January 2, 1965 story in the *New York Times,* Malcolm X made the following recommendations to conferees at the second OAU Summit:

1. Civil rights organizations in the United States have accomplished the most they can hope for under the existing conditions.
2. The time has come to internationalize the American Negro problem so as to accentuate the struggle.
3. This can be done only by linking the fate of the new African states with that of American Negroes.
4. This can be done by employing the racial situation in the United States as an instrument of attack in discussing international problems.
5. Such a strategy would give the African states more leverage in dealing with the United States and would in turn give American Negroes more leverage in American society.[60]

The story shed a new light on the recent vehement attacks on America by African and Asian diplomats.

While the CIA recorded in its files that no such resolution had actually been passed, and that Malcolm X had accomplished nothing significant at the OAU Conference,[61] Malcolm X had no reason to lie. In fact, he had nothing to gain, and everything to lose, by lying; his deception would have become readily apparent when African and Asian UN representatives failed to link the struggle of the African American to their own, and he would have been discredited.

On August 11, a *New York Times* reporter wrote a story which explained brilliantly why the State Department requested that Richard Helms, the CIA's Deputy Director for Plans, treat Malcolm X as he would any "foreign agent"—or enemy—of the United States. The story, written by M. S. Handler, one of the few white reporters Malcolm X had come to admire, stated that the State Department felt it would have a major foreign policy problem on its hands if even one African or Asian nation offered to back Malcolm X's UN petition.[62]

On August 21, at the beginning of the OAU conference, Malcolm X handed out a statement to the press explaining that the United States government was trying to undermine the African American's struggle for economic and social independence. Malcolm X contended that President Johnson had hurriedly signed the Civil Rights Act of 1964 on July 2 to diminish the chances of the proposed human rights petition of gaining support at the conference.

> In order to keep the Organization of Afro-American Unity (OAAU) from gaining the interest, sympathy and support of the Independent African States in our effort to bring the miserable plight of the 22 million Afro-Americans before the UN, the racist element in the State Department very shrewdly gave maximum worldwide publicity to the recent passage of the Civil Rights Bill. . . .

> The racist element in the State Department realizes that if any intelligent, truly militant Afro-American is ever permitted to come before the United Nations to testify on behalf of the 22 million mistreated Afro-Americans, our dark-skinned brothers and sisters in Africa, Asia and Latin America, would then see America as a "Brute Beast," even more cruel and vulturous than the colonial powers of Europe and South Africa combined.[63]

"I was relieved and delighted," Malcolm X wrote, "to learn how easily most of the African heads of State and their advisors could see through the tricks of the American racists. One of them told me," he added, "that he knew the Civil Rights Bill was only a 'political maneuver' to capture the Negro votes in the coming elections, and he stressed that it could hardly have been accidental that the passage of the bill came to fruition during this crucial election year."[64]

August 28, one week after Malcolm X addressed the OAU, Hoover issued what amounted to a declaration of war against Malcolm X, Dr. King, and other prominent civil rights activists. In a memo sent to all field offices, he wrote:

> The news media of recent months mirror the civil rights issue as probably the number one issue in the political spectrum. There are clear and unmistakable signs that we are in the midst of a social revolution with the racial movement at its core.
>
> The Bureau, in meeting its responsibilities in this area, is an integral part of this revolution.[65]

On September 11, Hoover received a memo from the New York field office regarding possible action by the U.S. Attorney General's office against Malcolm X. According to the memo, Assistant Attorney General J. Walter Yeagley wanted the FBI to review its files "on Little beginning with his first departure on foreign travel for any information which may tend to show a violation of the abovementioned act." The federal act Yeagley made reference to was the Logan Act,[66] which allows prosecution of "any citizen of the United States . . . who, without authority of the United States, directly or indirectly commences or carries on any correspondence or intercourse with any foreign government or any officer or agent thereof."

Three days later, Hoover also urged the FBI's New York field office to intensify the COINTELPRO campaign against Malcolm X's ally Clifton DeBerry, who was running for president on the Socialist Workers Party ticket.[67] On December 19, 1963, the FBI had discovered that DeBerry had been arrested on December 6 for failure to pay alimony and child support. Three months later, it discovered that he was living with the daughter of Farrell Dobbs, National Secretary of the SWP.[68] On September 14, 1964, Hoover suggested that this information, which had been leaked to the media in April in an effort to neutralize DeBerry's presidential bid (as though it had a real chance of succeeding), be repackaged and resent to the media.[69]

CHAPTER 18

NATIVE SON

The voting balance in the United Nations shifted drastically in favor of people from non-white areas. . . . The end of an old era came with the admission of 14 new nations to the UN—13 of them new African nations. Three more (Nigeria, Senegal and Sudan) are waiting in the wings.

And when those 16 are added to the Afro-Asian bloc, the nations of those two continents will control over 40 percent of the votes in the eventual 99-vote assembly.

—the *Washington Daily News,*
September 21, 1960[1]

He was positively entranced by the arithmetic of the [UN] General Assembly, where, since Bandung, the dark majority of the world had become a voting majority of the world's nations. The cynicism of the street seemed to desert Malcolm in UN Plaza; he took that majority to be a locus of real power.

—from *The Death and Life of Malcolm X,* by Peter Goldman[2]

Malcolm X returned from Africa on November 24, 1964. Arriving in New York that evening, he was greeted by about sixty of his followers. Twenty-four hours earlier, President Johnson had ordered air strikes in the Congo to rescue 1,700 Americans and Europeans whose lives he believed were in jeopardy due to the civil war that had broken out after the collapse of the Congolese government.[3] Commenting on these events during a press conference at the airport, Malcolm X said that the murder of white hostages during the evacuation of the Congo was Johnson's fault because his administration lent financial support to "Moise Tshombe's hired killers."[4]

Three of the slain hostages—Paul E. Carlson, Phyllis Rine, and George Clay—were white American missionaries. "It was probably too bad that they had to die," Malcolm X said, "but the Congolese have been dying for a long time."

In November, 1964, one issue bound Malcolm X to Dr. Martin Luther King, Jr., James Farmer, Roy Wilkins, and other civil rights leaders: Tshombe's role in the assassination of Patrice Lumumba. In November, 1964, one issue united voices of Algeria, Nigeria, Sudan, Ghana, Egypt, Kenya, and other African and Asian nations: Tshombe's role in the assassination of Patrice Lumumba. The man who first articulated this common link was none other than Malcolm X.

On November 24, the same day as Malcolm X's airport press conference, Ahmed Ben Bella of Algeria denounced the United States on Algerian television for its role in capturing Stanleyville to prevent the overthrow of the CIA-financed regime.[5] "American bombers and all the Tshombes in the world remain powerless to stop the inexorable march of history," Ben Bella declared. The white hostages who were killed, he said were "an alibi for aggression" and their rescue by U.S. forces "a maneuver to justify before public opinion a military operation previously decided and organized."

Similar anti-American statements were issued by Jomo Kenyatta of Kenya, and government officials in Chad, Ghana and Guinea. "Despite its pretense of being a humanitarian gesture," government radio station in Guinea declared, the U.S. "operation today in Stanleyville is a new imperialist aggression."[6]

From the floor of the United Nations General Assembly, Ghanaian diplomat Alex Quaison-Sackey, Malcolm X's ally, said he believed that the landing of American paratroopers in Stanleyville had "precipitated" the killing of some hostages.[7]

On November 28, President Johnson and Secretary of State Dean Rusk received letters condemning U.S. support for the CIA-backed regime in the Congo, requesting the administration to withdraw its support and to revise its foreign policy toward the

Congo. The letters were signed by the following civil rights leaders: James Farmer of CORE; Dorothy I. Height, president of the National Council of Negro Women; A. Philip Randolph, president of the Negro American Labor Council; Whitney M. Young, Jr., executive director of the National Urban League; Roy A. Wilkins, executive secretary of the NAACP; and Dr. Martin Luther King, Jr., president of SCLC.[8]

Ben Bella issued a statement the same day, as did Choe Yong Kon, President of North Korea, who was visiting Ben Bella on November 28.

Alex Quaison-Sackey issued another bitter denunciation of America on November 29, calling U.S. actions "an affront" to the Organization of African Unity, which was trying on its own to resolve the situation in the Congo.[9]

On December 3, the FBI discovered that Malcolm X had had several recent meetings with Quaison-Sackey. Ordinarily, this would have been of little or no importance. The Bureau, after all, had observed Malcolm X over the last six months in the presence of diplomats Pio da Gama Pinto of Kenya, Frank Karefa-Smart of Sierra Leone, and Abdul Rahman Babu of Tanzania. But given the war in the Congo, the rancorous relationship between the Johnson administration and Nkrumah of Ghana (whom U.S. Ambassador Douglas Dillon labeled "another Castro"),[10] and the fact that Quaison-Sackey had been elected President of the UN General Assembly on December 1, things were anything but ordinary. The FBI's New York field office sent a memo to Hoover reacquainting him with Malcolm X's four-year friendship with Quaison-Sackey and reflecting on possible national security problems their friendship could create. Part of the memo read:

> With the return of Malcolm X Little from his African trip the possibility exists that additional coverage of his activities is desirable particularly since he intends to have the Negro question brought before the United Nations (UN). The possibility also exists that Little may

> soon be changing his residence . . . This intensified coverage may take the form of spot check surveillances, [deleted]. . . .
>
> It is noted that Alex Quaison-Sackey, Ghanaian Ambassador to the UN, has been elected President of the UN . . . .[11]

The reference to Malcolm X's change of residence wasn't a reflection of the Bureau's interest in the revolutionary's upward mobility; it was mentioned merely so wiretaps on his home telephone and bugging devices in his residence could be transferred.

The same day, *Muhammad Speaks* issued what amounted to Malcolm X's death warrant. Attributed to Louis X Farrakhan of Boston, the article stated in part:

> Only those who wish to be led to hell, or to their doom, will follow Malcolm. The die is set, and Malcolm shall not escape, especially after such evil, foolish talk about his benefactor [Elijah Muhammad] in trying to rob him of the divine glory which Allah has bestowed upon him. Such a man as Malcolm is worthy of death, and would have met death if it had not been for Muhammad's confidence in Allah for victory over his enemies.[12]

Louis X Farrakhan also implied that Malcolm X had tried to use Elijah Muhammad's former secretaries, the very ones who filed the paternity actions, to assist him in "planning Muhammad's overthrow."

Perhaps it was merely coincidental that the veiled death threats began appearing in *Muhammad Speaks* within days of Quaison-Sackey's elevation to president of the UN General Assembly. One thing is for certain: the FBI and CIA were closely monitoring Malcolm X's relationship with Quaison-Sackey after December 2, as well as his meetings with other African leaders and with Che Guevara. Samuel J. Papich, Assistant Director of the FBI, received a memorandum from the CIA on December 3 chronicling Malcolm X's recent statements. "Race war and force are the only way to change the situation in the United States," the CIA memo quoted Malcolm X as saying.[13] In fact, Malcolm X hadn't used the "race war" rhetoric of Elijah Muhammad in over a year. "Subject," the memo continued, "favors race riots, and would like to have his movement supported by some African country that would be willing to support a race war," although, in fact Malcolm X had never made a single statement advocating race riots. The memo noted that Malcolm X had been interviewed by the *Evening News* of Ghana on November 6, and that an English translation of the interview was published in Peking by the New China News Agency (NCNA).[14]

A verbatim transcript of the interview was sent to the State Department, the Foreign Service, the Secret Service, the FBI, the Office of Naval Intelligence, and the Air Force's Office of Special Investigations.

On November 28 in Moscow, African students stormed the Belgian, British, Congolese, and American Embassies to protest American intervention in the Congo. Some of the embassies' windows were broken and others splattered with ink. The doors were barricaded and the street was blocked by protesters, rendering any rescue operation impossible.[15]

Two large demonstrations were followed by two days similarly violent marches against the same nations' embassies in the Congo, Pakistan, Ghana, Egypt, Indonesia, Bulgaria, Lebanon, and other Third World countries.[16]

In an address before the Cleveland Bar Association on December 8, Carl T. Rowan, director of the United States Information Agency, joined the minority critical of the worldwide protest. "Perhaps," Rowan said, "there is no greater key to the stability of these new nations, so intoxicated with youthful independence, than their learning that blind passion and emotion are dangerous substitutes for reason."[17] State Department spokesman Robert J.

McCloskey made a similar speech to reporters in Washington, D.C., in which he said Sukarno's government would have to pay for the estimated $20,000 in damages done to the United States Information Service's library in Surabaya, Indonesia.[18]

On December 9, Secretary of State Dean Rusk suggested that a Communist-backed conspiracy was the root cause both of mounting verbal attacks on America in the UN and of the anti-American demonstrations abroad.[19]

The State Department, he said, was "especially concerned about violent acts which appeared to be connived at or acquiesced in by the authorities of the host state, or in which the authorities are slow in taking action to control mobs of rioters."

The same day, Dr. Martin Luther King, Jr. voiced an opinion markedly similar to the views previously aired by, of all people, Malcolm X. During a press interview in Oslo, Norway, where King stopped en route to Stockholm to accept the Nobel Prize for Peace, the civil rights activist announced that the "Congo civil war will not be resolved until all foreign elements are withdrawn."[20]

But King made an even more revealing statement to reporters at the press conference, one which reflected his budding, behind-the-scenes friendship with Malcolm X. With the passage of the Civil Rights Act of 1964, King said, the nonviolent movement had gone about as far as it could go without international assistance and pressure. The next phase of the civil rights movement would be "work in the field of political action and reform."[21] Without international pressure on America, he added, African Americans lacked the political power to "take the struggle beyond the lunch counters, and so the movement will have to depend on a constructive alliance."[22]

While King did not spell out the nature of the alliance, FBI Director Hoover and the CIA, which monitored King's trip, knew that he was referring to a possible alliance with Malcolm X.[23]

King's statement in Oslo on December 9 suggested clearly that he and Malcolm X had arrived at a tacit agreement for cooperative action.

According to Malcolm X, UN representatives would connect the African American struggle to their own if Malcolm X, King, and other civil rights leaders cooperated to support the anti-Tshombe campaign.[24] Events the next day support the conclusion that Africans were satisfied after King's statement in Oslo that he and Malcolm X were working together. On December 10—just nine days after Quaison-Sackey was appointed president of the General Assembly—African ambassadors repeatedly compared racism in South Africa to racism in North America, just as Malcolm X had requested. Quaison-Sackey was South Africa's most embittered opponent in the UN. On August 2, 1963, he called upon the international body to expel South Africa for its massacres of the Bantus.[25]

The first to make the link was Louis Lansana Beavogui, Guinea's foreign minister. Beavogui argued that Africans need not feel embarrassed about the deaths of whites in the Congo's civil war, since "so-called civilized governments" had failed to express indignation over "the thousands of Congolese citizens murdered by the South Africans, the Belgians, and the [anti-Castro] Cuban refugee adventurers.[26] Is this because the Congolese citizens had dark skins just like the colored United States citizens murdered in Mississippi?"

Ousmane Ba, Mali's foreign minister, also argued that America's racist attitude was responsible for the "premeditated and cold blooded act" of assassinating Lumumba. In an emotionally charged sermon, Ba said:

> What can we say of those who with cynicism and premeditation massacred the African national hero, Patrice Lumumba, of those responsible for the death of Dag Hammarskjold, of those who did not hesitate to commit the cowardly assassination of John Kennedy?
>
> Yes, it was the same imperialistic forces of reaction, obscurantism and racism, in short, the forces of war, which were responsible for stilling the great voice of John Kennedy, the fighter for freedom.[27]

During the debates, Quaison-Sackey proposed forming an ad hoc committee on Germany. "That was his way of saying that the Africans have a right to mess around with European problems," a diplomat observed, "if the white men are going to mess around with African problems, like at Stanleyville."[28]

Dr. King reiterated his pronouncements on U.S. withdrawal from the Congo upon his arrival in Stockholm on December 13. "There are many problems on a world scale today and one of them is the Congo," King said during a speech to African diplomats to celebrate Kenya's independence.[29] "The Congo problem can be solved when there is a withdrawal of all foreign troops and mercenaries," he added. He also condemned racism in South Africa, and compared the conditions there with those in Mississippi, as Beavogui had done at the UN several days before. "We must not rest in any nation," King said, "until the problem is solved in South Africa. I called for a massive boycott of that country because of the vicious regime existing there."

On December 14, 1964, the day after King's attack on American foreign policy, Malcolm X welcomed Abdul Rahman Babu, Tanzania's Minister of Commerce and Cooperatives, to a rally attended by 600 supporters of the May 2nd Movement, a pro-Cuba youth organization.[30] Babu, who had come to power after a revolution on January 12, 1964, had established a friendship with Malcolm X during the second OAU summit.

"Tshombe will never be accepted," said Babu, who represented Tanzania at the UN.

Malcolm X met Che Guevara for the first time since the Afro-Asian Summit on December 9 at a reception in the Latin revolutionary's honor in Harlem. On December 12, while Guevara was addressing the UN General Assembly, someone fired a bazooka toward the building, but no one was injured. Anti-Castro Cubans were arrested within days of the attack. On December 13, Malcolm X welcomed Tanzania's Abdul Rahman Babu to a meeting of the Organization of Afro-American Unity. Babu announced that he brought greetings from Che Guevara "to the people of Harlem," explaining to them that Guevara had to leave New York before he could address the OAAU.[31]

The next night, December 14, Babu again accompanied Malcolm X to another Pan-Africanist rally. "I'm honored to be on this platform with Africa's leading revolutionary," Malcolm X said in introducing Babu. "Our people need an education on what a revolution really is; a revolution, not wading-in, sitting-in, or singing-in," he added.[32] "We have to know what it costs. Here is a brother who can tell us."

In the opening section of the speech, Babu drew a connection between the plights of Africans and African Americans, to the delight of the crowd. "The history of Tanzania," Babu said, "is the history of slavery, and a summary of the history of Africa, a country ruled for two centuries by feudal sultans supported by imperialist power."

At the December 14 rally, Babu told the enthusiastic crowd that the same American policies creating havoc and bloodshed in South Vietnam and in the Congo were responsible for racial oppression in America.

The impact of the anti-American statements by King, Malcolm X, and African representatives at the UN was reflected in a histrionic speech by Adlai Stevenson, the U.S. representative at the UN, on the morning of December 14. If it wasn't for U.S. intervention in Africa, Stevenson said sincerely, Africa would "revert to a primitive state of anarchy.[33] I have served in the United Nations from the day of inception off and on for seven years," Stevenson said. "But never before have I heard such irrational, irrelevant, irresponsible, insulting and repugnant language used, if you please, to contemptuously impugn and slander the gallant and successful effort to save human lives of many nationalities and colors."

He also accused Algeria, Egypt, Ghana, Sudan, China, and the

Soviet Union of perpetuating the bloodshed in the Congo by supplying anti-Tshombe forces with weapons.

Despite Stevenson's protest, the Afro-Asian bloc's attacks upon the United States and its racial policies continued unabated.

So did those of Malcolm X. On December 16, he delivered a speech before the Harvard Law School Forum in which he noted the decision by the Afro-Asian bloc at the UN to link the struggle in the Congo and elsewhere to the Afro-American's struggle. "In the UN at this moment," Malcolm X said, "Africans are using more uncompromising language and are heaping hot fire upon America as the racist and neocolonial power par excellence. African statesmen have never used this language before. These statesmen are beginning to connect the criminal, racist acts practiced in the Congo with similar acts in Mississippi and Alabama."[34]

On December 20, he held an OAAU rally to drum up support for the congressional campaign of Fannie Lou Hamer of Mississippi's Freedom Now Party.[35] Hamer, who was challenging the right of the all-white Mississippi congressional delegation slated for January 4, 1965, expressed outrage over the intimidation used by policemen and firemen in that state to prevent blacks from voting. She contended that since African Americans had been denied this constitutional right, the white congressmen were unconstitutionally elected. "We don't only need a change in Mississippi," Hamer said. "We need a change in the nation. The whole world is looking at this American society."

In his speech, Malcolm X said that African Americans needed "a Mau Mau" to win freedom and equality. As he held a crowd of 300 spellbound in the Williams Institutional Church in Harlem, he maintained that "freedom is gotten by ballots or bullets.[36] A black man has the right," he continued, "to do whatever is necessary to get his freedom. We will never get it by nonviolence alone."

When Malcolm X returned from Africa in May after his first trip, he claimed that not only had the OAU agreed to act upon his resolution requesting them to interject "the Negro problem" into

UN debates, but that they intended by year's end to advance his second proposal by labeling America as much a colonialist power as South Africa.

It was December 22, yet no mention had been made in the UN of America being a colonialist.

To the horror and complete surprise of the Johnson administration, the situation suddenly changed, thereby establishing Malcolm X as a leader for Africans as well as African Americans and, to the intelligence community, a major threat to "national security."

A story in the December 22 *New York Times* described it best:

> The United States, which until recently was censured by other Western countries for fostering the independence of territories that were presumably not ready for it, is now finding itself criticized as a colonial power.
>
> Charges of colonialism, neocolonialism and imperialism are being leveled at the United States in the 24-member United Nations Special Committee on Colonialism.
>
> Although United States officials at the United Nations state emphatically that the United States is not a colonial power, the newly independent states of Asia and Africa are "passionately intent on freeing all lands that are not entirely self-governing, whether they want independence or not," according to one United States spokesman.[37]

The same morning this story ran, an Algerian UN representative delivered a caustic attack against the United States over its domestic and foreign policies. "When the twenty assassins of the black Americans in Mississippi have been freed," Tewfik Bouattoura argued during the Security Council's debate on the crisis in the Congo, "we are within our right to ask where racism is and who shows it.[38] The Africans are within their rights," Bouattoura added, "to ask whether the great hopes that President Kennedy's

New Frontier engendered are dead when he himself fell before bullets of the assassins in Dallas."

During the United Nations Security Council session on December 23, Congolese Foreign Minister Charles-David Ganao continued Bouattoura's early condemnation of America.[39]

In Cairo that same day, Gamal Abdel Nasser harshly criticized the United States for threatening to terminate Egypt's foreign aid after he attacked U.S. policy in the Congo. The Johnson administration also delayed the $140 million trade package in retaliation for the downing of an American oil company's plane by Egyptian jets on December 19 and the burning of the library at the U.S. Embassy in Cairo on Thanksgiving Day. According to U.S. officials in Africa, the students who attacked the library allegedly intended to kill American and Belgian diplomats during the attack, but none were discovered. "The United States can go jump in the lake," Nasser said to the delighted crowd gathered at Port Said for a national holiday celebration.[40] "Our policy is clear and we say it openly. We say that we sent arms to the Congolese people and we shall keep on sending arms to the Congo." In the meantime, the Soviet Union devised an aid package to compensate for the one the United States was holding over Nasser's head.

December 1964, Malcolm X told Alex Haley, was the high point of his life, as well it should have been. It isn't every day, after all, that an African American with an eighth-grade education makes a major impact on American foreign policy. If Malcolm X had single-handedly persuaded the Afro-Asian bloc to include the American civil rights struggle in UN debates, and had independently managed to convince new African nations to charge the United States with colonialism, odds were good that unless the Johnson administration changed its policy towards the Congo, the new African nations might very well use Malcolm X's petition accusing America of violating the human rights of African Americans as leverage in 1965 and beyond.

Activities by the FBI and the CIA suggest that the intelligence community was determined to abort this eventuality "by any means necessary."

An hour past noon on Christmas Day, Leon 4X Ameer, Muhammad Ali's press secretary, was in his room at the Sherry Biltmore Hotel in Boston when he was advised that four newsmen from *Punch,* a boxing magazine, wanted to ask him about Muhammad Ali's health. The champion had undergone an operation to repair a hernia. The "reporters" asked if they could come upstairs, but Ameer became suspicious, and told them no, that he would meet them in the lobby in a few minutes.[41] When he arrived in the lobby, Ameer was confronted not by reporters, but by four Black Muslim security guards. One of them was Clarence X Gill, the champion's head of security who also served as Captain of the Boston mosque. While other guests and visitors looked on in shock, a Black Muslim struck Ameer from behind, and he fell on the floor. As he knelt over in agony, Gill kicked him over his left eye, lacerating his skin.[42]

After they finished beating him, they fled. A few minutes later, an ambulance took Ameer to a hospital, where he received stitches for the laceration over his eye. Ameer identified his attackers, who were arrested later than evening. They were later convicted of assault and battery and fined $100 each.

But around eleven o'clock the same night, a different group of three Black Muslims came to see Ameer at the Sherry Biltmore. This time they claimed to be reporters from Washington, D.C., seeking an interview with Muhammad Ali. "I don't know how they got to my room," Ameer said during an interview on the Barry Gray radio show, "but they came and said they were sent to find out what the trouble was." Ameer replied that he didn't know what they were talking about, there was no trouble. One of the men then said that Ameer had failed to make Fruit of Islam members meet the *Muhammad Speaks* sales quota of $14,000 a month.[43] Before he could offer an explanation, the three *muja-*

heddin tackled him. As he lay helpless on the floor, they kicked him in his testicles, stomach, face, and the back of his head. After rendering him unconscious, Ameer's assailants put him in the bathtub, then quickly left the sixth floor suite.

The next morning, a Boston police sergeant, armed with a bench warrant for charges of embezzlement [based on his failure to meet the newspaper quota] lodged against him by the Nation of Islam, went to Ameer's hotel room to arrest him. The officer found Ameer still unconscious in a tub filled with blood. He immediately summoned an ambulance. Ameer remained in Boston City Hospital for two weeks, the first three days of which he spent in a coma.

If things had gotten bad for Muhammad Ali's press secretary, they weren't so great for the heavyweight boxing champion, either. He had lost Malcolm X as a friend, been stripped of one of his boxing titles, and his marriage was on the skids.

On December 11, the champion, who had voluntarily lost Malcolm X as an idol, involuntarily lost another. Sam Cooke, the gifted soul singer who was shepherding the champion's recording career, was killed in Los Angeles after bursting into an apartment to search for a Eurasian woman he had met earlier in a bar.[44]

Cooke, whose records never sold less than 250,000 copies, was the father of three children, one of whom died in June 1964, in a backyard swimming pool accident.

A quiet civil rights activist, Cooke inspired scores of rising rock musicians in America and Europe, among them Huey Lewis, Mick Jagger, Keith Richards, Rod Stewart, and Paul Young.[45] One of his most unforgettable songs, recorded shortly after the Birmingham church bombing and dedicated to Dr. King, was titled "A Change Is Gonna Come."

As the year drew to a close, Malcolm X told friends that perhaps Milton Henry was correct when he warned him that he was dancing with death by proposing United Nations action against the United States. Coincidentally, Dr. King was reluctantly entertaining similar thoughts about himself.

On January 2, 1965, during a trip to Selma, Martin Luther King, Jr., advised his key aide, Reverend Ralph Abernathy, to be prepared to assume leadership of the Southern Christian Leadership Conference. King gave him this advice because he feared he would soon be killed.[46]

CHAPTER 19

THE FINAL DAYS

There can be no doubt that the Black Muslims tracked Malcolm X every hour of his last days on earth. Their knowledge of his movements was little short of uncanny.

—from *To Kill A Black Man,*
By Louis E. Lomax[1]

In view of recent threats against subject [Malcolm X], the Bureau has requested that local police be advised whenever subject is in their city.

—FBI memo dated
June 24, 1964[2]

. . . John Ali had made public his anger towards me because I wrote in my book, *When the Word is Given,* that Ali was once an FBI agent.

—from *To Kill A Black Man,*
By Louis E. Lomax[3]

On February 1, 1965, shortly after settling into his suite at Flagstaff House in Ghana, where he had come to meet with Nkrumah, James Farmer of CORE received a call from an African American expatriate living in Ghana.[4] Farmer invited the caller, a political activist he had met years ago in New York, over for dinner. As they sat around chatting several hours later, the conversation turned to Malcolm X and his recent visit to Africa.

"He's going to be killed, you know," the woman said matter-of-factly.[5] "He will be killed sometime between now and April 1."

Since the activist offered nothing to substantiate her theory, Farmer changed the subject. Malcolm X was his friend, after all, and he dreaded the thought of him—or any other human rights activist— being assassinated.

But he may have been reminded of that meeting one week later when Malcolm X was blocked from entering France. On February 8, Malcolm X went to London to address the First Congress of the Council of African Organizations in London. During the brief stay, he also met with members of the OAAU branch there and was updated on its activities as well as the plans of the OAAU chapter in Paris.[6] The next day, he took a plane to Paris. Upon arriving at Orly Airport, Malcolm X was surrounded by policemen who told him that he could not enter the country. Furious, Malcolm X threw a British penny on the ground. "Give this to de Gaulle," he said indignantly to French security men, "because the French government is worth less than a penny!"[7]

"They gave me no reason why I was barred and did not let me contact the American Embassy," Malcolm X told reporters upon his arrival in London a little while later. "I was shocked," he said. "I thought I was in South Africa. They let Tshombe in. He's the worst person on earth and he's de Gaulle's friend."

He told reporters that he intended to spend the balance of the week in London, "if nothing else happens," then return to New York.

France had a long-standing policy of barring foreigners whom it believed likely to foment domestic unrest. American Nazi Party leader George Lincoln Rockwell, for example, had been barred from entering the country on numerous occasions.[8] What was odd, however, is that Malcolm X had been in Paris a few months earlier without incident.[9] The decision to bar him this time, then, must have been grounded upon something else. France apparently had information, one African diplomat said, that Malcolm X was going to be assassinated, and wanted to make sure it didn't happen on its soil. "The United States is beginning to murder its own citizens," the diplomat told reporter Eric Norden.[10]

Fearing for Malcolm X's life if he returned to America, Nkrumah offered him a job as a speechwriter and policy advisor on East-West relations. Nkrumah had extended a similar offer to African American intellectual William E.B. Du Bois (Du Bois died in Ghana in 1963, a day before the March on Washington.[11] Likewise, Nasser offered Malcolm X a position as head of the African section of Cairo's Foreign Ministry.[12] Malcolm X politely declined both offers because, he said, the economic security of the African American people had to come before his personal financial security.

On February 15, 1965, the FBI's Chicago field office sent a message to Hoover regarding Elijah Muhammad's impending meeting with Dr. King.[13] This latest development was alarming. Until then, the Bureau had been concentrating on preventing a coalition between King and Malcolm X. It had not anticipated that Muhammad, the strict segregationist, would try to forge a friendship with the world's best-known integrationist. Apparently Muhammad was competing with Malcolm X over King's loyalty just as he had competed for Muhammad Ali's loyalty.

The FBI discovered on January 18 that support for Malcolm X was expanding in the Middle East and in Africa proper. The memo focused on the fact that Malcolm X had "a foreign born Muslim (Osman Hassoun) from of one of the African countries living at his home.[14] This person," the memo stated, "has been sent to New York to help Little set up his mosque in New York." The memo also noted that Malcolm X "has twenty scholarships for a university in Egypt good for a two-year period with all expenses paid."

On January 9, 1965, Muhammad Ali's press secretary Leon 4X Ameer had called a press conference in Harlem to disclose that he feared the heavyweight boxing champion might be injured, as he had been, or killed "in the current conflict of principles among split groups of Black Muslims.[15] Because Cassius [Muhammad Ali] is beginning to have grave doubts about the integrity of certain powerful Muslim members," Ameer said, the champion was in jeopardy. "It was because I hold similar doubts—and expressed those doubts—that I was beaten almost to death in Boston," he said.

Muhammad Ali, whose office was near Malcolm X's in the Theresa Hotel, called his own press conference the next morning to repudiate Ameer. "Ameer's nothing to me," Muhammad Ali said. "He was welcome as a friend as long as he was a registered Muslim, but not anymore. And he was never my press secretary," the champion added. "I do my own press work and publicity."[16]

The prizefighter's denial, however, was belied by consistent press reports of Ameer as his official press secretary.

Although he had quit the Nation of Islam on December 5, 1964, Akbar Muhammad, the twenty-five-year-old prodigal son, didn't make it official until January 14, 1965.[17] At a press conference in Cairo, where he was still pursuing studies at the University of El-Azhar, Akbar Muhammad told reporters that he decided to go public with his dispute with his father after receiving the January 1 edition of *Muhammad Speaks,* in which Elijah Muhammad denounced him as "a hypocrite." He could no longer stomach his "father's concocted religious teachings, which are far from and in most cases diametrically opposed to Islam," Akbar said. Secondly, he said, his father's "politically sterile philosophy of the Afro-American struggle" was as unpalatable as Dr. King's advocacy of strict nonviolence. "I don't believe in nonviolence," Akbar said, "but I don't believe in starting violence, either. I just don't think we should turn the other cheek."

Akbar said he supported efforts by Malcolm X and others to introduce African Americans to orthodox Islam. He also alluded to the mass exodus affecting the sect and said many were totally unsatisfied with his father. "I know there are members of the top echelon in the movement who do not go along with him," Akbar said of his father. "But they stay because they are getting good salaries."

The day after Akbar's press conference, the January 15 edition of *Muhammad Speaks* printed Philbert X's earlier denunciation of Malcolm X.[18]

Asked again about Philbert's statement, Malcolm X expressed doubts about its authorship, and for good reason. Compare, for example, this excerpt from Philbert X's comments:

> . . . [S]ome white people hated President Kennedy enough to kill him and . . . some white people also loved him enough to kill for him.

with this excerpt from John Ali's comments on June 9, 1964:

> . . . [T]here were people who hated Kennedy so much that they assassinated him—white people—and there were white people who loved him so much they would kill for him.[19]

Directly above Philbert's statement was a cartoon drawn by Eugene Majied, a gifted illustrator. The cartoon forebodingly showed the severed head of Malcolm X bouncing down the road to graves marked with the names of the famous traitors Philbert had mentioned.[20]

On the evening of January 12, 1965, several high-ranking officials from the Chicago headquarters of the Nation of Islam, including Elijah Muhammad, Jr., John Ali, and Raymond Sharrieff, addressed a meeting of the Fruit of Islam in Harlem.[21] For reasons which were not spelled out in the advertisement which ran in *Muhammad Speaks,* the meeting was held at the Audubon Ballroom, where Malcolm X frequently held his own meetings.

Fearing another attempt would be made to assassinate him, Malcolm X left his home earlier that morning and checked into the Hilton Hotel in New York City under the alias "M. Khalil."[22] If they tried to murder him again, at least his family would be out of harm's way, Malcolm X told several of his top aides.

According to Fruit of Islam member Norman 3X Butler, Elijah Muhammad, Jr., did not mince his words as he addressed over five hundred top NOI security officers from around the nation. "That house is ours," Butler recalls Muhammad, Jr. saying, "and the nigger [Malcolm X] don't want to give it up."[23]

"Well, all you have to do is go out there and clap on the walls until the walls come tumbling down," he continued, "and then cut the nigger's tongue out and put it in an envelope and send it to me, and I'll stamp it approved and give it to the Messenger."

Lest anyone still misunderstood the implications of Muhammad, Jr.'s order, the call for Malcolm X's punishment spilled onto the pages of *Muhammad Speaks*.

In January 1965, Louis X Farrakhan of Boston and Jeremiah X Pugh of Atlanta, two top ministers who knew Malcolm X well, wrote columns denouncing him as a "hypocrite" who deserved to suffer the "wrath of Allah."[24] A third prominent Muslim, Minister James 3X Shabazz, also denounced him. James 3X Shabazz was regional minister of the New York and Newark mosques, where the plot to kill Malcolm X took shape, according to Talmadge Hayer.

On January 15, Malcolm X attended the funeral of writer Lorraine Hansberry, who had succumbed to cancer on January 12. She and Malcolm X shared the same birthdate—May 19—and an intense dislike of Ralph Bunche, if little else.[25] Born in 1930, Hansberry was the first African American playwright to win the New York Drama Critics Circle Award, which she received in 1959 for *A Raisin in the Sun*. The play was later turned into a movie starring Sidney Poitier.

Malcolm X accompanied actress Ruby Dee and her husband, actor Ossie Davis, to the funeral. Dee's brother, Thomas 13X Wallace, was among the Black Muslims who left the Harlem mosque with Malcolm X. Wallace was later mercilessly beaten by Muslim enforcers as a result of that decision.[26]

After the funeral, Malcolm X, like a teenager standing in the shadow of an idolized rock star, asked Ossie Davis if he would kindly introduce him to Paul Robeson, the only hero who hadn't failed him.[27]

It was unfortunate that the handshake Malcolm X sought that day evaded him, because both their fates were inextricably wound around the same cause. The United Nations petition Robeson had proposed in 1950 ruined his career; now a similar petition was destroying Malcolm X.

Malcolm X told two of his closest aides that he was going to Los Angeles in a few days to check on the welfare of Rosary and Williams, the two secretaries on whose behalf Gladys Root had filed paternity suits. Using the pseudonym of "David," Malcolm X called the secretaries on January 25 to apprise them of his plans.

The next evening, one of the secretaries was finally able to reach Hakim A. Jamal, Malcolm X's cousin and close friend, who had quit the Nation of Islam the day that Malcolm X announced his resignation.[28] The secretary told Jamal that "David" was coming to town, and would need a chauffeur for a few days.[29]

Jamal's car was in an auto repair shop, so he called Edward Bradley, an old friend of Malcolm, and asked him if he would be willing to drive Malcolm X around the city during his stay. Bradley, who had known Malcolm X for more than a decade, obliged without hesitation.

At two o'clock on the afternoon of January 28, Jamal and Bradley arrived at the Los Angeles Airport to wait for Malcolm X, whose flight was scheduled to land an hour later. While waiting inside the terminal, they spotted a well-dressed black man, sitting in the lounge, whom Jamal thought looked familiar, but he couldn't quite place the face. At first, Jamal believed the man was a Black Muslim, but disgarded the notion when Bradley pointed out that the stranger had purchased a pack of cigarettes from a vendor and was smoking. As a rule, Muslims do not smoke, so Jamal reasoned that the man couldn't be one of the Messenger's men. Suddenly, Jamal realized that he did indeed know the man: it was John Ali, national secretary of the Nation of Islam, the Messenger's top aide.[30]

John Ali's appearance at the terminal was ominous, since only seven people (Betty Shabazz, two aides, Bradley, Jamal, and the two secretaries) were supposed to know he was coming.

How John Ali found out was anyone's guess. Since FBI agents were, in response to a June 24 recommendation from Hoover, monitoring Malcolm X's telephone calls, it seems reasonable to suspect that they might have notified him, or that he found out from the FBI's high-level informant who infiltrated Muhammad's inner circle (assuming they were not one and the same). More significant, however, is the fact that the FBI never arrested John Ali or took him in for questioning, though it was aware that he seemed to be stalking Malcolm X.[31]

Sensing trouble, Jamal and Bradley notified airport security that Malcolm X's plane would land at any minute and that there were Black Muslims in the terminal who might try to kill him. Security officials reacted swiftly. The plane carrying Malcolm X was diverted to another terminal. Uniformed policemen and plainclothes detectives surrounded the terminal. As an added precaution, Malcolm X's plane was diverted to a gate on the opposite side of the airport.[32] Moments later, Malcolm X exited the airplane. As they drove to the Statler Hilton Hotel Jamal and Bradley told him what had transpired.

Bradley pummeled his idol with questions about the Nation of Islam. During the discourse, Malcolm X made allegations that sounded wild at the time but which seem less bizarre now.

Elijah Muhammad, Malcolm X said, had been depositing contributions from his followers in a secret bank account in Switzerland, and his wife had been doing the same in accounts she held in Beirut and Cairo.[33] Although the Nation of Islam received hundreds of thousands of dollars in donations each year, Malcolm X said, the accounting books he examined in the Messenger's office revealed that the Nation of Islam was spending far more cash than followers were contributing.

When Bradley and Jamal inquired how this was possible, Malcolm X's reply hit them like a bombshell. "There is a Texas millionaire who supports not only Elijah Muhammad but the Minutemen and the John Birch Society," Malcolm X said. "His name is H.L. Hunt. I think he is in oil. Have you ever heard of him?"

Bradley had, but Jamal had not.[34]

Haroldson Lafayette Hunt wasn't just a millionaire; he was a very racist, very right-wing spendthrift who was worth nearly a half billion dollars in 1960. According to a lawsuit filed against him, he once sold food that was "unfit for human consumption, knowing that such sales would end up in Negro and low-income areas."[35] Hunt regarded African Americans as a threat to Caucasian control of American politics, as he made clear in numerous radio broadcasts and interviews. During a radio broadcast in mid-1960, Hunt exposed his abhorrence of African Americans. "We are now in an area where whites, however free from racial prejudice, will be forced into the Republican Party by the Negro population which will help control the national Democratic Party and undoubtedly share or pre-empt many local offices."[36] So great was his fear of black political power that within days of Kennedy's November 3rd defeat of Nixon, Hunt contacted the Republican National Committee to request that it study why the "rural vote" went to Kennedy.

Alfred Zoll, one of Hunt's chief ideological allies, had since 1936 advocated sending all African Americans back to Africa.[37] Hence, it's not really surprising that he would be interested in financing the Nation of Islam.

On October 28, 1960, Hunt, who opposed then-Senator John F. Kennedy's presidential bid because Kennedy was Catholic, admitted to mailing 102,000 copies of an anti-Kennedy leaflet in an effort to win the Democratic nomination for Texas Senator Lyndon B. Johnson.[38] A few days later, he announced that he would support Kennedy's race for the presidency against Vice President Richard M. Nixon.[39] Hunt's decision was unusual, given his hatred of Catholics, and the fact that he had financed Nixon's bid to gain the vice presidency in 1952 on the Eisenhower ticket.[40]

In early 1963, Hunt's commercial corporations were linked to the antisemitic Liberty Lobby and the John Birch Society.[41]

On November 18, 1963, one of Hunt's sons, Nelson Bunker Hunt, donated money which was used for a rancid anti-Kennedy ad that John Birch Society supporters wanted to run in the *Dallas Morning News* on November 21, the day before President Kennedy was scheduled to arrive in Dallas.[42]

On November 21, the day the ad ran, a Mafia member from Chicago named Jack Ruby went to H.L. Hunt's office, as did other characters whom history would link with the event that occurred at 12:30 the next day;[43] at 12:23 on November 22, H.L. Hunt watched as Kennedy, the man he hated, drove in a motorcade through Dealey Plaza. Minutes later, President Kennedy was dead, and Hunt was on his way to a month-long stay in a Mexican hideaway.[44] Three days later, Ruby killed Lee Harvey Oswald, the man accused of assassinating President Kennedy, and who, for unexplained reasons, had a personnel file at CIA headquarters in Langley.[45]

As they entered the hotel, Bradley saw Ali and five other Black Muslims emerge from a car. Two of the men, Los Angeles minister John Shabazz and Captain Edward 2X Sherrill, were leaders of a main mosque in Los Angeles. They approached Bradley to ask him what he was doing with Malcolm X.[46]

As Bradley was being questioned, Malcolm X and Jamal returned from the registration desk. Malcolm X summoned him, and they quickly left for the home shared by the two secretaries who had filed the paternity suit.

Malcolm X asked Bradley to drive them to Root's office, which he did. After leaving the office, Malcolm X treated the secretaries to dinner.

When Bradley returned Malcolm X to the Statler Hilton several hours later, it was surrounded by Black Muslims. "Black Muslims were all over the place," Bradley recalled. "They were parked in cars on all sides of the streets. Some were on foot."[47] Malcolm X got out of the car, then warned Bradley to be extremely cautious while driving away. As Bradley pulled away, Malcolm X ran into the hotel. Fortunately, he was able to make it back to his suite without being attacked.

When he awoke the next morning, the Statler Hilton was still swarming with Black Muslims.

Bradley arrived at nine A.M. to pick him up and drive him back to the airport. Shortly after he entered Malcolm X's room, someone called. "Is this Malcolm X?" the caller asked.[48]

"Yes," Malcolm X replied.

"Nigger," the caller said, "you are dead. You are dead, nigger."

Bradley remembers that the call had unnerved Malcolm X. He watched sadly as Malcolm X covered his face with his hands.

For the next two hours, Bradley and Malcolm X remained prisoners in the hotel room. As they waited, disaffected Black Muslims who had learned of his whereabouts called to express their support, and most described the nightmarish totalitarian state the Nation of Islam had become since his ouster.

A little after eleven A.M., Bradley and Malcolm X headed for the airport. He planned to take a 12:30 plane to Chicago. Before leaving the room. however, Bradley called a police official he knew and advised him that there might be trouble again.[49] Two carloads of Black Muslims chased them down a freeway at speeds in excess of seventy miles an hour. As one of the vehicles closed in, Malcolm X lowered the window and aimed the black tip of the walking cane he carried with him toward it. Assuming the cane was a rifle barrel, the driver quickly reduced his speed, while Bradley pressed down harder on his car's accelerator.

More Black Muslims were lying in wait at the airport, Malcolm X discovered. Two headed toward him and Bradley, but were halted by uniformed policemen who then took Malcolm X and Bradley to the security office. They remained there until his flight was ready for departure.[50]

After Malcolm X and Bradley exchanged farewells, the former looked solemnly at Bradley.

"I am a marked man," Malcolm X said dejectedly. "I'm ready to die. I just don't want them to hurt my family."

As tears swelled in Bradley's eyes, Malcolm X boarded the Chicago-bound plane.

The LAPD's intelligence unit telephoned Captain William Duffy, head of the Chicago Police Department's intelligence division, to advise him that Malcolm X was headed for O'Hare International Airport.[51]

On January 24, Bradley learned from his sources inside the Nation of Islam that the Los Angeles mosque was offering a reward to any Fruit of Islam member who killed him, Jamal, or Malcolm X.[52]

In the meantime, Jack Anderson, a nationally syndicated columnist, got word of the CIA's interest in Malcolm X. Broadcasting on WINS Radio on January 24, the day Malcolm X left Chicago, Anderson revealed why the intelligence community might have been motivated to see Malcolm X dead before the end of February.

During the broadcast, Anderson stated:

> Malcolm X, the American black nationalist leader, has been secretly contacting African governments to strengthen ties between African and American Negroes. He is also expected to be a star attraction at the coming Afro-Asian conference in Algiers where he likely will join in the propaganda attacks on his own country for its racial discrimination.[53]

Anderson's report also revealed a secret that Malcolm X hadn't shared with anyone, even members of the Organization of Afro-American Unity and Muslim Mosque, Inc. At least two weeks before Anderson's broadcast, Malcolm X had accepted an invitation from Ben Bella to attend a conference of the world's emerging nonwhite revolutionaries. Ben Bella had invited Malcolm X, Guevara, leaders of the Southwest African Peoples Organization (SWAPO), the Palestine Liberation Organization, and leaders of sixty-five other movements to Algiers for a special conference scheduled to begin on February 27.[54]

Malcolm X and Guevara were scheduled as key speakers. Notably, on the second day of the conference, a resolution would be passed charging "control and manipulation of the United Nations by United States imperialists."

The same group of revolutionaries were later invited to attend the Afro-Asian conference in Algeria, at which time Malcolm X planned to reintroduce his proposed UN petition.

On February 4, Malcolm X flew to Selma to show solidarity with Dr. King, who was in jail.[55]

A march to the Dallas County Courthouse was scheduled to begin at one P.M., but so many youths crowded into Brown's Chapel AME Church to hear the revolutionary from "up North" that its starting time was delayed by several hours.

King, unfortunately, hadn't expected Malcolm X to show up, and the message he sent from his cell to leaders of the march showed clearly that the New Yorker's presence unnerved him. King told the leaders that now was a good time "to slow the direct action campaign" against barriers to enfranchisement.[56] Reading between the lines, the organizers canceled the planned demonstration, and Malcolm X returned to New York for a flight to London.

On February 11, Malcolm X returned briefly to England to deliver a speech at the London School of Economics, then took a flight back to New York two days later. On Sunday, which was Valentine's Day, Malcolm X and his wife Betty, then six months pregnant with twins, were sleeping when they were awakened by the sound of breaking glass and explosions shortly before three o'clock in the morning. Someone hurled several Molotov Cocktails—bottles filled with gasoline employing a lit rag as a wick—through the living room windows.[57] Luckily, Malcolm X was able to get his wife and four daughters—six-year-old Qubilah, four-year-old Attalah, two-year-old Ilyasah and five-month-old Gamilah—to safety. They stood shivering in the driveway as firefighters extinguished flames in what remained of the gutted home.

Malcolm X's oldest child was six years old, the same age he had been when his parents rescued him and his siblings from their burning home in Lansing.

Because he was in the midst of a legal battle against the Nation of Islam for rights to the home, Malcolm X told reporters that Black Muslims were probably responsible for the callous, mindless act of arson. But he also suggested that the Ku Klux Klan had a motive, since he had recently revealed the neo-Nazi cult's peace treaty with Elijah Muhammad.[58]

Shortly before ten o'clock on February 14, Malcolm X took a plane to Detroit, where he checked into the Statler Hilton Hotel. His family moved in with close friends until he and Betty could find somewhere else to live.[59]

Behind the scenes, some of the most prominent African American celebrities were collecting clothing and money for Malcolm X's family. Ossie Davis and Ruby Dee received generous contributions from the writers John Killens, Alex Haley and James Baldwin, the entertainer Sammy Davis, Jr., and the photographer Gordon Parks, who had done a number of photo essays on Malcolm X for *Life*, *Ebony*, and other publications.[60]

Although many people knew he was coming to Detroit, no one knew where he planned to stay—except the FBI, which was monitoring every move he made.

Malcolm X was a nervous wreck. A friend, concerned about his state of mind in view of the bombing, summoned a physician to give Malcolm X a sedative. His sleep, however, was interrupted by a mysterious telephone call. "Wake up, Mr. Small," the anonymous caller said eerily.[61]

The firebombing of Malcolm X's house received less media coverage than it might have, due to two other events which monopolized the press's attention. On February 15, Nat King Cole succumbed to a long battle with lung cancer.[62] It's no exaggeration to say that Cole's death was the first event since the assassination of President Kennedy to cause national mourning.

Then, on February 16, three African Americans and a white woman from Canada were arrested in New York and charged with plotting to blow up the Statue of Liberty.[63] News about the investigation of the firebombing of Malcolm X's home was buried deep inside the *New York Times* under a story about, of all things, an undercover BOSSI agent who allegedly foiled the Statue of Liberty plot. According to the story, BOSSI agent Raymond A. Wood, had infiltrated the fringe group responsible. One of the four perpetrators, Walter Augustus Bowe, was a member of FPCC. Bowe's wife, Nan Bowe, was a member of the Organization of Afro-American Unity.[64] But the alleged conspirators told a different story about Wood. They claimed that the undercover agent had acted as an agent provocateur.[65]

Underneath the story on Wood's exploits, the *New York Times* reported that police had allegedly discovered an unlit Molotov Cocktail on a dresser in Malcolm X's home. Arson investigators tried to give reporters the impression that Malcolm X might have started the fire, and had inadvertently left a Molotov Cocktail on a dresser. Malcolm X was understandably incensed. His wife had discovered the "whiskey bottle containing gasoline on a dresser," Malcolm X said disgustedly. She was the one who pointed it out to firemen, not vice versa.

"We knew it didn't belong there," he said, since they didn't drink alcoholic beverages and would not have had "whiskey in our home."[66]

James 3X Shabazz, minister of the Harlem mosque, seconded the implied theory of the arson investigators. "Malcolm X might have firebombed the home" James 3X said before television cameras, in order "to get publicity."[67]

A few hours later, a black New York City fireman met secretly with Malcolm X and told him that several firefighters had seen "a man wearing a police uniform" take the bottle of gasoline into the house after the bombing.[68]

"When they planted the gasoline, I knew it was no longer the Muslims," Ella Collins said. "Only police could have planted it, because as the fire died down the neighbors went into the house to get some clothes for the children from their rooms, some things that hadn't burned.[69] And none of them saw this jug of gasoline when they took things from the baby's dresser. And then the police squad arrived and took over the house, and then they produced the gasoline."

Betty Shabazz concurs. "Only someone in the uniform of a fireman or policeman could have planted the bottle of gasoline on my baby's dresser," she said. "It was to make it appear as if we had bombed our own home."[70]

On February 15, Secretary of State Dean Rusk ended a ten-day Florida vacation and returned to Washington for a meeting with President Johnson, ostensibly to discuss the status of the Vietnam War. But given Johnson's mounting fears about the progress of Malcolm X's UN petition, one wonders if that subject also came up, particularly in view of what happened later that evening in Harlem.

At an OAAU rally at the Theresa Hotel, Malcolm X accused the New York state government of entertaining a conspiracy to kill him. "We are demanding an immediate investigation by the FBI of the bombing," Malcolm X told a gathering of six hundred that evening. "We feel a conspiracy has been entered into at the local level, with some police and firemen . . . The police in this country know what is going on—this conspiracy leads to my death."

Malcolm X also stated that he had sent a telegram to Secretary of State Dean Rusk charging the government with failing to "help me or protect my life."[71]

Since this information was nothing new to Rusk, the FBI or BOSSI, no probe was initiated.

Later that evening, six hundred people gathered inside the Audubon at eight o'clock.[72] As Malcolm X was speaking, two young black men began a disturbance.

"Nigger, get your hand outta my pocket!" one said to the other.

"Cool it, brothers," Malcolm X implored.

The incident made Malcolm X as jittery as he had been before taking the sedative earlier. "I have reached the end of my rope!" he told the crowd of five hundred.[73] "I wouldn't care for myself if they would not harm my family. My house," he shouted, "was bombed by the Black Muslims!"

On February 16, Malcolm X told James Shabazz, another aide (not to be confused with James 3X Shabazz, regional minister of the New York and Newark mosques), that the incident at the ballroom made him think that someone might try to kill him before or during the next OAAU rally, which was scheduled for February 21.[74] "I have the names of five Black Muslims who have been assigned to kill me," he told Shabazz. "I will announce them at the meeting."

Two days later, on February 18, Malcolm X was evicted from his home in Elmhurst. That same morning, a CIA agent in Richard Helms's office issued a memorandum with a reference number of "CSCI-316/01196-64," and the subject matter of "Egyptian Funding of Malcolm X." The term "CSCI" is an abbreviation for "Clandestine Services/Counter Intelligence."

According to the memo, Malcolm X had confided in an associate that "he is currently being financed by the Egyptian Government."[75] This was a gross distortion. What Malcolm X had revealed, in fact, was that Nasser had given him approximately twenty scholarships for any student selected by him to study orthodox Islam at the University of El-Azhar.[76] Since neither Malcolm X nor his children could use the scholarships and he could not trade them in for cash, it's difficult to understand why Clandestine Services would interpret them as constituting "financing."

Besides, had it been true, Malcolm X would have been arrested immediately for violating the Logan Act.

Burke Marshall, the last person publicly reported to have possession of the central piece of evidence in President Kennedy's assassination—the president's brain—asked the CIA to determine who was financing Malcolm X.[77] He had contacted Alex Haley earlier to pose the same question, but Haley informed him that Malcolm X was strapped for cash, so it was quite impossible for him to have received money from any foreign government.

The distortion is significant because the CIA had a pattern of overstating its intelligence information when it wanted presidential or State Department approval for questionable clandestine actions, as it had done when it sought approval for the assassinations of Lumumba and Trujillo.

The same day, Che Guevara concluded his week-long stay in Dar Es Salaam as a guest of Babu, then headed for Algeria for the conference where he and Malcolm X were the designated key speakers.[78]

On February 19, according to Hayer, John Ali arrived in New York City and checked into the Americana Hotel.[79] The next evening, he was seen in the hotel's restaurant with a young black man named Talmadge Hayer, a Black Muslim from the Paterson (New Jersey) mosque, who had been recruited as an assassin in May, 1964. Hayer, who used the alias Thomas Hagan, later went to the Audubon with four co-conspirators to rehearse the assassination of Malcolm X. Upon their arrival, they spent several hours simulating an event scheduled for the next afternoon.[80]

Alex Haley, who was trying to finish Malcolm X's autobiography, telephoned him. "The more I keep thinking about this thing," Malcolm X told Haley, "the things that have been happening lately, I'm not at all sure it's the Muslims.[81] I know what they can do," he said, "and what they can't do, and they can't do some of the stuff recently going on."

Malcolm X arrived at the Audubon around 2:30 p.m. on February 21, ashen-faced and plainly exhausted.

He yelled at Osman Hassoun, the Sudanese official who was living at his home. This was way out of character and it alarmed A. Peter Bailey, the editor of *Blacklash,* the OAAU's newspaper, as well as other aides. "He had been getting harassing phone calls all night long," Bailey recalls.[82] The caller would ask, "Malcolm, are you there?" and hang up. A few seconds later, he'd call back again and say, "Wake up, Mr. Small."

Malcolm X became even more sullen when the speakers he had invited to the rally called and canceled. "The way I feel today," he said sadly, "I shouldn't even be here."

"We were really worried about him," Bailey said, "but he said he had to speak, that people would be disappointed if he didn't. Even under those circumstances," added Bailey, "he put the concerns of his people first."

One by one, Malcolm X's guest speakers canceled. First black nationalist Milton Galamison, then bookstore owner Louis Micheaux, then the last two guests.[83] As the hour was getting late, Benjamin Goodman went on stage and warmed up the crowd for Malcolm X. Finally, it was his time.

"As Salaam Alaikum," Malcolm X greeted his audience.

"Walaikum Salaam," they replied.

At that moment, two young black stood in one of the front rows. "Nigger, get your hand outta my pocket!" one of them ordered the other.

Then the shooting started. The crowd scrambled for safety as sixteen shots struck their intended target.[84]

As Malcolm X lay on the stage dying, his pregnant wife removed from the inner pocket of his suit coat the note with the names of five men he believed would assassinate him. She stuck it in her purse, showing it to no one.[85]

Gene X Roberts, a bodyguard who was actually a BOSSI undercover agent, knelt over Malcolm X and appeared to administer mouth-to-mouth resuscitation. Nothing. Malcolm X was gone.

"Intriguingly," investigative reporter Eric Norden wrote later, after examining a photograph taken during the incident, "there is an obvious bullet hole in Roberts's jacket, and a gunlike bulge in one pocket."[86]

On the evening of the assassination, someone set fire to Harlem's Mosque No. 7. News reports repeated constantly that the fire was believed set by the OAAU or other followers of Malcolm X as an act of revenge. Those who followed Malcolm X knew better. "I am convinced," Bailey said during a recent interview, "that someone was trying to cause a war between us [OAAU members] and the Nation of Islam."

Muhammad Ali's apartment in Chicago also caught fire that night, but the boxing champion wasn't there, and days later he dismissed the fire as coincidental, even though his wife, Sonja, thought otherwise. "That was a strange fire, real strange," Sonja recalled. "Didn't a thing in the other apartments burn bad—just ours, and we were on the second floor, in the middle floor."

The boxer and his wife were having dinner at the Arabian Sands Motel when John Ali called them there to break the bad news. The call unnerved Sonja Ali, since no one was supposed to know where they were dining. "The fire in our place just seemed too coincidental," Sonja Ali said. "Nobody knew where we were having dinner, and all of a sudden you get a call telling you your house is on fire. Who would know we were there unless you were being followed? It scared me."[87]

On February 22, someone broke into the OAAU office and ransacked it, perhaps in a search for the list of five names that Malcolm X had made of who might assassinate him.

On March 12, the law offices of his attorney, Manhattan Borough President Percy Sutton, were also vandalized. The vandals rifled through files containing copies of papers from lawsuits Sutton had lodged on Malcolm X's behalf. Some of the papers were missing.

It must be noted that at the time of the break-in, the FBI routinely approved "black bag jobs," the Bureau's term for burglaries.

"Minister Malcolm X did not give to me or, as far as I know, to the police, any names of people who he thought might attempt to assassinate him," Sutton replied when asked whether he had seen the list.[88] Because of what he perceived as their close relationship, Sutton added that he believed that "had there been such names, he would have shared them with me."

Although Betty Shabazz didn't share her knowledge of the note with Sutton, she did reveal it to freelance photographer Gordon Parks, director of the phenomenally successful movie, *The Learning Tree,* based upon his childhood in the South.[89]

Late on the evening of Malcolm X's assassination, Parks stopped by to see Mrs. Shabazz and her frightened, bewildered little girls. "Is Daddy coming back after his speech, Momma?" asked six-year-old Attalah.[90] Betty Shabazz comforted her but said nothing.

Before Parks departed, Malcolm X's widow showed him the bloodstained list of probable assassins. He copied them down, thinking that he might reveal them in a retrospective for *Life* magazine on his long friendship with the martyr. Unfortunately, neither he nor Betty Shabazz has revealed them to date. On February 23, Richard Helms sent a final routine memorandum to Read at the State Department regarding Malcolm X. The cover page was brief and to the point:

> Pursuant to your recent request, the attached memorandum is furnished to you. The same information is being furnished separately to the Federal Bureau of Investigation.[91]

The nature of the request isn't spelled out in the declassified memorandum, but in view of Read's earlier request for the CIA's Clandestine Services Division to take action against Malcolm X since he was akin to a "foreign agent," one wonders what the memo meant.

Coincidentally, on the same day this CIA memorandum was written, Malcolm X had planned to leave for Africa to attend the conference to which Ben Bella had invited him, and planned to remain in Africa for the OAU summit, then scheduled for March 7.[92]

On February 25, just four days after Malcolm X's death, the FBI nearly got its wish to see Dr. King dead. King was in Los Angeles to attend the premiere of *The Greatest Story Ever Told*. After the movie ended, police searched the theater because it had received information that someone intended to blow it up. A stick of dynamite was found during the search, and a suspect was later arrested.[93]

The trial of the assassins in February, 1966, was pretty much what one would expect for a choreographed political assassination. There were untrustworthy witnesses and contradictory testimony. But there were several noteworthy events. Before the grand jury, Charles Blackwell testified that he had given the German Lugar used in the assassination to Gene Roberts, the undercover BOSSI agent.[94] He changed his testimony during the trial. The most interesting aspect of the trial was a series of questions posed by prosecutor Vincent J. Dermody. Dermody had uncovered a witness who swore that he saw Hayer and John Ali together at the Americana Hotel on the night before the assassination.[95] Hayer never answered the question directly, and Dermody mysteriously dropped the line of questioning.

It turned out that the witness who told Dermody that he had seen Hayer and John Ali together at the Americana Hotel on February 20, the night the plot to kill Malcolm X allegedly underwent final rehearsal, was arrested shortly before the trial began.[96] Dermody apparently felt the arrest would reflect poorly on the witness' credibility, so he failed to call him.

Several FBI agents, for reasons which remain unclear, contacted sources in the Boston mosque on February 21 to determine the whereabouts of Louis X Farrakhan. Farrakhan, the FBI noted, "did not appear at the Boston Temple at the Sunday afternoon services . . . no one seems to know where [Louis X Farrakhan] was during that period or, if, in fact, he was actually out of town, but his absence from services was noted."

According to Louis X Farrakhan, he was at the Newark mosque when Malcolm X was assassinated. It seems bizarre that no one in the mosque was aware of his plans to be in Newark.[97]

Oddly enough, the four Black Muslims who Hayer said conspired with him to assassinate Malcolm X—Ben X Thomas (aka Ben Thompson), Leon X Davis, William X, and Wilbur X—were members of the Newark mosque.[98]

CHAPTER 20

WHEN THE REVOLUTION COMES

> We who follow The Honorable Elijah Muhammad, The Messenger of Allah, are well aware of the source of the opposition to Messenger Muhammad and his teachings.
>
> —from "Folly of the Paid Informer,"
> by John Ali, NOI National Secretary[1]

> On June 8, 1965, a CIA security officer met with an informant in the Hilton Hotel in downtown Washington to discuss the progress of his spying on . . . the Rev. Martin Luther King, Jr. . . . The CIA's spying on King, which produced a file including some his haberdashery bills, Diners' Club receipts and notes listing phone calls and appointments was never disclosed in the extensive congressional or executive branch investigations of the agency conducted in recent years.
>
> —the *Washington Post,*
> February 29, 1980[2]

> The death of Malcolm X shall not have been in vain.
>
> —Kwame Nkrumah,
> February 21, 1965[3]

At the annual Saviour's Day Convention in Chicago which opened on February 26, five days after the assassination, Black Muslims seemed to savor the silencing of Malcolm X, none more so than Elijah Muhammad, whom Malcolm X had rescued from obscurity. "Malcolm X got just what he preached," Elijah Muhammad said self-assuredly.

Muhammad Ali and his brother Rahaman sat on stage in the front row cheering him on.[4] Asked whether he feared for his own life in view of Malcolm X's death and the mysterious fire at his apartment, Muhammad Ali said through his attorney, Chauncey

Eskridge, that he had "no concern" for his safety, as Allah would protect him.[5]

"Malcolm, who was he leading, who was he teaching?" the Messenger said rhetorically.

Despite his brave talk, Elijah Muhammad was barely visible behind the barrier of bodyguards surrounding him as he spoke. He could hardly get his words out, due to coughing caused by chronic bronchitis.

"Take your time," cried the brethren.

"I didn't tell my followers to go out and kill Malcolm," Elijah Muhammad said, a statement belied by tapes in possession of the FBI. "If Malcolm X had died a natural death as my follower, we would have given him one of the most glorious burials. We would have stood by his body and prayed over it with tears in our eyes. We can't stand," the Messenger said, "beside the grave of a hypocrite."

Even Malcolm X's blood brothers, Black Muslim ministers Wilfred X and Philbert X, denounced him during the convention. Neither attended his funeral. In explaining his decision to ignore his brother's burial, Philbert X told conventioneers that he knew Malcolm X "was traveling on a very reckless course.[6] When he was living," Philbert X said, "I tried to help him stay living. Now that he is dead there is nothing I can do, or anybody else."

Wilfred X Little reiterated Philbert's views. "We can't get confused and argue among ourselves and forget the ones who caused us to be in this condition in the first place," Wilfred X said.[7] "Malcolm chose to go off on a reckless path, and the recklessness of his choice probably brought about his early death." Elijah Muhammad, he contended, had reformed Malcolm X and given him international recognition.

The highlight of the convention, at least for Elijah Muhammad, wasn't the repudiation of Malcolm X by his brothers. Rather, it was the sorrowful sight of Wallace Muhammad at the podium pleading with Black Muslims to accept him back into the fold. "I want to make a confession of guilt for having made public a dispute which I should have taken up privately with my father," Wallace Muhammad said, even though he had in fact discussed the matter privately with the Messenger before going to Malcolm X.[8] "I judged my father when I should have let God do it. I regret my mistake."

Even as they discussed the death of Malcolm X, at least one minister gave a speech so provocative that it nearly cost another man his life in the midst of the half-filled auditorium. Louis X Farrakhan addressed the convention after Wallace Muhammad concluded his *mea culpa*. The focus of Louis X's ire was Benjamin Holman, the African American reporter who had infiltrated the Nation of Islam for a Chicago newspaper. Holman's report was later published in the *Chicago Sun Times* and on a television news series. "Put the light on him!" Louis X Farrakhan railed, pointing to Holman, who sat in the audience in fear.[9] "Let the world see him!" Louis X demanded. As Louis X continued to berate Holman, hundreds of Black Muslims ran toward the reporter. They encircled him like ants on a crumb, transforming the auditorium into an ancient Roman coliseum.

"Uncle Tom!" Black Muslims shouted. "Kill him!"

Ironically, the man who gave Holman the "thumbs up" signal that day was Elijah Muhammad, Jr., the same man who one month earlier had given the "thumbs down" gesture to Malcolm X. "Go back, brothers!" the Messenger's namesake shouted.

While the Black Muslims were in Chicago celebrating the assassination, police made a second arrest in Harlem of a man believed to be one of the five who murdered Malcolm X. Norman 3X Butler was arrested at his home on the morning of February 26.[10] Police said that Butler had taken and passed the examination to become a New York Police Department officer two years earlier. But according to a police spokesman, he wasn't hired because a "character check rated him as unacceptable."

There was no mention of Butler's arrest in any of the speeches at the convention. During an impromptu press conference afterwards, however, John Ali, once again wearing the hat of official press spokesman, was asked whether it was true that Butler was a special "enforcer" in the Fruit of Islam. "I've never heard of him," John Ali said, but he promised to investigate Butler's status in the Nation of Islam.[11]

As for police comments about Butler's background, John Ali retorted that "police do not have the authority to say who's who and what's what" with the Nation of Islam. "We will investigate," he said.

The police may have lacked authority, as John Ali indicated, but other Black Muslims who knew the truth about Butler's status in the Nation of Islam contradicted John Ali's statement about the accused assassin's prominence in the Fruit of Islam. Benjamin Goodman, a Black Muslim who had defected with Malcolm X and who had been beaten by Muslim enforcers in retaliation, identified Butler as a well-known "lieutenant" in the Harlem mosque.[12]

A few weeks earlier, Goodman had been beaten by Butler and Thomas 15X Johnson, another alleged assassin of Malcolm X, for starting a Muslim splinter group.[13]

The only other quarter where Malcolm X's assassination was not considered a tragedy were the mouthpieces for the federal government, and the media, of course. Carl T. Rowan, director of the U.S. Information Agency, expressed disbelief over the way foreign countries were bemoaning the assassination.[14] "When I first heard of Malcolm X's death," Rowan told a gathering of the American Foreign Service Association in Washington, "I knew there was a real danger of it being grossly misconstrued in countries where there was a lack of information about what actually had taken place, what Malcolm X was, what he stood for, or what was being espoused by those Negroes with whom Malcolm X was in conflict. Thus," he continued in his infinite wisdom, "I asked my colleagues in the [USIA] agency to do an extra-zealous job of getting out the facts, of informing the world in order that we might minimize damaging reactions based on emotion, prejudice, and misinformation."

Although a zealous job was done, Rowan noted sadly, "it has

not been enough to prevent a host of African reactions based on misinformation and misrepresentations of the issues involved."

> Mind you, here was a Negro who preached segregation and race hatred, killed by another Negro, presumably from another organization that preaches segregation and race hatred—and neither of them representative of more than a tiny minority of the Negro population of America.[15]

Within hours of Malcolm X's murder, USIA began broadcasting stories playing down the significance of the martyr's role in international politics.

But the reports were dismissed by foreigners who instantly saw the link between the assassination of Malcolm X and that of other revolutionaries. *The Daily Times* of Lagos, Nigeria, for example, reported:

> Like all mortals, Malcolm X was not without his faults . . . but that he was a dedicated and consistent disciple of the movement for the emancipation of his brethren no one can doubt. . . . Malcolm X has fought and died for what he believed to be right. He will have a place in the palace of martyrs.[16]

The Ghanaian Times of Accra recapitulated this sentiment. Malcolm X, its editorial stated, was a freedom fighter in the tradition of "John Brown and Patrice Lumumba."

Another Ghanaian newspaper, *The Daily Graphic,* wrote:

> The assassination of Malcolm X will go down in history as the greatest blow the American integrationist movement has suffered since the shocking assassination of Medgar Evers and John F. Kennedy.[17]

An editorial in *Kwangming,* a newspaper published in Peking, reflected the consensus of the Chinese people, long supporters of the African American's struggle for basic human rights.[18] "Malcolm was murdered," the paper wrote in an editorial read by a Hsinhua press agency official, "because he fought for freedom and equal rights." His death at the hands of "United States reactionaries" was "a debt in blood" that should be avenged with "revolutionary violence."

Another Chinese newspaper editorial stated that Malcolm X's death indicated that "U.S. reactionaries" were "prepared to use any despicable means to intimidate American Negroes and quell their struggle."

Similar comments were aired by the media in Cuba, Algeria, Indonesia, Pakistan, and elsewhere, but were scantily reported in the American media. When they were printed, they were scattered in three- or four-paragraph stories buried deep inside the newspaper, so most African Americans had no idea of Malcolm X's international impact.

There were also scattered acts of violence overseas in reaction to the assassination. In London, where the *Daily Telegraph* and the *Times* wrote editorials condemning his murder, students, many of whom had heard Malcolm X speak at the London School of Economics a few months before his death, protested before the U.S. Embassy there. A press release by the Council of African Organizations summarized the feelings of the protesters. "The butchers of Patrice Lumumba," the statement read, "are the very same monsters who have murdered Malcolm X in cold blood."

Dr. King's reaction was guarded. On the one hand, he implied that Malcolm X's rhetoric about violence had been put into practice by someone else. On the other, his comments reflected his insights into his own prospects for an early death. "One has to conquer the fear of death if he is going to do anything constructive in life and take a stand against evil," King said.[19] "It is even more unfortunate that this great tragedy occurred at a time when Malcolm X was reevaluating his own philosophical presuppositions and moving toward a greater understanding of the nonviolent movement and toward more tolerance of white people."

Coretta Scott King's remembrances of Malcolm X were more revealing, however, of the secret political relationship growing between her husband and Malcolm X. "Martin believed that Malcolm X was a brilliant young man who had been misdirected," Coretta King recalled. "They had talked together on occasion and had discussed their philosophies in a friendly way."[20]

Ironically, at the same time that King was implying that Malcolm X's alleged advocacy of violence caused his death, he was en route to Jackson, Mississippi to attend the funeral of a African American civil rights worker who preached nonviolence.

And King himself might have been killed before Malcolm X, had Hoover and other white racists been given their way. On January 4, an unsigned threatening letter to King was given to his wife, Coretta. Enclosed along with the letter was an audio tape, part of which contained wiretapped conversations between King and women with whom he had had extramarital affairs.

The letter said, in part:

> . . . King, like all frauds your end is approaching. You could have been our greatest leader. You, even at an early age have turned out to be not a leader but a dissolute, abnormal moral imbecile. We will now have to depend on our leaders like Wilkins [,] a man of character [,] and thank God we have others like him. But you are done. Your "honorary" degrees, your Nobel Prize (what a grim farce) and other awards will not save you. King, I repeat you are done. . . .
>
> King, there is only one thing left for you to do. You know what this is. You have just 34 days in which to do it (this exact number has been selected for a specific reason) [;] it has a definite practical significant [sic]. You are done. There is but one way out for you. You better take it before your filthy, abnormal fraudulent self is bared to the nation.[21]

The action the sender wanted King to take was clear. Unless he committed suicide by February 8, copies of the tape documenting his extramarital affairs would be publicly disseminated, and King would be ruined, the writer contended.

The sender of the tape and threatening letter didn't sign his name, but he wasn't really anonymous. The letter sounded like Hoover, threatened like Hoover, and used the same language as Hoover in describing Dr. King. That's because Hoover had authorized Sullivan to send the package as part of its counterintelligence project, and the FBI had sent it to the SCLC office.[22] Sullivan was the FBI official in charge of foreign intelligence investigations—it was his decision not to lend FBI cooperation to the Warren Commission—and was the Bureau's representative to the National Security Council, which routinely plotted political assassinations.[23]

Two weeks after Coretta King received the package, Burke Marshall called King to tell him that his life was in jeopardy. Marshall was also investigating Malcolm X's foreign activities at the time he advised King of the alleged threat.

Why had the FBI chosen February as the deadline for King to kill himself? Was it because it knew that Malcolm X would be killed during the month? This isn't mere idle speculation since Sullivan's plan specifically called for the "neutralization" of King, Malcolm and Elijah Muhammad simultaneously. Burke Marshall notified King that his life was in danger six days before Malcolm X was assassinated, and it was a mere four days after Malcolm X was assassinated that police found dynamite at a Los Angeles theater where King was attending the showing of *The Greatest Story Ever Told.* Had the dynamite exploded, Sullivan would have gotten his wish.[24]

It seems likely that the FBI wanted King to kill himself before February 10 because it feared he would join forces with Malcolm X. But why had the plot to kill Malcolm X become so intense after late January? The answer lies in Malcolm X's plans for late February. The intelligence community, through cables to Malcolm X apparently intercepted by the National Security Agency, had discovered that Ahmed Ben Bella had invited thirteen of the leaders of independence movements to a special conference in Bandung which was scheduled to begin on March 3. Among those invited were Che Guevara and leaders of SWAPO. Malcolm X had been invited to represent revolutionaries in the United States. Malcolm X had been extremely secretive about the conference; he did not want the fact that he had been invited made public. Yet somehow, one of the FBI or BOSSI informants in Muslim Mosque, Inc., discovered his plans and notified the Bureau. In a memo dated February 18, 1965, the Bureau noted:

> He indicated his desire to bring the plight of the American Negro before the United Nations and stated he had recently traveled in Africa and the Middle East in that regard but furnished no specific information. He said he was now an Orthodox Moslem and believed in the brotherhood of all mankind including whites. Malcolm indicated Martin Luther King was on the right track in the civil rights field but was not doing enough for the black man.
>
> Malcolm stated that he has been invited to the Bandung Conference to be held during March, 1965 or possibly at a later date at Djakarta, Indonesia. Malcolm has not decided whether or not he will attend this conference. Malcolm appeared to be in need of funds personally and for his organization.[25]

Because Malcolm X was being stalked by Black Muslims and the FBI, and since he knew his telephones were wiretapped, he apparently tried to mix misinformation into his conversations—a practice he advised his followers to do as well—to prevent the intelligence community from knowing his exact plans. For example, he told professor C. Eric Lincoln on February 18 that he would consider speaking at Brown University during the week of

February 22.[26] At the same time, however, he had informed officials in Djakarta that he would be arriving their by March 3 for the conference of leaders of resistance movements. In fact, there were indications that making the trip to Djakarta was his real intention, as he made inquiries about flights leaving for Indonesia on February 23.[27]

It has been suggested by some biographers and historians that the intelligence community lacked a sufficient motive to want Malcolm X assassinated. After all, they argue, the Afro-Asian bloc had no intention of living up to "their part of the bargain" with Malcolm X. Biographer Peter Goldman stated it thusly:

> [Malcolm X] had wanted the UN project as his monument—wanted it said of him that he had renewed the link between black America and the mother continent and so had been able to bring the plight of his people before a tribunal of the nations of the world. He kept his part of the bargain with the Africans, lacing his speeches heavily with passages attacking American neocolonialism generally and America's half-veiled involvement in that autumn's Congo crisis in particular.[28]

In fact, Goldman and others contend, not a single Third World nation ever brought the issue of racism in America before the International Court of Justice at The Hague. Had they done so, then presumably the intelligence community would have had sufficient motivation to want Malcolm X assassinated.

Well, two weeks after Malcolm X's death, they did so. On March 12, 1965 a short article which ran in the *New York Times* substantiated Malcolm X's claim that OAU members would bring his petition before the United Nations.[29] The article focused on a petition filed in 1961 by Ethiopia and Liberia accusing South Africa of human rights violations. The petition remained in neutral until after the Second African Summit.

Malcolm X recommended that the two nations could strengthen the petition by linking South African human rights violations with

North America's human rights violations. Ethiopia and Liberia took Malcolm X's suggestion. That's why he announced on January 2, 1965 that his petition would soon be heard before the International Court of Justice at The Hague.[30]

What happened next is best explained by the article in the March 12 edition of the *New York Times*. Under the headline "World Court Opens Africa Case Monday," it reported in part that:

> The International Court of Justice will open oral proceedings Monday in a case linking the segregation struggle of the American Negro and the fate of 430,000 African Bantus and bushmen. . . .
>
> The two African complainants, searching for arguments to defeat the race-separation policy, have hit on the obvious parallels between the two situations. . . .
>
> The World Court proceedings at The Hague could have significant repercussions through much of Africa.[31]

When one reflects on CIA "dirty tricks" division's Richard Helms' correspondences with the State Department in August, 1964, it becomes obvious that this hearing was exactly the thing the Johnson administration and the intelligence community was determined to prevent. Had Malcolm X lived until March 12, the story would undoubtedly have made front-page headlines instead of a small story buried inside the newspaper, and the embarrassment to America would have created a scandal instead of a historical footnote. Malcolm X's participation and even presence at the World Court hearings on a petition he had helped to reshape might have led to the United States and South Africa being placed on equal footing.

This seems to have been the intelligence community's motivation in seeking his silence. In essence, the intelligence community probably concluded correctly that if it was going to neutralize Malcolm X, it had better do it before the Bandung Conference of 1965.

In the light of these observations, it is interesting to note the fate of some of the African leaders who pledged support of the petition.

On January 15, 1965, Burundi Prime Minister Pierre Ngendandumwe, a protege of Tanzania's Abdul Rahman Babu (a key supporter of Malcolm X's petition) was assassinated in Bujumbura, Burundi's capital, as he was leaving a hospital there.[32] Ngendandumwe, who had gone to the hospital to visit his wife and his new child, was shot in the back by Gonzalve Muyinzi, a man who worked at the U.S. Embassy (the CIA was also located in the embassy) in Bujumbura as a "clerk" since April, 1962.[33] Because of the growing presence of Chinese government officials in Burundi, the CIA feared that Ngendandumwe's regime was about to turn Communist. The government was already lending support to anti-Tshombe forces in the Congo.

Within two hours of Ngendandumwe's assassination, the new leader, a pro-American known as King Mwambutsa IV, expelled all diplomats at China's embassy in Burundi.[34] In a statement on behalf of Mao Zedong, Peking accused the CIA and Belgian government of complicity in Ngendandumwe's murder.

The government of Tanzania suspected that two American diplomats were spearheading a plot for its overthrow next.[35] On January 15—the same day that Ngendandumwe was assassinated—the joint Zanzibar/Tanzania government expelled Frank C. Carlucci III, consul of the U.S. Embassy in Zanzibar, and Robert Gordon, consul in Dar es Salaam, on the grounds they were "engaged in subversive activities."[36]

When the State Department protested, Tanzanian President Julius Nyerere rescinded the order, even though he had known since November, 1964, of CIA plots to topple him. The matter of Carlucci's presence in Zanzibar lay dormant until February 14, which was, coincidentally, the day Malcolm X's home was bombed as well as the first anniversary of Zanzibar's new government. That morning, Malcolm X's friend, Babu, was conferring with Che Guevara when he received word of what was interpreted as an American plot to overthrow Zanzibar's government. Zanzibar, like Ghana and a host of newly independent African nations, relied on Soviet KGB agents (or "advisors") to supply it with intelligence information. In a telephone conversation between Carlucci and Gordon intercepted by the KGB, one of the men was heard telling the other that he hoped the State Department was convinced of the need to send "good wishes" to Zanzibar.[37] "We have enough ammunition," one of them said.

Besides Che Guevara, Christopher Gbenye just happened to be visiting Babu in Zanzibar on February 14.[38] Gbenye, the Congo's Minister of Interior during Lumumba's government, was in Stanleyville when Lumumba was assassinated. Either he or Soviet advisors had alerted Nyerere to Carlucci's presence in the Congo when Lumumba was tortured and killed. Nyerere, who was about to leave the country for Peking, demanded that Carlucci and Gordon leave the country, even though he sent a letter to President Johnson assuring him that he did not believe the United States government was involved in the alleged plot.[39]

Security officers in Kenya, which borders Tanzania, held Carlucci and Gordon in custody at Nairobi Airport until a plane arrived to take them to Paris.

Two weeks later, on February 25, a Kenyan government official who supported Malcolm X's UN petition was assassinated. According to press reports, Pio Pinto was sitting in a car outside his home with his three-year-old daughter when three assassins walked up to him and shot him to death.[40]

On June 13, 1965, the government of Ahmed Ben Bella of Algeria was overthrown.

In February, 1966, while the trial of Malcolm X's alleged assassins was wrapping up in New York City, the governments of Achmad Sukarno of Indonesia and Kwame Nkrumah of Ghana were overthrown. CIA-backed forces have been linked to both coups.[41]

In the decade after the assassination of Malcolm X, the civil rights movement was marked by mayhem and murder, much of which was directly or indirectly traceable to the intelligence community.

By 1972, the FBI had over 7,000 informants in the "Ghetto Informants Program."

The first of Malcolm X's top aides to lose his life after February 21 was Leon 4X Ameer, a former member of the Boston mosque who had defected to Malcolm X. In its March 3 edition, *Muhammad Speaks* ran police mug shots of three men under the heading "Wanted." One of the men was Leon 4X Ameer, Muhammad Ali's former press secretary. According to the story:

> "Leon (4X) Ameer . . . now the "head man" of the late Malcolm's group, has declared publicly that Mr. Muhammad "will not live until March."
>
> Official reaction among the followers of the Messenger of Allah has been one of staunch defiance against such malicious threats. But, in the interest of peace, the public is urged to beware of the criminal intentions of these men.[42]

The Nation of Islam, Ameer told reporters during the last month of his life, wanted him dead for three reasons: first, he violated a secrecy oath by telling Malcolm X that the Black Muslims intended to kill him; secondly, he joined Malcolm X's splinter group; and thirdly, in November, 1964, he told Muhammad Ali that the Nation of Islam was "milking him," and the boxing champion then complained to officials in Chicago that they were taking too much of his money.[43]

Aware that Black Muslims intended to make him its next target for assassination, Ameer sent his wife and children to live with relatives in the South on February 26. On March 10, Ameer, who had been under FBI surveillance since January, 1959, called the FBI's Boston field office to request an interview.[44] During the conversation, Ameer told the FBI that he could identify some of the men who had assassinated Malcolm X two weeks earlier.

A meeting was arranged for Friday, March 12. During the

meeting, which took place in Ameer's room at the Sherry Biltmore Hotel in Boston, he told the FBI agent that he had witnessed the assassination. One of the assassins, Ameer said, was a "tall, dark-skinned Negro" whom he recognized as a lieutenant in the Nation of Islam's Newark mosque, but whose name he couldn't recall.[45]

Around three o'clock the following afternoon, a chambermaid entered Ameer's room. She saw him lying on his bed, dressed in only his undershirt and jockey shorts. Initially, she thought he was asleep, then quickly realized that his body was motionless. She ran downstairs and told the desk clerk to call the police.

Less than twenty-four hours after a visit from the FBI, Ameer was dead. The assassin he described was never arrested for his role in Malcolm X's murder.[46] Since there were several undercover BOSSI agents in the Audubon besides Gene Roberts, the man Ameer described might have been one, though this is only speculation.

The initial diagnosis was that Ameer, then thirty-two-years old, had died of "natural causes." But the cause of death changed several times—another theory was that he died of an overdose of sleeping pills—after it was questioned.[47]

In June, 1965, the FBI's New York field office had targeted another friend of Malcolm X for neutralization under its "Disruption Program." At the time, the Bureau was trying to sour the relationship between Malcolm X's Organization of Afro-American Unity and the Socialist Workers party, headed by Malcolm X's friend, Clifton DeBerry. In a memo to Hoover dated August 25, 1965, the New York field office took credit for creating hostilities between the two organizations:

> It is believed probable that the disintegrating relations between the SWP and the followers of James Warren [Shabazz] can be attributed to the disruptive tactic authorized in relet [re letter] and will result in a continued loss of influence by the SWP among this group of Negroes.

The disruption program against the OAAU was still active when James Shabazz was assassinated on September 4, 1973. The fifty-year-old former assistant to Malcolm X had just driven to 341 13th Avenue in Harlem, where he lived with his wife and thirteen children, when he was struck over the left eye by gunfire, which killed him almost instantly.

Two weeks later, two Black Muslims, twin brothers Roger and Ralph Bangston, were found dead in a park in Newark. Both had been shot to death.[48] Two more Black Muslims, Michael A. Huff and Warren Marcello, also were found murdered. Both had been decapitated. Their heads were found one block from the home of James Shabazz, suggesting that the war between the Nation of Islam and rival groups was still being fostered by COINTELPRO.[49]

On March 25, 1965 Viola Liuzzo, a white civil rights worker from Detroit, was assassinated while driving down a highway in Alabama. One of the men charged with the crime was Gary Thomas Rowe, Jr., a high-level FBI informant inside the Ku Klux Klan.[50]

On October 17, 1966, Clyde X, minister of Muhammad's Mosque No. 28 in St. Louis, was shot outside the Shabazz Restaurant by a suspended member of the sect.[51]

American Nazi Party leader George Lincoln Rockwell, whose organization also had been penetrated by the FBI, was assassinated on August 25, 1967, as he sat in his car in an Arlington, Virginia shopping center parking lot. His top aide, John Patler, was arrested a half-hour later less than a mile from the scene of the assassination. A jury found him guilty on December 16, 1967. He was sentenced to twenty years in prison but he later appealed. On March 21, 1968, Francis J. Smith, who testified during Patler's trial, announced that he was going to expose Rockwell's real assassin, but reporters or investigators never pursued his story.[52]

On April 4, 1968, Dr. Martin Luther King, Jr., was assassinated in Memphis, Tennessee. Several days before his murder, the FBI sent an anonymous memo to him accusing King of being an "Uncle Tom" for staying at a white hotel instead of the African-American-owned Lorraine Motel. As he stood on the balcony with Chauncey Eskridge, Walter Fauntroy, Jesse Jackson, and other friends, a sniper took his life. Although a small-time St. Louis hoodlum named James Earl Ray was convicted, his case, too, had enough inconsistences to cast doubt about the official version.

Two months after King's assassination, Democratic presidential nominee Robert F. Kennedy was killed by an alleged lone assassin. But an investigation by a former FBI official uncovered evidence which raised questions about whether Sirhan Sirhan acted alone by suggesting that a security guard standing directly behind Kennedy in the kitchen area of the Ambassador Hotel in Los Angeles, might have fired the fatal shots.[53] Photos of the crime scene showed the guard's tie lying next to Kennedy's hand.

On June 7, 1969, a hit squad tried to assassinate Charles Kenyatta, one of the men standing guard when Malcolm X was murdered. Kenyatta, who had been targeted for neutralization by the FBI, was shot but survived.[55]

On June 13, 1969, Clarence 37X Smith, a former Black Muslim who founded a splinter sect known as the Five Percenters, was assassinated in the lobby of a city housing project in Harlem named in honor of Dr. King. Seven of eight shots fired hit him. The philosophy of the Five Percenters was that 85 percent of African Americans were mentally dead, and another ten percent were "Uncle Toms." The remaining five percent, Smith taught, were *mujaheddin* ordained by Allah—whom Smith believed was himself—to liberate the remaining 95 percent. At the time of his assassination, he was working to remove drug traffickers from Harlem.[56]

In Chicago, Black Panther leaders Fred Hampton and Mark Clark were shot and killed by the police and FBI agents on

December 4, 1969, during a predawn raid.[54] Both were key COINTELPRO targets.

In August 21, 1971, imprisoned Black Panther party member George Jackson was gunned down in a bizarre incident at Soledad Prison.[57]

In 1968, Louis Lomax received a contract from Twentieth Century Fox to make a movie of the life and death of Malcolm X.[58] According to a script obtained by the FBI, Lomax's central theme was that the U.S. intelligence community played a role in the assassination of Malcolm X. On July 31, 1970, while he was driving to the studio, the brakes on Lomax's car failed, and he crashed and died.[59]

In January, 1968, Herbert Muhammad, one of Elijah Muhammad's sons who was a key COINTELPRO target, was suspended for five years. According to the FBI, Herbert was the only obstacle in the way of its high-level informant from taking control of the Nation of Islam.[60]

John Ali, who resumed his financial role in 1972, became the most powerful man in the Nation of Islam following Herbert's suspension. In fact, he had become so powerful that the *New York Times* mistakenly assumed that he was Elijah Muhammad's son. On December 6, 1973, that newspaper wrote the following:

> John Ali, the son of Mr. Muhammad who is given the best chance of succeeding his father, spent much of this year going from country to country in the Middle East seeking financial support, according to sources.

On May 28, 1965, Louis X Farrakhan was transferred from the Boston mosque to New York to serve as head minister of the branches there.[61] In January, 1973, Louis X, who had become the national spokesman for the Nation of Islam, was again making veiled threats against anyone who dared criticize the Messenger.

The latest was issued after Elijah Muhammad, Louis X, and every other Black Muslim minister received a letter from a man who called himself Hamaas Abdul Khaalis. Khaalis, as it turned out, was Ernest T. 2X McGhee, the former Black Muslim national secretary demoted by Malcolm X in favor of John Ali in 1958. After leaving the Nation of Islam, Khaalis had formed an orthodox Islamic sect known as the Hanafi.[62] The sect's headquarters was located in a home on 16th Street, NW in Washington, D.C., which had been purchased by basketball star Lew Alcindor, who had joined the sect and been renamed Kareem Abdul-Jabbar by Khaalis. Dated January 5, the scathing three-page letter to Muhammad denounced him as a "lying deceiver" as well as questioned the character of NOI founder Wallace D. Fard. Khaalis even called to question the legitimacy of NOI's basis in the Holy Koran.[63]

On January 17, 1973, an eight-member Black Muslim hit squad from the Philadelphia mosque piled into a 1969 Cadillac and another vehicle and headed for Khaalis' home on 16th Street in Washington, a middle-class community known as the "Gold Coast." At a cheap motel that evening, they made final plans to assassinate Khaalis.

The next morning, a member of the team telephoned Khaalis' home to inquire about purchasing pamphlets written by the Hanafi. He was given directions to the home, and he then promised to stop by the next day. When the hit squad arrived at the 16th Street home, Khaalis was away visiting friends and his wife was out shopping. But Almina Khaalis, the leader's 23-year-old daughter, was there, as were her 25-year-old brother Daud and several small children. After Daud sold two of the strangers some pamphlets, a third man claiming to be a repairman came to the door. While Daud was telling him how to get to the rear entrance, the Black Muslims suddenly assaulted him and forced their way into the house. Within seconds, all eight of the armed Philadelphia Black Muslims were in the home. Daud was taken to a bedroom on the third floor and forced to kneel on a prayer rug. A pillow was placed against his head as one of the gunmen shot him point blank three times.[64]

Almina was dragged upstairs next. "Why did you write those letters?" the assailants asked again and again. Using a shirt to muffle the sound of gunfire, the assassins forced Almina into a closet on the third floor and shot her three times in the head.

Rahman, Almina Khaalis' ten-year-old brother, became the next victim. The killers dragged the fragile child into the bedroom where Almina had been locked only moments earlier. "I'll do anything you say," the child pleaded, "just don't hurt me."

"Okay," one of the gunman said, then pumped two bullets point blank into the boy's skull, killing him instantly.

Almina must have screamed at that very moment, because the killer rushed to the closet where she lay dying. After discovering that she was still breathing, a gunman shot her two more times, again in the head.

Meanwhile, Abdul Nur, a young Hanafi member who had gone shopping with Khadyja, returned to the house to get some money, as the mother had forgotten to bring it when she went shopping. As Nur entered the house, he was ambushed by three of the eight assailants. They tied him up, dragged him upstairs, and shot him twice in the right temple. Like the terrified little boy, Nur died instantly.

After murdering Nur, the assassins went upstairs, where they discovered three infants sleeping. Two were taken to the bathroom and drowned in the tub. The third infant, a nine-day-old, was drowned in the bathroom sink. Bibi Khaalis, the mother of the infants, was found in the basement. The killers gagged her and shot her twice in the head.

Leaving her for dead, the killers went back to the third floor to check on Almina. This time they were certain she was dead.

Khadyja Khaalis became concerned when Abdul Nur didn't return to the grocery store. She left the store and rushed to the house where Hamaas Khaalis was visiting. Together, they hurried home. They knocked, but no one answered. Hamaas Khaalis peered in a side window and was startled by the sight of a stranger wandering around inside his home. He ordered his wife to go next door to a neighbor's house to call the police. By the time the police arrived, the assassins had vanished.

Almina and Bibi Khaalis survived the ordeal, though the gunshots left Bibi Khaalis paralyzed.

Although evidence was left at the scene of the crime, no significant breaks came in the case until Detective Ronald Washington of the District of Columbia Metropolitan Police Department moved temporarily to Philadelphia and infiltrated Mosque No. 12, the mosque the assassins had been linked to. After tracing long distance telephone calls made by the assassins on the day of the murder, detectives honed in on James Price, a member of the hit team. Price, who was already suspected of a homicide in Philadelphia, confessed to the crimes in June, and turned state's witness in July. Based on Price's confessions, the baby killers were soon in custody.[65]

The day before Price was scheduled to testify against his co-conspirators, the same man who had called Malcolm X a hypocrite and who stated in the same breath that hypocrites deserved to die, gave a radio sermon on behalf of Elijah Muhammad. During the radio broadcast, which was reportedly heard by Price, Louis X Farrakhan did not apologize for the dastardly destruction of innocent black babies by Black Muslims, but he did have this to say:

> Let this be a warning to those of you who would be used as an instrument of a wicked government against our rise. Be careful, because when the government is tired of you they're going to dump you back into the laps of your people.
>
> And though Elijah Muhammad is a merciful man and will say, "Come in," and forgive you, yet in the ranks of the black people today there are younger men and women who have no forgiveness in them for traitors and stool pigeons.

And they will execute you, as soon as your identity is known.[66]

After hearing Louis X Farrakhan's radio broadcast, Price refused to testify. The next day, he was found hanged in his jail cell.[67]

Chicago attorney William R. Ming, Jr., was convicted in late 1972 of income tax violations. Ming, whose conversations with the Messenger on tax matters were wiretapped by the FBI, was himself the subject of years of FBI monitoring. He became critically ill in January, 1973, while serving time at a federal prison facility in Sandstone, Minnesota. Six months later, Ming died.

In July, 1965, the indictment against Gladys Towles Root, the Los Angeles attorney Malcolm X hired to file paternity charges against Elijah Muhammad, was dismissed.[68] For the next ten years, rumors of Elijah Muhammad's infidelity hung over the Nation of Islam. The sect tried to justify his behavior by telling believers that the Holy Koran approved of polygamy.

That was true, but none of the women had ever lived with the Messenger in holy matrimony or otherwise. In 1975, a Chicago probate court ruled that Elijah Muhammad's thirteen children by his former personal secretaries were legal heirs.

In the fall of 1975, Nathaniel Muhammad, Elijah Muhammad's son, was indicted along with Suliman Jardan, another high-level Black Muslim, and four other men in Kansas City, Kansas, on heroin distribution charges. Nathaniel Muhammad was convicted and sentenced to prison.

As for Elijah Muhammad, he died on (Saviour's Day) February 26, 1975, after a long and painful bout with respiratory disease.

In the years following the assassination of Patrice Lumumba, jazz impresario Louis Armstrong spoke with Ghana's Kwame Nkrumah on any number of occasions. One of Armstrong's most enthusiastic fans, Nkrumah had extended an invitation to the jazz legend to teach music at Ghanaian universities, just as he had earlier rolled out the red carpet for William E.B. Du Bois. Two days after the death of Leon 4X Ameer, Armstrong accepted Nkrumah's offer, effectively renouncing his American citizenship. He had been unhappy with America for years, and had probably been convinced by Nkrumah that the U.S. government had murdered Lumumba. On March 16, 1965, while visiting Vienna, Armstrong announced that he would live in Ghana upon his pending retirement.

"It's the country of my ancestors," Armstrong said, "and I like it there."[69]

AUTHOR'S NOTE: The full description of books referred to in these footnotes can be found in the Bibliography. The abbreviation "HQ" refers to the file maintained at FBI headquarters in Washington, D.C. Although the official title of the FBI's file on Malcolm X is "Malcolm Little," it is referred to as "Malcolm X" for the sake of clarity.

NOTE REGARDING CITATIONS: In most instances, books and articles cited in the footnotes list only the author's last name, unless more than one author has the same last name. Full descriptions of all books listed in the footnotes are in the Bibliography.

NOTE REGARDING CONVERSATIONS: As a rule, conversations portrayed in the book are based on interviews, transcripts of taped telephone conversations, or reiterations of conversations between FBI agents and informants, which were subsequently chronicled in great detail in FBI files. Researchers may examine the files by requesting those labeled "ELSUR" (electronic surveillance) and "JUNE" mail files.

CHAPTER ONE: THE BOOK OF MALACHI

1. *The Holy Bible*, Revised Standard Edition, "A Summary of the Books of the Bible," 7.
2. Legge (trans.), *Confucian Analects*, Book XIII, 3; also see Seldes, *The Great Thoughts*, 91.
3. This characterization of how Malcolm X felt is based upon *The Autobiography of Malcolm X*, 159.
4. See *The Autobiography of Malcolm X*, 151-168.
5. FBI HQ file on Wallace Fard; FBI file on Elijah Muhammad.
6. See FBI HQ file on Wallace Fard, FBI HQ file on Elijah Muhammad, and FBI file on Malcolm X.
7. *The Autobiography of Malcolm X*, 169-190.
8. Ibid., pp. 21.
9. FBI HQ file on Wallace Fard; FBI file on Elijah Muhammad. 14; see also Lincoln, *The Black Muslims in America*, 10
10. FBI file on Wallace Fard; FBI file on Elijah Muhammad; see also Lincoln, *The Black Muslims in America*, 109-111.
11. Ibid.
12. *The Autobiography of Malcolm X*, 186.
13. Ibid, 186-188.
14. Ibid.
15. Ibid.
16. "Book of Malachi," 4:5, *The Holy Bible, Revised Edition*, World Publishing Company. All references to the Bible refer to this edition only.
17. Muhammad, Elijah, *Message to the Blackman in America*, 289; see also Muhammad, Elijah, *Our Saviour Has Arrived*, 12-14, and Cushmeer, *This Is The One: Messenger Elijah Muhammad*, 127. The slogan of the Nation of Islam was: "There Is No God but Allah, and [Elijah] Muhammad is His Prophet."
18. Carson, Malcolm X: The FBI File, 57; see also Haley, *The Autobiography of Malcolm X*, 3-4.
19. See *The Washington Post*, May 26, 1936, 1-A; see also United Press International wirestory, June 9, 1937, "End Written to Black Legion Year After Michigan Expose of Terror Cult's Machinations,' by Joseph P. Wright. Both stories trace Black Legion's origins to the Great Depression.
20. Perry, Malcolm, 9-10.
21. Haley, *The Autobiography of Malcolm X,* 10; Among nine members of the Black Legion convicted on March 2, 1937, of terrorizing blacks in the

Detroit area, one was a former street railway worker, two were firemen, at least three were automobile workers, and one, N. Ray Markland, was the former mayor of Highland Park, Michigan. See *The Washington Post*, March 3, 1937, 3-A. A Detroit grand jury investigation also established that police and fire departments throughout the state were infested with Black Legion members. See *The Washington Post*, September 2, 1936, 1-A.

22. Haley, *The Autobiography of Malcolm X*, 10.
23. From FBI File No. 4282299, which is contained in the declassified FBI HQ file on Malcolm X; see also *Malcolm X: The FBI File*, 99.
24. See *The Autobiography of Malcolm X*, 84-107.
25. As the recent scandal in Philadelphia involving a pedophile known as "Uncle Ed" indicates, this practice is still widespread in many inner-city neighborhoods. See, e.g., *The Washington Post*, "Accused Deviate Was A Neighborhood Fixture; A Generation of Philadelphia Youths Was Aware of Edward Savitz's Fetishes", April 1, 1992, 3-A; see also *The Washington Post*, "Philadelphia Man May Have Given Hundreds AIDS," March 28, 1992, 11-A.
26. See *The Autobiography of Malcolm X*, 151-168.
27. Muhammad, Elijah, *Message to the Blackman In America*, 33-34.
28. FBI HQ File on Malcolm X. Malcolm X quotes Elijah Muhammad's letter in a letter to a friend written while in prison. See also *The Autobiography of Malcolm X*, 187.
29. *The Autobiography of Malcolm X*, 188.
30. Based on speeches delivered by Elijah Muhammad, copies of which appear in the FBI HQ file.
31. *The Autobiography of Malcolm X*, 222.
32. See *The Springfield Union*, April 21, 1950, 1-A.
33. Ibid.
33. *The Autobiography of Malcolm X*, 171; see also FBI HQ file on Malcolm X. A redacted version of the letter appears in the FBI HQ file on Malcolm X.
34. BI HQ file on Malcolm X.
35. FBI HQ file on Malcolm X.
36. Ibid.
37. Ibid.
38. Ibid.
39. *The Holy Bible*, 841.
40. Kolatch, *Complete Dictionary of English and Hebrew First Names*, 150.
41. Ibid.

CHAPTER TWO: RED SCARE

1. FBI HQ file on Malcolm X.
2. Robeson appeared on the program on March 21, 1950 and again on April 3. His appearances were halted after listeners complained about his political affiliations; also see Duberman, *Paul Robeson*, 384.
3. Duberman, *Paul Robeson*, 388.

4. Interview with Korean-American journalist Jaehoon Ahn; see also *Korea Newsreview*, "Why Sing Now?" April 25, 1992, 8-9, and *Korea Newsreview*, "Assassin Squeals After 43 Years," April 18, 1992, 6-10.
5. See the *New York Times*, June 27, 1949, 1-A; interview with Jaehoon Ahn.
6. Duberman, *Paul Robeson: A Biography*, 156-183, and Vincent, Ted, "The Garveyite Parents of Malcolm X," *The Black Scholar*, March/April 1989, 10-13; see also *The Negro World*, May 7, 1927.
7. Duberman, *Paul Robeson: A Biography*, 173-174.
8. Ibid., 381-407.
9. Ibid., 388.
10. See the *New York Times*, August 21, 1951, 17-A.
11. Ibid. Interestingly, Dulles extended the invitation only after Powell became an outspoken critic of Robeson's activities on behalf of Africans. See Duberman, *Paul Robeson*, 344-345
12. See the *New York Times*, August 21, 1951, 17-A.
13. Ibid., August 4, 1951, 28-A, and reactions to verdict printed on August 22, 1951, 22-A.
14. Ibid., November 17, 1951, 19-A.
15. The term was popularized after a bitter dispute between Marcus Garvey and W.E.B. Du Bois. Garvey recalled his "horror" at going to an NAACP office and finding nothing but light-skinned African Americans employed there.
16. White was awarded the Spingarn Medal in 1937 for his work in exposing the role of the Ku Klux Klan in lynching African Americans. See White, *Rope and Faggot: A Biography of Judge Lynch*.
17. Based on lectures of Abraham X of the Nation of Islam, Mosque No. 28, St. Louis.
18. Bergman, *The Chronological History of the Negro in America*, 509; see also Hamilton, *Adam Clayton Powell Jr.*, 150-156.
19. See the *New York Times*, March 26, 1931, 21-A.
20. Ibid., July 22, 1935, 9-A.
21. See the *New York Times*, December 18, 1951, 13-A; see also Duberman, *Paul Robeson*, 397-403.
22. See, in general, Patterson, *We Charge Genocide*, 1-28. see also the *New York Times*, December 18, 1951, 13-A.
23. FBI HQ file on Paul Robeson.
24. See the *New York Times*, December 21, 1951, 21-A.
25. Ibid., December 18, 1951, 13-A.
26. Ibid., December 25, 1951, 15-A, and December 27, 1951, 11-A.
27. Navasky, *Naming Names*, 187-188; see also Freedomways, *Paul Robeson: The Great Forerunner*, 141-142.
28. Duberman, *Paul Robeson*, 406.
29. FBI HQ file on Paul Robeson; and Duberman, *Paul Robeson*, 407.
30. Huyen, *Vision Accomplished?*, 10.
31. Martin, *Marcus Garvey*, 85-95.
32. Ibid., 92.
33. Theoharis, *The Boss*, 57; also see Powers, *Secrecy and Power*, 128.
34. Powers, ibid.; also see Martin, *Marcus Garvey*, 110-114.
35. Martin, ibid., 113-114; see also Vincent, "The Garveyite Parents of Malcolm X," 10-13.

36. Martin, ibid., 124-126.
37. Vincent, ibid.
38. Martin, *Marcus Garvey*, 125-127.
39. Carson, *Malcolm X: The FBI File*, 57; see also Haley, *The Autobiography of Malcolm X*, 3-4.
40. See the *New York Times*, September 18, 1931, 11-A.
41. Haley, *The Autobiography of Malcolm X*, 10.
42. FBI HQ file on Malcolm X.
43. The *Washington Post*, November 2, 1950, 1-A.
44. Ibid.
45. FBI HQ file on Satahota Takahashi, aka Nake Nakane.
46. Ibid.
47. Ibid.
48. Ibid.
49. The *New York Times*, September 26, 1939, 12-A.
50. FBI HQ file on Satahota Takahashi.
51. Ibid.
52. Ibid.
53. The earliest date mentioned of the investigation in the FBI HQ file on Elijah Muhammad is October 14, 1940, but the FBI HQ file on Satahota Takahashi indicates that the campaign began as early as 1939.
54. See Stafford, *Camp X*, 125-126; O'Toole, *Honorable Treachery*, 354-356; see also the *New York Times*, "Filipino Agitator Seized Here By FBI; Spent Years Stirring Up 'Dark Skinned Races' Against U.S., J.E. Hoover Says," August 1, 1942, 3-A, in which Foxworth describes his exploits against the Black Dragon Society, the Nation of Islam, and other "pro-Japanese" organizations operating in the black community.
55. FBI HQ file on Elijah Muhammad.
56. Ibid.
57. Ibid.
58. FBI HQ file on Elijah Muhammad. The FBI file described Sultan Muhammad, whose given name was Sullivan Ellis, as Elijah Muhammad's brother. This appears to have been in error; the FBI agent was apparently confused because Elijah Muhammad referred to his colleague as "Brother Sultan."
59. FBI HQ file on Elijah Muhammad.
60. Interview with Hamid Johnson-Bey of St. Louis, who subsequently quit the Nation of Islam and rejoined the Moorish Science Temple of America.
61. Figure is based upon FBI estimates which appear in the FBI HQ file on Elijah Muhammad; see also Lincoln, *The Black Muslims in America*, 98-99.
62. FBI file on Elijah Muhammad; see also *The Autobiography of Malcolm X*, 410.
63. FBI HQ file on Malcolm X.
64. Ibid.
65. Muhammad, Elijah, *Our Saviour Has Arrived*, 29.
66. See the *Washington Post*, February 24, 1951, 1-A.
67. Ibid.; interview with Benjamin Karriem, who joined the Nation of Islam in early 1930s.
68. Perry, Bruce. *Malcolm*, 114; interviews with Wilfred X Little.

69. FBI HQ file on Malcolm X.
70. FBI HQ file on Malcolm X.
71. Haley, *The Autobiography of Malcolm X*, 195-199, 410.

CHAPTER THREE: THE MESSENGER'S MESSENGER

1. See Chapman, *Black Voices*, 373.
2. *The Holy Bible*, Book of Exodus, 4:10-14.
3. FBI HQ file on Elijah Muhammad. See also Haley, *The Autobiography of Malcolm X*, 209.
4. FBI HQ file on Elijah Muhammad; FBI HQ file on Wallace Fard.
5. Muhammad, *Message to the Blackman in America*, 263-264.
6. Haley, *The Autobiography of Malcolm X*, 182-186, 189.
7. Perry, Malcolm, 114.
8. Haley, *The Autobiography of Malcolm X*, 1.
9. Phonograph records of speeches by Malcolm X and Paul Robeson are available from quality record stores and in most African American bookstores.
10. FBI HQ file on Malcolm X.
11. Ibid.
12. Ibid.
13. Ibid.
14. Ibid.
15. Ibid.
16. Haley, *The Autobiography of Malcolm X*, 202-203.
17. FBI HQ file on Malcolm X.
18. Ibid.
19. Ibid.
20. Ibid.; also see Haley, *The Autobiography of Malcolm X*, 203.
21. FBI HQ file on Elijah Muhammad.
22. Haley, *The Autobiography of Malcolm X*, 212.
23. FBI Public Information file on Louis X Farrakhan; also see Jamal, *From the Dead Level*, 105-108.
24. FBI HQ file on Malcolm X.
25. See Buitrago, *Are You Now Or Have You Ever Been in the FBI Files*, 169-173.
26. See the *New York Times*, May 5, 1962, 5-A.
27. FBI HQ file on Malcolm X.
28. Ibid.
29. Ibid.

CHAPTER FOUR: JACOB'S LADDER

1. The *Washington Post*, January 13, 1987, 2-A.
2. Wheeler, *West Asia on a Shoestring*, 310-311.
3. See Haley, *The Autobiography of Malcolm X*.
4. Lectures delivered by Nation of Islam's Minister Abraham X at Mosque No. 28 in St. Louis between 1968-1971.

5. FBI HQ file on Elijah Muhammad; see also Haley, *The Autobiography of Malcolm X*, 20.
6. Muhammad, Elijah, *Message to the Blackman in America,* pp.
7. FBI HQ file on Wallace D. Fard; FBI HQ file on Elijah Muhammad; lectures of Abraham X and Yusef Shah of Mosque No. 28 in St. Louis.
8. For a general discussion of Yakub's experiments, see Muhammad, *Message to the Blackman in America*, 110-118; Lincoln, *The Black Muslims in America*, 76-77.
9. FBI HQ file on Elijah Muhammad; see also *The Holy Bible*, "Book of Genesis," 27:18-46.
10. According to lectures delivered by Malcolm X. See Haley, *The Autobiography of Malcolm X*, 185.
11. Fard's views on the alleged death of Christ, the Moorish Science Temple of America contends, is one of the "proofs" linking the Nation of Islam's founder to their sect, whose founder was influenced by the Ahmadiyya Movement in Islam.
12. See Khan, *Deliverance From the Cross*, 31-41; also see Graham, *Deceptions and Myths of the Bible*, 90-104.
13. Ibid.
14. See early lectures (1932-1935) of Elijah Muhammad, as recorded by the FBI in FBI HQ file on Elijah Muhammad.
15. See Graham, *Deceptions and Myths of the Bible*, 52-55; also see Budge (trans.), *The Book of the Dead*, 110-116; and see Tompkins, *The Magic of Obelisks*, 446-450.
16. See Budge (trans.), *The Book of the Dead*, 576-584.
17. FBI HQ file on Malcolm X.
18. Scenario based on author's visits to Mosque No. 28 in St. Louis during the late 1960s and early 1970s.
19. See Chapter Three herein.
20. FBI HQ file on Malcolm X.
21. Ibid.
22. Ibid.
23. The reverse psychology employed by the Nation of Islam was so effective, at least in my experience, that I believed whites were "racially inferior" until I attended a predominantly white college in Fulton, Missouri. College represented my first actual encounters with whites in a non-hostile environment.

CHAPTER FIVE: THE AGE OF AFROCENTRISM

1. Fanon, *Wretched of the Earth*, 45-46.
2. Arendt, *Imperialism*, 65.
3. Gage, *New Survey of the West Indies*, (1648); also see Bartlett, *Familiar Quotations*, 522.
4. See the *New York Times*, August 10, 1955, 27-A.
5. FBI HQ file on Elijah Muhammad.
6. Ibid.
7. FBI HQ file on Malcolm X.
8. See the *Washington Post*, March 25, 1955, 13-A. 10. FBI file on Adam

Clayton Powell Jr.; see also Hamilton, Adam Clayton Powell Jr., 241-242; and see the *Washington Post*, May 6, 1955, 1-A.
9. FBI file on Adam Clayton Powell Jr.; see also Hamilton, *Adam Clayton Powell Jr.*, 241-242; and see the *Washington Post*, May 6, 1955, 1-A.
10. See Rowan, *Breaking Barriers*, 127-128.
11. See the *New York Times*, April 19, 1955, 4-A.
12. Ibid.
13. Ibid.; also see the *Washington Post*, May 6, 1955, 1-A.
14. See the *Washington Post*, April 18, 1955, 5-A.
15. Ibid.
16. Ibid.
17. Ibid.
18. Duberman, *Paul Robeson: A Biography*, 431.
19. Mosley, Dulles, 385-386.
20. Lacouture, *Nasser*, 155-156; see also Nutting, *Nasser*, 92-99.
21. See the *New York Times*, July 4, 1956, 12-A.
22. See the *Washington Post*, April 18, 1955, 1-A.
23. Ibid.
24. Ibid.
25. The Church Committee whitewashed the CIA's involvement in plots to kill Chou. See Corson, *Armies of Ignorance*, 365-366; also see Garwood, *Undercover*, 60-64.
26. See Wise, *The Invisible Government*, 102-103.
27. See *Current Biography*, 1947, "Sungman Rhee"; see also *Korea Newsreview*, "Assassin Squeals After 43 Years," April 18, 1992, 6-7; and *Korea Newsreview*, "Why Sing Now?" April 25, 1992, 8-9.
28. For an overview the Nazis' role in formation of the CIA, see Tully, *CIA: The Inside Story*; and Smith, *OSS*; and Cookridge, *Gehlen: Spy of the Century*.
29. See Bernstein, *The Truman Administration*, 314-315; and see Donovan, *Tumultuous Years*, 89-97.
30. See the *New York Times*, June 27, 1949, 1-A.
31. According to March 1, 1954 press release by *Korean Pacific Press*; interviews with Jaehoon Ahn.
32. According to the deathbed confession of Ahn Do Hi. See *Korea Newsreview*, "Assassin Squeals After 43 Years," 6-7. The Church Committee also whitewashed the CIA's role in plots to kill Kim Koo. See Corson, *The Armies of Ignorance*, 365.
33. Ibid.; see also the *Washington Post*, June 27, 1949, 1-A; and the *New York Times*, June 27, 1949, 1-A.
34. Ibid.; interviews with Jaehoon Ahn.
35. There are numerous accounts of the CIA's role in the overthrow of Mossadeq. See, e.g., Prados, *Presidents' Secret Wars*, 92-98; Wise, *The Invisible Government*, 110-114; and O'Toole, *Honorable Treachery*, 456-459.
36. Ibid.
37. That is, at least, the view of many. See Scaduto, *The Lonesome Death of Bruno Richard Hauptmann*.
38. See, in general, Brands, *Inside the Cold War*.
39. Ibid.

40. For a first-hand account of the CIA's role, see Phillips, *The Night Watch*, pp.37-68; see also Wise, *The Invisible Government*, 165-183.
41. Again, there are voluminous versions of the CIA's role. See, for example, Powers, *The Man Who Kept the Secrets*, 106-110; Prados, *Presidents' Secret Wars*, 98-107; O'Toole, *Honorable Treachery*, 459-462; and Wise, *The Invisible Government*, 165-181.
42. Ibid.; for Che Guevara's role in Arbenz's government, see Volkman, *Secret Intelligence*, 112-113.
43. See the *New York Times*, January 3, 1955, 10-A.
44. Groden, *High Treason*, 317.
45. See the *New York Times*, January 3, 1955, 1-A.
46. Ibid., January 16, 1955, 1-A.
47. Ibid.
48. See Phillips, *The Night Watch*, 80-81.
49. See the *Washington Post*, May 29, 1955, 9-G.
50. See the *New York Times*, September 2, 1955, 37-A.
51. Ibid., September 25, 1955, 33-A.
52. Ibid., September 26, 1955, 10-A.
53. FBI HQ file on Adam Clayton Powell Jr.; see also Hamilton, *Adam Clayton Powell, Jr.*, 220-221.
54. The *New York Times*, May 25, 1955.
55. FBI HQ file on Malcolm X.
56. The *New York Times*, October 12, 1955, 62-A.
57. See Bergman, *The Chronological History*, 542; also see the *New York Times*, May 22, 1955, 61-A (on Lee's lynching).
58. See the *New York Times*, March 6, 1956.
59. FBI HQ file on Adam Clayton Powell Jr.; see also Hamilton, *Adam Clayton Powell, Jr.*, 220-221.
60. See Garrow, *Bearing the Cross*, 11-18.
61. Ibid., 22.
62. The *New York Times*, January 31, 1955, 1-A.
63. Garrow, *Bearing the Cross*, 67.
64. FBI HQ file on Malcolm X.

CHAPTER SIX: COINTELPRO

1. Church Committee Report, Book III, 3
2. *Muhammad Speaks*, March 13, 1964, 1.
3. From the documentary, *Malcolm X*, by Marvin Worth.
4. FBI HQ file on Malcolm X.
5. Ibid.
6. Ibid.
7. Ibid.
8. FBI HQ file on Elijah Muhammad; FBI HQ file on Malcolm X.
9. Ibid.
10. FBI HQ file on Elijah Muhammad.
11. FBI HQ file on Malcolm X.
12. FBI HQ file on Adam Clayton Powell, Jr.; FBI HQ file on Malcolm X.
13. See the *New York Times*, May 18, 1956, 1-A.

14. Ibid., June 9, 1956, 31-A.
15. FBI HQ file on Malcolm X.
16. See Prados, *Presidents' Secret Wars*, 132; see also O'Toole, *Honorable Treachery*, 471.
17. Summers, *Goddess*, 208-109; also see profile of Sukarno in the *New York Times*, January 2, 1965. The State Department denied subsequent reports that it had tried to use blond prostitutes to lure Sukarno into a compromising position. See the *New York Times*, May 7, 1964, 4.
18. See the *New York Times*, June 2, 1956, 1-A; and see Giancana, *Double Cross*, 312.
19. Summers, *Goddess*, 208.
20. See Church Committee Report, *Alleged Assassination Plots Involving Foreign Leaders*, 74, fn. 4.
21. Ibid.
22. See Hamilton, *Adam Clayton Powell, Jr.*, 252-258; see also see the *New York Times*, May 8, 1956, 27-A.
23. See Drew Pearson's column, the *Washington Post*, December 11, 1956.
24. FBI HQ file on Elijah Muhammad.
25. Ibid.; see also FBI HQ file on Malcolm X.
26. FBI HQ file on Elijah Muhammad; FBI HQ file on Elijah Muhammad.
27. Goldman, *The Death and Life of Malcolm X*, 56-59.
28. Ibid.
29. FBI HQ file on Elijah Muhammad.
30. Ibid.; see also FBI Public Information file on Elijah Muhammad.
31. FBI HQ file on Malcolm X.; see also FBI Public Information file on Malcolm X.
32. FBI HQ file on Malcolm X; Wilfred X Little interviews.
33. Ibid.
34. Haley, *The Autobiography of Malcolm X*, 226-230; see also Shabazz, "Loving and Losing Malcolm," *Essence*, February 27, 1992, 52-54.
35. Shabazz, ibid., 54 .
36. Ibid., 104; and see Haley, *The Autobiography of Malcolm X*, 228.
37. FBI HQ file on Elijah Muhammad.
38. FBI HQ file on Malcolm X.
39. Ibid.
40. Ibid.
41. See Haley, *The Autobiography of Malcolm X*, 206.
42. FBI HQ file on Elijah Muhammad.
43. FBI HQ file on Malcolm X.
44. Mosley, Dulles, 348.
45. FBI HQ file on Malcolm X; see also the *New York Times*, July 27, 1958, 3-A.
46. See Williams, "Marshall's Law," the *Washington Post Magazine*, January 7, 1990; also see Rooney, *Kwame Nkrumah*, 12-16.
47. Rooney, *Kwame Nkrumah*, 10.
48. Panaf, *Patrice Lumumba*, 10-11; see also Rooney, Kwame Nkrumah, 146-150.
49. Hamilton, *Adam Clayton Powell, Jr.*
50. See the *Washington Post*, March 3, 1957.
51. Ibid.

52. State Department file on Malcolm X, CIA file on Malcolm X, and FBI HQ file on Malcolm X.
53. FBI HQ file on Malcolm X.
54. Ibid.
55. FBI HQ file on Malcolm X; see also Wallace, *Close Encounters*, 137-143; and see Lomax, *To Kill A Black Man*, 65-83.
56. Lomax and Malcolm X had come to know one another through chance encounters at the *Los Angeles Herald-Tribune*. Lomax worked as a freelance writer, and Malcolm X wrote a weekly column. See FBI HQ file on Malcolm X.
57. FBI Public Information file on Elijah Muhammad.
58. See the *Pittsburgh Courier* (New York edition), June 18, 1958, 7-A.
59. Ibid. Boutiba was mistakenly referred to as "Bouleta" in the newspaper.
60. FBI HQ file on Elijah Muhammad; FBI HQ file on William R. Ming Jr.
61. FBI HQ file on Malcolm X.
62. FBI HQ file on Elijah Muhammad.
63. Ibid.
64. Ibid.
65. FBI Public Information file on John Ali; FBI HQ file on Elijah Muhammad.
66. Ibid.
67. FBI HQ file on Elijah Muhammad.

CHAPTER SEVEN: CASTRO COMES TO HARLEM

1. *The Washington Star*, January 7, 1934, 1-A.
2. *The Washington Post,* December 19, 1959, 1-C.
3. Phillips, *The Night Watch*, 107-141.
4. See Church Committee Report, *Alleged Assassination, Plots Involving Foreign Leaders,* 4-5.
5. Ibid., 108.
6. Church Committee Report, *Alleged Assassination Plots Involving Foreign Leaders,* 76-77.
7. See *The Washington Post,* September 11, 1960, 8-A.
8. Ibid.
9. Church Committee Report, *Alleged Assassination Plots Involving Foreign Leaders,* 76-77.
10. Ibid., 79-83.
11. See the *New York Times,* September 21, 1960, 17-A; also see the *Washington Daily News,* September 21, 1960, 3-A.
12. Ibid., September 20, 1960, 1-A.
13. Ibid., September 21, 1960, 16-A.
14. Ibid., September 22, 1960, 14-A.
15. Ibid., September 21, 1960, 17-A.
16. Ibid.
17. Ibid., April 17, 1960.
18. CIA file on Malcolm X.
19. Ibid.; also FBI HQ file on Malcolm X; and see the *Washington Daily News,* September 21, 1960, 45-A.
20. FBI HQ file on Malcolm X.

21. Ibid.
22. CIA file on Malcolm X.
23. FBI HQ file on Malcolm X.
24. Ibid.
25. Ibid.
26. See the *New York Times,* October 6, 1960.
27. Ibid.
28. FBI "ELSUR" file on Elijah Muhammad.
29. FBI HQ file on Elijah Muhammad.
30. Ibid.
31. See the *New York Journal American,* September 25, 1960, 1-A.
32. FBI Public Information file on Elijah Muhammad.
33. FBI HQ file on Malcolm X.
34. See the *New York Amsterdam News.,* October 22, 1960, 1-A.
35. FBI Public Information file on Malcolm X; FBI Public Information file on Elijah Muhammad.
36. See the *New York Times,* April 14, 1960.
37. Ibid.
38. See the *Washington Post,* October 18, 1960, 1-A.
39. Ibid., August 28, 1960, 1-A.
40. Ibid., March 6, 1961.
41. Ibid., August 28, 1960, 1-A.
42. Ibid., March 10, 1960.
43. Ibid. See, for example, reports regarding discrimination on Route 40 dated October 16, 1961, October 29, 1961 and May 10, 1962. Delegates also reported receiving hate mail; see the *New York Times,* November 29, 1960, 4-A.
44. See the *Washington Post,* May 8, 1962, and May 10, 1962.
45. Ibid., February 7, 1963.
46. See series by Wallace Terry in the *Washington Post,* December 11-15, 1960; also see FBI Public Information file on Wallace D. Muhammad.
47. FBI Public Information file on Wallace Delaney Muhammad.
48. Ibid.
49. Ibid.
50. Ibid.
51. Ibid.
52. FBI HQ file on Malcolm X; FBI Public Information file on Malcolm X.
53. C. Eric Lincoln interview, Civil Rights Documentation Project, Howard University; see also Lomax, *To Kill a Black Man,* 62-64.
54. See in general, Baldwin, *The Fire Next Time.*
55. Carson, *Malcolm X: The FBI File,* 65.
56. Public Information file on Louis X Farrakhan.
57. Ibid.
58. FBI HQ file on Malcolm X.
59. Public Information file on Louis X Farrakhan.
60. Ibid.
61. FBI HQ file on Malcolm X; CIA file on Malcolm X; see also Haley, *The Autobiography of Malcolm X,* 222.
62. FBI HQ file on Malcolm X.

CHAPTER EIGHT: LAMENT FOR LUMUMBA

1. The *Washington Post*, February 7, 1961, 1-A.
2. Church Committee Report, *Alleged Assassination Plots Involving Foreign Leaders*, 51-52.
3. Gromyko, *Memoirs*, 266.
4. See the *New York Times*, September 22, 1960, 1-A.
5. Ibid., 181-188.
6. Ibid., 74-86; also see Powers, *The Man Who Kept the Secrets*, 151-152.
7. Hempstone, *The Katanga Story*, 69.
8. A comprehensive list of members of the State Department/CIA team and KGB agents was constructed by searching Spybase or Namebase software by calling up the term "Congo" for 1960-1961; also see Church Committee Report, *Alleged Assassination Plots Involving Foreign Leaders*, 13-70.
9. *The Biographic Register, 1963*, 115; see also Namebase Software, "Lawrence Raymond Devlin", and Spybase Software under same.
10. *The Biographic Register, 1963*, 72; see also Namebase Software, "Frank Charles Carlucci", and Spybase Software under same.
11. See, for example, Turner, *The Assassination of Robert F. Kennedy*, 275, in which the FSI is described as "a CIA Cover Front Outfit." Also see Snepp, *Dirty Work*, 308.
12. See the *Washington Post*, July 14, 1960, 10-A.
13. See Schoenbaum, *Waging Peace & War*, 377; and see Smith, OSS, 21.
14. See the *Washington Post*, July 14, 1960, 10-A.
15. See the *New York Times*, July 24, 1960, p.1-A.
16. Ibid.
17. Panaf, *Patrice Lumumba*, 140-142.
18. Church Committee Report, *Alleged Assassination Plots Involving Foreign Leaders*, 58-63.
19. Ibid.
20. FBI HQ file on Malcolm X.
21. See the *Washington Post*, January 25, 1959.
22. See Church Committee Report, *Alleged Assassination Plots Involving Foreign Leaders*, 14.
23. Ibid., 15-17; also see the *Washington Post*, August 28, 1960, 5-A. 28. See the *Washington Post*, September 11, 1960, 8-A. The KGB's role as an anti-American intelligence service was crucial to both Lumumba's and Nkrumah's governments. See, in general, Barron, *KGB*, 342-345.
24. Ibid.
25. Ibid.
26. Church Committee Report, *Alleged Assassination Plots Involving Foreign Leaders*, 16-17.
27. Ibid.
28. Panaf, *Patrice Lumumba*, 137-138; and see Rooney, *Kwame Nkrumah*, 208-209.
29. Legum, *Congo Disaster*, 152-153.
30. Church Committee Report, *Alleged Assassination Plots Involving Foreign Leaders*, 15-18.

31. Church Committee Report, *Alleged Assassination Plots Involving Foreign Leaders*, 19-22.
32. Angelou, *The Heart of a Woman*, 143-170.
33. Marks, *The Search for the 'Manchurian Candidate,'* 9-20, 57-72, 182-186.
34. See the *New York Times*, October 6, 1960, 18-A.
35. Church Committee Report, *Alleged Assassination Plots involving Foreign Leaders*, 38; also see Powers, *The Man Who Kept the Secrets,* 184-185.
36. Church Committee Report, *Alleged Assassination Plots Involving Foreign Leaders*, 23-24, 11-12.
37. See the *New York Times*, Nov. 21, 1960, 1-A.
38. See the *Washington Post*, April 13, 1965, 2-A.
39. See the *Washington Daily News*, August 27, 1957.
40. Ibid.; also see the *Washington Post*, November 21, 1960, 1A.
41. See the *Washington Post*, November 20, 1960 (re Armstrong's arrival in Congo); and see the *Washington Post*, November 18, 1959 (re spy allegations and reply).
42. Ibid.
43. Church Committee Report, *Alleged Assassination Plots Involving Foreign Leaders*, 37-42.
44. Ibid., 40.
45. Ibid., 48.
46. See the *New York Times*, November 29, 1960, 1-A.
47. See *Muhammad Speaks*, February 28, 1964, 7-8; and see the *Washington Post*, December 1, 1960. 1-A, and the *New York Times*, December 1, 1960, 8-A.
48. Church Committee Report, *Alleged Assassination Plots involving Foreign Leaders*, 46-48.
49. Ibid., 44.
50. See the *New York Times*, January 19, 1961, 7-A; and see Hempstone, *The Katanga Story*, 128-133.
51. See *Muhammad Speaks*, February 28, 1964, 7-8; and see the *New York Times*, November 15, 1961, 1-A.
52. Ibid.
53. Church Committee Report, *Alleged Assassination Plots Involving Foreign Leaders*, 51.
54. Stockwell, *In Search of Enemies*, 105; also see Powers, *The Man Who Kept the Secrets*, 437.
55. See *Muhammad Speaks*, March 13, 1964, 9.
56. Church Committee Report, *Alleged Assassination Plots Involving Foreign Leaders*, 51.
57. See the *New York Times*, May 9, 1961, 10.
58. Church Committee Report, *Alleged Assassination Plots Involving Foreign Leaders*, 51.
59. See the *New York Times*, February 14, 1961, 1-A, February 17, 1961, 1-A.
60. Ibid., February 13, 1960, 1-A.
61. Ibid., February 16, 1960, 11-A.
62. Ibid., February 16, 1960, 1-A.
63. Ibid.
64. Ibid.

65. Ibid., February 18, 1961, 3-A (Bunche's comments); and the *New York Times Magazine*, "Letters to the Editor, March 26, 1961 (Hansberry's reply)
66. Ibid., February 26, 1960, 21-A.
67. Schoenbaum, *Waging Peace & War*, 377.
68. Urquhart, *Hammarskjold*, 580-589; but see Hempstone, *The Katanga Story*, 159-162.
69. See the *New York Times*, September 13, 1992, p 21.
70. See the *Washington Post*, December 11, 1970, 1-A.
71. See the *New York Times*, May 9, 1960, 10-A.
72. Ibid.,
73. See the *Washington Post*, December 11, 1970, 1-A.
74. For photo showing Nasser with Muhammad Ali, see *Muhammad Speaks*, September 25, 1964, p.4; Nkrumah's column and coverage, see *Muhammad Speaks*, Volume One, No. 13, cover page, and 7.
75. Ibid., November 8, 1963, 7 (Professor Le Thanh).
76. Ibid., October 11, 1963, 23.
77. Ibid.
78. Ibid., November 22, 1963, 4.
79. Ibid., March 27, 1963, 5.
80. Ibid., March 13, 1964, 9.
81. The *New York Times*, July 28, 1960, p 3.
82. FBI file on Malcolm X.

CHAPTER NINE: STATE OF SIEGE

1. See the *New York Times*, October 3, 1962, 30-A.
2. See the *Washington Post*, June 27, 1992.
3. Gregory, *Nigger*, 144.
4. There are varied accounts of what actually happened. The following scenario is the one I am inclined to believe, given my own experiences with police brutality. For a less charitable perspective, see Perry, Malcolm, 191-194.
5. This, according to Malcolm X. See FBI Public Information file on Malcolm X, and FBI Public Information file on Elijah Muhammad.
6. See the *Washington Post*, April 29, 1962, 3-A.
7. FBI Public Information file on Elijah Muhammad; FBI Public Information file on Malcolm X.
8. Ibid.
9. Los Angeles *Herald Dispatch*.
10. FBI Public Information file on Elijah Muhammad.
11. Ibid.
12. Ibid., May 2, 1962, 27.
13. FBI Public Information file on Elijah Muhammad.
14. Ibid.
15. FBI Public Information file on Elijah Muhammad.
16. Ibid.
17. See the *New York Times*, April 11, 1962, 12-A.
18. Ibid., April 26, 1962, 24-A.

19. FBI Public Information file on Malcolm X.
20. See the *New York Times*, July 27, 1962, 8-A.
21. Ibid.
22. The *New Crusader*, May 12, 1962, 8-A.
23. FBI HQ file on Elijah Muhammad, and FBI HQ file on Clara Muhammad.
24. Ibid.
25. FBI Public Information file on Malcolm X; FBI Public Information file on Elijah Muhammad.
26. Ibid.
27. Ibid.
28. Ibid.
29. See the *New York Times*, June 4, 1962, 1-A.
30. FBI Public Information file on Elijah Muhammad.
31. Ibid.
32. See the *New York Times*, July 7, 1962, 18-A.
33. FBI Public Information file on Malcolm X.
34. See the *New York Times*, July 7, 1962, 18-A.
35. FBI Public Information file on Elijah Muhammad.
36. FBI HQ file on Nation of Islam.
37. Ibid.
38. Ibid.
39. Ibid.
40. Ibid.
41. Ibid.
42. Ibid.
43. See the *Washington Post*, August 1, 1962, 1-A.
44. Ibid., August 3, 1962, 1-A.
45. Ibid., 7-A.
46. See the *Washington Post*, August 15, 1992
47. FBI HQ file on Malcolm X.
48. See the *New York Times*, October 14, 20-A; see also FBI HQ file on Malcolm X.
49. FBI Public Information file on Malcolm X; see also photograph of Boutiba with Wilfred X Little and others in the *Pittsburgh Courier* (New York edition), July 19, 1958.
50. See *Current Biography*, July, 1963.
51. Ibid.
52. See the *New York Times*, October 13, 1962, 20-A.
53. Ibid.
54. See the *Washington Post*, August 4, 1962.
55. Ibid., August 29, 1962; also see the *New York Times*, August 29, 1962, 8.
56. FBI Public Information file on Elijah Muhammad; FBI Public Information file on Malcolm X.
57. FBI HQ file on Elijah Muhammad; FBI HQ file on Wallace Fard.
58. See the *New York Times*, November 6, 14.
59. FBI HQ file on Malcolm X.
60. Ibid.
61. FBI HQ file on Elijah Muhammad.
62. Ibid.
63. FBI HQ file on Malcolm X.

CHAPTER TEN: EXPOSING FARD

1. During the period between 1968-1971 when I frequented Muhammad's Mosque No. 28 in St. Louis, Ministers Abraham X and Yusef Shah used this analogy to explain the history of Western Civilization.
2. The book was actually a pamphlet. In the aftermath of the scandal described in this chapter, Elijah Muhammad ceased dissemination of the pamphlet and ordered his followers to memorize it. A copy was confiscated, however, by the Federal Bureau of Investigation when it arrested Elijah Muhammad in Chicago on September 20, 1942. See FBI HQ file on Fard and FBI HQ file on Elijah Muhammad.
3. The *New Crusader*, August 15, 1959, front page banner headline story.
4. Although the Black Muslims believe there is no recorded history of Wallace Fard's time with the sect, in fact there is. Detroit newspapers chronicled his activities in a five-day series of articles following Karriem's arrest.
5. Figures based on FBI HQ file on Wallace Fard.
6. Booker, *Black Man's America*, 120-126.
7. FBI HQ file on Wallace Fard.
8. Beynon, "The Voodoo Cult Among Negro Migrants in Detroit," *The American Journal of Sociology*, 43:894-907.
9. Muhammad was committed under the name Elijah Bogans, with aliases.
10. Ibid.
11. There are several accounts of the lynching, but the three primary published versions appear in Cushmeer, *This Is The One,* 80-81; Baldwin, *The Fire Next Time*, 71-72, 104-105; and the *Washington Post*, December 12, 1960, 1-A. The author also heard Black Muslim ministers recount the lynching during visits to Mosque No. 28 in St. Louis in the late 1960s.
12. The *Washington Post*, December 12, 1960, 1-A. According to this article, Elijah Muhammad said the lynching of his friend was one of two he witnessed during early childhood.
13. Interview with John Muhammad, Elijah Muhammad's brother, who says there were only thirteen children; but see FBI HQ file on Elijah Muhammad, which lists fourteen. The FBI listing is based on prison interviews with Elijah Muhammad, but still may be in error.
14. FBI HQ file on Elijah Muhammad.
15. Ibid.
16. Although Elijah Muhammad disputed allegations that he was once a member of Garvey's movement, there is evidence to suggest that he not only joined the Universal Negro Improvement Association, but later, the Moorish Science Temple of America as well.

    Malcolm X's sister, Ella Collins, hinted during several interviews that she met Elijah Muhammad and his wife Clara during UNIA gatherings attended by Earl Little in the late 1920s. Moreover, Sheilah Seabreeze-Bey, the official historian for the Moorish Science Temple's Baltimore chapter, showed the author photographs that the Moors maintain picture Elijah Muhammad with Noble Drew Ali. One photo is wholly unpersuasive; another is a bit more convincing, however. In addition, a number of elderly Moors, interviewed in St. Louis, Philadelphia, and Newark, swear they knew Elijah Muhammad during his brief membership in the Moorish Science Temple. Given the similarities in the philosophy of the Nation of Islam and the Moorish Science Temple, their accounts are quite persuasive.

17. Muhammad, Wallace, *As the Light Shineth From the East*, 199-200.
18. Ibid.
19. Bontemps, *Anyplace But Here*, 216-221.
20. FBI HQ file on Elijah Muhammad; also see Beynon, "The Voodoo Cult Among Negro Migrants in Detroit," *The American Journal of Sociology*, 901.
21. FBI HQ file on Elijah Muhammad.
22. See the *Detroit Free Press*, December 2,, 1932, 1-A.; also see Bontemps, *Anyplace But Here*, 221-222.
23. Ibid.
24. Ibid.
25. Ibid.
26. Ibid.
27. Ibid.; also see the *Detroit News*, November 22, 1932, 1-A.
28. See the *Detroit News*, November 23, 1932, 1-A.
29. Ibid.
30. See the *Detroit News*, November 27, 1932, 1-A.
31. Ibid., December 2, 1932, 1-A.
32. Ibid.
33. See the *Detroit Free Press*, December 7, 1932, 1-A.
34. FBI HQ file on Wallace Fard.
35. FBI HQ file on Satahota Takahashi.
36. See the *Kodansha Encyclopedia of Japan*, Vol. 1, "Amur River Society," 53.
37. FBI HQ file on Satahota Takahashi.
38. Ibid.
39. FBI HQ file on Elijah Muhammad.
40. Ibid.
41. *The New Crusader*, August 15, 1959, 1-A.
42. *Los Angeles Herald-Dispatch*, August 20, 1959, 1-A.
43. FBI HQ file on Malcolm X.
44. FBI HQ file on Moorish Science Temple of America; also see Powers, *Secrecy and Power*, 163.
45. Ibid.
46. FBI HQ file on Wallace Fard.
47. Ibid.
48. Ibid.
49. Ibid.
50. Ibid.
51. Ibid.
52. Ibid.
53. Ibid.
54. Ibid.
55. Ibid.
56. Ibid.
57. FBI HQ file on the Nation of Islam; FBI file on Wallace Fard.

58. FBI HQ file on Elijah Muhammad.
59. Ibid.; also see FBI HQ file on Wallace Fard.
60. FBI HQ file on Malcolm X.
61. See the *Los Angeles Herald-Examiner*, July 28, 1963, 1-A.
62. FBI HQ file on Elijah Muhammad.
63. Ibid.
64. Ibid., "JUNE" Mail file; also see FBI HQ file on William R. Ming Jr.
65. FBI HQ file on Wallace Fard.
66. Ibid.; also see *Muhammad Speaks*, August 16, 1963, 1.
67. See the *Washington Daily News*, August 20, 1963, 5-A.

CHAPTER ELEVEN: BIRMINGHAM TO BOTSWANA

1. Huyen, *Mission Accomplished?*, 6-7.
2. Groden, *High Treason*, 107, footnote.
3. See the *New York Times*, June 17, 1963, 12-A.
4. FBI HQ file on Malcolm X.
5. Ibid.
6. UPI Series, "Black Muslims," June 17-20, 1963, by H.D. Quigg.
7. FBI HQ file on Malcolm X.
8. See documentary, "Eyes On the Prize II," segment regarding Nation of Islam.
9. FBI HQ file on Malcolm X.
10. Shearer, *Parade Magazine*, "FBI Making Progress, Except . . ." April 23, 1989, p.2
11. FBI HQ file on Moorish Science Temple of America; interviews with Ardele Noisette, widow of Samuel Noisette. Samuel Noisette's sister, Carrie Robinson-Bey, was the MSTA member noted in Hoover's files on the sect. See the *Washington Post*, December 23, 1972.
12. FBI Public Information file on Malcolm X.
13. Ibid.
14. FBI HQ file on Malcolm X.
15. See the *New York Times*, February 28, 1963, 5-A.
16. FBI HQ file on Elijah Muhammad; FBI HQ file on William R. Ming Jr.
17. Ibid.
18. According to report in FBI HQ file on Elijah Muhammad.
19. See the *New York Times*, May 11, 1963, 7-A, 9-A.
20. Ibid., May 15, 1963, 26-A.
21. Ibid.
22. Ibid., May 17, 1963, 14-A.
23. See the *Washington Post*, May 13, 1963, 3-B.
24. See the *Washington Post*, May 15, 1963, 6-A.
25. FBI HQ file on Nation of Islam; FBI HQ file on Elijah Muhammad.
26. See the *New York Times*, May 17, 1963, 14-A; also see the *Washington Post*, May 17, 1963, 1-A.
27. See the *New York Times*, May 19, 1963, 14-A.
28. Ibid., May 19, 1963, 14-A.
29. Ibid., May 24, 1963, 1-A.
30. See the *New York Times*, July 3, 1963, 1-A.

31. Ibid, July 11, 1963, 1-A.
32. Ibid.
33. Ibid., July 14, 1963, 50-A.
34. See the *Washington Post*, June 13, 1963, 7-A.
35. Ibid., June 29, 1963, 11-A.
36. FBI HQ file on Wallace D. Fard.
37. FBI HQ file on Malcolm X.
38. FBI HQ file on Wallace Fard; FBI HQ file on Elijah Muhammad.
39. FBI HQ file on Elijah Muhammad.
40. See, e.g., the *New York Times*, August 29, 1963, 18-A.
41. Ibid.
42. Ibid., September 16, 1963, 1-A.
43. See the *New York Times*, February 18, 1980.
44. See *Muhammad Speaks*, October 11, 1963, 3.
45. Ibid.
46. See the *New York Times*, October 13, 1963.
47. Ibid.; also see *Muhammad Speaks*, October 25, 1963, 23.
48. See the *New York Times*, September 25, 1963, 33-A.
49. FBI HQ file on Malcolm X; see also Blackstock, *COINTELPRO*, 73-115.
50. FBI HQ file on Malcolm X.
51. Ibid.
52. State Department file on Malcolm X.
53. Hoover and Nixon were in Dallas for a meeting with oil magnate Clint Murchison the night before the assassination. See Groden, *High Treason*, 14-15.
54. See the *New York Times*, December 2, 1963, 21-A.
55. See documentary, *Malcolm X*, by Marvin Worth; also see the *New York Times*, December 5, 1963, 22-A.

CHAPTER TWELVE: COVERT ACTION

1. Church Committee Report, *Alleged Assassination Plots Involving Foreign Leaders*, 9.
2. Ibid., Book III, 133.
3. FBI HQ file on Malcolm X.
4. See Jamal, *From the Dead Level*, 232.
5. See the *Washington* Post, November 23, 1963, 1-A.
6. The most comprehensive examination of the FBI's war against King is contained in the Church Committee Report, Book III, "Dr. Martin Luther King, Jr., Case Study. see 152-154; also see Garrow, *Bearing the Cross*, 310.
7. FBI HQ file on Elijah Muhammad.
8. Ibid.
9. FBI HQ file on Malcolm X; FBI HQ file on Elijah Muhammad.
10. FBI HQ file on Malcolm X.
11. Ibid.
12. FBI HQ file on Elijah Muhammad.
13. FBI HQ file on Clara Muhammad, and FBI HQ file on Elijah Muhammad.

14. This conversation appears in the FBI HQ file on Elijah Muhammad.
15. FBI HQ file on Elijah Muhammad.
16. FBI HQ file on Malcolm X; FBI HQ file on Elijah Muhammad.
17. FBI HQ file on Elijah Muhammad; see also FBI HQ file on Clara Muhammad.
18. FBI HQ file on Elijah Muhammad.
19. Ibid.
20. FBI HQ file on Martin Luther King, Jr.
21. Ibid.
22. Ibid.
23. Ibid.
24. Church Committee Report, Book III, 136.
25. Ibid.
26. FBI HQ file on Martin Luther King, Jr.
27. FBI HQ file on Malcolm X.
28. See the *New York Times*, January 15, 1964, 1-A.
29. FBI HQ file on Malcolm X.
30. Haley interviews.
31. Ibid.
32. See for example, Haley, *The Autobiography of Malcolm X*, 388-389.
33. See Ali, *The Greatest*, 204-206.
34. FBI HQ file on Malcolm X.
35. FBI HQ file on Malcolm X.
36. See the *New York Times*, January 17, 1964.
37. FBI HQ file on Malcolm X; for Betty Shabazz's reflections, see Hauser, *Muhammad Ali*, 98-101.
38. Joe Tex concealed his membership in the Nation of Islam until 1975. See Brashler, "Black on Black: The Deadly Struggle for Power," *New York Magazine*, June 9, 1975, 50.
39. Ibid., 50. Members of Kool and the Gang who were followers of Elijah Muhammad made no attempt to conceal their Nation of Islam involvement.
40. Ibid., 100-117. Muhammad Ali was so enamored of Malcolm X that he even named a bus he toured the country in after one of Malcolm X's "hustler" names. The bus was called "Big Red."
41. FBI HQ file on Malcolm X.
42. Ibid.
43. See the *Louisville Courier*, January 24, 1964, 1-A; also see the *Washington Post*, January 24, 1964.
44. See the *New York Times*, January 17, 1964.
45. Ibid.

CHAPTER THIRTEEN: RUMORS

1. Halperin, *The Lawless State*, 151.
2. See *Contact*, May 28, 1982, 1.
3. Church Committee Report, Book II, 15-16.
4. FBI file on Malcolm X.

5. Ibid.; see also the *Washington Post*, January 24, 1964.
6. Muhammad Ali's version of the media's discovery of his Black Muslim affiliation can be found in Ali, *The Greatest*, 117, 104-116.
7. Also see *Muhammad Speaks*, October 9,1964, 4-5.
8. FBI HQ file on Malcolm X.
9. Ibid.
10. Public Information file on Elijah Muhammad; FBI HQ file on Malcolm X.
11. FBI HQ file on Malcolm X.
12. Ibid.
13. FBI HQ file on Elijah Muhammad.
14. FBI "ELSUR" (aka "JUNE Mail") file on Elijah Muhammad.
15. FBI HQ file on Malcolm X.
16. Ibid.
17. Ibid.
18. See *Newsweek*, March 9, 1964, 50.
19. Ibid.
20. See the *New York Times*, July 1, 1979, Section V, 1.
21. FBI HQ file on Malcolm X; also see Haley, *The Autobiography of Malcolm X*, 306-307.
22. See, for example, Haley, *The Autobiography of Malcolm X*, 306-308, for Malcolm X's remembrances of the bout and the "lucky" seat number.
23. See *Newsweek*, March 9, 1964, 50.
24. Ali, *The Greatest*, 101.
25. For a revisionist perspective about the fight, see the *Washington Post*, "Under the Microscope, Strange Happenings Magnified," September 5, 1990, B-5.
26. Haley, *The Autobiography of Malcolm X*, 308; see also Brown, *Out of Bounds*, 286-296.
27. See the *New York Times*, February 26, 1964, 39-A.
28. FBI Public Information file on Malcolm X; also see the *Chicago Sun-Times*, February 26, 1964, 17-A.
29. See the *New York Times*, February 27, 1964, 23-A.
30. Ibid., February 28, 1964, 22-A.
31. See the *Louisville Courier-Journal*, February 28, 1964.
32. FBI HQ file on Elijah Muhammad.
33. Ibid.
34. See the *New York Times*, March 4, 1964, 44-A.
35. See the *Washington Post*, March 5, 1964, G-2.
36. FBI HQ file on Elijah Muhammad; FBI HQ file on Malcolm X.
37. See the *Washington Post*, March 5, 1964, G-2.
38. See the *New York Times*, March 5, 1964, 39-A; also see the documentary, *Malcolm X*, by Marvin Worth; and see FBI HQ file on Malcolm X.
39. See the *New York Times*, March 7, 1964, 15.
40. DeBerry interviews; see also FBI HQ file on Malcolm X.
41. FBI HQ file on Malcolm X; see also the documentary, Malcolm X, by Marvin Worth; and see Haley, *The Autobiography of Malcolm X*, 302-303, 408-409.
42. Ibid.
43. Ibid.
44. Ibid.

CHAPTER FOURTEEN: GOOD GUYS WEAR WHITE

1. Haley, *The Autobiography of Malcolm X*, 257-258.
2. FBI HQ file on "Black Nationalist/Racial Matters"; also see FBI Public Information file on Herbert Muhammad. Herbert Muhammad is one of Elijah Muhammad's sons.
3. Lomax, *To Kill a Black Man*, 129.
4. See FBI HQ file on Louis Lomax; also see FBI HQ Public Information file on John Ali, aka John Simmons.
5. Ibid.
6. Ibid.
7. Ibid.; see also Lomax, *When the Word Is Given*, 82.
8. FBI HQ file on Louis Lomax; FBI HQ Public Information file on John Ali.
9. Ibid.
10. Ibid.
11. Ibid.
12. Interviews with Dorothy Leavell, current publisher of the *New Crusader*, and widow of Balm Leavell.
13. Ibid.; see also FBI HQ Public Information file on Balm Leavell, and FBI Chicago Field Office file on Elijah Muhammad.
14. Dorothy Leavell interviews.
15. Ibid; see also FBI HQ file on Elijah Muhammad.
16. FBI HQ file on Louis Lomax.
17. Ibid.
18. CIA file on Malcolm X; also see *Lomax, To Kill a Black Man*, 102-103. (re John Ali's membership in Philadelphia mosque).
19. See the *Chicago Defender*, July 7, 1964, 1-A; ibid., February 11, 1964, 1-A.
20. See *Muhammad Speaks* photo of John Ali at HUAC hearing, June 15, 1963, 3.
21. See Parks, *Voices in the Mirror*, 228.
22. See Perry, *Malcolm*, 216-217.
23. Ibid.
24. FBI HQ file on Malcolm X.
25. FBI Public Information file on John Ali; see also FBI HQ file on Elijah Muhammad.
26. Ibid.
27. Ibid.
28. Ibid.
29. Ibid.
30. Barnette, "The Black Muslims Are a Fraud," *Saturday Evening Post*, February 27, 1965, 23-29.
31. Ibid.
32. Ibid.
33. Ibid.
34. Ibid.
35. FBI Public Information file on John Ali.
36. Jeremiah X Pugh interviews with Bob Spiegelman of Directors International; see also FBI HQ file on Malcolm X.
37. FBI HQ file on Slater Hunter King; see also correspondences between Mal-

colm X and Slater H. King in the Papers of Slater Hunter King, Fisk University; and see Schatz, *Directory of Afro American Resources*, 1st edition, 303.

38. See FBI HQ Public Information file on John Ali.
39. Ibid.
40. Ibid.
41. Ibid.
42. Ibid.
43. Ibid.
44. Ibid.
45. Ibid.
46. Lomax, *To Kill a Black Man*, 198-199.
47. Ibid.
48. See the *Chicago Defender*, July 7, 1964, and February 11, 1964.
49. Ibid.

CHAPTER FIFTEEN: A HOUSE DIVIDED

1. Dulles, *The Craft of Intelligence*, 61.
2. Church Committee Report, Book III, 519.
3. Lomax, *To Kill a Black Man*, 105.
4. Ibid., 200.
5. FBI file on Malcolm X.
6. See the *New York Times*, March 9, 1964, 1-A.
7. FBI "ELSUR" file on Malcolm X.
8. FBI HQ file on Clara Muhammad.
9. FBI HQ file on Elijah Muhammad.
10. FBI HQ file on Malcolm X; interview with Larry X; also see The *New York Journal-American*, March 10, 1964, 1-A.
11. See the *New York Times*, March 9, 1964, 1-A.
12. Ibid.
13. See the *New York Times*, March 15, 1964, 46-A.
14. Ibid.
15. FBI HQ file on Louis Lomax.
16. See O'Toole, *Honorable Treachery*, 353-355; see also Stafford, *Camp X*, 125-126.
17. See Norden, "Malcolm X's Assassination," *Hustler*, 105, in which Ulasawicz brags about BOSSI's infiltration of Malcolm X's organizations; also see Colodny, *Silent Coup*, 96-115 (re Caulfield).
18. CIA file on Malcolm X.
19. Ibid.
20. FBI HQ file on Malcolm X.
21. See the *New York Times*, March 5, 1964, 39-A.
22. See the *New York Amsterdam News*, March 10, 1-A.
23. Haley, *The Autobiography of Malcolm X*, 409.
24. Ibid., 411.
25. Malcolm X made several public statements in which he implicated Joseph X as one of the leaders of plots to harm him. See the documentary, *Malcolm X*, by Marvin Worth.

26. See the *New York Times*, March 13, 1964, 20-A.
27. Ibid.
28. FBI HQ file on Malcolm X.
29. Figures based on reports received by the FBI. See FBI HQ file on Malcolm X.
30. Ibid.
31. FBI HQ file on Elijah Muhammad; FBI HQ file on Malcolm X.
32. FBI HQ file on Malcolm X.
33. Ibid.
34. FBI HQ file on Elijah Muhammad.
35. The FBI discovered Wallace Muhammad's discontent after interviewing him several times upon his release from prison in early 1963.
36. FBI file on Clara Muhammad.
37. See the *New York Times*, January 15, 1965.
38. See the *Washington Post*, March 18, 1964, 1-A; also see the *New York Times*, March 18, 1964, 50-A.
39. See the *New York Times*, March 21, 1964, 1-A; also see the *Washington Post*, March 21, 1964, 1-A.
40. See the *Washington Post*, March 8, 1964.
41. Ibid., March 5, 1964.
42. Fox, Stephen, *Blood and Power*, pp. 357-8.
43. FBI HQ file on Elijah Muhammad.

CHAPTER SIXTEEN: THE CHICAGO CONNECTION

1. Church Committee Report, Book II, 223.
2. The statement was made by Sen. Moynihan during an interview on the ABC-TV evening news program.
3. Declassified document from the FBI's "COINTELPRO/Racial Matters/Nation of Islam" file.
4. Based on information in FBI HQ file on Malcolm X, FBI HQ file on Elijah Muhammad, and FBI Public Information file on Wallace Muhammad.
5. Barnette, "The Black Muslims Are a Fraud," *Saturday Evening Post*, February 27, 1965, 23-29.
6. Ibid., 28.
7. Ibid., 29.
8. FBI HQ file on Malcolm X.
9. FBI HQ file on Elijah Muhammad.
10. Ibid.
11. Ibid.; the statement was printed in *Muhammad Speaks* on April 10, 1964, 7.
12. See the *Chicago Sun-Times*, March 27, 1964, 1-A.
13. See the *Washington Post*, March 27, 1964, 9-A; also see the *New York Times*, March 27, 1964, 10-A.
14. Ibid.
15. Ibid.
16. Ibid.
17. Ibid. Emphasis supplied.
18. FBI HQ file on Malcolm X.

19. See the *Chicago Sun-Times*, March 28, 1964, 1-A.
20. FBI HQ file on Malcolm X.
21. CIA file on Malcolm X.
22. Ibid.
23. FBI HQ file on Malcolm X.
24. Ibid.
25. FBI HQ file on Louis Lomax; also see *Muhammad Speaks*, March 27, 1964, p 21.
26. FBI HQ file on Malcolm X.
27. See the *Washington Post*, April 28, 1957.
28. Ibid., "Black Muslims" series, December 11-15, 1960; also see Garrow, *Bearing the Cross*, 130.
29. FBI Public Information file on Wallace Muhammad.
30. FBI HQ file on William R. Ming, Jr.; FBI HQ file on Elijah Muhammad.
31. Garrow, *Bearing the Cross*, 136.
32. FBI HQ file on Chauncey Eskridge.
33. Ibid.
34. Ibid.
35. Ibid.; also see *Clay v. U.S.*, 403 U.S. 698 (1971).
36. FBI HQ file on Slater Hunter King.
37. See O'Reilly, *Racial Matters*, 116-117; see also FBI HQ file on Slater Hunter King.
38. Ibid.
39. FBI HQ file on Slater Hunter King.
40. Jeremiah X interview by Bob Spiegelman/Directors International; see also FBI HQ file on Malcolm X, and FBI HQ file on Elijah Muhammad.
41. FBI file on Slater Hunter King.; also see the *New York Times*, October 18, 1962, 16 (regarding Hoover's hatreds).
42. FBI HQ file on Slater Hunter King.
43. See, e.g., Chapman, *Who's Listening Now?*; also see the *New York Times*, June 3, 1962, Section VI, 21 (Robert Kennedy discusses his views on wiretapping).
44. See the *Washington Post*, February 19, 1978, 7-A.; see also von Hoffman, *Citizen Cohn*, 236, and Reeves, *The Life and Times of Joe McCarthy*, 463-465.
45. FBI HQ file on Malcolm X, and FBI HQ file on Martin Luther King Jr.
46. Church Committee Report, Book III, 319, 333 (Malcolm X); Church Committee Report, Book III, 137 (King).
47. See, e.g., Lane, *Code Name "Zorro"*; also see von Hoffman, *Citizen Cohn*, 331-332.
48. CIA file on Malcolm X.
49. FBI HQ file on Martin Luther King, Jr.; see also Church Committee Report, Book III, 137 (emphasis added).
50. FBI HQ file on Martin Luther King, Jr.; and see Church Committee Report, Book III, 138.
51. Ibid.
52. CIA file on Malcolm X.
53. FBI HQ file on Malcolm X; FBI HQ file on Elijah Muhammad.
54. Ibid.

55. See the *New York Times*, May 22, 1964, 22-A; also see FBI HQ file on Malcolm X.
56. Ibid., May 21, 1964.
57. Ibid.
58. Affidavit of Talmadge Hayer, on file *People of the State of New York v. Muhammad Abdul Aziz.*
59. Ibid.
60. FBI HQ file on Malcolm X; see also Lomax, *To Kill a Black Man*, 198-199.
61. Ibid., 200.
62. FBI HQ file on Malcolm X; see also Carson, *Malcolm X: The FBI File*, 473.
63. FBI HQ file on Elijah Muhammad, "Correlation Summary," April 9, 1969, 35.
64. FBI HQ file on Malcolm X.
65. FBI "ELSUR" file on Malcolm X; see also Carson, *Malcolm X: The FBI File,* 480.
66. FBI HQ file on Elijah Muhammad.
67. Ibid.
68. FBI HQ file on Malcolm X.
69. Ibid.
70. Ibid.
71. Ibid.
72. See *Muhammad Speaks*, generally, from August 28, 1964 forward.

CHAPTER SEVENTEEN: THE NEW ALLIANCE

1. Lederer and Burdick, *The Ugly American*
2. Douglas, Frederick, *Narrative of the Life of Frederick Douglas, An American Slave.*
3. FBI "ELSUR" file on Malcolm X; see also Carson, *Malcolm X: The FBI File*, 470.
4. FBI HQ file on Malcolm X; see also the *New York Times*, June 28, 1964, 1-A.
5. A. Peter Bailey interviews; see also A. Peter Bailey interview, Civil Rights Documentation Project, Howard University.
6. FBI "ELSUR" file on Malcolm X; see also Carson, *Malcolm X: The FBI File*, 480-481.
7. See the *Washington Post*, July 4, 1964, 5-A; see also FBI HQ file on Elijah Muhammad, and FBI HQ file on Malcolm X.
8. FBI Public Information file on Elijah Muhammad.
9. See the *Chicago Tribune*, February 24, 1965, 1-A.
10. See the *Washington Post*, July 5, 1964, 8-A; also see the *New York Daily News*, February 15, 1965, 5-A.
11. FBI HQ file on Malcolm X.
12. See the *Chicago Daily Defender*, July 9, 1964, 1-A; see also FBI Public Information file on Wallace Muhammad.
13. Ibid.

14. Ibid.
15. FBI HQ file on Malcolm X.
16. Ibid.
17. Ibid.
18. FBI Public Information file on John Ali.
19. Ibid.
20. Ibid.
21. Ibid.
22. Ibid.
23. Public Information file on Wallace Muhammad; Public Information file on Nation of Islam.
24. Ibid.
25. See the *Los Angeles Herald Examiner*, July 10, 1964, 1-D; also see Public Information file on Elijah Muhammad.
26. Ibid.
27. See *Newsweek*, March 2, 1964, 22.
28. See the *Washington Post*, July 30, 1964.
29. Ethiopia's Emperor Haile Selassie insisted that the scope of the summit remain confined to "African" issues. See the *New York Times*, May 19, 1963, 14-A.
30. CIA file on Malcolm X.
31. Milton Henry interview, Civil Rights Documentation Project, Howard University.
32. Ibid.
33. FBI HQ file on Malcolm X. A copy of Malcolm X's press release so describing himself is contained in said file.
34. Ibid.
35. See the *New York Times*, July 19, 1964, 1-A.
36. Milton Henry interview, Civil Rights Documentation Project, Howard University.
37. See the *New York Times*, July 18, 1964, 2-A.
38. Ibid., July 17, 1964, 1-A.
39. Ibid., July 26, 1964, 1-A.
40. Ibid., July 21, 1964, 22-A.
41. Ibid., July 22, 1964, 1-A.
42. Ibid., July 22, 1964, 19-A.
43. Ibid., July 22, 1964, 1-A.
44. Ibid., July 24, 1964, 1-A.
45. Ibid., August 5, 1964, 16-A.
46. Garrow, *Bearing the Cross*, 344-345.
47. See the *New York Times*, August 10, 1964, 11-A, 15-A.
48. Ibid., 17-A.
49. CIA file on Malcolm X.
50. Ibid.
51. Ibid.
52. Ibid.
53. FBI HQ file on Malcolm X.
54. CIA file on Malcolm X.
55. Ibid.
56. Ibid.

57. See the *New York Times*, September 27, 1964, 1-A.
58. See Berger, "Who Killed Malcolm X," *Seven Days;* also see Norden, "The Assassination of Malcolm X," *Hustler*, December, 1978, 98-99.
59. Goldman, *The Death and Life of Malcolm X*, 240-241; but see Lomax, *To Kill a Black Man*, 182-183.
60. See the *New York Times*, January 2, 1965, 6-A.
61. CIA file on Malcolm X; compare with FBI file on Malcolm X on same issue.
62. See the *New York Times*, August 13, 1964, 22-A.
63. Press statement issued in Cairo by Malcolm X, which is available from AFRAM.
64. Ibid.
65. FBI memo date August 28, 1964.
66. FBI HQ file on Malcolm X.
67. FBI HQ file on Clifton DeBerry; FBI HQ file on Socialist Workers Party.
68. Ibid.
69. Ibid.

CHAPTER EIGHTEEN: NATIVE SON

1. The *Washington Daily News*, September 21, 1960, 3.
2. Goldman, *The Death and Life of Malcolm X*, 240-241.
3. See the *New York Times*, November 24, 1964. 1-A.
4. Ibid, November 25, 1964, 17-A.
5. Ibid.
6. Ibid.
7. Ibid.
8. Ibid., November 29, 1964, 5-A.
9. Ibid., November 30, 1964, 6-A.
10. See Schoenbaum, *Waging Peace & War*, 375.
11. FBI HQ file on Malcolm X.
12. See *Muhammad Speaks*, December 4, 1964, 12-15.
13. CIA file on Malcolm X.
14. Ibid.
15. See the *New York Times*, November 29, 1964, p.1-A.
16. Ibid.
17. Ibid., December 9, 1964, p 3-A.
18. Ibid.
19. Ibid., December 10, 6-A.
20. Ibid., 58-A.
21. Ibid.
22. Ibid.
23. FBI HQ file on Martin Luther King; FBI HQ file on Malcolm X.
24. Journalist Louis Lomax was under the mistaken impression that the arrangement involved monetary considerations, but was absolutely correct about the CIA's role in trying to overthrow key supports of Malcolm X's proposed UN petition. See, e.g., Lomax, *To Kill a Black Man*, 182-188; see also Goldman, *The Death and Life of Malcolm X*, 253.

25. See the *Washington Post*, August 3, 1963.
26. See the *New York Times*, December 11, 1964, 8-A.
27. Ibid.
28. Ibid., December 13, 1964. 79-A.
29. Ibid., December 14, 1964, 3-A.
30. FBI HQ file on Malcolm X; see also the *New York Times*, December 15, 1964, 18-A; and see Lasky, *The Ugly Russian*, 190-191.
31. Lasky, *The Ugly Russian*, 190-191.
32. Ibid.
33. See the *New York Times*, December 15, 1964, 1-A.
34. Epps, *Malcolm X: Speeches at Harvard*, 167-168.
35. See the *New York Times*, December 21, 1964, 20-A.
36. Ibid.
37. Ibid., December 23, 1964, 3-A.
38. Ibid.
39. Ibid., December 24, 1964, 4-A.
40. Ibid., December 20, 1964, 1-A.
41. FBI HQ file on Leon 4X Ameer.
42. Ibid.
43. Ibid.
44. See the *New York Times*, December 12, 1964.
45. See *Sam Cooke: The Man and His Music*, RCA Corporation, CPL2 7127, liner notes.
46. Garrow, *Bearing the Cross*, 372.

CHAPTER NINETEEN: THE FINAL DAYS

1. Lomax, *To Kill a Black Man*, 250.
2. FBI HQ file on Malcolm X.
3. Lomax, *To Kill a Black Man*, 198.
4. Farmer, *Lay Bare the Heart*, 230-231.
5. Ibid.
6. FBI HQ file on Malcolm X; see also Lomax, *To Kill a Black Man*, 204-206.
7. FBI Public Information file on Malcolm X.
8. See the *Washington Post*, August 4, 1962, and August 8, 1962, (Rockwell barred from Great Britain). Rockwell had also been barred from entering Canada and France.
9. FBI HQ file on Malcolm X.
10. Norden, "The Assassination of Malcolm X," *Hustler*, 100.
11. See the *New York Journal-American*, February 25, 1965, 1-A.
12. Ibid.
13. FBI HQ file on Elijah Muhammad.
14. FBI HQ file on Malcolm X.
15. FBI HQ file on Leon 4X Ameer; see also the *Washington Post*, January 10, 1965.
16. See the *Washington Post*, January 11, 1965.
17. See the *New York Times*, January 15, 1965.
18. See *Muhammad Speaks*, January 15, 1965.

19. FBI Public Information file on John Ali.
20. See *Muhammad Speaks,* January 15, 1965.
21. FBI HQ file on Nation of Islam.
22. FBI HQ file on Malcolm X; also see Carson, *Malcolm X: The FBI File*, 81.
23. See *Black News*, February, 1979 and March/April 1979; also see Goldman, *The Death and Life of Malcolm X*, 413-415.
24. See *Muhammad Speaks*, January 15, 1965, January 29, 1965, and February 12, 1965 for other verbal attacks on Malcolm X.
25. Duberman, *Paul Robeson*, 527-528.
26. FBI HQ file on Malcolm X.
27. Duberman, *Paul Robeson*, 527-528.
28. Jamal, *From the Dead Level*, 237.
29. Ibid.
30. Ibid., 259.
31. Although the FBI has not released the complete file on John Ali for privacy reasons, there are abundant references to him in other files that make it obvious that the FBI knew he was following Malcolm X, and that several attempts to kill Malcolm X had been made while John Ali was in close proximity to the feared defector.
32. See the *New York Times*, February 23, 1965, 1-A.; also see Jamal, *From the Dead Level*, 242-246.
33. FBI HQ file on Malcolm X; also see FBI HQ file on Clara Muhammad.
34. Jamal, *From the Dead Level*, 247-248; also see Lomax, *To Kill a Black Man*, 108-109.
35. See the *Washington Post*, January 30, 1975, B-7.
36. Ibid.
37. Ibid., May 6, 1967, E-15.; also see the *Washington Post*, July 2, 1967.
38. Ibid., October 29, 1960.
39. bid., November 4, 1960.
40. Ibid.
41. Ibid.
42. See *Texas Monthly*, "Welcome, Mr. Kennedy, To Dallas," April, 1981, 149-151, 236-252.
43. Groden, *High Treason*, 308.
44. Ibid., 308.
45. Ibid., 107; also see Kantor, *Who Was Jack Ruby?*, 35-45.
46. Bradley interview (by Louis Lomax), February 24, 1965.
47. Ibid.
48. Ibid.
49. Ibid.
50. Ibid.
51. See the *New York Times*, February 23, 1965, 1-A.
52. Bradley interview (by Louis Lomax), February 24, 1965.
53. FBI HQ file on Malcolm X.
54. See the *New York Times*, February 28, 1965, 2-A.
55. Ibid., February 5, 1-A.
56. Ibid.
57. Ibid., January 15, 1965, 1-A.
58. Ibid.
59. FBI HQ file on Malcolm X.

60. See the *New York Times*, February 25, 1-A; also see Lomax, *To Kill a Black Man*, 244; and see Haley, *The Autobiography of Malcolm X*, 429-430, 445-446.
61. FBI HQ file on Malcolm X; also see Haley, *The Autobiography of Malcolm X*, 431, which tells a slightly different version.
62. See the *New York Times*, February 16, 1965, 1-A.
63. Ibid., February 17, 1965, 1-A.
64. A. Peter Bailey interviews.
65. See the *New York Times*, February 17, 1965.
66. Ibid., 34-A.
67. See documentary, *Malcolm X*, by Marvin Worth; also see the *New York Times*, February 16, 1965, 18-A.
68. Norden, "The Assassination of Malcolm X," *Hustler*, 100.
69. Ibid.
70. Ibid.
71. Ibid.
72. The incident was captured on audio tape. See *Newsday*, July 23, 1989; also see Goldman, *The Death and Life of Malcolm X*, 265.
73. Haley, *The Autobiography of Malcolm X*, 428.
74. Ibid.
75. CIA file on Malcolm X.
76. FBI HQ file on Malcolm X.
77. CIA file on Malcolm X.
78. See the *New York Times*, February 16, 1965.
79. FBI HQ file on Malcolm X; also see Goldman, *The Death and Life of Malcolm X*, 314, 432.
80. Affidavit of Talmadge Hayer, *People of the State of New York v. Muhammad Abdul Aziz.*
81. Haley, *The Autobiography of Malcolm X*, 430-431.
82. A. Peter Bailey interviews.
83. Ibid.
84. See the *New York Times*, February 22, 1965, 1-A.
85. Parks, *Voices in the Mirror*, 234-235.
86. Norden, "The Assassination of Malcolm X," *Hustler*, 105.
87. Ali, *The Greatest*, 191-192.
88. Percy Sutton interview, but see Haley, *The Autobiography of Malcolm X*, 441.
89. Parks, *Voices in the Mirror*, 235.
90. Ibid.
91. CIA file on Malcolm X.
92. See the *Washington Post*, March 3, 1965, E-2.
93. Ibid.
94. FBI HQ file on Malcolm X.
95. Ibid.
96. Carson, Clayborne. *Malcolm X: The FBI File*, 435-439.
97. *Louis Farrakhan Speaks on the Murder of Malcolm X* (Video), Malcolm X College, February 21, 1990.
98. Affidavit of Talmadge Hayer, *People of the State of New York v. Muhammad Abdul Aziz.*

CHAPTER TWENTY: WHEN THE REVOLUTION COMES

1. *Muhammad Speaks*, February 26, 1965.
2. The *Washington Post*, February 29, 1980.
3. See Haley, *The Autobiography of Malcolm X*, 453.
4. The *Washington Star*, February 27, 1965, 1-A.
5. Ibid.; see also Public Information file on the Nation of Islam.
6. The *Washington Star*, February 27, 1965, 1-A.
7. Ibid.
8. Ibid.; Wallace Muhammad, as the FBI HQ file on Malcolm X corroborates, had discussed his father's infidelity with Malcolm X as early as February 1963, shortly after he was released from prison on draft evasion charges. Malcolm X gave his cousin, Hakim Jamal, a copy of a tape made by Wallace in which he outlined his father's moral transgressions. See Jamal, *From the Dead Level*, 233.
9. Ibid.
10. See the *New York Times*, February 27, 1965, 1-A; see also FBI HQ file on Malcolm X.
11. The *New York Times*, February 27, 1965, 1-A.
12. FBI HQ file on Malcolm X.
13. Ibid.
14. Extensive text from Rowan's speech was picked up by United Press International (UPI). Excerpts from the speech are reprinted in the FBI HQ file on Malcolm X.
15. Ibid.
16. The *New York Times*, February 26, 1965, 15-A.
17. Ibid.
18. Ibid., February 25, 1965, 18-A.
19. Garrow, *Bearing the Cross*, 393.
20. See King, Coretta Scott, *My Life With Martin Luther King, Jr.*, 258.
21. FBI HQ file on Martin Luther King Jr.; see also Garrow, *Bearing the Cross*, 372-374.
22. Ibid.
23. Groden, *High Treason*, 333; see also Sullivan, The Bureau, 191-193; For Sullivan's role as head of COINTELPRO, also see Ungar, *FBI*, 300-305; and see Hougan, *Secret Agenda*, 132, regarding FBI's destruction of "sensitive" intelligence files.
24. Ibid.
25. FBI HQ file on Malcolm X.
26. Carson, *Malcolm X: As They Knew Him*, 29-30.
27. Bergman, "Who Killed Malcolm X," *Seven Days*, April 7, 1978, 14.
28. Goldman, *The Death and Life of Malcolm X*, 240.
29. See the *New York Times*, March 13, 1965, 2-A.
30. Ibid, January 2, 1965, 6-A.
31. See the *New York Times*, March 13, 1965, 2-A.
32. See the *Washington Post*, January 16, 1965, 1-A; see also the *New York Times*, January 16, 1965, 1-A.
33. See the *Washington Post*, January 17, 1965.
34. Ibid.

35. The *New York Times*, January 16, 1965, 1-A.
36. Ibid.
37 Ibid.
38. Ibid.
39. Ibid.
40. The *Washington Post*, February 26, 1965.
41. Prados, John, *President' Secret Wars*, pp. 273; see also Rooney, David *Kwame Nkrumah* pp. 166.
42. *Muhammad Speaks*, March 4, 1965, 9.
43. FBI HQ file on Leon 4X Ameer.
44. Ibid.
45. Ibid.
46. While a number of new suspects were taken in for questioning about Malcolm X's murder, only three men were ever formally charged and tried for the homicide.
47. FBI HQ file on Malcolm X; FBI HQ file on Leon 4X Ameer.
48. The *New York Times*, September 20, 1973.
49. Ibid., Septemer 5, 1973.
50. *Ebony*, November 1980, p 11.
51. See the *Washington Post*, October 18, 1966.
52. See the *Washington Post*, March 19, 1968, A-3.
53. Turner, William W. and Christian, Jonn G. *The Assassination of Robert F. Kennedy*.
54. *Ebony*, November 1980, pg 112.
55. The *New York Times*, June 14, 1969, 30a.
56. Ibid.
57. Jackson, George. *Soledad Brother: The Prison Letters of George Jackson.*
58. Evanzz, *Black Film Review*, Winter, 1987-88, 16-19.
59. The *Washington Post*, August 1, 1970; the *New York Times*, August 1, 1970, 23.
60. FBI file on Hubert Muhammad.
61. Public information file on Farrakhan.
62. The *New York Times*, January 31, 1973, 10.
63. See the *Washington Post*, February 26, 1974, C-1.
64. Sansing, John. "You Killed My Babies and Shot My Women," *Washingtonian*; and *Washington Post*, January 19, 1973, 1; *New York Times*, January 20, 1973, 62.
65. Ibid.
66. Ibid.
67. Ibid.
68. See the *Washington Post*, July 1, 1965.
69. See the *Washington Post*, March 16, 1965 and March 17, 1965; see also Jones, Louis: *The Louis Armstrong Story*, 31-33. Armstrong later changed his mind about moving to Ghana.

BIBLIOGRAPHY

Adams, James. *Secret Armies: Inside the American, Soviet and European Special Forces*. New York: Atlantic Monthly Press, 1988.

Agee, Philip. *Inside the Company: CIA Diary*. New York: Bantam Books, 1975.

——— *On The Run*. New Jersey: Lyle Stuart Inc., 1987.

Agee, Philip, and Wolf, Louis. *Dirty Work: The CIA in Western Europe*. New York: Dorset Press, 1978.

Ali, Muhammad. *The Greatest*. New York: Random House, 1975.

Ali, Yusuf Abdullah, trans. *The Holy Koran*. New York: McGregor & Werner, Inc., 1946.

Alleged Assassination Plots Involving Foreign Leaders. New York: W.W. Norton Inc., 1976.

Angelou, Maya. *The Heart of a Woman*. New York: Random House, 1981.

Arendt, Hannah. *Imperialism: Part Two of the Origins of Totalitarianism*. New York: A Harvest Book, 1966.

Bagdikian, Ben H. *The Media Monopoly*. Boston: Beacon Press, 1984.

Baigent, Michael, Richard Leigh, and Henry Lincoln. *Holy Blood, Holy Grail*. New York: Delacourt Press, 1982.

Baigent, Michael, et. al., *The Messianic Legacy*. New York: Dell, 1986.

Baldwin, James. *The Price of the Ticket: Collected Nonfiction, 1948-1985*. New York: St. Martin's/Marek, 1985.

Barron, John. *KGB: The Secret Works of Soviet Secret Agents*. New York: Bantam Books, 1074.

Bergman, Peter M., and Bergman, Mort N. *The Chronological History of the Negro in America*. New York: Mentor Books, 1969.

Bernstein, Barton J. and Allen J. Matusow. *The Truman Administration: A Documentary History*. New York: Harper & Row Publishers, 1966.

Bishop, Jim. *The Days of Martin Luther King*. New York: G.P. Putnam's Sons, 1971.

Blackstock, Nelson. *COINTELPRO: The FBI's Secret War On Political Freedom*. New York: Vintage Books, 1976.

Blavatsky, H.P., *The Secret Doctrine, Vol. II*. Pasadena, California: Theosophical University Press, 1974.

Bledowska, Celina and Bloch, Jonathan. *KGB/CIA: Intelligence and Counter-Intelligence Operations*. Greenwich, Connecticut: Brompton Books, 1987.

Bontemps, Arna and Jack Conroy. *They Seek a City*. New York: Hill and Wang, 1966.

Booker, Simeon. *Black Man's America*. New York: Prentice Hall, 1964.

Bouscaren, Anthony T. *Tshombe*. New York: Twin Circle Publishing Company, Inc., 1967.

Braden, Charles Samuel. *They Also Believe: A Study of Modern American Cults and Minority Religious Movements*. New York: The MacMillian Company, 1949.

Brands, H.W. *Inside the Cold War: Loy Henderson and the Rise of the American Empire, 1918-1961*. New York: Oxford University Press, 1991.

Breasted, James Henry. *Egypt: A Journey Through the Land of the Pharaohs*. New York: Camera/Graphic Press Ltd., 1978.

Breitman, George, ed. *The Last Year of Malcolm X*. New York: Shocken Books, 1967.

————. *Malcolm X: By Any Means Necessary*. New York: Pathfinder Press Inc., 1970.

————. *Leon Trotsky on Black Nationalism and Self Determination*. New York: Pathfinder Press, 1978.

Breitman, George, et. al. *The Assassination of Malcolm X*. New York: Pathfinder Press, Inc., 1968.

Brown, Jim. *Out of Bounds*. New York: Zebra Books, 1989.

Budge, E.A. Wallis, ed. *The Book of the Dead*. New York: Bell Publishing Company, 1960.

Buitrago, Ann M. and Immerman, Leon A. *Are You Now Or Have You Ever Been in the FBI Files?; How to Secure and Interpret Your FBI Files*. New York: Grove Press, 1981.

Burke, Joan Martin. *Civil Rights: A CBS News Reference Book, 2nd Ed*. New York: R.R. Bowker Company, 1974.

Carson, Clayborne, gen. ed. *The Eyes on the Prize Civil Rights Reader*. New York: Penguin Books, 1991.

————. *Malcolm X: The FBI File*. New York: Carroll & Graf Publishers Inc., 1991.

————. *Malcolm X, As They Knew Him*. New York: Carroll & Graf Publishers Inc., 1992.

Chaney, Lindsay & Cieply, Michael. *The Hearsts: Family & Empire—The Later Years*. New York: Simon & Schuster, 1981.

Chapman, Abraham. *Black Voices*. New York: New American Library, 1968.

Chapman, Gil and Chapman, Ann. *Who's Listening Now? An Expose of the Wiretapping and Bugging Scandals Sweeping the Country*. San Diego, California: Publishers Export Co., Inc., 1967.

Cirot, J.E. *A Dictionary of Symbols*. New York: Philosophical Library, Inc., 1962.

Clark, John Henrik. *Malcolm X: The Man and His Times*. New York:

Cleaver, Eldridge. *Soul on Ice*. New York: Dell Publishing Co. Inc., 1968.

Clifford Clark, with Richard Holbrook. *Counsel to the President: A Memoir*. New York: Random House, 1991.

Collier, James Lincoln. *Louis Armstrong: An American Genius*. Oxford: Oxford University Press, 1983.

Collier, Peter and Horowitz, David. *The Fords: An American Epic*. New York: Summit Books, 1987.

Colodny, Len and Gettlin, Robert. *Silent Coup: The Removal of a President*. New York: St. Martin's Press, 1991.

Colvin, Ian. *The Rise and Fall of Moise Tshombe*. London: Leslie Frewin Publishers Ltd., 1968.

Comay, Joan and Brownrigg, Ronald. *Who's Who in the Bible*. New York: Bonanza Books, 1980.

Cone, James H. *Malcolm & Martin & America: A Dream or a Nightmare*. Maryknoll, New York: Orbis Books, 1991.

Cookridge, E.H. *Gehlen: Spy of the Century*. New York: Pyramid Books, 1971.

Cooper, J.C. *An Illustrated Encyclopaedia of Traditional Symbols*. London: Thames and Hudson, 1978.

Copeland, Miles. *Beyond Cloak and Dagger: Inside the CIA*. New York: Pinnacle Books, 1974.

Corson, William R. *The Armies of Ignorance: The Rise of the American Intelligence Empire*. New York: The Dial Press/James Wade Books, 1977.

Cruz-Smith, Martin. *Gorky Park*. New York: Bantam Books, 1981.

Cushmeer, Bernard. *This Is the One: Messenger Elijah Muhammad*. Phoenix: Truth Publications, 1970.

Damore, Leo. *Senatorial Privilege: The Chappaquiddick Cover Up*. Washington, D.C.: Regnery Gateway, 1988.

David, Lester and David, Irene. *Bobby Kennedy: The Making of a Folk Hero*. New York: Dodd, Mead & Company, 1986.

Davis, John H. *Mafia Kingfish: Carlos Marcello and the Assassination of John F. Kennedy*. New York: Signet, 1989.

Davis, Deborah. *Katherine the Great: Katherine Graham and The Washington Post*. Washington, D.C.: National Press, 1987.

Dawood, N.J., ed. *The Koran* (English translation). New York: Penguin Books, 1974.

Demaris, Ovid. *The Director: An Oral Biography of J. Edgar Hoover*. New York: Harper's Magazine Press, 1975.

DeGramont, Sanche. *The Secret War: The Story of International Espionage Since World War II.* New York: G.P. Putnam's Sons, 1962.

DeToledano, Ralph. *R.F.K.: The Man Who Would Be President.* New York: G.P. Putnam's Sons, 1967.

Dimont, Max I. *Jews, God and History.* New York: New American Library, 1962.

Donner, Frank J. *The Age of Surveillance: The Aims and Methods of America's Political Intelligence System.* New York: Vintage Books, 1980.

Donovan, Robert J. *Tumultous Years: The Presidency of Harry S Truman, 1949-1953.* New York: W.W. Norton, 1982.

Draper, Theodore. *The Rediscovery of Black Nationalism.* New York: The Viking Press Inc., 1970.

Duberman, Martin Bauml. *Paul Robeson: A Biography.* New York: Alfred A. Knopf Inc., 1989.

Dulles, Allen. *The Craft of Intelligence.* New York: Harper & Row, Publishers, 1963.

Effendi, Shoghi, trans. *Gleanings From the Writings of Baha'u'llah.* Wilmette, Ill: Baha'i Publishing Trust, 1939.

Eissen-Udom. *Black Nationalism.* Chicago: University of Chicago Press, 1962.

Epps, Archie, editor. *Malcolm X: Speeches of Malcolm X at Harvard.* New York: William Morrow, 1968.

Epstein, Edward Jay. *Legend: The Secret World of Lee Harvey Oswald.* New York: Bantam Books, 1978.

————. *Deception: The Invible War Between the KGB and the CIA.* New York: Simon and Schuster, 1989.

Fanon, Frantz. *The Wretched of the Earth.* New York: Grove Press, 1968.

Farmer, James. *Lay Bare the Heart: An Autobiography of the Civil Rights Movement.*

Fensterwald, Bernard Jr. *Coincidence or Conspiracy?* New York: Zebra Books, 1977.

Fishel, Leslie H. Jr., and Quarles, Benjamin. *The Negro American: A Documentary History.* Glenview, Illinois: Scott, Foresman and Company, 1967.

Fitzgerald, Frances. *Fire In the Lake*. New York: The Atlantic Monthly Press, 1972.

Flood, Charles Bracelen. *Hitler: The Path to Power*. Boston: Houghton Mifflin Company, 1989.

Fox, Stephen. *Blood and Power: Organized Crime in Twentieth Century America*. New York: William Morrow and Company Inc., 1989.

Frank, Gerald. *An American Death*. Garden City, New York: Doubleday, 1972.

Frasier, Howard. *Uncloaking the CIA*. New York: The Free Press, 1978.

Galbraith, John Kenneth. *Ambassador's Journal: A Personal Account of the Kennedy Years*. Boston: Houghton Mifflin Company, 1969.

Gayle, Addison. *Richard Wright: Ordeal of a Native Son*. New York. Anchor Press/Doubleday, 1980.

Garrison, Jim. *On the Trail of the Assassins*. New York: Warner Books, 1988.

Garrow, David J. *Bearing the Cross*. New York: William Morrow and Company. 1986.

———. *The FBI and Martin Luther King Jr.: From Solo to Memphis*. New York: W.W. Norton & Company, 1981.

Garwood, Darrell. *Undercover: Thirty-Five Years of CIA Deception*. New York: Grove Press, 1985.

Gentry, Curt. *J. Edgar Hoover: The Man and His Secrets*. New York: W.W. Norton & Company, 1991.

Giancana, Sam and Giancana, Chuck. *Double Cross: The Explosive Inside Story of the Mobster Who Controlled America*. New York: Warner Books, 1992.

Goldman, Peter. *The Death and Life of Malcolm X*. New York: Harper & Row, 1973.

Graham, Lloyd M. *Deceptions and Myths of the Bible*. New York: Citadel Press, 1975.

Grant, Joanne. *Black Protest: History, Documents and Analyses*. Conn. Fawcett Publications Inc., 1968.

Graves, Robert. *New Larousse Encyclopedia of Mythology*. New York: Crescent Books, 1968.

Groden, Robert J. and Livingstone, Harrison E. *High Treason: The*

Assassination of President Kennedy and the New Evidence of Conspiracy. New York: Berkley Books, 1991.

Halberstam, David. *The Best and the Brightest*. New York:

Halperin, Morton H., et. al. *The Lawless State: The Crimes of the U.S. Intelligence Agencies*. New York: Penguin Books, 1976.

Hamilton, Charles V. *Adam Clayton Powell Jr.: The Political Biography of an American Dilemma*. New York: Atheneum, 1991.

————. *The Black Experience in American Politics*. New York: G.P. Putnam's Sons, 1973.

Hammer, Richard. *The Vatican Connection*. New York: Holt, Rinehart and Winston, 1982.

Hauser, Thomas. *Muhammad Ali: His Life and Times*. New York: Simon & Schuster, 1991.

Haley, Aley, and Malcolm X. *The Autobiography of Malcolm X*. New York: Grove Press, 1965.

Haykal, Muhammad Husayn. *The Life of Muhammad*. New York: North American Trust Publications, 1976.

Hempstone, Smith. *Rebels, Mercenaries, and Dividends: The Katanga Story*. New York: Frederick A. Praeger Books, 1962.

Herman, Edgar S. and Chomsky, Noam. *Manufacturing Consent: The Political Economy of the Mass Media*. New York: Pantheon Books, 1988.

Hoopes, Townsend. *The Devil and John Foster Dulles*. Atlantic Monthly Press, 1973.

Hoover, J. Edgar. *Masters of Deceit*. New York: Henry Holt and Company, 1958.

————. *A Study of Communism*. New York: Holt, Rinehart and Winston, Inc., 1962.

Hougan, Jim. *Secret Agenda: Watergate, Deep Throat and the CIA*. New York: Random House, 1984.

Hougan, Jim. *Spooks*. New York. Bantam, 1978.

Hunt, E. Howard. *Undercover: Memoirs of An American Secret Agent*. New York: G.P. Putnam's Sons, 1974.

Huyen, N.Khac. *Vision Accomplished? The Enigma of Ho Chi Minh*. New York: Collier Books, 1971.

Jackson, George. *Soledad Brother: The Prison Letters of George Jackson*. New York: Bantam Books, 1970.

Jacobus, Melancthon W., et al. *A New Standard Bible Dictionary*. New York: Funk & Wagnalls Company, 1926.

Jamal, Hakim A. *From the Dead Level*. New York: Random House, 1971.

Johnson, Loch K. *America's Secret Power: The CIA in a Democratic Society*. London: Oxford University Press Inc., 1989.

Johnson, Walter, editor. *The Papers of Adlai E. Stevenson, Volume VII*. Boston: Little, Brown and Company, 1977.

Jones, Max and John Chilton. *Louis: The Louis Armstrong Story 1900-1971*. London: Da Capo Press, 1988.

Kane, Joseph Nathan. *Facts About Presidents: A Compilation of Biographical and Historical Information (Fifth Edition)*. New York: The H.W. Wilson Company, 1989.

Kantor, Seth. *Who Was Jack Ruby?* New York: Everest House, 1978.

Kelley, Kitty. *His Way: The Unauthorized Biography of Frank Sinatra*. New York: Bantam Books, 1986.

Khan, Muhammad Zafrulla. *Deliverance From the Cross*. London: Alden Press, 1978.

King, Coretta Scott. *My Life with Martin Luther King Jr*. New York: Holt, Rinehart and Winston, 1969.

Klingaman, William K. *1941: Our Lives in a World on the Edge*. New York: Harper & Row, 1988.

Knight, Stephen. *The Brotherhood: The Secret World of the Freemasons*. New York: Dorset Press, 1986.

Kodansha, Ltd. *Kodansha Encyclopedia of Japan*. New York: Harper & Row, Publishers, 1983.

Kolatch, Alfred J. *Complete Dictionary of English and Hebrew First Names*. Middle Village, New York: Jonathan David Publishers Inc., 1984.

Lacouture, Jean. *Nasser: A Biography*. New York: Alfred A. Knopf, 1973.

Lane, Mark. *Rush to Judgment*. New York: Thunder's Mouth Press, 1992.

————. *Plausible Denial: Was the CIA Involved in the Assassination of JFK?* New York: Thunder's Mouth Press, 1991.

Lasky, Victor. *The Ugly Russian.* New York: Trident Press, 1965.

Lawler, Mary. *Marcus Garvey: Black Nationalist Leader.* Los Angeles: Melrose Square Publishing Company, 1988.

Lederer, William J. and Burdick, Eugene. *The Ugly American.* New York: W.W. Norton & Co. Inc., 1958.

Legum, Colin. *Congo Disaster.* Baltimore: Penguin Books Inc., 1961.

Liddy, G. Gordon. Will: *The Autobiography of G. Gordon Liddy.* New York: St. Martin's Press, 1980.

Lifton, David S. *The Best Evidence: Disguise and Deception in the Assassination of John F. Kennedy.* New York: Carroll & Graf Publishers Inc., 1988.

Lincoln, Eric C. *The Black Muslims in America.* Boston: Beacon Press, 1961.

Lomax, Louis E. *The Negro Revolt.* New York: Signet Books, 1962.

————. *When the Word Is Given.* Los Angeles: Holloway House, 1963.

————. *To Kill a Black Man.* Los Angeles: Holloway House, 1968.

Machiavelli. *The Prince.* New York: New American Library, 1952.

Marchetti, Victor and Marks, John D. *The CIA and the Cult of Intelligence.* New York: Dell, 1974.

Marks, John. *The Search for the "Manchurian Candidate."* New York: McGraw-Hill Book Company, 1980.

Marsh, Clifton E. *From Black Muslims to Muslims: The Transition from Separatism to Islam, 1930-1980.* New Jersey: Scarecrow Press, Inc., 1984.

Martin, Tony. *Marcus Garvey, Hero: A First Biography.* Dover, Massachusetts: The Majority Press, 1983.

Mboya, Tom. *The Challenges of Nationhood.* New York: Praeger Publishers, 1970.

McDonald, Forrest. *Novus Ordo Seclorum: The Intellectual Origins of the Constitution.* Lawrence, Kansas: University Press of Kansas, 1985.

Mellon, James, ed. *Bullwhip Days: The Slaves Remember; An Oral History.* New York: Weidenfeld & Nicholson, 1988.

Miller, Nathan. *Spying For America: The Hidden History of U.S. Intelligence*. New York: Paragon House, 1989.

Mitgang, Herbert. *Dangerous Dossiers: Exposing the Secret War Against America's Greatest Authors*. New York: Donald I. Fine Inc., 1988.

Moldea, Dan E. *The Hoffa Wars: Teamsters, Rebels, Politicians and the Mob*. New York. Paddington Press Ltd., 1978.

————. *Ronald Reagan, the Mob, and MCA*. New York: Viking, 1986.

Mosley, Leonard. *Dulles: A Biography of Eleanor, Allen and John Foster Dulles and Their Family Network*. New York: The Dial Press/James Wade, 1978.

Muhammad, Elijah. *Message to the Black Man in America*. Chicago: Muhammad's Temple No. 2, 1965.

————. *Our Savior Has Arrived*. Chicago: Muhammad's Temple of Islam No. 2, 1974.

————. *Supreme Wisdom: Solution to the So-Called Negroes' Problem, Vols. 1 & 2*. Chicago: University of Islam, 1934.

Muhammad, Wallace D. *As the Light Shineth From the East*. Chicago: WDM Publishing Company, 1980.

Muhammad, Wallace D. Fard. *Secret Ritual of the Nation of Islam*. Detroit: Wallace D. Fard Muhammad, 1931.

Mustafaa, Ayesha K. *Wallace Muhammad*. Chicago: Zakat Publications, 1988.

Navasky, Victor S. *Naming Names*. New York: Viking, 1980.

Nevins, Allan and Hill, Frank Ernest. *Ford: Expansion and Challenge, 1915-1933*. New York: Charles Scribner's Sons, 1957.

New York Times. *Report of the National Advisory Commission on Civil Disorders*. New York: Bantam Books Inc., 1968.

Nixon, Richard. *Six Crises*. New York: Doubleday & Company Inc., 1962.

Nkrumah, Kwame. *Africa Must Unite*. New York: New World Paperbacks, 1963.

————. *The Struggle Continues*. London: Panaf Books, 1973.

Nutting, Anthony. *Nasser*. New York: E.P. Dutton & Sons, 1972.

O'Reilly, Kenneth. *"Racial Matters": The FBI's Secret File on Black America, 1960-1972*. New York: Free Press, 1989.

O'Toole, G.J.A. *Honorable Treachery: A History of U.S. Intelligence, Espionage, and Covert Action From the American Revolution to the CIA*. New York: A Morgan Entrekin Book, 1991.

Parks, Gordon. *Voices in the Mirror: An Autobiography*. New York. Doubleday, 1990.

Patrice Lumumba. London: Panaf Books Limited, 1978.

Patterson, William L., editor. *We Charge Genocide*. New York: International Publishers Co. Inc., 1970.

Perry, Bruce, ed. *Malcolm X: The Last Speeches*. New York: Pathfinder Press, 1989.

Perry, Bruce. *Malcolm: The Life of a Man Who Changed Black America*. New York: Station Hill, 1991.

Persico, Joseph E. *Casey: From the OSS to the CIA*. New York: Viking, 1990.

Phillips, David Atlee. *The Night Watch*. New York: Ballantine Books, 1977.

Ploski, Harry A. and Kaiser, Ernest, ed. *The Negro Almanac*. New York: The Bellwether Co., 1971.

Pool, Suzanne and James. *Who Financed Hitler?: The Secret Funding of Hitler's Rise to Power*. New York:

Powers, Richard Gid. *Secrecy and Power: The Life of J. Edgar Hoover*.

Powers, Thomas. *The Man Who Kept the Secrets: Richard Helms and the CIA*. New York: Alfred A. Knopf, 1979.

Prados, John. *Presidents' Secret Wars: CIA and Pentagon Covert Operations From World War II Through Iranscam*. New York: William Morrow, 1986.

Prange, Gordon W. *At Dawn We Slept: The Untold Story of Pearl Harbor*. New York: McGraw-Hill, 1981.

Raddatz, Fritz J. *Karl Marx: A Political Biography*. Boston: Little, Brown and Company, 1978.

Reeves, Thomas C. *The Life and Times of Joe McCarthy: A Biography*. New York: Stein and Day, 1982.

Reischauer, Edwin O. *Japan: Past and Present (3rd ed.)*. New York: Alfred A. Knopf, 1964.

Richards, David. *Played Out: The Jean Seberg Story*. New York: Random House, 1981.

Rodriguez, Felix I and Weisman, John. *Shadow Warrior: The CIA Hero of a Hundred Unknown Battles*. New York: Simon and Schuster, 1989.

Rooney, David. *Kwame Nkrumah: The Political Kingdom in the Third World*. New York: St. Martin's Press, 1988.

Rowan, Carl T. *Breaking Barriers: A Memoir*. New York: Little, Brown & Company, 1991.

Scaduto, Anthony. *Scapegoat: The Lonesome Death of Bruno Richard Hauptmann*. New York: G.P. Putnam's Sons, 1976.

Schatz, Walter, ed. *Directory of Afro-American Resources*. New York: R.R. Bowker Company, 1970.

Scheim, David E. *Contract on America*. New York. Zebra Books, 1988.

Schlesinger, Arthur M. Jr. *Robert Kennedy And His Times*. Boston: Houghton Mifflin Company, 1978.

Schoenbaum, Thomas J. *Waging Peace & War: Dean Rusk in the Truman, Kennedy and Johnson Years*. New York: Simon and Schuster, 1988.

Shorter, Bani. *Nehru: A Voice for Mankind*. New York: The John Day Company, 1970.

Sklar, Dusty. *The Nazis and the Occult*. New York: Dorset Press, 1989.

Smead, Howard. *Blood Justice*. England: Oxford University Press, 1986.

Smith, R. Harris. *OSS: The Secret History of America's First Central Intelligence Agency*. Berkeley: University of California Press, 1972.

Snow, Edgar. *The Long Revolution*. New York: Random House, 1972.

Stafford, David. *Camp X*. New York: Dodd, Mead & Co., 1987.

Stebbens, Richard P., ed. *Documents on American Foreign Relations, 1960*. New York: Harper & Brothers, 1961.

Stone, Chuck. *Black Political Power in America*. New York: A Delta Book, 1970.

Stone, I.F. *The Hidden History of the Korean War, 1950-1951*. Boston: Little, Brown and Company, 1988.

Sullivan, William with Bill Brown. *The Bureau: My Thirty Years in Hoover's FBI*. New York: W.W. Norton & Company, 1979.

———. *Conspiracy*. New York: McGraw-Hill Book Co., 1980.

Summers, Anthony. *Goddess: The Secret Lives of Marilyn Monroe.* New York: New American Library, 1985

Swanson, Earl H., et al. *The Ancient Americas.* New York: Peter Bedrick Books, 1989.

Szulc, Tad. *Fidel: A Critical Portrait.* New York: William Morrow and Co., Inc., 1986.

Talbott, Strobe, ed. *Khrushchev Remembers.* Boston: Little, Brown and Co., 1970.

Teresa, Vincent, with Thomas C. Renner. *My Life in the Mafia.* New York: Doubleday & Company Inc., 1973.

Theoharis, Athan G. and Cox, John S. *The Boss: J. Edgar Hoover and the Great American Inquisition.* Philadelphia: Temple University Press, 1988.

Toland, John. *Adolf Hitler.* New York: Doubleday & Company, Inc., 1976.

Tompkins, Peter. *The Magic of Obelisks.* New York: Harper & Row, Publishers, 1981.

Tshombe, Moise. *My Fifteen Months in Government.* Plano, Texas: University of Plano, 1967.

Tully, Andrew. *Inside the FBI.* New York: McGraw Hill, 1980.

————. *The Super Spies.* New York: William Morrow & Co., 1969.

Turner, William W. and Christian, Jonn G. *The Assassination of Robert F. Kennedy.* New York: Random House, 1978.

Ungar, Sanford J. *FBI.* Boston: Little, Brown & Co., 1975.

United States Department of State. *The Biographic Register (1959, 1963, and 1977).*

Urquhart, Brian. *Hammarskjold.* New York: Alfred A. Knopf, 1973.

Volkman, Ernest and Baggett, Blaine. *Secret Intelligence: The Inside Story of America's Espionage Empire.* New York: Berkley, 1991.

Von Hoffmann, Nicholas. *Citizen Cohn: The Life and Times of Roy Cohn.* New York: Doubleday, 1988.

Wade, Wyn Craig. *The Fiery Cross: The Ku Klux Klan in America.* New York: Simon & Schuster, 1987.

Wallace, Mike, and Gates, Gary P. *Close Encounters: Mike Wallace's Own Story.* New York: William Morrow and Co., 1984.

Warren, Robert Penn. *Who Speaks for the Negro?* New York: Vintage Books, 1965.

Weisbrot, Robert. *Father Divine*. New York: Beacon Press, 1984.

Whitehead, Don. *The FBI Story*. New York: Random House, 1956.

Williams, Chancellor. *The Destruction of Black Civilization*. Chicago: Third World Press, 1974.

Wise, David. *The American Police State: The Government Against the People*. New York: Vintage Books, 1976.

Wise, David and Ross, Thomas B. *The Invisible Government*. New York: Random House, 1964.

————. *The Espionage Establishment*. New York: Random House, 1967.

Wolfenstein, Victor. *The Victims of Democracy: Malcolm X and the Black Revolution*. Los Angeles: University of California Press, 1981.

FEDERAL GOVERNMENT:
Freedom of Information Act Releases

I. CENTRAL INTELLIGENCE AGENCY (CIA)
(key names and organizations cited in files released on ***Malcom X*** *and* ***Martin Luther King, Jr.****)*

Fidel Castro
Hakim Abdullah Jamal
Martin Luther King, Jr.
Louis E. Lomax
Akbar Muhammad
Clara Muhammad
Elijah Muhammad
Herbert Muhammad
Malcolm X

Nation of Islam

II. FEDERAL BUREAU OF INVESTIGATION (FBI)
(listed by FBI numerical file number)

62-293	Noble Drew Ali
62-25889	Noble Drew Ali
62-102926	Louis E. Lomax
65-562	Satahota Takahashi (aka Naka Nakane)
72-1495	Slater Hunter King
100-3-116	Communist Party USA, Negro Question
100-5549	Allah Temple of Islam
100-8420	Moorish Science Temple of America
100-12304	Paul Robeson
100-25356	Wallace D. Fard (aka Wallace Dodd Ford)
100-35635	Nation of Islam, Internal Security
100-36506	Clara Muhammad
100-51230	Adam Clayton Powell, Jr.
100-106670	Martin Luther King, Jr.
100-146553	James Baldwin
100-161140	Nation of Islam (NOI), New York file
100-399321	Malcolm X (aka Malcolm Little)
100-430081	Leon 4X Ameer
100-442529	Communist Influence in Racial Matters
100-444622	Hakim Abdullah Jamal
100-448006	COINTELPRO: Nation of Islam
100-448066	COINTELPRO: Black Nationalist-Hate Groups
100-469601	Elijah Muhammad (consolidated file)
105-24822	Elijah Poole (aka Em-Noi)
105-32140	Leon 4X Ameer
157-515	Chauncey Eskridge
157-2209	Nation of Islam, Chicago file
157-13876	Jean Seberg

III. FBI: PUBLIC SOURCE MATERIAL RELEASES
(file data gathered from media)

John Ali
Muhammad Ali
Abdul Aziz
Norman 3X Butler
Ella Collins
Chauncey Eskridge

Wallace D. Fard
Louis Farrakhan
Talmadge X Hayer
Hakim Abdullah Jamal
Jean Seberg
Thomas 15X Johnson
Hamaas Abdul Khaalis
Martin Luther King, Jr.
Slater Hunter King
Balm Leavell
William R. Ming, Jr.
Akbar Muhammad
Clara Muhammad
Elijah Muhammad
Herbert Muhammad
Wallace D. Muhammad
Abass Rassoul
Betty Shabazz
Raymond Sharrieff
Satahota Takahashi
Robert Williams
Malcolm X

INDEX